【電子版のご案内】

■タブレット・スマートフォン（iPhone, iPad, Android）向け電子書籍閲覧アプリ「南江堂テキストビューア」より，本書の電子版をご利用いただけます．

シリアル番号：　　　**新しい疾患薬理学**
　　　　　　　　　　改訂第2版　第2刷

■シリアル番号は南江堂テキストビューア専用サイト（下記URL）よりログインのうえ，ご登録ください．（アプリからは登録できません．）

https://e-viewer.nankodo.co.jp

※初回ご利用時は会員登録が必要です．登録用サイトよりお手続きください．
　詳しい手順は同サイトの「ヘルプ」をご参照ください．

■シリアル番号ご登録後，アプリにて本電子版がご利用いただけます．

■注意事項
- シリアル番号登録・本電子版のダウンロードに伴う通信費などはご自身でご負担ください．
- 本電子版の利用は購入者本人に限定いたします．図書館・図書施設など複数人の利用を前提とした利用はできません．
- 本電子版は，1つのシリアル番号に対し，1ユーザー・1端末の提供となります．一度登録されたシリアル番号は再登録できません．権利者以外が登録した場合，権利者は登録できなくなります．
- シリアル番号を他人に提供または転売すること，またはこれらに類似する行為を禁止しております．
- 南江堂テキストビューアは事前予告なくサービスを終了することがあります．

■本件についてのお問い合わせは南江堂ホームページよりお寄せください．

［新しい疾患薬理学　改訂第2版　第2刷］

JN139184

新しい疾患薬理学

改訂第2版

編集　岩崎 克典　福岡大学薬学部教授
　　　徳山 尚吾　神戸学院大学薬学部教授

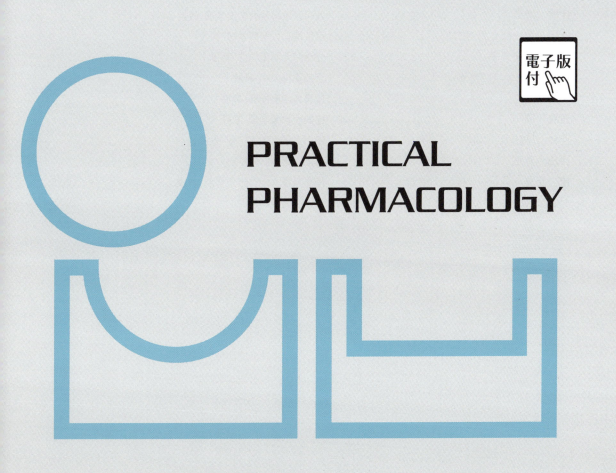

PRACTICAL PHARMACOLOGY

電子版付

南江堂

編 集

岩崎　克典	いわさき　かつのり	福岡大学薬学部 教授
徳山　尚吾	とくやま　しょうご	神戸学院大学薬学部 教授

執 筆（執筆順）

桂林　秀太郎	かつらばやし　しゅうたろう	福岡大学薬学部 教授
西奥　剛	にしおく　つよし	長崎国際大学薬学部 教授
山口　拓	やまぐち　たく	長崎国際大学薬学部 教授
岩崎　克典	いわさき　かつのり	福岡大学薬学部 教授
徳山　尚吾	とくやま　しょうご	神戸学院大学薬学部 教授
見尾　光庸	みお　みつのぶ	就実大学薬学部 教授
原（野上）　愛	はら（のがみ）　あい	就実大学薬学部 講師
小山　豊	こやま　ゆたか	神戸薬科大学 教授
清水　俊一	しみず　しゅんいち	帝京平成大学薬学部 教授
武藤　純平	むとう　じゅんぺい	山口東京理科大学薬学部 准教授
比佐　博彰	ひさ　ひろあき	九州医療科学大学薬学部 教授
礒濱　洋一郎	いそはま　よういちろう	東京理科大学薬学部 教授
天ヶ瀬　紀久子	あまがせ　きくこ	立命館大学薬学部 教授
加藤　伸一	かとう　しんいち	京都薬科大学 教授
末丸　克矢	すえまる　かつや	就実大学薬学部 教授
三島　健一	みしま　けんいち	福岡大学薬学部 教授
西村　基弘	にしむら　もとひろ	安田女子大学薬学部 教授
西田　升三	にしだ　しょうぞう	近畿大学 名誉教授
椿　正寛	つばき　まさのぶ	徳島文理大学香川薬学部 教授

改訂第2版の序文

　薬理学は，薬物が生体機能に対してどのように作用するか，その機序を追究する学問である．医学の発展とともに疾患の発症原因は，疾患に関わる臓器・組織から受容体レベル，さらには分子機序まで解明されてきている．また，疾患に関わる遺伝子が次々と明らかにされ，個々の患者に対応する個別化医療すなわちテーラーメイド医療と呼ばれる次世代型の治療も現実味を帯びてきている．このような最新医療のなかで，薬理学は，薬物の生体内での作用機序を追究するのみではなく，病気を知って病気を治す，すなわち疾患の発症原因・機序を十分に理解したうえで薬物がどのように働いて治療につながるかを理解する学問でなければならない．次世代型の発展的医療のなかで，臨床で役立つ薬理学としての疾患薬理学が必要とされることは間違いないであろう．

　本書は，薬学教育モデル・コアカリキュラム（平成25年度改訂版）に準じ，平成30年に初版を刊行した．薬物を実際の臨床で適用される診療科ごとに分類し解説したのが，これまでの教科書にはない特徴である．今回の改訂第2版では，新しい治療戦略を加味して最先端の薬物治療に役立つ内容にアップデートした．疾患薬理学としての診療科ごとの分類は継続し，それぞれの疾患に対する薬物の化学構造，作用機序から副作用まで解説した．とくに新しい治療戦略に関しては新薬情報を含めて解説した．また，それぞれの疾患の患者像を考えて使用薬物の薬理作用を理解できるように，薬理学のなかに病態生理学的な解説を織り込み，さらに代表的な商品名，薬理作用，副作用の一覧表も挿入している．

　本書の特徴として，最先端の新薬情報の解説がある．毎年認可される新薬は数多く，一般の薬理学の教科書では対応しきれないのが現状であった．本書では基本的な薬物から最新の新薬までをとりあげ，その薬理作用や臨床応用を詳細に解説した．さらに改訂第2版では新たに電子版を付加することによりさまざまな場面でタブレットなどを介して本書を閲覧できるようになった．新薬の薬理作用ならびにその特徴は，発刊後も電子版ならびに南江堂本書ホームページで毎年補填する．

　本書は，先端医療のなかで薬物治療の基礎となる薬物の薬理作用を，臨床現場でも即応できるように解説し，薬理学を学ぶ薬学生，医学生のみならず臨床現場で薬剤師，医師その他の医療従事者にも座右の書として十分に機能するように考慮して編纂した．この1冊が，医療に役立つ薬理学の教科書として広く活用されることを期待している．

2022年11月

岩崎克典，德山尚吾

《ご案内》
2024年以降，本書販売期間中は**新薬情報**（まとめ表）を毎年春に南江堂ホームページ内 https://www.nankodo.co.jp/g/g9784524404063/（「新しい疾患薬理学 改訂第2版」書籍詳細ページ）の「サポート情報」にてアップデートいたします．

㈱南江堂

当該ページQRコード

初版の序文

　薬理学は，薬物が疾患に対してどのように作用するか，その機序を中心に追及する学問である．疾患は生体機能の乱れによって起こるとの考えから，生理機能の正常化を目指してさまざまな薬物が開発され，薬物が作用するターゲットも疾患にかかわる臓器・組織から受容体レベルまで解明されてきた．さらには疾患の遺伝子レベルまで考慮する分子薬理学と呼ばれる分野も登場した．薬物を使わない治療はほとんどない現代の医療のなかで，薬理学の果たす役割は計り知れないところとなった．

　最新医療では，疾患の分子標的まで解明され，患者それぞれの個人差まで考慮したうえでの治療，すなわちテーラーメイド薬物治療も現実味を帯びてきている．薬物の有効性もこれまでの基本的な化学構造や作用メカニズムだけでは十分に解説できなくなり，その分子機序さらには症状との関わりまで明らかにすることが求められるようになった．そこで，本書では，そのような要求に応えるべく基本的な薬理作用はもちろんのこと，常に疾患とその治療に結びつく薬理作用を中心に解説することにした．新しい疾患薬理学という本書の名称は疾患を理解して最新の薬物治療を行うという立場に立った薬理学として名付けたものである．

　本書の構成は薬学教育モデルコアカリキュラム（平成25年度改訂版）に準じ，薬物を実際の臨床で適用される診療科ごとに分類して，それぞれの疾患に対する薬物の化学構造，作用機序から副作用まで解説している．疾患を理解するために，疾患ごとに病態生理と代表的な商品名，薬理作用ならびに副作用についての一覧表を挿入した．

　本書のもう1つの特徴に最先端の新薬情報の解説がある．毎年認可される新薬は数多く，一般の薬理学の教科書では対応しきれないのが現状であった．本書では基本的な薬物から最新の新薬までを取り上げ，その薬理作用や臨床応用を詳細に解説している．新薬の薬理作用ならびにその特徴は，発刊後も南江堂ホームページで毎年補填を行う予定である．

　本書は先端医療のなかで薬物治療の基礎となる薬物の薬理作用を，臨床現場でも即応できるように解説し，薬学生のみならず，薬剤師ならびに医師の座右の書となることを目標に編集した．この1冊が，医療に役立つ薬理学の教科書として活用されることを期待している．

2018年1月10日

岩崎克典，徳山尚吾

目 次

1章 総論：薬理学を学ぶための基礎 ... 1

1 薬の作用様式と作用機序 ...... 桂林秀太郎 2
1 薬の作用 ... 2
  a 興奮作用と抑制作用 ... 2
  b 直接作用と間接作用 ... 2
  c 局所作用と全身作用 ... 2
  d 選択的作用と非選択的作用 ... 2
  e 速効作用と遅効作用 ... 3
  f 一過性作用と持続性作用 ... 3
  g 中枢作用と末梢作用 ... 3
  h 主作用と副作用 ... 3
2 薬の用量と作用の関係 ... 4
  a 用量-反応曲線 ... 4
  b 有効量，中毒量，致死量 ... 4
  c 治療係数 ... 6
3 アゴニストとアンタゴニスト ... 6
  a 薬物の作用点 ... 6
  b アゴニスト ... 7
  c アンタゴニスト ... 8
  d 余剰受容体 ... 10

2 生理活性物質と生休内情報伝達 ... 11
1 細胞の興奮 ... 11
  a 拡散電位 ... 11
  b 平衡電位 ... 12
  c 静止膜電位 ... 12
  d 活動電位 ... 12
2 シグナル伝達 ... 13
3 薬が作用するイオンチャネル ... 16
4 薬が作用する受容体 ... 19
  a 細胞膜受容体 ... 19
  b 細胞内受容体と核内受容体 ... 26
5 薬が作用する酵素 ... 27
6 薬が作用するイオンポンプとトランスポーター ... 29
  a イオンポンプ ... 29
  b イオントランスポーター ... 30
  c その他のトランスポーター ... 32
7 薬の投与方法 ... 32
8 薬の体内動態と薬効発現の関わり ... 34
  a 薬物動態 ... 34
  b テーラーメイド薬物療法 ... 36
9 薬物相互作用 ... 37
10 耐性と薬物依存性 ... 38
  a 耐性 ... 38
  b 薬物耐性(薬剤抵抗性，薬剤耐性) ... 38
  c 薬物依存 ... 39

3 自律神経系の機能と作用薬 ...... 西奥 剛 40
1 神経系の構成 ... 40
2 自律神経系 ... 40
  a 自律神経系の機能的意義 ... 40
  b 自律神経系の構造 ... 41
  c 自律神経系の神経伝達物質と受容体 ... 42
  d カテコールアミン ... 42
3 アドレナリン作用薬 ... 46
  a 直接型アドレナリン受容体刺激薬 ... 46
  b 間接型アドレナリン受容体刺激薬 ... 54
  コラム▶シャイ・ドレーガー症候群 ... 54
  c 混合型アドレナリン受容体刺激薬 ... 55
4 抗アドレナリン作用薬 ... 56
  a アドレナリンα受容体遮断薬 ... 56
  b アドレナリンβ受容体遮断薬 ... 58
  コラム▶内因性交感神経刺激作用(ISA) ... 58
  コラム▶脂溶性 ... 58
  c アドレナリンαβ受容体遮断薬 ... 60
  d 小胞モノアミントランスポーター(VMAT)阻害薬 ... 60
  コラム▶除神経性過感受性 ... 61
5 コリン作動性神経系に作用する薬物 ... 61
  a ムスカリン受容体刺激薬 ... 61
  b ニコチン受容体刺激薬 ... 65
  c 間接型コリン刺激薬(コリンエステラーゼ阻害薬) ... 67
  コラム▶重症筋無力症 ... 70
  コラム▶エドロホニウム試験 ... 70
  コラム▶コリン性クリーゼ ... 70
  コラム▶有機リン剤中毒 ... 71
  d 抗コリン薬：ムスカリン受容体遮断薬 ... 71
6 神経節遮断薬 ... 72

4 体性神経系の機能と作用薬 ... 74
1 神経筋接合部の構造と興奮伝達 ... 74
2 神経筋接合部遮断薬(末梢性筋弛緩薬) ... 75
  a 競合性遮断薬(非脱分極性遮断薬) ... 75

b　脱分極性遮断薬·················· 76
　　c　ボツリヌス毒素·················· 77
　　　コラム▶悪性高熱症·················· 77
　　d　直接骨格筋弛緩薬·················· 78
　3　局所麻酔薬·························· 78

　　a　局所麻酔薬の作用機序·············· 79
　　b　局所麻酔薬の投与法················ 80
　　c　局所麻酔薬の分類·················· 81
　　d　局所麻酔薬と血管収縮薬············ 82
　表　末梢性筋弛緩薬······················ 84

2章　神経系の疾患と治療薬　　85

A　精神科・神経内科領域の疾患に用いる薬物──85

1　統合失調症·················· 山口 拓 86
■病態生理·························· 86
　1　統合失調症の病態生理················ 86
　2　統合失調症の発症に関する仮説········ 86
　3　統合失調症の症状···················· 87
　4　動物を用いた薬効評価モデル·········· 88
■薬　理···························· 88
　1　統合失調症治療薬(抗精神病薬)········ 88
　2　定型抗精神病薬······················ 89
　　a　ドパミンD_2受容体遮断薬·········· 89
　3　非定型抗精神病薬···················· 90
　　a　セロトニン・ドパミン拮抗薬(SDA)···· 90
　　　コラム▶長時間作用型(持効性)抗精神病薬······ 91
　　b　多次元受容体標的化抗精神病薬(MARTA)
　　　　······························· 92
　　　コラム▶治療抵抗性抗精神病薬クロザピンの
　　　　使用制限·························· 93
　　c　ドパミンD_2受容体部分刺激薬······ 94
　4　留意すべき副作用···················· 95
　表　統合失調症治療薬···················· 97

2　うつ病・双極性障害(躁うつ病)······ 98
■病態生理·························· 98
　1　うつ病・双極性障害の病態生理········ 98
　　a　うつ病··························· 98
　　b　双極性障害(躁うつ病)············· 98
　2　うつ病・双極性障害の発症に関する仮説··· 98
　3　うつ病・双極性障害の症状············ 100
　　a　うつ状態························· 100
　　b　躁状態··························· 100
　4　動物を用いた薬効評価モデル：うつ病の
　　　動物モデル························ 101
　　　コラム▶うつ病・双極性障害のうつ状態に
　　　　対する非薬物療法················· 101
■薬　理··························· 102
　1　うつ病治療薬······················· 102
　　a　三環系抗うつ薬(TCA)·············· 102
　　b　四環系抗うつ薬··················· 103

　　c　選択的セロトニン再取り込み阻害薬(SSRI)
　　　　······························· 103
　　d　セロトニン・ノルアドレナリン再取り込み
　　　　阻害薬(SNRI)····················· 105
　　e　ノルアドレナリン作動性・特異的セロトニン
　　　　作動性抗うつ薬(NaSSA)··········· 106
　　f　その他の抗うつ薬················· 107
　　　コラム▶BDNFと抗うつ薬作用発現における
　　　　神経新生仮説····················· 108
　2　双極性障害(躁うつ病)治療薬········· 108
　　a　気分安定薬······················· 108
　　b　気分安定薬(抗てんかん薬)········· 109
　　c　統合失調症治療薬(非定型抗精神病薬)····· 110
　　　コラム▶うつ病と双極性障害の症状比較···· 110
　3　留意すべき副作用··················· 110
　表　抗うつ薬・抗躁薬··················· 112

3　不　眠　症························ 114
■病態生理·························· 114
　1　不眠症の病態生理··················· 114
　　a　概日リズムと睡眠・覚醒の生理····· 114
　　b　睡眠・覚醒に関与する脳内分子とその
　　　　制御機構························ 115
　　c　不眠症··························· 115
　2　不眠症の症状······················· 116
　　　コラム▶身体疾患に伴う不眠············· 116
■薬　理··························· 117
　1　$GABA_A$受容体と睡眠薬············· 117
　　　コラム▶ベンゾジアゼピン受容体と$GABA_A$
　　　　受容体ベンゾジアゼピン結合部位···· 118
　2　不眠症治療薬······················· 118
　　a　バルビツール酸系睡眠薬··········· 118
　　b　ベンゾジアゼピン系睡眠薬········· 119
　　c　非ベンゾジアゼピン系睡眠薬······· 121
　　d　メラトニン受容体刺激薬··········· 122
　　e　オレキシン受容体遮断薬··········· 123
　　　コラム▶ナルコレプシーとその薬物療法··· 124
　　f　その他の睡眠薬··················· 124

3　留意すべき副作用 …………………………… 124
　　表　睡眠薬 ……………………………………… 126

4　不安障害・神経症 …………………………… 127
■病態生理 ……………………………………… 127
　1　不安障害・神経症の病態生理 ……………… 127
　2　不安障害・神経症の発症に関する仮説 …… 127
　3　不安障害・神経症の症状と分類 …………… 128
　4　動物を用いた薬効評価モデル ……………… 129
　　　コラム▶心身症とその薬物療法 …………… 130
■薬　理 ………………………………………… 131
　1　不安障害・神経症治療薬 …………………… 131
　　a　ベンゾジアゼピン系抗不安薬 …………… 131
　　b　チエノジアゼピン系抗不安薬 …………… 133
　　c　セロトニン 5-HT$_{1A}$ 受容体部分刺激薬 … 133
　　d　選択的セロトニン再取り込み阻害薬（SSRI）
　　　　………………………………………………… 134
　　e　その他の抗不安薬 ………………………… 135
　2　留意すべき副作用 …………………………… 136
　　表　抗不安薬 …………………………………… 136

5　注意欠如・多動症（AD/HD） ……………… 137
■病態生理 ……………………………………… 137
■薬　理 ………………………………………… 137
　1　AD/HD 治療薬 ……………………………… 137
　　a　中枢神経刺激薬 …………………………… 137
　　b　選択的ノルアドレナリン再取り込み阻害薬
　　　　………………………………………………… 138
　　c　選択的ノルアドレナリン α$_{2A}$ 受容体刺激薬
　　　　………………………………………………… 138
　　表　注意欠如・多動症（AD/HD）治療薬 …… 139

6　脳血管疾患 …………………… 岩崎克典　140
■病態生理 ……………………………………… 140
　1　脳血管疾患の病態 …………………………… 140
　2　脳血管疾患の症状 …………………………… 141
　　a　一過性脳虚血発作（TIA） ………………… 141
　　b　脳梗塞 ……………………………………… 141
　　c　くも膜下出血（SAH） ……………………… 141
■薬　理 ………………………………………… 141
　1　急性期の治療 ………………………………… 141
　　a　血栓溶解薬 ………………………………… 141
　　b　抗血小板薬 ………………………………… 142
　　c　抗凝固薬 …………………………………… 142
　　d　脳保護薬 …………………………………… 142
　　　コラム▶ペナンブラ ………………………… 143
　　e　脳浮腫治療薬 ……………………………… 143
　　f　くも膜下出血治療薬 ……………………… 143

　2　慢性期の治療 ………………………………… 144
　　a　脳循環改善薬 ……………………………… 144
　　b　脳エネルギー代謝改善薬 ………………… 145
　3　脳血管性認知症治療薬 ……………………… 147
　　表　脳血管疾患治療薬 ………………………… 147

7　認知症 ………………………………………… 149
■病態生理 ……………………………………… 149
　1　認知症の病態 ………………………………… 149
　　a　アルツハイマー病（AD）／
　　　　アルツハイマー型認知症（DAT） ……… 149
　　b　レビー小体型認知症（DLB） ……………… 150
　　c　脳血管性認知症（CVD） …………………… 151
　2　認知症の症状 ………………………………… 151
　　a　中核症状 …………………………………… 151
　　b　行動・心理症状（BPSD） ………………… 151
　3　認知症の動物モデル ………………………… 151
■薬　理 ………………………………………… 153
　1　認知症治療薬 ………………………………… 153
　　a　コリンエステラーゼ阻害薬 ……………… 153
　　b　NMDA 受容体遮断薬 …………………… 154
　2　行動・心理症状（BPSD）の治療薬 ………… 155
　　a　幻覚・妄想，焦燥性興奮の治療薬 ……… 155
　　b　不眠，不安症状の治療薬 ………………… 156
　　c　抑うつの治療薬 …………………………… 156
　　表　認知症治療薬 ……………………………… 157

8　パーキンソン病 ……………………………… 159
■病態生理 ……………………………………… 159
　1　パーキンソン病の病態 ……………………… 159
　2　パーキンソン病の発症に関する仮説 ……… 159
　3　パーキンソン病の症状 ……………………… 159
　　a　振戦 ………………………………………… 159
　　b　筋強剛 ……………………………………… 159
　　c　無動 ………………………………………… 160
　　d　姿勢反射障害 ……………………………… 160
　　e　その他の症状 ……………………………… 160
■薬　理 ………………………………………… 160
　1　パーキンソン病治療薬 ……………………… 160
　　a　ドパミン補充薬 …………………………… 160
　　b　ドパミン受容体刺激薬 …………………… 161
　　　コラム▶レストレスレッグス症候群（RLS） … 163
　　c　モノアミンオキシダーゼ（MAO）阻害薬 … 163
　　d　カテコール-O-メチルトランスフェラーゼ
　　　　（COMT）阻害薬 …………………………… 164
　　e　中枢性抗コリン薬 ………………………… 165
　　f　ドパミン遊離促進薬 ……………………… 167
　　g　ノルアドレナリン前駆物質 ……………… 168
　　h　アデノシン A$_{2A}$ 受容体遮断薬 ………… 168

i	レボドパ賦活薬	169
2	留意すべき副作用	169
表	パーキンソン病治療薬	170

9 てんかん・中枢性骨格筋弛緩薬 … 172
■病態生理 … 172
1 てんかんの病態 … 172
   a てんかんの国際分類 … 172
2 てんかんの動物モデル … 174
■薬　理 … 175
1 抗てんかん薬 … 175
   a 部分発作に有効な薬物 … 175
   b 全般発作に有効な薬物 … 178
   c 抗てんかん補助薬(新世代抗てんかん薬)… 180
   d 重症てんかん発作に用いる薬物 … 182
     コラム▶乳児期からみられる重症てんかん… 183
     コラム▶点頭てんかん治療薬ビガバトリンの
       使用制限 … 184
  表 抗てんかん薬 … 184
2 中枢性骨格筋弛緩薬 … 186
  表 中枢性骨格筋弛緩薬 … 187

B　麻酔科領域で用いられる薬物 — 徳山尚吾　188

1 全身麻酔薬 … 189
1-1 全身麻酔薬 … 189
■全身麻酔の概要 … 189
1 全身麻酔 … 189
2 麻酔深度 … 189
3 全身麻酔薬の作用部位 … 190
   a 不規則的下降性麻痺 … 190
   b 規則的下降性麻痺 … 190
■全身麻酔薬および麻酔補助薬 … 190
1 吸入麻酔薬 … 190
   a 揮発性麻酔薬 … 190
   b ガス性麻酔薬 … 191
2 静脈麻酔薬 … 191
   a バルビツール酸系薬 … 191
   b ベンゾジアゼピン系薬 … 191
   c フェンサイクリジン系薬 … 192
   d ブチロフェノン系薬 … 192
   e その他の静脈麻酔薬 … 192
3 麻酔補助薬(麻酔前投薬) … 192
1-2 催眠薬 … 193
■薬　理 … 193
   a ベンゾジアゼピン系薬 … 193
   b 非ベンゾジアゼピン系薬 … 194
   c バルビツール酸系薬 … 194
   d その他の催眠薬 … 194
  表 全身麻酔薬 … 195
  表 催眠薬 … 196

2 鎮痛薬 … 197
2-1 麻薬性鎮痛薬 … 197
1 鎮痛薬とは … 197
2 痛みの受容と痛覚伝導路 … 197
3 下行性疼痛抑制 … 198
4 内因性オピオイドペプチドとその受容体 … 199
5 麻薬性鎮痛薬 … 199
   a 麻薬 … 199
   b 非麻薬 … 201
2-2 解熱性鎮痛薬 … 201
   a サリチル酸系薬 … 201
   b 非ピリン系薬 … 201
   c ピリン系薬 … 202
  表 麻薬性鎮痛薬 … 202
  表 解熱性鎮痛薬 … 202

3 片頭痛 … 203
■病態生理 … 203
1 片頭痛の病態 … 203
2 片頭痛の発症に関する仮説 … 203
3 片頭痛の症状 … 203
■薬　理 … 203
1 片頭痛治療薬 … 203
   a トリプタン系薬 … 203
   b エルゴタミン製剤 … 205
   c カルシウム拮抗薬 … 205
   d カルシトニン遺伝子関連ペプチド(CGRP)
     拮抗薬 … 205
   e カルシトニン遺伝子関連ペプチド(CGRP)
     受容体拮抗薬 … 205
  表 片頭痛治療薬 … 206

4 中枢興奮薬 … 207
4-1 中枢興奮薬 … 207
■薬　理 … 207
   a 覚醒アミン … 207
   b コカイン類 … 208
   c キサンチン誘導体 … 208
   d 呼吸興奮薬(蘇生薬) … 208
4-2 薬物依存症 … 208
■病態生理 … 208
1 薬物依存とは … 208
2 薬物依存の症状 … 209
■治　療 … 210

4-3 アルコール依存症	210	2 アルコール依存の症状	210
■病態生理	210	■治　療	211
1 アルコール依存とは	210	表 中枢興奮薬	212

3章 免疫・炎症・アレルギーおよび骨・関節の疾患と治療薬　見尾光庸・原(野上)愛　213

1 炎症性疾患	214	■薬　理	238
■病態生理	214	1 免疫抑制薬	238
1 基本的事項	214	a 代謝拮抗薬(プリン代謝拮抗薬)	238
2 急性炎症と慢性炎症	214	b その他の代謝拮抗薬	240
3 炎症の4大症状	214	c アルキル化薬	240
4 炎症の発症機序と経過	214	d リンパ球増殖抑制薬	241
■薬　理	215	e 細胞増殖シグナル阻害薬	241
1 抗炎症薬(ステロイド性および非ステロイド性)	215	f カルシニューリン阻害薬	241
a 抗炎症薬を使用する目的	215	g ヤヌスキナーゼ(JAK)阻害薬	243
b ステロイド性抗炎症薬	215	h 生物学的製剤	245
コラム▶パルス療法	217	i その他の免疫系に作用する薬物	248
c 非ステロイド性抗炎症薬(NSAIDs)	218	j 疾患修飾性抗リウマチ薬(DMARDs)	249
d NSAIDsの化学構造上の分類	220	k 免疫学的機序の関与する希少疾病に用いられる生物学的製剤	250
e その他の抗炎症薬	224	コラム▶希少疾病用医薬品	251
表 抗炎症薬	225	*3-1* 全身性エリテマトーデス	251
		■病態生理	251
2 アレルギー疾患	227	■薬　理	252
■病態生理	227	*3-2* 関節リウマチ(RA)	252
a アレルギーとアラキドン酸代謝系	228	■病態生理	252
1 気管支喘息	228	■薬　理	253
2 アレルギー性鼻炎	229	*3-3* 臓器特異的自己免疫疾患	253
3 アトピー性皮膚炎	229	1 多発性硬化症(MS)と治療薬	253
■薬　理	229	2 特発性血小板減少性紫斑病(ITP)と治療薬	254
1 アレルギー疾患治療薬	229	*3-4* 乾　癬	254
a 化学伝達物質(ケミカルメディエーター)遊離抑制薬	229	■病態生理	254
b 第一世代ヒスタミンH_1受容体遮断薬	230	■薬　理	255
c 第二世代ヒスタミンH_1受容体遮断薬	231	a 外用療法	255
d トロンボキサンA_2合成阻害薬	232	b 内服薬	255
e トロンボキサンA_2受容体遮断薬	233	c 生物学的製剤	256
f プロスタグランジンD_2・トロンボキサンA_2受容体遮断薬	233	表 自己免疫疾患治療薬	257
g ロイコトリエン受容体遮断薬	233	*4* 骨・関節疾患	261
h Th2サイトカイン阻害薬	234	*4-1* 骨粗鬆症	261
i 免疫抑制薬	234	■病態生理	261
j アナフィラキシーショックに対する治療薬	235	■薬　理	261
k 減感作療法	235	1 主にカルシウム代謝調節を介して作用する骨粗鬆症治療薬	261
表 抗アレルギー薬	236	a カルシウム薬	261
3 自己免疫疾患	238	b 活性型ビタミンD_3製剤	262
■病態生理	238		

目次

２ 骨吸収を抑制することを目的とする
　骨粗鬆症治療薬 ································ 262
　　a ビスホスホネート(BP)薬 ················ 262
　　b エストロゲン製剤 ·························· 263
　　c 選択的エストロゲン受容体モジュレーター
　　　 (SERM) ······································· 264
　　d フラボノイド製剤 ·························· 264
　　e カルシトニン製剤 ·························· 264
　　f 抗 RANKL モノクローナル抗体 ········ 265
３ 骨芽細胞による骨形成を促進させる
　骨粗鬆症治療薬 ································ 265
　　a 副甲状腺ホルモン薬 ······················ 265
　　b ビタミン K 製剤 ···························· 265

４ その他の骨粗鬆症治療薬 ·················· 266
　　a タンパク質同化ステロイド ············ 266
　　b カルシウム受容体作動薬 ··············· 266
　　c 抗スクレロスチン抗体 ··················· 266
4-2 変形性関節症(OA) ························· 267
　■病態生理 ··· 267
　■薬　理 ··· 268
　表　骨粗鬆症治療薬 ······························· 268
　表　変形性関節症治療薬 ······················· 270

5 臓器移植 ··· 270
　１ 臓器移植に用いられる免疫抑制薬 ···· 270

4章 循環器系・血液系・造血器系の疾患と治療薬　271

A 循環器内科領域の疾患に用いる薬物 ——— 小山　豊 271

1 不整脈および関連疾患 ························ 272
　■病態生理 ··· 272
　１ 不整脈の分類 ···································· 272
　　a 頻脈性不整脈 ································ 272
　　b 徐脈性不整脈 ································ 272
　　c その他の不整脈 ···························· 272
　２ 不整脈の発生機序 ···························· 274
　　a 興奮発生の異常 ···························· 274
　　b 興奮伝導の異常 ···························· 275
　３ 不整脈の治療 ···································· 275
　■薬　理 ··· 276
　１ 抗不整脈薬 ·· 276
　　a Ⅰ群抗不整脈薬 ····························· 276
　　b Ⅱ群抗不整脈薬 ····························· 280
　　c Ⅲ群抗不整脈薬 ····························· 282
　　d Ⅳ群抗不整脈薬 ····························· 283
　　e その他の抗不整脈薬 ····················· 284
　表　抗不整脈薬 ······································ 284

2 急性および慢性心不全 ························ 286
　■病態生理 ··· 286
　１ 心不全の分類 ···································· 286
　２ 心不全の原因 ···································· 287
　■薬　理 ··· 287
　１ 強心薬 ·· 287
　　a 強心配糖体 ··································· 287
　　b β受容体刺激薬 ······························ 289
　　c ホスホジエステラーゼ阻害薬 ········ 290
　　d その他の強心薬 ···························· 291
　２ 心負担を軽減する薬物 ····················· 292

　　a 利尿薬 ·· 292
　　b 硝酸薬 ·· 292
　　c アンギオテンシン拮抗薬 ··············· 292
　　d β受容体遮断薬 ······························ 292
　　e アンギオテンシン受容体ネプリライシン
　　　 阻害薬 ·· 293
　３ その他の心不全治療薬 ····················· 293
　表　心不全治療薬 ·································· 294

3 虚血性心疾患(狭心症, 心筋梗塞) ······ 297
　■病態生理 ··· 297
　１ 狭心症 ·· 297
　２ 心筋梗塞 ·· 298
　■薬　理 ··· 298
　１ 狭心症治療薬 ···································· 298
　　a 酸素供給を増加させる薬物 ··········· 299
　　b 酸素需要を減少させる薬物 ··········· 301
　２ 心筋梗塞治療薬 ································ 302
　　a 初期治療時 ··································· 302
　　b 再灌流治療時 ································ 302
　表　狭心症治療薬 ·································· 303
　表　心筋梗塞治療薬 ······························· 303

4 高血圧症 ··· 304
　■病態生理 ··· 304
　１ 血圧の調節機構 ································ 304
　２ 高血圧症の分類 ································ 305
　■薬　理 ··· 306
　１ 高血圧症治療薬 ································ 306
　　a カルシウム拮抗薬 ························· 306

b　アンジオテンシン変換酵素(ACE)阻害薬… 309
　　c　アンジオテンシンⅡ受容体遮断薬(ARB)… 311
　　d　レニン阻害薬 313
　　e　降圧利尿薬 313
　　f　β受容体遮断薬 314
　　g　α₁受容体遮断薬 316
　　h　α₁β受容体遮断薬 317
　　i　中枢性交感神経抑制薬 317
　　j　その他の高血圧症治療薬 317
　表　高血圧症治療薬 318

5　その他の循環器系疾患 322

　5-1　低血圧症 322
　　■病態生理 322
　　■薬　理 322
　5-2　末梢動脈疾患(PAD) 323
　　■病態生理 323
　　■薬　理 323
　5-3　肺動脈性肺高血圧症(PAH) 325
　　■病態生理 325
　　■薬　理 325
　表　低血圧症治療薬 327
　表　末梢動脈疾患治療薬 327
　表　肺動脈性肺高血圧症治療薬 328

B　血液・造血器内科領域の疾患に用いる薬物　　　清水俊一　329

1　血液・造血器障害 330
　■病態生理 330
　l　止血および血栓溶解機構 330
1-1　止　血　薬 331
　■薬　理 331
　　a　血液凝固促進薬 331
　　b　血管強化薬 332
　　c　抗線溶薬(抗プラスミン薬) 332
　　d　タンパク質分解酵素薬 333
1-2　抗血栓薬 333
　■薬　理 333
　　a　抗血小板薬 333
　　b　抗凝固薬 337
1-3　血栓溶解薬 340
　■薬　理 340
1-4　貧　血 340
　■病態生理 340
　■薬　理 341
　　a　鉄欠乏性貧血治療薬 341

　　b　巨赤芽球性貧血治療薬 341
　　c　再生不良性貧血治療薬 342
　　d　自己免疫性溶血性貧血治療薬 342
　　e　腎性貧血治療薬 342
　　f　鉄芽球性貧血治療薬 343
1-5　播種性血管内凝固症候群(DIC) 343
1-6　血　友　病 344
　■病態生理 344
　■薬　理 344
1-7　血栓性血小板減少性紫斑病(TTP) 345
1-8　白血球減少症 345
1-9　血栓塞栓症 346
　表　止血薬 347
　表　抗血小板薬 347
　表　抗凝固薬 348
　表　血栓溶解薬 349
　表　貧血治療薬 349
　表　血友病治療薬 350
　表　白血球減少症治療薬 350

5章　泌尿器系・生殖器系の疾患と治療薬　　　武藤純平・比佐博彰　351

A　泌尿器内科領域の疾患に用いる薬物　　　351

1　利　尿　薬 352
　　a　チアジド系利尿薬 352
　　b　チアジド系類似薬 354
　　c　ループ利尿薬 354
　　d　カリウム保持性利尿薬-Na⁺チャネル
　　　　遮断薬 355
　　e　カリウム保持性利尿薬-アルドステロン
　　　　拮抗薬 356
　　f　炭酸脱水素酵素阻害薬 356
　　g　浸透圧性利尿薬 357

　　h　その他の利尿薬 358
　表　利尿薬 359

2　腎　疾　患 360
　2-1　急性腎不全(ARF) 360
　　■病態生理 360
　　1　急性腎不全の病態 360
　　2　急性腎不全の診断 360
　　3　急性腎不全の症状 360
　　■薬　理 361

2-2 慢性腎不全（CRF） ... 361
■病態生理 ... 361
1 慢性腎不全の病態 ... 361
2 慢性腎不全の診断 ... 362
3 慢性腎不全の症状 ... 362
■薬　理 ... 362

2-3 ネフローゼ症候群 ... 363
■病態生理 ... 363
1 ネフローゼ症候群の病態 ... 363
2 ネフローゼ症候群の診断 ... 363
3 ネフローゼ症候群の症状 ... 363
■薬　理 ... 363
表　急性腎不全治療薬 ... 364
表　慢性腎不全治療薬 ... 365
表　ネフローゼ症候群治療薬 ... 366

3 過活動膀胱および低活動膀胱 ... 367
3-1 過活動膀胱 ... 367
■病態生理 ... 367
1 蓄尿と排尿の機序 ... 367
2 過活動膀胱の病態 ... 368
3 過活動膀胱の症状・診断 ... 368
■薬　理 ... 368
　a　抗コリン薬 ... 368
　b　アドレナリンβ_3受容体刺激薬 ... 369

3-2 低活動膀胱 ... 370
■病態生理 ... 370
■薬　理 ... 370
表　過活動膀胱治療薬 ... 371
表　低活動膀胱治療薬 ... 371

4 その他の泌尿器系疾患 ... 372
4-1 慢性腎臓病（CKD） ... 372
4-2 尿路結石 ... 372
表　慢性腎臓病治療薬 ... 372

B　生殖器科領域の疾患に用いる薬物 ... 373

1 前立腺肥大症 ... 374
■病態生理 ... 374
1 前立腺肥大症の病態 ... 374
2 前立腺肥大症の症状 ... 374
3 前立腺肥大症の診断 ... 374
■薬　理 ... 374
　a　アドレナリンα_1受容体遮断薬 ... 375
　b　ホスホジエステラーゼ5(PDE5)阻害薬 ... 375
　c　5α還元酵素阻害薬 ... 375
　d　抗アンドロゲン薬（抗男性ホルモン薬）... 376
表　前立腺肥大症治療薬 ... 376

2 産・婦人科系疾患 ... 377
2-1 子宮内膜症 ... 377
■病態・症状 ... 377
■薬　理 ... 377

2-2 子宮筋腫 ... 377
■病態・症状 ... 377
■薬　理 ... 378

2-3 妊娠・分娩・避妊に関連して用いられる薬物 ... 378
1 子宮弛緩薬 ... 378
　a　アドレナリンβ受容体刺激薬 ... 378
　b　抗コリン薬 ... 379
　c　硫酸マグネシウム ... 379
2 子宮収縮薬 ... 379
　a　プロスタグランジン（PG）製剤・誘導体 ... 379
　b　下垂体後葉ホルモン製剤 ... 379
　c　麦角アルカロイド ... 380
表　子宮弛緩薬 ... 380
表　子宮収縮薬 ... 380

6章　呼吸器系・消化器系の疾患と治療薬 ... 381

A　呼吸器内科領域の疾患に用いる薬物 ── 礒濱洋一郎　381

1 鎮咳薬，去痰薬，呼吸障害改善薬 ... 382
1-1 鎮咳薬 ... 382
1 咳反射 ... 382
2 湿性咳と乾性咳 ... 382
■薬　理 ... 383
　a　中枢性鎮咳薬 ... 383
　b　末梢性鎮咳薬 ... 385

1-2 去痰薬 ... 386
1 痰 ... 386
2 痰の組成 ... 386
■薬　理 ... 386
　a　粘液溶解型去痰薬 ... 386
　b　気道潤滑型去痰薬 ... 388
　c　粘液修復型去痰薬 ... 388

1-3 呼吸障害改善薬 ... 388
　a　呼吸興奮薬 ... 389

```
      b  麻薬拮抗薬·················390
      c  肺サーファクタント·········390
   表   鎮咳薬·······················391
   表   去痰薬·······················391
   表   呼吸障害改善薬···············392

2  気管支喘息·························393
   ■病態生理·························393
   1  気管支喘息の病態···············393
   2  気管支喘息の原因···············393
   3  気管支喘息の症状···············393
   ■薬  理···························396
   1  気管支喘息治療薬···············396
      a  吸入ステロイド薬···········396
      b  $\beta_2$刺激薬·············398
      c  キサンチン類···············399
      d  吸入抗コリン薬·············400
      e  抗アレルギー薬·············400
      f  抗ヒスタミン薬·············400
      g  抗トロンボキサン$A_2$(TXA$_2$)薬·400
      h  抗ロイコトリエン薬·········401
      i  Th2サイトカイン阻害薬·····401
      j  生物学的製剤···············401
   表   気管支喘息治療薬·············402

3  慢性閉塞性肺疾患(COPD)···········404
```

```
   ■病態生理·························404
   1  COPDとは·······················404
   2  COPDの原因·····················404
   3  COPDの病態·····················404
      a  末梢気道病変···············404
      b  肺気腫·····················405
   ■薬  理···························405
   1  COPD治療薬·····················405
      a  抗コリン薬·················405
      b  $\beta_2$刺激薬·············406
      c  吸入ステロイド薬···········406
      d  ワクチン···················406
   表   慢性閉塞性肺疾患(COPD)治療薬·406

4  間質性肺炎·························407
   ■病態生理·························407
   1  間質性肺炎(間質性肺疾患)の病態·407
   2  間質性肺炎の原因···············407
   3  間質性肺炎の症状···············407
   ■薬  理···························407
   1  間質性肺炎治療薬···············407
      a  抗線維化薬·················408
      b  抗酸化薬···················408
      c  副腎皮質ステロイド·········408
   表   間質性肺炎治療薬·············408
```

B 消化器内科領域の疾患に用いる薬物 ——天ヶ瀬紀久子・加藤伸一 409

```
1  消化性潰瘍・胃炎···················410
   ■病態生理·························410
   ■薬  理···························410
   1  攻撃因子抑制薬·················411
      a  ヒスタミン$H_2$受容体遮断薬·411
      b  ムスカリン受容体遮断薬·····412
      c  プロトンポンプ阻害薬·······413
      d  抗ガストリン薬·············414
      e  制酸薬·····················414
   2  防御因子賦活薬·················415
      a  プロスタグランジン関連薬···415
      b  内因性プロスタグランジン増加薬·415
      c  防御因子増強薬·············416
   3  抗ヘリコバクター・ピロリ薬·····417
      コラム なぜピロリ菌は胃酸のなかで生息
          できるのか·················417
   表   消化性潰瘍・胃炎治療薬·······417

2  胃食道逆流症·······················419
   ■病態生理·························419
   1  胃食道逆流症の病態·············419
```

```
   2  胃食道逆流症の症状·············419
   ■治  療···························419
      a  胃酸分泌抑制薬·············419
      b  消化管運動機能改善薬·······420
   表   胃食道逆流症治療薬···········420

3  悪心・嘔吐·························421
   ■病態生理·························421
   ■薬  理···························421
   1  催吐薬·························421
      a  中枢性催吐薬···············422
      b  末梢性催吐薬···············422
   2  制吐薬·························422
      a  中枢性鎮吐薬···············422
      b  末梢性鎮吐薬···············423
      c  5-HT$_3$受容体遮断薬········423
      d  NK1受容体遮断薬···········423
   表   悪心・嘔吐治療薬·············424

4  腸 疾 患···························425
4-1 炎症性腸疾患(潰瘍性大腸炎, クローン病)·425
```

■病態生理 ... 425
1 炎症性腸疾患の病態 ... 425
2 炎症性腸疾患の症状 ... 425
■薬 理 ... 425
4-2 機能性消化管障害(過敏性腸症候群を含む) ... 426
■病態生理 ... 426
1 機能性消化管障害の病態 ... 426
2 機能性消化管障害の症状 ... 426
■薬 理 ... 427
　a 消化管運動機能改善薬 ... 427
　b 酸分泌抑制薬 ... 427
4-3 便秘・下痢 ... 427
■病態生理 ... 427
■薬 理 ... 428
　a 瀉下薬 ... 428
　b 止瀉薬 ... 430
4-4 痔 ... 430
表 腸疾患治療薬 ... 431

5 肝・膵臓・胆道疾患 ... 433
5-1 肝疾患(肝炎,肝硬変,薬物性肝障害) ... 433
■病態生理 ... 433
1 肝疾患の病態 ... 433
　a 肝 炎 ... 433
　b 肝硬変 ... 433
　c 薬物性肝障害 ... 433
2 肝疾患の症状 ... 433

■薬 理 ... 434
　a インターフェロン製剤 ... 434
　b 抗ウイルス薬 ... 434
　c 肝庇護薬 ... 436
　d 漢方薬 ... 436
　e 肝タンパク質代謝改善薬 ... 437
　f 代償性肝硬変の合併症治療 ... 437
5-2 膵 炎 ... 437
■病態生理 ... 437
1 膵炎の病態 ... 437
　a 急性膵炎 ... 438
　b 慢性膵炎 ... 438
2 膵炎の症状 ... 438
■薬 理 ... 438
　a オピオイド系鎮痛薬 ... 438
　b 抗コリン薬 ... 438
　c タンパク質分解酵素阻害薬 ... 439
　d Oddi括約筋弛緩薬 ... 439
5-3 胆道疾患(胆石症,胆道炎) ... 439
■病態生理 ... 439
1 胆道疾患の病態 ... 439
2 胆道疾患の症状 ... 439
■薬 理 ... 440
　a 催胆薬 ... 440
　b 排胆薬 ... 440
　c 胆石溶解薬 ... 440
表 肝・膵臓・胆道疾患治療薬 ... 441

7章 代謝系・内分泌系の疾患と治療薬 ... 443

A 糖尿病・代謝系内科領域の疾患に用いる薬物 ── 末丸克矢 443

1 糖 尿 病 ... 444
■病態生理 ... 444
■薬 理 ... 444
1 インスリン分泌のしくみ ... 444
2 糖尿病治療薬 ... 445
　a インスリン製剤 ... 445
　b スルホニル尿素(SU)薬 ... 448
　c 速効型インスリン分泌促進薬 ... 448
　d α-グルコシダーゼ阻害薬 ... 449
　e ビグアナイド薬 ... 450
　f インスリン抵抗性改善薬(チアゾリジン薬) ... 451
　g インクレチン関連薬 ... 452
　h SGLT2阻害薬 ... 454
　i ミトコンドリア機能改善薬 ... 455
3 糖尿病合併症治療薬 ... 456

表 糖尿病治療薬 ... 457

2 脂質異常症 ... 459
■病態生理 ... 459
1 脂質異常症の病態 ... 459
2 脂質異常症の原因 ... 459
■薬 理 ... 460
　a スタチン(HMG-CoA還元酵素阻害薬) ... 461
　コラム ストロングスタチンとスタンダードスタチン ... 461
　b 小腸コレステロールトランスポーター阻害薬 ... 462
　c コレステロール吸収阻害薬(陰イオン交換樹脂製剤) ... 462
　d コレステロール異化促進薬 ... 463
　e フィブラート系薬 ... 463

```
          f  ニコチン酸誘導体·················· 464
          g  オメガ-3系多価不飽和脂肪酸········ 465
          h  PCSK9阻害薬······················ 465
          i  MTP阻害薬························ 466
       表  脂質異常症治療薬····················· 467

   3  高尿酸血症・痛風··························· 468
     ■病態生理······································ 468
       1  高尿酸血症・痛風の病態················ 468
```

```
       2  高尿酸血症・痛風の原因················ 468
     ■薬   理······································ 469
          a  痛風発作治療薬······················ 469
          b  尿酸生成抑制薬······················ 469
          c  尿酸排泄促進薬······················ 470
          d  尿アルカリ化薬······················ 472
          e  尿酸分解酵素薬······················ 472
       表  高尿酸血症・痛風治療薬··············· 473
```

B 内分泌内科領域の疾患に用いる薬物 ———— 徳山尚吾 474

```
1  性ホルモン関連薬···························· 475
   1  男性ホルモン関連薬······················ 475
       a  男性ホルモン(合成テストステロン)製剤··· 475
       b  タンパク質同化ステロイド············· 476
       c  抗アンドロゲン薬······················ 476
   2  女性ホルモン関連薬······················ 477
       a  卵胞ホルモン製剤····················· 477
       b  黄体ホルモン製剤····················· 478
       c  卵胞ホルモン・黄体ホルモン配合剤····· 479
   表  男性ホルモン関連薬························ 480
   表  女性ホルモン関連薬(卵胞ホルモン製剤)····· 480
   表  女性ホルモン関連薬(黄体ホルモン製剤)····· 481

2  甲状腺疾患································· 482
2-1  バセドウ病································ 482
   ■病態生理······································ 482
   1  バセドウ病の病態························ 482
   2  バセドウ病の症状························ 482
   ■薬   理······································ 483
   1  バセドウ病治療薬························ 483
       a  抗甲状腺薬···························· 483
       b  無機ヨード···························· 484
2-2  慢性甲状腺炎(橋本病)····················· 484
   ■病態生理······································ 484
   1  慢性甲状腺炎の病態······················ 484
   2  慢性甲状腺炎の症状······················ 484
   ■薬   理······································ 484
   1  慢性甲状腺炎治療薬······················ 484
       a  甲状腺ホルモン製剤··················· 484
2-3  亜急性甲状腺炎···························· 485
   ■病態生理······································ 485
   1  亜急性甲状腺炎の病態···················· 485
   2  亜急性甲状腺炎の症状···················· 485
   ■薬   理······································ 485
   1  亜急性甲状腺炎治療薬···················· 485
   表  バセドウ病治療薬·························· 486
   表  慢性甲状腺炎治療薬························ 486
```

```
3  尿崩症····································· 487
   ■病態生理······································ 487
   1  尿崩症の病態···························· 487
   2  尿崩症の症状···························· 488
   ■薬   理······································ 488
   1  尿崩症治療薬···························· 488
       a  下垂体後葉ホルモン製剤··············· 488
   表  尿崩症治療薬······························ 488

4  カルシウム代謝疾患························· 489
4-1  副甲状腺機能亢進症························ 489
   ■病態生理······································ 489
   1  副甲状腺機能亢進症の病態················ 489
   2  副甲状腺機能亢進症の症状················ 489
   ■治   療······································ 490
       a  活性型ビタミンD₃製剤················ 490
       b  リン吸着剤···························· 490
       c  カルシウム受容体作動薬··············· 490
4-2  副甲状腺機能低下症························ 490
   ■病態生理······································ 490
   1  副甲状腺機能低下症の病態················ 490
   2  副甲状腺機能低下症の症状················ 490
   ■治   療······································ 491
4-3  骨軟化症, くる病·························· 491
   ■病態生理······································ 491
   1  骨軟化症の病態·························· 491
   2  骨軟化症の症状·························· 491
   ■治   療······································ 491
4-4  悪性腫瘍に伴う高カルシウム血症············ 491
   ■病態生理······································ 491
   1  悪性腫瘍に伴う高カルシウム血症の病態··· 492
   2  悪性腫瘍に伴う高カルシウム血症の症状··· 492
   ■治   療······································ 492
   表  副甲状腺機能亢進症治療薬················· 492

5  その他の内分泌系疾患······················ 493
5-1  先端巨大症································ 493
   ■病態生理······································ 493
```

| ■治　　療 …………………………………… 493
5-2 高プロラクチン血症 ……………………… 493
| ■病態生理 …………………………………… 493
| ■治　　療 …………………………………… 494
5-3 下垂体機能低下症 ……………………… 494
| ■病態生理 …………………………………… 494
| ■治　　療 …………………………………… 494
5-4 抗利尿ホルモン不適合分泌症候群（SIADH）
　　　　 …………………………………………… 494
| ■病態生理 …………………………………… 494
| ■治　　療 …………………………………… 495
5-5 クッシング症候群 ……………………… 495

| ■病態生理 …………………………………… 495
| ■治　　療 …………………………………… 496
5-6 アルドステロン症 ……………………… 496
| ■病態生理 …………………………………… 496
| ■治　　療 …………………………………… 497
5-7 褐色細胞腫 ……………………………… 497
| ■病態生理 …………………………………… 497
| ■治　　療 …………………………………… 497
5-8 副腎不全 ………………………………… 497
| ■病態生理 …………………………………… 497
| ■治　　療 …………………………………… 498

8章　感覚器・皮膚の疾患と治療薬　　　三島健一　499

A　眼科領域の疾患に用いる薬物 …… 500

1 緑内障 ………………………………………… 500
　■病態生理 …………………………………………… 500
　　1　緑内障の病態 ………………………………… 500
　　2　緑内障の分類 ………………………………… 500
　　3　緑内障の症状 ………………………………… 500
　■薬　　理 …………………………………………… 501
　　a　房水流出促進薬 ……………………………… 501
　　b　房水産生抑制薬 ……………………………… 503
　　c　房水流出促進薬と房水産生抑制薬 ………… 504
　　表　緑内障治療薬 ………………………………… 505

2 白内障 ………………………………………… 507
　■病態生理 …………………………………………… 507

　　1　白内障の病態 ………………………………… 507
　　2　白内障の分類 ………………………………… 507
　　3　白内障の症状 ………………………………… 507
　■薬　　理 …………………………………………… 507
　　表　白内障治療薬 ………………………………… 508

3 加齢黄斑変性（AMD） ……………………… 509
　■病態生理 …………………………………………… 509
　　1　加齢黄斑変性の病態と分類 ………………… 509
　　2　加齢黄斑変性の症状 ………………………… 509
　■薬　　理 …………………………………………… 509
　　表　加齢黄斑変性治療薬 ………………………… 511

B　耳鼻咽喉科領域の疾患に用いる薬物 …… 512

1 めまい（眩暈） ……………………………… 512
　■病態生理 …………………………………………… 512
　　1　めまいの病態と分類 ………………………… 512
　　2　めまいの症状 ………………………………… 512
1-1 メニエール病 ……………………………… 513
　■病態生理 …………………………………………… 513
　　1　メニエール病の病態 ………………………… 513

　　2　メニエール病の症状 ………………………… 513
　■薬　　理 …………………………………………… 513
　　a　内リンパ水腫改善薬 ………………………… 514
　　b　末梢神経障害改善薬 ………………………… 514
　　c　自律神経症状を改善する薬物 ……………… 514
　　表　めまい治療薬 ………………………………… 515

C　皮膚科領域の疾患に用いる薬物 …… 516

1 アトピー性皮膚炎 …………………………… 516
　■病態生理 …………………………………………… 516
　　1　アトピー性皮膚炎の病態 …………………… 516
　　2　アトピー性皮膚炎の症状 …………………… 516
　■治　　療 …………………………………………… 517
　　表　アトピー性皮膚炎治療薬 …………………… 517

2 皮膚真菌症（皮膚糸状菌症，白癬） ……… 518
　■病態生理 …………………………………………… 518
　　1　白癬の病態と分類 …………………………… 518
　　2　白癬の症状 …………………………………… 518
　■治　　療 …………………………………………… 518
　　表　白癬治療薬 …………………………………… 519

| 3 褥瘡 ································· 519 | ■治　療 ······························· 520 |
| ■病態生理 ······························ 519 | 表　褥瘡治療薬 ···················· 520 |

9章　病原微生物（感染症）・悪性新生物（がん）と治療薬 ··············· 521

A　感染症内科領域の疾患に用いる薬物 ──────西村基弘　521

1　細菌感染症 ································ 522
 1　細胞壁合成阻害薬 ···················· 522
  a　β-ラクタム系抗菌薬 ············ 523
  b　グリコペプチド系抗菌薬 ······ 528
  c　その他の細胞壁合成阻害薬 ···· 529
 2　タンパク質合成阻害薬 ·············· 530
  a　テトラサイクリン系抗菌薬 ···· 530
  b　マクロライド系抗菌薬 ·········· 531
  c　アミノグリコシド系抗菌薬 ···· 532
  d　その他のタンパク質合成阻害薬 ··· 533
 3　葉酸合成系阻害薬 ···················· 534
 4　核酸合成阻害薬 ······················ 535
 5　細胞膜機能障害薬 ···················· 536
 6　抗結核薬 ································ 536
 表　細菌感染症治療薬 ·················· 538

2　ウイルス感染症 ························· 540
2-1　ヘルペスウイルス感染症 ········· 540
 ■病態生理 ································ 540
 1　単純ヘルペス ························· 540
 2　水痘・帯状疱疹 ······················ 540
 3　サイトメガロウイルス感染症 ···· 540
 ■薬　理 ································· 541
 1　単純ヘルペスおよび水痘・帯状疱疹治療薬 ··· 541
 2　サイトメガロウイルス感染症治療薬 ··· 541
2-2　インフルエンザ ······················ 542
 ■病態生理 ································ 542
 ■薬　理 ································· 543
 1　M2イオンチャネル阻害薬 ········ 543
 2　ノイラミニダーゼ阻害薬 ·········· 543
 3　キャップ依存性エンドヌクレアーゼ阻害薬 ··· 544
 4　RNAポリメラーゼ阻害薬 ········· 544
2-3　ウイルス性肝炎（HAV, HBV, HCV） ··· 545
2-4　後天性免疫不全症候群（AIDS） ··· 545
 ■病態生理 ································ 545
 ■薬　理 ································· 545
 1　核酸系逆転写酵素阻害薬（NRTI） ··· 545
 2　非核酸系逆転写酵素阻害薬（NNRTI） ··· 546
 3　プロテアーゼ阻害薬（PI） ······· 546
 4　インテグラーゼ阻害薬（INSTI） ··· 547
 5　CCR5阻害薬 ························ 547
 コラム▶新型コロナウイルス感染症 ··· 548
 表　ウイルス感染症治療薬 ············ 549

3　真菌感染症 ······························ 551
 1　細胞膜機能障害薬 ···················· 551
  a　ポリエン系抗菌薬 ················ 551
  b　アゾール系抗菌薬 ················ 552
  c　チオカルバメート系抗真菌薬 ··· 553
  d　ベンジルアミン系抗真菌薬 ···· 553
  e　アリルアミン系抗真菌薬 ······ 553
  f　モルホリン系抗真菌薬 ·········· 553
 2　細胞壁合成阻害薬 ···················· 554
  a　キャンディン系抗真菌薬 ······ 554
 3　核酸合成阻害薬 ······················ 554
 表　真菌感染症治療薬 ·················· 555

4　原虫・寄生虫感染症 ··················· 556
4-1　原虫感染症 ···························· 556
 ■病態生理 ································ 556
 1　マラリア ······························· 556
 2　トキソプラズマ症 ·················· 556
 3　トリコモナス症 ······················ 556
 4　アメーバ赤痢 ························· 557
 ■薬　理 ································· 557
 1　マラリア治療薬 ······················ 557
 2　トキソプラズマ症治療薬 ·········· 557
 3　トリコモナス症治療薬 ············· 557
 4　アメーバ赤痢治療薬 ················ 558
4-2　寄生虫感染症 ························· 558
 ■病態生理 ································ 558
 1　回虫症 ·································· 558
 2　蟯虫症 ·································· 559
 3　アニサキス症 ························· 559
 ■薬　理 ································· 559
 1　回虫症治療薬 ························· 559
 2　蟯虫症治療薬 ························· 559
 3　アニサキス症治療薬 ················ 559
 表　原虫・寄生虫感染症治療薬 ······ 560

B 腫瘍内科領域の疾患に用いる薬物 ——西田升三・椿　正寛　561

1　抗悪性腫瘍薬について 562
 a　抗悪性腫瘍薬の役割 562
 b　抗悪性腫瘍薬の分類と作用機序 562

2　抗悪性腫瘍薬各論 564
 1　アルキル化薬 564
  a　ナイトロジェンマスタード類 564
  b　ニトロソウレア類 565
  c　アルキルスルホン類 566
 2　代謝拮抗薬 566
  a　プリン代謝拮抗薬 567
  b　ピリミジン代謝拮抗薬 567
  c　シタラビン類 568
  d　葉酸代謝拮抗薬 569
  e　その他の代謝拮抗薬 569
 3　抗腫瘍抗生物質 570
  a　アントラサイクリン系薬 570
  b　その他の抗腫瘍抗生物質 571
 4　植物アルカロイド 572
  a　微小管阻害薬 572
  b　トポイソメラーゼ阻害薬 574
 5　抗腫瘍ホルモン関連薬 575
  a　抗エストロゲン薬 575
  b　アロマターゼ阻害薬 576
  c　抗アンドロゲン薬 577
  d　卵胞ホルモン製剤 577
  e　黄体ホルモン製剤 578
  f　GnRH誘導体 578
 6　白金製剤 578
 7　サイトカイン関連薬 580
 8　分子標的薬 580
  a　大分子分子標的薬（抗体） 581
  b　小分子分子標的薬 588
 9　細胞加工製品 603
 表　アルキル化薬 604
 表　代謝拮抗薬 604
 表　抗腫瘍抗生物質 605
 表　微小管阻害薬 605
 表　トポイソメラーゼ阻害薬 605
 表　抗腫瘍ホルモン関連薬 606
 表　白金製剤 606
 表　サイトカイン関連薬 607
 表　抗体（抗原標的薬） 607
 表　抗体（受容体標的薬） 608
 表　抗体（免疫チェックポイント阻害薬） 608
 表　抗体（リガンド標的薬） 609
 表　小分子分子標的薬（チロシンキナーゼ阻害薬） 609
 表　小分子分子標的薬（セリン・スレオニンキナーゼ阻害薬） 611
 表　小分子標的薬（RAS阻害薬） 611
 表　その他の分子標的薬 611
 表　サリドマイド関連薬 612
 表　細胞加工製品 612

本書における薬学教育モデルコアカリキュラム（平成25年度改訂版）対応 613
索　引 618

総論：薬理学を学ぶための基礎

　生体内に薬が作用したときに現れる反応を薬効という．薬理学では，どのようにして薬効が現れるのかを，その作用様式と作用機序を中心に学んでいく．
　本書で学ぶ代表的な疾患における薬理学を体系的に理解するためには，その基本となる機能形態学のみならず，受容体，酵素，イオンチャネル，セカンドメッセンジャーおよびトランスポーターの機能生理学や細胞生理学などの基礎知識をあわせて学ぶ必要がある．本章では，生体内情報伝達系と薬の作用するしくみについて学習する．

★対応する薬学教育モデル・コアカリキュラム

E1 薬の作用と体の変化　（1）薬の作用
　GIO 医薬品を薬効に基づいて適正に使用できるようになるために，薬物の生体内における作用に関する基本的事項を修得する．
　SBO 【①薬の作用】
・薬の用量と作用の関係を説明できる．
・アゴニスト（作用薬，作動薬，刺激薬）とアンタゴニスト（拮抗薬，遮断薬）について説明できる．
・薬物が作用するしくみについて，受容体，酵素，イオンチャネルおよびトランスポーターを例に挙げて説明できる．
・代表的な受容体を列挙し，刺激あるいは遮断された場合の生理反応を説明できる．
・薬物の作用発現に関連する代表的な細胞内情報伝達系を列挙し，活性化あるいは抑制された場合の生理反応を説明できる．
・薬物の体内動態（吸収，分布，代謝，排泄）と薬効発現の関わりについて説明できる．
・薬物の選択（禁忌を含む），用法，用量の変更が必要となる要因（年齢，疾病，妊娠等）について具体例を挙げて説明できる．
・薬理作用に由来する代表的な薬物相互作用を列挙し，その機序を説明できる．
・薬物依存性，耐性について具体例を挙げて説明できる．

E2 薬理・病態・薬物治療　（1）神経系の疾患と薬
　GIO 神経系・筋に作用する医薬品の薬理および疾患の病態・薬物治療に関する基本的知識を修得し，治療に必要な情報収集・解析および医薬品の適正使用に関する基本的事項を修得する．
　SBO 【①自律神経系に作用する薬】【②体性神経系に作用する薬・筋の疾患の薬，病態，治療】
・交感神経系に作用し，その支配器官の機能を修飾する代表的な薬物を挙げ，薬理作用，機序，主な副作用を説明できる．
・副交感神経系に作用し，その支配器官の機能を修飾する代表的な薬物を挙げ，薬理作用，機序，主な副作用を説明できる．
・神経節に作用する代表的な薬物を挙げ，薬理作用，機序，主な副作用を説明できる．
・自律神経系に作用する代表的な薬物の効果を動物実験で測定できる．（技能）
・知覚神経に作用する代表的な薬物（局所麻酔薬など）を挙げ，薬理作用，機序，主な副作用を説明できる．
・運動神経系に作用する代表的な薬物を挙げ，薬理作用，機序，主な副作用を説明できる．
・知覚神経，運動神経に作用する代表的な薬物の効果を動物実験で測定できる．（技能）

1 薬の作用様式と作用機序

1 薬の作用

薬が生体内に入ると，何らかの反応が生じる．このときに起こりうる有効な作用を薬理作用という．生体は，常に正常な生理機能を維持するために，さまざまな機能の亢進あるいは抑制を繰り返しながら恒常性(**ホメオスタシス**)を保持している．病気を患うと身体は異常をきたし，ホメオスタシスはバランスを崩す．薬は，そのような異常になった生体機能を正常状態に戻すために使われる．

薬理作用は，薬が作用する発現様式，薬が作用する部位，薬効が生じるまでの時間，薬物治療における有用性によって，下記のように分類される．

a 興奮作用と抑制作用

薬が生体の生理機能を亢進させることを**興奮作用**といい，生理機能を低下させることを**抑制作用**という．例えば心不全治療薬は，心筋収縮力を高めて心拍数を増加させるので興奮作用である．睡眠薬や全身麻酔薬は，神経系を鎮静するので抑制作用である．

b 直接作用と間接作用

受容体，酵素，イオンチャネルおよびトランスポーターなどの標的分子に直接働くことで薬理作用を示すことを**直接作用**という．一方，直接作用の結果，二次的に起こりうる薬理作用のことを**間接作用**という．一般的には直接作用を期待されて開発された医薬品が多いが，分解酵素を抑制することで(直接作用)，結果的に生理活性物質を増加させる(間接作用)薬もある．

c 局所作用と全身作用

薬が適用部位だけに限局して薬理作用を示すことを**局所作用**という．一方，薬が適用部位のみならず，血管や神経系を介して全身に循環し，薬理作用を示すことを**全身作用**という．局所麻酔薬や消炎鎮痛薬の湿布剤などは局所作用を有するが，貼付剤には脳への作用を期待したアルツハイマー病治療薬などもある．この場合は全身作用となる．

d 選択的作用と非選択的作用

薬が血液を介して全身を巡った際に，特定の臓器や組織，細胞，細菌，ウイルスなどに選択的に作用し，薬理作用を示すことを**選択的作用**という．一方，全身において非選択的に作用が現れることを**非選択的作用**あるいは**一般作用**という．がん細胞などをターゲットとして狙い撃ち的な薬理作用を示す抗体医薬品は選択的作用である．

e 速効作用と遅効作用

薬を投与して,何らかの薬効が現れるまでの時間が短い場合を**速効作用**という.一方,投薬後に有効な薬理作用が現れるのに時間を要する場合を**遅効作用**という.薬効が現れるまでの時間に対して明確な区分があるわけではないが,遅効作用を示す薬物には,薬効が現れるまでに2~6週間を要する向精神薬や,2~3ヵ月を要する抗リウマチ薬などもある.狭心症発作時に使われるニトログリセリン舌下錠は速効作用を示す.

f 一過性作用と持続性作用

薬効が現れて,その作用持続時間が短い場合(数分~数十分)を**一過性作用**という.一方,作用時間が比較的長い場合(半日~数日,あるいは数週間)を**持続性作用**という.上述のニトログリセリン舌下錠は速効作用があるだけでなく,作用持続時間が30分程度なので一過性作用も有する.一方,作用時間が2週間持続する向精神薬などもある.

g 中枢作用と末梢作用

神経系は,脳・脊髄よりなる**中枢神経系**と,中枢と身体各部間を連絡しあう**末梢神経系**に分類される(☞本章3.1 神経系の構成,p.40).末梢神経系には,**交感神経**,**副交感神経**,**感覚神経**,**運動神経**,**内臓求心性神経**がある.すべての神経系は,神経細胞(ニューロン)と呼ばれる1細胞単位(すなわち構成単位であるとともに機能的単位)の集合体で構成されている.薬が中枢神経系に作用することを**中枢作用**といい,中枢神経系以外の神経系に作用することを**末梢作用**という.

h 主作用と副作用

薬を投与した際に,治療目的に適した期待される有効な作用を**主作用**という.一方,それ以外の作用や生体に不具合や不都合を呈する作用を**副作用**という.とくに,有効な薬用量を用いたときに発現する危険な反応を**有害作用**という.

医療現場では投薬ミスが深刻な問題となる.誤った投薬(誤薬)によって,期待する治療効果が得られないだけではなく,予期せぬ副作用が生じて患者の生命を危険にさらすことも起こりうる.薬剤師は,薬物治療においておのおのの患者に正しい薬が正しい方法で与えられていることを確認する薬の専門家であることを自覚しなければならない.誤薬を回避するために,投薬の際に確認すべき事項を**5R**という(表1-1).

表1-1 医薬品に関する5R

1.	Right Patient	患者を取り違えていないか
2.	Right Drug	投与する薬に間違いはないか
3.	Right Dose	内服薬の用量や点滴注射の滴下量は正しいか
4.	Right Time	投与する時期(食前,食後など)に誤りはないか
5.	Right Rout	投与方法(皮下注,静注,点滴など)に誤りはないか

2 薬の用量と作用の関係

a 用量-反応曲線

薬の投与濃度 D が増加すると，生体の反応 E は大きくなる．薬物濃度 D を徐々に増やすと指数関数的に反応 E は大きくなり，ある濃度を超えると一定の反応で頭打ちとなる（図 1-1a）．このような曲線を，**用量-反応曲線**（dose-response curve）という．図 1-1a をみてみると，薬物濃度 D の増加とともに反応曲線の傾斜が急に変わるので，実用的な薬物濃度の範囲や反応特性を判断するにはわかりづらい．そこで，横軸の薬物濃度 D を対数（$\log_{10} D$）でプロットすると，縦軸の生体反応 E は S 字状の曲線（シグモイド曲線）に変換することができる（図 1-1b）．シグモイド曲線のほうが薬物の反応特性を判断しやすくなる．このことから，用量-反応曲線は，シグモイド曲線で示すのが一般的である．

b 有効量，中毒量，致死量

臨床治験あるいは基礎研究の結果から得られた用量-反応曲線から，さまざまな用語が定義されている．

1）有効量

薬物の投与量が微量のうちは何らの反応を示さない（図 1-2）．この範囲内の用量を**無効量**という．徐々に薬物濃度を増やし，何らかの薬効が現れ始める最小量を**限量**あるいは**最小有効量**（ED_0）という．一方，薬効が最大反応を示し，頭打ちになるときの量を**極量**あるいは**最大有効量**（ED_{100}, 100% effective dose）という．

用量-反応曲線の縦軸が実験動物（実験細胞）の個体数の反応率（%）で表現されている場合は，半数の個体が反応した薬物量を **50%有効量**（ED_{50}, 50% effective dose）という．とくに，用量-反応曲線の縦軸が薬物濃度（例えば mg/mL や mol/L など）で表現されている場合は，最大反応の半分値を示す濃度を **50%有効濃度**（EC_{50}, 50% effective concentration）という．

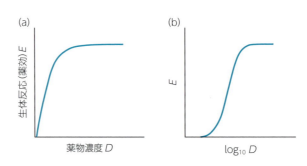

図 1-1　薬物の用量-反応曲線

2) 中毒量

最大有効量を超えた高濃度の薬物を実験動物に投与すると，さまざまな中毒症状が現れる．図 1-2 に示した極量（最大有効量）を超えて，中毒症状が出始める量を**最大耐量**という（図 1-3）．そして半数の実験動物が中毒症状を示す量を **50%中毒量**（TD_{50}, 50% toxic dose）という．

3) 致死量

実験動物が死に至る薬物の最小量を**最小致死量**（LD_0）といい，実験動物（実験細胞）の半数が死亡（死滅）する量を **50%致死量**（LD_{50}, 50% lethal dose）という（図 1-4）．

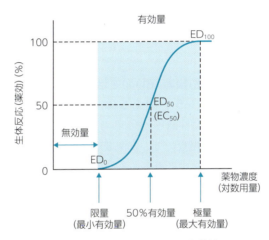

図 1-2　有効量の用量-反応曲線

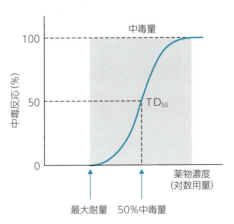

図 1-3　中毒量の用量-反応曲線

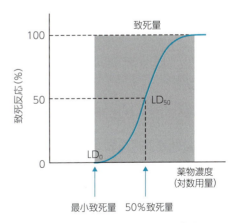

図 1-4　致死量の用量-反応曲線

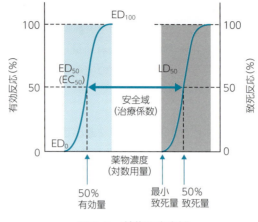

図 1-5　薬物の安全域

c　治療係数

　LD_{50} と ED_{50} の比(LD_{50}/ED_{50})を**治療係数**(**安全域**)といい，薬の安全性の指標として用いられる(**図 1-5**)．**図 1-5** は，**図 1-2** と**図 1-4** を横に並べたグラフである(ただし縦軸の違いに注意)．すなわち，治療係数が大きい薬物は，LD_{50} が高濃度あるいは ED_{50} が低濃度なので，安全域が広いと考えることができる．逆に治療係数が小さい薬物は，LD_{50} が低濃度あるいは ED_{50} が高濃度の場合なので，安全域が狭く治療薬として扱いにくい．安全域には中毒作用を示す濃度も当然ながら含まれていることに注意する．よって安全域の狭い薬物を投与する場合は，薬物血中濃度を測定しながら薬物治療が行われる(therapeutic drug monitoring, TDM)．

　臨床では，通常の用量で患者が死亡することはまれであり，むしろ副作用が問題となる．従来の治療係数は致死率を用いて計算しているので，副作用の指標としては必ずしも万全とはいえない．一方で今般の動物愛護の観点から，動物実験では致死量ではなく中毒量で治療係数を求めることも多くなってきている．その場合は TD_{50}/ED_{50} を治療係数として扱う．この治療係数は副作用を考えるうえで有効である．

❸ アゴニストとアンタゴニスト

a　薬物の作用点

　生体に取り込まれた薬物が薬効を示すためには，細胞や組織が有する特異的な成分(分子)に結合しなければならない．その条件を満たす成分(分子)を**作用点**あるいは**標点**という．作用点のうち，内在性物質の結合部位とは異なる領域(異所部位)をとくに，**アロステリック部位**という．薬物がアロステリック部位に結合し，受容体の形状を変化させることで活性の度合いを調節することができる．一般的に作用点はタンパク質であり，神経伝達物質が結合する受容体，酵素，イオンチャネルおよびトランスポーターなどがある．それら作用点に作用(結合)する物質や薬物を**リガンド**という．

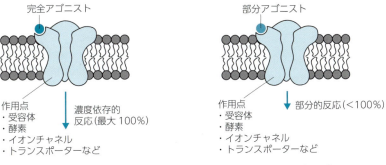

図1-6　完全アゴニスト　　　図1-7　部分アゴニスト

　複数のリガンドが同時に作用する場合，その作用点によって薬効が増強することがある．これらの反応は，作用点が同一部位であるか，異なる部位であるかによって薬理作用が異なってくる．薬物を併用した際の薬効が，それぞれ単独投与した場合の足し算で現れる場合を**相加作用**という．一方，薬物を併用した際の薬効が，それぞれ単独投与した場合の足し算で現れる薬効よりも強い場合を**相乗作用**という．

b　アゴニスト

　薬物が作用点に結合したときに，生体がもつ生理活性作用と同じ作用を示す場合，この薬物を**アゴニスト**という．アゴニストの別称としては，作動薬，活性薬，作用薬，刺激薬などがある．作用様式の違いによって，主に次の3つに分類できる．

1）完全アゴニスト

　アゴニストが作用点に結合したときに，その作用点がもつ生理作用を100％示す薬物を**完全アゴニスト** full agonist という（図1-6）．

2）部分アゴニスト

　アゴニストが作用点に結合したときに，完全アゴニストよりも最大反応が弱い薬物を**部分アゴニスト** partial agonist という（図1-7）．部分アゴニストは，作用点の受容体が低調な場合は活性化するように働き，逆に作用点の受容体が別の完全アゴニストによってすでに活性化されている場合は阻害的に働く，という二面性を有する．例えば，アリピプラゾールは，ドパミン D_2 受容体の部分アゴニストである．

3）逆アゴニスト

　一般的な受容体は，リガンドが結合してはじめて活性化される．すなわち，通常はリガンドが結合しない限り不活性化の状態で存在する．ところが一部の受容体は不活性型と活性型が平衡状態で存在し，内在性リガンドが作用しなくても不活性型と活性型の平衡が変われば生理機能が出現する．このような特徴をもつ受容体に対して，ある薬物が不活性型への結合に親和性が高い場合，結果的に不活性型の活性が優位に現れ，生理機能としては阻害的に働くようにみえる．このような薬物を**逆アゴニスト** inverse agonist という（図1-8）．すなわち，逆アゴニストは，薬理作用としてはア

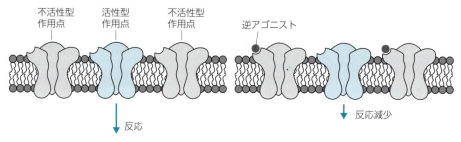

図1-8　逆アゴニスト

ゴニストであるが，生理作用としてはアンタゴニスト様に働く．よって従来はアンタゴニストに分類されていた薬物が，実は逆アゴニストに分類されるものもあることがわかりつつある．例えば，ファモチジンはヒスタミンH_2受容体，メトプロロールはアドレナリンβ受容体の逆アゴニストである．

アゴニストの効力の目安として，**pD_2値**と**内活性**が用いられる．pD_2値は，アゴニストの最大反応の半分の反応を示すために必要なアゴニストのモル濃度の負の対数値である．すなわち，**図1-2**において縦軸をアゴニストの反応に置き換えて考えると，$pD_2 = -\log_{10} ED_{50}$となる．一方，内活性は，その作用点の最大反応を示すアゴニストを標準薬（基準薬）として，相対値で表す．例えば，あるアゴニストの最大反応が基準薬の60%である場合，内活性は0.6と表現する．

c　アンタゴニスト

薬物が作用点に結合したときに，内在性リガンドの生理活性作用を抑制する場合，この薬物を**アンタゴニスト**という（**図1-9**）．正常時はまったく反応を示さないが，疾病などの影響で作用点が恒常的（慢性的）に活性化している場合は，アンタゴニストの投与により薬効が生じる．アンタゴニストの別称としては，拮抗薬，遮断薬，阻害薬，ブロッカーなどがある．作用様式の違いによって，次の3つに分類できる．

1）競合的アンタゴニスト

アゴニストが作用点に結合する際に，競合的に拮抗して作用を阻害する薬物を**競合的アンタゴニスト** competitive antagonist という．この反応は可逆的であり，アゴニストと共通の作用部位への結合を奪い合う（**図1-9a**）．アンタゴニストとしての阻害作用の強さは，アゴニストとアンタゴニストのそれぞれの濃度や比率，結合率で決まる．すなわち，アゴニストの濃度を上げると，アンタゴニストは受容体から外れて阻害作用が低下するので，最大反応は保持できる．よって，用量-反応曲線は右に平行移動（右シフト）するのが特徴である（**図1-10**）．

競合的アンタゴニストの効力の目安として，**pA_2値**が用いられる．pA_2値とは，アンタゴニストの存在時における，アゴニストの用量-反応曲線が2倍だけ高用量側へシフトするのに必要なアンタゴニストの濃度Xの負対数値である（すなわち，pA_2

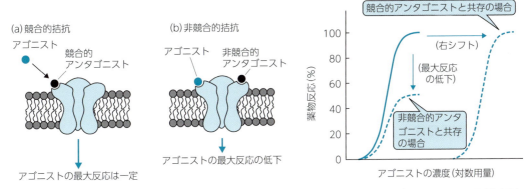

図1-9 競合的アンタゴニストと非競合的アンタゴニスト

図1-10 アンタゴニストによる用量-反応曲線の変化

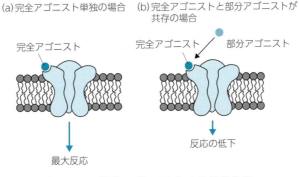

図1-11 部分アゴニストによる拮抗作用

$=-\log_{10} X$).

2) 非競合的アンタゴニスト

アゴニストが作用点に結合する際に，非競合的に拮抗して作用を阻害する薬物を**非競合的アンタゴニスト** non-competitive antagonist という．阻害作用が非可逆的であるものや，受容体の構造を変化させるものもある．一般的にアゴニストとアンタゴニストの作用点が異なるので(**図1-9b**)，アゴニストの濃度を上げても非競合的アンタゴニストは受容体から外れず，最大反応は低下する．よって，用量-反応曲線の最大値が減少するのが特徴である(**図1-10**)．

非競合的アンタゴニストの効力の目安として，**pD_2'値**が用いられる．pD_2'値とは，アンタゴニストの存在時におけるアゴニストの最大反応を50%阻害するために必要なアンタゴニストのモル濃度 Y の負の対数値である（すなわち，$pD_2'=-\log_{10} Y$).

3) その他のアンタゴニスト

部分アゴニストが同一の作用点を刺激する完全アゴニストと共存している場合，その完全アゴニストの作用は低下する(**図1-11**)．これを部分アゴニストによる拮抗と

いう．すなわち，部分アゴニストは一部アンタゴニストとしての性質もある(部分アゴニストの項を参照)．

　SH基を有する化合物は水銀やヒ素と特異的に結合する．よって，水銀中毒やヒ素中毒に対しては，SH基をもった化合物を解毒剤として用いる．このような化学反応を用いた阻害作用を**化学的拮抗**という．

d　余剰受容体

　アゴニストが，作用するすべての受容体に均等に結合して最大反応を起こす場合，EC_{50}はその全受容体の50％を占有する薬物濃度(K_D)と一致する($EC_{50}=K_D$)．ところが，アゴニストが全体の数％程度の受容体に結合するだけで，組織が生じる最大反応(100％)を引き起こす場合がある(**図1-12a**)．このとき，EC_{50}はK_Dより小さくなる($EC_{50}<K_D$)．このような現象を説明するために，Nickersonは**余剰受容体**の存在を提唱した．

　余剰受容体が存在する場合，すべての受容体にアゴニストが結合しなくても，100％の反応を得ることができる(**図1-12b**)．この場合，例えば非競合的アンタゴニストを投与すると，余剰受容体が阻害されている間はアゴニストの用量-反応曲線は右にシフトする．このことは，非競合的アンタゴニストでも余剰受容体が徐々に阻害されていく間は，見かけ上は競合的アンタゴニストのような用量-反応曲線(☞**図1-10**)を示すことを意味する．そして非競合的アンタゴニストの作用時間が長くなると，余剰受容体以外の残りの受容体も次第に阻害されるので，アゴニストの最大反応は徐々に低下していく．

　このことから，用量-反応曲線を求める場合，非競合的アンタゴニストの投与時間に注視して余剰受容体の存在の可能性を考えることが重要である．

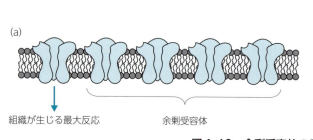
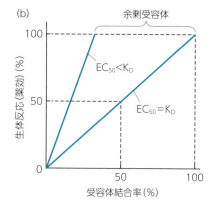

図1-12　余剰受容体の反応

2 生理活性物質と生体内情報伝達

1 細胞の興奮

細胞が興奮するメカニズムを知るためには，さまざまな電位を理解しなければならない．電位とは電荷に係る位置エネルギーであり，ある2点の間の電位の差を電位差という．電荷を帯びた原子または原子団のことをイオンという．細胞内外のイオン濃度は，細胞膜を隔てて濃度差があることから（**図1-13**），細胞内外には電位差が生じていることになる．イオンチャネルを介したNa^+，K^+，Ca^{2+}，Cl^-の通りやすさ（透過性）は，イオンの細胞内外の濃度差によっても変わってくる．とくにNa^+とK^+の透過は，細胞における活動電位の発生に最も重要である．イオンチャネルの詳細については後述する（☞本章2.3 薬が作用するイオンチャネル，p.16）．

a 拡散電位

それぞれ濃度が異なる2つの食塩水（NaCl溶液）が，すべてのイオンを透過する膜で仕切られたとする（**図1-14**）．すべてのイオンが透過できる膜を**全透膜**という．食塩水を構成しているNa^+とCl^-は，濃度勾配に従って濃いほう（A液）から薄いほう（B液）へ移動する．重要な点は，Na^+とCl^-では移動する速度（**輸率**）が違うことである．実際には，水中ではNa^+よりもCl^-がより早くA液からB液へ移動するため，一時的に電位差が生じ，膜のA液側はプラス，B液側はマイナスの電荷を示す．このときのA液側とB液側の電位差を**拡散電位**という．

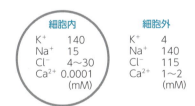

図1-13 ほ乳類の神経細胞内外のイオン組成

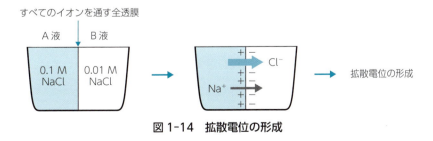

図1-14 拡散電位の形成

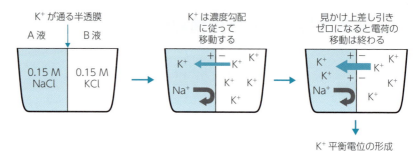

図 1-15　K$^+$ 平衡電位の形成

b　平衡電位

A 液を塩化ナトリウム(NaCl)溶液，B 液を塩化カリウム(KCl)溶液とし，ともに同じ濃度にして，K$^+$ は透過するが Na$^+$ は透過しない膜で仕切ったとする(図 1-15)．このようにある特定のイオンが透過する膜を**半透膜**という．K$^+$ は A 液へ濃度勾配に従って移動を始める．K$^+$ は 1 価の陽イオンなので，A 液側はプラス，B 液側はマイナスになって拡散電位が発生する．この電位は K$^+$ イオンが A 液側に移動する程大きくなり，この電位は K$^+$ を B 液側へ戻そうとする．やがて B 液から A 液，A 液から B 液への K$^+$ イオンの移動が等しくなり平衡状態になる．このように，K$^+$ の正味の移動が見かけ上差し引きゼロになるような電位を K$^+$ の**平衡電位**という．

c　静止膜電位

生体の細胞膜は，図 1-15 に示した半透膜に似た性質をもっている．イオンの組成で比較してみると，A 液側が細胞外で B 液側が細胞内に相当する．細胞が興奮していないときは，実際の細胞膜は主に K$^+$ を優位に透過させるので，細胞内(B 液側)がマイナスに帯電することになる．生体内のどの細胞も細胞膜の内側と外側の間に電位差(膜電位)をもっており，この膜電位は透過性の高いイオンの平衡電位に近い．興奮していない状態(静止状態)にある細胞では，細胞内は細胞外より約 $-60 \sim -80$ mV の負の電位を示す．これを**静止膜電位** resting membrane potential という．

d　活動電位

「細胞が興奮する」とは，電気生理学的には一過性の**活動電位** action potential が生じることをいう．このとき，膜電位は約 -80 mV から約 $+30$ mV に達し，そして再び -80 mV に戻る．活動電位の発生には，細胞膜の Na$^+$ に対する透過性の増大が必要である．この一連の過程がわずか数ミリ秒(ms)の間に起こる．以下に活動電位の発生から消失までの過程を示す．活動電位の性質については，他書を参考されたい．

1）脱分極

膜電位が静止膜電位から 0 mV 方向に変化することを**脱分極** depolarization とい

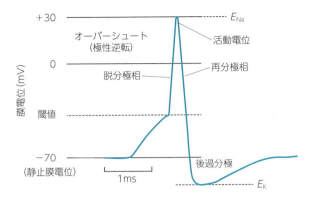

図1-16　膜電位の変化と活動電位

い，この相のことを脱分極相という（図1-16）．そして膜電位の脱分極につられて電位依存性 Na^+ チャネルが次々と開口し，細胞外の Na^+ は細胞内にさらに流入しやすくなり，膜電位はもっと上昇し続ける．膜電位が 0 mV より上昇し，極性が逆転することを**オーバーシュート**という．しかし，Na^+ が流入することにより膜電位は限りなく上昇するのではなく，Na^+ の平衡電位（E_{Na}）：+30〜+60 mV 付近まで上昇する．

2）再分極

膜電位が E_{Na} 近くまで上昇すると，Na^+ チャネルは自らチャネルを閉じ（不活性化），Na^+ の細胞内流入は急速に減弱する．続いて膜電位の上昇により電位依存性 K^+ チャネルが開口し，細胞内の K^+ が一気に細胞外へ流出するので，細胞内は急速に負の電位に向かう（図1-16）．そして，膜電位は元の静止膜電位に戻る．この経過を**再分極** repolarization といい，この相を再分極相という．

3）過分極

再分極して静止膜電位まで下降した膜電位は，元の静止膜電位よりさらにマイナス方向に進んだ後，静止膜電位に戻る．この現象は，活動電位発生による K^+ の透過性が一時的に静止膜状態よりもさらに増大しているので，静止膜電位がより E_K の理論値に近づくことによる．このことを**過分極** hyperpolarization という．

4）後過分極

活動電位発生後に生じる一過性の過分極をとくに**後過分極** afterhyperpolarization という．このとき，K^+ チャネルを介した K^+ 流出のみならず，後述する Na^+ ポンプ（☞図1-34）を介した Na^+ 流出と K^+ 流入も膜電位に影響を与える．

❷ シグナル伝達

活動電位の発生によって細胞が興奮すると，軸索が投射する標的細胞に対してさまざまな情報が伝達される．これを**シグナル伝達**という．シグナル伝達を行う因子に

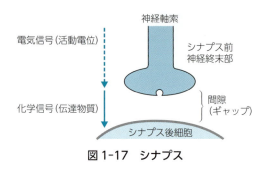

図1-17　シナプス

は，神経伝達物質やホルモン，サイトカインなどがある．これらの因子は，タンパク質，ペプチド，アミノ酸，核酸，ステロイド，レチノイド，脂肪酸誘導体，一酸化窒素などで構成されている．分泌様式の違いによって，次の6種類のシグナル伝達に分類される．

1）神経分泌シグナル（シナプス伝達）

神経分泌シグナルには，神経細胞（ニューロン）から血管へ化学物質が放出される神経内分泌と，ニューロンからニューロンへ化学物質が放出されるシナプス伝達がある．例えば，視床下部ニューロンから下垂体門脈に放出される視床下部ホルモンと下垂体後葉ホルモンは，神経内分泌である（次項，内分泌シグナルを参照）．本項では，後者のシナプス伝達について解説する．

ニューロン間の情報伝達は**シナプス**と呼ばれる間隙で行われる（**図1-17**）．シナプスとは，細胞内を電気信号の形で伝わってきた電位変化が神経伝達物質という化学信号に変換されて伝達されるギャップである．このシナプスを介した情報伝達を**シナプス伝達**という．シナプスを挟んで情報を送り込む側と情報を受け取る側のニューロンをそれぞれシナプス前ニューロン，シナプス後ニューロンという．またシナプスを挟んだ両側のニューロンの細胞膜をシナプス前膜，シナプス後膜という．1つのニューロンが受け取るシナプスの数は数百～数千である．

中枢神経系では，1本の軸索が枝分かれして複数の他ニューロンの細胞体や樹状突起に投射（入力）している（**図1-18a**）．大脳皮質や海馬，小脳など，脳内の**局所神経回路**における興奮性神経伝達物質は**グルタミン酸**，抑制性神経伝達物質はGABA（γ-amino butyric acid, ギャバ）である（**図1-19**）．脊髄や聴覚系神経の一部においては，抑制性神経伝達物質として**グリシン**も加わる．この局所神経回路に対してさまざまな神経系がシナプスを投射して脳機能を制御する．これらの神経系における神経伝達物質としては，**アセチルコリンやノルアドレナリン，アドレナリン，セロトニン，ドパミン，ヒスタミン**などがある（**図1-19**）．これらの神経系が，脳全体における局所回路のシナプス前神経終末部あるいはシナプス後細胞に投射して，神経回路の活動を精密に制御している．

一方，ニューロンと骨格筋の接続部分は特別に**神経筋接合部** neuromuscular junctionと称されており，骨格筋への情報伝達も本質的にはニューロン間のシナプ

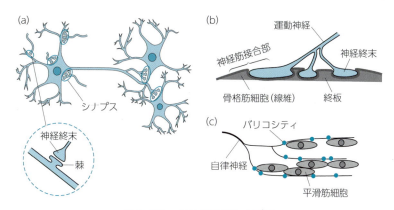

図 1-18　さまざまなシナプス

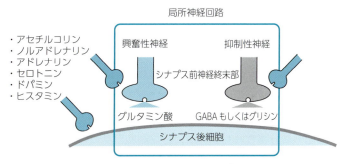

図 1-19　中枢神経系のシナプス投射

スと同じしくみで，1 本の神経終末がブドウの房のように枝分かれした神経終末部となって目的の骨格筋細胞膜（終板または端板と呼ばれる）に投射している（図 1-18b）．神経筋接合部の神経伝達物質はアセチルコリンである．詳細は次節で解説する．

　標的臓器および標的器官の平滑筋へ投射する自律神経（交感神経ならびに副交感神経）の終末部は，ニューロン同士や神経筋接合部のシナプス構造とは異なり，平滑筋の近傍を走行する神経線維のところどころが数珠玉のように膨らんでおり（バリコシティと呼ばれる），そこから化学物質を放出・拡散している．これもシナプスの 1 つである（図 1-18c）．交感神経の節後線維における神経伝達物質はノルアドレナリン，副交感神経の節後線維における神経伝達物質はアセチルコリンである．詳細は次節で解説する．

2）内分泌シグナル（エンドクリン）

　内分泌腺や神経細胞，血管内皮細胞から物質が分泌され，血流を介して運ばれて全身あるいは特定の臓器組織（標的器官）に作用するシグナルをいう（図 1-20a）．

　下垂体前葉ホルモンは分泌細胞で産生され，下垂体後葉ホルモンや視床下部ホルモンは固有のニューロンで産生されて，内分泌シグナルとして全身に作用する．

3）傍分泌シグナル（パラクリン）

　細胞外に分泌された物質が血流を介さず，隣接する細胞にのみ局所的に作用するシ

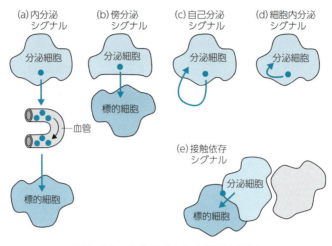

図 1-20　分泌シグナルの種類と概要

グナルをいう(**図 1-20b**)．例えば，ソマトスタチンは視床下部で産生されて，傍分泌シグナルとして作用する．

4) 自己分泌シグナル(オートクリン)

　　細胞外に分泌された物質が，分泌細胞自身に作用を発揮するシグナルをいう(**図 1-20c**)．例えば，エンドセリンは血管内皮細胞などで産生されて，自己分泌シグナルとして作用する．

5) 細胞内分泌シグナル(イントラクリン)

　　細胞内で分泌された物質が，分泌細胞内で作用を発揮するシグナルをいう(**図 1-20d**)．一部のペプチドホルモンは，細胞内分泌シグナルとして作用する．

6) 接触依存シグナル

　　細胞外に分泌された物質が細胞外膜表面に留まり，隣接する細胞と直接接触している場合に限り伝達されるシグナルをいう(**図 1-20e**)．例えば，グリア細胞の一種であるアストロサイトにおける Ca^{2+} 波の同期には，アストロサイト同士のギャップ結合を介した Ca^{2+} 波の伝播が，接触依存シグナルとして作用する．

❸ 薬が作用するイオンチャネル

　　細胞膜を構成する主成分は，リン脂質・糖脂質・コレステロールなどの脂質であり，これらは親水性(水に溶けやすい)のイオン基と疎水性(水に溶けにくい)の 2 本の炭化水素鎖で構成される．親水性イオン基の部分が細胞膜の外側と内側の表面となり，疎水性の二本鎖は膜内部でお互いに密着して脂質の二重構造を形成している(**図 1-21**)．脂質の二重構造はイオンが透過できないので，イオンを透過させる通路となる**イオンチャネル**を形成するタンパク質が膜の脂質層に組み込まれており，イオンチャネルタンパク質は膜中を漂い移動しているといわれている(モザイク流動説)．

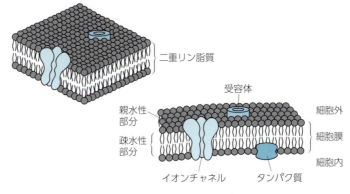

図 1-21　細胞膜の構造

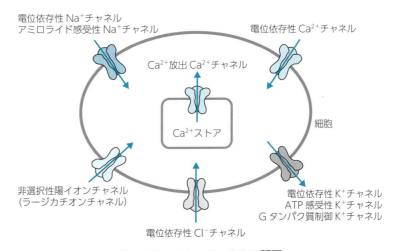

図 1-22　イオンチャネルの種類

　イオンチャネルは細胞内外へのイオンの流入出を選択・非選択的に調節している. Na^+, K^+, Ca^{2+}, Cl^- を選択的に透過させるものをそれぞれ Na^+, K^+, Ca^{2+}, Cl^- チャネル, そして 1 価および 2 価の陽イオンを非選択的に透過させるものを非選択的陽イオンチャネルあるいはラージカチオンチャネルという (図 1-22). イオンがチャネルを通る方向は, 静止膜電位とイオンチャネルの平衡電位の差で決定される. 図 1-22 は, 静止膜電位時にチャネルが開いた際のイオンの一般的な整流方向を矢印で示している.
　このような各種イオンチャネルはニューロン 1 個に数千〜数万個存在し, そのなかでも, Na^+, K^+, Ca^{2+}, Cl^- を通すイオンチャネルは細胞体や樹状突起での活動電位の発生に重要であり, 加えて Ca^{2+} チャネルは神経細胞体やその終末部で化学物質の合成やシナプス前膜からの神経伝達物質の放出などにも関与する. なお, 活動電位を素早く伝導する軸索には Na^+ チャネルが高密度に存在し, K^+ や Ca^{2+}, Cl^- チ

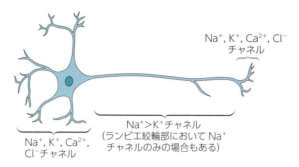

図 1-23　神経細胞におけるイオンチャネルの分布

ャネルは欠けている場合が多いことも知られている(図 1-23).

　薬物がこれらのイオンチャネルに結合すると，アゴニストやアンタゴニストとして作用する．例えば，高血圧や狭心症の治療薬として用いられるカルシウム拮抗薬は，血管平滑筋に存在する Ca^{2+} チャネルを阻害し，Ca^{2+} が細胞内へ流入するのを阻害する．これにより血管平滑筋の収縮が抑制されるので血圧が下がる．また，胃カメラなどの内視鏡検査や歯科麻酔のときに使われる局所麻酔薬は，電位依存性 Na^+ チャネルを阻害して Na^+ が細胞内へ流入するのを阻害する．結果的に活動電位の発生が抑制されるので，細胞は興奮できず局所的な麻酔効果が得られる．それぞれのイオンチャネルの特徴は次のとおりである．

1) Na^+ チャネル

　細胞膜の脱分極によって開口する**電位依存性 Na^+ チャネル**と，電位非依存性の**アミロライド感受性 Na^+ チャネル**がある．前者は，一般的な神経細胞において，活動電位の発生によって，最初に開口するイオンチャネルである．Na^+ チャネルが開口すると Na^+ が細胞内に流入し，**脱分極**する．

2) Ca^{2+} チャネル

　細胞膜の脱分極によって開口する**電位依存性 Ca^{2+} チャネル**（L 型，N 型，P/Q 型，T 型，R 型）と，小胞体（Ca^{2+} ストア）に存在する **Ca^{2+} 放出 Ca^{2+} チャネル**がある．Ca^{2+} チャネルが開口すると Ca^{2+} が細胞内に流入し，**脱分極**する．平滑筋や骨格筋，心筋の収縮および神経伝達物質の開口放出に重要なチャネルである．

3) K^+ チャネル

　細胞膜の脱分極によって開口する**電位依存性 K^+ チャネル**と，細胞内 ATP の上昇によって閉じる **ATP 感受性 K^+ チャネル**，アセチルコリンで活性化される **G タンパク質制御 K^+ チャネル**，**揮発性麻酔薬作用 K^+ チャネル**がある．K^+ チャネルが開口すると K^+ が細胞外に流出し，**過分極**する．

4) Cl^- チャネル

　細胞膜の脱分極によって開口する**電位依存性 Cl^- チャネル**と，**ヌクレオチド結合性 Cl^- チャネル**，**細胞容積感受性 Cl^- チャネル**，**細胞内 Ca^{2+} 感受性 Cl^- チャネル**がある．Cl^- チャネルが開口すると Cl^- が細胞内に流入し，**過分極**する．

5) 非選択性陽イオンチャネル（ラージカチオンチャネル）

非選択性陽イオンチャネル（ラージカチオンチャネル）には，**TRPチャネル**と，**過分極誘発性陽イオンチャネル**，**受容体一体型イオンチャネル**がある．

❹ 薬が作用する受容体

リガンドが結合する受容体はタンパク質で構成されている．薬物が作用する受容体を**薬物受容体**という．受容体には，細胞膜上に存在する**細胞膜受容体**と，細胞内に存在する**細胞内受容体**および**核内受容体**がある．細胞膜は脂質二重膜で構成されているので，水溶性の薬物は細胞膜を通ることができない．よって水溶性薬物は細胞膜上の受容体に作用し，脂溶性薬物は細胞内の受容体にも作用する．薬物が受容体に結合すると，アゴニストあるいはアンタゴニストとして作用する．受容体が活性化されたり阻害されたりすると，細胞は二次的な反応を示す．このときの反応経路を**細胞内情報伝達系（セカンドメッセンジャー系）**という．

a　細胞膜受容体

生体に存在するアセチルコリンやノルアドレナリン，アドレナリン，セロトニン，ドパミン，ヒスタミン，グルタミン酸，GABA，グリシンなどの神経伝達物質やペプチドホルモンの受容体は細胞膜上に存在する．細胞内情報伝達系の作用機序の違いにより，次の3つの受容体に分類される．

1) イオンチャネル内蔵型受容体

リガンドや薬物が結合したときに，特定のイオンを透過させることができる受容体である（**図1-24**）．3〜5個のサブユニットが集まって1つの受容体（3〜5量体）を構成する（**表1-2**）．イオンが透過するときの整流性は，イオンチャネルと同じである．すなわち，細胞内外のイオン濃度勾配と電気勾配に従った整流性を示す．以下に代表的なイオンチャネル内蔵型受容体の特性を示す．

（ⅰ）ニコチン性アセチルコリン受容体（nAChR，ニコチン受容体）

アセチルコリン受容体の一種である．非選択的陽イオンチャネルであり，アセチル

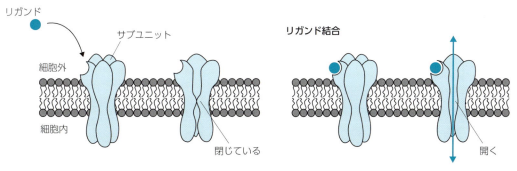

図1-24　イオンチャネル内蔵型受容体

表 1-2　イオンチャネル内蔵型受容体の構造と機能

受容体		内蔵イオンチャネル	受容体を構成するサブユニットとその数（量体）	サブユニットの膜貫通数	メカニズム	機能	代表的な薬物（適応疾患）
ニコチン性アセチルコリン受容体（nAChR）		Na^+, Ca^{2+}, K^+	α が 2 個，β，γ，δ 各 1 個（5 量体）	4	非選択的陽イオン細胞内流入 →脱分極	興奮	バレニクリン（禁煙補助）
グルタミン酸受容体	AMPA 型	Na^+, K^+	GluR1, GluR2, GluR3, GluR4（4 量体）	3	Na^+ 細胞内流入，K^+ 細胞外流出 →脱分極	興奮	ペランパネル（てんかん）
	NMDA 型	Na^+, Ca^{2+}	NR1, NR2 が各 2 個（4 量体）	3	Na^+, Ca^{2+} 細胞内流入 →脱分極		メマンチン（アルツハイマー病）
GABA_A 受容体		Cl^-	α, β, γ など（5 量体）	4	Cl^- 細胞内流入 →過分極	抑制	バルビツール系，ベンゾジアゼピン系（催眠，てんかん，全身麻酔）
グリシン受容体		Cl^-	α, β（5 量体）	4	Cl^- 細胞内流入 →過分極	抑制	ストリキニーネ（小動物駆除，臨床応用なし）
P2X 受容体（プリン受容体）		Na^+, Ca^{2+}, K^+	P2X1〜7（3 量体）	2	非選択的陽イオン細胞内流入 →脱分極	興奮	臨床治療薬なし

コリンが結合すると Na^+，Ca^{2+}，K^+ などが透過し，細胞膜は脱分極する．1 つのサブユニットは 4 回膜貫通型であり，α サブユニットが 2 つ，β，γ，δ サブユニットが 1 つずつ集まって，5 量体で 1 つの受容体を構成する．

(ii) AMPA 受容体

　グルタミン酸受容体の一種である．グルタミン酸が結合すると Na^+ が流入し，細胞膜は脱分極する．1 つのサブユニットは 3 回膜貫通型であり，GluA1（GluR1 ともいう）〜GluA4（GluR4 ともいう）までの 4 つのサブユニットがランダムに集まって，4 量体で 1 つの受容体を構成する．

(iii) NMDA 受容体

　グルタミン酸受容体の一種である．グルタミン酸が結合すると Na^+ と Ca^{2+} が流入し，細胞膜は脱分極する．1 つのサブユニットは 3 回膜貫通型であり，GluN1（NR1 ともいう）と GluN2（NR2 ともいう）の 2 種類のサブユニットがランダムに集まって，4 量体で 1 つの受容体を構成する．NMDA 受容体は静止膜電位付近では Mg^{2+} によって閉じているので，細胞膜の脱分極によって Mg^{2+} が外れるとイオンが流れる．

(iv) GABA_A 受容体

　GABA 受容体の一種である．GABA が結合すると Cl^- が流入し，細胞膜は過分極する．1 つのサブユニットは 4 回膜貫通型であり，α, β, γ, δ, ε, π, θ, ρ サブユニットがランダムに集まって，5 量体で 1 つの受容体を構成する．脳内の GABA_A 受容体は，2 つの α サブユニットと 2 つの β サブユニット，1 つの γ サブユニットで

構成されている場合が多い．

(ⅴ) グリシン受容体

グリシンが結合すると Cl^- が流入し，細胞膜は過分極する．1つのサブユニットは4回膜貫通型であり，シナプス伝達に関わるグリシン受容体の場合，2つの α サブユニットと3つの β サブユニットが集まって5量体で1つの受容体を構成する．

(ⅵ) P2X 受容体（プリン受容体）

ATP 受容体の一種である．非選択的陽イオンチャネルであり，ATP が結合すると Na^+，Ca^{2+}，K^+ などが透過し，細胞膜は脱分極する．1つのサブユニットは2回膜貫通型であり，P2X1～7サブユニットがランダムに集まって，3量体で1つの受容体を構成する．P2X 受容体は非選択的陽イオンチャネルなので，K^+ も透過できる．

2) Gタンパク質共役型受容体

リガンドや薬物が結合したときに，Gタンパク質（GTP 結合タンパク質）の変化を介して細胞内情報伝達系に作用する**単量体**の受容体である．7回膜貫通型の受容体を形成している（**図1-25**）．Gタンパク質は，α，β，γ の3量体（サブユニット）で構成されている．β サブユニットと γ サブユニットは常に結合している．α サブユニットには，GTP/GDP 結合部位があり，受容体が静止状態のときは，α サブユニットには GDP が結合しており，$\beta\gamma$ サブユニットとセットになった状態で待機している．リガンドや薬物によって受容体が活性化されると，α サブユニットの GDP が外れて GTP が結合し（GDP と GTP の交換），α サブユニットから $\beta\gamma$ サブユニットが外れる（**図1-25**）．

3量体Gタンパク質は，α サブユニットの機能や遺伝子の違いなどから，G_q，G_{11}，G_s，G_i，G_o，などのサブファミリーに区別されている．それぞれ細胞内情報伝達系の作用の違いを基準として，$G_{q/11}$ タンパク質，G_s タンパク質，$G_{i/o}$ タンパク質の3種類に大きく分類される（**表1-3**）．

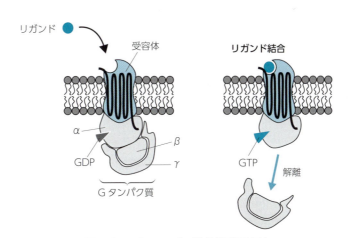

図1-25 Gタンパク質共役型受容体

表 1-3 G タンパク質共役型受容体の分類と機能

共役型	受容体		セカンドメッセンジャーの機能	機能
$G_{q/11}$	アドレナリン α_1 ムスカリン $M_{1,3}$ ヒスタミン H_1 アンジオテンシン AT_1 セロトニン 5-HT_2	バソプレシン V_1 ブラジキニン $B_{1,2}$ ロイコトリエン LT トロンボキサン A_2 プロスタグランジン EP1，FP	ホスホリパーゼ C 活性 →DG 増加 **→PKC 促進**	興奮
G_s	アドレナリン $\beta_{1〜3}$ ヒスタミン H_2 ドパミン $D_{1,5}$	セロトニン 5-HT_4 バソプレシン V_2	アデニル酸シクラーゼ活性 →cAMP 増加 **→PKA 促進**	興奮
$G_{i/o}$	アドレナリン α_2 ムスカリン M_2 $GABA_B$	ドパミン D_2 セロトニン 5-HT_1 オピオイド μ，δ，κ	アデニル酸シクラーゼ抑制 →cAMP 減少 →PKA 抑制	抑制

(ⅰ) $G_{q/11}$ タンパク質を介した細胞内情報伝達系

$G_{q/11}$ タンパク質の α サブユニットと $\beta\gamma$ サブユニットが解離すると，両者ともに細胞膜にあるホスホリパーゼ C を活性化し，ホスファチジルイノシトール(PI) 4,5-二リン酸(PIP_2)からジアシルグリセロール(DG)とイノシトール 1,4,5-三リン酸(IP_3)が産生される．産生された DG はプロテインキナーゼ C(C キナーゼあるいは PKC という)を活性化し，PKC は生体内のタンパク質をリン酸化する．一方，産生された IP_3 は Ca^{2+} ストアにある IP_3 受容体に結合し，Ca^{2+} ストアに貯蔵されている Ca^{2+} を細胞質内に動員する．細胞内に動員された Ca^{2+} により，Ca^{2+}-カルモジュリン依存性プロテインキナーゼⅡ(CaMKⅡ)が活性化され，さまざまなタンパク質のリン酸化が生じる(図 1-26)．

(ⅱ) G_s タンパク質を介した細胞内情報伝達系

G_s タンパク質の α_s サブユニットは細胞膜にある**アデニル酸シクラーゼ**を活性化し，ATP から cAMP(サイクリック AMP)を産生する(図 1-27)．産生された cAMP はプロテインキナーゼ A(A キナーゼあるいは PKA という)を活性化し，PKA は生体内のタンパク質をリン酸化する．cAMP は**ホスホジエステラーゼ** phosphodiesterase(PDE)によって 5′-AMP に分解され不活性化される．PKA は核内にも移行し，CREB(cAMP response element binding protein)をリン酸化する．この CREB がリン酸化されると，転写共役活性化因子の CBP(CREB binding protein)と結合して，標的遺伝子の転写を促進する．PKA によるこの核内反応は，PKC によるタンパク質リン酸化反応にはない生理機能である．

コレラ毒素は，活性化された α_s サブユニットが不活化するのを抑制する．その結果，アデニル酸シクラーゼの活性化が持続し，cAMP が過剰に産生される．

(ⅲ) $G_{i/o}$ **タンパク質を介した細胞内情報伝達系**

$G_{i/o}$ タンパク質は細胞膜にあるアデニル酸シクラーゼの活性を抑制し，cAMP の産生を抑制する(図 1-28)．よって，PKA は活性化されない．すなわち，G_s タンパク質を介した反応と $G_{i/o}$ タンパク質を介した反応は，機能的に相反する．$G_{i/o}$ タン

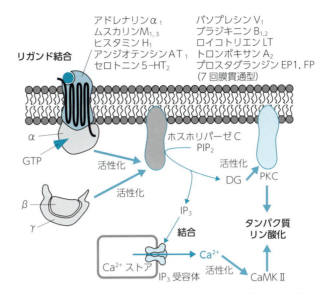

図 1-26　$G_{q/11}$ タンパク質を介した細胞内情報伝達系

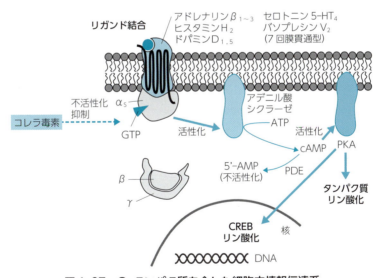

図 1-27　G_s タンパク質を介した細胞内情報伝達系

パク質の $\beta\gamma$ サブユニットは，Gタンパク質制御型 K^+ チャネルを開口する．K^+ が細胞外に流出するので，細胞内が負の電位となり細胞膜は過分極する．

百日咳毒素は，活性化された α_i サブユニットを抑制する．その結果，アデニル酸シクラーゼの不活化が抑制され，cAMP が過剰に産生される．

(iv)　一酸化窒素(NO)を介した細胞内情報伝達系

細胞内に動員された Ca^{2+} により，一酸化窒素合成酵素(NOS)が活性化し，L-ア

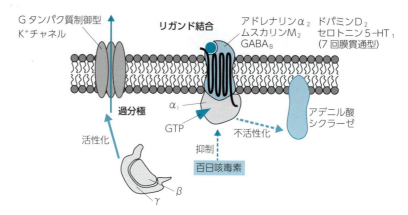

図 1-28　$G_{i/o}$ タンパク質を介した細胞内情報伝達系

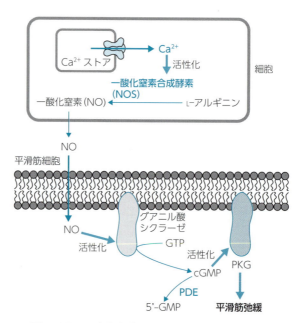

図 1-29　一酸化窒素を介した細胞内情報伝達系

ルギニンから NO が産生される(**図 1-29**)．産生された NO は細胞膜を透過し，平滑筋細胞において**可溶性グアニル酸シクラーゼ**(sGC)を活性化して GTP から cGMP(サイクリック GMP)を産生する．産生された cGMP はプロテインキナーゼ G(G キナーゼあるいは PKG という)を活性化し，PKG は血管平滑筋の弛緩に寄与する．また，cGMP はホスホジエステラーゼ(PDE)によって 5'-GMP に分解され不活性化される．

3) 酵素共役型受容体

リガンドや薬物が結合したときに，チロシンキナーゼなどの酵素活性を介して細胞内情報伝達系に作用する 1〜4 量体の受容体である．代表的な酵素共役型受容体に

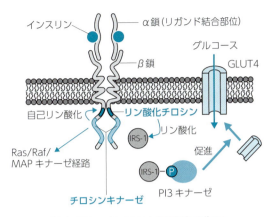

図 1-30 インスリン受容体の作用

は，**チロシンキナーゼ型受容体**があり，チロシンキナーゼ型に属する受容体には，インスリン受容体，ニューロトロフィン(神経栄養因子)Trk A, Trk B, Trk C 受容体，上皮成長因子(EGF)受容体，血管内皮細胞増殖因子(VEGF)受容体，血小板由来増殖因子(PDGF)受容体，インスリン様増殖因子(IGF1)受容体などがある．

その他の酵素共役型受容体には，セリン・スレオニンキナーゼ型受容体，ヒスチジンキナーゼ会合型受容体，チロシンホスファターゼ型受容体，膜結合型グアニル酸シクラーゼ型受容体などがある．

(ⅰ) インスリン受容体

インスリン受容体は，1個の α サブユニット(α 鎖)と1個の β サブユニット(β 鎖)からなり，β 鎖が細胞膜を貫通した1回膜貫通型である(**図 1-30**)．不活性化受容体のときは単量体で細胞膜上に存在し，受容体が活性化するときに2量体を形成する．**図 1-30** では，インスリンが α 鎖に結合して2量体を形成したときの様子を示している．一方で，インスリン受容体がはじめから2量体構造を有し，不活性化受容体として細胞膜に存在しているという説も提唱されている．

インスリン受容体の α 鎖にインスリンが結合すると，β 鎖にあるチロシンキナーゼが，自身のチロシン部位を自己リン酸化する．リン酸化されたチロシン部位(リン酸化チロシン)は IRS(insulin receptor substrate)を引き寄せて IRS をリン酸化する．リン酸化された IRS は PI3 キナーゼを活性化し，グルコーストランスポーター4 (GLUT4)が細胞膜に出現するのを促進する．このように，インスリン受容体そのものにチロシンキナーゼ活性領域を有している．

(ⅱ) サイトカイン受容体

サイトカイン受容体は，1個の α サブユニット(α 鎖)と1個の β サブユニット(β 鎖)からなり，β 鎖が細胞膜を貫通した1回膜貫通型である(**図 1-31**)．不活性化受容体のときは単量体で存在し，受容体が活性化するときに2量体を形成する．インスリン受容体と同様に，不活性化受容体のときから2量体を形成して細胞膜上に存

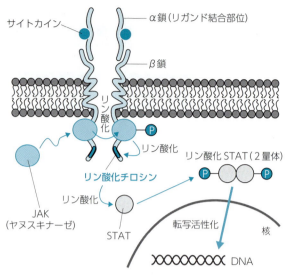

図1-31 サイトカイン受容体の作用

在しているという説もある．受容体内にチロシンキナーゼ活性領域を内蔵していないので，受容体自身は酵素活性をもたない．

サイトカイン受容体にリガンドや薬物が結合すると，β鎖の近傍にあるJAK(ヤヌスキナーゼ)がお互いをリン酸化する．リン酸化されたJAKは，β鎖にあるチロシン部位をリン酸化する．リン酸化されたチロシンは，その近傍にあるSTATをリン酸化する．リン酸化されたSTATは2量体を形成し，核内に移行してタンパク質の転写活性を促進する．

b 細胞内受容体と核内受容体

アルドステロンやプロゲステロン，コルチゾールなど脂溶性のステロイドホルモンは細胞膜を貫通しやすい．よってこれらの受容体は，細胞質内に存在する(**図1-32**)．細胞質内に存在する受容体が静止状態のときは，シャペロンタンパク質群と複合体を形成し，不活性状態で待機している．薬物やリガンドが作用点に結合すると，細胞内受容体は2量体を形成し，核内へ移行する．一方，ビタミンD_3や甲状腺ホルモンの受容体は核内に存在しているので，リガンドが核内に移行してから核内の受容体と結合する．細胞内受容体や核内受容体が薬物やリガンドによって活性化すると，DNAの特異的応答配列に結合して，RNAポリメラーゼIIおよび転写因子に作用して転写を開始する．そして，つくられたメッセンジャーRNA(mRNA)によって標的タンパク質が合成される．

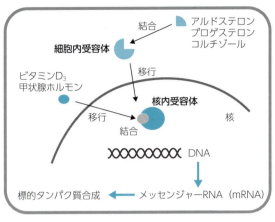

図 1-32 細胞内受容体の作用

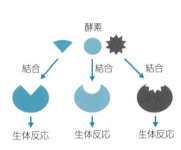

図 1-33 酵素の基質特異的結合

❺ 薬が作用する酵素

　生体内で起こるさまざまな化学反応(生合成)に対して，特異的な触媒反応を示すタンパク質を**酵素**という．酵素反応は，原則として 1 種類の物質(**基質**)に結合して 1 つの**触媒反応**を示す．このような反応を**基質特異性**という(図 1-33)．生体における代謝反応の多くは酵素によって素早く行われる．しかも生体内には多種多様の物質(基質)が混在するので，生体反応の数だけ酵素が存在すると考えられている．よって酵素の基質特異性は，生体反応が規則正しく行われるために必須である．

　酵素には血液凝固因子のように血液中に存在するものもあるが，一般的に細胞内に存在するものがほとんどである．よって酵素に薬物を作用させるためには，細胞の脂質二重膜を透過させる必要がある．

　表 1-4 に示すようにさまざまな酵素阻害薬が治療薬となっている．酵素の阻害薬として作用するためには，酵素の基質特性に合致する必要がある．一方，酵素の基質に似た物質(**偽基質**)が薬物となることもある．この場合，偽基質の薬物が酵素と結合することで酵素の正常反応を阻害する．

　そのままでは薬物活性を有しないが，体内の酵素による触媒作用を受けて活性化される薬物もある．このような薬物を**プロドラッグ**という(表 1-5)．プロドラッグは体内の標的部位にたどり着いてから薬理作用を発揮できるように設計されているので，薬物の有効成分の組織移行性の改善などが期待できる．また，刺激の強い薬物をプロドラッグ化することで，薬物による消化管障害などの副作用の軽減も期待できる．

表 1-4　酵素阻害薬と作用

酵　素	代表的な薬物	酵素阻害により生じる反応	適応症
コリンエステラーゼ	ドネペジル	アセチルコリンの分解抑制	アルツハイマー型認知症
GABA トランスアミナーゼ	バルプロ酸	GABA の分解抑制	てんかん
モノアミンオキシダーゼ B（MAO-B）	セレギリン	ドパミンの放出量増加	パーキンソン病
Rho キナーゼ（タンパク質リン酸化酵素）	ファスジル	血管拡張	脳出血性血管攣縮
トロンボキサン合成酵素	オザグレル	トロンボキサン A_2 の産生抑制	脳出血性血管攣縮
アンジオテンシン変換酵素（ACE）	エナラプリル	アンジオテンシンⅡの合成抑制	高血圧症
ホスホジエステラーゼ	アムリノン	cAMP 増加	急性心不全
HMG-CoA 還元酵素	プラバスタチン	血中コレステロールの減少	脂質異常症
α-グルコシダーゼ	ボグリボース	二糖類から単糖類への分解抑制	糖尿病
アルドース還元酵素	エパルレスタット	ソルビトールの合成抑制	糖尿病
キサンチンオキシダーゼ	アロプリノール	尿酸の生成抑制	痛風
シクロオキシゲナーゼ	アスピリン	プロスタグランジンとトロンボキサンの合成抑制	炎症
カルシニューリン（脱リン酸化酵素）	シクロスポリン	IL-2 の合成抑制	臓器移植時の拒絶反応
ホスホジエステラーゼ 5	タダラフィル	cGMP の増加	肺高血圧症，勃起不全
炭酸脱水酵素	アセタゾラミド	脱水（眼房水の産生抑制など）	緑内障
チミジル酸合成酵素（シンターゼ）	フルオロウラシル	がん細胞の増殖抑制	がん
ジヒドロ葉酸還元酵素（レダクターゼ）	メトトレキサート	がん細胞の増殖抑制	がん
上皮成長因子受容体（EGFR）チロシンキナーゼ	ゲフィチニブ	がん細胞の増殖抑制	がん

表 1-5　プロドラッグ

プロドラッグ（不活性物質）	活性化物質	活性化物質になる機序
インドメタシンファルネシル	インドメタシン	エステラーゼにより代謝される
テガフール	フルオロウラシル	主に CYP2A6 により代謝される
シクロホスファミド	ホスファミド・マスタード	主に CYP2B6 により代謝される
コデイン	モルヒネ	主に CYP2D6 により代謝される
レボドパ	ドパミン	ドパデカルボキシラーゼにより代謝される
ジドブジン	ジドブジン三リン酸	UDP グルクロノシルトランスフェラーゼにより代謝される

6 薬が作用するイオンポンプとトランスポーター

　細胞膜を介して細胞内外に物質が輸送されることを**膜輸送**という．細胞膜は脂質二重膜で構成されているので，脂溶性の高い薬物や物質は濃度勾配に従った単純拡散で細胞膜を透過することができる．しかし，水溶性の高い薬物やイオンなどは細胞膜を透過しにくい．そのため，それらの膜輸送には，イオンチャネルやイオンポンプ，トランスポーターが利用される．膜輸送には，細胞内外の濃度勾配に従う**受動輸送**と，濃度勾配に逆らう**能動輸送**がある．能動輸送には，ATP加水分解酵素（ATPase）によるATP分解エネルギーを利用する**一次能動輸送**（図1-34）と，ATPを利用しない**二次能動輸送**（図1-35）がある．

　イオンチャネルの挙動は，前述したように細胞内外のイオン濃度勾配と電気勾配に従って特定のイオンを透過させているので受動輸送である．一方，イオンポンプやトランスポーターの挙動は，受動輸送と能動輸送の両方がある．

a　イオンポンプ

　治療薬が作用するイオンポンプには，Na^+ポンプ（Na^+, K^+-ATPase）と，Ca^{2+}ポンプ（Ca^{2+}-ATPase），H^+ポンプ（H^+, K^+-ATPase）がある（図1-34）．

1）Na^+ポンプ（Na^+, K^+-ATPase）

　Na^+ポンプは，生体におけるほとんどすべての細胞膜上に存在している．例えば神経細胞において活動電位が発生するとき，細胞外から細胞内へNa^+が流入し，続いて細胞内から細胞外へK^+が流出する．この後に細胞を静止状態に戻すためには，細胞内に流入したNa^+を細胞外に排出し，細胞外に排出したK^+を細胞内に戻す必要がある．このときに働くのがNa^+ポンプである．Na^+ポンプが1回働くと，3分子のNa^+が細胞外へ排出され，2分子のK^+が細胞内へ取り込まれる（図1-34）．

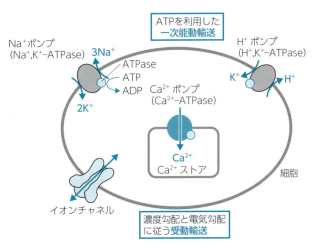

図1-34　イオンポンプの作用

このようにして，静止状態の細胞内外のイオン組成は，図 1-13 に示したような一定の濃度を保つことが可能となる．

ジギタリス製剤は Na^+ ポンプを阻害するので，Na^+ の細胞外への排出が阻害される（細胞内に Na^+ が留まる）．すると Na^+/Ca^{2+} 交換輸送体を介して Na^+ は細胞外へ排出され（図 1-35），同時に Ca^{2+} が流入するので心筋は収縮する．

2) Ca^{2+} ポンプ（Ca^{2+}-ATPase）

Ca^{2+} ポンプは筋小胞体（Ca^{2+} ストア）に多く発現している．細胞内の Ca^{2+} 濃度が上昇すると，骨格筋は収縮する．骨格筋を弛緩させるためには，細胞内 Ca^{2+} 濃度を静止状態に戻す必要がある．Ca^{2+} ポンプは，細胞内 Ca^{2+} を筋小胞体内へ回収する役割を担っている（図 1-34）．その結果，骨格筋におけるアクチンフィラメントおよびミオシンフィラメントの周囲の Ca^{2+} 濃度が下がるので，骨格筋は弛緩する．

3) H^+ ポンプ（H^+,K^+-ATPase）

H^+ ポンプ（プロトンポンプ）は細胞膜に存在し，H^+ を細胞外へ排出して K^+ を細胞内に取り込む．胃壁細胞に発現する H^+,K^+-ATPase は，胃酸分泌を担うポンプとして機能している．H^+ ポンプが 1 回働くと，1 分子の H^+ が細胞外へ排出され，1 分子の K^+ が細胞内へ取り込まれる（図 1-34）．すなわち，等量の陽イオンが対向輸送されるので，電位変化は生じない．

プロトンポンプ阻害薬は H^+ 分泌を阻害するので，胃酸分泌を抑制することにより抗潰瘍作用を示す．

b　イオントランスポーター

イオントランスポーターは，ATP 結合部位をもたない **SLC トランスポーター** と，ATP 結合部位を有する **ABC トランスポーター** に分類される．SLC トランスポーターには，神経伝達物質を含む各種アミノ酸，糖，核酸，ビタミンなどを能動輸送するトランスポーターも含まれている．現在までに 52 種類もの SLC トランスポーターが同定されている．1 種類のイオンを輸送するトランスポーターは **単輸送体**，2 種類以上のイオンを輸送するトランスポーターは **共輸送体**，逆方向に輸送するものを **交換輸送体** という．一方，ABC トランスポーターには，コレステロール，リン脂質，脂肪酸，薬物などを能動輸送するトランスポーターも含まれている．約 50 種類もの ABC トランスポーター遺伝子があるといわれている．

薬が作用する代表的な SLC トランスポーターには，**Na^+/Cl^- 共輸送体** と，**$Na^+/K^+/2Cl^-$ 共輸送体**，**Na^+/Ca^{2+} 交換輸送体**，**尿酸トランスポーター**，**有機アニオントランスポーター 4** などがある（図 1-35）．

1) Na^+/Cl^- 共輸送体

Na^+/Cl^- 共輸送体が 1 回働くと，1 分子の Na^+ と 1 分子の Cl^- が同時に細胞内に取り込まれる（図 1-35）．等量の陽イオンと陰イオンが輸送されるので，電位変化は生じない．

サイアザイド系利尿薬は，遠位尿細管に発現している Na^+/Cl^- 共輸送体を阻害す

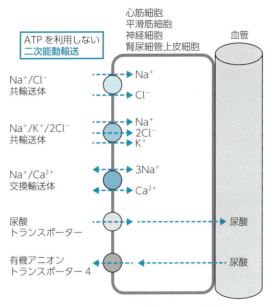

図 1-35　トランスポーターの作用

るので，管腔内(細胞外)に Na^+ が留まることになる．よって Na^+ 排泄による利尿作用を示す．

2) $Na^+/K^+/2Cl^-$ 共輸送体

$Na^+/K^+/2Cl^-$ 共輸送体が1回働くと，1分子の Na^+ と1分子の K^+ および2分子の Cl^- が同時に細胞内に取り込まれる(図 1-35)．等量の陽イオンと陰イオンが輸送されるので，電位変化は生じない．

ループ系利尿薬は，ヘンレ係蹄(ループ)の太い上行脚に発現している $Na^+/K^+/2Cl^-$ 共輸送体を阻害するので，管腔内(細胞外)に Na^+ が留まることになる．よって Na^+ 排泄による利尿作用を示す．

3) Na^+/Ca^{2+} 交換輸送体

Na^+/Ca^{2+} 交換輸送体が1回働くと，3分子の Na^+ と1分子の Ca^{2+} を交換する(図 1-35)．この交換機構は**両方向性**であり，細胞内に蓄積した Ca^{2+} を細胞外へ排出する Ca^{2+} 流出モード(Na^+ 流入モード)と Ca^{2+} を細胞外から流入させる Ca^{2+} 流入モード(Na^+ 流出モード)がある．Na^+/Ca^{2+} 交換輸送体は，心筋細胞のみならず，平滑筋細胞や神経細胞，腎尿細管上皮細胞などに多く発現している．

4) 尿酸トランスポーター/有機アニオントランスポーター4

近位尿細管の管腔側に発現しており，**尿酸トランスポーター**は尿酸を血管内に取り込み，**有機アニオントランスポーター4**は尿酸を尿細管腔内へ排泄する(図 1-35)．尿酸排泄促進薬は，尿酸トランスポーターを阻害することで，尿酸の再吸収を抑制し，尿酸を尿中に排泄する．

c その他のトランスポーター

1) セロトニントランスポーター

中枢のセロトニン作動性神経終末部に発現しており，シナプス間隙に放出されたセロトニンを神経終末部に再取り込みする．セロトニン再取り込み阻害薬(SSRI)は，セロトニントランスポーター(SERT)を阻害し，抗うつ作用を示す．

2) Na^+/グルコース共輸送体

近位尿細管に発現しており，グルコースを血中に取り込む．2型糖尿病治療薬である **SGLT2 阻害薬**は，Na^+/グルコース共輸送体(SGLT)を阻害し，血中グルコース濃度を低下させる．

3) コレステロールトランスポーター

小腸粘膜上皮細胞に発現しており，小腸にてコレステロールを血中に吸収する．脂質異常症治療を目的とした阻害薬は，小腸コレステロールトランスポーター(**NPC1L1**)を阻害し，血中のコレステロールを低下させる．

7 薬の投与方法

薬物の投与経路には，経口投与，口腔内投与，静脈内投与，皮膚投与(経皮投与)，皮下投与，筋肉内投与，吸入投与，鼻腔内投与，直腸内投与などがある．薬物には，それぞれの投与方法に適した剤形があり，薬物動態を考慮した投与方法を選択する．

1) 経口投与 per os (p. o.)

薬物を口から飲み込み，消化管から吸収させる方法である．患者が自分でできる投与方法なので，最も使用される．欠点として，胃酸による分解や肝臓および消化管から吸収される際に代謝を受けるために薬効が減少する場合がある．例えば，小腸から吸収された薬物は，全身の血液循環に移行する前に門脈に集められて肝臓を通過しなければならない．このとき，一部の薬物は肝臓にある酵素により代謝されて薬物活性を失う場合がある．このことを**初回通過効果**という．

2) 口腔内投与 intraoral

頬と歯茎の間に薬物を挟んだり，口の内側(口腔粘膜)に薬物を貼りつけたり，舌下部に薬物を設置したりする方法である．胃酸による分解や肝臓における初回通過効果を回避でき，速やかな全身循環が期待できる．例えば，口腔内崩壊錠(orally disintegration，OD錠)は唾液で溶ける製剤であり，水なしで飲めるという利点がある．しかし欠点として，薬物投与時に味覚に影響を与える場合がある．

3) 静脈内投与 intravenous (i. v.)

注射によって静脈内に薬物を直接投与する方法である．消化管を介した薬物代謝を回避できるので，速効性や確実な薬効を得ることができる．静脈内に投与することによって，薬物を含む静脈血が心臓に戻り，そこから動脈血を介して全身に薬物が作用する．欠点として，予期せぬ薬効が現れる危険性があること，点滴の場合は患者の行動が制限されることがある．また，注射部位の溶血や感染症に注意する必要もある．

抗悪性腫瘍薬の投与方法として動脈内注射がある．患部(がん細胞付近)の動脈に薬物を注入することにより，静脈内投与よりも高濃度かつ速効性を得ることができる．ただし，動脈圧は高いので，注射部位の止血に細心の注意を払う必要がある．

4) **皮膚投与(経皮投与)** transdermal

皮膚(上皮)に薬物を直接塗布する方法である．筋肉痛や皮膚そのものが患部である場合や，皮膚を介した全身作用を期待して投与される場合もある．持続的に薬効を得たい場合に有効であり，休止したい場合は薬物をすぐに排除できる．欠点として，皮膚がかぶれる場合があるので，皮膚過敏に注意する必要がある．

5) **皮下投与** subcutaneous (s. c.)

皮下に薬物を投与する方法である．静脈内投与よりも緩やかな吸収分布を示すので，急激な薬物血中濃度の上昇などは回避できる．欠点として，感覚神経が豊富にある皮下に投与するため，刺激性の薬物や多量の薬液(1 mL 以上)は投与できない．

6) **筋肉内投与** intramuscular (i. m.)

筋肉内に薬物を投与する方法である．皮下投与と同様に，緩やかな吸収分布を示すので，急激な薬物血中濃度の上昇などは回避できる．欠点として，筋肉内には毛細血管が豊富にあるので，注射部位の血流によって，薬物の吸収や血中濃度が影響を受ける場合がある．

7) **吸入投与** inhalation (i. h.)

吸気とともに薬物を口から吸入する方法である．吸入された薬物は，肺に入って肺胞から血中に吸収されるので，速効性や確実な薬効を得ることができる．気管支喘息の治療の場合は，気道患部に局所的に吸収させる目的で使用される．欠点として，薬物を気体もしくは微粒子に加工する必要がある．

8) **鼻腔内投与** intranasal (i. n.)

鼻から薬物を吸入する方法である．鼻腔内の毛細血管から薬物が吸収されるため，消化管を介した薬物代謝を回避できるので，速効性や確実な薬効を得ることができる．

9) **直腸内投与** rectal (r. c.)

薬物(坐剤)を肛門から直腸内に挿入し，直腸粘膜から吸収させる方法である．胃酸による分解や肝臓における代謝を回避でき，速やかな全身循環が期待できる．経口投与ができない患者や消化管障害を避けたい場合に有効な投与方法である．欠点として，薬効が急激に現れる場合もあり，予期せぬ副作用に注意する必要がある．

10) **その他の投与方法**

薬物の局所作用を得るための投与方法に，点眼や膣内投与などがある．

8 薬の体内動態と薬効発現の関わり

a 薬物動態

薬物が体内に投与されてから体外に排出されるまでの薬物の働きや挙動を**薬物動態**という。薬物動態には，血中への**吸収**(absorption, **A**)，血中から体内組織・部位への**分布**(distribution, **D**)，体内組織・部位における**代謝**(metabolism, **M**)，そして体外への**排泄**(excretion, **E**)の4つの過程がある(図1-36)。これら4つの過程を総称して **ADME** という。薬物の ADME を理解することは，創薬のみならず，薬物の副作用の軽減や飲み合わせ(相互作用)を考えるうえでとても重要である。

1) 吸　収

薬物はさまざまな経路を介して投与できる(図1-36)。投与された薬物が最初に血中に移行する過程を**吸収**という。薬物を静脈内注射した場合，薬物は血中に直接到達するので吸収効率は100%となる。それ以外の投与方法では，初回通過効果や何らかの関門，障害を経るので，吸収効率は低下する。このときの吸収効率を**バイオアベイラビリティ** bioavailability (**生物学的利用率**)という。関門には，**血液脳関門** blood-brain-barrier(BBB)と**血液胎盤関門** blood-placenta-barrier がある。

体内に吸収された薬物は，**最高血中濃度**(C_{max})を経て，時間とともに消失する(図1-37)。血中濃度が C_{max} の半分になるまでの時間を**生物学的半減期** biological half-life($t_{1/2}$)という。図1-37に示すように，縦軸(血中濃度)と横軸(時間)で囲ま

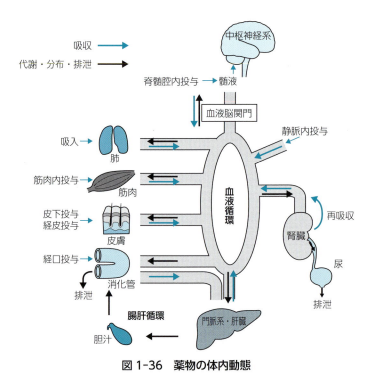

図1-36　薬物の体内動態

れた部分を**薬物血中濃度時間曲線下面積** area under the curve（**AUC**）という．すなわち，AUC は体内に吸収された薬物の総量の目安になる．よって，薬物の絶対的バイオアベイラビリティ（％）は，静脈内注射の AUC に対する任意の投与経路の AUC の百分率として求めることができる．

2）分布

薬物が吸収された後，血液を介してさまざまな組織や部位に移行する過程を**分布**という（図 1-36）．原則として血漿タンパク質（**アルブミン**）と結合している薬物は不活性型であり，非結合型の薬物のみが薬理作用を示す（図 1-38）．すなわち，アルブミンと結合率の高い薬物を併用すると，他方の薬物がアルブミンとの結合から競合的に外れ，非結合型の薬物が予期しない薬効（副作用）を示すことがある．分布した多くの薬物は組織に蓄積するが，脂溶性の高い薬物の場合は蓄積率が高くなりやすい．このような場合，血中濃度が適正値であっても，実際は薬効が強く現れることがある．

3）代謝

本来，薬物は体内にはない異物なので，それを排除しようとする生体防御機構が働く．その機構において，薬物を排出しやすいように変換する過程を**代謝**という（図 1-36）．薬物の代謝は，主に肝臓において基本的に 2 段階の過程を経て行われる．薬物の加水分解反応および酸化還元反応を**第Ⅰ相反応**（異化反応）という．一方，排出しやすいようにグルクロン酸や硫酸などと結合して薬物の水溶性を高める過程を**第Ⅱ相反応**という．必ずしも第Ⅰ相反応の次に第Ⅱ相反応が起きるわけではなく，第Ⅱ相反応が先に行われる場合もある．さらには，薬物が分布した時点ですでに水溶性が高い場合，第Ⅰ相反応の代謝を受けずに第Ⅱ相反応の代謝を受ける薬物もある．

4）排泄

生体内で代謝された薬物が体外に排出されることを**排泄**という（図 1-36）．排泄の過程には，胆汁への排泄と尿中への排泄がある．肝臓での代謝も排泄に含まれる．

胆汁に排泄された薬物が，再び小腸で吸収される場合を**腸肝循環**という．この循環が生じると，薬物の体内蓄積が延長するので，薬効も持続する．

薬物が尿中に排泄されるためには，腎臓が重要な働きをする．血中に含まれる薬物

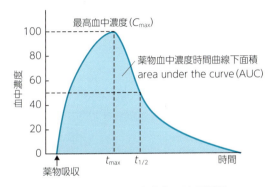

図 1-37 薬物血中濃度の時間経過

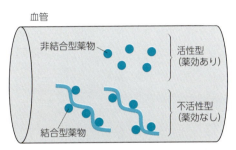

図 1-38 薬物と血中アルブミン

は，①糸球体ろ過，②尿細管分泌，③尿細管再吸収の3つの機構を介して尿中に排泄されるか，あるいは血中に再吸収される．その他の排泄経路には，肺（呼気），汗腺，涙腺，乳腺，糞便などがある．とくに乳腺を介した排泄の場合，授乳中の乳児に影響を与えるので注意が必要である．

弱酸性の薬物は，尿細管における尿が酸性の場合は薬物の再吸収が促進するため，排泄能が低下し，過剰の薬理作用を示すことがある．逆に弱アルカリ性の薬物は，尿が酸性の場合は薬物の排泄能が促進し，薬理作用が低下する．

b テーラーメイド薬物療法

代謝の過程において，第I相反応に主に関与するのは**シトクロム P450（CYP）**という酵素である．CYP にはさまざまなアイソザイムが存在し（**表 1-6**），とくに CYP2D6 には**遺伝子多型**が存在することが知られている．すなわち，CYP による代謝に差が生じるため，同じ用量の薬物を投与しても，人によっては中毒域に達する場合もある．このような個人差は，患者の年齢，性別，疾病の既往歴，妊娠の有無なども含まれる．また，患者自身からの申告では見抜けないような個人差は，生化学的データから調べることもできる．近年は，わずかな採血でさまざまな遺伝子情報を調べることができる検査キットも開発されている．

医薬品の用法・用量は，平均的なヒトに対する平均的な臨床治験データに基づいて決定されているため，投薬した際に予期せぬ副作用が生じることもある．それに対し，患者の個性を考慮した薬物療法を**テーラーメイド薬物療法**という．患者の個性には，上述の個人差のみならず，生活環境や遺伝背景，後天的な体質などもある．薬剤師は，決められた処方せんを調剤して服薬指導するだけでなく，患者と向き合ってライフスタイルを知るコミュニケーション能力も大切なスキルとして求められる．

表 1-6　シトクロム P450 のアイソザイム

アイソザイム	代謝を受ける主な薬物と作用機序
CYP1A2	カフェイン（ホスホジエステラーゼ阻害，アデノシン受容体遮断） カルベジロール（交感神経 α・β 受容体遮断） プロプラノロール（交感神経 β 受容体遮断）
CYP2C9	ワルファリン（血液凝固因子抑制） ジクロフェナク（シクロオキシゲナーゼ阻害） イブプロフェン（シクロオキシゲナーゼ阻害）
CYP2C19	プロプラノロール（交感神経 β 受容体遮断） オメプラゾール（プロトンポンプ阻害） ジアゼパム（ベンゾジアゼピン受容体刺激）
CYP2D6	コデイン（オピオイド μ 受容体刺激） カルベジロール（交感神経 α・β 受容体遮断） プロプラノロール（交感神経 β 受容体遮断）
CYP2E1	エタノール（タンパク質の変性，代謝障害，溶菌） カルベジロール（交感神経 α・β 受容体遮断）

9 薬物相互作用

　薬が処方される際，1つの薬剤のみが処方されることはまれである．処方せんの多くは複数の薬剤で構成され，それらを同時に服用することも多い．このように複数の薬物が生体内に投与されたときに，薬物の作用が減弱あるいは増強し，それぞれの薬効に影響を与えることがある．このような作用を**薬物相互作用**という．薬物相互作用には次の3つがある．

▶相加作用

　同じ作用機序をもつ薬物を併用した場合にみられる．用量を増加させても，両薬物の作用の和以上の反応は得られないことをいう．

▶相乗作用

　異なる作用機序をもつ薬物を併用した場合にみられる．用量を増やしていくと，両薬物の作用の和以上の高い作用が発現することをいう．

▶拮抗作用

　複数の薬物を併用した場合に，どちらか一方，あるいは両薬物の作用が減弱したり，消失したりすることをいう．

　複数の薬物が生体内に投与された際に，併用された薬物の血中濃度には変化がないにもかかわらず，薬理作用が増減する相互作用を**薬力学的相互作用**という．薬力学的相互作用の原因には，標的となる受容体や酵素，体液組成の変化などが挙げられるが，これらの変化は血中の薬物濃度の変化をモニターしただけでは予測することが難しく，臨床現場では注意深い観察が必要となる場合もある．一方で，薬物相互作用が生じる原因としては，薬物の吸収，分布，代謝，排泄などの体内動態に起因する場合が多い．このような相互作用を**薬物動態学的相互作用**という．薬物動態学的相互作用は，血中の薬物濃度の変化をモニターすることで予測できる．したがって併用薬の投与量を調整することで，薬物相互作用を軽減できる可能性がある．代表的な薬物相互作用には以下の例がある．これらはほんの一部であり，実際は多くの薬物相互作用が報告されている．最新のアップデートや医薬品情報を理解するためにも，薬剤の添付文書のみならずインタビューフォームもあわせて学習することが肝要である．

1) 吸収時の薬物相互作用

▶ジゴキシンやワルファリンなどの酸性薬物は，制酸薬と併用することで胃からの吸収が遅くなる．これは，制酸薬により胃内pHが上昇するために，酸性薬物の非イオン型(吸収型)が減少することによる．

▶ニューキノロン系抗菌薬やテトラサイクリン系抗菌薬は，制酸薬と併用することで胃からの吸収が遅くなる．これは，制酸薬に含まれる金属イオン(Al^{3+}およびMg^{2+})とキレート化合物を形成して吸収が阻害されることによる．

2) 分布時の薬物相互作用

▶トルブタミドは，スルホンアミド系薬と併用することで低血糖を起こしやすくな

る．これは，トルブタミドよりもスルホンアミド系薬のほうがアルブミンとの結合能が高いため，すでにアルブミンと結合していたトルブタミドが非結合型となり，過剰の薬理作用を示すことによる．

▶ワルファリンは，鎮痛薬の NSAIDs と併用することで出血傾向を起こしやすくなる．これは，ワルファリンよりも NSAIDs のほうがアルブミンとの結合能が高いため，すでにアルブミンと結合していたワルファリンが非結合型となり，過剰の薬理作用を示すことによる．

3）代謝時の薬物相互作用

▶テオフィリンは，ニューキノロン系抗菌薬あるいはヒスタミン H_2 受容体遮断薬のシメチジンと併用することで血中濃度が上昇し，過剰の薬理作用を示すことがある．これは，肝臓におけるシトクロム P450 によるテオフィリンの代謝が阻害されることによる．

4）排泄時の薬物相互作用

▶ペニシリンやメトトレキサート，セファレキシンなどは，尿酸排泄促進薬のプロベネシドと併用することで血中濃度が上昇し，過剰の薬理作用を示すことがある．これは，プロベネシドによって尿中排泄が阻害されることによる．

10 耐性と薬物依存性

a 耐 性

薬物を繰り返し長期にわたって服薬していると，薬効が徐々に減少していくことがある．このような場合，服薬初期と同程度の薬効を得るために，医師の判断により用量を増やしたり薬物を変更したりする場合がある．このように薬物が効きにくくなる現象を**耐性**という．麻薬性鎮痛薬やバルビツール酸誘導体，有機硝酸塩類，インスリン，レボドパなどは耐性が生じやすい薬物として知られている．また，短かい間隔で服薬を繰り返して発生する耐性を**タキフィラキシー**という．エフェドリンやアンフェタミン，チラミンなどはタキフィラキシーが生じやすい薬物として知られている．一方，覚醒剤やコカインなどの精神興奮薬の反復投与によって，少量でも幻聴や妄想などの異常現象が生じることを**逆耐性**という．

耐性が発現する機序は薬物によって異なる場合が多い．一般的には，①細胞膜受容体数の減少，②細胞膜受容体への薬物結合能の低下，③細胞内情報伝達系の機能低下，④内在性の拮抗物質の発現，⑤薬物代謝酵素の誘導，などが挙げられる．

b 薬物耐性（薬剤抵抗性，薬剤耐性）

通常の耐性とは別に，がん細胞や病原菌などの病原側が薬物に対して耐性を獲得することを**薬物耐性**（薬剤抵抗性，薬剤耐性）という．

薬物耐性が発現する機序は通常の耐性と共通する面も多い．抗悪性腫瘍薬に対する薬物耐性においてとくに問題となるのは，がん細胞における**P糖タンパク質**の発現

である．P糖タンパク質は，細胞内に取り込まれた異物を細胞外に排泄する役割を担っている．がん細胞がP糖タンパク質を発現するようになると，薬物が排泄されやすくなるので有効な薬効を発揮できなくなる．

c 薬物依存

薬物のなかには，反復投与によって依存が生じる場合がある．これを**薬物依存**という．薬物依存には，**身体依存**と**精神依存**がある．薬物の反復投与の結果，生体内に薬物が蓄積している状態が定常状態となっているので，完全に身体が薬物に順応してしまっている．

薬物依存は，脳内報酬系の中脳辺縁ドパミン神経系の活性化による．この神経系は中脳の腹側被蓋野から側坐核に投射しており，気分の高揚感や陶酔感に関与している．

1) 身体依存

薬物の服用を中止(休薬)して体内から薬物が徐々に排泄されてくると，さまざまな身体的症状が現れることがある．例えば不安や睡眠障害，吐き気，発汗，下痢，振戦などがあり，**退薬症候**(**離脱症状**，**禁断症状**)といわれる．これを身体依存という．

2) 精神依存

休薬して体内から薬物が徐々に排泄されても，退薬症候は発現しない．しかし精神的に薬物に依存しているため，心理的脅迫感や欲求(渇望)による薬物の探索行動が出現する．これを精神依存という．

アヘン類(ヘロインやモルヒネなど)は非常に強い精神依存と身体依存を形成する．コカインや大麻(マリファナ)，覚醒剤(アンフェタミンやメタンフェタミン)は強い精神依存を形成するが身体依存は形成しない．またニコチンは中等度の精神依存を形成するが身体依存はきわめて弱い(まったくないわけではない)．このように，薬物依存は主に精神依存によるところが大きく，必ずしも身体依存が発現するわけではない(☞表2B-4)．

3 自律神経系の機能と作用薬

❶ 神経系の構成

神経系は，中枢神経系と末梢神経系から構成される．末梢神経は，骨格筋の運動や体性感覚に関わる体性神経系と，心筋や平滑筋の運動，腺分泌に関わる自律神経系に分類される(図1-39)．

❷ 自律神経系

a 自律神経系の機能的意義

自律神経系は交感神経系と副交感神経系からなり，交感神経と副交感神経は効果器に対し相反する効果を示す(拮抗的二重支配)(表1-7)．

▶交感神経系：「fight or flight(闘争か逃避か)」
　緊急時あるいは運動時に働く神経であり，エネルギー消費を高める異化作用として機能する．

▶副交感神経系：「rest and digest(安息と消化)」
　休息時(エネルギーの補充時)に働く神経で，同化作用として機能する．

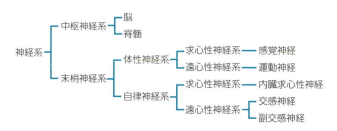

図 1-39　神経系の構成

表 1-7　自律神経の作用

	交感神経	副交感神経
瞳孔	散瞳	縮瞳
心拍数	増加	減少
気管支	拡張	収縮
皮膚の血管	収縮	
血圧	上昇	下降
唾液分泌	粘稠液少量分泌	希薄液多量分泌
胃腸蠕動	抑制	促進
消化液の分泌	抑制	促進
膀胱(排尿)	抑制	促進

b 自律神経系の構造

　自律神経は，中継部位である自律神経節を有し，自律神経節より前の節前線維と自律神経節より後の節後線維に分けられる．自律神経節と節後線維と効果器の結合部はシナプスを形成する．**交感神経**は，効果器から離れた位置に神経節があるため，節前線維は短く，節後線維が長い．一方，**副交感神経**の神経節は，効果器内あるいはその近傍にあるため，節前線維が長く節後線維が短い．交感神経の節前線維は脊髄の胸髄および腰髄にある細胞体から発し，1本の節前線維が多くの節後線維と接続しているため（シナプス比1：20以上），多くの臓器に影響を与える．副交感神経の節前線維

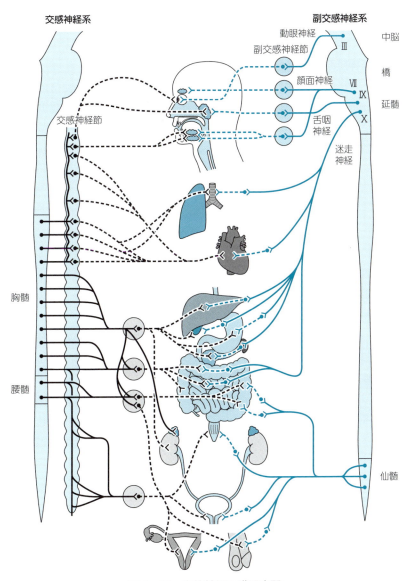

図1-40　自律神経の臓器支配

表1-8 交感神経系と副交感神経系の節前線維と節後線維

	交感神経	副交感神経
節前線維	胸髄および腰髄にある細胞体から発する	脳幹部と仙髄にある細胞体から発する
	多くの節後線維と接続（シナプス比1:20以上）	1本の節後線維と接続（シナプス比1:1）
節後線維	効果器に広く分布 多くの臓器に影響	臓器特異的な影響

は脳幹部と仙髄にある細胞体から発し，1本の節前線維は1本の節後線維と接続しているため（シナプス比1:1），臓器特異的に影響を与える（**図1-40**，**表1-8**）．

c 自律神経系の神経伝達物質と受容体

神経伝達物質は，神経の興奮を次の神経または効果器に伝える化学物質である．自律神経の重要な神経伝達物質はアセチルコリンとノルアドレナリンであり，アセチルコリンが伝達物質である神経をコリン作動性神経といい，ノルアドレナリンが伝達物質である神経をアドレナリン作動性神経という．交感神経，副交感神経の節前線維ならびに副交感神経の節後線維から遊離される神経伝達物質はアセチルコリンである．

ノルアドレナリンが結合して作用を発現する受容体には**α受容体**と**β受容体**があり，α受容体はα_1，α_2，β受容体にはβ_1，β_2，β_3のサブタイプが存在する．α_1，β_1，β_2，β_3は効果器に存在する．α_2受容体は神経細胞終末に存在し，ノルアドレナリンの遊離を抑制する．アセチルコリンが結合して作用を発現する受容体にはニコチン受容体とムスカリン受容体がある．**ニコチン受容体**は自律神経節に存在するN_N受容体と，骨格筋の神経筋接合部に存在するN_M受容体がある．**ムスカリン受容体**は，M_1，M_2，M_3受容体が存在し，自律神経節と胃のヒスタミン含有細胞にはM_1受容体が，心臓にはM_2受容体が，分泌腺，平滑筋にはM_3受容体が存在する（**図1-41**）．副腎に投射する節前線維の神経終末より遊離したアセチルコリンは，副腎髄質のカテコールアミン含有細胞に存在するN_N受容体に結合し，アドレナリンおよびノルアドレナリンを血液中に分泌する．副腎髄質の構造は発生学的にも交感神経節と類似している．汗腺に投射している交感神経節後線維の神経終末から遊離される神経伝達物質はアセチルコリンであり，汗腺に存在する受容体はムスカリン受容体である（**図1-42**）．

自律神経の主要な作用を**表1-9**に示した．

d カテコールアミン

カテコールアミンには，ドパミン，ノルアドレナリン，アドレナリンが含まれる．カテコールアミンはカテコール核とアミンを含む側鎖をもつ．ノルアドレナリンは交感神経系の節後神経の神経伝達物質であり，アドレナリンは副腎髄質から血液中に放出されるホルモンである．

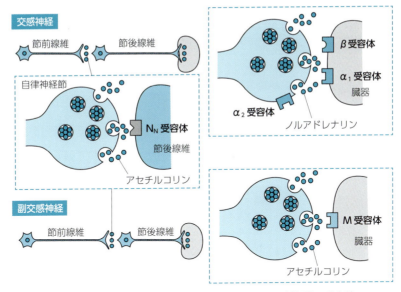

図 1-41　交感神経系と副交感神経系の神経伝達物質と受容体

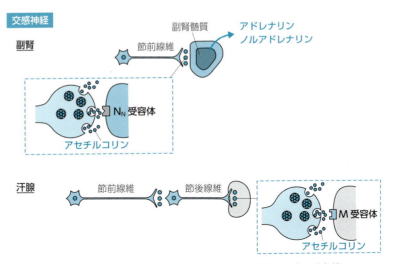

図 1-42　副腎と汗腺（交感神経系）の神経伝達物質と受容体

1）カテコールアミンの生合成

　カテコールアミンは，必須アミノ酸のチロシンを前駆体とし，5つの酵素が関与する生合成経路により産生される．チロシンヒドロキシラーゼは，チロシンをL-DOPA（dihydroxyphenylalanine）に変換する．この酵素はカテコールアミン合成の律速酵素で，カテコールアミン類を産生するすべての細胞に発現している．L-DOPAはドパデカルボキシラーゼによって脱炭酸され，ドパミンに変換される．ドパミンはドパミンβ-ヒドロキシラーゼによってノルアドレナリンに変換される．ド

表 1-9　自律神経の主要な作用

臓　器	アドレナリン作動性 効　果	受容体	コリン作動性 効　果	受容体
眼				
瞳孔				
瞳孔散大筋	収縮	α_1	−	−
瞳孔括約筋	−	−	収縮	M_3
毛様体筋	弛緩	β_2	収縮	M_3
心臓				
洞房結節	心拍数↑	$\beta_1>\beta_2$	心拍数↓	M_2
房室結節	伝導速度↑	$\beta_1>\beta_2$	伝導速度↓	M_2
			房室ブロック	
心房	収縮力↑	$\beta_1>\beta_2$	収縮力↓	M_2
	伝導速度↑			
心室	収縮力↑	$\beta_1>\beta_2$		
	伝導速度↑			
血管				
皮膚・粘膜	収縮	α_1, α_2	−	−
冠状血管	拡張	$\beta_2>\alpha_1$	−	−
骨格筋	拡張	$\beta_2>\alpha_1$	−	−
肺	拡張	$\beta_2>\alpha_1$	−	−
腹部内臓	収縮	$\alpha_1>\beta_2$	−	−
脳	収縮（弱い）	α_1	−	−
唾液腺	粘稠液少量分泌	α_1	希薄液多量分泌	M_3
気管支平滑筋	拡張	β_2	収縮	M_3
気道分泌	抑制	α_1	促進	M_3
	促進	β_2		
皮膚				
立毛筋	収縮	α_1	−	−
汗腺	局所的分泌	α_1	全身的分泌	M_3
消化管				
運動・緊張	抑制	β_2	促進	M_3
括約筋	収縮	α_1	弛緩	M_3
分泌	抑制	α_2	促進	M_2, M_3
			胃酸分泌	M_1
肝臓	糖新生	α_1, β_2	−	−
	グリコーゲン分解			
脂肪分解	促進	β_1, β_2	−	−
腎臓	レニン分泌	β_1		
膀胱				
排尿筋	弛緩	β_2, β_3	収縮	M_3
尿道括約筋	収縮	α_1	弛緩	M_3
子宮				
妊娠時	収縮	α	−	−
非妊娠時	弛緩	β_2	−	−

パミン β-ヒドロキシラーゼは，アドレナリン作動性神経の小胞に結合している膜酵素であり，このためノルアドレナリンは小胞内で産生される．副腎髄質ではフェニルエタノールアミン N-メチルトランスフェラーゼによりノルアドレナリンをメチル化

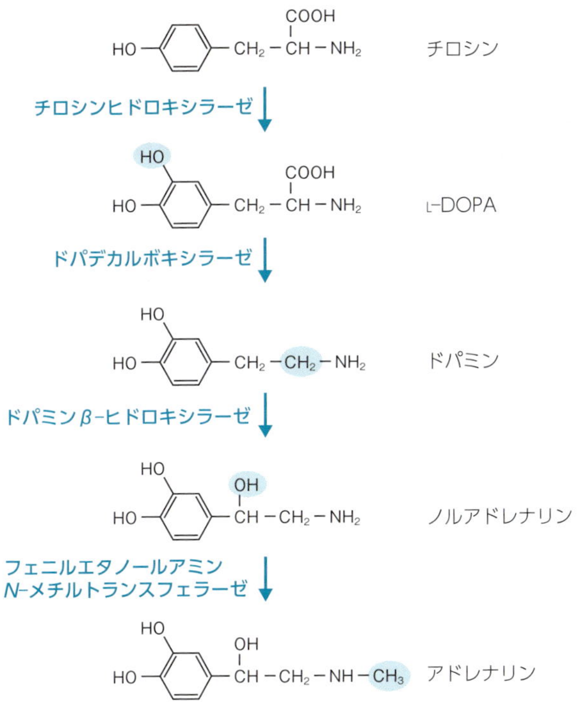

図 1-43 カテコールアミンの生合成

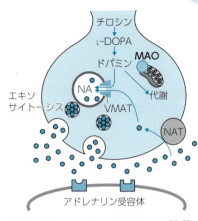

図 1-44 カテコールアミンの貯蔵，遊離，再取り込み

してアドレナリンを合成する(図 1-43).

2) カテコールアミンの貯蔵

カテコールアミンは小胞のなかに貯蔵されており，細胞質にはわずかしか存在しない．神経伝達物質の小胞への貯蔵は，神経細胞内での代謝や細胞外漏出を減少させ，制御された神経伝達物質の遊離を可能としている．細胞質のドパミンは**小胞モノアミントランスポーター** vesicular monoamine transporter (**VMAT**) を介して小胞に取り込まれ，ノルアドレナリンに変換され貯蔵される(図 1-44).

3) カテコールアミンの遊離

神経終末に活動電位が到達すると，Ca^{2+} チャネルが開口し Ca^{2+} 流入が起こる．細胞内 Ca^{2+} 濃度の上昇により，シナプス小胞と細胞膜の融合が促進し，開口分泌（エキソサイトーシス）によりノルアドレナリンの遊離が起こる(図 1-44).

4) カテコールアミンの再取り込み

神経終末へのカテコールアミンの再取り込みは，神経終末から遊離したカテコールアミンのシナプス伝達を終結させる最も重要な機構である．交感神経から遊離したノルアドレナリンは，神経終末の膜に存在する**ノルアドレナリントランスポーター** noradrenaline transporter (**NAT**) によって神経終末に取り込まれ再利用される(図 1-44).

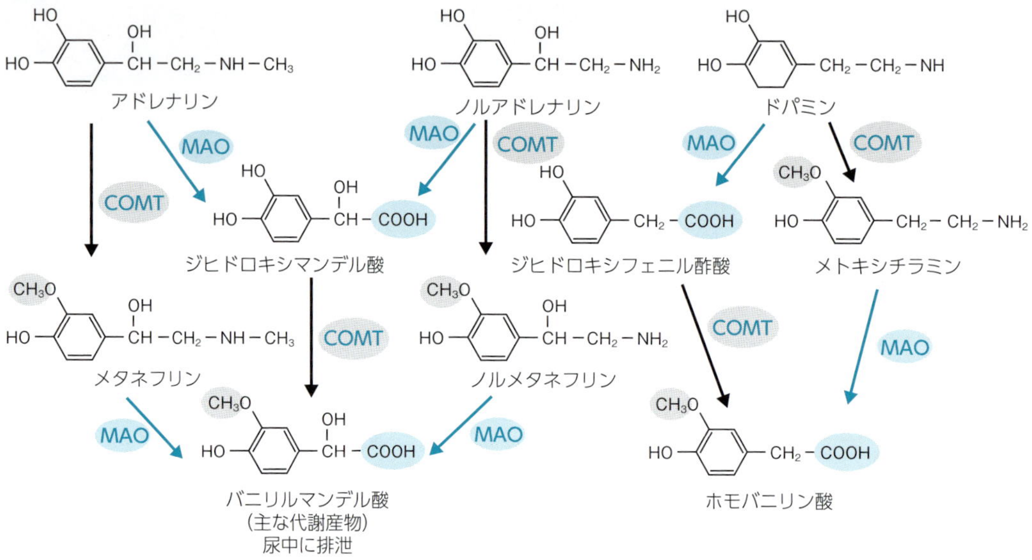

図 1-45　カテコールアミンの代謝

5）カテコールアミンの代謝

　　カテコールアミンの不活性化機構に細胞内と細胞外での分解酵素による代謝過程がある．カテコールアミンは，細胞内ではミトコンドリア膜表面に結合している**モノアミンオキシダーゼ** monoamine oxidase（**MAO**）により，酸化的脱アミノ化によって生理活性を失う．細胞外では，**カテコール-O-メチルトランスフェラーゼ** catechol-O-methyltransferase（**COMT**）により，カテコール核の m-位の水酸基がメチル化され生理活性を失う．MAO と COMT が連続して作用し，カテコールアミンはバニリルマンデル酸に変換され尿中に排泄される（**図 1-45**）．

❸ アドレナリン作用薬

　　交感神経を刺激したときと同様の効果を生じる薬物をアドレナリン作用薬または交感神経刺激薬という．受容体に直接作用する直接型，神経終末部からの神経伝達物質の遊離促進やカテコールアミンの分解を抑制する間接型，直接型と間接型の両作用を有する混合型がある．

a　直接型アドレナリン受容体刺激薬

1）カテコールアミン

　　●ノルアドレナリン　　●アドレナリン　　●イソプレナリン（イソプロテレノール）

　　ノルアドレナリンは α_1，α_2，β_1 受容体への親和性が高く，β_2 受容体にはほとんど作用しない．アドレナリンは α_1，α_2，β_1，β_2 受容体への親和性が高い．イソプレナリンは合成カテコールアミンで β 受容体に親和性が高く，α 受容体にはほとんど作用

表 1-10 アドレナリン，ノルアドレナリン，イソプレナリンの静脈内投与

	血　圧	心　臓
アドレナリン	α_1：収縮期圧↑ 　　拡張期圧↑　収縮期圧やや上昇 β_2：血管拡張　　平均血圧変化なし 　　拡張期圧↓	β_1, β_2：心拍数増加，心拍出量増加
ノルアドレナリン	α_1：血管収縮，末梢血管抵抗↑ 　　収縮期圧↑，拡張期圧↑	心拍数減少
イソプレナリン	β_2：血管拡張，拡張期圧↓	β_1, β_2：心拍数増加，心拍出量増加

しない．ノルアドレナリンはα受容体に対する選択性が高いが，ノルアドレナリンのアミノ基にメチル基が付いたアドレナリンはノルアドレナリンよりβ_2受容体刺激作用が強くなる．さらにノルアドレナリンのアミノ基にイソプロピル基がついたイソプレナリンではα受容体よりβ受容体に対する選択性が増加する．

ノルアドレナリン　　　　アドレナリン　　　　イソプレナリン

薬理作用　（表 1-10）

心臓：β_1受容体に作用して心機能を亢進させる．心拍数が増加し（陽性変時作用），心筋の収縮力の増加により心拍出量が増大する（陽性変力作用）．

心筋のβ_1受容体刺激による細胞内cAMP濃度の上昇は，プロテインキナーゼA（PKA）を活性化させCa^{2+}チャネルをリン酸化する．リン酸化によりCa^{2+}チャネルが開口し，細胞にCa^{2+}が流入する．それにより，心拍数の増加ならびに心拍出量の増大が起こる．また，プロテインキナーゼAは筋小胞体Ca^{2+}ポンプの活性調整タンパク質であるホスホランバンをリン酸化し，筋小胞体Ca^{2+}ポンプの抑制を解除し，Ca^{2+}の筋小胞体への再取り込みを促進する．それにより，心筋の興奮収縮後の弛緩が促進し，また刺激によって筋小胞体から放出されるCa^{2+}量が増し，収縮力が増加する．さらにプロテインキナーゼAは収縮を抑制しているトロポニンIをリン酸化して抑制する（図 1-46）．

ノルアドレナリンは，心臓に直接作用すると心拍数ならびに心拍出量の増加を示すが，静脈内投与すると血圧上昇による迷走神経の興奮により心拍数が減少する（減圧反射）．

血管：冠状血管，骨格筋の血管，肺の血管はβ_2受容体を介して拡張するため，拡張期血圧は降下する．上記以外の血管はα_1受容体を介して収縮するため，末梢血管抵抗ならびに静脈圧が増加し，収縮期血圧，拡張期血圧ともに上昇する．ノルアドレナリンはα_1受容体作用により収縮期圧，拡張期圧ともに上昇させ血圧を上昇させる．

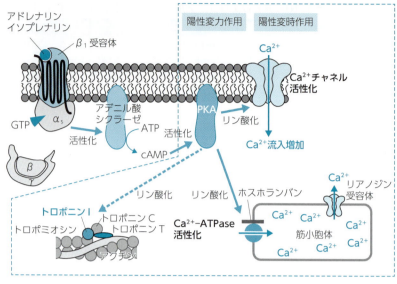

図1-46　β_1受容体による心筋収縮メカニズム

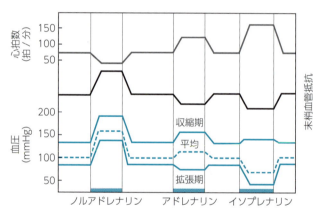

図1-47　アドレナリン，ノルアドレナリン，イソプレナリンの静脈内投与による心血管系に与える効果

アドレナリンはα_1受容体作用とβ_2受容体作用により収縮期圧はやや上昇するが，平均血圧は変化しない．イソプレナリンはα_1受容体作用がないため，拡張期圧が低下し，平均血圧が低下する（図1-47）．

▶アドレナリンの血圧反転

アドレナリンを静脈内に急速投与すると，α_1受容体刺激による急激な血圧上昇の後に，β_2受容体刺激による血圧下降の二相性反応を示す．α_1受容体遮断薬であるフェントラミンを投与後，アドレナリンを投与するとα_1受容体の作用が消失し，β_2受容体の作用だけが現れるため，血圧下降が観察される（図1-48）．

眼：α_1受容体を介した瞳孔散大筋の収縮により散瞳する（図1-49）．毛様体筋はβ_2

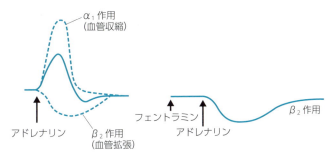

図 1-48 アドレナリンα受容体遮断薬によるアドレナリンの血圧反転

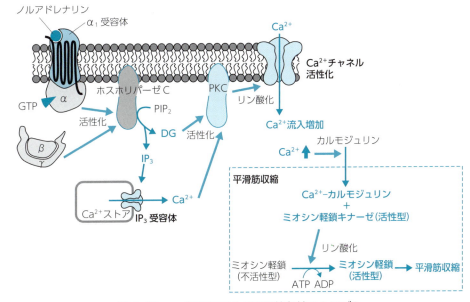

図 1-49 α_1受容体による平滑筋収縮メカニズム

受容体を介して弛緩し遠方視になる．眼房水はβ受容体を介して産生が促進し，α_1受容体により排出が低下するため眼圧が上昇する．α_2受容体は眼房水の産生抑制ならびに排出増加を示すため眼圧を低下させる．

気管支：気管支平滑筋はβ_2受容体を介して弛緩するため，気管支は拡張する(**図 1-50**)．

膀胱：膀胱平滑筋(排尿筋)はβ_2およびβ_3受容体を介して弛緩し，内尿道括約筋はα_1受容体を介して収縮するため，蓄尿する．

代謝：β_2受容体を介した糖新生ならびにグリコーゲン分解の促進により，血糖値が上昇する．β_3受容体を介した脂肪分解促進により遊離脂肪酸が上昇する(**図 1-51**)．

臨床応用

ノルアドレナリン：急性低血圧またはショック時

アドレナリン：気管支喘息・百日咳の気管支痙攣，局所麻酔薬の作用延長，局所出

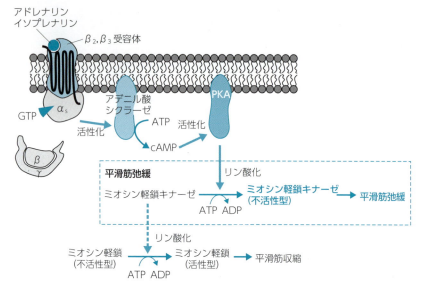

図 1-50　β₂ 受容体による平滑筋弛緩メカニズム

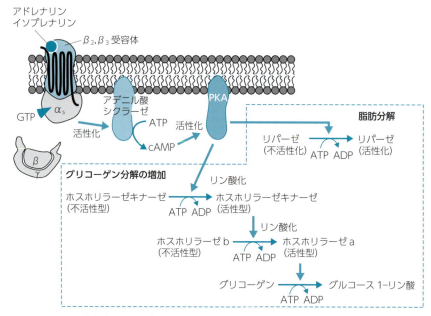

図 1-51　β₂ 受容体によるグリコーゲン分解カスケードと β₃ 受容体による脂肪分解

血，急性低血圧・ショック時・心停止，アナフィラキシー
イソプレナリン：気管支喘息，アダムス・ストークス症候群，急性心不全，低心拍出量症候群

副作用

ノルアドレナリン：血管外に漏らすと組織壊死を起こす

表 1-11　ドパミン受容体の作用

ドパミン受容体	所在	作用
D_1	腎血管	拡張
	内臓血管	拡張
D_2	消化管	運動抑制（アセチルコリン遊離抑制による）
（中用量のドパミン）$β_1$	心臓	心拍出量↑ 血圧は変動しない
（高用量のドパミン）$α_1$	血管	収縮

アドレナリン：肺水腫，心悸亢進，不整脈，血糖上昇
イソプレナリン：心悸亢進，頻脈

●エチレフリン

$α_1$ 受容体ならびに $β$ 受容体を刺激する．低血圧の治療に用いられる．

●ドパミン

ドパミンは中枢神経系の神経伝達物質であるが，末梢（腎臓血管や内臓血管）にも少量のドパミン作動性神経が存在している．末梢に存在するドパミン受容体は D_1 と D_2 受容体である．

D_1 受容体の刺激により，腎血管ならびに内臓血管が拡張する．D_2 受容体刺激によりアセチルコリンの遊離が抑制され，消化管運動が抑制される．中用量のドパミンは $β_1$ 受容体を刺激し，心拍出量を増大させる．D_1 受容体刺激により，腎血管ならびに内臓血管が拡張するため，血圧は変動しない．高用量のドパミンは $α_1$ 受容体を刺激し，血管を収縮させる（**表 1-11**）．心不全に低用量から中用量を用いる．

エチレフリン　　　ドパミン

2）アドレナリン $α_1$ 受容体刺激薬

●フェニレフリン　●ミドドリン

どちらも COMT で分解されず，ミドドリンは MAO でも分解されないため，作用持続時間が長い．

[臨床応用] 低血圧症，散瞳薬

●ナファゾリン　●テトラヒドロゾリン　●オキシメタゾリン　●トラマゾリン

局所血管収縮薬として点眼剤または点鼻剤として用いられる．

[臨床応用] 眼・鼻充血

フェニレフリン　ミドドリン　ナファゾリン

テトラヒドロゾリン　オキシメタゾリン　トラマゾリン

3) アドレナリン α_2 受容体刺激薬

- クロニジン　● グアナベンズ

  作用機序　心臓血管中枢の α_2 受容体に作用し，脳からの交感神経活動の出力を抑制する．また末梢アドレナリン作動性神経終末のシナプス前膜 α_2 受容体に作用し，ノルアドレナリン遊離を抑制する（図1-52）．

  臨床応用　高血圧症

- ブリモニジン

  薬理作用　房水流出促進，房水産生抑制
  臨床応用　緑内障

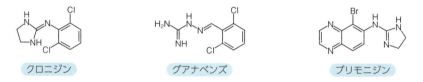

クロニジン　グアナベンズ　ブリモニジン

4) アドレナリン β 受容体刺激薬

- ドブタミン　● デノパミン

  ドブタミンは COMT で急速に代謝されるため，経口投与できない．β_1 受容体選

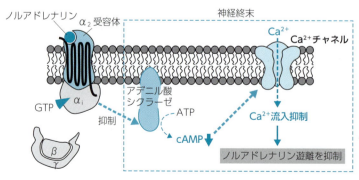

図1-52　α_2 受容体によるノルアドレナリン遊離抑制機構

択的でなく，肺動脈などではβ_2受容体刺激作用により血管拡張作用を示す．デノパミンは，β_1受容体に選択的に作用する．またCOMTで分解されないため，経口投与が可能である．なお，いずれもMAOでは分解されない．

臨床応用　心不全

ドブタミン　　　　　　　　　　　　　　デノパミン

5) アドレナリン β_2 受容体刺激薬

- テルブタリン　● サルブタモール　● ツロブテロール　● プロカテロール
- フェノテロール　● ホルモテロール　● クレンブテロール　● サルメテロール
- インダカテロール　● リトドリン（構造式☞ p.379）

β_2受容体選択的刺激作用により平滑筋を弛緩させ，心臓刺激作用が少ない．MAO，COMTで分解されないため，経口投与が可能である．

臨床応用　気管支喘息，COPD，気管支筋攣縮

テルブタリン　　　　　　サルブタモール　　　　　　ツロブテロール

プロカテロール　　　　　　　　　　　フェノテロール

ホルモテロール　　　　　　　　　　　クレンブテロール

サルメテロール　　　　　　　　　　　インダカテロール

b　間接型アドレナリン受容体刺激薬

●ドロキシドパ

ドロキシドパは生体内に入ると芳香族L-アミノ酸デカルボキシラーゼによりノルアドレナリンに変換され，ノルアドレナリンの補充・分泌促進を介して，交感神経機能を賦活する．ドロキシドパはMAOの基質にならないため，長時間作用する．

臨床応用　シャイ・ドレーガー症候群(☞コラム)および家族性アミロイドポリニューロパチーにおける起立性低血圧，失神，たちくらみ．起立性低血圧を伴う血液透析患者におけるめまい・ふらつき・たちくらみ，倦怠感，脱力感．パーキンソン病におけるレボドパ(L-DOPA)の脳内移行性向上のための配合剤として用いることがある．

●メチルドパ

メチルドパは脳内でα-メチルノルアドレナリンに変換され，脳幹の血管運動中枢のα_2受容体を刺激し，交感神経活性を低下させることにより降圧効果を示すと考えられている．

臨床応用　高血圧症

●チラミン

臨床応用はないが，MAO阻害薬服用患者がチーズ，チョコレートなどのチラミンを多く含む食品を摂取すると，高血圧発作を起こす．チラミンはノルアドレナリントランスポーターにより交感神経終末に取り込まれ，小胞でノルアドレナリンと置き変わりノルアドレナリンを遊離させる．チラミン自身がMAOの基質であるため，MAOが阻害されると急激な血圧上昇を起こす．

●アンフェタミン　●メタンフェタミン

アンフェタミンとメタンフェタミンはノルアドレナリントランスポーターにより交感神経終末に取り込まれ，小胞でノルアドレナリンと置き変わりノルアドレナリンを遊離させる．神経終末へのノルアドレナリン再取り込みを阻害するだけでなく，MAOを阻害するため，強い交感神経興奮作用を示す．またアンフェタミン，メタンフェタミンは中枢興奮作用が強く，覚醒剤に指定されている．

●アメジニウム

アメジニウムはノルアドレナリントランスポーターにより交感神経終末に取り込まれ，神経終末へのノルアドレナリン再取り込みを阻害する．またMAOを阻害し交感神経機能を亢進させる．

臨床応用　低血圧症，透析施行時の血圧低下改善

コラム

シャイ・ドレーガー症候群

起立性低血圧と排尿障害などの自律神経症状を初発症状とし，経過とともにパーキンソニズムや小脳症状など中枢神経症状が現れる．多系統萎縮症の一病型であり，男性に多い．病因は不明である．

●**フロプロピオン**(構造式☞ p.439)

フロプロピオンは，COMT の阻害によりノルアドレナリンの代謝を抑制する．血中のノルアドレナリン濃度が上昇し，Oddi 括約筋を弛緩させ胆汁排泄を促進する．

臨床応用　胆道ジスキネジア，胆石症，胆囊炎，胆管炎

ドロキシドパ　　　　メチルドパ　　　　チラミン

アンフェタミン　　　メタンフェタミン　　アメジニウム

c　混合型アドレナリン受容体刺激薬

●**エフェドリン**　●**メチルエフェドリン**

エフェドリンはマオウに含まれるアルカロイドで，直接受容体に作用するとともに，間接的にアドレナリン作用を現す．エフェドリンは α，β 受容体刺激作用により血管収縮作用，心臓刺激作用，気管支拡張作用を示す．直接的な β 受容体刺激作用に加え，ノルアドレナリントランスポーターにより交感神経終末に取り込まれ，小胞でノルアドレナリンと置き変わりノルアドレナリンを遊離させることで，間接的な α，β 受容体刺激作用を示す．間接作用については短時間内に反復投与すると耐性を生じる（タキフィラキシー）．タキフィラキシーは直接作用については起きないため，α 作用にのみ出現する．中枢興奮作用がありアンフェタミン様の覚醒作用により，乱用されることがある．MAO，COMT によって分解されないため，長時間作用する．メチルエフェドリンはエフェドリンに比べて β_2 受容体刺激作用が強い．

臨床応用　気管支喘息，気管支炎に伴う咳嗽，エフェドリンは鼻粘膜の充血・腫脹にも用いる．

エフェドリン　　　　メチルエフェドリン

4 抗アドレナリン作用薬

a アドレナリンα受容体遮断薬
1）非選択的α受容体遮断薬

●**フェントラミン**

α_1とα_2受容体を遮断する．α_1受容体遮断による，血管平滑筋の弛緩により，末梢血管抵抗が減少し，血圧が低下する．血圧低下による圧受容器反射に加え，α_2受容体遮断によるノルアドレナリンの遊離促進により，頻脈を引き起こす．フェントラミンはα受容体を可逆的に遮断し，作用は短時間である．

臨床応用 褐色細胞腫の手術前・手術中の血圧調節

●**麦角アルカロイド**：●エルゴタミン ●エルゴメトリン ●メチルエルゴメトリン ●ジヒドロエルゴタミン ●ジヒドロエルゴトキシン

麦角アルカロイドは，ライ麦など穀物類に寄生する真菌（麦角菌）のなかに存在するアルカロイドであり，食べ物に混入すると精神錯乱や激しい痛みを伴い末梢血管の収縮などの中毒を生じる．麦角アルカロイドは，α受容体，ドパミン受容体，セロトニン受容体に部分刺激薬および遮断薬として作用するため，その作用は複雑かつ多様である．エルゴタミンとジヒドロエルゴタミンはα_1受容体の部分刺激薬，遮断薬で血管が収縮するため片頭痛の治療に用いられる．ジヒドロエルゴトキシンは交感神経終末のシナプス前ドパミン受容体を刺激し，ノルアドレナリンの放出を抑制することにより，末梢血管抵抗を減弱させるため高血圧症や末梢循環障害の改善に用いられる．エルゴメトリンとメチルエルゴメトリンは子宮平滑筋を選択的に作用し収縮させるため，産後の胎盤剥離促進や出血防止に用いられる．

フェントラミン

エルゴタミン

エルゴメトリン：R＝H
メチルエルゴメトリン：R＝CH₃

エルゴメトリン　メチルエルゴメトリン

ジヒドロエルゴタミン

3 自律神経系の機能と作用薬　57

ジヒドロエルゴコルニン：R＝ ...
ジヒドロ-α-エルゴクリプチン：R＝ ...
ジヒドロ-β-エルゴクリプチン：R＝ ...
ジヒドロエルゴクリスチン：R＝ ...

ジヒドロエルゴトキシン

2) 選択的 α_1 受容体遮断薬

● プラゾシン　● テラゾシン　● ドキサゾシン　● ブナゾシン　● ウラピジル
● シロドシン　● タムスロシン　● ナフトピジル

　α_1 受容体を選択的に遮断し，血管平滑筋を弛緩させる．それにより末梢血管抵抗が減少し，血圧が低下する．選択的 α_1 受容体遮断薬は，交感神経終末からノルアドレナリンの遊離を増加させないため，非選択的 α 受容体遮断薬でみられる反射性頻脈は少ない．プラゾシン，テラゾシン，ドキサゾシン，ブナゾシン，ウラピジルは高血圧症治療薬として用いられる．また α_1 受容体遮断により，膀胱頸部や前立腺の下部尿路平滑筋を弛緩させる．それにより尿道内圧が低下するため前立腺肥大に伴う排尿障害に用いられる．シロドシン，タムスロシン，ナフトピジルは α_{1A} 受容体に対して選択性が高く，下部尿路平滑筋を選択的に弛緩させるため，起立性低血圧やめまいといった副作用が少ない．ブナゾシンは α_1 受容体遮断により，房水の排出を促進し，眼圧を低下させるため，緑内障の治療に用いられる．

プラゾシン：R＝ ...
テラゾシン：R＝ ...
ドキサゾシン：R＝ ...
ブナゾシン：R＝ ...

プラゾシン　テラゾシン　ドキサゾシン　ブナゾシン

ウラピジル

シロドシン

タムスロシン　　　　　　　　　　　　　ナフトピジル

b　アドレナリンβ受容体遮断薬

　β受容体遮断薬は心臓のβ₁受容体遮断作用により，高血圧，不整脈，虚血性心疾患の予防や治療薬として用いられる．β受容体遮断薬は，β₁受容体に対する選択性，**β受容体部分刺激作用**（内因性交感神経刺激作用，intrinsic sympathomimetic activity, ISA, ☞コラム）の有無，脂溶性（☞コラム）の差により区別されている．

1）非選択的β受容体遮断薬

● プロプラノロール　● ナドロール　● カルテオロール　● ピンドロール
● アルプレノロール　● ブフェトロール　● チモロール

　β₁受容体遮断により，心機能ならびに腎臓からのレニンの分泌が抑制され，抗不整脈作用，狭心症予防作用，降圧作用を示す．β受容体遮断薬は交感神経興奮時に強い効果が現れるため，労作性狭心症の予防に有効である．また，シナプス前に存在するβ₂受容体を遮断し，ノルアドレナリンの遊離を抑制する．β₂受容体遮断作用により，気管支平滑筋が収縮するため気管支喘息患者には禁忌である．また，低血糖を誘発することがあるため糖尿病患者では血糖値に注意が必要である．

臨床応用　プロプラノロール，ナドロール，カルテオロール，ピンドロール，アルプレノロール，ブフェトロールは，不整脈，狭心症，高血圧症に用いられる．チモロールとカルテオロールは，β受容体遮断作用により房水の産生を抑制するため緑内障の治療に点眼で用いられる．

コラム　内因性交感神経刺激作用（ISA，β受容体部分刺激作用）

　ISAを有するβ受容体遮断薬は，β₂受容体刺激作用を示すため，気管支喘息患者の高血圧治療に有用である．またβ受容体刺激作用により心拍出量を減少させすぎないため，高齢者や徐脈の患者に適する．一方，ISAがないβ受容体遮断薬は，心機能を抑制するため，狭心症や頻脈の患者に適し，心筋梗塞の再発や虚血性疾患を防止する．
ISA(＋)：アセブトロール，セリプロロール，カルテオロール，ピンドロール，アルプレノロール

コラム　脂溶性

　脂溶性β受容体遮断薬は，心室性不整脈を予防する効果が強い．血液脳関門を通過するため，幻覚，抑うつ，悪夢，錯乱といった中枢性の副作用が発現する．

プロプラノロール　　　　ナドロール　　　　カルテオロール

ピンドロール　　　アルプレノロール　　　ブフェトロール　　　チモロール

2) 選択的 β_1 受容体遮断薬

●アセブトロール　●アテノロール　●ベタキソロール　●ビソプロロール
●セリプロロール　●メトプロロール　●ランジオロール　●エスモロール

　β_1 受容体遮断により，心機能ならびに腎臓からのレニンの分泌が抑制され，抗不整脈作用，狭心症予防作用，降圧作用を示す．β_2 受容体遮断作用がないため，気管支喘息や糖尿病患者にも適用できる．

臨床応用　アセブトロール，アテノロール，ベタキソロール，ビソプロロール，セリプロロール，メトプロロールは，不整脈，狭心症，高血圧症に用いる．ランジオロール，エスモロールは，短時間作用型であり，不整脈に対する緊急処置に用いる．ベタキソロールは，緑内障の治療に点眼で用いる．

アセブトロール　　　　　　　　　　　　アテノロール

ベタキソロール　　　　　　　　　　　　ビソプロロール

セリプロロール　　　　　　　　　　　　メトプロロール

ランジオロール　　　　　　　　　　　　エスモロール

c アドレナリン αβ 受容体遮断薬

- アモスラロール
- アロチノロール
- ラベタロール
- ベバントロール
- カルベジロール
- ニプラジロール
- レボブノロール

α_1, β_1, β_2 受容体遮断により, 降圧作用, 抗不整脈作用, 狭心症予防作用を示す. α_1 受容体遮断作用により血圧が低下するが, β_1 受容体遮断作用を有するため, 反射性頻脈を生じない.

臨床応用 アモスラロール, アロチノロール, ラベタロール, ベバントロールは高血圧症に用いる. カルベジロールは高血圧症, 狭心症, 心不全の治療に用いる.

ニプラジロールとレボブノロールは α_1 受容体遮断作用により房水の流出を促進させ, β 受容体遮断作用により房水産生を抑制するため, 緑内障の治療に用いられる.

d 小胞モノアミントランスポーター(VMAT)阻害薬

- レセルピン

インド蛇木由来のアルカロイド(ラウオルフィアアルカロイド)であり, VMAT を阻害しドパミンならびに再取り込みされたノルアドレナリンの貯蔵顆粒への取り込みを阻害する. 貯蔵顆粒に取り込まれなかったドパミンやノルアドレナリンは, MAO で分解され, 最終的に神経終末のノルアドレナリンが枯渇する(図 1-53). レセルピンは中枢神経系, 末梢神経系, 副腎髄質を含めた多数の臓器においてカテコラミンやセロトニンを徐々に減少させ枯渇させる.

臨床応用 高血圧症

副作用 中枢神経系に容易に移行するため, 抑うつが起こる. うつ病やうつ症状には禁忌である. アドレナリン作動性神経遮断後に副交感神経が優位になるため, 下痢, 消化管潰瘍, 鼻閉が起こる. 消化性潰瘍や消化性大腸炎には禁忌である.

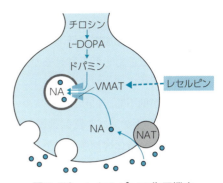

図 1-53 レセルピンの作用機序

> **コラム　除神経性過感受性**
>
> レセルピンを前処理し，アドレナリンを投与するとアドレナリンの作用が強く現れる．これはレセルピンによる，シナプス小胞内のノルアドレナリンの枯渇により，交感神経伝達が低下することによりアドレナリン受容体が増加するためである．このような現象を除神経性過感受性という．

● メチロシン

メチロシンは，カテコールアミン生合成の初期段階に関わるチロシンヒドロキシラーゼを阻害し，ノルアドレナリンとアドレナリンの合成を抑制する（☞図 1-43，p. 45）．

臨床応用　褐色細胞腫のカテコールアミン分泌過剰状態

メチロシン

⑤ コリン作動性神経系に作用する薬物

コリン作動性神経系に作用する薬物は，刺激薬あるいは遮断薬として直接アセチルコリン受容体にする薬物と，アセチルコリン分解酵素であるコリンエステラーゼを阻害し，シナプス間隙のアセチルコリン濃度を高める薬物に分類される．

a　ムスカリン受容体刺激薬

● アセチルコリン

アセチルコリンはコリン作動性神経より放出される神経伝達物質であり，効果器に存在するムスカリン受容体に結合しムスカリン様作用を示す．ムスカリン様作用はベニテングダケのアルカロイドであるムスカリンにより再現され，アトロピンの処置により効果的に抑制される．またアセチルコリンは，自律神経節，副腎髄質ならびに骨

格筋に存在するニコチン受容体に結合し，ニコチン様作用を示す．
心臓：洞房結節，房室結節の M_2 受容体に結合し，自動能の抑制（陰性変時作用）ならびに伝導速度の低下（陰性変伝導作用）を示す．心房筋の M_2 受容体に作用し，心房筋の収縮力を低下させるが，心室筋への作用はほとんどない．アセチルコリンが M_2 受容体に結合すると，アデニル酸シクラーゼ活性化の低下により，細胞内 cAMP 濃度が低下し，Ca^{2+} チャネルの活性化が抑制される．また M_2 受容体より解離した $G\beta\gamma$ が G タンパク質制御型 K^+ チャネルを開口させる．それにより心拍数の減少ならびに刺激伝導速度の低下による房室ブロックが起こる（図 1-54）．
眼：瞳孔は M_3 受容体を介した瞳孔括約筋の収縮により縮瞳する（☞図 1-58）．また毛様体の収縮により，水晶体が厚くなり近くのものに焦点が合う（図 1-55）．またシュレム管の開口により，房水の流出が促進し，眼圧が低下する．
気管支：M_3 受容体を介した気管支平滑筋の収縮により，気管支は収縮する．また気

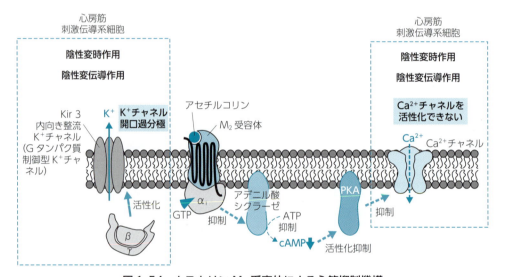

図 1-54　ムスカリン M_2 受容体による心筋抑制機構

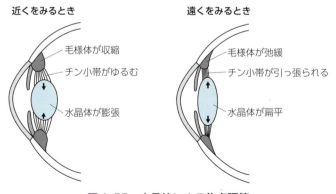

図 1-55　水晶体による焦点調節

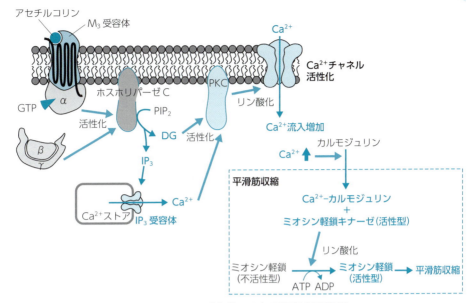

図 1-56 M₃ 受容体による平滑筋収縮機構

道分泌が増加する．
消化管：M₃ 受容体を介した消化管平滑筋の収縮により，胃腸蠕動運動が亢進する．また，消化管の外分泌が促進される．胃では M₁ 受容体刺激による胃酸分泌が起こる．
外分泌：唾液腺では M₃ 受容体の作用により，希薄な唾液が多量に分泌される．汗腺では M₃ 受容体の作用により，発汗が生じる．

　アセチルコリンが M₃ 受容体に結合すると，ホスホリパーゼ C が活性化され，ホスファチジルイノシトール 4,5-二リン酸（PIP₂）の加水分解によりイノシトール 1,4,5-三リン酸（IP₃）とジアシルグリセロール（DG）が産生される．IP₃ は小胞体上の IP₃ 受容体に結合し Ca^{2+} を放出させる．一方，DG は Ca^{2+} とともにプロテインキナーゼ C（PKC）を活性化し Ca^{2+} チャネルをリン酸化し開口させる（図 1-56）．
血管：血管内皮細胞の M₃ 受容体作用により，NOS が活性化され，NO を産生する．この NO が血管内皮細胞から遊離し，血管平滑筋細胞のグアニル酸シクラーゼを活性化し，cGMP を増加させる．cGMP の増加により，血管平滑筋が弛緩し，血管が拡張し血圧が低下する（図 1-57）．

臨床応用　麻酔後の腸管麻痺，急性胃拡張，円形脱毛症
副作用　ショック様症状
禁　忌　気管支喘息，重篤な心疾患，消化性潰瘍，消化管・尿路機能的閉塞

●ベタネコール
　ムスカリン様作用のみを示し，コリンエステラーゼにより分解されない．消化管および膀胱に対して選択的に作用する．

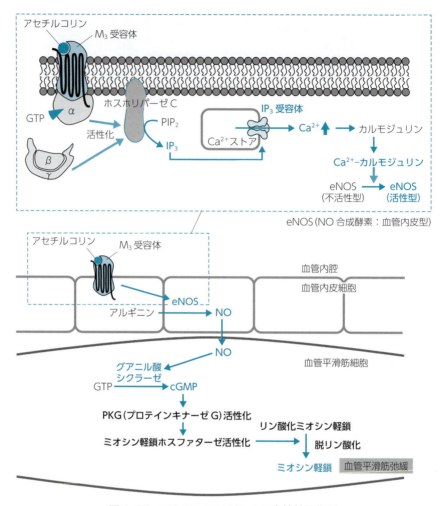

図1-57 アセチルコリンによる血管拡張作用

　　臨床応用　腸管麻痺，イレウス，尿閉
●カルプロニウム
　　アセチルコリン様作用をもち，局所血管拡張作用を示す．
　　臨床応用　脱毛症における脱毛防止・発毛促進に外用剤として用いる．
●ピロカルピン
　　ピロカルピンは南米のピロカルパス*Pilocarpus*属の低木の葉に含まれるアルカロイドであり，*Pilocarpus*属の葉を咀嚼すると流涎を引き起こすことが知られていた．ピロカルピンはムスカリン様作用を有し，外分泌腺刺激効果が著明に現れるので，シェーグレン症候群に伴う口腔乾燥症状に用いる．ピロカルピンはM₃受容体刺激により瞳孔括約筋を収縮させ縮瞳を起こす（図1-58）．それによりシュレム管が開口し，房水流出が促進するため，眼圧が低下する．点眼剤で緑内障に用いる．

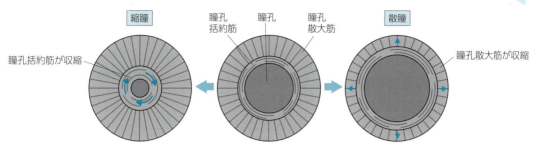

図 1-58　瞳孔括約筋と瞳孔散大筋による瞳孔調節

● セビメリン

セビメリンは涙腺や唾液腺に選択的に作用する．M_3 受容体に作用し，涙腺の分泌ならびに唾液分泌を促進する．

臨床応用　シェーグレン症候群に伴う口腔乾燥症状

アセチルコリン　　　ムスカリン　　　ベタネコール

カルプロニウム　　　ピロカルピン　　　セビメリン

b ニコチン受容体刺激薬

ニコチン受容体はそれ自身が陽イオンを透過するイオンチャネル内蔵型受容体で，自律神経節ならびに副腎髄質に存在する N_N 受容体と，神経筋接合部に存在する N_M 受容体がある．ニコチン受容体は 5 つのサブユニット（$α，β，γ，δ$ の 4 種類のサブユニットにより構成）が孔を形成し，細胞膜を貫く構造をしている．細胞外にアセチルコリンの結合部位が 2 ヵ所存在し，2 分子のアセチルコリンが結合すると，受容体の立体構造が変化してチャネルが開口し，細胞内に Na^+ が流入し，細胞外へ K^+ が流出する．これにより急速に細胞膜の脱分極が生じる（興奮性シナプス後電位）（**図 1-59**）．

▶ アセチルコリンの血圧反転

アトロピンの前処置後に多量のアセチルコリンを投与すると，自律神経節と副腎髄質の N_N 受容体の刺激作用による血圧上昇ならびに心拍数の増加がみられる．通常量のアセチルコリン投与では，ムスカリン様作用による血圧下降がみられるが，この血圧低下はアトロピンの前処置では起こらない．しかし，アトロピン前処置後，高用量のアセチルコリンを投与すると 2 峰性の血圧の上昇がみられる．最初のピークはアセチルコリンが自律神経節の N_N 受容体に作用したものである．アトロピンによりムスカリン受容体が遮断されているため，交感神経節後線維終末から遊離されたノルア

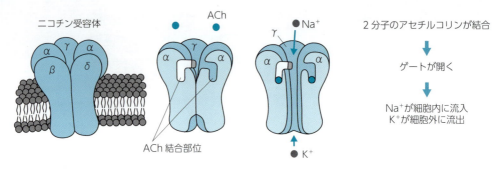

図 1-59　ニコチン受容体の構造

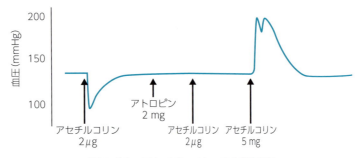

図 1-60　アセチルコリンの血圧反転

ドレナリンが血管を収縮させ血圧上昇を引き起こす．2つ目のピークは副腎髄質のN_N受容体刺激作用による，アドレナリンの遊離によるものである（図 1-60，図 1-61）．

● ニコチン

　ニコチンは毒性が強く，タバコに含まれているため医学的に重要である．自律神経節のN_N受容体を刺激し，神経伝達を促進させ，その後持続的に伝達を遮断する．副腎髄質のN_N受容体刺激作用によりアドレナリンやノルアドレナリンを分泌させ，血圧上昇，発汗，遊離脂肪酸の上昇などを引き起こす．また，神経筋接合部のN_M受容体を刺激し，一過性の骨格筋の攣縮を起こす．その後，持続的な伝達の遮断により，筋弛緩を起こす．ニコチン急性中毒の死因は，神経筋接合部遮断による呼吸筋麻痺である．

ニコチン

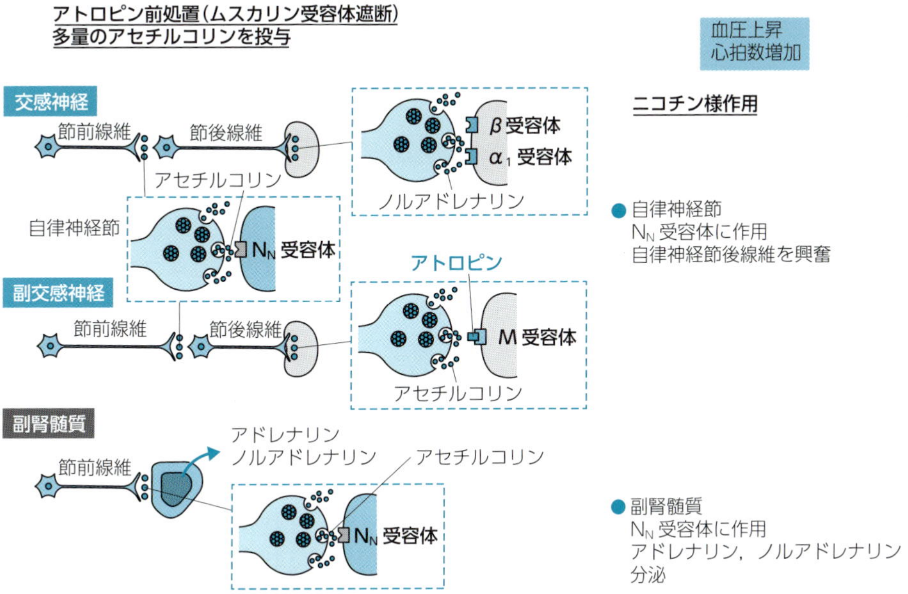

図1-61 神経節におけるアセチルコリンのニコチン様作用

c 間接型コリン刺激薬(コリンエステラーゼ阻害薬)

コリン作動性神経終末では，**コリンアセチルトランスフェラーゼ** choline acetyltransferase(**CAT**)によってコリンとアセチルCoAからアセチルコリンが産生され，シナプス小胞に貯蔵される(図1-62)．シナプス間隙に放出されたアセチルコリンは，シナプス後細胞の受容体に作用したのち，**アセチルコリンエステラーゼ** acetylcholine esterase(**AChE**)によって速やかにコリンと酢酸に分解される．

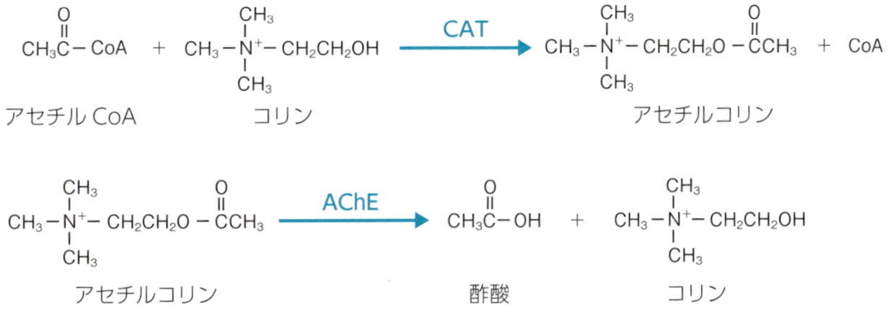

$$CH_3C(=O)-CoA + CH_3-N^+(CH_3)_2-CH_2CH_2OH \xrightarrow{CAT} CH_3-N^+(CH_3)_2-CH_2CH_2-O-C(=O)CH_3 + CoA$$

アセチルCoA　　　コリン　　　　　　　　　　　　　アセチルコリン

$$CH_3-N^+(CH_3)_2-CH_2CH_2-O-C(=O)CH_3 \xrightarrow{AChE} CH_3C(=O)-OH + CH_3-N^+(CH_3)_2-CH_2CH_2OH$$

アセチルコリン　　　　　　　酢酸　　　　　　コリン

AChEと**ブチリルコリンエステラーゼ** butyrylcholine esterase(**BuChE**)の2種類の異なるコリンエステラーゼが存在し，AChEはシナプスに存在しており，神経終末から放出されたアセチルコリンを加水分解し，アセチルコリンの作用を速やかに終わらせるのに役立っている．一方，BuChEは広範囲に存在し，血漿，肝臓，消化管，皮膚，脳などの組織に存在しているが，その生理作用はまだよく解明されていない．BuChEはブチリルコリンをアセチルコリンよりも速やかに加水分解する．またBuChEは基質特異性が広く，コカインやスキサメトニウムなどのエステル類も分解

できる．

　アセチルコリンはAChEのグルタミン酸残基の陰イオン部とイオン結合し，ヒスチジンとセリン残基からなるエステル部をアセチル化することによりコリンに代謝される．アセチル化されたAChEは速やかに酢酸を解離し活性型酵素に再生される(図1-63)．

　コリンエステラーゼ阻害薬は，コリンエステラーゼを阻害し，シナプス間隙のアセチルコリン濃度を高める．間接的にムスカリン様作用とニコチン様作用の両方が出現する．コリンエステラーゼ阻害薬には，可逆的に阻害するものと非可逆的に阻害するものが存在する．可逆的コリンエステラーゼ阻害薬は，コリンエステラーゼのエステル部をカルバモイル化する．カルバモイル化されたコリンエステラーゼは，アセチル化されたコリンエステラーゼに比べ，活性型酵素の再生に時間がかかるため，アセチルコリンの分解が遅延する．非可逆的コリンエステラーゼ阻害薬は，コリンエステラーゼのエステル部をリン酸化する．リン酸化されたコリンエステラーゼは活性型酵素に再生されないため，アセチルコリンが分解されず蓄積する(図1-64)．

1) 可逆的コリンエステラーゼ阻害薬

●フィゾスチグミン

　カラバル豆の種子に含まれるアルカロイドで，コリンエステラーゼ阻害薬のプロト

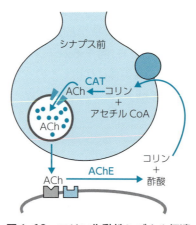

図1-62　コリン作動性シグナル伝達

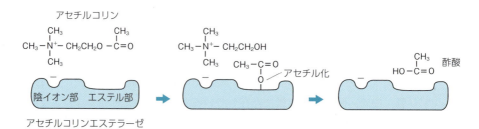

図1-63　アセチルコリンエステラーゼによるアセチルコリンの分解

●可逆的阻害薬

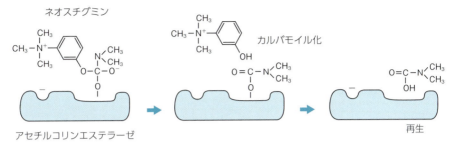

●非可逆的阻害薬

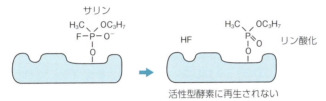

図 1-64　コリンエステラーゼ阻害薬の作用機序

タイプである．三級アミンであるため中枢作用を示す．現在は医薬品としては使用されていない．

- ●ジスチグミン　●ネオスチグミン　●ピリドスチグミン　●アンベノニウム
- ●エドロホニウム　●アコチアミド（構造式☞ p. 427）
- ●ドネペジル　●リバスチグミン　●ガランタミン（構造式☞ p. 154）

四級アミンであるため中枢作用がない．

臨床応用

中・長時間型：ジスチグミン，ネオスチグミン，ピリドスチグミン，アンベノニウム

ジスチグミンならびにネオスチグミンは手術後および分娩後の腸管麻痺，排尿困難，緑内障，重症筋無力症に用いる．ピリドスチグミンとアンベノニウムは作用が緩徐で持続的であるため重症筋無力症（☞コラム）の治療に用いる．

短時間型：エドロホニウム

エドロホニウムは作用時間が短いため，重症筋無力症の診断に用いる（エドロホニウム試験，☞コラム）．

アコチアミドは，胃運動の低下や胃の食物排出遅延を改善するため，機能性ディスペプシアに用いられる（☞ 6 章 B.4-2 ■薬理 a.3）コリンエステラーゼ阻害薬，p. 427）．

ドネペジル，リバスチグミン，ガランタミンは，認知症の進行抑制に用いられる（☞ 2 章 A.7 ■薬理 1.a コリンエステラーゼ阻害薬，p. 153）．

フィゾスチグミン　　　　　　　ジスチグミン　　　　　　　　ネオスチグミン

ピリドスチグミン　　　　　　　アンベノニウム　　　　　　　　エドロホニウム

2) 非可逆的コリンエステラーゼ阻害薬
● **有機リン剤**：●VX　●DFP　●サリン　●ソマン　●タブン　●パラチオン　●マラチオン

脂溶性が高く，皮膚からも体内に入りやすい．血液脳関門を通過するため中枢作用を示す．VX，DFP，サリン，ソマン，タブンは神経毒ガスであり，パラチオン，マラチオンは殺虫剤として使用され，医薬品としては使用しない．

コラム

重症筋無力症
　重症筋無力症は，運動神経と骨格筋の間の情報伝達が減弱することにより，筋力低下と易疲労性を呈する．骨格筋のニコチン性アセチルコリン受容体（ニコチン受容体）に対する抗体が産生され，ニコチン受容体の数を減少させたり，アセチルコリンとニコチン受容体の結合を阻害したりすることによってシナプス伝達を障害する．筋力低下はアセチルコリンエステラーゼ阻害薬によって回復する．

コラム

エドロホニウム試験
　エドロホニウムを静注し，数分後に重症筋無力症の症状が劇的に改善すれば，陽性と診断される．エドロホニウムは治療用コリンエステラーゼ阻害薬による治療効果の判定にも使用される．コリンエステラーゼ阻害薬による治療中の患者では，重症筋無力症の症状とコリン性クリーゼの鑑別が困難である．エドロホニウムを静注後，症状の改善が顕著であれば治療薬用量の不足であり，筋力の低下が悪化すればコリン性クリーゼであると診断できる．

コラム

コリン性クリーゼ
　アセチルコリンの蓄積により，過剰なムスカリン様作用とニコチン様作用が現れる．ムスカリン様作用として縮瞳，発汗，流涎，腸管運動亢進が，ニコチン様作用としては，骨格筋の痙攣および麻痺が起こる．対処法としてはアトロピンが投与される．

VX　　　DFP　　　サリン　　　ソマン

タブン　　　パラチオン　　　マラチオン

d　抗コリン薬：ムスカリン受容体遮断薬
1) ベラドンナアルカロイド
● アトロピン　● スコポラミン

　アトロピンとスコポラミンは天然のムスカリン受容体遮断薬であり，ナス科植物（ベラドンナ，ハシリドコロ，ヒヨス）のアルカロイドである．アトロピンとスコポラミンは，M_1，M_2，M_3 受容体を競合的に遮断する．アトロピンは作用時間が長く，心筋，消化管，気管支平滑筋に対する作用が強い．一方，スコポラミンは瞳孔，分泌腺，中枢神経系に対する作用が強い．

心臓：M_2 受容体を遮断し頻脈を引き起こす．

呼吸器：気管支平滑筋は弛緩し，気管支が拡張する．唾液ならびに鼻，気道，気管支からの分泌を抑制するため，麻酔前投薬として用いられる．

眼：M_3 受容体遮断作用により瞳孔括約筋が弛緩し散瞳する．毛様体筋の弛緩によりシュレム管が閉じるため，房水の排出が困難になり眼圧が上昇する．そのため緑内障の患者には禁忌である．また毛様体筋の弛緩により，水晶体の厚さが薄くなるため，近くのものに焦点を合わせることが困難となる遠視性調節麻痺が起こる．

消化器：消化管緊張の低下と運動の減少により，鎮痙薬として用いられる．

泌尿器：膀胱ならびに尿管の平滑筋が弛緩し，膀胱と尿管の緊張が減少するため頻尿に有効であるが，副作用として排尿困難を引き起こす．

中枢作用：スコポラミンはアトロピンに比べ血液脳関門を通過しやすいため，中枢作

> **コラム　有機リン剤中毒**
> 　ムスカリン様作用の過剰反応により流涎，気管支分泌過多，失禁，嘔吐，気管支収縮，縮瞳，徐脈，心臓の伝導障害が出現する．また，ニコチン作用部位での脱分極性阻害作用により，筋線維束性収縮，痙攣，筋力低下が現れる．横隔膜の筋力が低下し，呼吸困難になり呼吸不全を起こす．さらに，中枢作用として意識障害，痙攣，呼吸抑制が起こる．気管支閉塞，分泌物増加，呼吸筋麻痺，呼吸中枢麻痺により死に至る．治療としては，アトロピンの投与ならびにコリンエステラーゼ再賦活薬であるプラリドキシム（pralidoxime, PAM）を投与する．

用が発現しやすい．アトロピンは治療濃度では，中枢神経系に対する影響はわずかであるが，中毒量になると中枢興奮作用が現れ，幻覚，せん妄，不穏状態を引き起こす．スコポラミンは治療濃度で中枢抑制作用が現れ，鎮静，傾眠，健忘を引き起こす．またスコポラミンは多幸感を引き起こす．

臨床応用
アトロピン：鎮痙薬，徐脈，麻酔前投薬（麻酔時の気道分泌の抑制が目的），診断・治療用散瞳と調節麻痺，有機リン剤中毒時の解毒
スコポラミン：麻酔前投薬

副作用　口渇，散瞳，遠視性調節麻痺，眼圧上昇，便秘，頻脈，排尿困難．中枢症状としては不安，興奮，体温上昇，錯乱，運動失調，発語障害，せん妄，幻覚が現れることがある．

● ブチルスコポラミン　　● N-メチルスコポラミン

スコポラミンを四級アンモニウム化すると，中枢神経系への移行が制限され，中枢性副作用がなくなる．しかし，消化管からの吸収も悪くなる．

臨床応用　ブチルスコポラミン：鎮痙薬．消化管内視鏡検査時の消化管蠕動抑制．
N-メチルスコポラミン：胃炎，胃・十二指腸潰瘍

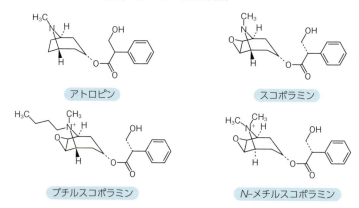

2）合成ムスカリン受容体遮断薬

アトロピンは強力なムスカリン受容体遮断作用を有しているが，作用時間が長いことや臓器選択性がなく全身性ならびに中枢性副作用があることが欠点である．そのため数多くのムスカリン受容体遮断薬が合成されている（**表1-12**）．

6 神経節遮断薬

交感，副交感の両神経節ともに神経節遮断薬の作用が現れる．各臓器の神経節遮断に伴う生理的変化は**表1-13**の自律神経支配の優位性により推測できる．交感神経は血管で優位であるため神経節遮断により血管が拡張し，血圧は低下する．副交感神経が優位な心臓，瞳孔，毛様体，唾液腺，消化管，膀胱では神経節遮断により副交感神

表 1-12　ムスカリン受容体遮断薬の臨床応用

オキサピウム　　チエモニウム チメピジウム　　プロパンテリン ブトロピウム　　ピペリドレート ブチルスコポラミン　チキジウム		鎮痙薬
トルテロジン　　プロピベリン フェソテロジン　イミダフェナシン オキシブチニン　ソリフェナシン		過活動膀胱における尿意切迫，頻尿，尿失禁 神経因性膀胱
イプラトロピウム　グリコピロニウム オキシトロピウム　チオトロピウム		慢性閉塞性肺疾患 気管支喘息
シクロペントラート　トロピカミド		診断・治療用散瞳，調節麻痺
ピレンゼピン　N-メチルスコポラミン		胃・十二指腸潰瘍

表 1-13　交感神経あるいは副交感神経の臓器優位性と神経節遮断薬の効果

優位な自律神経	効果器	節遮断の効果
交感神経	動脈 静脈	血管拡張，血圧降下 血管拡張，静脈還流量減少，心拍出量減少
副交感神経	心臓 瞳孔 毛様体 唾液腺 消化管 膀胱	心拍数増加 散瞳 毛様体筋麻痺 分泌減少（口内乾燥） 緊張と運動の低下，便秘 尿貯留
交感神経（コリン作動性）	汗腺	分泌減少

経遮断作用が現れる．神経節遮断薬は高血圧の治療に用いられていたが，交感神経，副交感神経の両方に作用をもつため，臨床応用されなくなった．

● ヘキサメトニウム

　N_N 受容体を競合的に遮断し，自律神経節の神経伝達を遮断する．副作用が強いため，現在臨床では使用されていない．

ヘキサメトニウム

4 体性神経系の機能と作用薬

1 神経筋接合部の構造と興奮伝達

骨格筋に分布する運動神経は，筋膜内で細かく枝分かれしたのち，筋線維との間にシナプスを形成する．これを**神経筋接合部**といい，個々の筋線維は単一のシナプスを形成する（図1-65）．神経筋接合部において運動神経終末と接する筋線維の表面を終板と呼ぶ．運動神経終末にはアセチルコリンを含む小胞が存在し，活動電位が運動神経終末に達すると，アセチルコリンが遊離される．シナプス後膜にはニコチンN_M受

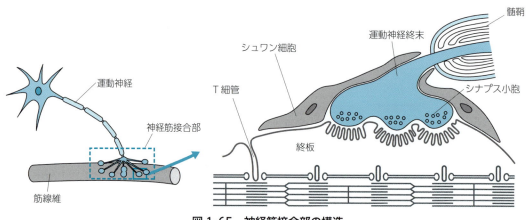

図1-65 神経筋接合部の構造

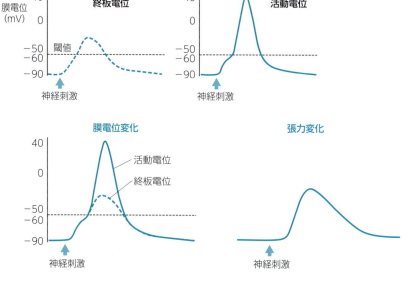

図1-66 終板電位と筋収縮

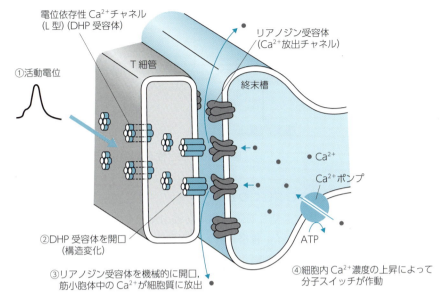

図 1-67　興奮収縮連関

容体が存在し，アセチルコリンが結合すると陽イオンチャネルが開口し，脱分極が生じる．この興奮性シナプス後電位を終板電位と呼び，この電位変化が閾値を超えると活動電位が発生する(図 1-66)．この筋細胞膜で発生した活動電位が，T細管に波及し，電位依存性 Ca^{2+} チャネルを開口させる．電位依存性 Ca^{2+} チャネルの構造変化は，筋小胞体上に存在するリアノジン受容体(Ca^{2+} 放出チャネル)を機械的に開口させ，Ca^{2+} を細胞質に放出する(図 1-67)．細胞内 Ca^{2+} 濃度の上昇により，アクチンとミオシンの滑走が起こり，骨格筋が収縮する．シナプス間隙に放出されたアセチルコリンは，アセチルコリンエステラーゼによって速やかに分解され失活する．それにより筋細胞の膜電位は静止膜電位に戻り，骨格筋は弛緩し，次の刺激による収縮にそなえる．

2　神経筋接合部遮断薬(末梢性筋弛緩薬)

a　競合性遮断薬(非脱分極性遮断薬)

競合性遮断薬は，神経筋接合部(終板)においてアセチルコリンと競合して N_M 受容体に結合し，終板電位の大きさを減少させ活動電位の発生を抑制する．神経筋接合部での神経伝達が遮断され骨格筋の収縮が抑制される(図 1-68)．

● *d-ツボクラリン*

矢毒のクラーレから単離結晶化された化合物であり，手術時の筋弛緩薬としてはじめて使用された．肥満細胞からのヒスタミン遊離作用があり，現在は臨床で用いられていない．

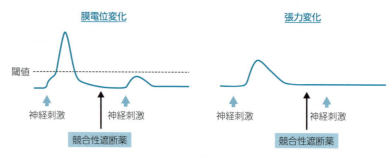

図1-68 競合性遮断薬の作用

- **ベクロニウム** **ロクロニウム**

　d-ツボクラリンよりも筋弛緩作用が強力であり、肥満細胞からのヒスタミン遊離作用もない。ステロイド骨格を有し、麻酔時・気管内挿管時の筋弛緩に用いる。

　手術終了時に浅い筋弛緩が残っている場合は、コリンエステラーゼ阻害薬であるネオスチグミンとアトロピンを投与する。ネオスチグミンによりアセチルコリンが増加し、競合性遮断薬の筋弛緩作用を拮抗できる。しかし、ムスカリン受容体も刺激され徐脈などが出現するためアトロピンを併用する。

　競合性遮断薬により深い筋弛緩が残っている場合は、**スガマデクス**の使用により回復させることができる。スガマデクスはγ-シクロデキストリンの各糖分子にチオプロピオン酸を付加して、空洞を伸ばした構造の化合物であり、その高分子構造内に競合性遮断薬を包接する。

d-ツボクラリン　　ベクロニウム　　ロクロニウム

b　脱分極性遮断薬

　脱分極性遮断薬は、神経筋接合部のN_M受容体に作用して脱分極させる。脱分極性遮断薬は、初期に骨格筋を収縮させ、その後筋収縮を抑制する二相性の反応を示す。
第Ⅰ相(脱分極期):脱分極性遮断薬がN_M受容体に結合して終板の脱分極を持続させる。持続性脱分極期では運動神経終末から遊離されるアセチルコリンに対して反応しない。そのため、活動電位が発生せず筋収縮が起こらない。
第Ⅱ相(非脱分極期):終板電位はもとの分極状態に回復しているが、筋収縮は抑制される(図1-69)。

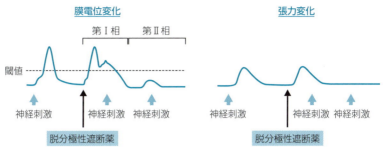

図 1-69　脱分極性遮断薬の作用

● スキサメトニウム

　非特異的コリンエステラーゼによって速やかに加水分解されるため，作用時間が極端に短い．筋弛緩の作用発現が速く，作用持続時間が短いため，気管内挿管時や骨折・脱臼の整復時に用いられる．重大な副作用として悪性高熱症（☞コラム）が起きることがある．また筋肉痛や徐脈を起こすことがある．

スキサメトニウム

c　ボツリヌス毒素

● A 型ボツリヌス毒素　● B 型ボツリヌス毒素

　神経終末において，アセチルコリンの遊離を不可逆的に阻害する．

　ボツリヌス毒素は重鎖と軽鎖からなり，重鎖が神経終末細胞膜上の受容体に結合し，神経終末内部に取り込まれる．エンドソームで軽鎖が切断され，細胞質に放出される．軽鎖はペプチダーゼであり，SNAP-25 を切断する．そのため，アセチルコリンを含むシナプス小胞の細胞膜結合が阻害され，アセチルコリンの放出が阻害される．この阻害は，非可逆的でありアセチルコリンの遊離は長時間にわたって阻害される（図 1-70）．

　臨床応用　眼瞼痙攣，顔面麻痺，痙性斜頸，上肢・下肢痙縮，原発性腋窩多汗症，眉間の表情皺

> **コラム**
>
> **悪性高熱症**
> 　筋小胞体からの Ca^{2+} の過剰放出により骨格筋の熱産生が亢進する．筋拘縮，アシドーシス，代謝亢進，体温の劇的上昇（40℃以上の高熱）が起こる．これは Ca^{2+} 放出チャネルであるリアノジン受容体の遺伝的異常による．揮発性麻酔薬であるハロタンやスキサメトニウムにより筋小胞体からの Ca^{2+} 遊離が促進し誘発される．

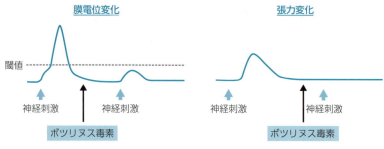

図 1-70　ボツリヌス毒素の作用

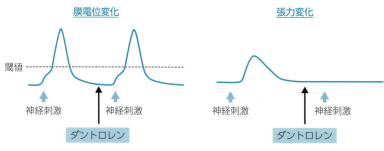

図 1-71　ダントロレンの作用

d　直接骨格筋弛緩薬

●ダントロレン

筋小胞体膜上のリアノジン受容体を遮断し，筋小胞体からのカルシウム遊離を抑制する．骨格筋の興奮収縮連関に対する抑制であるため，筋細胞膜に発生する活動電位は抑制せず，骨格筋を弛緩させる．筋弛緩作用が強い（**図 1-71**）．

臨床応用　麻酔時における悪性高熱症，抗精神病薬による悪性症候群，全身こむら返り病，痙性麻痺

ダントロレン

③　局所麻酔薬

神経細胞の刺激により脱分極が起きると，電位依存性 Na^+ チャネルが開口し細胞外から細胞内に Na^+ が流入する．Na^+ の流入により，脱分極が進み，膜電位が急上昇し，一定レベル以上に達すると，活動電位が発生する．活動電位は隣接部位に次々と活動電位を発生させることで軸索を伝導する．局所麻酔薬は電位依存性 Na^+ チャネルを遮断し，活動電位の発生を阻害することにより神経伝導を遮断する．

a 局所麻酔薬の作用機序

▶電位依存性 Na⁺ チャネル遮断

多くの局所麻酔薬の pK_a 値は，7.5〜9.0 の間にあり弱塩基性である．生理的 pH においては，陽イオン型と非イオン型が共存した状態にある．非イオン型の局所麻酔薬が細胞膜を通過し，細胞内で一部イオン型となり，細胞の内側から電位依存性 Na⁺ チャネルの結合部位に結合し，Na⁺ の流入をブロックする（図 1-72）．

アミノ安息香酸エチル以外は，二級，三級アミンであるため，酸性下ではイオン化しやすい．炎症巣では pH が酸性に傾くので陽イオン型が増加し，作用部位へ到着しにくいため局所麻酔効果が減弱する．

局所麻酔薬は，末梢神経の神経伝導を遮断するが，神経により感受性が異なる．局所麻酔薬は，有髄神経より無髄神経に感受性が高く，神経線維が細いほど感受性が高い．無髄神経の細い C 線維から麻痺が起こり，Aδ，Aβ 線維の順で麻痺されるため，痛覚，温度感覚，触覚，圧覚の順で麻痺される（表 1-14）．

電位依存性 Na⁺ チャネルは，静止，開口，不活性化の 3 つの状態が存在する（図 1-73）．①細胞膜の脱分極により電位依存性 Na⁺ チャネルの活性化ゲートが開き（開口状態），Na⁺ が細胞内に流入する．約 1 ミリ秒後，②不活性化粒子がチャネル

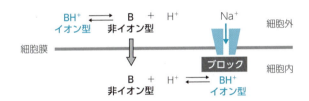

図 1-72 局所麻酔薬の作用機序

表 1-14 知覚神経線維の分類

知覚神経	髄鞘の有無	神経線維の型	線維の直径	
	有髄神経	Aβ 線維	5〜12 μm	触覚，圧覚
		Aδ 線維	2〜5 μm	痛覚，温覚
	無髄神経	C 線維	0.5〜2 μm	痛覚

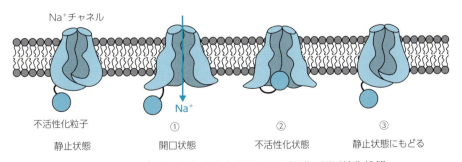

図 1-73 Na⁺ チャネルの静止状態，開口状態，不活性化状態

の入口を内側から塞ぎ，電位依存性 Na^+ チャネルは不活性化状態になる．③膜電位が再分極すると不活性化粒子が離れて活性化ゲートが閉じ，電位依存性 Na^+ チャネルは静止状態に戻る．

痛覚伝達を担う細い知覚神経線維は，連続した脱分極により，Na^+ チャネルの開放状態が増加，すなわち Na^+ チャネルがより高い頻度で活性化されている．局所麻酔薬は開口状態や不活性化状態の電位依存性 Na^+ チャネルに強い親和性をもち，Na^+ チャネルの静止状態への回復を遅延させる．このことは，局所麻酔薬が開口頻度の高い電位依存性 Na^+ チャネルほど効率的に阻害することができることを意味する．この性質は**刺激頻度依存的抑制** use-dependent block と呼ばれる．痛覚伝達を担う知覚神経が，局所麻酔薬に対して感受性が高いのは，高頻度な発火を示すため，刺激頻度依存的抑制を受けやすいことによる．

b 局所麻酔薬の投与法（図1-74）

表面麻酔：皮膚や粘膜の表面に塗布あるいは噴霧することにより，粘膜表面や創傷面などの知覚神経を麻痺させる．組織浸透力が強く，作用の強い局所麻酔薬が使用される．

浸潤麻酔：手術部位の皮下や筋肉などへ注射し，浸潤させることにより知覚神経を麻痺させる．吸収され毒性が発現しやすいため，プロカインやリドカインなど副作用の少ない局所麻酔薬が用いられる．

伝達麻酔：神経幹，神経叢，神経節などの近傍に注射し，その支配下組織の知覚を麻痺させる．舌咽神経，三叉神経や肋間神経などさまざまな神経の興奮伝導をブロックすることができる（神経ブロック）．

脊髄麻酔：脊髄くも膜下腔に局所麻酔薬を注射して神経根を麻痺させ，支配領域の感

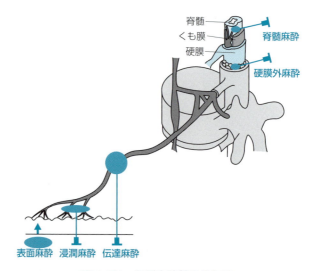

図 1-74 局所麻酔薬の投与法

覚を麻痺させる．

硬膜外麻酔：硬膜外に局所麻酔薬を注入し，脊髄神経が硬膜を出て脊椎外に出る部分を麻痺させ，知覚を麻痺させる．

c　局所麻酔薬の分類

局所麻酔薬は，芳香環，アルキル鎖，アミノ基の共通した基本構造を有し，芳香環とアルキル鎖がエステル結合したエステル型とアミド結合したアミド型に分類される．芳香環は脂溶性をアミノ基は親水性をもつ．エステル型局所麻酔薬は，コリンエステラーゼや肝エステラーゼで加水分解されるため作用時間が短い．エステル型局所麻酔薬ではアレルギー症状やアナフィラキシーショックなどの過敏反応がまれにみられ，これは代謝物であるパラアミノ安息香酸によると考えられている．一方，アミド型局所麻酔薬はエステラーゼでは分解されないため，過敏症を起こさず，また作用持続時間が長い．

1) エステル型局所麻酔薬

● **コカイン**

コカ葉に含まれるアルカロイドで，エステル型局所麻酔薬のプロトタイプである．コカインには中枢作用があり精神興奮作用を示す．その麻薬性のため適用は表面麻酔に限られる．

● **プロカイン**

効力は弱いが毒性も低いので，多量注入が可能である．脂溶性が低く，粘膜からの浸透性が悪いため，表面麻酔には用いられない．

● **テトラカイン**

エステル型であるが，脂溶性が高いため，プロカインより作用時間が長く効力も強い．脊髄麻酔によく用いられる．

● **アミノ安息香酸エチル**

脂溶性が高く，電荷を生じない．Na^+チャネルに直接作用するのではなく，膜内に入り込むことによって膜を膨張させNa^+チャネルを圧迫して阻害する．胃炎，胃潰瘍における疼痛，嘔吐に用いられる．

コカイン

プロカイン

テトラカイン

アミノ安息香酸エチル

2）アミド型局所麻酔薬

● **リドカイン**

アミド型のプロトタイプであり，速効性で作用持続時間が長い．表面，浸潤，伝達，硬膜外麻酔などあらゆる麻酔によく用いられる．また，リドカインは静脈内投与により不整脈の治療に用いられる．

● **メピバカイン**

速効性で作用持続時間が長いが，粘膜からの浸透性が悪いため，表面麻酔には用いられない．また，新生児に毒性を示すため，産科では用いられない．

● **ジブカイン**

局所麻酔薬のなかで効力が最も強いが，毒性も強い．作用時間が長く，表面，浸潤，伝達，硬膜外麻酔に用いられる．

● **オキセサゼイン**

プロカインの4,000倍の局所麻酔作用を示すが，毒性がきわめて低く，かつpHの影響を受けない．酸性下で局所麻酔作用を発揮するため，消化管粘膜局所麻酔薬として用いられる．またガストリン分泌を抑制し，2次的に胃酸の分泌を抑制する．

臨床応用 食道炎，胃炎，胃・十二指腸潰瘍，過敏性大腸炎に伴う疼痛・悪心・嘔吐・胃部不快感に用いる．

● **ブピバカイン** ● **レボブピバカイン** ● **ロピバカイン**

ブピバカインは光学異性体のラセミ体であり，$R(+)$体により心毒性が出現する．レボブピバカインはブピバカインの$S(-)$エナンチオマーであり，心毒性の出現が低い．ロピバカインも$S(-)$エナンチオマーのみからなり，神経膜Na^+チャネルへの選択性が高く，心毒性が低い．

リドカイン　メピバカイン　ジブカイン　ブピバカイン

レボブピバカイン　ロピバカイン　オキセサゼイン

d　局所麻酔薬と血管収縮薬

コカインは，交感神経終末のモノアミントランスポーターによるノルアドレナリンの再取り込みを抑制するため，皮膚や粘膜の血管を収縮させる．そのため，コカインの血管への吸収が抑制され作用が持続する．一方，局所麻酔薬は血管から吸収されやすく，作用持続は短いものが多い．また，吸収された局所麻酔薬は，急性の中毒症状を起こすことがある．中毒症状としては，痙攣や意識障害といった中枢毒性と，不整

表 1-15 局所麻酔薬の特徴

一般名	pK_a	固有効力	作用時間	適応麻酔 表面	浸潤	伝達	脊髄	硬膜外
エステル型								
コカイン	8.7	2.5	中時間	表面				
プロカイン	8.9	0.26	短時間		浸潤	伝達		硬膜外
テトラカイン	8.5	9.5	長時間	表面	浸潤	伝達	脊髄	硬膜外
アミド型								
リドカイン	7.9	1	中時間	表面	浸潤	伝達		硬膜外
ジブカイン	8.5	14	長時間	表面	浸潤	伝達		硬膜外
メピバカイン	7.6	1	中時間		浸潤	伝達		硬膜外
ブピバカイン	8.1	4	長時間			伝達	脊髄	硬膜外
レボブピバカイン	8.1	4	長時間			伝達		硬膜外
ロピバカイン	8.1	4	長時間			伝達		硬膜外

脈，循環虚脱などの心毒性がある．局所麻酔薬の作用を持続，また全身毒性の発現を軽減・防止するため，アドレナリンを血管収縮薬として併用する．高血圧や糖尿病，甲状腺機能亢進症などアドレナリン禁忌の場合は血管収縮性ペプチドであるフェリプレシンを用いる．

末梢性筋弛緩薬

種類　薬物［代表的な商品名］	作用機序	注意すべき副作用
競合性遮断薬		
●ベクロニウム臭化物［ベクロニウム］ ●ロクロニウム臭化物［エスラックス］	神経筋接合部においてアセチルコリンと競合して N_M 受容体に結合し，運動神経の伝達を遮断し，骨格筋の収縮を抑制する	ショック，アナフィラキシー，遷延性呼吸抑制，横紋筋融解症，気管支痙攣
脱分極性遮断薬		
●スキサメトニウム塩化物水和物［スキサメトニウム］	神経筋接合部の N_M 受容体に作用して脱分極させる．脱分極性遮断薬は，初期に骨格筋を収縮させ，その後筋収縮を抑制する	悪性高熱症，ショック，アナフィラキシー，心停止，呼吸抑制，気管支痙攣，遷延性無呼吸，横紋筋融解症
ボツリヌス毒素		
●A型ボツリヌス毒素［ボトックス］ ●B型ボツリヌス毒素［ナーブロック］	神経終末において，アセチルコリンの遊離を非可逆的に阻害し，骨格筋の収縮を抑制する	角膜露出，角膜潰瘍，角膜穿孔，持続性上皮欠損，嚥下障害
直接骨格筋弛緩薬		
●ダントロレンナトリウム水和物［ダントリウム］	筋小胞体膜上のリアノジン受容体を遮断し，筋小胞体からのカルシウム遊離を抑制する	呼吸不全，ショック，アナフィラキシー，イレウス

神経系の疾患と治療薬 2章

A 精神科・神経内科領域の疾患に用いる薬物

　中枢神経に作用する薬物のなかで，精神科領域で用いられる薬物は，その主要な作用が精神機能・行動・経験に影響を与えることから向精神薬 psychotropic drugs という総称を用いることもある．向精神薬には，抗精神病薬，抗うつ薬，抗不安薬，睡眠薬などがあり，それぞれ統合失調症，うつ病，不安症，不眠症などに用いられる．神経内科領域で用いられる薬物は，脳の神経細胞あるいはそれを取り巻く環境に病理変化が生じて起こる疾患，すなわち認知症や脳卒中，てんかん，頭痛などに対して用いられる．この章では，精神科および神経内科領域で治療対象となる代表的な疾患ごとに，病態生理を理解したうえで治療薬の薬理作用を解説する．新薬開発のための前臨床での薬効評価についても触れる．

★対応する薬学教育モデル・コアカリキュラム

　E2 薬理・病態・薬物治療　（1）神経系の疾患と薬
　　GIO
　・患者情報に応じた薬の選択，用法・用量の設定および医薬品情報・安全性や治療ガイドラインを考慮した適正な薬物治療に参画できるようになるために，疾病に伴う症状などの患者情報を解析し，最適な治療を実施するための薬理，病態・薬物治療に関する基本的事項を修得する．
　　SBO 【③中枢神経系の疾患の薬，病態，治療】
　・以下の疾患について，治療薬の薬理（薬理作用，機序，主な副作用）を説明できる．
　　・統合失調症
　　・うつ病，躁うつ病（双極性障害）
　　・不安神経症（パニック障害と全般性不安障害），心身症，不眠症
　　・てんかん
　　・脳血管疾患（脳内出血，脳梗塞（脳血栓，脳塞栓，一過性脳虚血），くも膜下出血）
　　・Parkinson（パーキンソン）病
　　・認知症（Alzheimer（アルツハイマー）型認知症，脳血管性認知症等）

1 統合失調症

■病態生理

❶ 統合失調症の病態生理

　　統合失調症 schizophrenia は，思春期から青年期に発病することが多く，精神および行動障害の患者のおよそ40％を占めている．一生における出現頻度は1％程度とされている．一卵性双生児の発病危険率は50％と高く，何らかの遺伝的素因が関係する内因性精神疾患である．

　　精神運動興奮 psychomotor excitement，幻覚 hallucination，妄想 delusion，焦燥などの陽性症状と，自閉，感情鈍麻，自発性欠如，非協調性などの陰性症状が認められる．また，短期記憶や注意機能などの認知機能障害，不眠や過眠といった睡眠障害，倦怠感，食欲不振などの症状も認められる．

❷ 統合失調症の発症に関する仮説

　　統合失調症には，神経伝達物質，とくにドパミン，セロトニンなどのモノアミンやグルタミン酸の脳内異常伝達に関する仮説が提唱されている．

　　ドパミン仮説：ドパミン遊離を促進する覚醒剤(メタンフェタミンやアンフェタミン)によって幻覚・妄想が惹起されること，クロルプロマジンの抗幻覚作用，抗妄想作用が薬理作用であるドパミン受容体遮断作用と関連性があることから統合失調症のドパミン仮説が注目された．抗精神病薬の1日量とドパミンD_2受容体親和性(拮抗作用)が逆相関することやパーキンソン病治療薬で用いられるドパミン作用薬の有害作用として幻覚，妄想が発現することから，ドパミン仮説は最も支持されている．

表 2A-1　統合失調症の診断基準(DSM-5)

A. 特徴的症状：以下のうち2つ以上の症状が1ヵ月以上持続する．ただし奇異妄想，対話性の幻覚・幻聴がその者の行動を逐一説明する場合はこれらの症状を1つ満たすだけでよい． (1) 妄想 (2) 幻覚 (3) 解体した*会話 (4) ひどく解体した*または緊張病性の行動 (5) 陰性症状：感情の平板化，思考の貧困，意欲の欠如 B. 社会的または職業的機能の低下がみられる． C. 期間：障害の持続的な徴候が少なくとも6ヵ月以上持続する． D. 統合失調感情障害と抑うつ障害または双極性障害を除外する． E. 物質の影響や一般身体疾患によるものを除外する． F. 自閉スペクトラム症や小児期発症のコミュニケーション症の既往があれば，ほかの診断基準の必須症状に加えて顕著な幻覚や妄想が1ヵ月以上持続する．

* 解体した：まとまりのない，一貫性のない

統合失調症の症状(図 2A-1)

1) 陽性症状

　　陽性症状 positive symptom の特徴的な症状として幻覚，妄想が主に認められる．
　　幻覚とは，視覚，聴覚，触覚，嗅覚などの感覚に本来あるはずもない症状が生じることである．つまり，「対象のないところに知覚が生じる」ことを示す．統合失調症の場合，幻聴や幻視が多いが，皮膚に寄生虫がいる，体がゆがんでいる，などの体感に関わる幻覚症状が認められることもある．
　　妄想とは，周囲には理解不能な想像にとらわれる，本来であれば内容的にあるはずのないことを強く確信をもって思い込む状態である．また，その非現実的・非合理的な思い込みを訂正できない．統合失調症では「自分が他者から悪意をもって危害を加えられている，監視されている」などの**被害妄想**を発症初期に認めることが多いという特徴がある．

2) 陰性症状

　　陰性症状 negative symptom は，慢性期に現れる症状で，喜怒哀楽の感情の表出が乏しくなり，周囲のヒトにも関心や興味がなくなる「感情の平板化，感情鈍麻」，自分の世界に閉じこもって周囲とのコミュニケーションを断つ「自閉」，やる気が出ない，自発力の低下，言葉が出にくい，集中力がなくなる「意欲の低下」が認められる．

3) 認知機能障害

　　認知機能障害 cognitive dysfunction は，早期から症状が発現し，徐々に悪化して

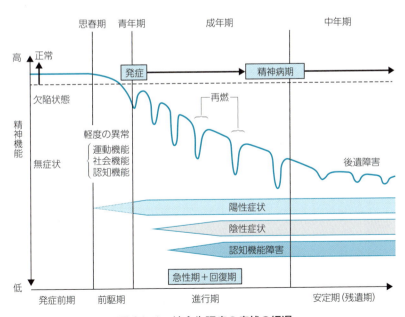

図 2A-1　統合失調症の症状の経過

日常生活に困難をきたす．周囲のさまざまな情報（刺激）から必要なもののみを選んで，それに注意を向ける（集中させる）ことができない「選択的注意の低下」，ある情報（刺激）と過去の記憶とを比較して判断できない「比較照合の低下」，さまざまな情報（刺激）をグループ化して概念化することができない「概念形成の低下」，ほかに実行機能障害，作業記憶障害などが認められる．

4 動物を用いた薬効評価モデル

1）覚醒剤精神病モデル

アンフェタミンやメタンフェタミンなどの覚醒剤中毒患者が統合失調症様症状（とくに陽性症状）を呈することから，マウスやラットに覚醒剤を反復投与して生じる自発運動過多などの異常行動を指標にした**覚醒剤精神病モデル**が提唱されている．この覚醒剤精神病モデルでは，覚醒剤休薬後に少量の覚醒剤の投与で自発運動過多が再び認められるので統合失調症状の**再燃**も再現されることが知られている．さらに覚醒剤精神病モデルの自発運動量の増加などを指標にして，未知の化合物から抗精神病作用を有する薬物を探索（スクリーニング）することができる．

2）プレパルス抑制試験

大きな音に突然曝露されると，ヒトは驚愕反応を示す．一方，驚愕反応を示さない程度の小さな音の曝露直後に，大きな音に曝露された場合，驚愕反応は抑制される．このように音以外にも光や触覚などによる驚愕反応で先行刺激によって本刺激応答が減弱する生理現象はプレパルス・インヒビション prepulse inhibition（PPI）と呼ばれ，脳における感覚情報処理機構の1つである（**プレパルス抑制試験**）．このPPIは，統合失調症患者では障害されており（ヒトでは驚愕反応を筋電図によって計測する），小さな刺激の後に大きな刺激を受けても驚愕反応は抑制されない．この統合失調症患者に認められるPPI反応の障害は，覚醒剤精神病モデルなどの統合失調症の動物モデルにも認められる症状であることが知られている．

■薬　理

1 統合失調症治療薬（抗精神病薬）

統合失調症治療薬（抗精神病薬）は，定型抗精神病薬と非定型抗精神病薬の2種類に分類される．統合失調症の主に陽性症状に改善効果を示す**ドパミン D_2 受容体遮断薬**に分類される治療薬は，「定型抗精神病薬」あるいは「第一世代抗精神病薬」と呼ばれる．これに対して，統合失調症の陽性症状のみならず，陰性症状にも改善効果を示すように開発された**セロトニン・ドパミン拮抗薬**，**多次元受容体標的化抗精神病薬**，**ドパミン D_2 受容体部分刺激薬**に分類される治療薬は，「非定型抗精神病薬」あるいは「第二世代抗精神病薬」と呼ばれる．

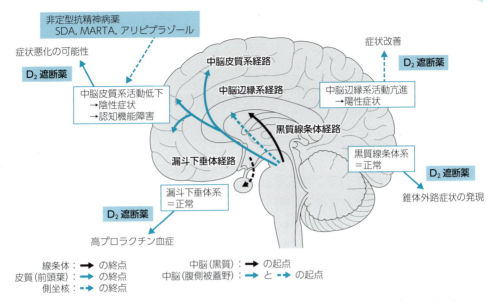

図 2A-2　ドパミン D_2 受容体遮断薬の抗精神病作用・副作用と脳内ドパミン神経系

❷　定型抗精神病薬

a　ドパミン D_2 受容体遮断薬

- フェノチアジン誘導体：●クロルプロマジン　●フルフェナジン
- ブチロフェノン誘導体：●ハロペリドール　●ブロムペリドール　●スピペロン
- ベンズアミド誘導体：●スルピリド　●スルトプリド

薬理作用　統合失調症の陽性症状（幻覚，妄想），思考障害，常同症状などを抑制する．中脳辺縁系のドパミン神経伝達経路を抑制して主に陽性症状を改善する（図 2A-2）．

作用機序　中脳辺縁系のドパミン D_2 受容体遮断によって抗精神病作用を発現する．**黒質線条体系**の D_2 受容体遮断によって有害作用としての**錐体外路症状**や遅発性ジスキネジアを，また**漏斗下垂体系**の D_2 受容体遮断によって有害作用としての**高プロラクチン血症**を発現する（図 2A-2）．

副作用　D_2 受容体遮断作用による錐体外路症状，遅発性ジスキネジア，高プロラクチン血症，悪性症候群が発現する．抗コリン作用による口渇や便秘，$α_1$ 受容体遮断作用による起立性低血圧などもある．

スピペロン　スルピリド　スルトプリド

③ 非定型抗精神病薬

a　セロトニン・ドパミン拮抗薬 serotonin-dopamine antagonist(SDA)

中脳皮質系のドパミン神経系とそれを抑制するセロトニン神経系のバランスが崩れ，セロトニン神経系のほうが優位になるとドパミン神経系が抑制されて陰性症状が発現する(図2A-2, 図2A-3)．非定型抗精神病薬(SDA)は，中脳辺縁系のドパミン神経機能の抑制と中脳皮質系のセロトニン神経機能の抑制作用を有する．

● リスペリドン

薬理作用　幻覚，妄想などに対する改善効果(D_2受容体遮断作用による)とともに自閉，感情鈍麻などの陰性症状にも強い改善効果(セロトニン$5-HT_{2A}$受容体遮断作用による)が認められる．統合失調症以外に，小児期の**自閉スペクトラム症** autism spectrum disorder(**ASD**)に伴う易刺激性に対する効能・効果も有する．

作用機序　強力なD_2受容体遮断作用と同時に$5-HT_{2A}$受容体遮断作用をあわせもち，統合失調症の陽性症状および陰性症状の両方に改善効果を示す(図2A-3)．とくにリスペリドンのD_2受容体遮断作用は，$5-HT_{2A}$受容体遮断作用の約1/10と弱い．

副作用　D_2受容体遮断作用による錐体外路症状，遅発性ジスキネジア，高プロラクチン血症，悪性症候群を発現する．また，口渇や便秘など(抗コリン作用による)，起立性低血圧($α_1$受容体遮断作用による)．高用量の使用時には，錐体外路症状，高プロラクチン血症が非常に発現しやすくなるので注意が必要である．

● ペロスピロン

D_2受容体よりも$5-HT_{2A}$受容体の遮断作用が強い．錐体外路系副作用が少ない．$5-HT_{1A}$受容体部分刺激作用も有することから，統合失調症に伴う不安，抑うつ症状

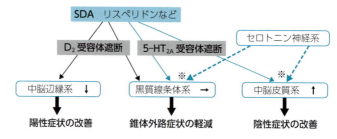

図2A-3　セロトニン・ドパミン拮抗薬(SDA)の抗精神病作用
※セロトニンはドパミン神経系に対して抑制的に働く．SDAはこの神経機構を解除するので錐体外路症状が発現しにくく，また，陰性症状を改善する．

コラム　長時間作用型（持効性）抗精神病薬

持効性注射剤 long acting injection（LAI, デポ剤とも呼ばれる）は，薬剤の効果が長く続く注射剤のことである．この LAI は，1回の注射で2週間から4週間にわたって効果が持続する．統合失調症の治療で用いられる場合，経口剤の使用時に生じ得る飲み忘れなどを防ぐことができ，統合失調症症状の再発防止やその再発の繰り返しによる遷延化を抑制することができる．

- ハロペリドールデカン酸エステル注射液（ネオペリドール®注，ハロマンス®注）
- フルフェナジンデカン酸エステル注射液（フルデカシン®筋注）
- リスペリドン持効性懸濁注射液（リスパダールコンスタ®）
- アリピプラゾール水和物持続性注射剤（エビリファイ®持続性水懸筋注）
- パリペリドンパルミチン酸エステル持効性懸濁注射液（ゼプリオン®水懸筋注シリンジ）

にも効果がある．

● ブロナンセリン

5-HT$_{2A}$ 受容体よりも D$_2$ 受容体遮断作用が強いことから，ドパミン・セロトニン拮抗薬 dopamine-serotonin antagonist（DSA）とも呼ばれる．幻覚・妄想などの陽性症状に，また陰性症状に有効．急性の悪化を伴う患者に対しても効果がみられる．

● パリペリドン

パリペリドンは，リスペリドンの主活性代謝産物（9-ヒドロキシリスペリドン）である．リスペリドンと同様に強力な D$_2$ 受容体遮断作用と同時に 5-HT$_{2A}$ 受容体遮断作用をあわせもち，陽性症状および陰性症状に効果を発揮する．半減期がリスペリドンより長いので，作用時間が長い．またリスペリドンよりも鎮静作用が少なく，副作用が軽減されている．浸透圧を利用した**薬物放出制御システム（OROS®）**を抗精神病薬ではじめて採用した徐放製剤（インヴェガ®）として使用されている．

● ルラシドン

ルラシドンは，SDA としての D$_2$ 受容体遮断作用と 5-HT$_{2A}$ 受容体遮断作用を有するほかに，5-HT$_7$ 受容体に対しては遮断薬として，5-HT$_{1A}$ 受容体に対しては部分刺激薬として，統合失調症における陽性症状や陰性症状を改善する．一方，H$_1$ 受容体および M$_1$/M$_2$ 受容体に対してはほとんど親和性を示さない．主な副作用はアカシジア（静坐不能），不安，傾眠などである．また，ルラシドンは「双極性障害におけるうつ症状の改善」にも適応を有している．

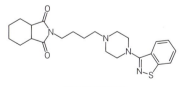

リスペリドン　　　　　　　ペロスピロン

ブロナンセリン　　パリペリドン　　ルラシドン

b 多次元受容体標的化抗精神病薬 multi-acting receptor-targeted antipsychotics（MARTA）

●オランザピン

薬理作用　チエノベンゾジアゼピン構造をもち，SDA のような D_2 受容体遮断作用と 5-HT_{2A} 受容体遮断作用を有すると同時にさまざまな神経伝達物質受容体に親和性を示すことによって（主に受容体への遮断作用），統合失調症の陽性症状および陰性症状の両方に改善効果を示す．また，双極性障害における躁症状・うつ症状，抗悪性腫瘍薬（シスプラチンなど）投与に伴う消化器症状（悪心・嘔吐）に対する効能・効果も有する．

作用機序　セロトニン・ドパミン受容体に加えて多くの神経伝達物質受容体に作用して脳内作用部位に選択性を示す．D_2，D_3，D_4，5-HT_{2A}，5-HT_{2C}，5-HT_6，α_1，H_1 受容体にほぼ同等の遮断作用を示す（**図 2A-4**）．

副作用　D_2 受容体遮断作用による錐体外路症状や高プロラクチン血症などを発現するが比較的弱い．H_1 受容体遮断作用による体重増加や**耐糖能異常**（糖代謝異常，糖尿病：糖尿病患者には禁忌），眠気やふらつき．抗コリン作用による便秘や口渇な

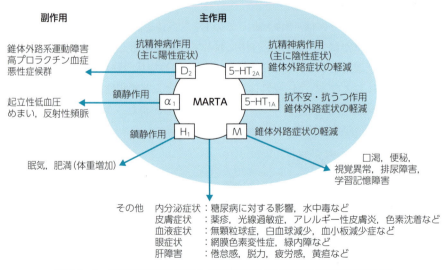

図 2A-4　多次元受容体標的化抗精神病薬（MARTA）の抗精神病作用

> **コラム**
>
> **治療抵抗性抗精神病薬クロザピン（クロザリル®）の使用制限**
> 　クロザピンは治療抵抗性統合失調症に対する唯一の治療薬であるが，無顆粒球症や好中球減少症などの血液系副作用，心筋炎や心筋症などの循環器系副作用，高血糖や糖尿病性昏睡などの耐糖能異常といった重篤な副作用を発現する可能性がある．このような副作用の発現リスクが高いため，**クロザリル® 患者モニタリングサービス** Clozaril® patients monitoring service（CPMS）の登録医療機関・登録保険薬局において，CPMS 登録医およびクロザリル® 管理薬剤師および CPMS コーディネート業務担当者による厳しい管理下で，クロザピンを用いた薬物療法が実施される．

ど．α_1 受容体遮断作用による起立性低血圧．

● **クエチアピン**

　ジベンゾジアゼピン構造を有し，H_1 受容体および α_1 受容体に高い親和性を有する．D_2 受容体，$5\text{-}HT_{2A}$ 受容体への結合は 1/10 以下の親和性と比較的低い．ムスカリン受容体遮断作用は弱い．陽性症状および陰性症状ともに改善し，錐体外路系症状の発現が少ない．体重増加および耐糖能異常に注意が必要である．統合失調症以外に，双極性障害におけるうつ症状に対する効能・効果も有する．

● **アセナピン**

　D_2 受容体，$5\text{-}HT_{2A}$ 受容体，α_1 受容体および H_1 受容体それぞれのサブタイプを主に遮断する．とくに $5\text{-}HT_{2A}$ 受容体を含めたほかのセロトニン受容体サブタイプ（$5\text{-}HT_{1A}$，$5\text{-}HT_{1B}$，$5\text{-}HT_{2B}$，$5\text{-}HT_{2C}$，$5\text{-}HT_6$，$5\text{-}HT_7$）への親和性が強い．一方，ムスカリン受容体への親和性はきわめて低いので抗コリン作用に関連する副作用が少ない．統合失調症の陽性症状（妄想，幻覚など）と陰性症状（情動の平板化，情動的引きこもりなど）の両方に効果を発揮する．わが国初の統合失調症治療用舌下錠である．特徴的な副作用に服用時のしびれ感・苦味，眠気，ふらつきがある．体重増加や高血糖の副作用がほかの MARTA と比較して少なく，MARTA のなかでは糖尿病にも唯一投与可能（慎重投与）である．

● **クロザピン**

　ほかの非定型抗精神病薬の原型となった薬物で，D_2 受容体よりも D_4 受容体への遮断作用が強く，$5\text{-}HT_2$ 受容体遮断作用も有することから陰性症状への効果が高い．**治療抵抗性統合失調症**に対する唯一の治療薬としての効能を有する．しかしながら，無顆粒球症や心筋炎などの重篤な副作用を生じることから，その使用方法を熟知した医師・薬剤師によって治療が進められる（☞コラム）．

オランザピン　　クエチアピン　　アセナピン　　クロザピン

c ドパミン D_2 受容体部分刺激薬

●アリピプラゾール

薬理作用 陽性症状のみならず陰性症状(感情鈍麻, 思考・意欲減退)にも効果を有する. 抗精神病薬特有の副作用が比較的少ない. 統合失調症のほか, 双極性障害における躁症状, 既存治療で十分な効果が認められない場合のうつ病・うつ状態, および小児期の自閉スペクトラム症に伴う易刺激性に対する効能・効果も有し, 不安や緊張感を緩和する目的でも使用される. 弱い 5-HT_{1A} 受容体部分刺激作用があることから, 抗不安作用も有する.

作用機序 脳内でドパミンが大量に放出されているときは D_2 受容体に対して抑制的に働く作用(アンタゴニスト作用)を有する一方で, ドパミンの放出が少ないと D_2 受容体に対して刺激作用を示す(アゴニスト作用). このような D_2 受容体部分刺激薬は, ドパミン神経系を安定化させる**ドパミンシステムスタビライザー** dopamine system stabilizer(**DSS**)とも呼ばれる(図 2A-5).

副作用 ほかの SDA や MARTA と比較して錐体外路症状, 高プロラクチン血症, 体重増加, 高血糖, 眠気などの副作用は少ないが, 新たに統合失調症の治療を開始する患者では錐体外路症状への感受性が高いため, 投与初期にはアカシジア, 振戦, 筋強剛が起こりやすい. また, 鎮静作用が弱いため, 不安・不眠・焦燥などが起

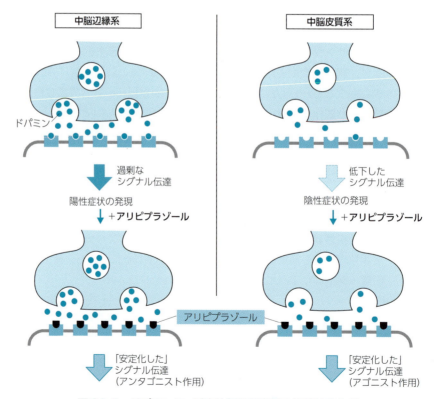

図 2A-5　ドパミン D_2 受容体部分刺激薬の抗精神病作用

こる場合がある.

● ブレクスピプラゾール

　ブレクスピプラゾールは，D_2 受容体および 5-HT_{1A} 受容体に対して部分刺激薬として，5-HT_{2A} 受容体に対しては遮断薬として作用することによって，統合失調症における陽性症状や陰性症状を改善する．このブレクスピプラゾールは，アリピプラゾールの D_2 受容体に対する作用に加えて，セロトニン受容体に対する作用を機能的に強めた性質を有することから，セロトニン・ドパミンアクティビティモジュレーター (serotonin-dopamine activity modulator：SDAM) と分類されることもある．

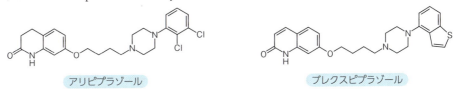

アリピプラゾール　　　　　　　　　ブレクスピプラゾール

4 留意すべき副作用

1) 錐体外路症状

　抗精神病薬の D_2 受容体遮断による黒質線条体のドパミン神経系への作用によって発現する．D_2 受容体遮断作用を主作用機序とする定型抗精神病薬では最も頻度の高い副作用であり，非定型抗精神病薬のなかではリスペリドンが引き起こしやすい．

　薬物性パーキンソン症候群：D_2 受容体遮断作用が強いほど起こりやすい（ハロペリドール＞クロルプロマジン）．D_2 受容体遮断によって線条体コリン作動性神経系の機能が亢進している状態である．パーキンソン病の 4 大症状である①筋固縮，②振戦，③無動，④姿勢反射障害に類似した症状である．

　遅発性ジスキネジア：抗精神病薬の長期投与によって発現する．口・舌・顔面に現れる常同性不随意運動で，咀嚼様運動，舌の突出・捻転，顔をしかめるなどの症状を示す進行性の神経障害である．遅発性ジスキネジアは，パーキンソン病治療薬では症状が悪化することもあり，治療が困難である．

2) 高プロラクチン血症

　漏斗下垂体系では，ドパミン神経系におけるドパミンの作用によってプロラクチンの分泌は抑制的に制御されている．このことから D_2 受容体遮断作用によって，この漏斗下垂体系におけるドパミン神経系の機能は低下し，プロラクチンの分泌が亢進して高プロラクチン血症を発現する．女性では月経困難・無月経，乳汁漏出などが，男性では女性化乳房，勃起不全・射精困難などが，男女共通には性欲低下が生じる．

3) 悪性症候群

　抗精神病薬における最も重篤な副作用であり，致死的で予後不良である．持続的な体温上昇と昏睡，パーキンソン症候群（無動，筋強剛など）の前駆症状が生じて，40℃以上の過高熱となり，昏睡，顔面蒼白，呼吸困難，脱水，虚脱，痙攣，意識障

害を起こす．治療が遅れた場合は死に至ることもある．一般に，D_2 受容体遮断作用が強い薬物ほど悪性症候群を起こしやすいことが知られている．対症療法として，身体の冷却，**ダントロレン**や**ブロモクリプチン**の投与がある．

4）体重増加，食欲増進

SDA，MARTA に属する非定型抗精神病薬に頻度の高い副作用であり，非定型抗精神病薬のなかでは**オランザピン**，**クロザピン**が引き起こしやすい．主に H_1 受容体および 5-HT_{2C} 受容体に対する遮断作用と関連があると考えられている．

5）高血糖・耐糖能異常，糖尿病

SDA，MARTA に属する非定型抗精神病薬において誘発される．とくにオランザピンでは糖尿病性ケトアシドーシスによる死亡例報告に基づく緊急安全性情報が発せられている．詳細な発現機序は不明であるが，インスリン抵抗性の亢進などによって，高血糖や糖尿病を発現する．したがって SDA，MARTA の服用患者では，血糖値の変動に十分な注意が必要であり，とくにオランザピン，クエチアピン，クロザピンは糖尿病および糖尿病既往歴がある患者に対して禁忌である．一般的に抗精神病薬の服薬中には食事・運動療法の実施や血糖値モニタリングが必要である．

統合失調症治療薬

種類　薬物　[代表的な商品名]	作用機序	注意すべき副作用
ドパミン D_2 受容体遮断薬		
フェノチアジン誘導体 ●クロルプロマジン塩酸塩 　[ウインタミン，コントミン] ●フルフェナジン 　[フルメジン，フルデカシン]	中脳辺縁系の D_2 受容体遮断作用によって抗精神病作用（陽性症状の改善作用）を発現する ベンズアミド誘導体：抗うつ作用を有する	ブチロフェノン誘導体（高力価）と比較して，D_2 受容体遮断作用が弱く，錐体外路症状の発現頻度が少ない．抗コリン作用（口渇・便秘など），起立性低血圧が発現しやすい
ブチロフェノン誘導体 ●ハロペリドール［セレネース］ ●ブロムペリドール［インプロメン］ ●スピペロン［スピロピタン］ ●ハロペリドールデカン酸エステル 　[ネオペリドール，ハロマンス]		錐体外路症状が発現しやすい．抗コリン作用は，フェノチアジン誘導体（低力価）と比較して少ない
ベンズアミド誘導体 ●スルピリド［ドグマチール］ ●スルトプリド塩酸塩［バルネチール］		高プロラクチン血症を生じやすい
セロトニン・ドパミン拮抗薬（SDA）		
●リスペリドン［リスパダール］ ●ペロスピロン塩酸塩水和物 　[ルーラン] ●ブロナンセリン［ロナセン］	D_2 受容体遮断作用と同時に 5-HT_{2A} 受容体遮断作用をあわせもち，統合失調症の陽性症状および陰性症状の両方に改善効果を示す	第二世代のなかでは錐体外路症状や高プロラクチン血症を発現しやすい
●パリペリドン［インヴェガ］ ●パリペリドンパルミチン酸エステル 　[ゼプリオン]		高プロラクチン血症，体重増加，錐体外路症状
●ルラシドン塩酸塩［ラツーダ］	D_2 受容体，5-HT_{2A} 受容体，5-HT_7 受容体に対し遮断薬として，5-HT_{1A} 受容体に対し部分刺激薬として作用する 「双極性障害におけるうつ症状の改善」にも適応を有する	アカシジア（静坐不能），不安，傾眠，不眠，頭痛，浮動性めまい，悪心，嘔吐，高プロラクチン血症．重大なものに悪性症候群，遅発性ジスキネジア，痙攣，高血糖，糖尿病性ケトアシドーシス，糖尿病性昏睡など
多次元受容体標的化抗精神病薬（MARTA）		
●オランザピン［ジプレキサ］ ●クエチアピンフマル酸塩 　[セロクエル]	5-HT_{2A} 受容体，D_2 受容体に加えて多くの神経伝達物質受容体（$α_1$, H_1, M など）に拮抗的に作用して，統合失調症の陽性症状および陰性症状の両方に改善効果を示す	糖尿病，肥満，脂質代謝異常を発現しやすい．傾眠，倦怠感
●アセナピンマレイン酸塩 　[シクレスト]		傾眠，アカシジア，しびれ感・苦味（口腔内の感覚鈍磨）
●クロザピン［クロザリル］		無顆粒球症，心筋炎，糖尿病などの重篤な副作用を発現することがある．クロザピン患者モニタリングサービスの実施が必要である（☞ p.93 コラム）
ドパミン D_2 受容体部分刺激薬		
●アリピプラゾール 　[エビリファイ]	ドパミン D_2 受容体部分刺激作用 抗躁作用，抗うつ作用（既存治療では十分な効果が認められない場合に限る）	投与初期は不安・不眠・焦燥，錐体外路症状（アカシジア）
●ブレクスピプラゾール 　[レキサルティ]	D_2 受容体，5-HT_{1A} 受容体に対して部分刺激薬として，5-HT_{2A} 受容体に対しては遮断薬として作用する	アカシジアなどの錐体外路系症状，高プロラクチン血症，頭痛，不眠．重大なものに悪性症候群，遅発性ジスキネジア，麻痺性イレウスなど

2 うつ病・双極性障害（躁うつ病）

■病態生理

1 うつ病・双極性障害の病態生理

a うつ病

うつ病 major depressive disorder は，**抑うつ気分** depressed mood，興味・喜びの著しい減退を主な症状とする**気分障害**である．遺伝的素因や体質などの生物学的要因を背景として，慢性疾患，疲労，ストレスといった身体的要因，さまざまなライフイベントに関連する環境要因，循環気質や執着気質といった性格的要因が複雑に絡み合って発症すると考えられている．一般的にうつ病は疾患名であり，そのとき出現する症状群をさして「**うつ状態**」という．うつ病では，抑うつ気分のほかに，悲哀感などの感情障害，思考障害，意欲低下，睡眠障害および自殺企図などが現れる（**表2A-2**）．これらのうつ病の症状には，脳内神経伝達物質，とくにセロトニン，ノルアドレナリンおよびドパミンなどのモノアミンによる異常な神経伝達が主に関与していると考えられている．統合失調症と異なり人格崩壊には陥らないが，重症では**自殺念慮**が強くなり危険である．

b 双極性障害（躁うつ病）

双極性障害 bipolar disorder は，抑うつ気分を主症状とする「**うつ病相**」と気分の高揚や爽快感を主症状とする「**躁病相**」が交互に繰り返して現れる気分障害である．とくに，躁病相の原因はまだ十分解明されていないが，病前からの特徴的な性格傾向として循環気質が多いことが知られている．うつ病と比較して，双極性障害におけるうつ病相での自殺リスクが高い．躁状態とうつ状態を繰り返す**双極Ⅰ型障害**，軽躁状態とうつ状態を繰り返す**双極Ⅱ型障害**に分けられる．この双極性障害は，米国精神医学会による診断基準 DSM-5 において，うつ病とは別の病態の「双極性障害および関連症候群」として明確に分けられている．

2 うつ病・双極性障害の発症に関する仮説

1）モノアミン仮説

降圧薬として使われていた**レセルピン**によって抑うつ症状が誘発されることから，レセルピンの薬理作用機序である脳内モノアミン（ノルアドレナリンやセロトニンなど）の枯渇作用とうつ病の関連性が指摘された．しかしながら，①モノアミンが体内で代謝されてできた物質の量を血液や尿などから測定しても，うつ状態とそうでない場合と比較して，量の多い・少ないが一致しないこと，②レセルピンを服用した患者

表 2A-2　うつ病の診断基準（DSM-5）

A. 下の症状のうち 5 つ（またはそれ以上）が同じ 2 週間のあいだに存在し，病前の機能からの変化を起こしている：これらの症状のうち（1）か（2）のいずれかは必ず認める（明らかにほかの医学的疾患に起因する症状は含まない）．
　(1) 抑うつ気分
　(2) 興味・喜びの著しい減退
　(3) 著しい体重減少あるいは体重増加，または，食欲減退または増加
　(4) 不眠または過眠
　(5) 精神運動性の焦燥または制止
　(6) 易疲労性または気力の減退
　(7) 無価値観，または過剰であるか不適切な罪責感
　(8) 思考力や集中力の減退．または決断困難
　(9) 死についての反復思考，反復的な自殺念慮，自殺企図
B. その症状は，臨床的に意味のある苦痛，または社会的，職業的，またはほかの重要な領域における機能の障害を引き起こしている．
C. そのエピソードは物質の生理学的作用，またはほかの医学的疾患によるものではない．
D. 抑うつエピソード（A〜C）は，統合失調感情障害，統合失調症，統合失調症様障害．妄想性障害，またはほかの特定および特定不能の統合失調症スペクトラム障害およびほかの精神病性障害群によってはうまく説明されない．
E. 躁病エピソード，または軽躁病エピソードが存在したことがない．

のすべてがうつ病を発症するわけではないこと，③抗うつ薬の投与後，急速にモノアミンの量は増えるが，2 週間程度連続して服用しないと効果が現れないこと，④モノアミンの量を調節しない薬物でも抗うつ効果が認められる場合があることから，脳内モノアミンの減少による発症原因でうつ病のすべてが説明されるわけではない．

2）セロトニン仮説

モノアミンのなかでもとくにセロトニンとうつ病との関連性が指摘されている．セロトニン神経終末のシナプス後膜受容体の $5-HT_2$ 受容体過感受性仮説やシナプス前膜受容体の $5-HT_{1A}$ 受容体（自己受容体）のダウンレギュレーション仮説が提唱されている．これらの仮説は，うつ病治療薬である SSRI（☞■薬理 1.c 選択的セロトニン再取り込み阻害薬，p.103）の開発につながっている．

3）ストレス仮説（ストレス関連内分泌ホルモン仮説）

クッシング症候群などの内分泌系疾患患者やほかの身体疾患のための副腎皮質ステロイド投与を受けている患者のなかに抑うつ症状を呈する患者が認められることがある．また，うつ病発症直前に，過労や死別などの身体的・精神的ストレスと考えられるネガティブなエピソードが存在し，これがうつ病発症の引き金になったと考えられる症例も認められる．うつ病患者ではコルチゾールの血中濃度が高値を示し，デキサメタゾン投与による**コルチゾール分泌抑制試験**では，コルチゾール分泌の非抑制が認められる場合がある．これらの知見から，うつ病では**視床下部-下垂体-副腎系**といった内分泌ホルモンシステムの機能亢進状態にも関連性があると考えられている．

❸ うつ病・双極性障害の症状

a　うつ状態 depression

1）精神症状

抑うつ気分，興味・喜びの著しい減退：うつ病においては，抑うつ気分と興味・喜びの著しい減退が中核となる主要な症状で，社会的にも引きこもり，以前は興味があった娯楽や趣味などに興味を示さないといった意欲の消失が生じ，性欲減退や欲求レベルの低下がみられる．うつ病の診断基準において少なくともこの抑うつ気分，興味・喜びの減退のいずれか（あるいは両方）が含まれる．

精神運動性の焦燥または制止：抑うつ気分に伴う症状で，理由もないのにイライラ感が生じ，じっとしていられなくなる（精神運動焦燥）．動作が緩慢になり，物事をするのに気が進まず，面倒くさい気持ちになり，やる気がでないなど思考面への**内面的（精神的）抑制**や身体の動きや喜怒哀楽の感情が乏しく生気がないなどの**外面的（行動的）抑制**が生じる（精神運動制止）．また，自信の消失による未来に関する不安感を伴う．

易疲労性，気力の減退：強い疲労感や倦怠感があり，疲れやすく気力がわかない．

無価値観・罪責感：「自分がいないほうが皆のためによいのではないか」といった無価値観，自己を否定する不必要なまでの強い罪責感によって，死についての反復思考，自殺念慮，さらに自殺企図に至る．

日内変動：抑うつ症状は朝の覚醒時に重く，午後から夕方にかけて軽減する．

2）身体症状

睡眠障害：入眠困難，早朝覚醒および熟眠障害を特徴とする身体症状のなかで必発の症状である．過眠を伴う場合もある．

摂食障害：著しい体重減少または増加，食欲減退または増加を伴う．

b　躁状態 manic state

1）軽躁状態 hypomania

一般に活動量は亢進し（**精神運動興奮**），気分の高揚と爽快感が生じる．さらに多弁で落ち着きがなく，注意散漫となって，まとまった仕事を完成させることが困難である．また，自信に満ちた誇大的言動・誇大妄想が多く，自制心に欠けるうえ，判断や予測も楽観的になるため，浪費や社会的逸脱行為がみられ，周囲の人々に多大な迷惑が及ぶことが多い．

2）躁状態

自己中心的であるため，周囲が忠告したり行動を抑えたりしようとしても従わず，逆に反抗的，攻撃的となることが多い（易怒性）．結果として人間関係が破綻するなど社会的な問題を起こしやすい．身体症状としては体重減少，多弁による嗄声，睡眠不足などをきたす（睡眠欲求の減少）が，当人は疲労を訴えることはなく，体調は良好で，病識がないことが多い．性欲は通常亢進する．

4 動物を用いた薬効評価モデル：うつ病の動物モデル

1）慢性緩和ストレスモデル

　ヒトは，環境ストレス，とくに予測できない制御不能なストレッサーに曝露されるとうつ病の発症リスクが増大することが知られている．マウスやラットなどの小動物においても同様に，制御不能な軽度で不快な環境ストレス（傾斜させたケージ，明暗サイクルの逆転，摂餌・摂水の制限，水浸しの床敷，滑面やグリッドの床面，隔離，音刺激の負荷等）を長期間与えられると，抑うつ様症状が認められる．

　この不快なストレス環境下で長期飼育された小動物は，強制水泳試験における無動時間の増加および運動量の低下，睡眠・覚醒の異常，無快感症状（スクロース飲水量の減少や脳内自己刺激行動の抑制）のようなヒトのうつ病の診断基準への外挿が示唆される行動変容が認められている．これらの慢性緩和ストレスによる抑うつ様行動は，抗うつ薬の慢性投与によって改善される．また，慢性緩和ストレスによる抑うつ様行動は，抗うつ薬の急性投与では改善されず，慢性投与によってのみ改善される．

2）慢性社会的敗北ストレスモデル

　うつ病は，社会的地位の消失やそれに伴う永続的な社会的脅威から劣勢状態を誇示される社会環境に慢性的に曝露されることが発症原因として考えられている．ある限定された領域に居住する小動物に対して，体格がより大きく攻撃的なほかの小動物（侵入者）をその領域に長期侵入させ，居住者と侵入者の社会的優劣を形成させる実験モデルが考案されている．この慢性社会的敗北ストレスモデル動物は自発運動量が著明に低下し，無快感症状（スクロース飲水量の減少）が発現し，強制水泳試験における無動時間を著しく増加させる．抗うつ薬の慢性投与は，これらの抑うつ様行動を改善する．

　また，慢性社会的敗北ストレスモデル動物は，ほかの動物との社会的接触行動の減少と，抗うつ薬の投与によって改善される．このように慢性社会的敗北ストレスによる抑うつ関連行動の発現様式と抗うつ薬の反応性は，ヒトに認められるうつ病症状や薬物反応性と類似していることから，うつ病の動物モデルとして頻用されている．

コラム　うつ病・双極性障害のうつ状態に対する非薬物療法

　うつ病・双極性障害のうつ状態に対する非薬物療法には，さまざまな精神療法，冬季に悪化する季節性感情障害に対して行われる高照度光療法，薬物療法が無効な場合に行われる電気痙攣療法などがあり，それぞれの適応を考慮して薬物療法と併行したり，単独で行われたりする．とくに代表的な精神療法である認知療法・認知行動療法（過度な一般化，ネガティブな部分の誇張を修正し，考え方の選択肢を増やすなど，うつ状態になりやすい考え方のパターンを修正する心理療法）は，うつ状態の症状改善に有効な手段の1つとされている．

■薬　理

① うつ病治療薬

a　三環系抗うつ薬 tricyclic antidepressants(TCA)

　三環系抗うつ薬は、分子構造としてベンゼン環の両端に環状構造を3つもつことから名付けられた第一世代抗うつ薬である．四環系抗うつ薬よりも抗うつ効果は強いが、副作用としての抗コリン作用や循環器症状も強いため忍容性が低い．薬剤の種類や個人差によるが、抗うつ作用の発現までに約2週間から数週間の時間を要する．

● イミプラミン

　薬理作用　意欲低下や抑うつ気分を改善し、強い抗うつ効果を示す．脳内モノアミン神経伝達経路を促進的に調節して抗うつ症状を改善する．睡眠増強作用、鎮静作用を発現する．また、遺尿症に対する効能・効果も有する．

　作用機序　神経終末におけるセロトニンおよびノルアドレナリンの再取り込み阻害作用を有し、シナプス間隙における濃度を上昇させる．一方、三環系抗うつ薬が有する抗コリン（ムスカリン）作用、抗ヒスタミン（H_1）作用および抗アドレナリン（$α_1$）作用は、副作用の発現に関与している（図 2A-6）．

　副作用　ムスカリン受容体遮断（抗コリン作用）による口渇、便秘、排尿困難、瞳孔調節障害、眼圧亢進などの末梢神経症状、心拍数増加、心収縮力増加、血圧上昇などの交感神経刺激作用．大量で低血圧などの循環器症状、鎮静、振戦、言語障害、記

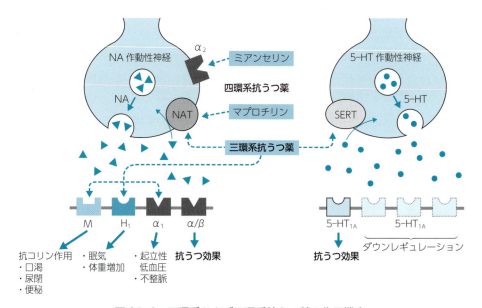

図 2A-6　三環系および四環系抗うつ薬の作用機序
NA：ノルアドレナリン，5-HT：セロトニン，NAT：ノルアドレナリントランスポーター，SERT：セロトニントランスポーター，M：ムスカリン性アセチルコリン受容体，H_1：ヒスタミン H_1 受容体，$α_1$：アドレナリン $α_1$ 受容体，$α_2$：アドレナリン $α_2$ 受容体，5-HT$_{1A}$：セロトニン 5-HT$_{1A}$ 受容体

憶力低下，せん妄などの中枢神経症状を発現する．

- **アミトリプチリン**

 イミプラミンよりも鎮静作用が強いため，不安症状が強いうつ状態に有効である．夜尿症，末梢性神経障害性疼痛に対する効能・効果も有する．

- **ノルトリプチリン**

 アミトリプチリンの活性代謝産物である．ほかの三環系抗うつ薬よりもノルアドレナリンへの作用が強いため意欲低下の改善に効果的である．

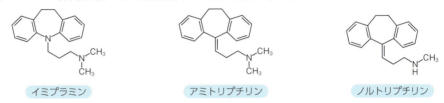

イミプラミン　　アミトリプチリン　　ノルトリプチリン

b 四環系抗うつ薬 tetracyclic antidepressants

 四環系抗うつ薬は，三環系抗うつ薬が有する抗コリン作用を軽減させて開発された第二世代抗うつ薬である．また，四環系抗うつ薬は，ノルアドレナリンの神経伝達を増加させることによって，とくに意欲の低下や無気力感に対して効果を示す．抗うつ作用は三環系抗うつ薬よりも弱く，便秘，口渇などの抗コリン作用も比較的弱い．催眠作用が強いのが特徴的である．薬剤の種類や個人差によるが，抗うつ作用の発現までに約2週間から数週間の時間を要する．

- **ミアンセリン**　- **セチプチリン**

 アドレナリンα_2自己受容体の遮断作用を有し，ノルアドレナリンの神経終末からの遊離を促進させることによって，抗うつ効果を示す．副作用として抗コリン作用によるもののほかに，抗ヒスタミン作用による眠気，体重増加や抗α_1作用によるめまい，ふらつきが認められる．

- **マプロチリン**

 ノルアドレナリン再取り込み阻害作用を有し，シナプス間隙ノルアドレナリン濃度を上昇させることによって，抗うつ効果を示す．副作用としての眠気がとくに強い．このため不眠を伴ううつ病患者に対して使用されることもある．

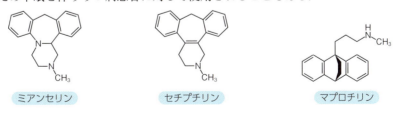

ミアンセリン　　セチプチリン　　マプロチリン

c 選択的セロトニン再取り込み阻害薬 selective serotonin reuptake inhibitor(SSRI)

 わが国で最も使用されている第三世代抗うつ薬である．三環系抗うつ薬や四環系抗うつ薬に認められる抗コリン作用などの有害作用を軽減し，うつ病の原因に密接に関

わるセロトニン神経系に着目した，より安全で使いやすい抗うつ薬として開発された．薬剤の種類や個人差によるが，抗うつ作用の発現までに約2週間から数週間の時間を要する．

● フルボキサミン　● パロキセチン　● セルトラリン　● エスシタロプラム

薬理作用　セロトニンの選択的な再取り込み阻害作用によるシナプス間隙のセロトニン濃度上昇によって，抗うつ作用を発現する．三環系抗うつ薬とほぼ同等の強い抗うつ効果を示すが，効果発現に1〜2週間の時間を要する．抗コリン作用，抗アドレナリン作用，抗ヒスタミン作用などのセロトニン神経系以外の副作用が少ない．抗不安作用も有し，不安障害に対する適応も有する．

作用機序　セロトニン神経終末でのシナプス前膜における**セロトニントランスポーター** serotonin transporter（**SERT**）を選択的に遮断し，シナプス間隙のセロトニン濃度を上昇させ，さまざまなセロトニン受容体の興奮を起こす．シナプス間隙のセロトニンが増加すると，セロトニン神経系の起始核である縫線核に存在する5-HT$_{1A}$受容体（**自己受容体**）を介した負のフィードバック機構が働く．しかしながら，SSRI反復投与による持続的なシナプス間隙におけるセロトニン濃度の増加は，5-HT$_{1A}$受容体の**脱感作**（**ダウンレギュレーション**）を誘発し，5-HT$_{1A}$受容体によるセロトニンの生合成や放出分泌の抑制作用が解除され，セロトニン神経活動が亢進することによって，抗うつ効果を発現する（図2A-7，☞図2A-18，p. 135）．

副作用　悪心・嘔吐，食欲不振，下痢といった消化器系副作用や不安や焦燥が強いうつ病患者で不安やいらいらの増強，不眠といった中枢神経系副作用が投与初期に発現する．三環系抗うつ薬や四環系抗うつ薬と比較すると抗コリン作用はかなり軽減されているが，注意は必要である．セロトニンの過剰な増加に伴う**セロトニン症候群**

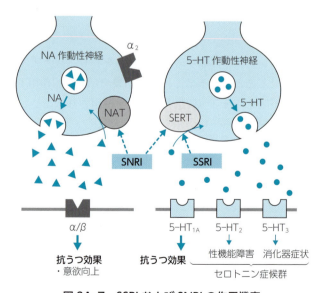

図2A-7　SSRIおよびSNRIの作用機序

や性機能障害，増量投与時の**賦活症候群**，自殺念慮・自殺企図，また，急激な投与減量や服薬中断による離脱症候群に注意が必要である．双極性障害の患者に投与された場合，躁転することがある（☞ p. 111）．

● ボルチオキセチン

セロトニン再取り込み阻害作用によって細胞外セロトニン濃度を上昇させるとともに，5-HT$_3$，5-HT$_7$，5-HT$_{1D}$ 受容体遮断作用，5-HT$_{1A}$ 受容体刺激作用および 5-HT$_{1B}$ 受容体部分刺激作用といったセロトニン受容体調節作用によって，複数のモノアミン（セロトニン，ノルアドレナリン，ドパミン，アセチルコリン，ヒスタミン）の遊離を調節する．

フルボキサミン　パロキセチン　セルトラリン　エスシタロプラム　ボルチオキセチン

d　セロトニン・ノルアドレナリン再取り込み阻害薬 serotonin noradrenaline reuptake inhibitor（SNRI）

第四世代抗うつ薬である．SSRI が有するセロトニン再取り込み阻害作用に加え，ノルアドレナリンの再取り込みを選択的に阻害する．薬剤の種類や個人差によるが，抗うつ作用の発現までに約 2 週間から数週間の時間を要する．

● ミルナシプラン　● デュロキセチン　● ベンラファキシン

薬理作用　セロトニンおよびノルアドレナリンの選択的な再取り込み阻害作用によるシナプス間隙のセロトニンおよびノルアドレナリン濃度上昇により，抗うつ作用を発現する．脳内セロトニンのほかにノルアドレナリン濃度が上昇することから，うつ状態のなかでも意欲の減退や無気力感，さらに不安症状を改善するのに有効である．

デュロキセチンは，うつ病・うつ状態に対する適応以外に，**糖尿病性神経障害**に伴う疼痛，線維筋痛症に伴う疼痛，慢性腰痛，変形性関節症に対する効能・効果（セロトニンおよびノルアドレナリン濃度上昇による**下行性疼痛抑制系神経**の賦活作用から発現する痛覚抑制効果に基づく）も有する（☞ 7 章 A.1 ■薬理 3 糖尿病合併症治療薬，p. 456）．

作用機序　セロトニン神経終末でのシナプス前膜における SERT およびノルアドレナリン神経終末でのシナプス前膜における**ノルアドレナリントランスポーター** noradrenaline transporter（**NAT**）のそれぞれを選択的に遮断し，シナプス間隙のセロトニンおよびノルアドレナリン濃度を上昇させ，シナプス後膜に存在するセロトニン受容体やノルアドレナリン受容体の興奮および作用の増強を引き起こす．

副作用 全体的に少ないが，SSRIと同様に吐き気，下痢，性機能障害，不眠などがある．また，ノルアドレナリン濃度上昇による血圧上昇，動悸や尿閉もある．

ミルナシプラン　　デュロキセチン　　ベンラファキシン

e　ノルアドレナリン作動性・特異的セロトニン作動性抗うつ薬 noradrenergic and specific serotonergic antidepressants (NaSSA)

SSRIやSNRIなどの再取り込み阻害作用を有する薬物とは異なる作用機序をもった第五世代抗うつ薬である．SNRIと同様にノルアドレナリンとセロトニンの両方に作用するが，双方が異なるメカニズムによって抗うつ効果を示す．個人差はあるが，抗うつ作用の発現はほかの抗うつ薬と比較して約1週間と速やかである．

● ミルタザピン

薬理作用 中枢神経系のノルアドレナリン作動性神経のシナプス前膜に存在するアドレナリン α_2 自己受容体とセロトニン作動性神経のシナプス前膜に存在するアドレナリン α_2 ヘテロ受容体に対して阻害作用を示し，ノルアドレナリンおよびセロトニンの放出促進による両神経系の神経伝達を増強することによって，抗うつ作用を発現する．鎮静作用も強い．

作用機序 ①中枢ノルアドレナリン作動性神経のシナプス前 α_2 自己受容体に対する遮断作用（ノルアドレナリン放出抑制の阻害）によって，ノルアドレナリン神経伝達を増強する．同様に中枢セロトニン作動性神経のシナプス前 α_2 ヘテロ受容体に対する遮断作用を示し，セロトニン放出抑制の阻害によってセロトニン神経伝達を増強する．また，②増加したノルアドレナリンの一部は，セロトニン作動性神経の細胞体に存在する α_1 受容体を介して，セロトニン作動性神経を活性化し，そのシナプス前膜からのセロトニン遊離を促進する．その結果，脳内の遊離セロトニン量は増加する．さらに，③シナプス後膜に存在する 5-HT$_2$ 受容体と 5-HT$_3$ 受容体を遮断する作用があるため，増加したセロトニンは抗うつ作用や抗不安作用に関連する 5-HT$_{1A}$ 受容体を特異的に刺激してその機能を集中させる．

このようにミルタザピンは薬物そのものの作用機序はアンタゴニスト作用であるが，結果としてアゴニスト作用を示すため，ほかの抗うつ薬と比較してその効果発現までの時間が短く，持続的な効果が得られる（図 2A-8）.

副作用 眠気，倦怠感，不動性めまい，体重増加がある．5-HT$_2$ 受容体の遮断作用があるために性機能障害，および 5-HT$_3$ 受容体の遮断作用があるために吐き気や下痢などの消化器症状といった副作用は少ない．セロトニン過剰による副作用が軽減されているが，セロトニン症候群，増量投与時の賦活症候群，自殺念慮・自殺企

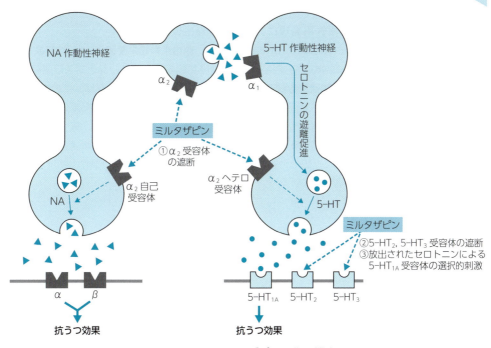

図 2A-8　ミルタザピンの作用機序

図，また急激な投与減量や服薬中断による離脱症候群に注意が必要である．

f　その他の抗うつ薬

●トラゾドン

　セロトニン再取り込み阻害作用と 5-HT$_2$ 受容体遮断作用によって，うつ病，うつ状態に効果を示す．5-HT$_2$ 受容体遮断による鎮静作用が強く，うつ病に伴う睡眠障害に効果的である．

●アリピプラゾール（構造式☞ p.95）

　ドパミン D$_2$ 受容体部分刺激薬であり，非定型精神病薬として統合失調症に有効性があるとともに，既存治療で十分な効果が認められない場合に限って，うつ病・うつ状態に対する効能・効果がある．SSRI または SNRI などによる適切な治療を行っても十分な効果が認められない場合において，すでに投与されている抗うつ薬と併用して使用される．

ミルタザピン　　　　　　　トラゾドン

コラム　BDNFと抗うつ薬作用発現における神経新生仮説

BDNF(brain-derived neurotrophic factor, 脳由来神経栄養因子)は, 神経成長因子の1つであり, 神経細胞の生存維持・成長や神経突起の伸長促進, シナプス伝達の機能亢進, シナプス可塑性に関連する調節因子である. 抗うつ薬の慢性投与は, このBDNFの海馬における発現を増加させ, 神経新生(神経幹細胞や前駆細胞といった未分化の神経細胞から新しい成熟神経細胞が分化する生理現象)を促進する, すなわち, 抗うつ薬の作用発現には海馬神経新生を要することが基礎研究から明らかとなった. このように抗うつ薬の新しい作用機序として, 脳内の神経新生が関与するという「抗うつ薬作用発現における神経新生仮説」が提唱されている.

❷ 双極性障害(躁うつ病)治療薬

a　気分安定薬

●リチウム(炭酸リチウム)

薬理作用　最も古くから使われている双極性障害治療薬で, 躁病および双極性障害の躁状態に対しての適応を有しているが, 抗躁効果, 抗うつ効果, 再発予防効果といった双極性障害の治療に有用なすべての効果を発揮する. 再発予防効果に優れており, 維持期の再発予防治療としては第一選択薬である.

作用機序　リチウムは, Na^+, K^+, Ca^{2+} などの神経細胞膜を介したイオンの細胞内外の働きに影響して, ① Na^+ との置換：リチウムが Na^+ と置換して, イオンチャネル, Na^+ ポンプ, Na^+ 依存性の酵素反応を抑制することによる神経興奮の抑制, ②セロトニン, ノルアドレナリン, ドパミンなどの神経伝達物質の遊離抑制, ③ Mg^{2+} 依存性アデニル酸シクラーゼの抑制, ④ PI(ホスファチジルイノシトール)代謝回転の抑制：リチウムによるイノシトールモノホスファターゼ(IMPase)の阻害およびグリコーゲン合成酵素キナーゼ3β(GSK-3β)の阻害によって生じる細胞内イノシトールの減少(図2A-9)(PI代謝回転の変化と双極性障害に対するリチウムの効果との関連性については不明)といったさまざまな作用を発揮すると考えられている. 以上のような作用機序が想定されているが, まだ完全に解明されていない. このようにリチウムは中枢神経系における多くの作用が複合的に関連して作用発現すると推測されている.

副作用　軽い悪心, 手の微細な振戦, 集中力減退, 口渇, 多尿(数日間で消失), 消化器症状, 循環器症状, 甲状腺機能低下など, 皮膚症状, 浮腫, 体重増加がある. 催奇形性があるため妊婦または妊娠している可能性のある女性には禁忌である. 治療域と安全域が狭いため, リチウム中毒と呼ばれる中毒症状に注意が必要で, 定期的に採血をして, リチウム血中濃度をモニタリング(TDM)しながら薬物療法を実施する.

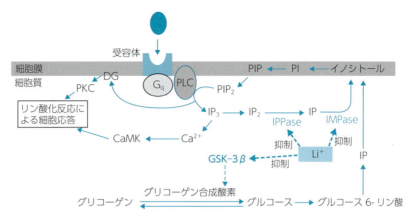

図 2A-9　気分安定薬・炭酸リチウムの作用機序
PIP：ホスファチジルイノシトール一リン酸，PIP$_2$：ホスファチジルイノシトール二リン酸，IP：イノシトール一リン酸，IP$_2$：イノシトール二リン酸，IP$_3$：イノシトール三リン酸，IMPase：イノシトールモノホスファターゼ，IPPase：イノシトールポリホスフェイト-1-ホスファターゼ，PLC：ホスホリパーゼC，DG：ジアシルグリセロール，PKC：プロテインキナーゼC，CaMK：Ca^{2+}-カルモジュリン依存性プロテインキナーゼ

b　気分安定薬（抗てんかん薬）

　抗てんかん薬としての適応を有する気分安定薬として，バルプロ酸ナトリウム，カルバマゼピン，ラモトリギンがある．これらの双極性障害に対する改善効果の作用機序は不明であるが，脳内の神経活動を抑制することによって気分安定作用が期待できると考えられている（☞本章A.9■薬理1.抗てんかん薬，p.175）．

- **バルプロ酸**（構造式☞ p.180）

　躁病および双極性障害の躁状態の改善効果を有している．GABAトランスアミナーゼの阻害による脳内GABA神経伝達促進作用（脳内抑制系神経伝達物質の賦活作用）が寄与している可能性が考えられているが，双極性障害の改善効果における作用機序は明らかになっていない．

- **カルバマゼピン**（構造式☞ p.178）

　躁病，双極性障害の躁状態の改善効果を有している．脳内GABA神経伝達促進作用やNa$^+$チャネルの阻害作用に基づく神経細胞膜の安定化作用が考えられているが，双極性障害の改善効果における作用機序は明らかになっていない．抗躁効果が強い気分安定薬である．

- **ラモトリギン**（構造式☞ p.182）

　双極性障害における気分エピソードの再発・再燃抑制に対する効能・効果を有している．Na$^+$チャネルを抑制することによって神経細胞膜を安定化させ，グルタミン酸などの興奮性神経伝達物質の遊離を抑制することによって作用を示すと考えられているが，うつ状態や躁状態の改善・気分エピソードの予防に対する作用機序は明らかになっていない．

A 精神科・神経内科領域の疾患に用いる薬物

> **コラム　うつ病と双極性障害の症状比較**
>
> うつ病と双極性障害の「うつ状態」は，共通症状としてほぼ同じ症状が認められる．双極性障害はこのうつ状態に加えて躁状態も呈するが，この双極性障害の躁状態は極端に気分の高揚した状態が持続しており，本人や周りが「調子がよい」状態と思い込んで見落とされることがあるので注意が必要である（躁状態における気分の高揚はとくに理由がなく発症する）．うつ病の発症は，中高年，とくに女性に多く認められ性差が存在するが，双極性障害の発症は，20代前半に多く認められ，その発症率に男女差はない．薬物療法においてうつ病では抗うつ薬によって抑うつ症状が改善することになるが，双極性障害のうつ状態に対して抗うつ薬が単独で投与された場合には，症状が悪化して躁転や症状の急速交代化が生じる恐れがある．このように双極性障害の薬物療法において，抗うつ薬は原則的には避けるべきで，双極性障害の適切な診断や薬剤選択がきわめて重要である．

c　統合失調症治療薬（非定型抗精神病薬）

統合失調症の治療薬として用いられているオランザピン，クエチアピン，アリピプラゾールは，双極性障害の症状に対する治療効果も有している．それらの双極性障害治療薬としての作用機序は十分にわかっていないが，双極性障害のうつ症状には前頭葉でのドパミンやノルアドレナリンの増加およびセロトニン受容体の遮断作用が，躁症状には中脳辺縁系のドパミン神経系の過活動に対する抑制作用および鎮静作用が関与していると考えられている（☞本章A.1■薬理1.統合失調症治療薬（抗精神病薬），p. 88）．

- **オランザピン**（構造式☞ p. 93）
  双極性障害における躁症状およびうつ症状の改善効果を有している．
- **クエチアピン**（構造式☞ p. 93）
  双極性障害におけるうつ症状の改善効果を有している．
- **アリピプラゾール**（構造式☞ p. 95）
  双極性障害における躁症状の改善効果を有している．
- **ルラシドン**（構造式☞ p. 92）
  双極性障害におけるうつ症状の改善効果を有している．ルラシドンの抑うつ効果には，$5\text{-}HT_7$受容体遮断作用と$5\text{-}HT_{1A}$受容体部分刺激作用が寄与していると考えられている．

3　留意すべき副作用

1）セロトニン症候群

セロトニン作動性の抗うつ薬の服用による過剰な脳内セロトニン濃度の増加によってセロトニン受容体が過度に刺激され，不安・焦燥，錯乱，軽躁といった精神症状，**ミオクロニー発作**，**協調運動障害**などの神経・筋症状，発熱，頻脈，発汗，振戦，下痢，皮膚の紅潮といった自律神経症状が急に出現する症候群である．SSRIなどの抗

うつ薬の使用，とくに多剤併用時や MAO 阻害薬との併用によって生じやすい．出現頻度は比較的少ないが，40℃以上の高熱が持続する場合は，横紋筋融解症，腎不全などの併発の可能性が高くなり，死亡に至る重症化も懸念される．治療は原因薬物の中止をまず行う．

2）賦活症候群（アクチベーション・シンドローム）

抗うつ薬の投与初期や増量時に出現する不安，焦燥，不眠，易刺激性，衝動性，パニック発作などの中枢刺激症状をいう．とくに若年者では，自傷などの自殺関連事象，自殺リスクが増加することがあるため，慎重投与が必要である．すべての抗うつ薬で出現する可能性があるが，鎮静作用がない SSRI などの抗うつ薬で発現しやすく，小量から始めて服用量を徐々に増量するなど慎重に投与する必要がある．

3）離脱症候群

抗うつ薬を継続して長期間服用し，突然中止または急に減薬すると，**離脱症候群**（中断症候群，中止後症候群）と呼ばれる症状が出現することがある．頭痛，振戦，悪心・嘔吐といった身体症状，不安・焦燥，不眠，行動の脱抑制（**躁転**）といった精神症状，めまいや知覚異常（金属音のような耳鳴り，電気ショック様感覚など）が離脱症状として認められる．すべての抗うつ薬で出現する可能性があるが，とくに半減期の短い SSRI で問題となることが多く，攻撃性や感覚異常といった離脱症状は SSRI に特徴的である．

4）リチウム中毒

腎臓でのリチウム排泄能の低下やリチウムの大量服用によって発現する．初期症状として発熱，発汗などの全身症状，食欲不振，嘔吐，下痢などの消化器症状，振戦，傾眠，錯乱，運動失調などの中枢神経症状が生じる．重症化すると昏迷・昏睡，ショック，血圧低下，腎障害（急性腎不全），尿閉といった症状が現れ，最終的に死に至る場合がある．

A 精神科・神経内科領域の疾患に用いる薬物

抗うつ薬・抗躁薬

種類　薬物［代表的な商品名］	作用機序	注意すべき副作用
三環系抗うつ薬		
●イミプラミン塩酸塩　［イミドール，トフラニール］　●クロミプラミン塩酸塩　［アナフラニール］　●アミトリプチリン塩酸塩　［トリプタノール］　●ノルトリプチリン塩酸塩　［ノリトレン］　●ロフェプラミン塩酸塩　［アンプリット］　●トリミプラミンマレイン酸塩　［スルモンチール］　●アモキサピン［アモキサン］	神経終末におけるセロトニンおよびノルアドレナリンの再取り込みを阻害する	抗コリン作用による口渇，便秘，排尿困難，瞳孔調節障害，眼圧亢進などの末梢神経症状，心拍数増加，心収縮力増加，血圧上昇などの交感神経刺激作用．大量で低血圧，鎮静，振戦，言語障害，記憶力低下，せん妄などの中枢神経症状
四環系抗うつ薬		
●ミアンセリン塩酸塩［テトラミド］　●セチプチリンマレイン酸塩　［テシプール］	アドレナリンα_2自己受容体を遮断する	抗コリン作用による口渇，便秘など，抗ヒスタミン作用による眠気・体重増加，抗α_1作用によるめまい・ふらつき
●マプロチリン塩酸塩［ルジオミール］	ノルアドレナリン再取り込みを阻害する	
選択的セロトニン再取り込み阻害薬(SSRI)		
●フルボキサミンマレイン酸塩　［デプロメール，ルボックス］　●パロキセチン塩酸塩水和物　［パキシル］　●セルトラリン塩酸塩　［ジェイゾロフト］　●エスシタロプラムシュウ酸塩　［レクサプロ］	セロトニン再取り込みを選択的に阻害する（セロトニントランスポーターを選択的に遮断する）	消化器症状，不安・不眠などの中枢神経系副作用（投与初期），セロトニン症候群，性機能障害，増量投与時の賦活症候群，自殺念慮・自殺企図，急激な投与減量や服薬中断による離脱症候群
●ボルチオキセチン臭化水素酸塩　［トリンテリックス］	セロトニン再取り込み阻害によって細胞外セロトニン濃度を上昇させるとともに，5-HT_3，5-HT_7，5-HT_{1D}受容体の遮断，5-HT_{1A}受容体刺激および5-HT_{1B}受容体部分刺激などのセロトニン受容体調節作用により，複数のモノアミン（セロトニン，ノルアドレナリン，ドパミン，アセチルコリン，ヒスタミン）の遊離を調節する	悪心，傾眠，頭痛など．重大な副作用としては，セロトニン症候群，痙攣，抗利尿ホルモン不適合分泌症候群（SIADH）
セロトニン・ノルアドレナリン再取り込み阻害薬(SNRI)		
●ミルナシプラン塩酸塩［トレドミン］　●デュロキセチン塩酸塩　［サインバルタ］　●ベンラファキシン塩酸塩　［イフェクサー］	セロトニンおよびノルアドレナリンの再取り込みを選択的に阻害する（セロトニンおよびノルアドレナリンのトランスポーターを遮断する）	消化器症状，中枢神経系副作用（投与初期），セロトニン症候群，性機能障害，増量投与時の賦活症候群，自殺念慮・自殺企図，血圧上昇，動悸，尿閉，急激な投与減量や服薬中断による離脱症候群
ノルアドレナリン作動性・特異的セロトニン作動性抗うつ薬(NaSSA)		
●ミルタザピン　［リフレックス，レメロン］	中枢ノルアドレナリン作動性神経のシナプス前α_2自己受容体遮断，中枢セロトニン作動性神経のシナプス前α_2ヘテロ受容体遮断，5-HT_2受容体および5-HT_3受容体の遮断により5-HT_{1A}受容体を特異的に刺激する	眠気，倦怠感，不動性めまい，体重増加，セロトニン症候群，増量投与時の賦活症候群，自殺念慮・自殺企図，急激な投与減量や服薬中断による離脱症候群

抗うつ薬・抗躁薬(つづき)

種類　薬物 [代表的な商品名]	作用機序	注意すべき副作用
その他の抗うつ薬		
●トラゾドン塩酸塩 [デジレル，レスリン]	セロトニン再取り込み阻害作用と5-HT₂受容体遮断作用がある	抗コリン作用，抗ヒスタミン作用による眠気・体重増加，α₁受容体遮断作用によるめまい・ふらつき
●アリピプラゾール [エビリファイ]	D₂受容体部分刺激作用．抗うつ作用(既存治療では十分な効果が認められない場合に限り適応を有する)	投与初期は不安，不眠，憔悴，錐体外路症状(アカシジア)
気分安定薬		
●炭酸リチウム [リーマス]	イノシトールモノホスファターゼおよびグリコーゲン合成酵素キナーゼ3βを阻害する(不明)	悪心，振戦，集中力減退，口渇，多尿，消化器症状，心臓作用，甲状腺機能低下，皮膚症状，浮腫，体重増加
気分安定薬(抗てんかん薬)		
●バルプロ酸ナトリウム [デパケン]	GABAトランスアミナーゼ阻害による脳内GABA神経伝達を促進する(気分安定薬としては不明)	表 抗てんかん薬(☞ p.184)参照
●カルバマゼピン [テグレトール]	脳内GABA神経伝達促進作用やNa⁺チャネルの阻害作用がある(気分安定薬としては不明)	
●ラモトリギン [ラミクタール]	Na⁺チャネル抑制によるグルタミン酸等の興奮性神経伝達物質の遊離を抑制する(気分安定薬としては不明)	
非定型抗精神病薬		
●オランザピン [ジプレキサ] ●クエチアピンフマル酸塩 [ビプレッソ]	オランザピン：双極性障害における躁症状およびうつ症状の改善作用 クエチアピン：双極性障害におけるうつ症状の改善作用 5-HT₂A受容体，D₂受容体に加えて多くの神経伝達物質受容体(α₁，H₁，Mなど)に拮抗的に作用する	糖尿病，肥満，脂質代謝異常を発現しやすい．傾眠，倦怠感
●アリピプラゾール [エビリファイ]	双極性障害における躁症状の改善作用とドパミンD₂受容体部分刺激作用がある	投与初期は不安・不眠・焦燥，錐体外路症状(アカシジア)
●ルラシドン塩酸塩 [ラツーダ]	双極性障害におけるうつ症状の改善作用．D₂受容体，5-HT₂A受容体および5-HT₇受容体に対する遮断作用，5-HT₁A受容体に対する部分刺激作用がある	アカシジア(静坐不能)，不安，傾眠，不眠，頭痛，浮動性めまい，悪心，嘔吐，プロラクチン上昇

3 不眠症

■病態生理

1 不眠症の病態生理

a 概日リズムと睡眠・覚醒の生理

　一般に成人では，光によって外界と同調しながら約24時間周期で睡眠と覚醒を繰り返し，リズムを刻む．この睡眠・覚醒サイクルは，時間依存性に調節を受ける**概日リズム** circadian rhythm と呼ばれる．概日リズムは，脳内の**視交叉上核**（SCN）にある**体内時計** biological clock によって生み出されており，松果体から分泌され睡眠を促すメラトニン（夜間に分泌する）が作用する．このほかにも覚醒していた時間の長さによって睡眠を促すために覚醒時間に依存した恒常性維持機構も存在し，プロスタグランジン D_2 やアデノシンが睡眠誘発物質として前脳基底部や視床下部などの睡眠中枢へ作用して，GABA神経系を介して眠気を引き起こす（☞図2A-11）．

　睡眠には，**レム睡眠** REM sleep と**ノンレム睡眠** non-REM sleep という性質が異なる2種類の睡眠状態で構成されている．健常者（成人）における睡眠パターンとして，入眠後に浅いノンレム睡眠から深いノンレム睡眠を経て，レム睡眠とノンレム睡眠が交互に約90分周期で変動し，朝の覚醒に向かう（図2A-10）．レム睡眠の状態では，眠っているときに眼球が素早く動く**急速眼球運動** rapid eye movement（REM：「レム」の呼称の由来となっている），夢見体験，筋緊張の消失（身体の休

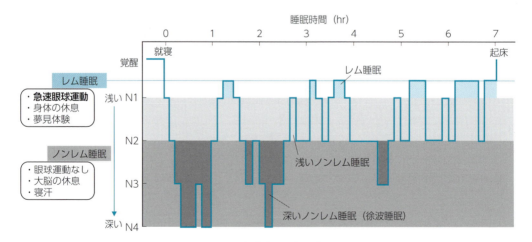

図2A-10 健常者の睡眠パターン
ノンレム睡眠は，睡眠状態の深度および脳波のパターンからN1～4の4つに区別されている．睡眠脳波の特徴として身体がリラックスした状態，精神が比較的不活発な状態の安静時には α 波，睡眠時には θ 波（高振幅徐波）が出現する．低振幅の速波や徐波が認められるステージ1（N1），および紡錘波やK複合（単発の大徐波と紡錘波の組み合わせ）の出現を特徴とするステージ2（N2）は，ノンレム睡眠のなかでも浅い睡眠状態である．さらに深い睡眠状態のステージ3（N3）とステージ4（N4）は合わせて徐波睡眠と呼ばれている．

息). 不規則で浅い呼吸, 脈拍数の乱れ, 陰茎の勃起が生じている. 一方, ノンレム睡眠は, 成人では睡眠全体の約80%を占めており, 副交感神経が優位な状態で, 血圧値, 呼吸数, 換気量, 心拍数とも安定し, 規則的になる. この時, 眼球運動はほとんどなく, 筋緊張は残存しており, 寝汗が持続的に出る.

b 睡眠・覚醒に関与する脳内分子とその制御機構

睡眠および覚醒は, それぞれの関与する脳内分子とその受容体を介して活性化された結果として生じる神経系のバランスによって制御される. また, その睡眠・覚醒のバランスは, さらにセロトニン神経系によって調節される(**図2A-11**).

c 不眠症

不眠症 insomnia は, ①睡眠の開始と持続, 一定した睡眠時間帯, あるいは眠りの質に繰り返し障害が認められる「夜間睡眠の困難」, ②睡眠を適切なタイミングと適切な環境下でとっているにもかかわらず日中に過度な眠気が繰り返し発生して, ③夜間睡眠の困難によって疲労, 不調感, 注意集中力や作業能力の著しい低下, 気分変調が生じてQOLが損なわれる状態である.

不眠症の原因として, 不規則な生活, 過度の昼寝, 騒音, 照度, 湿度, 交代制勤務, 時差ぼけ, 急激な環境の変化などの環境の要因に影響されるもの(生理的不眠), ストレス, 死別体験, 生活における不安, 大きなできごとによる精神生理的不安定状態によるもの(**心理学的不眠**), うつ病, 不安障害, 統合失調症などすべての精神疾患や脳器質的疾患の慢性期に併発するもの(精神・神経疾患に伴う不眠), 呼吸器疾患, アトピー性皮膚炎などの瘙痒を伴うアレルギー疾患, 疼痛を伴う疾患全般といった身体疾患や身体症状を罹患しているもの(身体疾患に伴う不眠, ☞コラム), アルコール, カフェイン/コーヒー, ニコチン/タバコなどの嗜好品, β遮断薬, 副腎皮質ステロイド, パーキンソン病治療薬など薬物の服用による不眠(**薬剤性不眠**)がある. また, 高齢者では深い睡眠のノンレム睡眠の時間が短くなる(入眠困難で眠りは浅く, 中途覚醒が多いという特徴). このように加齢によって睡眠に関わる生体機能リズムが変調することに伴い生じる不眠もある.

不眠症は, 米国精神医学会による診断基準DSM-5において**不眠障害** insomnia disorder という呼称となっており, **睡眠・覚醒障害群** sleep-wake disorders のな

図2A-11 睡眠・覚醒のバランス

かの1つとして位置づけられている．

❷ 不眠症の症状

1) 入眠障害
就床後になかなか眠れない状態で，寝付くまでに30分〜1時間以上かかる．就床後入眠するまでの時間が延長して寝付きが悪くなり，不眠の問題事象では最も多い．本人がそれを苦痛と感じている場合に入眠障害と判断される．若年者に多い．

2) 中途覚醒
睡眠中に2回以上目覚める状態のことで，入眠できても翌朝起床するまでの間に何度も目が覚めて，なかなか寝付けない．ただし，中途覚醒は加齢に伴って健常者においても若年者と比べて増加する．したがって高齢者ではその回数が複数回以上と極端に多い，持続時間が長い場合を除けば，必ずしも病的症状とは判断されない．

3) 熟眠障害（浅眠）
睡眠時間は十分であるにもかかわらず，熟眠感が得られない状態である．暑苦しかったり，騒音があったりする場合も熟眠障害に含まれる．

4) 早朝覚醒
本人が望む時刻，あるいは通常の起床時刻より，2時間以上早く目覚める．眠ってよい時間は十分あるのに朝早く覚醒してしまう状態である．覚醒後，再入眠できない．高齢者は中途覚醒と同様に，加齢に伴う不眠症状として早朝覚醒が増加する．

コラム　身体疾患に伴う不眠

閉塞性睡眠時無呼吸症候群：睡眠中の呼吸停止によって，舌などが上気道を閉塞して肺への空気が流れなくなり，体内の酸素濃度が低下する．激しいいびきを観測し，喘ぎ，窒息感によって中途覚醒するのが特徴である．熟眠感不足，日中の眠気や疲労感，不眠を引き起こす．夜間頻尿，夜間高血圧，夜間不整脈を引き起こし，無呼吸症状が進行するに従って，重篤な身体疾患を伴う可能性が高くなる．

レストレスレッグス症候群（下肢静止不能症候群）：「むずむず脚症候群」とも呼ばれ，じっとしていられない強い衝動や不快な感覚が主に下肢に出現する疾患である．就寝時や安静時に出現し，夕方〜夜間に悪化するが，動かすと軽減するといった特徴がある．有病率は，男性の1.5倍と女性に多く，高齢者に多く発症することから加齢との関連性も指摘されている．治療薬として中枢ドパミン受容体刺激薬であるプラミペキソール，ロチゴチンがある．

■ 薬　理

1 GABA$_A$受容体と睡眠薬

　GABA(γ-アミノ酪酸)は、抑制性神経伝達における最も重要な神経伝達物質である。GABAはGABA受容体に結合して作用発現する。その受容体サブタイプにはGABA$_A$, GABA$_B$, GABA$_C$が存在するが、睡眠作用と密接に関連するのはGABA$_A$受容体である。この**GABA$_A$受容体**は、神経細胞のシナプス後膜に主に分布するイオンチャネル内蔵型受容体で、Cl$^-$の細胞内流入を調節する。GABA$_A$受容体の構造は、5つの異なるサブユニットから構成されるヘテロオリゴマーで、このサブユニットの中心にチャネル孔が形成されている(図2A-12)。中枢神経系に存在するGABA$_A$受容体サブユニットは、α, β, γサブユニットにて構築され、α, β, γのサブユニット構成比が2：2：1で構成されたものが最も多い。このなかでαサブユニットは、GABAや**ベンゾジアゼピン系薬**のGABA$_A$受容体結合や作用発現に必須である。さらにGABA結合によるGABA$_A$受容体内蔵のCl$^-$チャネル開口にはαサブユニットとともにβサブユニットの共発現が重要である(GABA結合部位、狭義のGABA$_A$受容体)。また、ベンゾジアゼピン系薬では、αサブユニットとともにγサブユニットの共発現が必須である(**ベンゾジアゼピン結合部位**)。これらのことから、GABAやベンゾジアゼピン系薬が結合するCl$^-$チャネルは「GABA結合部位-ベンゾジアゼピン結合部位-Cl$^-$チャネル複合体」であり、この複合体そのものがGABA$_A$受容体複合体のことを意味している(広義のGABA$_A$受容体)。

　ベンゾジアゼピン結合部位は、アゴニストおよびアンタゴニスト(**フルマゼニル**)の

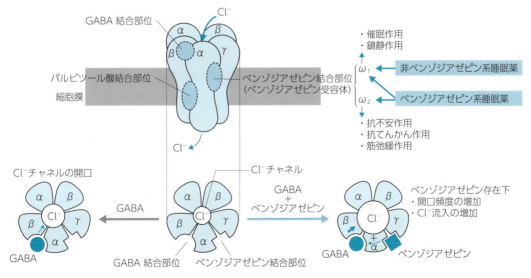

図2A-12　GABA$_A$受容体の構造と作用薬

A 精神科・神経内科領域の疾患に用いる薬物

> **コラム**
>
> **ベンゾジアゼピン受容体と GABA_A 受容体ベンゾジアゼピン結合部位**
>
> 国際薬理学会受容体命名委員会（Nomenclature and Standards Committee of the International Union of Basic and Clinical Pharmacology：NC-IUPHAR）にて定められた受容体分類におけるデータベースによると，ベンゾジアゼピン受容体およびその受容体サブタイプである ω_1，ω_2 受容体は，独立した受容体として分類・定義されておらず，GABA_A 受容体ベンゾジアゼピン結合部位として表記されている．しかしながら，ベンゾジアゼピン受容体は GABA_A 受容体ベンゾジアゼピン結合部位と同義であることを考慮に入れて，本書ではベンゾジアゼピン系薬の薬理作用を理解しやすくするために，便宜上「ベンゾジアゼピン受容体」および「ω_1，ω_2」という受容体サブタイプの表記を使用している．

関係が成立することから**ベンゾジアゼピン受容体**とも呼ばれる（☞コラム）．ベンゾジアゼピン結合部位にベンゾジアゼピン系薬が結合すると，GABA 結合部位における GABA 結合の感受性が亢進し，GABA 単独刺激の場合よりも Cl^- チャネル開口頻度や Cl^- 流入の増加が引き起こされる．ベンゾジアゼピン系薬単独では Cl^- チャネル開口は生じない．この GABA_A 受容体のベンゾジアゼピン結合部位，つまりベンゾジアゼピン受容体には ω_1 と ω_2 という受容体サブタイプが存在し，ω_1 受容体はベンゾジアゼピン系薬による催眠・鎮静作用，ω_2 受容体は抗不安・抗てんかん・筋弛緩作用にそれぞれ深く関与している（図 2A-12）．

バルビツール酸の結合に重要な GABA_A 受容体複合体のサブユニットは，β サブユニットであり（**バルビツール酸結合部位**），バルビツール酸の結合によって GABA 結合部位の感受性を増強させ，高用量ではバルビツール酸による刺激単独で Cl^- チャネル開口作用を発揮する．

2 不眠症治療薬

a バルビツール酸系睡眠薬

● ペントバルビタール　● セコバルビタール　● アモバルビタール

覚醒を維持している網様体賦活系に感受性が高く，多シナプス反射を抑制して睡眠に至らせる．Cl^- チャネルを構成する GABA_A 受容体複合体のバルビツール酸結合部位（ピクロトキシン結合部位を含む）に結合し，GABA の作用を増強する．

副作用　脳全体，とくに脳幹網様体を抑制することから強力な麻酔作用様の催眠・鎮静作用や耐性・依存性の問題などの副作用が多く，またその程度も重いことから現在では睡眠薬として臨床的にほとんど用いられていない．高用量では致死性の不整脈や呼吸停止などの重篤な副作用が生じる可能性もある．

ペントバルビタール　　　セコバルビタール　　　アモバルビタール

b ベンゾジアゼピン系睡眠薬

ベンゾジアゼピン骨格を有し（図2A-13），鎮静・催眠薬として一般的によく用いられている．また，抗痙攣薬として痙攣重積症，アルコール禁断症状の改善，筋弛緩薬，抗不安薬としても使われる．**大脳辺縁系および視床下部における情動機構の抑制，および大脳辺縁系賦活機構**の抑制によって，不安や緊張状態を緩和し催眠作用を引き起こす．このようにベンゾジアゼピン系睡眠薬は，睡眠・覚醒に関わる脳部位に作用することから，バルビツール酸系睡眠薬と比べて比較的安全性が高く，臨床的に広く汎用される睡眠薬である．

ベンゾジアゼピン系睡眠薬は，作用時間（半減期）によって，超短時間作用型，短時間作用型，中時間作用型，長時間作用型に分類され，入眠までの時間，睡眠持続時間や睡眠深度といった不眠症の症状に応じた適切な薬剤が選択される（表2A-3）．長期連用に伴う常用量依存に注意が必要である．

●**超短時間作用型**：●**トリアゾラム**

薬理作用　速効性に優れ，効果が強い超短時間作用型に分類される睡眠薬で，入眠障害を主訴とする不眠症に適している．麻酔前投薬としても用いられる．

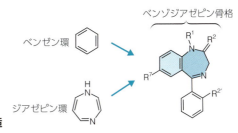

図2A-13　ベンゾジアゼピン骨格の化学構造

表2A-3　ベンゾジアゼピン系睡眠薬の作用時間

作用時間（半減期）	薬物名	消失半減期（時間）	適応症
超短時間作用型 （2〜5時間）	トリアゾラム ゾルピデム*1 ゾピクロン*1 エスゾピクロン*1	2〜4 2 4 5	入眠困難
短時間作用型 （6〜10時間）	エチゾラム*2 ブロチゾラム リルマザホン ロルメタゼパム	6 7 10 10	入眠困難 中途覚醒
中時間作用型 （20〜30時間）	ニメタゼパム フルニトラゼパム エスタゾラム ニトラゼパム	21 24 24 28	中途覚醒 熟眠困難 早朝覚醒
長時間作用型 （30時間〜）	フルラゼパム ハロキサゾラム クアゼパム	65 85 36	熟眠困難 早朝覚醒

*1 非ベンゾジアゼピン系睡眠薬，*2 チエノジアゼピン系睡眠薬

作用機序 GABA_A 受容体の α・γ サブユニット（ベンゾジアゼピン結合部位）に働き，GABA の作用を増強する．GABA の存在下にベンゾジアゼピン系薬がベンゾジアゼピン結合部位に結合すると，Cl^- チャネルの開口頻度および Cl^- の細胞内への流入が増強され，膜の過分極が亢進する．その結果，大脳皮質や視床下部の過剰活動が抑制され，レム睡眠に影響しにくく自然に近い睡眠・鎮静作用を発現する．

副作用 日中の眠気，めまい・ふらつき，脱力感，頭痛を起こすことがある．これらの副作用による転倒や骨折のリスクが上昇するため注意が必要である．とくに高齢者に発現しやすい．連用中に服用を中断すると反跳性不眠が起こりやすい．重大な副作用に**一過性前向性健忘**，早朝覚醒・日中不安，せん妄，離脱症状，呼吸抑制などがある．トリアゾラムは，半減期が短く，効果も強いので長期投与による耐性・依存性リスクがほかのベンゾジアゼピン系薬と比べてやや高い．

●**短時間作用型**：●ロルメタゼパム　●リルマザホン　●ブロチゾラム
　　　　　　　　●エチゾラム（構造式☞ p. 133）

　短時間作用型に分類される睡眠薬で，入眠障害や中途覚醒を主訴とする不眠症に適している．リルマザホンは生体内で代謝され，分子内構造が閉環してベンゾジアゼピン誘導体となり作用を発揮する．

●**中時間作用型**：●ニトラゼパム　●エスタゾラム　●ニメタゼパム
　　　　　　　　●フルニトラゼパム

　中時間作用型に分類される睡眠薬で，中途覚醒，熟眠困難や早朝覚醒を主訴とする不眠症に適している．催眠・鎮静作用のほかに，抗不安作用，筋弛緩作用，抗痙攣作用もある．もち越し効果に注意．

●**長時間作用型**：●フルラゼパム　●ハロキサゾラム　●クアゼパム

　長時間作用型に分類される睡眠薬で，熟眠困難や早朝覚醒を主訴とする不眠症に適している．強度の不眠症，麻酔前投薬としても用いられる．もち越し効果に注意．

トリアゾラム　　ロルメタゼパム　　リルマザホン　　ブロチゾラム

ニトラゼパム　　エスタゾラム　　ニメタゼパム　　フルニトラゼパム

フルラゼパム　　　　　ハロキサゾラム　　　　　クアゼパム

c 非ベンゾジアゼピン系睡眠薬

　ベンゾジアゼピン系薬と化学構造が異なる(ベンゾジアゼピン構造を有さない)が，$GABA_A$ 受容体のベンゾジアゼピン結合部位に結合して作用を発揮する薬物群のことである．非ベンゾジアゼピン系睡眠薬は，ω_1 受容体選択性が高く，催眠・鎮静作用に比べて，抗不安作用，抗てんかん作用や，筋弛緩作用が弱いのが特徴である(図2A-12)．すなわち，主に ω_1 受容体を介して作用発現し，ω_2 受容体にはほとんど作用しないため，ベンゾジアゼピン系薬と比較して筋弛緩作用に基づく転倒リスクが少ない．

● **ゾルピデム**

　薬理作用　ベンゾジアゼピン構造を有さないが，ω_1 受容体に結合して，睡眠・鎮静作用を発現する．作用時間から超短時間型睡眠薬に分類されるため，睡眠導入薬として用いられる．

　作用機序　$GABA_A$ 受容体のベンゾジアゼピン結合部位，とくに ω_1 受容体に選択的に働き，GABA の作用を増強して，睡眠・鎮静作用が発現する．

　副作用　ベンゾジアゼピン系薬に比べて，長期連用に伴う耐性や依存性が形成されにくいが，注意は必要である．主な副作用として，日中の眠気，めまい・ふらつき，頭痛，倦怠感，残眠感がある．重大な副作用に一過性前向性健忘，せん妄，離脱症状，呼吸抑制などがある．

● **ゾピクロン**

　睡眠パターンの改善によって自然な眠りを誘導する．ω_1 受容体に対する親和性が高いことから筋弛緩作用が弱く，ふらつきや転倒などへのリスクがより少ないと考えられている．超短時間型の睡眠導入薬として用いる．服用後に口腔内で苦味を呈する特徴的な副作用がある．

● **エスゾピクロン**

　エスゾピクロンは，ラセミ体であるゾピクロンの S 体のエナンチオマー [(S)-エナンチオマー] であり，ゾピクロンの有効な薬理活性の大部分を有する光学活性体を分離して開発された睡眠薬である．

ゾルピデム　　ゾピクロン　　エスゾピクロン

d　メラトニン受容体刺激薬

　　メラトニンは，松果体から分泌され，体内時計機構（睡眠・覚醒リズム）に密接に関与する**視交叉上核** suprachiasmatic nucleus（SCN）の**メラトニン受容体**に作用し，SCNの機能を調節することによって覚醒シグナルの抑制（MT_1受容体を介した作用），**体内時計（概日リズム）**の昼夜への同調，概日リズムの位相前進（MT_2受容体を介した作用）を惹起する．

● ラメルテオン

　薬理作用　メラトニン MT_1/MT_2 受容体刺激作用により，入眠困難を特徴とする不眠症に適応を有し，睡眠導入薬として用いられる．身体依存性，休薬による退薬症候は生じず，耐性もほとんど形成しないため安全性が高い．半減期から超短時間作用型の睡眠薬に分類される．ジェットラグ（時差ぼけ）やシフトワーク（交代制勤務）による概日リズム性睡眠障害の治療にも有効である．

　作用機序　メラトニン MT_1/MT_2 受容体を刺激することによって，メラトニン受容体を介した覚醒シグナルの抑制，体内時計の同調，概日リズムの位相前進といった作用を総合して脳と身体の状態を覚醒から睡眠状態へ切り替えて，鎮静作用や抗不安作用によらない睡眠を誘導して効果を発揮する（**図 2A-14**）．

　副作用　ベンゾジアゼピン系薬に比べて耐性，反跳性不眠や退薬症候などの副作用は少ない．主な副作用に傾眠，頭痛，倦怠感，浮動性めまいがある．

● メラトニン

　松果体から分泌される内在性物質のメラトニンそのものを製剤化したもので，視交叉上核のメラトニン MT_1/MT_2 受容体の刺激作用を有する．小児期の神経発達症に伴う入眠困難の改善を効能・効果とする．

ラメルテオン　　メラトニン

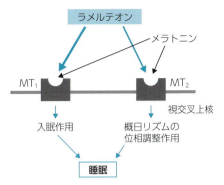

図 2A-14 メラトニン受容体刺激薬の作用機序

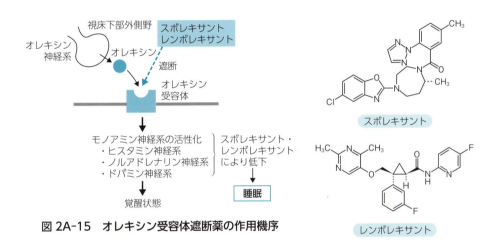

図 2A-15 オレキシン受容体遮断薬の作用機序

e オレキシン受容体遮断薬

オレキシンは，突然意識がなくなり眠ってしまう**ナルコレプシー**（☞コラム）という睡眠障害の研究から見出された覚醒ホルモンである．オレキシンは，視床下部のニューロンから産生される神経ペプチドであり，ヒスタミン神経系，ドパミン神経系，ノルアドレナリン神経系などのモノアミン神経系を活性化させて，覚醒の調節に重要な働きをしていることが明らかになっている（**図 2A-15**）．

●**スボレキサント**　●**レンボレキサント**

薬理作用　オレキシン受容体遮断作用により，入眠効果，睡眠維持効果，中途覚醒の短縮作用を発現する．耐性や依存性はほとんど形成しないため安全性は高く，翌朝の認知機能への影響がほとんどない．半減期から中時間作用型の睡眠薬に分類され，中途覚醒や早朝覚醒を主訴とする不眠症に有効である．

作用機序　オレキシンの**オレキシン OX_1/OX_2 受容体**への結合を遮断し，過剰に働いている覚醒システムを抑制することで，脳を生理的に覚醒状態から睡眠状態へ移行させ，本来の睡眠をもたらす．レンボレキサントは，睡眠・覚醒のリズム調節や覚醒

> **コラム　ナルコレプシーとその薬物療法**
> 　ナルコレプシーは，過眠症状(睡眠発作)，レム睡眠関連症状(睡眠麻痺，入眠時幻覚)，精神運動性脱力(カタプレキシー)を主症状とする睡眠障害で「過眠症」とも呼ばれる．ナルコレプシーでは，視床下部外側部に存在する神経ペプチド・オレキシンの作用が消失することによって睡眠・覚醒のバランスが欠如し，過眠症状やレム睡眠関連症状を引き起こすと考えられている．ナルコレプシーの過眠症状に対する薬物療法には，中枢刺激薬であるペモリン，モダフィニル，メチルフェニデートが用いられるが，いずれも長期連用によって薬物依存形成の可能性があるため注意が必要である．レム睡眠関連症状に対しては，保険適用がある薬剤はいまのところないが，レム睡眠の抑制作用を有する抗うつ薬が利用され，少量のイミプラミン，SSRI，SNRIなどが用いられている．

から non-REM 睡眠への移行に重要な役割を担っている OX_2 受容体に対する親和性がスボレキサントより比較的強い．

副作用　ベンゾジアゼピン系薬と比較して，耐性，反跳性不眠や退薬症候などの副作用は少ない．主な副作用としては傾眠，頭痛，全身倦怠感がある．そのほかに頻度は少ないが，浮動性めまい，睡眠時麻痺，悪夢，異常な夢，入眠時幻覚など睡眠に関わる副作用が生じることがある．

f　その他の睡眠薬

●ジフェンヒドラミン(構造式☞ p.230)

　鎮静性ヒスタミン H_1 受容体遮断薬で，いわゆる古典的な代表的抗ヒスタミン薬の1つである．ジフェンヒドラミンは，抗アレルギー薬としても用いられているが(☞ 3章 2■薬理 1.b 第一世代ヒスタミン H_1 受容体遮断薬，p.230)，その副作用である催眠効果が転じて主作用となった OTC 医薬品の睡眠改善薬として市販されている．

●ブロモバレリル尿素

　速効性があり，持続時間の短い催眠鎮静薬である．生体内で Br^- として作用し，Cl^- と置換して，大脳皮質の機能を抑制するとともに，上行性脳幹網様体賦活系を抑制して，催眠・鎮静作用を現す．

ブロモバレリル尿素

❸　留意すべき副作用

1) ベンゾジアゼピン系薬の抗コリン作用

　抗コリン作用を有するベンゾジアゼピン系薬は，急性狭隅角緑内障，重症筋無力症

の患者には禁忌である．

2) もち越し効果

　　ベンゾジアゼピン系薬の効果が翌朝以降も持続し，覚醒中の眠気，めまい・ふらつき，脱力感，倦怠感などが発現する．長時間作用型ほど強く出現しやすいとされ，また高齢者に出現しやすいので転倒には注意が必要である．

3) 早朝覚醒，日中不安

　　超短時間作用型や短時間作用型のベンゾジアゼピン系薬では，早朝覚醒が起こりやすく，長期連用時に日中（覚醒中）の薬物効果が消失して不安が増強することがある．

4) 前向性健忘（順行性健忘）

　　ベンゾジアゼピン系薬では，服薬してから入眠するまでのできごと，中途覚醒したときのできごとを覚えていないという前向性健忘を引き起こすことがある．アルコールとの併用の際に出現しやすいためベンゾジアゼピン系薬の服用時には飲酒しないこと，また，服用後は大事な用事を避けるように指導することが重要である．

5) 反跳性不眠，退薬症候

　　ベンゾジアゼピン系薬の長期連用中に，突然の服用中止によって以前よりさらに不眠が強くなるという反跳性不眠が生じることがある．これは作用時間の短い睡眠薬ほど起こりやすい．また，睡眠薬服用中の突然の服用中止は，不眠以外にも不安・焦燥感，振戦，発汗，心悸亢進，知覚過敏，まれに痙攣などの退薬症候が生じることがある．したがって，睡眠薬を減量する必要がある場合は，徐々に服用量を減量していく漸減法によって対応する．

6) 常用量依存

　　ベンゾジアゼピン系薬の長期連用において，臨床用量に従って服用していても薬物依存（精神的依存および身体的依存）を生じることが知られている．低い治療用量であっても長期連用によって形成される可能性がある．この依存形成リスクは，短い半減期（超短時間作用型や短時間作用型）や高力価の性質を有するベンゾジアゼピン系薬を高用量・長期間服用時に高くなる．したがって，治療上必要がない，漫然としたベンゾジアゼピン系薬の長期間投与は避けるように配慮する．

7) 奇異反応

　　ベンゾジアゼピン系薬の服用中ごくまれに，不安・緊張が高まり，興奮・錯乱状態，攻撃性が生じることがある．高用量服用時や，超短時間作用型とアルコールとの併用時に発現しやすい．

睡眠薬

種類　薬物　[代表的な商品名]	作用機序	注意すべき副作用
バルビツール酸系睡眠薬		
●ペントバルビタールカルシウム [ラボナ] ●セコバルビタールナトリウム 　[アイオナール・ナトリウム] ●アモバルビタール [イソミタール]	GABA$_A$受容体複合体のバルビツール酸結合部位（ピクロトキシン結合部位を含む）に働き，GABAの作用を増強する	強力な麻酔作用様の催眠・鎮静作用，強い耐性・依存性，致死性の不整脈や呼吸停止
ベンゾジアゼピン系睡眠薬		
超短時間作用型 ●トリアゾラム [ハルシオン]	GABA$_A$受容体のα・γサブユニットのベンゾジアゼピン結合部位に働き，GABAの作用を増強する	日中の眠気，めまい・ふらつき，脱力感，頭痛，反跳性不眠，一過性前向性健忘，早朝覚醒・日中不安，せん妄，離脱症状，呼吸抑制
短時間作用型 ●ロルメタゼパム [エバミール，ロラメット] ●リルマザホン塩酸塩水和物 [リスミー] ●ブロチゾラム [レンドルミン] ●エチゾラム [デパス]		
中時間作用型 ●ニトラゼパム [ベンザリン，ネルボン] ●エスタゾラム [ユーロジン] ●ニメタゼパム [エリミン] ●フルニトラゼパム 　[サイレース，ロヒプノール]		
長時間作用型 ●フルラゼパム塩酸塩 　[ダルメート，ベノジール] ●ハロキサゾラム [ソメリン] ●クアゼパム [ドラール]		
非ベンゾジアゼピン系睡眠薬		
●ゾルピデム酒石酸塩 [マイスリー] ●ゾピクロン [アモバン] ●エスゾピクロン [ルネスタ]	GABA$_A$受容体のベンゾジアゼピン結合部位（ω$_1$受容体）に働き，GABAの作用を増強する	日中の眠気，めまい・ふらつき，頭痛，倦怠感，残眠感
メラトニン受容体刺激薬		
●ラメルテオン [ロゼレム] ●メラトニン [メラトベル]	視交叉上核のメラトニンMT$_1$/MT$_2$受容体を刺激する メラトニン：小児期の神経発達症に伴う入眠困難の改善を効能・効果とする	傾眠，頭痛，倦怠感，浮動性めまい
オレキシン受容体遮断薬		
●スボレキサント [ベルソムラ] ●レンボレキサント [デエビゴ]	オレキシンOX$_1$/OX$_2$受容体に対し可逆的に拮抗する	傾眠，頭痛，倦怠感，異常な夢，悪夢，悪心，体重増加
その他の睡眠薬		
●ジフェンヒドラミン塩酸塩 [レスタミン]	鎮静性ヒスタミンH$_1$受容体を遮断する	倦怠感，めまい，頭痛，頭重感，抗コリン作用
●ブロモバレリル尿素 [ブロバリン]	構造中のBr$^-$が大脳皮質の機能および上行性脳幹網様体賦活系を抑制する	連用による依存性，倦怠感，めまい，頭痛，頭重感，悪心・嘔吐，下痢

4 不安障害・神経症

■病態生理

1 不安障害・神経症の病態生理

不安 anxiety は特定の対象をもたない漠然とした恐れの感情であり，**恐怖** fear/phobia は精神身体反応を引き起こす原因となる明確な外的対象が存在する恐れの感情である，と精神病理学的に区別される．しかしながら，日常生活に認められる不安にはおよそ理由があり，一過性である．この通常に認められる不安は，危機的状況に対する適応的かつ生体防御的な意味をもつ．それに対して，治療の対象となるような病的な不安には特別な理由がなく，持続性で，自律神経症状や運動性緊張状態といった身体症状をしばしば伴う．このように治療の対象となる病的な不安は，**不安障害** anxiety disorder・**神経症** neurosis と呼ばれるが，これらは心因性の精神障害であり，典型的な症状や病状があっても，すべてに共通あるいは特有の症状が存在しない．すなわち，不安障害・神経症は，個体(ヒト)が環境に対して適応不能になって生じた精神状態であり，その背景に生物学的要因の関与も考えられている．また，精神医学的診断基準では，病因にかかわらず症状を中心に診断するので，WHO(世界保健機関)が作成する **ICD-10**(国際疾病分類第 10 版)において，「神経症」という疾患単位はなくなり，「神経症性障害」や「不安障害」などと分類されている．さらに米国精神医学会の診断基準 DSM-5 において，不安障害・神経症は，「不安症群/不安障害群(全般性不安障害，パニック障害，社交不安障害，特定の恐怖症など)」「強迫症/強迫性障害および関連障害群」「心的外傷およびストレス因関連障害群」という大項目にそれぞれ独立して分類されている．

2 不安障害・神経症の発症に関する仮説

不安のセロトニン仮説：明確な発生機序は不明であるが，降圧薬として使われていたレセルピンによって抑うつ症状のみならず不安症状をはじめとする精神障害が誘発されることから，脳内モノアミンと精神障害の関連性が指摘されていた(☞本章A.2 ■病態生理 2 うつ病・双極性障害の発症に関する仮説，p.98)．とくに不安症状においてはセロトニン神経系が着目され，実験動物を用いた脳内セロトニン神経の破壊実験やヒトの脳内セロトニンを減少させた実験から，脳内セロトニン神経系の活動低下は不安を誘発するという「不安のセロトニン不足説」が提唱されている．実際，選択的セロトニン再取り込み阻害薬の慢性投与はすべての不安障害において有効である．一方で，急性処置された選択的セロトニン再取り込み阻害薬，***m*-クロルフェニルピペラジン**(セロトニン受容体刺激薬)や**フェンフルラミン**(セロトニン放出物質)が不安

を惹起することなどから「不安のセロトニン過剰説」も提唱されている．これら2つの相反する仮説のように，不安に関わる脳内セロトニン神経系の脳部位・脳領域やセロトニン受容体サブタイプの多様性によって一定した見解が得られていない．しかしながら，少なくとも不安障害に対する治療薬である選択的セロトニン再取り込み阻害薬や5-HT$_{1A}$受容体部分刺激薬は反復投与によって臨床効果を発現することから，不安障害の治療のためには，これらのセロトニン系抗不安薬による薬理作用・作用機序から反映される「5-HT$_{1A}$受容体を介したセロトニン神経伝達の増強効果」が必要であることがわかっている．

❸ 不安障害・神経症の症状と分類

不安障害・神経症の症状は大きく次の3つに分けて考えることができる．
①個人が「苦悩」として感じるもので，不安，恐怖体験，強迫体験，抑うつなど主観症状が生じて一般日常生活に影響する．
②**自律神経症状**（心悸亢進，胸部苦悶，めまい，冷汗など）を伴う身体的症状
③**予期不安**（また同じ症状が再発するのではないかという不安の繰り返し）や社会行動上にみられる症状

1) 全般性不安障害/全般不安症 generalized anxiety disorder（GAD）

多くの事柄に対する過剰な不安と心配の症状が6ヵ月以上持続しており，ほぼ連日，症状が発症する．不安を誘発する特定の対象はなく，漠然とした全般的な不安状態が持続する．筋緊張性頭痛，振戦，発汗，動悸，呼吸促進，めまい，ふらつきなどの身体症状（自律神経機能亢進状態），睡眠障害などが現れる．

2) パニック障害/パニック症 panic disorder（PD）

心理的な誘因がなく突然発作的に強い不安に襲われ，同時に頻脈，激しい動悸，呼吸困難，めまいなどの身体症状を伴う．このような**パニック発作**と予期不安を主症状とする．心臓や呼吸器系の症状がみられることが特徴的である．さらに現実感消失，離人感，死に対する恐怖や何か制御不能なこと，抑制力を失ってしまう恐怖に襲われるといった病態が現れることもある．

3) 広場恐怖/広場恐怖症 agoraphobia

公共交通機関あるいは広い場所，閉ざされた場所や助けを求めることができない場所にいることに対して恐怖や不安（パニック発作）を毎回生じるため，これらの場所を回避する．広場に限らず，旅行や屋外に出ること，群集，発作時にすぐ逃げだせない閉鎖的な場所などが対象になることもある．パニック障害に伴うことが多い．

4) 社交不安障害/社交不安症 social anxiety disorder（SAD）

社会不安障害と呼ばれていた不安障害の1つである．他人からの注目を浴びる場面，そのような社会的状況や行為に対する恐怖から緊張による動悸，赤面，発汗などの不安症状や自分の身体的または技術的，知能的，精神的能力が他人から否定的な評価を受けることに対する過度の恐怖感を主症状とする．これらの不安になる状況を回

避しようとすることから，仕事や学業などの日常社会生活に支障をきたす．

5) 強迫性障害 obsessive-compulsive disorder (OCD)

不合理だと自覚していても反復して持続する思考，衝動，イメージである**強迫観念**と，強迫観念によって引き起こされる不安や不快感を緩和あるいは回避しようとして繰り返し行わざるをえない**強迫行為**（極端な潔癖症による執拗な手洗い，外出前の鍵やガス栓の閉め忘れから生じる不安による確認行為の繰り返しなどを儀式的に繰り返す）を特徴とする．強迫観念によって日常生活は著しく制限され，支障をきたす．

強迫性障害は，これまで中核症状が病的不安であると考えられてきたが，恐怖記憶の消去不全といった認知機能障害や強迫行為の処理過程における行動抑制障害に関連するという詳細な病態解析から，DSM-5 の診断基準において，不安障害とは別の関連病態として分離されている．

6) 心的外傷後ストレス障害 post-traumatic stress disorder (PTSD)

非常に衝撃的な体験後に生じた心的外傷ストレスにより強い不安，恐怖感，身体的な異常を呈する．フラッシュバック，悪夢，トラウマ体験による心理的苦痛・身体生理反応を生じる「**再体験**（侵入症状）」，トラウマ体験に関連する刺激（トラウマ体験を呼び起こす人・場所・状況など）からの「**回避**」，解離性健忘，抑うつ，不安・恐怖，罪悪感などの持続的な否定的感情である「**認知と気分の異常**」，不眠，易刺激性，過度の警戒心，集中困難などをきたす「**過覚醒**」といった症状が 4 週間以上持続し，強い苦痛ないし生活上の機能障害を伴うと PTSD と診断される．症状が 4 週間以内の場合は**急性ストレス障害** acute stress disorder (ASD) とされる．

4 動物を用いた薬効評価モデル（図 2A-16）

1) コンフリクト試験 conflict test

動物のオペラント行動を利用した代表的なコンフリクト試験として Geller-Seifter 型コンフリクト試験が知られており，ベンゾジアゼピン系抗不安薬をはじめとして，臨床上の抗不安作用と最もよく相関し，多くの薬物に対して信頼性の高い評価が可能である．Geller-Seifter 型コンフリクト試験は，実験動物に正の強化子として餌報酬と罰子として床グリッドからの電撃ショック（罰）を組み合わせたオペラント条件づけによって，コンフリクト行動（葛藤状態）を惹起させるモデルである．一定数のレバー押し行動に対して電撃ショックを負荷し，動物を条件づけさせると，レバー押し行動は著しく減少する．このように餌を得たいという欲求と電撃ショックという罰に対する不安・恐怖から葛藤状態が惹起される．この状況下に被験薬を投与して，被ショック回数，餌摂取回数およびレバー押し回数を評価指標として測定する．ベンゾジアゼピン系抗不安薬や 5-HT_{1A} 受容体刺激薬は，このコンフリクト試験において，被ショック回数や摂餌行動の増加が観察され，抗不安作用が認められている．

2) 高架式十字迷路試験 elevated plus-maze test

高架式十字迷路試験は，動物が本質的に有する探索動因に基づく接近行動（好奇心）

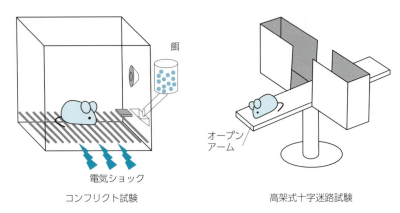

図 2A-16　動物を用いた抗不安薬の薬効評価試験

と不安や恐怖が動因となった回避行動とが平衡状態にある接近-回避型のコンフリクトモデルである．本実験装置は壁のない走行路(オープンアーム)と壁で囲まれている走行路が十字型に交差し，それらの走行路は床から高さ 50 cm(ラットを用いる場合)に設定されている．本法は，ラットやマウスが本能的に高い位置にある開放された場所を嫌う習性を利用したもので，動物は開放され絶壁があるオープンアームへ進入すると不安(あるいは恐怖)を感じオープンアームへの進入回数が減少する．抗不安薬を適用した場合には，オープンアームへの滞在時間や進入回数は増加する．両走行路への進入回数と滞在時間を指標にして抗不安薬の薬効を評価する．

コラム

心身症とその薬物療法

　心身症 psychosomatic disorder は，特定の独立した疾患概念ではなく，身体症状を示す身体疾患の背景に心理社会的要因の関与が非常に濃厚で，身体疾患としての病態生物学的側面のみでは治療困難で心理的要因についての配慮がとくに必要な病態である．不安障害では，精神症状を主症状とし，心因による精神障害に随伴した身体症状(動悸，冷や汗など)が生じるのに対して，心身症は身体疾患の発病や増悪に心的要因が関与するものであり，器質的な症状(潰瘍や下痢・便秘など)を生じる．すなわち，不安障害は「心の病気」で，心身症は「身体の病気」である．心身症が関与する代表的疾患には，過敏性腸症候群，機能性ディスペプシア，消化性潰瘍，本態性高血圧，片頭痛，自律神経失調症，アトピー性皮膚炎，更年期障害，メニエール病などがある．心身症の治療は，その関連する身体疾患の治療が主となるが，これと同時に認知行動療法などの支持的精神療法や不安障害，うつ病，不眠症の薬物治療に準じるベンゾジアゼピン系抗不安薬・睡眠薬，SSRI，SNRI などを用いた薬物療法も並行して行われる．

■ 薬　理

抗不安薬は向精神薬のなかで，認知や知覚を大きく障害することなく，また自律神経系や錐体外路系にも強い影響を及ぼさずに，病的な不安・緊張を軽減させる薬物である．古くは**マイナートランキライザー**と呼ばれていた．

① 不安障害・神経症治療薬

a　ベンゾジアゼピン系抗不安薬（表2A-4）

抗不安薬のなかで最も種類が豊富で，効果発現が早いことから抗不安薬として最も使用されている．しかしながら，ベンゾジアゼピン系薬が有するさまざまな副作用から使用に当たっては注意が必要である（詳細な薬理作用，作用機序や副作用については本章A.3 ■薬理2.bベンゾジアゼピン系睡眠薬，p.119を参照）．

● **ジアゼパム**

　薬理作用　最も代表的なベンゾジアゼピン系抗不安薬で，中等度の抗不安作用を示す長時間作用型抗不安薬である．抗不安作用に加えて，鎮静・抗てんかん作用もあり，抗てんかん薬，麻酔前投薬としても用いられる．

表 2A-4　ベンゾジアゼピン系抗不安薬の作用強度と適応症

	薬物名	作用強度	○：適応症	
			神経症	心身症
短時間作用型	トフィソパム[*1]	弱		
	フルタゾラム	中		○
	クロチアゼパム[*2]	弱		○
	エチゾラム[*2]	中	○	○
中時間作用型	アルプラゾラム	中		○
	ロラゼパム	強	○	○
	ブロマゼパム	強	○	○
長時間作用型	オキサゾラム	弱	○	○
	メダゼパム	弱	○	○
	クロルジアゼポキシド	弱	○	○
	ジアゼパム	中	○	○
	フルジアゼパム	中		○
	クロラゼプ酸	中	○	
	メキサゾラム	中	○	○
	クロキサゾラム	強	○	○
	クロナゼパム[*3]	強		
超長時間作用型	ロフラゼプ酸エチル	中	○	○
	フルトプラゼパム	強	○	○

[*1] 自律神経調節薬（自律神経系の緊張不均衡改善），[*2] チエノジアゼピン系睡眠薬，[*3] 抗てんかん薬

A 精神科・神経内科領域の疾患に用いる薬物

作用機序 GABAの存在下にベンゾジアゼピン系薬がGABA_A受容体複合体のα・γサブユニット（ベンゾジアゼピン結合部位）に結合し，Cl^-の細胞内への流入が増強され，膜の過分極が亢進する．その結果，大脳皮質や辺縁系の過剰活動が抑制され，不安を減少させる．

副作用 覚醒中の眠気，めまい・ふらつき，脱力感，頭痛を起こすことがある．重大な副作用に一過性前向性健忘，早朝覚醒・日中不安，せん妄，離脱症状，呼吸抑制などがある．

● 短時間作用型：●フルタゾラム
● 中時間作用型：●アルプラゾラム　●ロラゼパム　●ブロマゼパム

　発作性の不安症状を抑える際に有用で，頓服にて用いられる．依存性，耐性，離脱症状が発現しやすい．チエノジアゼピン系抗不安薬（次項b）も同様の特徴を有する．
　アルプラゾラムは，ジアゼパムよりも比較的強い中程度の抗不安作用を有するが，とくにパニック発作に対する効果が強い．ロラゼパム，ブロマゼパムは，抗不安作用および鎮静作用ともに強く，麻酔前投薬としても用いられる．

● 長時間作用型：●クロルジアゼポキシド　●クロキサゾラム　●オキサゾラム
　　　　　　　　●メダゼパム　●メキサゾラム　●フルジアゼパム　●クロラゼプ酸
● 超長時間作用型：●フルトプラゼパム　●ロフラゼプ酸エチル

　長時間作用型および超長時間作用型に分類される抗不安薬は，予測不能な不安症状の予防，夜間や早朝に発現する不安症状に有効である．また，長時間作用型抗不安薬は，発作性の不安症状を抑える目的でも使用される．
　超長時間作用型抗不安薬は，非常に作用時間が長いことから，副作用が発現してしまうとその作用消失までに時間を要するので，副作用発現に注意が必要である．ロフラゼプ酸エチルはプロドラッグであることから，中程度の抗不安作用に加えて副作用が緩和であるため頻用されるが，もち越し効果に注意する必要がある．

ジアゼパム　フルタゾラム　アルプラゾラム　ロラゼパム　ブロマゼパム

クロルジアゼポキシド　クロキサゾラム　オキサゾラム　メダゼパム

メキサゾラム　フルジアゼパム　クロラゼプ酸

フルトプラゼパム　ロフラゼプ酸エチル

b　チエノジアゼピン系抗不安薬

● エチゾラム　● クロチアゼパム

短時間作用型ベンゾジアゼピン系抗不安薬と同様に，短時間作用型に分類される抗不安薬で，発作性の不安症状を抑える際に，また不安症状の発現が予想される状況での予防に有用である．エチゾラムは，速効性が期待できる短時間作用型で，抗不安作用も比較的強く，催眠作用や筋弛緩作用も有することから，不安が強くて入眠障害や中途覚醒が認められる場合，肩こりやこわばりなどがある身体の緊張が強い場合に有効である．しかしながら，エチゾラムは依存リスクも高いため，向精神薬に指定されており，依存性・耐性などの副作用発現に注意が必要である．クロチアゼパムは，催眠作用も強く，睡眠薬に分類される場合もある．

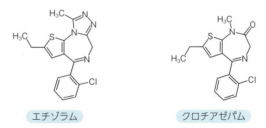

エチゾラム　クロチアゼパム

c　セロトニン 5-HT$_{1A}$ 受容体部分刺激薬

● タンドスピロン

アザピロン系抗不安薬で，作用時間から短時間作用型に分類される．ベンゾジアゼピン系抗不安薬と比較して速効性がなく，効果発現に時間を要する．

薬理作用　脳内 5-HT$_{1A}$ 受容体の反復刺激作用によって抗不安作用を発現する．タンドスピロンによる抗不安作用は弱いが，抗不安作用のみならず抑うつ症状に対する抗うつ効果も有する．

作用機序　タンドスピロンの急性効果として，セロトニン神経系の起始核である縫

A 精神科・神経内科領域の疾患に用いる薬物

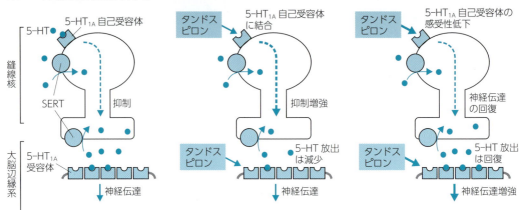

図 2A-17　5-HT₁A 受容体部分刺激薬タンドスピロンの作用機序
SERT：セロトニントランスポーター

線核に存在する 5-HT$_{1A}$ 受容体（自己受容体）の刺激による負のフィードバック機構が働く．この単回投与時に抗不安作用は発現しない．しかしながら，タンドスピロン反復投与による持続的な 5-HT$_{1A}$ 受容体の**脱感作（ダウンレギュレーション）**が誘発され，5-HT$_{1A}$ 受容体によるセロトニンの生合成や放出分泌の抑制作用が解除してセロトニン神経活動が亢進することによって，抗不安作用を発現する．このため，タンドスピロンは速効性がなく，その抗不安作用の効果発現には反復投与が必要である（**図 2A-17**）．

副作用　安全性が高く，依存性・耐性が生じず，鎮静作用による眠気や筋弛緩作用などの副作用が少ない．主な副作用に眠気，ふらつき，倦怠感，悪心，食欲不振，重篤な副作用にセロトニン症候群，悪性症候群などがある．

d　選択的セロトニン再取り込み阻害薬（SSRI）

　　SSRIは，うつ病の治療に有効な抗うつ薬であるが，さまざまな不安障害亜型に対しても有効で，抗不安薬としての効果も有する（☞本章 A.2 ■薬理 1.c 選択的セロトニン再取り込み阻害薬，p. 103）．

- フルボキサミン　●パロキセチン　●セルトラリン
- エスシタロプラム（構造式☞ p. 105）

　　SSRIはすべてのうつ病・うつ状態に効能・効果があるが，これ以外にも不安障害亜型であるパニック障害，強迫性障害，社交不安障害あるいは外傷後ストレス障害を

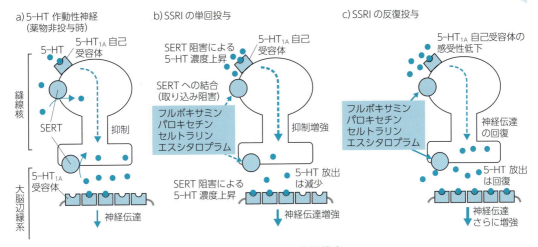

図 2A-18　SSRI の作用機序

表 2A-5　不安障害と SSRI

	パロキセチン	フルボキサミン	セルトラリン	エスシタロプラム
パニック障害	○		○	
強迫性障害	○	○		
社交不安障害	○	○		○
外傷後ストレス障害	○		○	
うつ病・うつ状態	○	○	○	○

○：【効能・効果】を有する（2024 年 12 月現在）

適応症としている．これらの SSRI による改善効果は，抗うつ作用発現の場合と同様にセロトニンの選択的な再取り込み阻害作用によるシナプス間隙の持続的なセロトニン濃度上昇によって，抗不安作用を発現する．また，SSRI の抗不安作用は，タンドスピロンによる作用発現と同様に長期服用による反復投与が必要であり，効果発現に時間を要する（図 2A-18）．現在のところ，パニック障害，強迫性障害，社交不安障害，外傷後ストレス障害のすべてに保険適用を有する SSRI はパロキセチンのみである．パロキセチン以外の SSRI は，わが国における臨床開発の経緯から薬剤によって対応する適応症が異なっている（表 2A-5）．

e　その他の抗不安薬

● ヒドロキシジン（構造式☞ p. 231）

ジフェニルメタン誘導体で，強力な抗ヒスタミン作用（H_1 受容体遮断作用）による鎮静作用があることから抗アレルギー作用を有する抗不安薬である．抗不安作用は弱いが高齢者に安心して使える緩和な精神安定剤である．その他の薬理作用として鎮痒作用，制吐作用があり，さまざまな診療科でしばしば臨床応用される．副作用には眠気，倦怠感，口渇などがある．

❷ 留意すべき副作用

ベンゾジアゼピン系抗不安薬の特徴的な留意すべき副作用については本章 A.3 ■薬理 2.b ベンゾジアゼピン系睡眠薬 (p.119) を参照. SSRI の特徴的な留意すべき副作用については本章 A.2 ■薬理 1.c 選択的セロトニン再取り込み阻害薬 (p.103) を参照.

抗不安薬

種類　薬物［代表的な商品名］	作用機序	注意すべき副作用
ベンゾジアゼピン系抗不安薬		
短時間作用型 ●フルタゾラム［コレミナール］	GABA_A 受容体のベンゾジアゼピン結合部位に働き，GABA の作用を増強する	日中の眠気，めまい・ふらつき，脱力感，頭痛，反跳性不眠，一過性前向性健忘，早朝覚醒・日中不安，せん妄，離脱症状，呼吸抑制
中時間作用型 ●アルプラゾラム 　［ソラナックス，コンスタン］ ●ロラゼパム［ワイパックス］ ●ブロマゼパム［レキソタン，セニラン］		
長時間作用型 ●ジアゼパム［セルシン，ホリゾン］ ●クロルジアゼポキシド 　［バランス，コントール］ ●クロキサゾラム［セパゾン］ ●オキサゾラム［セレナール］ ●メダゼパム［レスミット］ ●メキサゾラム［メレックス］ ●フルジアゼパム［エリスパン］ ●クロラゼプ酸二カリウム［メンドン］		
超長時間作用型 ●フルトプラゼパム［レスタス］ ●ロフラゼプ酸エチル［メイラックス］		
チエノジアゼピン系抗不安薬		
●エチゾラム［デパス］ ●クロチアゼパム［リーゼ］	GABA_A 受容体のベンゾジアゼピン結合部位に働き，GABA の作用を増強する	日中の眠気，めまい・ふらつき，頭痛，倦怠感，残眠感
セロトニン 5-HT$_{1A}$ 受容体部分刺激薬		
●タンドスピロンクエン酸塩［セディール］	反復投与により持続的な脳内 5-HT$_{1A}$ 受容体の脱感作を誘発し，セロトニン神経活動が亢進する	眠気，ふらつき，倦怠感，悪心，食欲不振，セロトニン症候群，悪性症候群
選択的セロトニン再取り込み阻害薬 (SSRI)		
●フルボキサミンマレイン酸塩 　［デプロメール，ルボックス］ ●パロキセチン塩酸塩水和物［パキシル］ ●セルトラリン塩酸塩［ジェイゾロフト］ ●エスシタロプラムシュウ酸塩 　［レクサプロ］	セロトニン再取り込みを選択的に阻害する（セロトニントランスポーターを選択的に遮断）	消化器症状，中枢神経系副作用（投与初期），セロトニン症候群，性機能障害，増量投与時の賦活症候群，自殺念慮・自殺企図，急激な投与減量や服薬中断による離脱症候群
その他		
●ヒドロキシジン 　［アタラックス，アタラックス P］	ヒスタミン H$_1$ 受容体遮断作用	眠気，倦怠感，口渇

5 注意欠如・多動症(AD/HD)

■病態生理

　注意欠如・多動症 attention-deficit/hyperactivity disorder(AD/HD，以前は注意欠陥/多動性障害と呼ばれていた)は，不注意，多動性，衝動性を中核症状とし，神経発達症候群(発達障害)に分類されている精神疾患である．幼児期から症状は顕在化し，幼児・児童のおよそ3~5%に認められ，成人期になっても持続することが多い．AD/HDの病態・病因については，いまだ不明な点が多いのが現状である．

　AD/HDの治療法は，非薬物療法(環境調整，心理教育的な支援，精神療法や作業療法など)と薬物療法に大別される．薬物療法においてわが国では，中枢神経刺激薬であるメチルフェニデート，リスデキサンフェタミン，および中枢神経系に対する興奮作用がなくノルアドレナリン神経系を標的とするアトモキセチン，グアンファシンが用いられている．メチルフェニデート，グアンファシンは，服用回数の軽減と副作用回避の観点からいずれも徐放製剤として臨床応用されている．

■薬　理

1　AD/HD治療薬

a　中枢神経刺激薬

● メチルフェニデート

　薬理作用　脳内ドパミンおよびノルアドレナリンを増加して神経機能を活性化することによって，AD/HDの中核症状である注意力の欠如，衝動的な行動および多動性を改善する．小児期から成人期まで使用可能であるが，薬物依存性に注意が必要である．

　作用機序　ドパミンおよびノルアドレナリントランスポーターに結合してこれらの神経伝達物質の再取り込みを抑制することによって，シナプス間隙に存在するドパミンおよびノルアドレナリンを増加させて神経系の機能を活性化すると考えられている．しかしながら，AD/HDの治療効果における詳細な作用機序は十分に解明されていない．

　副作用　食欲不振，不眠症，体重減少，頭痛，腹痛，悪心，チック，発熱，睡眠障害，動悸，口渇などを起こすことがある．薬物乱用・依存の危険性がある．

● リスデキサンフェタミン

　活性本体である d-アンフェタミンと L-リジンがアミド結合したプロドラッグであり，赤血球に存在するアミノペプチダーゼによって分解されて薬理効果を発揮する．ドパミンおよびノルアドレナリントランスポーターに対する阻害作用，脳内シナプト

ソームからのドパミンおよびノルアドレナリンの遊離作用，モノアミン酸化酵素 A（MAO-A）に対する阻害作用を有し，前頭前皮質および線条体における細胞外ノルアドレナリンおよびドパミン濃度を増加させる．

現在，小児期における AD/HD のみに使用可能である（2022 年 8 月時点）．主な副作用は，食欲不振，不眠，体重減少，頭痛，悪心など．

メチルフェニデート

リスデキサンフェタミン

b 選択的ノルアドレナリン再取り込み阻害薬

● アトモキセチン

選択的ノルアドレナリン再取り込み阻害薬であり，神経終末のノルアドレナリントランスポーターを選択的に阻害することによって，シナプス間隙のノルアドレナリンを増加させて神経機能を活性化すると考えられている．薬物依存性が少ない．主な副作用は，悪心，食欲不振，傾眠，頭痛，腹痛，不眠症，動悸など．

c 選択的ノルアドレナリン α_{2A} 受容体刺激薬

● グアンファシン

選択的ノルアドレナリン α_{2A} 受容体刺激薬であり，α_{2A} 受容体を刺激することによって，前頭前皮質および大脳基底核における神経伝達を調節している可能性が考えられているが，詳細な作用機序は不明である．過去に即放性グアンファシン製剤（エスタリック®）が本態性高血圧症治療薬として臨床使用されていたが，2005 年に販売中止となっている．主な副作用は，傾眠，血圧低下，頭痛，口渇，めまいなどで，薬物依存性はない．

アトモキセチン

グアンファシン

注意欠如・多動症（AD/HD）治療薬

種類　薬物［代表的な商品名］	作用機序	注意すべき副作用
中枢神経刺激薬		
●メチルフェニデート塩酸塩 ［コンサータ］	ドパミンやノルアドレナリンのトランスポーターに結合し、これらの再取り込みを抑制して、シナプス間隙に存在するドパミン・ノルアドレナリンを増加させて神経系の機能を活性化する	抗コリン作用、抗ヒスタミン作用による眠気・体重増加、α_1受容体遮断作用によるめまい・ふらつき
●リスデキサンフェタミンメシル酸塩 ［ビバンセ］	ドパミンやノルアドレナリンのトランスポーターを阻害する．脳内シナプトソームからのドパミン・ノルアドレナリン遊離を促進する．モノアミン酸化酵素Aを阻害する	食欲不振、不眠、体重減少、頭痛、悪心など 覚醒剤原料に指定されている
選択的ノルアドレナリン再取り込み阻害薬		
●アトモキセチン塩酸塩　［ストラテラ］	神経終末のノルアドレナリントランスポーターを選択的に阻害する	悪心、食欲不振、傾眠、頭痛、腹痛、不眠症、動悸など
選択的ノルアドレナリンα_{2A}受容体刺激薬		
●グアンファシン塩酸塩 ［インチュニブ］	α_{2A}受容体の刺激により、前頭前皮質および大脳基底核における神経伝達を調整する	傾眠、血圧低下、頭痛、口渇、めまいなど

6 脳血管疾患

■病態生理

1 脳血管疾患の病態

脳血管疾患 cerebrovascular disease は，脳血管が閉塞して起こる**脳虚血性疾患** cerebral ischemic disorders と，脳血管が破裂して起こる**出血性脳疾患** cerebral hemorrhagic disorders に分類され，いずれもその血管が支配している脳の領域に障害が発生する．

脳虚血性疾患としては，血栓などから微小な塞栓子が遊離し脳動脈の細部を閉塞するが 24 時間以内に症状が消失する**一過性脳虚血発作** transient ischemic attack (**TIA**) と，脳動脈が閉塞して支配領域の脳細胞が壊死に至る**脳梗塞** cerebral infarction がある．脳梗塞は，脳動脈のアテローム硬化により生じる**脳血栓症** cerebral thrombosis と，心臓の冠状動脈で生じた比較的大きい血栓が脳内に流入して動脈を閉鎖する**脳塞栓症** cerebral embolism に分類される（図 2A-19）．脳深部に生じる小さな脳梗塞をラクナ梗塞といい，これに含めることもある．

出血性脳疾患は，脳実質内への突発的な出血であり，脳内血腫が脳実質を圧迫することにより局所神経症状および頭蓋内圧亢進状態を示す**脳出血** cerebral hemorrhage とくも膜下腔への突然の出血や脳底部の動脈瘤破裂によって発症する**くも膜下出血** subarachnoid hemorrhage (**SAH**) がある．くも膜下出血がとくに脳動脈瘤を起因とする場合は，非常に急速かつ重篤な経過をたどるため死亡例も多く，重度の後遺症を残す割合が多い．

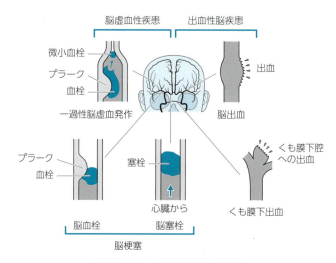

図 2A-19　脳血管疾患の分類

2 脳血管疾患の症状

a 一過性脳虚血発作（TIA）

症状は一過性で，半身の麻痺やしびれ，軽い言語障害などを起こすが，数分から数時間で感覚が戻り症状は消失する．症状が数分から数時間で治まるのは，その間に血栓が溶けて流れたり，減少した血流が回復して血管の狭窄部分の先に血液が流れるようになるためと考えられる．

b 脳梗塞

脳血栓症では，片麻痺，片側感覚障害，失語，失認，構音障害，筋力低下，難聴，回転性めまいなどの症状が現れる．症状の進行は比較的緩徐で，段階的な進行を示すことが少なくない．脳塞栓症は，発症が急激であり栓子が大きいため閉塞した場合には瞬時に血管を閉塞してしまい重症化の傾向が強い．症状としては運動麻痺，言語障害，感覚障害，意識障害，半盲などが発現する．

c くも膜下出血（SAH）

突然の頭痛と項部強直，大出血の場合は激しい頭痛が突発性に発現し，悪心・嘔吐を伴うことが多い．重症例では意識障害が認められる．さらに，4日目頃から始まり7日目をピークとして脳底動脈などに血管攣縮が続発し，再出血による二次的脳虚血性疾患を引き起こすことがある．

■薬　理

1 急性期の治療

a 血栓溶解薬

発症早期（3～6時間以内）に行う閉鎖血管再開通療法である．血栓の構成成分の**フィブリン**は，プラスミノーゲンから**組織プラスミノーゲン活性化因子** tissue plasminogen activator（**t-PA**）によって変換されて産生されるプラスミンによって分解される．

- **ウロキナーゼ**

ヒトの尿から分離精製して得られた糖タンパク質で，プラスミノーゲンを加水分解してプラスミンを産生する．脳血栓症（発症後5日以内で，コンピューター断層撮影（CT）において出血の認められないもの）ならびに末梢動・静脈閉塞症（発症後10日以内）に用いられる（☞4章B.1.1-3 血栓溶解薬，p.340）．

- **アルテプラーゼ**

アミノ酸527残基からなる糖タンパク質で，遺伝子組換え組織プラスミノーゲン活性化因子 recombinant tissue plasminogen activator（**rt-PA**）である．

脳虚血性疾患患者（アテローム血栓性梗塞，ラクナ梗塞，心原性脳塞栓症，その他の原因確定・未確定の脳梗塞，本治療の後に症候が消失した一過性脳虚血発作を含む）に対して血栓溶解作用を発揮する．急性心筋梗塞における冠状動脈血栓の溶解に用いる場合は発症後 6 時間以内に，脳梗塞の急性期に用いる場合は発症後 4.5 時間以内の投与が重要である（☞ 4 章 B.1.1-3 血栓溶解薬, p.340）．

● **モンテプラーゼ**

アミノ酸 527 残基および 530 残基からなる糖タンパク質である．遺伝子組換え組織プラスミノーゲン活性化因子（rt-PA）である．

急性心筋梗塞における冠状動脈血栓の溶解に用いる場合は，発症後 6 時間以内の投与が重要である（☞ 4 章 B.1.1-3 血栓溶解薬, p.340）．

b 抗血小板薬

● **オザグレルナトリウム**（構造式☞ p.335）

血小板凝集抑制作用，脳血管攣縮および脳血流量低下の抑制作用，脳の微小循環およびエネルギー代謝異常の改善作用がある．くも膜下出血後の脳血管攣縮およびこれに伴う脳虚血症状を改善する．脳血栓症の急性期に伴う運動障害の改善作用がある．急性期（発症 5 日以内）の投与が基本である（☞ 4 章 B.1.1-2 ■薬理 a.1）TXA_2 合成阻害薬, p.334）．

● **アスピリン**（構造式☞ p.202）

解熱作用，鎮痛作用，抗炎症作用，血小板凝集抑制作用を有する非ステロイド性抗炎症薬である（☞本章 B.2.2-2 解熱性鎮痛薬, p.201）．

c 抗凝固薬

● **アルガトロバン**（構造式☞ p.338）

選択的抗トロンビン薬である．トロンビンの作用を阻害することで，フィブリン生成阻害，血小板凝集抑制，血管収縮抑制などの作用により脳血栓を溶解する（☞ 4 章 B.1.1-2 ■薬理 b 抗凝固薬, p.337）．

● **ヘパリン**（構造式☞ p.338）

血栓溶解作用を有するので，一過性脳虚血発作を何度も繰り返す場合や心原性脳塞栓症に用いられる（☞ 4 章 B.1.1-2 ■薬理 b 抗凝固薬, p.337）．

d 脳保護薬

脳梗塞による血流停止（虚血）や血流再開により，**活性酸素（フリーラジカル）**の産生が増加し，細胞膜を構成するリン脂質や酵素さらには DNA まで過酸化し組織障害を引き起こす．これらの障害は一旦始まると連鎖的に進行し，脳浮腫，脳梗塞の進展につながる．これらのフリーラジカルの作用を消去するのが抗酸化薬（フリーラジカルスカベンジャー）である．

> **コラム**
>
> **ペナンブラ ischemic penumbra**
> 　脳血管が閉塞し血流が停止すると，閉塞した血管の支配領域に虚血が発生し，その中心部はすぐに壊死に至る．一方，周辺部ではまだ細胞死に至っていない機能不全の状態を維持している生存細胞が存在する．この可逆性の虚血領域をペナンブラ領域という．血流停止後に時間が経過するにつれこのペナンブラ領域は徐々に壊死へと進行するが，早期に血流が再開すれば回復する．このペナンブラ領域を壊死から救護できれば薬物治療が可能である．

● **エダラボン**

薬理作用　発症後24時間以内に投与を開始することにより，脳の血管内皮細胞および神経細胞を活性酸素による細胞膜脂質の過酸化障害から保護する．フリーラジカル消去作用および脂質過酸化抑制作用を有する．

作用機序　血流停止により直ちに不可逆的な壊死に陥る虚血中心部（コア）領域の周辺領域は虚血後も血流がある程度維持されることが知られている（ペナンブラ領域）．ペナンブラ領域は虚血中心部とは異なり，梗塞に至るまでに時間的猶予がある．エダラボンはこのペナンブラ領域において増加するフリーラジカルを消去することにより，この領域を延命あるいは救済する作用を有する．

副作用　重大な副作用として，急性腎不全，ネフローゼ症候群，劇症肝炎，肝障害，黄疸，血小板減少，顆粒球減少，播種性血管内凝固症候群（DIC），急性肺障害，横紋筋融解症，ショック，アナフィラキシーなどがある．

e　脳浮腫治療薬

● **濃グリセリン**

薬理作用　脳梗塞などにより，脳の神経細胞や脳血管が傷害されると脳浮腫が起こる．脳浮腫が起こると頭蓋内圧が上昇し，重篤な場合は脳の一部が押し出される脳ヘルニアになることもある．濃グリセリン（高張グリセロール）は，浸透圧利尿作用により脳圧の降下ならびに眼圧降下作用を示す．

作用機序　血管壁を境界にして血管内の浸透圧を血管外よりも高くすることにより，脳組織内の水分を血管内に浸透圧性に移動させ脳組織の水分量を減少させる．

副作用　重大な副作用として，乳酸アシドーシスが現れることがある．症状が現れた場合には炭酸水素ナトリウム注射液などを投与する．尿潜血，血尿，頭痛，口渇，悪心，低カリウム血症がみられることもある．

f　くも膜下出血治療薬

　くも膜下出血の治療では，発症直後は再出血の予防がきわめて重要である．これには外科的治療（動脈瘤頸部クリッピング術）や血管内治療（血管内コイル塞栓術）と，高血圧治療，脳浮腫治療，血管攣縮防止のための薬物療法が用いられる．

● ファスジル

薬理作用 血管の拡張作用，炎症性細胞の活性化抑制，血管内皮細胞の損傷改善作用を有する．薬理学的に本剤と同じ作用機序を有する薬物はない．

作用機序 タンパク質リン酸化酵素（プロテインキナーゼ）である Rho キナーゼを阻害して，血管平滑筋収縮機構の最終段階であるミオシン軽鎖のリン酸化を阻害して血管を拡張する．

副作用 重大な副作用として，頭蓋内出血，消化管出血，肺出血，鼻出血，皮下出血，ショック，麻痺性イレウスなどが現れることがある．低血圧，貧血，肝機能異常，発疹，腎機能異常，多尿，発熱がみられることもある．

● オザグレルナトリウム

4章 B.1.1-2 ■薬理 a.1）TXA_2 合成阻害薬，p.335 参照．

エダラボン　　濃グリセリン　　ファスジル

❷ 慢性期の治療

慢性脳循環障害，脳梗塞，脳出血の後遺症には脳循環を改善し，二次的に脳代謝を賦活させる薬を用いる．脳血流を増加させる脳循環改善薬，神経伝達物質機能を改善する脳エネルギー代謝改善薬が用いられる．

a 脳循環改善薬

● イフェンプロジル

薬理作用 脳・末梢血管拡張作用により脳血流を増加させるので，脳梗塞，脳出血後遺症の改善薬として用いられる．

作用機序 血管平滑筋に対する弛緩作用，交感神経 α 受容体遮断作用などに基づく脳血流増加作用，脳ミトコンドリア呼吸機能の促進作用により脳血流を改善する．

副作用 口渇，悪心・嘔吐，食欲不振，胸焼け，下痢，便秘，頭痛，めまい，発疹，皮膚瘙痒感，動悸などが現れることがある．

● イブジラスト

薬理作用 抗アレルギー作用と脳血流改善作用を有する．脳梗塞後遺症に伴う慢性脳循環障害によるめまい，しびれ感の改善に用いる．気管支喘息における気道過敏性，気道炎症，気道攣縮を抑制する．

作用機序 プロスタサイクリン（PGI_2）活性増強作用，ホスホジエステラーゼ阻害作用，ロイコトリエン遊離抑制作用により脳血管拡張作用，抗アレルギー作用を示す．

副作用 血小板減少，肝障害，黄疸，発疹，めまい，頭痛，食欲不振，嘔気，胃

潰瘍，倦怠感などが現れることがある．

●ニセルゴリン

薬理作用　脳梗塞後遺症に伴う慢性脳循環障害によるめまい，しびれ感の改善に用いる．気管支喘息における気道過敏性，気道炎症，気道攣縮を抑制する．

作用機序　プロスタサイクリン活性増強作用，ホスホジエステラーゼ阻害作用，ロイコトリエン遊離抑制作用により，脳血管拡張作用・抗アレルギー作用を示す．

副作用　食欲不振，下痢，便秘，肝障害，めまい，発疹など．

イフェンプロジル　　　イブジラスト　　　ニセルゴリン

b　脳エネルギー代謝改善薬

●メクロフェノキサート

薬理作用　脳幹網様体賦活系に作用して意識レベルを改善する．頭部外傷後遺症におけるめまい，急性期脳手術後の意識障害の改善に用いる．

作用機序　脳内酸素，脳内グルコース消費の改善，エネルギー物質ATP産生増加などにより脳エネルギー代謝を賦活する．

副作用　過敏症，不眠，胃痛，肝障害など．

●シチコリン

薬理作用　合成ヌクレオチドの一種で，脳梗塞病変による神経症状，意識障害，運動障害の改善作用を有する．頭部外傷，脳手術に伴う意識障害，脳梗塞急性期意識障害，脳卒中後片麻痺の機能改善促進に用いられる．タンパク質分解酵素阻害薬との併用で急性膵炎にも用いられる．

作用機序　脳血流の増加作用，グルコースの脳内取り込み促進，乳酸の脳内蓄積抑制，脳ミトコンドリアの呼吸機能低下の改善，リン脂質代謝の改善作用などにより脳エネルギー代謝を改善する．

副作用　一過性の血圧変動，過敏症，不眠，興奮，悪心，肝障害，一過性の複視など．

●アデノシン三リン酸（ATP）

薬理作用　ATPは，高エネルギーリン酸化合物で生体内にも広く分布している．脳血管拡張作用，脳エネルギー代謝改善作用のみならず，心機能改善作用や胃血流増加，胃液分泌亢進，消化管運動の亢進作用も有する．

作用機序 ATP末端のリン酸は，筋肉中のミオシンおよびその他に由来するATP分解酵素（**ATPase**）により分解され，このとき高エネルギーを放出する．これにより生体内では物質代謝が高まり生命活動が向上する．投与されたATPは，脳内でもADP，AMP，アデノシンへと代謝され，これがアデノシン受容体と結合し脳機能亢進に働く．

副作用 特記すべき副作用はないが，悪心，頭痛などが現れる場合がある．

●ガンマ-アミノ酪酸

薬理作用 脳内に存在する抑制性の神経伝達物質アミノ酸である．脳血流増加作用，脳酸素供給量の増加による脳エネルギー代謝促進作用を有する．脳梗塞後遺症，脳出血後遺症に伴うめまいの改善に用いられる．

作用機序 生体内TCAサイクルの導入部に必要なヘキソキナーゼ活性を高めることにより糖質代謝を促進する．

副作用 便秘，下痢，食欲不振，悪心，感情失禁などが現れることがある．

●ジヒドロエルゴトキシン（構造式☞ p.57）

薬理作用 **麦角アルカロイド**であるエルゴトキシンを水素化したものである．薬理学的にはエルゴトキシンとはまったく異なる特性を示し，抗アドレナリン作用が強いことが知られている．血圧下降作用および末梢循環改善作用が強く，高血圧症，閉塞性肺動脈硬化症などに伴う末梢循環障害および頭部外傷後遺症に伴う随伴症状に用いる．

作用機序 交感神経節後線維終末部における，シナプス前ドパミン受容体刺激によるノルアドレナリン放出抑制により，末梢血管の緊張を減弱させる．

副作用 血圧低下，発疹，頭痛，瘙痒，めまい，不眠，悪心・嘔吐，便秘，舌のあれ，食欲不振，倦怠感などが現れることがある．

メクロフェノキサート

シチコリン

ATP

ガンマ-アミノ酪酸

脳血管性認知症治療薬

脳血管性認知症は，アルツハイマー型認知症に次いで患者数の多い認知症である．脳梗塞，脳出血，くも膜下出血などの脳血管障害によって，脳血流に障害が生じたときに発症する．アルツハイマー病は認知症状が徐々に悪化する進行性の疾患であるのに対して，脳血管性認知症は症状が突然出現したり，新しい梗塞巣ができるごとに段階的に悪化したり変動したりする．認知機能障害のほかに，歩行障害，手足の麻痺，抑うつ，感情失禁，夜間せん妄などの症状が早期から出現することが多い．

脳血管性認知症の治療にはアルツハイマー病に用いられる認知症治療薬を用いることがあるが，主にその原因である脳血管障害（脳梗塞，脳出血など）に対する治療が優先される．脳血管疾患の発症の背景には高血圧，糖尿病，脂質異常症などの生活習慣病が存在することが多く，それらの治療による発症予防あるいは軽減が重要である．

脳血管疾患治療薬

種類　薬物［代表的な商品名］	作用機序	注意すべき副作用
急性期の治療薬		
血栓溶解薬		
●ウロキナーゼ ［ウロナーゼ，ウロキナーゼ］	プラスミノーゲンを加水分解してプラスミンを産生することによりフィブリンを分解する	脳出血，消化管出血，出血性脳梗塞，ショック，心破裂，不整脈，嘔吐，血尿，歯肉出血
●アルテプラーゼ ［アクチバシン，グルトパ］ ●モンテプラーゼ［クリアクター］	遺伝子組換え組織プラスミノーゲン活性化因子で，フィブリンに対する親和性が強くプラスミノーゲンを選択的に活性化し生成したプラスミンがフィブリンを分解する	脳出血，消化管出血，出血性脳梗塞，脳梗塞，ショック，血尿，歯肉出血，皮下出血，頭痛，肝障害，血圧低下，発汗，貧血
抗血小板薬		
●オザグレルナトリウム ［カタクロット，キサンボン］	トロンボキサン A_2（TXA_2）合成酵素阻害作用，プロスタサイクリン（PGI_2）産生促進作用により血小板凝集抑制ならびに血管平滑筋弛緩作用を発揮する	出血性脳梗塞，硬膜外血腫，脳内出血，消化管出血，皮下出血，発疹，貧血，発熱
●アスピリン［バイアスピリン］	シクロオキシゲナーゼ（COX-1）阻害による TXA_2 合成阻害，プロスタグランジン産生抑制作用により血小板凝集を抑制する	発疹，アナフィラキシー，アスピリン喘息
抗凝固薬		
●アルガトロバン水和物 ［ノバスタンHI，スロンノンHI］	トロンビンの作用の阻害によりフィブリン生成阻害，フィブリン安定化阻害により血小板凝集を抑制する	出血性脳梗塞，脳出血，消化管出血，ショック，アナフィラキシー，肝障害，腎障害，血尿，皮疹
●ヘパリンナトリウム ［ヘパリンナトリウム］	アンチトロンビンIIIと結合して複合体を形成し，血液凝固第 II_a（トロンビン）および X_a，VII_a，IX_a，XI_a，XII_a 因子などを阻害して抗凝固作用を現す	ショック，アナフィラキシー，出血，瘙痒感，脱毛，骨粗鬆症
脳保護薬		
●エダラボン［ラジカット］	フリーラジカル消去による細胞膜脂質の過酸化を抑制することにより脳保護作用を現す	急性腎不全，ネフローゼ症候群，劇症肝炎，肝障害，黄疸，血小板減少，顆粒球減少，播種性血管内凝固症候群（DIC），急性肺障害，横紋筋融解症，ショック，アナフィラキシー

脳血管疾患治療薬（つづき）

種類　薬物［代表的な商品名］	作用機序	注意すべき副作用
脳浮腫治療薬		
●濃グリセリン[グリセオール，グリセレブ]	血管内の浸透圧を血管外よりも高くすることにより，脳組織内の水分を血管内に移動させ脳組織の水分量を減少させる	乳酸アシドーシス，尿潜血，血尿，頭痛，口渇，悪心，低カリウム血症
くも膜下出血治療薬		
●ファスジル塩酸塩水和物[エリル]	Rhoキナーゼを阻害して，血管平滑筋収縮機構の最終段階であるミオシン軽鎖のリン酸化を阻害して血管を拡張する	頭蓋内出血，消化管出血，肺出血，鼻出血，皮下出血，ショック，麻痺性イレウス，低血圧，貧血，肝機能異常，発疹，腎機能異常，多尿，発熱
●オザグレルナトリウム[カタクロット，キサンボン]	4章B.1.表 抗血小板薬（☞ p.347）参照	
慢性期の治療薬		
脳循環改善薬		
●イフェンプロジル酒石酸塩[セロクラール]	血管平滑筋弛緩作用，α受容体遮断作用に基づく脳血流増加作用，脳ミトコンドリア呼吸機能促進作用により脳血流を改善する	口渇，悪心・嘔吐，食欲不振，胸焼け，下痢，便秘，頭痛，めまい，発疹，皮膚瘙痒感，動悸
●イブジラスト[ケタス]	プロスタサイクリン活性増強作用，ホスホジエステラーゼ阻害作用，ロイコトリエン遊離抑制作用により脳血管を拡張する	血小板減少，肝障害，黄疸，発疹，めまい，頭痛，食欲不振，悪心，胃潰瘍，倦怠感
●ニセルゴリン[サアミオン]		食欲不振，下痢，便秘，肝障害，めまい，発疹
脳エネルギー代謝改善薬		
●メクロフェノキサート塩酸塩[ルシドリール]	脳内酸素，脳内グルコース消費の改善，エネルギー物質ATP産生増加などにより脳エネルギー代謝を賦活する	過敏症，不眠，胃痛，肝障害
●シチコリン[ニコリン]	脳血流の増加，グルコースの脳内取り込み促進により脳エネルギー代謝を改善する	一過性の血圧変動，過敏症，不眠，興奮，悪心，肝障害，一過性の複視
●アデノシン三リン酸二ナトリウム[アデホスコーワ，トリノシン]	ATP分解によって放出される高エネルギーにより脳血管拡張作用，脳エネルギー代謝改善作用を示す	悪心，頭痛
●ガンマ-アミノ酪酸[ガンマロン]	脳血流量，脳酸素供給量の増加により脳エネルギー代謝を促進する	便秘，下痢，食欲不振，悪心，感情失禁
●ジヒドロエルゴトキシンメシル酸塩[ヒデルギン]	シナプス前ドパミン受容体刺激によるノルアドレナリン放出抑制により末梢血管の緊張を減弱させる	血圧低下，発疹，頭痛，瘙痒，めまい，不眠，悪心・嘔吐，便秘，舌のあれ，食欲不振，倦怠感
脳血管性認知症治療薬		
認知症治療薬参照 脳血管疾患治療薬（上記）参照	認知症治療薬が用いられることがあるが，主としてその原因である脳血管障害（脳梗塞，脳出血など）に対する治療が優先する	各項参照

7 認知症

■病態生理

1 認知症の病態

認知症 dementia は，加齢に伴い学習，記憶，判断など脳の高次機能が正常に機能しなくなり，日常生活に大きな影響を及ぼすようになった病態をいい，一般的な老化現象の1つである物忘れ（健忘）とは区別する．認知症にはさまざまな疾患があり，海馬や大脳皮質の神経変性によるアルツハイマー型認知症，黒質-線条体神経にレビー小体と呼ばれる封入体がみられるレビー小体型認知症，脳梗塞や脳出血後に発症する脳血管性認知症がある．

a アルツハイマー病（AD）/アルツハイマー型認知症（DAT）

アルツハイマー病 Alzheimer's disease（AD）は，ドイツの精神科医であったアルツハイマー Aloysius "Alois" Alzheimer がはじめて報告した記憶障害を伴う精神疾患である．これには高齢期に発症する**孤発性アルツハイマー病** sporadic Alzheimer's disease と遺伝的要因により発症する**家族性アルツハイマー病** familial Alzheimer's disease がある．わが国のアルツハイマー病患者のほとんどは加齢に伴う孤発性アルツハイマー病で65歳以降の発症が多い．認知症の症状や薬物治療を中心にした場合は狭義の意味で**アルツハイマー型認知症** dementia of Alzheimer-type（DAT）ということがある．家族性アルツハイマー病の遺伝子解析から，本疾患には

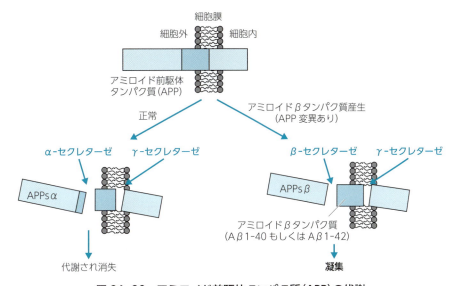

図2A-20 アミロイド前駆体タンパク質（APP）の代謝

神経細胞に存在しその成長と修復に関わることが知られる**アミロイド前駆体タンパク質** amyloid precursor protein（**APP**）の変異が原因の1つであることが分かってきた．通常 APP は細胞外で α-セクレターゼにより，細胞膜内で γ-セクレターゼにより切断され可溶性の分解産物（APPs α）となり代謝され消失する．ところが，この APP に遺伝的に変異があると，細胞外で β-セクレターゼにより切断されるようになり，他端を γ-セクレターゼにより切断されてアミノ酸残基が 40 個あるいは 42 個の不溶性の**アミロイド β タンパク質**が切り出され，神経細胞外に凝集して細胞毒性を発するようになる（図 2A-20）．アミロイド β タンパク質は，数分子が会合した神経毒性の強いオリゴマーと呼ばれる状態を経て，複雑に折り重なって凝集し最終的に本疾患の代表的病理所見である**老人斑** senile plaque を形成する．老人斑は，大脳皮質や海馬などの記憶や判断に関わる脳部位に多くみられる．

アルツハイマー病患者の脳では，神経細胞の樹状突起の微小管を構成する細胞骨格形成タンパク質であるタウタンパク質が，過剰にリン酸化され整列性を失い凝集した**神経原線維変化** neurofibrillary tangle と呼ばれる状態がみられる．神経細胞の細胞骨格が崩壊すると軸索輸送が障害され神経機能を大きく損なうことになる．アミロイド β タンパク質の神経毒性ならびにタウタンパク質の過剰リン酸化によるシナプス伝達の障害は，アポトーシスによる神経細胞死を誘発し，最終的には**神経脱落・脳萎縮**を起こす．アルツハイマー病では，側頭葉，頭頂葉，後頭葉の大脳皮質に萎縮がみられる．**老人斑，神経原線維変化，神経脱落・脳萎縮**の3つを**アルツハイマー病の3大病理所見**という．

また，アルツハイマー病患者の大脳皮質においてアセチルコリンの生合成酵素であるコリンアセチルトランスフェラーゼ活性の低下や，アセチルコリン神経細胞部位であるマイネルト基底核のコリン作動性神経の脱落などによりアセチルコリン神経伝達機能が低下することが明らかになり，認知機能の低下にコリン作動性神経の障害が起因することが明らかになった．

b　レビー小体型認知症（DLB）

レビー小体型認知症 dementia with Lewy bodies（**DLB**）は，アルツハイマー病に次いで多く，大脳皮質と脳幹の神経脱落と残存している神経細胞内に**レビー小体** Lewy bodies と呼ばれる封入体が現れるもので，わが国の小坂憲司らによって発見された．初期の段階で物忘れなどよりも本格的な幻視がみられることが多い．病理組織学的には大脳皮質および脳幹部に神経脱落とレビー小体が出現することが特徴である．レビー小体の構成成分は **α-シヌクレイン**と呼ばれるタンパク質で，これが蓄積して封入体を形成している．アルツハイマー病と同様に脳内コリン作動性神経系の機能障害を伴う．α-シヌクレインは，その構造が変化すると黒質-線条体ドパミン神経系でドパミン神経伝達を障害することが知られ，これは突発性パーキンソン病に似ているが，認知症との関連はいまだ不明なことが多い．

c 脳血管性認知症（CVD）

脳血管性認知症 cerebrovascular dementia（**CVD**）とは，脳梗塞あるいは脳出血などにより脳血流が障害されることによって発症する認知症をいう．脳の神経細胞は酸素と栄養物（グルコースなど）の欠乏にきわめて脆弱で，これらの供給が停止するとアポトーシスやネクローシスの形態で容易に神経細胞死が起こる．血流停止を起こした脳血管の支配領域の機能的役割が損なわれる．アルツハイマー病の病態が徐々に進行するのに対して，症状がよくなったり悪くなったりを繰り返すことや，片麻痺を伴うことも特徴である．

❷ 認知症の症状

a 中核症状

脳の神経細胞の障害によって起こる症状を**中核症状** core symptoms という．代表的な症状は記憶障害で，数分前に起きたことを忘れてしまう．また時間や場所さらには家族の名前が分からなくなるような見当識障害，理解・判断力の低下や筋道をたてた思考ができなくなるような実行機能障害などが，病状の進行とともに重症化してくる．アルツハイマー病では，とくに近時記憶が失われやすく，症状の進行につれ**見当識障害**，失認，失行，失語，実行機能障害，理解・判断力の低下もみられ重症化する．アルツハイマー病の症状が時間をかけて徐々に進行していくのに対し，脳血管性認知症では，血流停止により突然発症したり，再発を繰り返すことにより段階的に進行することが多い．また脳血管性認知症では血流が停止した血管の支配領域の機能に応じた障害が発現するため，記憶障害は起こっていても判断力や理解力は低下しておらず，同じことができたりできなかったりを繰り返す**まだら認知症**がみられる．

b 行動・心理症状（BPSD）

認知症に伴い日常生活に影響を及ぼす精神的な症状がみられることが多く，これを**行動・心理症状** behavioral and psychological symptoms of dementia（**BPSD**）という．中核症状と区別する意味で周辺症状という場合もある．具体的には，易刺激性，焦燥・興奮，脱抑制，異常行動，妄想，幻覚，うつ，不安，多幸感，アパシー（無気力），夜間行動異常，食行動異常などが含まれる．認知症の発症に至るまでの生活環境や社会的要因が複雑に絡み合って出現するので，症状の個人差は大きい．アルツハイマー病とよく似た神経変性疾患であるレビー小体型認知症では，パーキンソン病類似の運動機能障害に加えて幻覚や幻視が頻繁に発現する．

❸ 認知症の動物モデル

認知症の治療薬開発には，動物モデルが不可欠である．認知症の動物モデルは記憶障害を伴うことが重要である．記憶障害の評価には，8方向放射状迷路課題や水迷路

課題などが用いられる.

1) 8方向放射状迷路課題

　　中央のプラットホームから8本のアームが放射状に伸びた高架式の装置を用いる．アームの先端においた小さな8つの餌を8回の選択でほぼ間違えることなく摂取できるようになるまで訓練したラットに脳虚血処置やアミロイドβタンパク質脳室内投与などを行うと，学習障害が発現する．これに対する薬物の改善作用から薬効評価が可能である(図 2A-21)．

2) 水迷路課題

　　プール内の任意の位置(水面下約 2 cm)に透明なアクリル製のプラットホームを設置してラットあるいはマウスを遊泳させプラットホームに達するまでの時間や軌跡を測定する．試行を毎日行うとプールのどの位置から動物を入れても直ちにプラットホームの位置に到達するようになる．このようなラットに脳虚血処置やアミロイドβタンパク質脳室内投与などを行うと，学習障害が発現する．これに対する薬物の改善作用から薬効評価が可能である(図 2A-22)．

　　1)，2)の両課題の行動は，動物が試行中に迷路外の位置情報(実験室の机の位置，窓の位置，実験者の位置など)を覚えることにより空間記憶地図を形成していると考えられている．

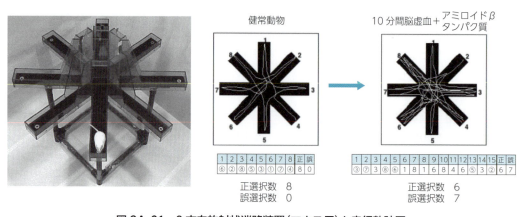

図 2A-21　8方向放射状迷路装置(マウス用)と走行軌跡図

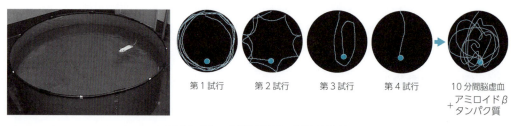

図 2A-22　水迷路装置と遊泳軌跡図

■ 薬　理

1 認知症治療薬(図 2A-23)

a コリンエステラーゼ阻害薬

アルツハイマー病患者ならびに脳血管性認知症患者の脳内では，とくに記憶の座ともいわれる海馬や大脳皮質のアセチルコリン作動性神経系において，アセチルコリンの生合成機能の低下，アセチルコリン遊離の低下，さらにはアセチルコリン神経そのものの減少などがみられる．これらの変化を改善すべくアセチルコリン作動性神経の賦活作用を有する薬物が認知症の治療薬として使われるようになった．現在は，脳内のアセチルコリンの分解を抑制してシナプスにおけるアセチルコリン量を増加させる目的で，**アセチルコリンエステラーゼ** acetylcholinesterase(**AChE**)**阻害薬**が用いられている．

● ドネペジル

薬理作用と作用機序　コリンエステラーゼには脳内で神経活動に深く関与する中枢性 AChE と，末梢組織に多く存在する**ブチリルコリンエステラーゼ(BuChE)** が存在する．ドネペジルはこれらのうち，とくに AChE に対する選択性が高く BuChE にはほとんど作用しない．したがって，末梢性のコリン作動性神経賦活による副作用は比較的軽度で中枢選択性の高い薬物である．8 方向放射状迷路課題を用いたアルツハイマー病のモデルラットの記憶障害に対してドネペジルの投与が有効であることも示されている．

臨床応用　アルツハイマー型認知症患者に対する認知機能，日常生活動作，活動障害の改善および進行抑制に用いられる．通常は軽度から中等度のアルツハイマー型認知症の認知症症状の進行抑制に用いられるが，高用量ではアルツハイマー型認知症全般に対する適用が承認されている．しかしながら，いずれも中核症状である記憶障害自体を回復させるものではなく，認知症症状の進行抑制が限界であることは否めない．その他，レビー小体型認知症における認知症状の進行抑制に有効である．

副作用　投与開始初期に多くみられ，食欲不振，悪心・嘔吐，下痢などの消化器

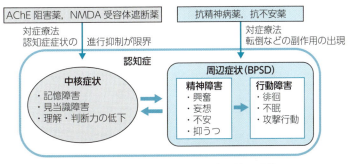

図 2A-23　認知症の症状と治療薬の現状

症状がある．また，心室頻拍，心室細動，洞不全症候群，高度徐脈，心ブロックなどの不整脈，失神，めまい，興奮・不安・傾眠などの精神症状を伴う場合がある．

● ガランタミン

薬理作用と作用機序　脳内で中枢性のAChEを選択的に阻害して末梢性のBuChEにはほとんど作用しない．脳内にはニコチン性アセチルコリン受容体（nAChR）が存在し，脳内アセチルコリン神経機能を調節していることが知られている．ガランタミンはこのnAChRのACh結合部位とは異なる部位（アロステリック部位）に**アロステリック活性化リガンド**として結合し，nAChR活性を増強することによりアセチルコリン神経伝達を高めていると考えられている．

臨床応用　軽度および中等度のアルツハイマー型認知症における認知症状の進行抑制に用いられる．

副作用　ドネペジル参照．

● リバスチグミン

薬理作用と作用機序　中枢性AChEおよび末梢性BuChEを阻害することにより，脳内アセチルコリン量を増加させ脳内コリン作動性神経機能を賦活する．

臨床応用　軽度および中等度のアルツハイマー型認知症における認知症状の進行抑制に用いられる．比較的小分子で経皮吸収が可能であるため，貼付剤（パッチ剤）として用いられる．ドネペジルおよびガランタミンでは悪心・嘔吐などの消化器症状がみられるが，これは経口投与による薬物血中濃度変化ではピーク時間に薬物濃度が高くなることに起因する．リバスチグミンは経皮吸収型にすることで経口剤よりも副作用が軽減された．貼付剤であるので，認知症患者の嚥下困難などにより経口投与が難しい患者に対しても投与が可能である．

ドネペジル　　　　　ガランタミン　　　　　リバスチグミン

b　NMDA受容体遮断薬

アルツハイマー病患者の脳内では，シナプス間隙のグルタミン酸濃度が持続的に上昇していることが知られている．グルタミン酸受容体にはAMPA（*α*-amino-3-hydroxy-5-methyl-4-isoxazolepropionic acid）受容体とNMDA（*N*-methyl-D-aspartic acid）受容体がある．NMDA受容体はCa^{2+}チャネルと連動しており，グルタミン酸の結合によりCa^{2+}チャネルが開口しCa^{2+}が細胞内に流入すると，カルシウム依存性の酵素系が活性化され神経細胞死へ続くカスケード反応が活性化される．アルツハイマー病患者の脳内ではシナプス間隙におけるグルタミン酸量が多いので，その分NMDA受容体に対して過剰な刺激となり，必然的に細胞内へ流入するCa^{2+}

も過剰(calcium-overload)になる．最終体にはアポトーシスによる神経細胞死をきたし，細胞はその機能を失う．また，シナプス間隙のグルタミン酸によるNMDA受容体の持続的な活性化は，神経活動のノイズ(シナプティックノイズ)を発生し，とくに海馬や大脳皮質では本来の記憶の形成や想起に必要な神経伝達が打ち消される．NMDA受容体拮抗薬はこの一連の反応を抑制することにより神経細胞を保護する．

● メマンチン

薬理作用と作用機序　NMDA受容体の非競合的アンタゴニストで，中等度および高度のアルツハイマー型認知症における認知機能，日常生活動作，活動障害などの認知症症状の進行抑制および神経細胞障害の抑制に用いられる．メマンチンは，NMDA受容体に結合しCa^{2+}チャネルを閉口させることにより，Ca^{2+}の細胞内過剰流入による神経細胞死への進展を阻止する．しかし，NMDA受容体に対する親和性が低いので，記憶を形成するための高濃度のグルタミン酸が遊離されたような場合は，NMDA受容体結合部位から解離され，これを妨げることはない．

副作用　投与の初期にはめまい，傾眠，鎮静などがみられることがある．重大な副作用としては，痙攣，失神，意識消失，激越，攻撃性などがある．妄想，幻覚，錯乱，せん妄などの精神症状や，黄疸などの肝障害，便秘などの消化器症状が現れることもある．

メマンチン

2 行動・心理症状(BPSD)の治療薬(表2A-6)

アルツハイマー病患者のBPSDに対しては，認知症の症状に対して対症療法的に中枢神経作用薬が用いられる．しかし，コリンエステラーゼ阻害薬にも意欲低下や自発性の低下に効果があることや，NMDA受容体遮断薬の不安や焦燥に対する有効性も報告され，これらの薬物が認知症の進行抑制を基本としながらもBPSDの治療にも用いられる．

a 幻覚・妄想，焦燥性興奮の治療薬

非定型抗精神病薬が用いられる．抗コリン作用などの副作用の出現を考慮したうえで，主作用がこれを上回る場合にのみ医師の判断で用いられる．漢方薬の**抑肝散**が用いられることもある．焦燥感，感情の起伏，暴力行為を伴う場合には，一部の抗てんかん薬が用いられる．非定型抗精神病薬は，ドパミンD_2受容体遮断薬であるハロペリドールと比較すると，セロトニン受容体遮断作用とドパミンD_2受容体遮断作用をあわせもち，副作用である錐体外路障害の頻度は少ない．しかし，非定型抗精神病薬であっても長期投与による錐体外路系副作用は回避できず，とくに患者が高齢である

A 精神科・神経内科領域の疾患に用いる薬物

表 2A-6 認知症の BPSD に用いられる治療薬

BPSD の症状	分類	薬物名
幻覚・妄想・焦燥興奮性	定型抗精神病薬 非定型抗精神病薬 漢方薬	ハロペリドール リスペリドン，オランザピン，クエチアピン，ペロスピロン 抑肝散，抑肝散加陳皮半夏
不眠	ベンゾジアゼピン系睡眠薬 非ベンゾジアゼピン系睡眠薬 漢方薬	クアゼパム，エスタゾラム，ロラゼパム，ニトラゼパム ゾピクロン，ゾルピデム，リルマザホン，エスゾピクロン 抑肝散，抑肝散加陳皮半夏，酸棗仁湯
不安症状	ベンゾジアゼピン系睡眠薬 非ベンゾジアゼピン系睡眠薬 漢方薬	ジアゼパム，ロラゼパム，エチゾラム タンドスピロン 抑肝散，抑肝散加陳皮半夏
抑うつ症状	SSRI SNRI NaSSA	パロキセチン，セルトラリン，フルボキサミン，エスシタロプラム デュロキセチン，ミルナシプラン，ベンラファキシン ミルタザピン

がゆえに転倒には注意を要する．抑肝散は，幻覚や不安を誘発するセロトニン 5-HT_{2A} 受容体のダウンレギュレーションによる阻害作用および不安を抑制する 5-HT_{1A} 受容体の部分刺激作用により効果を発揮する．黒質-線条体ドパミン神経遮断作用を有さないので錐体外路系副作用は出現しない．本章 A.1 ■薬理 1 統合失調症治療薬(p.88)参照.

b 不眠，不安症状の治療薬

不眠，不安症状にはベンゾジアゼピン系の睡眠薬および抗不安薬が用いられるが，認知症では過鎮静，運動障害，認知機能障害，せん妄，逆説性興奮，転倒などの副作用が高率に起こるので注意が必要である．抑肝散は，不安を抑制するセロトニン 5-HT_{1A} 受容体の刺激作用と 5-HT_{2A} 受容体の遮断作用により抗不安作用を示す．また睡眠障害の改善作用も有する．認知症患者の睡眠障害にはほかの漢方薬として**酸棗仁湯**が用いられることがある．本章 A.3 ■薬理 2 不眠症治療薬(p.118)，本章 A.4 ■薬理 1 不安障害・神経症の治療薬(p.131)参照.

c 抑うつの治療薬

認知症に伴う抑うつに対しては，選択的セロトニン再取り込み阻害薬(SSRI)やセロトニン・ノルアドレナリン再取り込み阻害薬(SNRI)が用いられる．本章 A.2 ■薬理 1 うつ病治療薬(p.102)参照.

認知症治療薬

種類　薬物 [代表的な商品名]	作用機序	注意すべき副作用
認知症症状の進行抑制		
コリンエステラーゼ阻害薬		
●ドネペジル塩酸塩 [アリセプト]	脳内アセチルコリン終末部のシナプスで，アセチルコリンエステラーゼを選択的に阻害し，アセチルコリン神経を賦活する ※適応症：アルツハイマー型認知症，レビー小体型認知症における認知症症状の進行抑制	食欲不振，悪心・嘔吐，下痢，心室頻拍，心室細動，洞不全症候群，高度徐脈，心ブロックなどの不整脈，失神，めまい，あるいは興奮，不安，傾眠などの精神症状
●ガランタミン臭化水素酸塩 [レミニール]	アセチルコリンエステラーゼを阻害する．nAChR のアロステリック部位にアロステリック活性化リガンドとして結合し，ACh の nAChR 活性化を増強する ※適応症：軽度〜中等度アルツハイマー型認知症における認知症状の進行抑制	
●リバスチグミン [イクセロン，リバスタッチ]	脳内アセチルコリンエステラーゼを阻害し，アセチルコリン神経を賦活する．貼付剤として用いる ※適応症：軽度〜中等度アルツハイマー型認知症における認知症状の進行抑制	狭心症，心筋梗塞，徐脈，房室ブロック，洞不全症候群，脳血管発作などの循環器症状，嘔吐，消化器潰瘍などの消化器症状，失神，めまい，あるいは興奮，不安，傾眠などの精神症状
NMDA 受容体拮抗薬		
●メマンチン塩酸塩 [メマリー]	脳内 NMDA 受容体の非競合的アンタゴニストで NMDA 受容体に結合し Ca^{2+} チャネルを閉口させることにより神経細胞死を抑制する ※適応症：中等度〜高度アルツハイマー型認知症における認知症状の進行抑制	投与初期にめまい，傾眠，鎮静．痙攣，失神，意識消失，激越，攻撃性，妄想，幻覚，錯乱，せん妄などの精神症状，肝障害，黄疸，横紋筋融解症
行動・心理症状（BPSD）の治療薬（詳細は各項参照）　※認知症としての保険適用はない		
代表的な抗精神病薬		
●ハロペリドール [セレネース] ●リスペリドン [リスパダール] ●オランザピン [ジプレキサ] ●クエチアピンフマル酸塩 [セロクエル] ●ペロスピロン塩酸塩水和物 [ルーラン]	中脳辺縁系ドパミン神経の D_2 受容体を遮断して抗精神病作用，鎮静作用を現す	パーキンソン症候群，血圧低下，心室細動，心室頻拍などの循環器症状，食欲不振，便秘，口渇，不眠，焦燥感，神経過敏
代表的な睡眠薬		
●クアゼパム [ドラール] ●エスタゾラム [ユーロジン] ●ロラゼパム [ワイパックス] ●ニトラゼパム [ベンザリン] ●ゾピクロン [アモバン] ●ゾルピデム酒石酸塩 [マイスリー] ●リルマザホン塩酸塩水和物 [リスミー] ●エスゾピクロン [ルネスタ]	ベンゾジアゼピン受容体に結合し，$GABA_A$ 受容体を賦活して Cl^- チャネルを開口することにより神経細胞の脱分極を抑制する	薬物依存，離脱症状，意識障害，精神症状，呼吸抑制，肝障害，ふらつき（高齢者の転倒に注意），一過性前向性健忘

認知症治療薬（つづき）

種類　薬物［代表的な商品名］	作用機序	注意すべき副作用
代表的な抗不安薬		
●ジアゼパム［セルシン］ ●ロラゼパム［ワイパックス］ ●エチゾラム［デパス］ ●タンドスピロンクエン酸塩 　［セディール］	ベンゾジアゼピン受容体に結合し，$GABA_A$受容体を賦活してCl^-チャネルを開口することにより神経細胞の脱分極を抑制する．不安を抑制するセロトニン$5\text{-}HT_{1A}$受容体を刺激して抗不安作用を現す	薬物依存，離脱症状，意識障害，精神症状，呼吸抑制，肝障害，ふらつき（高齢者の転倒に注意），一過性前向性健忘，セロトニン症候群，悪性症候群
代表的な抗うつ薬		
●パロキセチン塩酸塩水和物 　［パキシル］ ●セルトラリン塩酸塩 　［ジェイゾロフト］ ●フルボキサミンマレイン酸塩 　［デプロメール，ルボックス］ ●エスシタロプラムシュウ酸塩 　［レクサプロ］ ●デュロキセチン塩酸塩 　［サインバルタ］ ●ミルナシプラン塩酸塩 　［トレドミン］ ●ベンラファキシン塩酸塩 　［イフェクサー SR］ ●ミルタザピン 　［レメロン，リフレックス］	うつ病脳の情動系（辺縁系，扁桃体）部位のセロトニン神経伝達ならびにノルアドレナリン神経伝達を，再取り込み阻害あるいは受容体賦活により活性化して抗うつ作用を現す	悪性症候群，遅発性ジスキネジア，眠気，めまい，口渇，便秘，心室頻拍やQT延長，排尿障害
代表的な漢方薬		
●抑肝散 ●抑肝散加陳皮半夏 ●酸棗仁湯	抑肝散は不安抑制系の$5\text{-}HT_{1A}$受容体を刺激し，不安誘発系の$5\text{-}HT_{2A}$受容体を抑制して抗不安作用を現す．夜間の睡眠障害改善作用を示す． 抑肝散加陳皮半夏は加齢による消化機能の低下や症状が慢性化したときに有効．酸棗仁湯はとくに睡眠障害に有効	抑肝散：発疹，発赤，瘙痒，食欲不振，胃部不快感，悪心，下痢，眠気，倦怠感，偽アルドステロン症，ミオパチー

8 パーキンソン病

■病態生理

1 パーキンソン病の病態

パーキンソン病 Parkinson's disease は，1817 年に英国の医師 James Parkinson がはじめて振戦麻痺 shaking palsy として報告した疾患で，病理組織学的には中脳の黒質緻密帯 substantia nigra, pars compacta のメラニン細胞に神経変性を認め，錐体外路系の神経核群である黒質-線条体系においてドパミンの生合成が低下するのが特徴である．病理組織像にはレビー小体と呼ばれる封入体が広範囲に認められる．パーキンソン病では，黒質-線条体系のドパミンが欠乏しアセチルコリンが促進的に作用して相対的に両者がバランスを崩し運動機能障害が現れると考えられている．

2 パーキンソン病の発症に関する仮説

MPTP 仮説：サルに MPTP(1-methyl-4-phenyl-1,2,3,6-tetrahydropyridine)を投与した場合に，パーキンソン病によく似た神経症候を示すという報告がなされた．MPTP は容易に血液脳関門を通過して黒質-線条体領域に運ばれ，モノアミンオキシダーゼ B(MAO-B)により酸化されて $MPDP^+$ になる(**図 2A-24**)．$MPDP^+$ は非酵素的に MPP^+ に変換され，これが神経毒性を発揮することが示唆されている．

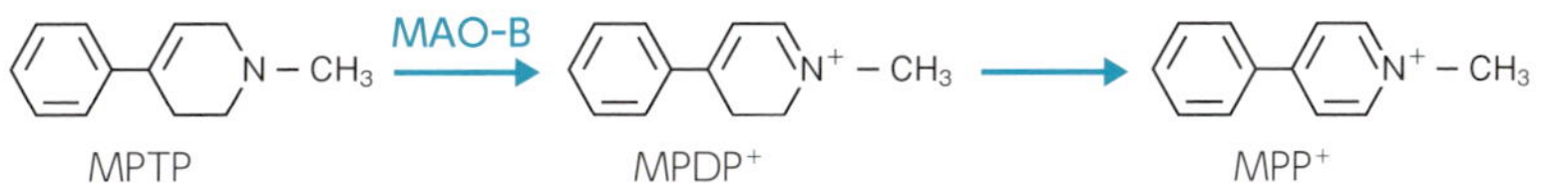

図 2A-24 MPTP の神経毒性発症機序

3 パーキンソン病の症状(図 2A-25)

振戦，筋強剛，無動，姿勢反射障害を**パーキンソン病の 4 大症状**と呼ぶ．

a 振　戦 tremor

パーキンソン病の振戦は静止時あるいは安静時にのみ発現し，活動時あるいは精神的に興奮しているときには消失するのが特徴である．

b 筋強剛 rigidity

筋固縮あるいは筋硬直ともいわれるが，パーキンソン病による筋強剛は筋肉自体が硬直して動かないのではなく，医師が脱力させた状態で患者の関節を他動的に屈伸し

振戦	筋強剛
 振戦のN字型マーチ. 震えが同側(上肢→下肢)→反対側(上肢→下肢)に現れる.	医師が患者の四肢を十分にリラックスさせた状態で関節を動かしたときに感じる独特の抵抗感.
無動	姿勢反射障害
 仮面様顔貌. 身体全体の動きが緩慢になるので, 行動のみでなく表情も変化が乏しくなる.	 前傾姿勢. 頭部をやや後屈し, 腰を落とした前傾姿勢. 歩行は腕を振らずに小刻みで, 転びやすい.

図 2A-25　パーキンソン病の 4 大症状

た場合に独特な抵抗感がある場合をいう.

c　無　動 akinesia

動作が少ないことから寡動と呼ぶこともある. 身体全体の動きが緩慢になるので, 行動のみでなく表情も変化が乏しくなり(仮面様顔貌あるいはパーキンソン病様顔貌ともいう), 会話自体も少なくなる.

d　姿勢反射障害 postural reflex impairment

頭部をややもち上げた形で, 上半身は前傾姿勢をとり, 肘および膝を屈曲させた姿勢が典型的である. また, 前進しようとしてもなかなか第一歩を踏み出すことができずに, あたかも足が床に吸い付いたようになる. これをすくみ足という. パーキンソン病に特有の歩行障害である.

e　その他の症状

合併症として自律神経障害や精神障害を発症することが多い. 自律神経症状として脂顔や便秘は頻発する症状である. また精神障害として抑うつや幻覚, せん妄などが現れる場合がある. 本疾患は高齢者に多いため, 認知症を併発する例も少なくない.

■薬　理

1　パーキンソン病治療薬(☞図 2A-28)

a　ドパミン補充薬

●レボドパ(L-DOPA)

薬理作用　**錐体外路症状の改善作用**：無動・寡動・筋強剛に対しては改善作用を有するが, 振戦に対する作用は弱い. パーキンソン病で最も問題になる日常動作は本薬

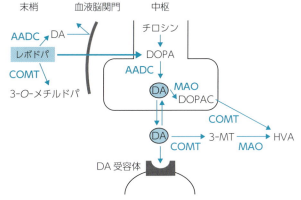

図 2A-26　レボドパの代謝
DA：ドパミン，DOPAC：ジヒドロキシフェニル酢酸，HVA：ホモバニリン酸，3-MT：3-メトキシチラミン

でほとんど寛解する．

　　精神高揚作用：無感動あるいは抑うつ症状を改善する．

作用機序　ドパミンは，血液脳関門を通過しないが，レボドパは前駆物質アミノ酸で通過できる．レボドパは，錐体外路系中枢である黒質-線条体において芳香族 L-アミノ酸デカルボキシラーゼ(AADC)によりドパミンに転換され，変性脱落による線条体のドパミン欠乏を補う(図 2A-26)．

副作用　消化器症状(食欲不振，嘔吐)，ジスキネジア，舞踏様不随意運動，せん妄(とくに夜間)，幻覚(通常は幻視)，妄想を呈する場合がある．

▶レボドパとドパデカルボキシラーゼ阻害薬の配合剤

　　レボドパ＋カルビドパ：服用したレボドパが末梢組織に存在するドパ脱炭酸酵素(ドパデカルボキシラーゼ)によって中枢に移行する前にドパミンに変換されてしまうことを抑制する目的で，末梢性ドパデカルボキシラーゼ阻害薬であるカルビドパとの配合剤が用いられる．

　　レボドパ＋ベンセラシド：ベンセラシドは脳内に移行せず，肝臓，腎臓，心臓，小腸など末梢組織において，ドパデカルボキシラーゼを阻害する．その結果，レボドパの血中濃度が高まり脳内への移行量が増加する．

レボドパ

b　ドパミン受容体刺激薬
1) 麦角アルカロイド系薬
●ブロモクリプチン

薬理作用　黒質-線条体ドパミンシステムにおいて，持続的なドパミン受容体刺激効果による抗パーキンソン病作用を示す．また，内分泌系に対して下垂体前葉からのプロラクチン分泌を特異的に抑制する．

作用機序 麦角アルカロイドのブロモクリプチンは，黒質-線条体のシナプス後部膜に存在する D_2 受容体に直接作用して低下したドパミン機能を高める．

副作用 悪心，嘔吐，めまい，低血圧などがある．重度の副作用として，ショック，妄想，錯乱，せん妄などの精神症状，ジスキネジアが現れることもある．

●ペルゴリド

麦角アルカロイド誘導体で，黒質-線条体の D_1 受容体のみならず，D_2 受容体に対しても親和性を有し，ドパミン受容体刺激薬としてパーキンソン病に用いる．

●カベルゴリン

麦角アルカロイド誘導体で，D_1 および D_2 受容体に親和性を有する．長時間型ドパミン受容体刺激薬である．パーキンソン病，産褥性乳汁分泌抑制，乳汁漏出症，高プロラクチン血性排卵障害，高プロラクチン血性下垂体腺腫（外科的処置を必要としない場合）に適応がある．

ブロモクリプチン　　ペルゴリド　　カベルゴリン

2) 非麦角アルカロイド系薬

●タリペキソール

非麦角アルカロイド誘導体で，D_2 受容体を選択的に刺激することによりパーキンソン病の主要症状を改善する．その他，レボドパ療法でみられる wearing-off 現象（☞ p.169）に対して改善効果がみられる．眠気が起こることがあるが，消化器症状は少ない．

●プラミペキソール

非麦角アルカロイド誘導体で，従来の麦角アルカロイド誘導体と同等の抗パーキンソン病作用がみられるが，これに加えて，悪心・嘔吐や食欲不振，下肢浮腫，胸水，肺線維症などの麦角アルカロイド特有の副作用がほとんどない．前兆のない突発的睡眠および傾眠などがみられることがあるので，服用中は自動車の運転，危険作業や高所作業に従事させないように注意する．

●ロピニロール

非麦角アルカロイド誘導体で，プラミペキソールとほぼ同等の作用を有するドパミン D_2 受容体刺激薬である．ジスキネジア発現率が低い．

●ロチゴチン

パーキンソン病治療薬として初の**貼付剤**である．パーキンソン病，レストレスレッグス症候群（☞コラム）に適用される．

> **コラム**
>
> **レストレスレッグス症候群 restless legs syndrome（RLS）**
> 　RLS は主に脚（足の裏，ふくらはぎ，太ももなど）に「異常な感覚」を覚え，この異常な感覚によってじっとしていられなくなる慢性疾患．異常な感覚は「ふくらはぎがむずむずする」「足の内部がかゆい」「ほてる」「痛い」など患者によって訴えはさまざまで，安静時に症状は強くなるため就寝前に最も症状が現れやすく，入眠障害に陥ることが知られている．

●アポモルヒネ

　ドパミン D_1 様および D_2 様受容体刺激薬であり，線条体において当該受容体を刺激することによりパーキンソン病における運動機能障害に対して改善効果を示す．

タリペキソール　　　プラミペキソール

ロピニロール　　　ロチゴチン　　　アポモルヒネ

c　モノアミンオキシダーゼ（MAO）阻害薬

●セレギリン

　カテコールアミンの代謝酵素であるモノアミンオキシダーゼ（MAO）には A 型と B 型が知られている．MAO-B はシナプス間隙に遊離されたドパミンを分解する．MAO-B 阻害薬はドパミンの分解を阻害することにより，シナプス間隙におけるドパミン量を増やすことによりドパミン神経伝達を賦活する．

　薬理作用　脳内ドパミンの代謝を抑制する結果，ドパミン神経機能が高まり抗パーキンソン病作用を示す．

　作用機序　黒質-線条体で，MAO-B を選択的に阻害することにより内因性ドパミンおよびレボドパの分解を抑制し，レボドパの治療効果を延長する．

　副作用　ドパミン機能が亢進することによる副作用に加えて，セレギリンはその主要代謝産物としてメタンフェタミンやアンフェタミン類似物を産生するので，これらによる幻覚，妄想，錯乱，せん妄などの精神症状や依存性，また心血管系の副作用に注意が必要である．しかし，非特異的な MAO 阻害薬に比べると副作用は少ない．

●ラサギリン

　アンフェタミン骨格構造をもたない MAO-B 阻害薬で，早期の運動症状改善から，進行期の wearing-off 改善に有効である．

　薬理作用　脳内ドパミン濃度上昇による抗パーキンソン病作用を示す．

作用機序 非可逆的かつ選択的なMAO-B阻害活性を示し，線条体シナプスにおける細胞外ドパミン濃度を増加させる．ドパミン濃度の上昇により，ドパミン作動性運動機能障害を改善する．

副作用 重大な副作用として，起立性低血圧に起因するめまい・立ちくらみ・ふらつきなど，傾眠，前兆のない突発的睡眠または睡眠発作が現れることがあるため，本剤投与中の患者には自動車の運転，機械の操作，高所での作業など，危険を伴う作業には従事させないよう注意が必要である．幻覚，衝動制御障害がみられることがある．また，狭心症，セロトニン症候群，悪性症候群，低血糖，胃潰瘍などがみられることがある．

● サフィナミド

薬理作用 脳内ドパミン濃度上昇による抗パーキンソン病作用を示す．レボドパ含有製剤で治療中のパーキンソン病におけるwearing-off現象の改善作用を示す．

作用機序 選択的かつ可逆的なMAO-B阻害作用により，内因性およびレボドパ製剤由来のドパミン濃度を高める．主要な作用機序であるMAO-B阻害作用によるドパミン作動性作用と，電位依存性Na^+チャネル阻害作用を介したグルタミン酸放出抑制作用(非ドパミン作動性作用)の両作用機序を有する新たなパーキンソン病治療薬である．

副作用 傾眠，突発的睡眠，衝動制御障害，セロトニン症候群，起立性低血圧に起因するめまい・立ちくらみ・ふらつきなど，転倒など(ラサギリン参照)．

セレギリン　　ラサギリン　　サフィナミド

d　カテコール-*O*-メチルトランスフェラーゼ(COMT)阻害薬

● エンタカポン

末梢組織においてレボドパは，芳香族L-アミノ酸デカルボキシラーゼ(AADC)とカテコール-*O*-メチルトランスフェラーゼ(COMT)によって代謝を受ける．エンタカポンは，末梢性のCOMTを阻害することによりレボドパの代謝を抑制し，その血中濃度を維持して脳内移行を助ける．レボドパの長期投与によるwearing-off現象(☞p.169)におけるoff時間を短縮する．

副作用 レボドパの増強作用によるジスキネジア，悪心，起立性低血圧，肝障害．

● オピカポン

レボドパの代謝酵素であるCOMTを阻害することでレボドパの生物学的利用率を増大させ，血漿中レボドパの脳内移行を効率化することを目的に創製された．1日1回投与製剤である．

薬理作用 抗パーキンソン病作用，レボドパ含有製剤で治療中のパーキンソン病における wearing-off 現象の改善作用を示す．

作用機序 末梢で作用する長時間作用型 COMT 阻害薬であり，血中でのレボドパから 3-O-メチルドパへの代謝を持続的に阻害し，レボドパの脳内移行を向上させる．

副作用 レボドパによるドパミン作動性の副作用（ジスキネジア，幻覚，悪心，嘔吐および起立性低血圧）が現れる場合がある．前兆のない突発的睡眠，傾眠，起立性低血圧，めまい，衝動制御障害が現れることがある．本剤の投与中止により，パーキンソン病患者でみられる悪性症候群や横紋筋融解症が発現する可能性があるので，投与を中止する場合は患者の状態を十分観察すること．

e 中枢性抗コリン薬

黒質-線条体系ではドパミン作動性神経系（DA 系）とコリン作動性神経系（アセチルコリン神経系，ACh 系）がバランスをとって運動機能を調節している．これは図 2A-27 のようなシーソーに例えられるが，パーキンソン病によって DA 系の機能が低下すれば，ACh 系自体には変化がなくても DA 系の機能低下によりバランスが崩れ，相対的に ACh 系の機能が亢進するという考え方である．ムスカリン受容体遮断作用を有する抗コリン薬は，見かけ上バランスを回復してパーキンソン病の症状を改善する．

● **トリヘキシフェニジル**

薬理作用 アトロピン類似の抗コリン作用を有するが，中枢神経系に対する作用が強い．パーキンソン病の振戦および筋強剛に対する寛解作用が強いが，無動，寡動に対する作用は弱い．

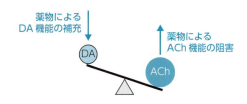

(a) 健常者の黒質-線条体系の機能はドパミン作動性神経系（DA 系）とコリン作動性神経系（ACh 系）のバランスによって保たれている．

(b) パーキンソン病患者の黒質-線条体系では DA 系の機能低下およびこれに伴う相対的な ACh 系の機能亢進が起きている．薬物（レボドパなど）による DA 機能の補充や，抗コリン薬（トリヘキシフェニジルなど）による ACh 機能の阻害により両者のバランスを回復させることが治療に有効である．

図 2A-27 線条体におけるドパミン作動性神経系とコリン作動性神経系の機能的バランス

作用機序 黒質-線条体のACh系においてムスカリン受容体を遮断して抗コリン作用を発揮する．ACh系の相対的機能亢進を抑制することによりDA系とACh系のバランスを回復させる．

副作用 抗コリン作用に由来する，口渇，尿閉，便秘などがみられる．パーキンソン病は高齢者に多い疾患であることから，せん妄や幻覚などの認知症を伴う場合が多いので，認知症患者への長期間投与は記憶に関わるACh系の抑制の面から注意を要する．重大な副作用として，悪性症候群，精神錯乱，幻覚，せん妄，閉塞隅角緑内障がある．

●プロフェナミン
アセチルコリンのムスカリン受容体およびニコチン受容体の両者を阻害する作用を有する．特発性パーキンソン病，その他のパーキンソン病，薬物性パーキンソン病に使用される．抗精神病薬投与による薬物性パーキンソン病（遅発性ジスキネジア）は軽快しない．重大な副作用に悪性症候群（☞ p. 95）がある．

●ビペリデン
アトロピン類似の中枢性抗コリン作用を有し，振戦や筋強剛に対する改善作用がある．特発性パーキンソン病，その他のパーキンソン病，薬物性パーキンソン病（遅発性ジスキネジアを除く）に使用される．

●メチキセン
ムスカリン受容体遮断作用を有する．動物実験では抗オキソトレモリン振戦作用を示す．パーキンソン病以外に消化器系疾患に伴う痙攣性疼痛の寛解にも用いられる．

●ピロヘプチン
中枢性の抗コリン作用が強く，振戦の抑制，カタトニー（緊張病catatonia）の抑制作用がある．末梢での抗コリン作用は弱い．ドパミンの利用度を高める効果を有するので，レボドパと併用する場合にはレボドパの作用を増強する．

●マザチコール
中枢性抗コリン作用が強く，動物実験で抗オキソトレモリン振戦作用，抗フィゾスチグミン致死作用が強い．またクロルプロマジンによるカタレプシーに対しても有効である．末梢性の抗コリン作用は弱いが，散瞳や流涎抑制作用が現れる．向精神薬投与による薬物性パーキンソン病に適応がある．

トリヘキシフェニジル　　プロフェナミン　　ビペリデン

メチキセン　　　　　ピロヘプチン　　　　　マザチコール

f　ドパミン遊離促進薬

●アマンタジン

A型インフルエンザに対する抗ウイルス薬の探索研究のなかで，ドパミン神経の賦活作用が見いだされた薬物である．アマンタジンはA型インフルエンザの治療薬として医師がとくに必要とした場合にも使用される．

薬理作用　黒質-線条体系のドパミン神経終末からのドパミン遊離を促進して，パーキンソン病により低下したドパミン神経伝達を回復する．抗コリン薬と異なり，筋強剛や寡動に対する改善効果が顕著で，逆に振戦に対する抑制効果は弱い．したがって振戦を伴わない若年性のパーキンソン病の治療に用いられることが多い．

作用機序　中枢ドパミン神経終末においてシナプス小胞へのドパミン取り込みを阻害する．同時にドパミンの分解酵素であるモノアミンオキシダーゼ（MAO）も阻害してドパミン遊離を促進する．

副作用　副作用は比較的軽度である．注意すべき副作用としては，めまい，かすみ目，口渇，尿貯留，消化管障害などの抗コリン作用に類似した症状がある．また，

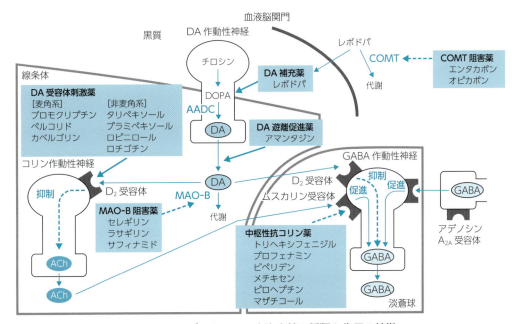

図2A-28　パーキンソン病治療薬の種類と作用の特徴
AADC：芳香族L-アミノ酸デカルボキシラーゼ，COMT：カテコール-O-メチルトランスフェラーゼ，DA：ドパミン

神経過敏状態，集中力の欠如，発語障害，睡眠障害が起こる場合がある．重症例では幻覚，妄想，せん妄，錯乱などの精神神経症状が出現する場合がある．

アマンタジン

g　ノルアドレナリン前駆物質

● **ドロキシドパ**（構造式☞ p.55）

ドロキシドパ L-threo-dihydroxyphenylserine（L-threo-DOPS）は，ノルアドレナリン前駆物質として，血液脳関門を通過して脳内に入り芳香族 L-アミノ酸デカルボキシラーゼによって L-ノルアドレナリンに代謝されて作用を発現する．パーキンソン病による**すくみ足**，立ちくらみの改善に用いられる．また，シャイ・ドレーガー症候群，家族性アミロイドポリニューロパチーにおける起立性低血圧，失神，立ちくらみ，起立性低血圧を伴う血液透析者のめまい，ふらつき，立ちくらみ，倦怠感，脱力感にも適応がある．

h　アデノシン A_{2A} 受容体遮断薬

● **イストラデフィリン**

大脳基底核のなかにある神経細胞はアデノシン A_{2A} 受容体によって興奮的に働き，ドパミンによって抑制的に働く．

パーキンソン病患者の脳内では，ドパミンの産生に関わる細胞が少なくなっているためにドパミンによる抑制性のシグナルが弱い．その結果，アデノシン A_{2A} 受容体による興奮性のシグナルが優位になり，下流にある抑制性の神経伝達物質である

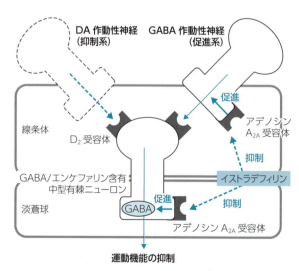

図2A-29　アデノシン A_{2A} 受容体遮断薬の作用点

GABA の遊離が促進し，抑制性のシグナルが優位になり正常な運動機能が低下しパーキンソン病の症状を現す（**図 2A-29**）．イストラデフィリンは，アデノシン A_{2A} 受容体を遮断することによって興奮性のシグナルが抑制され，その結果，抑制性の神経伝達物質である GABA の遊離も減少し，パーキンソン病により低下した運動機能が回復する．イストラデフィリンはとくに wearing-off 現象の改善作用に用いられる．レボドパ製剤と併用し，1 日 1 回経口投与する．

i　レボドパ賦活薬

●ゾニサミド

ゾニサミドは抗てんかん薬であったが，パーキンソン病患者がてんかん発作を起こしたときの使用経験から効果が認められ，パーキンソン病治療薬として使用されるようになった．ゾニサミドは，ドパミン合成促進作用と軽度の MAO-B 阻害作用によってレボドパの効果を高める．レボドパと併用し，1 日 1 回投与する．

イストラデフィリン　　　　　ゾニサミド

2　留意すべき副作用

1) **wearing-off 現象**
　レボドパの長期投与により現れる現象で，薬物の有効時間が次第に短縮し，症状の日内変動という形で現れる．対策としては，レボドパの 1 回の投与量を減らして服用回数を増やす，レボドパを食後よりも食前に服用する，などがある．

2) **on-off 現象**
　レボドパの投与に関係なく，症状が急に変動して改善・増悪する．症状の日内変動という形で現れる．対策としては休薬や朝昼低タンパク質食療法，または定位脳手術などが行われる．

3) **悪性症候群**
　薬物の急激な減量または中止で，高熱，意識障害，高度の筋硬直，不随意運動，ショック状態などの症状が起こり，死に至ることも多い．この場合には身体の冷却，十分な輸液とダントロレンの投与を行う（☞本章 A.1 ■薬理 2 留意すべき副作用，p. 95）．

パーキンソン病治療薬

種類　薬物［代表的な商品名］	作用機序	注意すべき副作用
ドパミン補充薬		
●レボドパ［ドパストン，ドパゾール］	ドパミンの前駆体で，黒質-線条体において芳香族 L-アミノ酸デカルボキシラーゼによりドパミンに転換され，線条体のドパミン欠乏を補う	悪心，嘔吐，食欲不振，不随意運動，見当識障害，起立性低血圧，嗄声，汗の黒色変色，病的性欲亢進，wearing-off現象
ドパミン受容体刺激薬		
麦角アルカロイド系薬 ●ブロモクリプチンメシル酸塩 　［パーロデル］ ●ペルゴリドメシル酸塩 　［ペルマックス］ ●カベルゴリン［カバサール］	黒質-線条体のドパミン D_2 受容体に直接作用して低下したドパミン機能を高める	悪心・嘔吐，めまい，起立性低血圧，心悸亢進，不整脈，妄想，錯乱，せん妄，ジスキネジア，悪性症候群
非麦角アルカロイド系薬 ●タリペキソール塩酸塩［ドミン］ ●プラミペキソール塩酸塩水和物 　［ビ・シフロール，ミラペックス］ ●ロピニロール塩酸塩［レキップ］ ●ロチゴチン［ニュープロ］ ●アポモルヒネ塩酸塩水和物 　［アポカイン］		悪心・嘔吐，突発性睡眠，幻覚，妄想，せん妄，錯乱，めまい，傾眠，ジスキネジア，悪性症候群
モノアミンオキシダーゼ(MAO)阻害薬		
●セレギリン塩酸塩［エフピー］	黒質-線条体で MAO-B を選択的に阻害することにより内因性ドパミンおよびレボドパの分解を抑制し，レボドパの治療効果を延長する	幻覚，妄想，錯乱，せん妄，悪心・嘔吐，不随意運動，めまい，ふらつき，食欲不振
●ラサギリンメシル酸塩［アジレクト］	非可逆的かつ選択的な MAO-B 阻害作用により，線条体における細胞外ドパミン濃度を増加させ，ドパミン作動性運動機能障害を改善する	起立性低血圧，低血圧，傾眠，突発的睡眠，幻覚，衝動制御障害，セロトニン症候群，悪性症候群など．パーキンソン病患者では運動機能障害による転倒のリスクが高いので要注意
●サフィナミドメシル酸塩 　［エクフィナ］	選択的かつ可逆的な MAO-B 阻害作用により内因性およびレボドパ製剤由来のドパミンの脳内濃度を高める．非ドパミン作動性作用(電位依存性 Na^+ チャネル阻害作用を介するグルタミン酸放出抑制作用)もある	幻覚等の精神症状，傾眠，突発的睡眠，衝動制御障害，セロトニン症候群，悪性症候群など
カテコール-O-メチルトランスフェラーゼ(COMT)阻害薬		
●エンタカポン［コムタン］	末梢の COMT を選択的に阻害し，その血中濃度を保ち，脳内移行を増加させる	傾眠，幻覚，不眠症，ジスキネジア，ジストニー，便秘，悪心，着色尿，起立性低血圧，肝障害
●オピカポン［オンジェンティス］	COMT を阻害し，レボドパの 3-O-メチルドパへの代謝を持続的に阻害することでレボドパの生物学的利用率を増大させ，脳内移行をより効率化する．1日1回の投与でよい	ジスキネジア，幻覚，幻視，幻聴，せん妄，傾眠，突発的睡眠，浮動性めまい，便秘，悪心，口渇，動機，食欲不振，関節痛，起立性低血圧，高血圧，体重減少，CK 増加など

パーキンソン病治療薬（つづき）

種類　薬物　[代表的な商品名]	作用機序	注意すべき副作用
中枢性抗コリン薬		
●トリヘキシフェニジル塩酸塩　[アーテン，トレミン] ●プロフェナミン塩酸塩　[パーキン] ●ビペリデン塩酸塩　[アキネトン] ●メチキセン塩酸塩　[コリンホール] ●ピロヘプチン塩酸塩　[トリモール] ●マザチコール塩酸塩水和物　[ペントナ]	黒質-線条体のアセチルコリン神経系においてムスカリン受容体を遮断して，ドパミン-アセチルコリン神経バランスを回復する	精神錯乱，幻覚，せん妄，眼調節障害，見当識障害，悪心，嘔吐，口渇，排尿困難，心悸亢進
ドパミン遊離促進薬		
●アマンタジン塩酸塩　[シンメトレル]	黒質-線条体におけるドパミン遊離促進作用，シナプス小胞へのドパミン取り込み阻害にMAO阻害が加わりドパミン遊離を増強する	悪性症候群，幻覚，せん妄，興奮，眼調節障害，便秘，下痢，悪心，嘔吐，起立性低血圧，排尿障害，心不全
ノルアドレナリン前駆物質		
●ドロキシドパ　[ドプス]	ノルアドレナリン前駆物質であり，血液脳関門を通過して脳内に入り，ノルアドレナリンに変換されて作用を示す．パーキンソン病におけるすくみ足に有効	幻覚，頭痛，頭重感，悪心，血圧上昇
アデノシン A_{2A} 受容体拮抗薬		
●イストラデフィリン　[ノウリアスト]	アデノシン A_{2A} 受容体拮抗作用により，アデノシン優位によるドパミン減少を改善する．レボドパ含有製剤で治療中のパーキンソン病における wearing-off 現象の改善作用	前兆のない突発性睡眠，傾眠，幻覚，幻想，妄想，せん妄，不安障害，うつの悪化・抑うつ，被害妄想
レボドパ賦活薬		
●ゾニサミド　[トレリーフ]	ドパミン合成促進と軽度のMAO-B阻害作用によってレボドパの効果を高める．T型 Ca^{2+} チャネルおよび Na^+ チャネル阻害作用も有し，抗てんかん薬としても使用される	悪性症候群，中毒性表皮壊死融解症，過敏症症候群，再生不良性貧血，急性腎不全，間質性肺炎，肝障害，横紋筋融解症，腎・尿路結石，幻覚，妄想

9 てんかん・中枢性骨格筋弛緩薬

■病態生理

① てんかんの病態

てんかん epilepsy は，人口 1,000 人に 5～10 人の割合でみられる痙攣発作を伴う疾患である．種々の成因により大脳の神経細胞の興奮性神経細胞(グルタミン酸神経)の一部に突発的な過剰放電が生じ，これと均衡を保っていた抑制性神経細胞(GABA 神経)が神経シナプスレベルで機能不全に陥り，ここに生じた異常電流は隣接する周辺の神経細胞に次々と伝わり(伝播)，身体的には痙攣発作を呈する(**図 2A-30**)．

a　てんかんの国際分類

てんかんは，1981 年に承認された国際抗てんかん連盟 International League Against Epilepsy による分類(てんかん発作型分類)が用いられる．最新版は 2010 年に修正された脳波・臨床症候群分類があるが，現在においても臨床的には 1981 年の発作型分類が用いられることが多い(**表 2A-7**)．

1) **部分発作** partial seizures

意識がはっきりしている単純部分発作と，意識障害が伴う複雑部分発作に分けられる．

（ⅰ）**単純部分発作** simple partial seizures

意識障害を伴わず，運動機能障害，視覚や聴覚の異常，自律神経の異常が起こる．脳波的には発作時に棘波と徐波がみられる．

（ⅱ）**複雑部分発作** complex partial seizures

短時間(1～2 分)の意識障害を伴い，認知障害，感情障害，幻覚などの精神症状，自動症などの精神運動障害を伴う場合がある．脳波学的には発作時に高振幅徐波と多

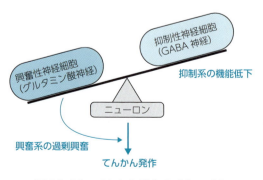

図 2A-30　てんかん発作のメカニズム

表 2A-7　てんかん発作の国際分類（1981 年）

Ⅰ．部分発作
　A．単純部分発作
　　　（1）運動症状を示すもの
　　　（2）体性感覚あるいは特殊感覚症状を示すもの
　　　（3）自律神経症状を示すもの
　　　（4）精神症状を示すもの（言語障害発作，記憶障害発作，認知障害発作，幻覚発作など）
　B．複雑部分発作
　　　（1）単純部分発作で始まり，続いて意識障害が起こるもの
　　　（2）発作の起始から意識障害を示すもの（意識障害だけのもの，自動症を伴うもの）
　C．部分発作で全般発作に発展するもの（単純→全般，複雑→全般，単純→複雑→全般）
Ⅱ．全般発作
　　欠神発作，非定型欠神，ミオクロニー発作，間代発作，強直発作，強直間代発作，脱力発作
Ⅲ．分類不能てんかん発作
Ⅳ．付記（反射発作などの発作の出現様態とてんかん重積状態）

棘波がみられる．

（ⅲ）二次性全般化発作 partial seizures evolving to secondary generalized seizures

脳の一部から始まった電気的興奮がニューロンの集まった場所を通じて脳全体に広がる．単純部分発作または複雑部分発作から始まり，ほとんどの場合強直間代発作に進展する．

2）全般発作 generalized seizures

大脳半球の両側にまたがる広範囲の領域に過剰な興奮が起こることによる痙攣発作をいう．意識障害を伴うのが特徴である．

（ⅰ）欠神発作 absence seizure

5〜15 秒の短い意識障害を伴う発作で，それまで行っていた動作を一時的に止めるが，再び元の動作に戻る．小児に多い発作で，脳波的には棘徐波複合がみられる．

（ⅱ）ミオクロニー発作 myoclonic seizure

顔面，四肢，体幹などの筋肉にピクッとした痙攣が起こるなど，きわめて短時間に起こる筋肉の収縮によって起こるてんかん発作である．脳波的には多棘波の後に徐波がみられる．

（ⅲ）強直間代発作 tonic-clonic seizure

最も典型的なてんかん発作で，意識障害や持続性の筋収縮により手足を突っ張るような発作（強直性痙攣）に引き続き，律動的な体幹筋の痙攣（間代性痙攣）に移行する．この発作では，顔面蒼白，瞳孔散大，呼吸停止，体幹硬直，唾液分泌亢進，尿失禁などが起こる．脳波的には高振幅徐波あるいは棘波がみられる（図 2A-31）．

（ⅳ）脱力発作 atonic seizure

手足や体幹の筋の緊張が瞬間的に消失し，力が抜けたようになり，よろめいたり突然倒れたりするような発作である．瞬間的に筋肉の緊張が高まるミオクロニー発作とは逆の発作ともいえる．

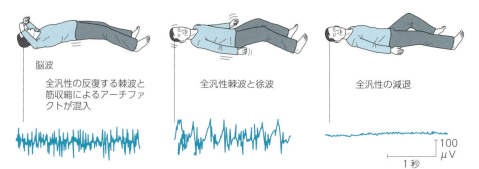

図 2A-31　強直間代発作の経過

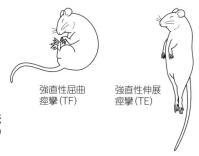

図 2A-32　最大電撃痙攣法によるマウスの痙攣発作

3）てんかん重積状態 status epilepticus

発作がある程度の長さ（30分以上）連続して起こる状態である．短時間の発作の場合でも繰り返し起こってその間の意識のない状態で生命に危険が及ぶ場合がある．

❷ てんかんの動物モデル

てんかんの動物モデルは，抗てんかん薬の薬効評価に用いるためのものが多い．**最大電撃痙攣法**（Woodbury & Davenport 法）は，マウスの両眼から角膜電極を通じて 50 mA（800 V）の電流を 0.2 秒間通電することにより，マウスは通電直後から強直性伸展痙攣 tonic extension（TE），強直性屈曲痙攣 tonic flexion（TF），さらには間代性痙攣 clonic convulsion（CL）を発現することを利用する（**図 2A-32**）．これはヒトの強直間代発作の経過に類似しており，抗痙攣薬の薬効評価に用いられる．また，ペンテトラゾール pentetrazol の投与によっても痙攣が生じ，欠神発作の薬効評価に用いられる．その他，海馬に慢性留置電極を植え込み矩形波電流などで1秒間刺激を行うと，刺激後も数十秒間持続する発作電気活動（後発射 afterdischarge）

が誘発される．これを数時間間隔あるいは1日1回の間隔で繰り返すと痙攣発作が誘発される．これを利用して薬効評価を行うこともある．人為的操作を用いない方法として EL マウスやスナネズミの遺伝的な自然発作痙攣を用いる方法がある．

■薬　理

抗てんかん薬(図 2A-33，表 2A-8)

てんかんの治療に用いる薬物(抗てんかん薬 antiepileptic drugs)は，脳の異常興奮を抑制する薬物で，神経細胞自体の興奮を抑制したり，興奮が周囲の神経細胞に伝播しないようにするものである．抗てんかん薬は，てんかん発作の症状に応じて薬物を選択するが，てんかんそのものを直接抑制するのではなく伝播を抑制して発作を阻止することで日常生活に影響のないようにすることが目的とされている．

a　部分発作に有効な薬物

部分発作に対しては**カルバマゼピン**が第一選択薬として用いられる．発作の程度に応じて第一選択薬を最大耐容量まで増量するのが一般的である．第一選択薬で良好な

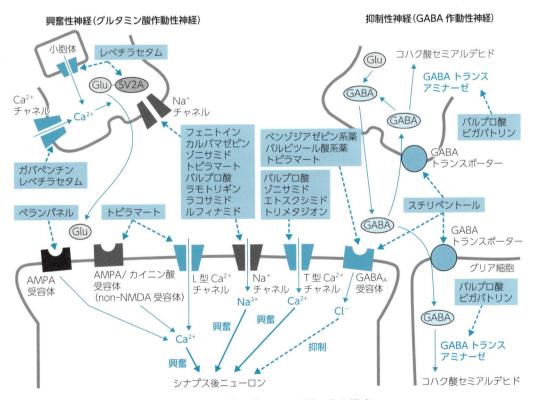

図 2A-33　主な抗てんかん薬の作用機序

表 2A-8 主な抗てんかん薬の使用目安

発作型		第一選択薬	第二選択薬		避けるべき薬
			単剤投与可	他剤と併用	
部分発作	単純部分発作 複雑部分発作 二次性全般化発作	カルバマゼピン	ゾニサミド フェニトイン フェノバルビタール プリミドン アセチルフェネトライド バルプロ酸	ラモトリギン クロバザム レベチラセタム トピラマート ガバペンチン	エトスクシミド (無効)
全般発作	強直発作 強直間代発作	バルプロ酸	フェノバルビタール フェニトイン ゾニサミド	ラモトリギン クロバザム トピラマート レベチラセタム	カルバマゼピン ガバペンチン (欠伸発作, ミオクロニー発作を増悪する)
	欠伸発作		エトスクシミド	ラモトリギン トピラマート	
	ミオクロニー発作		クロナゼパム	レベチラセタム トピラマート	

効果が得られなかった場合は，第二選択薬としてゾニサミド，フェニトイン，フェノバルビタール，プリミドン，アセチルフェネトライドなどが用いられる．バルプロ酸も有効である．抗てんかん薬はできるだけ単剤を用いることが基本であるが，新規抗てんかん薬(新世代薬)のラモトリギン，クロバザム，レベチラセタム，トピラマート，ガバペンチンは薬物相互作用が少なく既存薬との併用で用いられる．

● カルバマゼピン

部分発作の第一選択薬として用いる．部分発作および強直間代発作に対する抑制作用を有するが，欠神発作には無効である．

薬理作用と作用機序　ジベンザゼピン系(イミノスチルベン誘導体)に分類され，抗痙攣作用を示し，最大電撃痙攣法における発作時間を短縮する．大脳の電位依存性Na^+チャネル抑制作用を有し，神経の過剰な興奮を抑制する．鎮静，抗コリン作用，骨格筋弛緩作用，抗不整脈作用，抗利尿作用も有する．

副作用　傾眠，複視，めまい，ふらつきがある．重大な副作用としては，再生不良性貧血，皮膚粘膜眼症候群(スティーブンス・ジョンソン症候群)，SLE様症状，過敏症症候群，肝障害，急性腎不全，うっ血性心不全，抗利尿ホルモン不適合分泌症候群(SIADH)，無菌性髄膜炎，悪性症候群などがある．

● ゾニサミド(構造式☞ p. 169)

薬理作用と作用機序　ベンズイソキサゾール骨格を基本としてメタンスルホンアミド構造を有する抗てんかん薬で，欠神発作やミオクロニー発作を除く部分発作ならびに強直間代発作に有効である．作用機序としては，電位依存性Na^+チャネル抑制作用やT型Ca^{2+}チャネル抑制作用を有し，発作の焦点から周囲の神経細胞への異常電流の伝播過程を遮断する．また，ゾニサミドはパーキンソン病患者のてんかん発作の使用経験で，患者の痙攣発作の消失とともにパーキンソン病症状の改善が認められ

たことから，現在では抗パーキンソン病薬としての適用もある．

副作用 中毒性表皮壊死融解症，皮膚粘膜眼症候群（スティーブンス・ジョンソン症候群），紅皮症，過敏症症候群，再生不良性貧血，眠気，無気力，自発性低下，精神活動緩慢化，食欲不振，倦怠・脱力感など．

●フェニトイン

薬理作用と作用機序 ヒダントイン系薬に分類され，部分発作ならびに強直間代発作には抑制作用を有するが，欠神発作には効果が認められないか症状を悪化させるので使用できない．電位依存性 Na^+ チャネル抑制作用を有し，神経の過剰な興奮を抑制することにより抗てんかん作用を示す．鎮静，抗コリン作用，骨格筋弛緩作用，抗不整脈作用，抗利尿作用も有する．

副作用 眠気，眼振，皮膚粘膜眼症候群（スティーブンス・ジョンソン症候群），再生不良性貧血，肝障害，腎障害，不随意運動，悪心，嘔吐など．長期使用により歯肉増殖，多毛，小脳萎縮，横紋筋融解症，急性腎不全，認知障害が現れることがある．

●ホスフェニトイン ●エトトイン

ヒダントイン系薬でフェニトインに類似．

●フェノバルビタール

薬理作用と作用機序 バルビツール酸系薬に分類され，バルビツール酸系薬のなかでも傾眠作用を現さない用量で抗てんかん作用を現す．強直間代発作ならびに部分発作に有効であるが欠神発作には効果が認められないか症状を悪化させる．作用機序は，$GABA_A$ 受容体複合体のバルビツール酸結合部位（ピクロトキシン結合部位）に結合することにより，抑制性伝達物質 GABA の受容体親和性を高め，Cl^- チャネル開口作用を増強して神経機能抑制作用を促進することが知られる．

副作用 皮膚粘膜眼症候群（スティーブンス・ジョンソン症候群），中毒性表皮壊死融解症，紅皮症，過敏症症候群，依存性，顆粒球減少，血小板減少，肝障害，呼吸抑制など．

●プリミドン

薬理作用と作用機序 フェノバルビタールに類似した抗痙攣作用を示す．作用機序は中枢抑制作用由来と考えられているが，詳細は不明である．プリミドンは一部が体内で酸化を受けてフェノバルビタールとフェニルエチルマロンアミドに変化するが，この2つの代謝物も抗痙攣作用を有する．フェノバルビタールと同様に，強直間代発作ならびに部分発作に有効であるが，欠神発作には効果が認められないか，症状を悪化させる．

副作用 皮膚粘膜眼症候群（スティーブンス・ジョンソン症候群），再生不良性貧血，巨赤芽球性貧血，肝障害，タンパク尿など．

●アセチルフェネトライド

薬理作用と作用機序 アセチルフェネトライドは，アセチル尿素系薬に分類され，部分発作および強直間代発作に有効である．部分発作のなかでも複雑部分発作に有効であることが示され，感情障害，幻覚などの精神症状，自動症などの精神運動障害に

用いられる．作用機序は不明である．

副作用 再生不良性貧血があるのでほかの薬が無効な場合にのみ適用する．その他，過敏症，白血球減少，肝障害，腎障害，眠気，頭痛，食欲不振，くる病などが現れることがある．

●スルチアム

薬理作用と作用機序 抗痙攣作用を有し，とくに複雑部分発作に有効である．脳組織内で炭酸脱水酵素を阻害することにより，神経細胞の過興奮性を抑制する．

副作用 腎不全を起こすことがある．その他過敏症，白血球減少，眠気，めまい，知覚異常，食欲不振などが現れることがある．

カルバマゼピン　フェニトイン　ホスフェニトイン
フェニトイン：R=H
ホスフェニトイン：R=CH₂-O-PO₃H₂

エトトイン　フェノバルビタール　プリミドン

アセチルフェネトライド　スルチアム

b　全般発作に有効な薬物

全般発作の第一選択薬として**バルプロ酸**が用いられる．強直間代発作には，第一選択薬としてバルプロ酸が，第二選択薬としてフェノバルビタール，フェニトイン，ゾニサミドが用いられる．新規抗てんかん薬（新世代薬）ではラモトリギン，クロバザム，トピラマート，レベチラセタムが従来薬との併用で用いられる．欠神発作には，第一選択薬のバルプロ酸，第二選択薬のエトスクシミドが用いられる．他剤との併用ではラモトリギン，トピラマートも有効である．ミオクロニー発作には，第一選択薬としてバルプロ酸，第二選択薬としてクロナゼパムが用いられる．他剤との併用ではレベチラセタムおよびトピラマートも有効である．

●バルプロ酸

薬理作用と作用機序 全般発作の第一選択薬として用いる．脂肪酸化合物に分類され，全般発作や部分発作など各種てんかんおよびてんかんに伴う性格行動障害に有効である．とくに欠神発作に強直間代発作が合併する場合に有効である．また，躁病の

治療薬としてあるいは片頭痛発作の発症抑制に使用される．

バルプロ酸は，脳内GABA量を増加させることを主作用とするが，ドパミンならびにセロトニン量も増加させる作用を有する．この作用はGABAの合成酵素であるグルタミン酸デカルボキシラーゼ（GAD）の活性化ならびに代謝系酵素である**GABAトランスアミナーゼを阻害する**ことに基づく．バルプロ酸の作用機序は確立されていないが，脳内の抑制性神経伝達物質であるGABAを賦活することによる．また，抗躁病作用および片頭痛の発症抑制作用にも抑制性伝達物質のGABAを介することが考えられている．

副作用 傾眠，失調，ふらつき，悪心・嘔吐，食欲不振，消化管障害，全身倦怠感など．重大な副作用として，劇症肝炎，高アンモニア血症を伴う意識障害，溶血性貧血，急性膵炎，脳の萎縮，認知症様症状，横紋筋融解症，中毒性表皮壊死融解症，皮膚粘膜眼症候群（スティーブンス・ジョンソン症候群）などが現れる場合がある．

● エトスクシミド

薬理作用と作用機序 サクシニミド系薬に分類され，欠神発作に有効であるが，強直間代発作に対しては無効であるか症状を悪化させるので注意が必要である．抗てんかん作用は，**T型Ca^{2+}チャネル抑制作用およびCl^-チャネル開口作用**により，結果的にGABA機能を亢進させることによる．

副作用 皮膚粘膜眼症候群（スティーブンス・ジョンソン症候群），SLE様症状（発熱，紅斑，筋肉痛，関節痛，リンパ節腫脹，胸部痛など），再生不良性貧血など．

● トリメタジオン

薬理作用と作用機序 オキサゾリン系薬に分類され，エトスクシミドと同様に欠神発作に有効であるが，強直間代発作に対しては無効であるか症状を悪化させるので注意が必要である．作用機序は，確立されたものはないが，T型Ca^{2+}チャネル抑制作用によると考えられている．

副作用 重大な副作用として，中毒性表皮壊死融解症，皮膚粘膜眼症候群（スティーブンス・ジョンソン症候群），SLE様症状，再生不良性貧血，筋無力症がある．

● クロナゼパム

薬理作用と作用機序 ベンゾジアゼピン系薬であるクロナゼパムは，脳の神経細胞膜上に存在する**$GABA_A$受容体複合体**のベンゾジアゼピン結合部位に作用し，Cl^-チャネル開口によりGABAの作用を増強することにより，抗てんかん作用を示す．ミオクロニー発作に有効でバルプロ酸につぐ第二選択薬として用いられる．

副作用 眠気，ふらつき，喘鳴，依存性，呼吸抑制，睡眠中の多呼吸発作，刺激興奮，錯乱などの精神症状，肝障害，黄疸など．

● ジアゼパム（構造式☞ p. 132）　● ニトラゼパム（構造式☞ p. 120）

薬理作用と作用機序はクロナゼパム参照．

● ロラゼパム（構造式☞ p. 132）

てんかん重積状態は成人では脳血管障害や頭部外傷など，小児では熱性痙攣などによって引き起こされる．ロラゼパム錠剤は，1977年に承認され神経症における不

安・緊張・抑うつに対し使われている薬物であるが，静脈注射薬（注射液）は，小児てんかん重積状態の第一選択薬として新たに承認された．

薬理作用 興奮性神経伝達が優位になることで呈するてんかん発作を抑制する．

作用機序 ベンゾジアゼピン系の薬物であり抑制性神経伝達物質であるGABAの親和性を増大させ，抗痙攣作用を発揮する．

副作用 呼吸抑制，無呼吸が現れることがあるので観察を十分行う．心停止，昏睡，激越，錯乱，攻撃性などの精神症状が報告されているので，患者の状態を十分に観察し，異常が認められた場合には適切な処置を行う．

● アセタゾラミド

薬理作用と作用機序 スルホンアミド系薬であり，炭酸脱水酵素の阻害作用を有する利尿薬であるが，脳内のCO_2濃度を増加させることにより，脳の異常な興奮を抑制するので抗てんかん薬としても用いる．部分発作だけでなく全般発作にも有効．

副作用 代謝性アシドーシス，電解質異常，ショック，再生不良性貧血，中毒性表皮壊死融解症，皮膚粘膜眼症候群（スティーブンス・ジョンソン症候群） 急性腎不全，精神錯乱，肝障害などがある．

● フェノバルビタール ● フェニトイン ● ゾニサミド

部分発作に有効な薬物参照．

バルプロ酸　エトスクシミド　トリメタジオン　クロナゼパム　アセタゾラミド

c 抗てんかん補助薬（新世代抗てんかん薬）

ほかの抗てんかん薬では治療効果が十分でない部分発作（二次性全般発作を含む）に対して，併用薬として用いる．

● ガバペンチン

薬理作用と作用機序 従来の抗てんかん薬の作用部位である$GABA_A$受容体複合体に対する活性がなく，さらに電位依存性Na^+チャネルに対する親和性もないことから新たな作用機序を有する薬物として新世代薬に分類される．興奮性ニューロンのシナプス前部位に存在する電位依存性Ca^{2+}チャネルの$\alpha_2\delta$サブユニットに結合し，Ca^{2+}神経細胞内流入を抑制しグルタミン酸などの興奮性神経伝達物質の遊離を抑制する．さらに，脳内GABA量を増加させ，GABAトランスポーターを活性化して抑制性神経伝達物質であるGABA神経機能を増強する．

副作用 傾眠，浮動性めまい，頭痛，複視，倦怠感など．重大な副作用としては，急性腎不全，皮膚粘膜眼症候群（スティーブンス・ジョンソン症候群），薬剤性過

敏症症候群，肝炎，横紋筋融解症などがある．

● トピラマート

薬理作用と作用機序　興奮性グルタミン酸神経のシナプス後部膜の電位依存性 Na^+ チャネル，電位依存性 L 型 Ca^{2+} チャネル，AMPA/カイニン酸型グルタミン酸受容体機能を抑制することにより興奮性伝達を抑制する．さらに $GABA_A$ 受容体機能増強作用および炭酸脱水酵素阻害作用により，抑制性伝達を増強して抗てんかん作用を示す．

副作用　傾眠，体重減少，浮動性めまい，無食欲および大食症候群など．重大な副作用として，続発性閉鎖隅角緑内障およびそれに伴う急性近視，腎・尿路結石，代謝性アシドーシス，乏汗症およびそれに伴う高熱などがある．

● ラモトリギン

薬理作用と作用機序　抗てんかん薬治療を受けている患者に葉酸欠乏症が発現していたことから，抗葉酸作用を有する薬物の探索のなかで見出された．また小児領域で難治性てんかんとして知られるレノックス・ガストー症候群(☞コラム，p.183)の全般発作にも有効である．電位依存性 Na^+ チャネルを頻度依存的かつ電位依存的に抑制することにより，神経膜を安定化させグルタミン酸などの興奮性神経伝達物質の遊離を抑制することにより抗痙攣作用を示す．部分発作(二次性全般化を含む)および強直間代発作に単剤で有効である．

副作用　発疹，頭痛，めまい，消化管障害などがある．重大な副作用としては，中毒性表皮壊死融解症，皮膚粘膜眼症候群(スティーブンス・ジョンソン症候群)，薬剤性過敏症症候群，再生不良性貧血，肝障害などがある．

● レベチラセタム

薬理作用と作用機序　神経終末部からの神経伝達物質の放出制御やてんかん原性に関与することが知られている**シナプス小胞タンパク質** synaptic vesicle protein 2A (**SV2A**)と特異的に結合して抗てんかん作用を示す．電位依存性 Na^+ チャネルの阻害作用はなく，電位依存性 **N 型 Ca^{2+} チャネル**の阻害作用を介して神経細胞内の Ca^{2+} 流入を阻止して神経細胞の興奮を抑制することや，GABA およびグリシン作動性電流に対するアロステリック阻害の抑制，神経細胞間の過剰な同期化の抑制などが確認されている．

副作用　傾眠がみられる．重大な副作用としては，中毒性表皮壊死融解症，皮膚粘膜眼症候群(スティーブンス・ジョンソン症候群)，薬剤性過敏症症候群，重篤な血液障害，肝炎，膵炎，攻撃性，自殺企図，横紋筋融解症などがある．

● クロバザム

薬理作用と作用機序　ベンゾジアゼピン系薬に分類され，ジアゼパムのような代表的ベンゾジアゼピン系薬が複素環 1,4 位に窒素原子を有するのに対して，クロバザムは 1,5 位に窒素原子を有するのが特徴である．ほかの抗てんかん薬で十分な効果が認められないてんかんの部分発作，全般発作にほかの抗てんかん薬と併用で用いられることが多い．作用機序は代表的ベンゾジアゼピン系薬と同様で，$GABA_A$ 受容体複合

体のベンゾジアゼピン結合部位に作用し，GABAの作用を増強することにより，抗てんかん作用を示す．

副作用 眠気，ふらつき，めまい，唾液増加，複視，食欲不振がある．重大な副作用として，依存性，呼吸抑制，中毒性表皮壊死融解症，皮膚粘膜眼症候群（スティーブンス・ジョンソン症候群）がある．

● ペランパネル

薬理作用と作用機序 シナプス後膜に主として存在するAMPA受容体型グルタミン酸受容体に対する選択的な非競合的アンタゴニストで，シナプス間隙のグルタミン酸濃度にかかわらずNa^+の細胞内への流入を抑制することができる．またAMPA誘発細胞内Ca^{2+}濃度上昇も抑制する．既存の抗てんかん薬とは異なる作用機序を有するため，ほかの作用機序を主とする薬物では奏功しにくいてんかん発作に対して有効性を示す可能性がある．

副作用 易刺激性，攻撃性・敵意，不安などの精神症状が現れ，自殺企図に至ることがあるので注意が必要である．ふらつき，めまい，眠気を伴うことがある．

● ラコサミド

薬理作用と作用機序 電位依存性Na^+チャネルの緩徐な不活性化を選択的に促進することにより，過興奮状態にある神経細胞膜を安定化させ，ニューロンの過剰な興奮を抑制する．

副作用 房室ブロック，易刺激性，攻撃性などの精神症状，浮動性めまい，霧視，眠気，注意力・集中力低下など．重度の肝障害のある患者には禁忌である．

ガバペンチン　　トピラマート　　ラモトリギン　　レベチラセタム

クロバザム　　ペランパネル　　ラコサミド

d 重症てんかん発作に用いる薬物

● スチリペントール

薬理作用と作用機序 神経終末より放出されたGABAの取り込み阻害作用，GABAトランスアミナーゼ(GABA-T)の活性抑制作用，$GABA_A$受容体におけるシグナル伝達の促進性アロステリック調節作用などにより抑制性伝達物質であるGABAの伝達を促進することにより痙攣発作を抑制する．クロバザム・バルプロ酸

> **コラム**
>
> **乳児期からみられる重症てんかん**
> ・**ドラベ症候群** Dravet syndrome
> 　乳児重症ミオクロニーてんかんとも呼ばれ，Chalotte Dravet によって報告されたてんかん症候群である．乳児期に発熱により誘発されることが多く，頻回の痙攣発作を反復し，しばしばてんかん重積状態に至る．生後1年以内の乳幼児に発症し1歳以降に発育遅延，精神遅滞，運動機能障害などが後遺症として残る．経過中の致死率も高い．原因はNa$^+$チャネル遺伝子 *SCN1A* の遺伝子異常が原因と考えられる．
> ・**レノックス・ガストー症候群** Lennox-Gastaut syndrome
> 　Lennox と Gastaut によって報告された強直発作をはじめとするさまざまなてんかん発作を示す難治性てんかんで，発作はきわめて難治性で知的障害を伴うことからてんかん性脳症とも呼ばれる．原因には，遺伝子異常，脳機能の障害，脳の形成異常，急性脳炎後遺症，頭部外傷，低酸素脳症，髄膜炎，代謝疾患などがある．
> ・**点頭てんかん**
> 　乳児期に起こる悪性のてんかんで，多くは重篤な脳障害を背景に生後3〜11ヵ月頃に発症しウエスト West 症候群とも呼ばれる．頭部を一瞬垂れたり，四肢を一瞬縮める発作（てんかん性スパズム）を繰り返す．

で効果不十分な**ドラベ症候群**における間代発作または強直間代発作に併用する．

　副作用　血液障害(好中球減少症，血小板減少症)，肝障害，腎障害，不整脈，食欲不振，体重減少，傾眠，ふらつき，眠気，注意力・集中力・反射運動機能の低下が起こることがある．

●**ルフィナミド**

　薬理作用と作用機序　電位依存性 Na$^+$ チャネルの不活性化状態を延長し，さらに持続性の高頻度発火を緩やかに広い濃度範囲で抑制する．脱分極状態にある Na$^+$ チャネルと結合しやすいのが特徴である．ほかの抗てんかん薬で効果が十分でない**レノックス・ガストー症候群**における強直発作および脱力発作に併用薬として用いる．

　副作用　ほかの抗てんかん薬に対してアレルギー歴または発信発現の既往歴がある患者(薬剤性過敏症症候群)には慎重投与が必要である．発疹，食欲不振，嘔吐，便秘，悪心，傾眠，浮動性めまいなどが起きることがある．

●**ビガバトリン**

　薬理作用と作用機序　γ-アミノ酪酸(GABA)の異化に関わる GABA トランスアミナーゼ(GABA-T)に類似基質として不可逆的に結合することにより酵素活性を阻害し，脳内の GABA 量を増加させることにより，抑制性伝達物質としての GABA の働きを増強する．**点頭てんかん**に用いる．

　副作用　不可逆的視野狭窄，視力障害，視神経萎縮，視神経炎，てんかん重積状態，ミオクロニー発作，呼吸障害，脳症状など重篤な副作用が起こることがある（☞コラム）．

A 精神科・神経内科領域の疾患に用いる薬物

> **コラム　点頭てんかん治療薬ビガバトリン(サブリル®)の使用制限**
>
> ビガバトリンは乳児期の点頭てんかんに対する治療薬であるが，不可逆的視野狭窄などの重篤な副作用の発現リスクを避けるために，本剤の投与は①サブリル® 処方登録システム Sabril® registration system for prescription(SRSP)登録医師・薬剤師がいる，②眼科専門医と連携可能な登録医療機関において，③登録患者に対してのみ，行うことと警告されている．投与にあたっては，患者または代諾者に本剤の有効性および危険性について文書によって説明し，文書で同意を得る必要がある．

スチリペントール　　ルフィナミド　　ビガバトリン

抗てんかん薬

種類　薬物［代表的な商品名］	作用機序および適応症	注意すべき副作用
部分発作に有効な薬物		
●カルバマゼピン［テグレトール］	電位依存性 Na^+ チャネル抑制作用　※適応症：部分発作の第一選択薬．躁病，統合失調症の興奮状態，三叉神経痛	傾眠，複視，めまい，ふらつき，皮膚粘膜眼症候群(スティーブンス・ジョンソン症候群)，SLE 様症状，無菌性髄膜炎など
●ゾニサミド［エクセグラン］	電位依存性 Na^+ チャネル抑制作用，T 型 Ca^{2+} チャネル抑制作用　※適応症：部分発作，強直間代発作，ミオクロニー発作(併用療法)	中毒性表皮壊死融解症，皮膚粘膜眼症候群，再生不良性貧血，眠気，無気力，倦怠・脱力感など
●フェニトイン［アレビアチン，ヒダントール］	電位依存性 Na^+ チャネル抑制作用　※適応症：強直間代発作，焦点(部分)発作，自律神経発作，精神運動発作	皮膚粘膜眼症候群，中毒性表皮壊死融解症，歯肉増殖，多毛，小脳萎縮，横紋筋融解症，急性腎不全，認知障害
●ホスフェニトインナトリウム水和物［ホストイン］	電位依存性 Na^+ チャネル抑制作用　※適応症：てんかん重積状態	フェニトイン参照
●エトトイン［アクセノン］	電位依存性 Na^+ チャネル抑制作用　※適応症：強直間代発作	過敏症，血液障害，眠気，頭痛，複視，眼振，悪心・嘔吐，くる病など
●フェノバルビタール［フェノバール］	$GABA_A$ 受容体に作用し，Cl^- チャネル開口により GABA 機能を増強　※適応症：強直間代発作，焦点(部分)発作，自律神経発作，精神運動発作	皮膚粘膜眼症候群，中毒性表皮壊死融解症，紅皮症，過敏症症候群，依存性，顆粒球減少，血小板減少，肝障害，呼吸抑制
●プリミドン［プリミドン］		皮膚粘膜眼症候群，再生不良性貧血
●アセチルフェネトライド［クランポール］	作用機序は不明　※適応症：部分発作，強直間代発作	再生不良性貧血，過敏症，白血球減少，肝障害，腎障害，眠気，頭痛，食欲不振，くる病
●スルチアム［オスポロット］	炭酸脱水酵素の阻害作用　※適応症：部分発作(複雑部分発作)	アセタゾラミド参照

抗てんかん薬（つづき）

種類　薬物［代表的な商品名］	作用機序および適応症	注意すべき副作用
全般発作に有効な薬物		
●バルプロ酸ナトリウム［デパケン，バレリン］	グルタミン酸デカルボキシラーゼ（GAD）の活性化，代謝系酵素であるGABA-Tの阻害によりシナプス間隙のGABA量を増加させる ※適応症：全般発作の第一選択薬，躁病，片頭痛	悪心・嘔吐，傾眠，ふらつき，高アンモニア血症，溶血性貧血，急性膵炎，脱毛，食欲不振，中毒性表皮壊死融解症，皮膚粘膜眼症候群
●エトスクシミド［ザロンチン，エピレオプチマル］	T型Ca^{2+}チャネル抑制作用およびCl^-チャネル開口作用により結果的にGABA機能を亢進 ※適応症：欠神発作	皮膚粘膜眼症候群（スティーブンス・ジョンソン症候群），SLE様症状，再生不良性貧血，汎血球減少
●トリメタジオン［ミノアレ］	T型Ca^{2+}チャネル抑制作用 ※適応症：欠神発作	皮膚粘膜眼症候群，中毒性表皮壊死融解症，SLE様症状，再生不良性貧血，汎血球減少，筋無力症
●クロナゼパム［リボトリール］ ●ジアゼパム［ダイアップ］ ●ニトラゼパム［ベンザリン］ ●ミダゾラム［ミダフレッサ］ ●ロラゼパム［ロラピタ］	$GABA_A$受容体に作用し，Cl^-チャネル開口によりGABA機能を増強 ※適応症：てんかん重積状態，ミオクロニー発作	呼吸抑制，睡眠時多呼吸発作（クロナゼパム），無呼吸（ロラゼパム），依存性，刺激興奮，錯乱などの精神症状
●アセタゾラミド［ダイアモックス］	炭酸脱水酵素の阻害作用 ※適応症：部分発作，強直間代発作	代謝性アシドーシス，電解質異常，ショック，再生不良性貧血
抗てんかん補助薬（新世代抗てんかん薬）		
●ガバペンチン［ガバペン］	電位依存性L型Ca^{2+}チャネル抑制作用，GABAトランスポーターの活性化による脳内GABA量増加作用 ※適応症：ほかの抗てんかん薬で十分な効果が認められないてんかん患者の部分発作（二次性全般化を含む）に対する併用療法	傾眠，浮動性めまい，頭痛，複視，倦怠感などがある．重大な副作用としては，急性腎不全，皮膚粘膜眼症候群，薬剤性過敏症症候群，肝炎，横紋筋融解症
●トピラマート［トピナ］	電位依存性Na^+チャネル抑制作用，電位依存性L型Ca^{2+}チャネル抑制，AMPA/カイニン酸型グルタミン酸受容体機能を抑制，$GABA_A$受容体機能増強作用および炭酸脱水酵素阻害作用 ※適応症：部分発作（二次性全般化を含む）に対する併用療法	傾眠，体重減少，浮動性めまい，無食欲および大食症候群，続発性閉鎖隅角緑内障，腎・尿路結石，代謝性アシドーシス
●ラモトリギン［ラミクタール］	電位依存性Na^+チャネル抑制作用 ※適応症：部分発作（二次性全般化を含む）および強直間代発作に単剤で有効．ほかの抗てんかん薬で十分な効果が認められないてんかん患者の部分発作（二次性全般化を含む），全般発作に対する併用療法	発疹，頭痛，めまい，消化管障害，中毒性表皮壊死融解症，皮膚粘膜眼症候群，薬剤性過敏症症候群，再生不良性貧血，肝障害
●レベチラセタム［イーケプラ］	シナプス小胞タンパク質2Aに結合．電位依存性N型Ca^{2+}チャネル阻害による神経細胞の興奮抑制，GABAおよびグリシン作動性電流に対するアロステリック阻害の抑制，神経細胞間の過剰な同期化の抑制 ※適応症：部分発作，ミオクロニー発作，強直間代発作（他剤併用）	傾眠，中毒性表皮壊死融解症，皮膚粘膜眼症候群，薬剤性過敏症症候群，重篤な血液障害，肝炎，膵炎，攻撃性，自殺企図，横紋筋融解症

抗てんかん薬（つづき）

種類　薬物［代表的な商品名］	作用機序および適応症	注意すべき副作用
●クロバザム［マイスタン］	GABA_A 受容体に作用し，Cl^- チャネル開口により GABA 機能を増強 ※適応症：部分発作，ミオクロニー発作，強直間代発作に対する併用療法に用いる	眠気，傾眠，呼吸抑制，複視，皮膚粘膜眼症候群，中毒性表皮壊死融解症
●ペランパネル水和物［フィコンパ］	AMPA 受容体型グルタミン酸受容体に対する選択的な非競合的拮抗作用 ※適応症：部分発作（二次性全般化を含む）に対する併用療法	易刺激性，攻撃性・敵意，不安などの精神症状，自殺企図，眠気
●ラコサミド［ビムパット］	電位依存性 Na^+ チャネルの緩徐な不活性化を選択的に促進 ※適応症：部分発作（二次性全般化を含む）に対する併用療法	房室ブロック，易刺激性，攻撃性などの精神症状，浮動性めまい，霧視，眠気，注意力・集中力低下
重症てんかん発作に用いる薬物		
●スチリペントール［ディアコミット］	神経終末より放出された GABA の取り込み阻害作用，GABA トランスアミナーゼ（GABA-T）阻害作用，GABA_A 受容体におけるシグナル伝達の促進性アロステリック調節作用 ※適応症：ドラベ症候群における間代発作，強直間代発作に対する併用療法に用いる	血液障害（好中球減少症，血小板減少症），肝障害，腎障害，不整脈，食欲不振，体重減少，傾眠，ふらつき，眠気，注意力・集中力・反射運動機能の低下
●ルフィナミド［イノベロン］	電位依存性 Na^+ チャネルの不活性化状態を延長し，さらに持続性の高頻度発火を緩やかに広い濃度範囲で抑制 ※適応症：レノックス・ガストー症候群における強直発作および脱力発作（抗てんかん薬と併用）	発疹，食欲不振，嘔吐，便秘，悪心，傾眠，浮動性めまい
●ビガバトリン［サブリル］	GABA-T に類似基質として不可逆的に結合して酵素活性を阻害し，脳内 GABA 量を増加させる ※適応症：点頭てんかん	不可逆的視野狭窄，視覚障害，視力障害，視神経萎縮，視神経炎，てんかん重積状態，ミオクロニー発作，呼吸障害，脳症症状

❷ 中枢性骨格筋弛緩薬

　　中枢性骨格筋弛緩薬 central muscle relaxants は，主として脊髄および脳幹における単および多シナプス反射を抑制し，骨格筋の収縮に必要な筋紡錘線維に達し，反射路を介して緊張を制御している γ 運動ニューロンの活動性を低下させて骨格筋の攣縮を抑制する．脳血管障害後遺症，脳性麻痺，脊髄麻痺などによる痙性麻痺，あるいは筋緊張性頭痛，頸肩腕症候群や腰痛症候群などにおける筋緊張状態や有痛性攣縮の治療に用いられる．

中枢性骨格筋弛緩薬

種類　薬物［代表的な商品名］	作用機序および適応症	注意すべき副作用
●メトカルバモール［ロバキシン］	脊髄シナプス反射と筋紡錘活動の抑制 ※適応症：運動器疾患に伴う有痛性攣縮	発疹，頭痛，頭重感，眠気，めまい，悪心・嘔吐
●クロルゾキサゾン［クロルゾキサゾン］	多シナプス反射の抑制 ※適応症：運動器疾患に伴う有痛性攣縮	発疹，瘙痒，眠気，めまい，悪心・嘔吐，下痢，便秘
●プリジノールメシル酸塩［ロキシーン］	交差伸展反射と痙攣の抑制 ※適応症：運動器疾患に伴う有痛性攣縮	発疹，めまい，ふらつき，倦怠感，悪心，口渇
●クロルフェネシンカルバミン酸エステル［リンラキサー］	脊髄シナプス反射と筋紡錘活動の抑制 ※適応症：腰肩痛症，変形性脊椎症，椎間板ヘルニア，脊椎分離，すべり症，脊椎骨粗鬆症，頸肩腕症候群	ショック，中毒性表皮壊死融解症，めまい，ふらつき，眠気，腹痛，消化不良，嘔気，発疹，浮腫，腫脹感
●エペリゾン塩酸塩［ミオナール］	脊髄シナプス反射，固縮，筋紡錘感度の抑制，血流改善，脊髄での鎮痛作用 ※適応症：脳血管障害，脳性麻痺，痙性脊髄麻痺，脊髄血管障害，外傷・術後後遺症，頸部脊椎症，後縦靱帯骨化症，多発性硬化症，脊髄小脳変性症	ショック，アナフィラキシー，皮膚粘膜眼症候群，中毒性表皮壊死融解症，めまい，ふらつき，眠気，腹痛，消化不良，嘔気，発疹，浮腫，腫脹感
●アフロクアロン［アロフト］	脊髄シナプス反射と固縮の抑制 ※適応症：頸肩腕症候群，腰痛による筋緊張状態，脳血管障害，脳性麻痺，痙性脊髄麻痺，脊髄血管障害，頸部脊椎症，後縦靱帯骨化症，多発性硬化症，筋萎縮側索硬化症，脊髄小脳変性症，外傷後遺症，術後後遺症	皮膚粘膜眼症候群，中毒性表皮壊死融解症，紅皮症，過敏症症候群，依存性，顆粒球減少，血小板減少，肝障害，呼吸抑制
●チザニジン塩酸塩［テルネリン］	中枢性アドレナリンα_2受容体刺激作用，脊髄シナプス反射・γ運動ニューロン活性抑制，固縮抑制，脊髄での鎮痛作用 ※適応症：頸肩腕症候群，腰痛による筋緊張状態，脳血管障害，痙性脊髄麻痺，頸部脊椎症，脳性麻痺，外傷後遺症，脊髄小脳変性症，多発性硬化症，筋萎縮側索硬化症による痙性麻痺	ショック，血圧低下，心不全，呼吸障害，肝炎，肝障害，黄疸，眠気，めまい，ふらつき，口渇，悪心，食欲不振，胃不快感，腹痛，下痢，発疹，脱力，倦怠感
●バクロフェン［リオレサール，ギャバロン］	GABA誘導体で脊髄シナプス反射・γ運動ニューロン活性の抑制，固縮抑制，脊髄での鎮痛作用 ※適応症：脳血管障害，脳性麻痺，痙性脊髄麻痺，脊髄血管障害，外傷・術後後遺症，頸部脊椎症，後縦靱帯骨化症，多発性硬化症，脊髄小脳変性症，その他の脳性麻痺，ミエロパチーによる痙性麻痺	依存性，意識障害，呼吸抑制，眠気，頭痛，頭重，知覚異常，悪心，食欲不振，尿失禁，発疹，脱力感，ふらつき，めまい

神経系の疾患と治療薬 2章

B 麻酔科領域で用いられる薬物

　薬物などによって外科手術の際の痛みを取り除くために，一定時間において，無痛，反射喪失の状態をつくり出す方法が麻酔である．中枢神経あるいは末梢神経を，一時的かつ可逆的に抑制し，麻酔状態を惹起する薬物を麻酔薬と呼ぶ．主として中枢神経を可逆的に抑制するものが全身麻酔薬で，末梢神経を抑制するものが局所麻酔薬である．全身麻酔法には，吸入麻酔法（気管内挿管法，マスク麻酔法）や静脈麻酔法がある．局所麻酔法には，表面麻酔法，局所浸潤麻酔法，伝達麻酔法（脊椎麻酔法，硬膜外麻酔法，神経叢遮断法）などがある．患者の状態や手術の種類に応じて，それぞれに適した麻酔法および麻酔薬を選択する．

★対応する薬学教育モデル・コアカリキュラム

　E2 薬理・病態・薬物治療　（1）神経系の疾患と薬
　　GIO
　・神経系・筋に作用する医薬品の薬理および疾患の病態・薬物治療に関する基本的知識を修得し，治療に必要な情報収集・解析および医薬品の適正使用に関する基本的事項を修得する．
　　SBO【③中枢神経系の疾患の薬，病態，治療】
　・以下の薬について，薬理（薬理作用，機序，主な副作用）を説明できる．
　　　・全身麻酔薬，催眠薬
　　　・麻薬性鎮痛薬，非麻薬性鎮痛薬
　　　・中枢興奮薬
　・以下の疾患について，治療薬の薬理（薬理作用，機序，主な副作用）を説明できる．
　　　・片頭痛

1 全身麻酔薬

1-1 全身麻酔薬

■全身麻酔の概要

❶ 全身麻酔

　　手術や検査などの侵襲的刺激によって，痛みや恐怖をはじめとする種々のストレスがかかる．それを防ぐためには「麻酔」が必要不可欠となる．手術する部位のみを麻酔する局所麻酔に対し，全身麻酔では全身を麻酔し，痛み・意識消失，骨格筋弛緩，副交感神経反射の抑制などによって，広範な部位における手術を可能とする．

❷ 麻酔深度

　　全身麻酔薬 general anesthesia は外科手術を容易に実施するために用いる薬物であり，**エーテル麻酔**を基準にして麻酔薬の薬理作用の程度を4段階の麻酔深度として分類している（表 2B-1）．麻酔深度は，全身麻酔薬の投与量と時間に応じて段階的に進行するため，手術に適した深度を明確に把握することが肝要となるが，第三期2相が手術に最適な深度とされる．なお，エタノールはその時期が極度に短いために麻酔薬としては使用されない．

表 2B-1　麻酔深度

深度	作用部位	特徴
第一期 （導入期，無痛覚）	大脳皮質体性感覚領	痛覚脱失，意識低下，ときに健忘
第二期 （発揚期，興奮期）	大脳皮質全般	意識消失，興奮，健忘，反射亢進，不規則呼吸，散瞳
第三期 （手術期）	中脳・間脳・脊髄	1〜2相：無意識，反射消失，中等度筋弛緩，呼吸脈拍安定，血圧安定 3相：体温低下，血圧下降，強度の骨格筋弛緩 4相：肋間筋麻痺，横隔膜停止
第四期 （中毒期，延髄麻痺期）	延髄	血管運動中枢麻痺，呼吸中枢麻痺

3 全身麻酔薬の作用部位

a 不規則的下行性麻痺（一般的な全身麻酔薬）

全身麻酔薬は中枢を非特異的に抑制するが，一般的には大脳皮質，中脳・間脳，脊髄，延髄の順に抑制する．

b 規則的下行性麻痺（モルヒネなど）

全身麻酔薬と異なり，大脳皮質，中脳・間脳，延髄，脊髄の順に抑制するため，手術期の前に中毒期に入ることから，麻酔薬として使用できない．

■全身麻酔薬および麻酔補助薬

1 吸入麻酔薬

ガス状態で吸入された麻酔薬が血液に溶解し，脳に達して麻酔状態が得られる．常温で液体の揮発性麻酔薬と沸点が常温より低いガス性麻酔薬に分類される．

吸入麻酔薬の麻酔への導入や，麻酔からの覚醒の速さの指標としては，血液への溶解度である**血液/ガス分配係数**がある．数値が大きいほど血液に溶ける量が多く，効果を発現する血中濃度に達したり，血中から消失したりするのに時間を要するため，導入および覚醒は遅くなる．

また，麻酔作用の強さを示す指標として，**MAC**（**最小肺胞内濃度** minimum alveolar conentration）があり，50％の患者が皮膚切開に対して体動を示さないときの最小肺胞内濃度である．したがって，MACの値が小さいほど強い麻酔薬である．例えばハロタンのMACは0.77であり，亜酸化窒素（笑気）のMACは105なので，笑気は麻酔薬としては弱いと考えられる．

a 揮発性麻酔薬

- **エーテル（ジエチルエーテル）**

  強い麻酔作用および筋弛緩作用を有する．しかしながら，導入期，発揚期が長く手術期到達までに時間がかかる．気道粘膜刺激作用も強い．さらに，延髄CTZ（化学受容器引き金帯）の刺激による催吐作用ももつ．なお，上記の作用に加え，引火性があり電気メスと併用ができないため，現在では用いられない．

- **ハロタン**（現在販売中止）

  麻酔作用が強く，麻酔導入および覚醒が速やかである．鎮痛作用や筋弛緩作用が弱く，それらを補うために亜酸化窒素と併用する．心筋のカテコールアミン感受性が増大することから不整脈が生じやすい．肝障害を起こすこともある．

- **イソフルラン**

  麻酔導入，覚醒は速やかである．ハロタンの欠点を補うようにデザインされた吸入

麻酔薬である．ハロタンと比べ，心筋のカテコールアミン感受性増大作用は弱く，肝障害の発症率は低くなった．生体内代謝率は低い．

- セボフルラン

　麻酔導入，覚醒はきわめて速やかである．血液/ガス分配係数が小さく，体内残留率が低いので中毒を生じにくい．ハロタンに比較して，心筋のカテコールアミン感受性増大作用は弱い．麻酔後の呼吸抑制はハロタンに比べて軽微である．

- デスフルラン

　麻酔の覚醒はきわめて速やかである．生体内代謝率がきわめて低い．気道刺激性が強いため，導入には使用しない．

b　ガス性麻酔薬

- 亜酸化窒素（笑気）

　現在用いられている唯一のガス性麻酔薬である．鎮痛作用が強力である．麻酔作用，筋弛緩作用が弱いので，ほかの麻酔薬と併用すると麻酔深度が深まる．酸素欠乏症を生じやすいので20％程度の酸素と混合して使用する．

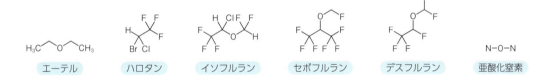

エーテル　　ハロタン　　イソフルラン　　セボフルラン　　デスフルラン　　亜酸化窒素

❷ 静脈麻酔薬

　吸入麻酔薬と比較すると，麻酔薬の静脈内単回投与によって血中濃度の上昇が速やかに得られるので**麻酔導入薬**として汎用される．

a　バルビツール酸系薬

- チアミラール　　・チオペンタール

　脂溶性が高く，脳以外の組織へ再分配されやすいため，超短時間作用性として麻酔の導入に使用される．鎮静作用は有するが，鎮痛作用や筋弛緩作用はない．中枢神経系の$GABA_A$受容体複合体に結合し，Cl^-チャネルを開口させ，GABAの作用を増強する．なお，麻酔深度の調整は困難である．

b　ベンゾジアゼピン系薬

- ミダゾラム

　中時間作用型として麻酔の導入に使用される．鎮静作用は有するが，鎮痛作用や筋弛緩作用はない．$GABA_A$受容体のベンゾジアゼピン結合部位に結合し，GABAの作用を増強する．

c フェンサイクリジン系薬

●ケタミン

グルタミン酸NMDA受容体遮断によって麻酔作用や鎮痛作用を発現する．大脳皮質を抑制する一方で，辺縁系を興奮させることから**解離性麻酔薬**とも呼ばれる．鎮痛作用は下行性疼痛抑制系の賦活により，脊髄における痛覚伝導を抑制することに起因する．なお，筋弛緩作用はない．

d ブチロフェノン系薬

●ドロペリドール

強力な神経遮断薬（ドロペリドール）と強力な鎮痛薬（フェンタニル）を50：1で併用し，完全に意識消失することなく患者を手術可能な状態にする麻酔方法（神経遮断性麻酔 neuroleptanalgesia：NLA）において用いられる．循環器系に対する影響は軽微で，物質代謝，肝臓や腎臓への影響も少ない．意識消失が必要な場合は亜酸化窒素を併用する．

e その他の静脈麻酔薬

●プロポフォール

中枢神経系のGABA$_A$受容体複合体に結合し，Cl$^-$チャネルを開口させ，GABAの作用を増強する．催眠導入が1分以内で，覚醒も5分と超短時間作用性のチオバルビツール酸誘導体よりも速い．持続点滴による全身麻酔に用いる．

チアミラール　　チオペンタール　　ミダゾラム

ケタミン　　ドロペリドール　　プロポフォール

❸ 麻酔補助薬（麻酔前投薬）

全身麻酔薬のみでは手術可能な麻酔状態に到達できない場合や，麻酔薬や手術による副作用の軽減を目的に補助的に用いられる（**表2B-2**）．

表 2B-2　麻酔前投薬

薬　物	使用目的
ベンゾジアゼピン系薬	手術前の不安，緊張，不眠の除去
麻薬性鎮痛薬	鎮痛，鎮静，不安の除去
クロルプロマジン，ハロペリドール	鎮静や術中の嘔吐の防止
抗コリン薬	術中の気道分泌の抑制
β 受容体遮断薬	術中の不整脈の抑制
H_2 受容体遮断薬	手術のストレスによる消化管出血の防止

1-2　催眠薬

■薬　理

　催眠薬 hypnotic は睡眠と類似した中枢神経抑制状態を誘導する薬物である．化学構造によって，ベンゾジアゼピン系催眠薬，非ベンゾジアゼピン系催眠薬，バルビツール酸系催眠薬，その他の催眠薬に分類される．バルビツール酸系催眠薬は少量で鎮静，中等量で催眠，多量で麻酔，過量で昏睡から死に至る．一方，ベンゾジアゼピン系催眠薬および非ベンゾジアゼピン系催眠薬は自然睡眠と同様の睡眠パターンを誘導し副作用が少ない．本項では麻酔前投薬として使用されるものについて主に解説する．

a　ベンゾジアゼピン系薬

　ベンゾジアゼピン系薬にはベンゾジアゼピン誘導体に加え，エチゾラムに代表されるチエノジアゼピン誘導体がある．リルマザホンは，代謝活性化によって環化し，ベンゾジアゼピン誘導体となり作用を発現する．ベンゾジアゼピン系薬は，バルビツール酸系薬その他の催眠薬と比較して，REM 睡眠への影響が少なく，自然睡眠に近いなど多くの長所をもっている．とくに，副作用，耐性，薬物依存，薬物相互作用，致死毒性などの点でより安全であることから，ベンゾジアゼピン系薬は不眠症の第一選択薬および麻酔前投薬として汎用されている．

　作用機序　大脳辺縁系，視床下部，脳幹部の $GABA_A$ 受容体複合体のベンゾジアゼピン結合部位に結合し，$GABA_A$ 受容体機能を増大させる．

　副作用　超短時間作用型および短時間作用型で**前向性健忘**，**反跳性不眠**が，長時間作用型でもち越し効果など．

1) 超短時間作用型

　速効性に優れるが，効果は 2～4 時間で消失する．

- トリアゾラム（構造式☞ p. 120）

2) 短時間作用型

　速効性もあり，効果は 6～10 時間持続する．

- エチゾラム（構造式☞ p.133）　●ブロチゾラム（構造式☞ p.120）
- リルマザホン（構造式☞ p.120）

3）中時間作用型

作用発現はあまり速くないが，効果は 12～24 時間持続する．

- フルニトラゼパム（構造式☞ p.120）　●ニトラゼパム（構造式☞ p.120）
- エスタゾラム（構造式☞ p.120）

4）長時間作用型

作用発現に時間を要するが，効果は 24 時間以上持続する．

- クアゼパム（構造式☞ p.121）　●フルラゼパム（構造式☞ p.121）

b　非ベンゾジアゼピン系薬

ベンゾジアゼピンと化学構造は異なるが，$GABA_A$ 受容体ベンゾジアゼピン結合部位に作用して抑制性神経機能を亢進させ催眠作用を生じる超短時間型の催眠薬である．

- ゾピクロン（構造式☞ p.122）

鎮静作用，抗不安作用があり，弱いながらも筋弛緩作用も有する．不眠症の深睡眠を回復する超短時間型催眠薬であり，麻酔前投薬として用いられる．超短時間型ベンゾジアゼピン系催眠薬様の副作用がある．口中の苦みが問題となっている．

c　バルビツール酸系薬

- ペントバルビタール（構造式☞ p.118）　●セコバルビタール（構造式☞ p.118）

$GABA_A$ 受容体複合体において，バルビツール酸誘導体はピクロトキシン結合部位に結合し，Cl^- チャネルを開口する．その結果，細胞内に Cl^- が流入し，シナプス膜に過分極が起こり，抑制性神経機能を亢進させ，興奮性シナプスの伝達を抑制する．睡眠は刺激によって覚醒する．睡眠が深くなると REM 睡眠も抑制される．長期投与の副作用として依存形成，耐性が生じる．大量投与による中毒症状として呼吸麻痺が起こる．

d　その他の催眠薬

- ブロモバレリル尿素（構造式☞ p.124）

構造中の Br 由来の催眠・鎮静作用を有するが，身体依存および精神依存を生じる．連用の中止によって，痙攣発作，せん妄，振戦を生じる．

- 抱水クロラール

体内でトリクロルエタノールとなって鎮静・催眠および抗痙攣作用を発現する．作用時間は抱水クロラールのほうが長い．過量になると心筋障害を起こすことがある．

抱水クロラール

全身麻酔薬

種類　薬物［代表的な商品名］	作用機序	注意すべき副作用
吸入麻酔薬（揮発性麻酔薬）		
●エーテル（ジエチルエーテル） ●イソフルラン［フォーレン］ ●セボフルラン［セボフレン］ ●デスフルラン［スープレン］	ガス状態で吸入された麻酔薬が血液に溶解し，脳に達して麻酔状態が得られる	悪性高熱，ショック，アナフィラキシーなど
吸入麻酔薬（ガス性麻酔薬）		
●亜酸化窒素（笑気） 　［液化亜酸化窒素，笑気］		酸素欠乏症を生じやすい．造血機能障害など
静脈麻酔薬		
バルビツール酸系薬 ●チアミラールナトリウム 　［イソゾール，チトゾール］ ●チオペンタールナトリウム 　［ラボナール］	中枢神経系のGABA$_A$受容体複合体に結合し，GABAの作用を増強し，Cl$^-$チャネルを開口させる	ショック，呼吸抑制など
ベンゾジアゼピン系薬 ●ミダゾラム［ドルミカム］	ベンゾジアゼピン結合部位に結合し，GABA$_A$受容体機能を増大させる	薬物依存，呼吸抑制など
フェンサイクリジン系薬 ●ケタミン塩酸塩［ケタラール］	グルタミン酸NMDA受容体遮断薬．大脳皮質を抑制する一方で，辺縁系を興奮させる．鎮痛作用は下行性疼痛抑制系賦活による，脊髄における痛覚伝導抑制による	急性心不全，呼吸抑制など
ブチロフェノン系薬 ●ドロペリドール［ドロレプタン］		フェンタニルとの併用で依存性，無呼吸など
その他の静脈麻酔薬 ●プロポフォール［ディプリバン］	中枢神経系のGABA$_A$受容体複合体に結合し，GABAの作用を増強し，Cl$^-$チャネルを開口させる	低血圧，アナフィラキシーなど

催眠薬

種類　薬物　[代表的な商品名]	作用機序	注意すべき副作用
ベンゾジアゼピン系薬		
●トリアゾラム［ハルシオン］ ●ブロチゾラム［レンドルミン］ ●リルマザホン塩酸塩水和物［リスミー］ ●フルニトラゼパム［サイレース］ ●ニトラゼパム［ベンザリン，ネルボン］ ●エスタゾラム［ユーロジン］ ●クアゼパム［ドラール］ ●フルラゼパム塩酸塩［ダルメート］	大脳辺縁系，視床下部，脳幹部のベンゾジアゼピン結合部位に結合し，$GABA_A$受容体機能を増大させる．リルマザホン塩酸塩水和物は，代謝活性化によって環化し，ベンゾジアゼピン誘導体となり作用を発現する	超短時間および短時間型で前向性健忘，反跳性不眠，長時間作用型でもち越し効果など
非ベンゾジアゼピン系薬		
●ゾピクロン［アモバン］	$GABA_A$受容体のベンゾジアゼピン結合部位に作用してGABA神経機能を亢進させる	超短時間型ベンゾジアゼピン系薬と同様の副作用．口中の苦味
バルビツール酸系薬		
●ペントバルビタールカルシウム［ラボナ］ ●セコバルビタールナトリウム［アイオナール・ナトリウム］	$GABA_A$受容体複合体のピクロトキシン結合部位に結合し，Cl^-チャネルを開口させた結果，細胞内にCl^-が流入し，シナプス膜に過分極が起こり，抑制性神経機能亢進により興奮性シナプスの伝達を抑制する	長期投与の副作用として依存形成，耐性が生じる．大量投与による中毒症状として呼吸麻痺が起こる
その他の催眠薬		
●ブロモバレリル尿素［ブロバリン］	構造中のBr^-由来の催眠・鎮静作用を示す	連用の中止による，痙攣発作，せん妄，振戦
●抱水クロラール［エスクレ］		心筋障害

2 鎮痛薬

2-1 麻薬性鎮痛薬

❶ 鎮痛薬とは

　鎮痛薬 analgesics は意識消失を起こさず，また触覚などのほかの諸感覚に影響を与えない用量で選択的に痛みを抑制する薬物である．主として中枢に作用し強力な鎮痛作用をもつ**麻薬性鎮痛薬** narcotic analgesics と，主に末梢におけるシクロオキシゲナーゼ(COX)阻害作用を有する**解熱性鎮痛薬** antipyretic analgesics とに大別される．

❷ 痛みの受容と痛覚伝導路

　痛みは侵害受容性，炎症性および神経障害性疼痛に分類される．これらのなかで，**侵害受容性疼痛**は生理的疼痛とも呼ばれ，生体警告機構としての役割もある．しかしながら，痛みが慢性化する場合は除痛が必要になる．侵害受容性疼痛は，組織の実質的あるいは潜在的な傷害に結びつくか，このような傷害を表す言葉を使って述べられる不快な感覚・情動体験である．末梢組織が傷害されると，サイトカインや神経ペプチドなどが肥満細胞，T細胞などから放出され，組織に炎症を引き起こす．熱刺激や腫脹による機械的刺激，炎症性分子による化学的刺激によって，痛みに関連する高閾値機械受容器やポリモーダル受容器が活性化される．針で刺されたような鋭い痛みは皮膚の高閾値機械受容器で受容され，Aδ線維を上行する．内臓痛，がん痛，歯痛などの痛みは，多種類の侵害刺激に感受性を示すポリモーダル受容器で受容されC線維を上行する．さらに，受容器の活性化によって発生するシグナルは，外側脊髄視床路や前脊髄視床路などの痛覚伝導路を上行し，それぞれ視床腹側基底核群と髄板内核群に到達する．さらに，触覚を伝達するAβ線維は，神経損傷などに基づく神経障害性疼痛の伝達に関与する(図 2B-1)．

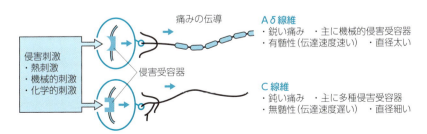

図 2B-1　末梢における痛みの受容

3 下行性疼痛抑制

下行性疼痛抑制系にはノルアドレナリン(NA)神経やセロトニン(5-HT)神経などのモノアミン神経系が関与する．NA神経は**青斑核**から脊髄後角へ投射し，侵害受容刺激を抑制する．5-HT神経系は単一の系ではなく，オピオイド(βエンドルフィン，

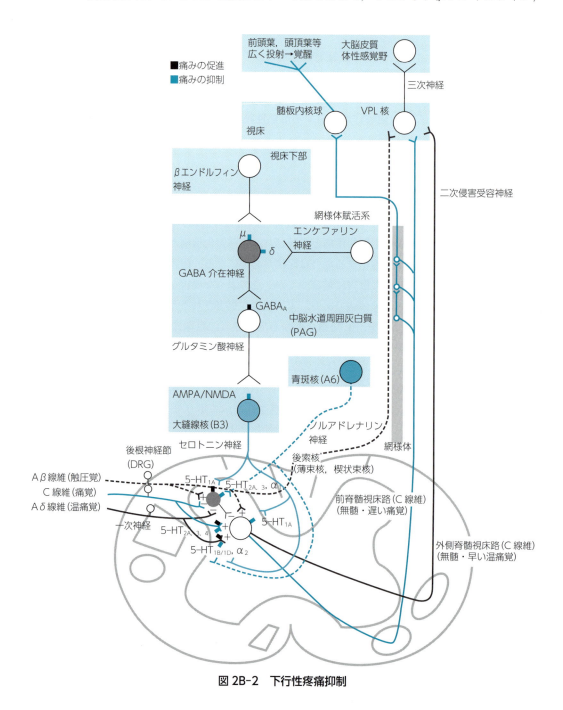

図 2B-2　下行性疼痛抑制

エンケファリン，ダイノルフィン），アミノ酸（アスパラギン酸，グルタミン酸）やGABA神経が介在する．視床下部前索前野から投射しているβエンドルフィン神経は，中脳水道周囲灰白質 periaqueductal gray matter（PAG）へ投射する．その後痛覚情報は，アミノ酸神経から，5-HT神経へと続き，脊髄後角へ入力される．通常は，介在性神経であるGABA神経によって下行性疼痛抑制系は抑制されているが，生体内オピオイドの刺激やモルヒネの投与によって，オピオイド神経が活性化されると，GABA神経が抑制されることで，下行性疼痛抑制系が活性化し痛みが緩和される．一方，GABA神経には抑制性5-HT受容体の1つである5-HT$_{1A}$受容体が存在しているため，その受容体刺激によっても下行性疼痛抑制系が賦活化する（図2B-2）．

4 内因性オピオイドペプチドとその受容体

麻薬性鎮痛薬や関連合成鎮痛薬などのアルカロイドあるいは**内因性モルヒネ様ペプチド類**をあわせて**オピオイド** opioid と総称する．オピオイドは薬理学的名称であり，麻薬は法律的な名称である．内因性のオピオイドペプチドとして，メチオニンエンケファリン，ロイシンエンケファリン，βエンドルフィン，ダイノルフィンなど約20種類が知られている．これらはいずれも3つの異なる前駆体タンパク質からプロセシング酵素による限定分解を受けて産生される生理活性ペプチドである．これらのオピオイドペプチドが作用するオピオイド受容体は μ，δ および κ 受容体が存在する．オピオイド受容体は内因性オピオイドへの親和性や局在に差があるものの，いずれもGタンパク質共役7回膜貫通型の受容体であり，G_i および G_o を介してアデニル酸シクラーゼ活性の抑制，K^+ チャネルの開口促進や Ca^{2+} チャネル開口作用を示す（☞1章2.4.a.2）Gタンパク質共役型受容体，p.21）．

5 麻薬性鎮痛薬

オピオイド受容体に作用して，強力な中枢性鎮痛作用を発揮する鎮痛薬であり，非麻薬性鎮痛薬（NSAIDsを除く）を含めた総称である．

a 麻　　薬

● モルヒネ

薬理作用　鎮痛作用，鎮静作用，呼吸抑制作用，消化管運動抑制作用，鎮咳作用，催吐作用，縮瞳作用，瘙痒誘発作用などを発現する．

作用機序　鎮痛作用は主としてオピオイドμ受容体を介して発現する．PAGや延髄網様体細胞に働いて脊髄への下行性疼痛抑制系を強める．一方，脊髄の後角細胞および介在神経を介して一次知覚神経からの入力も抑制する．呼吸抑制作用は延髄呼吸中枢抑制作用による．消化管運動抑制作用は消化管におけるオピオイドμ受容体を介して，アセチルコリンの遊離を抑制することで発現する．鎮咳作用は視床下部孤束

核における知覚入力の抑制による．催吐作用は延髄第4脳室底にある**化学受容器引き金帯** chemoreceptor trigger zone（**CTZ**）への直接作用による．縮瞳作用は動眼神経核の刺激作用によるが，モルヒネの点眼では起こらない．瘙痒誘発作用は皮膚に存在する肥満細胞からのヒスタミン遊離による．

副作用

急性中毒：呼吸麻痺や無呼吸相と過呼吸相を繰り返すチェーン・ストークス型呼吸を誘発する．解毒薬として，ナロキソンやレバロルファンなどの麻薬拮抗薬を使用する．ジモルホラミンなどの脳幹興奮薬は，モルヒネの中枢興奮作用を助長して痙攣を誘発するために用いない．

慢性中毒：耐性，精神依存・身体依存（摂取中止で離脱症状が発現）を生じる．

●オキシコドン

アヘンに含まれるアルカロイドのテバインから合成される半合成麻薬である．中等度から高度の疼痛を伴う各種がんにおける鎮痛薬として適応がある．

●フェンタニル

麻酔や鎮痛，疼痛緩和の目的で利用される合成麻薬である．麻薬としてはじめて貼付剤として用いられ，1回の貼付で約72時間鎮痛効果が持続する．

●ペチジン

経口，皮下注射，筋肉内注射，静脈内注射で用いられる合成麻薬である．中等度または重度の疼痛に対する鎮痛薬あるいは麻酔前投薬として使用される．血液胎盤関門を通過しにくいため，無痛分娩の際に鎮痛薬として応用される．

●メサドン

μ受容体刺激薬であり，作用はモルヒネに類似している．消化管吸収率が高く，半減期は長く，個人差が大きい．

●タペンタドール

1日2回投与の持続性の鎮痛薬である．μ受容体刺激作用とノルアドレナリン再取り込み阻害作用を有する中枢性鎮痛薬であり，従来のオピオイドと比較してμ受容体への作用が弱いことから，眠気や消化器症状などの副作用が少ないとされる．

b 非麻薬

麻薬には指定されていないが，オピオイド受容体に作用し鎮痛作用などを示す．

- **ペンタゾシン**

  μ 受容体遮断または部分刺激作用を示す．弱い κ 受容体刺激作用を有する．

- **エプタゾシン**

  弱い κ 受容体刺激作用をもつ．

- **ブプレノルフィン**

  μ 受容体部分刺激作用をもちながら，κ 受容体遮断作用も有する．

- **トラマドール**

  セロトニン，ノルアドレナリン再取り込み阻害作用を有し，下行性疼痛抑制系を活性化する．さらに μ 受容体刺激作用を示す．依存性が弱い．

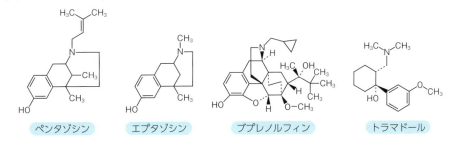

ペンタゾシン　エプタゾシン　ブプレノルフィン　トラマドール

2-2 解熱性鎮痛薬

解熱性鎮痛薬は視床下部・体温調節中枢に作用し，発熱時の体温を下降させると同時に，鎮痛作用を示す薬物である．構造によって，サリチル酸系，アニリン系およびピラゾロン系に大別されるが，作用機序は共通しており，シクロオキシゲナーゼ cyclooxygenase (COX) 阻害によるプロスタグランジン産生抑制による．なお，これらの鎮痛薬は麻薬性鎮痛薬と異なり，耐性・依存形成はみられない．

a サリチル酸系薬

- **アスピリン（アセチルサリチル酸）**

  視床下部・体温調節中枢抑制による解熱作用を発現する．なお，正常体温以下には下降させない．自由終末におけるブラジキニン感受性低下によって鎮痛作用を発現する．ブラジキニンが関与しない内臓痛には無効である．抗炎症作用も有する．副作用として消化管障害，アレルギーおよび出血傾向がある．

b 非ピリン系薬（アニリン系）

- **アセトアミノフェン**

  p-アミノフェノール誘導体でアスピリンに匹敵する解熱・鎮痛作用を有するが，抗炎症作用はきわめて弱い．ごく弱い COX 阻害作用がある．アスピリンが禁忌の患

者(消化性潰瘍など)にはとくに有用性が高い．副作用は少ないが，ときに発疹，発熱などのアレルギー，まれに顆粒球減少症などが起こることがある．

c　ピリン系薬(ピラゾロン系)

●スルピリン

ピラゾロン誘導体で，比較的強い解熱作用があるが，鎮痛作用は弱い．消化管障害，頭痛，倦怠感，腎障害などの副作用がみられる．スルピリンの作用機序の解明は不十分であり，ほかの薬物が無効の場合にのみ用いる．

アスピリン　　　　アセトアミノフェン　　　　スルピリン

麻薬性鎮痛薬

種類　薬物［代表的な商品名］	作用機序	注意すべき副作用
麻薬		
●モルヒネ塩酸塩水和物［アンペック］ ●オキシコドン塩酸塩水和物 　［オキノーム，オキファスト］ ●フェンタニル［デュロテップ］ ●ペチジン塩酸塩 　［オピスタン，ペチロルファン］ ●メサドン塩酸塩［メサペイン］ ●タペンタドール塩酸塩徐放剤［タペンタ］	鎮痛作用は主としてオピオイドμ受容体を介して発現する．PAGや延髄網様体細胞に働いて脊髄への下行性疼痛抑制系を強める．一方，脊髄の後角細胞および介在神経を介して一次知覚神経からの入力も抑制する	急性中毒：呼吸麻痺や無呼吸相と過呼吸相を繰り返すチェーン・ストークス型呼吸 慢性中毒：耐性，精神依存・身体依存(摂取中止で離脱症状が発現)
非麻薬		
●ペンタゾシン［ソセゴン，ペンタジン］ ●エプタゾシン臭化水素酸塩［セダペイン］ ●ブプレノルフィン塩酸塩［レペタン］ ●トラマドール塩酸塩［トラマール］	オピオイド受容体に作用し鎮痛作用などを示す．麻薬性鎮痛薬の作用機序に類似する	

解熱性鎮痛薬

種類　薬物［代表的な商品名］	作用機序	注意すべき副作用
サリチル酸系薬		
●アスピリン［アスピリン］	視床下部・体温調節中枢抑制によって解熱作用を，自由終末におけるブラジキニン感受性低下によって鎮痛作用を発現する	消化管障害，アレルギー，出血傾向
非ピリン系薬		
●アセトアミノフェン 　［アンヒバ，カロナール］	p-アミノフェノール誘導体でアスピリンに匹敵する解熱・鎮痛作用を有するが，抗炎症作用はきわめて弱い	発疹，発熱などのアレルギー，まれに顆粒球減少症など
ピリン系薬		
●スルピリン水和物［メチロン］	ピラゾロン誘導体で，比較的強い解熱作用があるが，鎮痛作用は弱い	消化管障害，頭痛，倦怠感，腎障害など

3 片頭痛

■病態生理

1 片頭痛の病態

片頭痛 migraine は，脳動脈の収縮または拡張によって生じる片側性・拍動性の発作性頭痛である．チョコレート，赤ワイン，チーズなどの食品や香水などのにおいによって誘発される場合がある．わが国における本疾患の有病率は約 8％であり，20～40 歳代の女性に多い．

2 片頭痛の発症に関する仮説

三叉神経説：三叉神経の興奮が引き金となり，カルシトニン遺伝子関連ペプチド calcitonin gene-related peptide（CGRP）やサブスタンス P などの血管作動性物質が放出されて血管周囲に炎症が起こり，痛みが起こる．

セロトニン説：脳血管の血小板からセロトニンが放出され，血管収縮・血流障害が起こり，その後，セロトニンが枯渇すると血管が拡張し痛みが誘発される．

3 片頭痛の症状

片頭痛は大きく「前兆のない片頭痛」と「前兆のある片頭痛」に二分される．しかしながら，頭痛の性状は両者においてほぼ共通しており，片側性・拍動性で，中等度から重度の強さをもち，数時間から数日間持続する場合がある．また，頭痛は動作によって増悪する．随伴症状として悪心や光過敏・音過敏を伴うことが多い．

「前兆のある片頭痛」においては，前兆が数分から数十分かけて徐々に進展する．一般的な前兆として，**閃輝**（輝く部分）**暗点**（見えにくい部分）として出現する場合が多く，目の前がチカチカして暗くなったり，見えづらくなったりする．

■薬 理

1 片頭痛治療薬

a トリプタン系薬

●スマトリプタン

薬理作用 片頭痛予防には効果がないが，片頭痛発作には注射で 10 分，点鼻で 15 分，経口で 30 分で 70％の片頭痛に効果がある．しかしながら，ほかのトリプタ

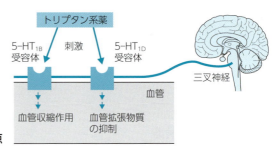

図 2B-3　トリプタン系薬の作用点

ン系薬に比較して脂溶性が低く，吸収が悪いため，無反応例が 30％ある．

作用機序　脳血管平滑筋のセロトニン **5-HT$_{1B}$ 受容体**を刺激して血管を収縮させ，さらに三叉神経終末の **5-HT$_{1D}$ 受容体**を刺激して，血管拡張物質の遊離を阻止し，血管周囲の炎症を抑制する(**図 2B-3**).

副作用　重大な副作用としてはアナフィラキシー様症状，不整脈，虚血性心疾患，てんかん発作などがあり，心血管性疾患，脳血管性障害患者，エルゴタミン投与中の使用は禁忌である．片麻痺性片頭痛や眼筋麻痺性片頭痛，妊婦，授乳婦への投与はできない．

●ゾルミトリプタン

少量でも効果がある．脂溶性で中枢移行性がよいため，眠気，めまい，全身倦怠感がでることもある．

●エレトリプタン

中枢移行性はよいが消失も早いため，中枢性の副作用は少ない．

●リザトリプタン

脂溶性が高く中枢移行性もよい．内服 2 時間後の疼痛消失率は，トリプタン系薬のなかで最も優れている．

●ナラトリプタン

最も血中半減期が長い．効果の持続と再発抑制が認められる．

スマトリプタン　　ゾルミトリプタン　　エレトリプタン

リザトリプタン　　ナラトリプタン

b　エルゴタミン製剤

●**ジヒドロエルゴタミン**（構造式☞ p.56）

薬理作用　血管拡張を抑制することで片頭痛の症状を抑える．

作用機序　血管平滑筋に対する直接作用によって血管拡張を抑制する．

副作用　重大な副作用としては胸膜・後腹膜・心臓弁線維症などがあり，発疹，瘙痒，悪心・嘔吐，胸焼け，食欲不振，眠気，口渇などがみられる．緑内障患者や妊婦には使用できない．

c　カルシウム拮抗薬

●**ロメリジン**

薬理作用　選択的に脳血管の収縮を抑制し，片頭痛の発症を阻止するため予防的に使用される．

作用機序　カルシウム拮抗作用によって脳血管の収縮および神経原性炎症の抑制作用にも関与すると考えられる．

副作用　重大な副作用としては抑うつ症などがあり，肝障害，眠気，頭痛，めまい，動悸，倦怠感，ふらつき，悪心，下痢症状などがみられる．本薬は頭痛発作を寛解しない．授乳は避ける．

ロメリジン

d　カルシトニン遺伝子関連ペプチド（CGRP）拮抗薬

●**ガルカネズマブ**　●**フレネズマブ**

薬理作用　CGRPの生理活性を阻害することで片頭痛発作を抑制する．

作用機序　遺伝子組換えヒト化抗CGRPモノクローナル抗体であり，CGRPに特異的に結合して，生理活性を阻害することで，各種炎症メディエーターの産生および分泌の促進，炎症組織の充血，浮腫および疼痛などを抑制する．

副作用　注射部位反応（紅斑，瘙痒感，内出血，腫脹など），注射部位疼痛などが報告されている．重大な副作用として，アナフィラキシー，血管浮腫，蕁麻疹などの重篤な過敏症反応を生じる可能性もある．

e　カルシトニン遺伝子関連ペプチド（CGRP）受容体拮抗薬

●**エレヌマブ**

薬理作用　CGRPの生理活性を阻害することで片頭痛発作を抑制する．

作用機序 遺伝子組換えヒト化免疫グロブリンモノクローナル抗体であり，CGRP 受容体に特異的に結合する．CGRP の受容体への結合を競合的に拮抗して，CGRP 受容体を介した情報伝達機構を阻害することで，各種炎症メディエーターの産生および分泌の促進，炎症組織の充血，浮腫および疼痛などを抑制する．

副作用 便秘，傾眠，注射部位反応（紅斑，瘙痒感，内出血，腫脹など），注射部位疼痛などが報告されている．重大な副作用として，アナフィラキシー，血管浮腫，蕁麻疹などの重篤な過敏症反応を生じる可能性もある．

片頭痛治療薬

種類　薬物［代表的な商品名］	作用機序	注意すべき副作用
トリプタン系薬		
●スマトリプタン［イミグラン］ ●ゾルミトリプタン［ゾーミッグ］ ●エレトリプタン臭化水素酸塩［レルパックス］ ●リザトリプタン安息香酸塩［マクサルト］ ●ナラトリプタン塩酸塩［アマージ］	脳血管平滑筋のセロトニン 5-HT$_{1B}$ 受容体を刺激して血管を収縮し，三叉神経終末の 5-HT$_{1D}$ 受容体刺激による，血管拡張物質の遊離抑制により，血管周囲の炎症を抑制する	アナフィラキシー様症状，不整脈，虚血性心疾患，てんかん発作など
エルゴタミン製剤		
●ジヒドロエルゴタミンメシル酸塩［ジヒデルゴット］	血管平滑筋に対する直接作用によって血管拡張を抑制する	胸膜・後腹膜・心臓弁線維症など
カルシウム拮抗薬		
●ロメリジン塩酸塩［ミグシル，テラナス］	カルシウム拮抗作用による脳血管の収縮および神経原性炎症の抑制作用も関与すると考えられる	抑うつ症，肝障害，眠気，頭痛など
カルシトニン遺伝子関連ペプチド（CGRP）拮抗薬		
●ガルカネズマブ［エムガルティ］ ●フレネズマブ［アジョビ］	遺伝子組換えヒト化抗 CGRP モノクローナル抗体であり，CGRP に特異的に結合して，生理活性を阻害する	注射部位反応（紅斑，瘙痒感，内出血，腫脹など），注射部位疼痛，アナフィラキシー，血管浮腫，蕁麻疹など
カルシトニン遺伝子関連ペプチド（CGRP）受容体拮抗薬		
●エレヌマブ［アイモビーグ］	遺伝子組換えヒト化免疫グロブリンモノクローナル抗体であり，CGRP 受容体への結合を競合的に拮抗して，CGRP 受容体を介した情報伝達機構を阻害する	便秘，傾眠，注射部位反応（紅斑，瘙痒感，内出血，腫脹など），注射部位疼痛，アナフィラキシー，血管浮腫，蕁麻疹など

4 中枢興奮薬

4-1 中枢興奮薬

中枢興奮薬 central nervous system stimulant とは中枢神経興奮薬とも呼ばれ，適量投与によって中枢神経活動を高める薬物が該当する．

■薬　理

a　覚醒アミン

覚醒剤にはアンフェタミンとメタンフェタミンがあり，わが国では，メタンフェタミンが**ナルコレプシー**などを適応症として現在も製造販売されているが，治療目的で使用されることはほとんどない．覚醒剤はモノアミントランスポーターおよびMAO阻害作用によって，脳内ノルアドレナリン，ドパミンおよびセロトニン神経終末から，それぞれの神経伝達物質の遊離を促進し，さらに，神経終末への再取り込みも抑制してシナプス間隙におけるカテコラミン，セロトニン濃度を上昇させる．メチルフェニデートは，ドパミンおよびノルアドレナリントランスポーターに結合し再取り込みを抑制することにより，シナプス間隙に存在するドパミンおよびノルアドレナリンを増加させて神経系の機能を亢進するものと考えられている．覚醒剤は中脳辺縁ドパミン神経系の直接刺激により投射先である側坐核におけるドパミンの遊離促進および再取り込み阻害を示し，シナプス間隙のドパミン濃度を上昇させて，ドパミン受容体の活性化によって精神依存が形成される．

- **メタンフェタミン**（構造式☞ p. 55）

  メタンフェタミンの反復使用による陶酔感，多幸感などの症状には耐性が形成される．一方で，統合失調症様の幻覚，妄想，錯乱などの症状は投与回数に伴って増強される．このような状態は，覚醒剤の使用を中止してもストレス，飲酒などによって精神症状が再発することがあり（**フラッシュバック現象**），一生継続するといわれる．

- **メチルフェニデート**（構造式☞ p. 138）

  精神興奮作用がメタンフェタミンよりも弱く，依存性の危険性は少ないとされ，ナルコレプシー，小児の**注意欠如・多動症** attention deficit hyperactivity disorder（**AD/HD**）に用いられる（☞本章 A.5 注意欠如・多動症，p. 137）．

- **マジンドール**

  覚醒アミン類似の作用をもち，視床下部に作用して食欲減退作用を示す．

b　コカイン類

●**コカイン**（構造式☞ p.81）

　表面麻酔であるコカインは全身投与によって中枢興奮作用，とくに気分高揚，多幸感を示すことから精神依存を引き起こす．長期連用によって覚醒剤による精神病に似た精神病状態に陥ることもある．コカインは中脳辺縁ドパミン神経系のシナプス神経膜に分布するドパミントランスポーターに結合し，ドパミンの再取り込みを阻害する．その結果，シナプス間隙のドパミン量が増加し，ドパミン受容体を活性化して中枢興奮作用，気分高揚，多幸感などを引き起こして精神依存を発現する．

c　キサンチン誘導体

●**カフェイン**　●**テオフィリン**　●**テオブロミン**

　キサンチン誘導体はプリン塩基の1つで，生体に対する薬理作用はそれぞれが類似しているが，種々の臓器・器官に対する作用強度はかなり異なる．平滑筋，とくに気管支平滑筋や血管に対する抑制作用，中枢神経系に対する興奮作用，強心・利尿作用が主な作用である．各種作用はホスホジエステラーゼ（PDE）阻害作用によって，細胞内cAMP濃度を上昇させることで発現する．さらにアデノシン受容体遮断作用も知られている．なお，中枢興奮作用の強さは，カフェイン＞テオフィリン＞テオブロミンの順である．

d　呼吸興奮薬（蘇生薬）

●**ジモルホラミン**

　延髄の呼吸中枢を興奮させ，呼吸を促進する．血管運動中枢も興奮させ，血圧を上昇させる．全身麻酔薬やバルビツール酸系薬物の呼吸麻痺の解毒薬として用いる．

マジンドール　　カフェイン　　テオフィリン　　テオブロミン　　ジモルホラミン

4-2　薬物依存症

■病態生理

① 薬物依存とは

　薬物依存とは薬物の作用による快楽を得るため，あるいは離脱による不快を避けるために，有害と知りながら薬物を続けて使用せずにはいられなくなった状態である．

表 2B-3　ICD-10 の依存症候群の診断基準

1. 物質を摂取したいという強い欲望あるいは切迫感
2. その物質の摂取行動の統制が困難
3. 物質使用を中止，減量したときの生理的離脱状態(身体依存)
4. 耐性の発現
5. 物質使用のためほかの楽しみや興味を喪失し，物質使用の時間・物質の効果からの回復にかかる時間の延長
6. 明らかに有害な結果が起きているにもかかわらず物質使用が続く

上記の6項目のうち3項目以上が存在した場合，依存症候群と診断する．
[ICD-10：疾病及び関連保健問題の国際統計分類 International Statistical Classification of Diseases and Related Health Problems，第10版]

表 2B-4　依存性薬物の特徴

分類	中枢作用	精神依存	身体依存	耐性	代表的薬物
アルコール	抑制	+	+	+	エタノール
アヘン類	抑制	+	+	+	モルヒネ，ヘロイン
コカイン	興奮	+	−	−	コカイン
大麻類	抑制	+	−	−	テトラヒドロカンナビノール
睡眠薬・抗不安薬	抑制	+	+	+	バルビツール酸誘導体 ベンゾジアゼピン誘導体
覚醒剤	興奮	+	−	+	メタンフェタミン
幻覚剤[*1]	興奮	+	−	+	LSD-25，フェンサイクリジン メスカリン，MDMA
タバコ	興奮	+	±[*2]	+	ニコチン

+：あり　−：なし
[*1] 幻覚剤は LSD-25 の特徴を表中に示す．フェンサイクリジンでは身体依存も +
[*2] 諸説あり

表 2B-3 に依存症候群の診断基準(ICD-10)を示す．依存を生じる薬物を依存性薬物といい，アルコール，アヘン類，コカイン，大麻類，睡眠薬・抗不安薬，覚醒剤，幻覚剤，有機溶剤，タバコに分類すると理解しやすい．これらの依存性薬物の摂取によって，急性の精神症状が生じるほか，慢性使用後の後遺障害としての精神障害(健忘，精神病状態など)が残ることもある．

❷ 薬物依存の症状

依存性薬物による依存には精神依存と身体依存があり，耐性を生じる薬物が多いことも特徴である(表 2B-4)．
①**精神依存**：精神作用物質のもたらす快楽のために，それを使用したいという強く，抵抗しがたい欲求をもつようになった精神状態．
②**身体依存**：精神作用物質の使用により生理的平衡が保たれているが，その中止によって，急速に体内から失われると身体機能のバランスが失われて強い離脱症状が出現するようになった状態．
③**耐性**：精神作用物質の効果が長期の使用のために減弱し，初期の効果を得るためにはより大量の摂取が必要となる状態．

■治　療

原則として，依存を生じた薬物を中止する．離脱症状が強い場合は漸減，あるいは別の薬物で置換する（睡眠薬，モルヒネなど）．精神症状に対しては対症的に抗不安薬，抗精神病薬，抗うつ薬やリチウムなどの薬物療法を行う．

集団精神療法が断薬の継続に有効であり，自助グループへの参加を促すことも重要である．

4-3　アルコール依存症

■病態生理

❶ アルコール依存とは

アルコール依存とは，アルコールを飲用したいという強い欲望により，その人にとって以前は大きな価値をもっていたほかの行動よりもアルコール飲用をはるかに優先するようになった状態のことである．精神依存，身体依存（離脱症状），耐性のいずれもが生じ，臨床的には飲酒行動，精神面，身体面に明らかな変化を認める（表 2B-5）．

アルコール依存への進展：正常飲酒から時間をかけて進展する．はじめは宴会などの機会飲酒から毎日の晩酌などの習慣性飲酒，さらに頻繁あるいは多量の飲酒へと数年から十数年かけて進展していく．

アルコール依存の予後：適切な医療を受け，家族や職場の支援があるものは予後がよいが，家庭が崩壊し単身者になってしまうと予後不良の傾向となる．死因は心疾患，アルコール性の肝障害などのほか，自殺率も高い．

❷ アルコール依存の症状

1）精神依存

飲酒や酩酊への耐えがたい欲求により，飲酒に対する自己抑制が不可能になる．日中も飲酒し，毎日同じパターンの飲酒を続け，アルコールによる身体疾患や家庭的・社会的問題があるにもかかわらず断酒，節酒ができない．飲酒が日常の中心，最優先となり，それ以外の仕事や趣味などに対する関心が失われる．

表 2B-5　アルコール依存の特徴

1. 飲酒行動の変化	飲酒量の増加，社会的容認を超えた飲酒パターン，飲酒行動の単一化
2. 精神面の変化	飲酒抑制の障害，飲酒への衝動，飲酒中心の思考
3. 身体面の変化	離脱症状，離脱症状回避のための飲酒，耐性

2) 身体依存（離脱症状）

早期離脱症候群は，断酒後数時間から発症し 20 時間ごろにピークとなるもので，不快感(イライラ感，不安)，自律神経症状(発汗，頻脈，悪心など)，振戦，一過性の幻覚，痙攣発作などが生じる．

後期離脱症候群は，振戦せん妄と呼ばれていたもので，断酒後 48 時間ごろから発症し，72〜96 時間ごろにピークに達する．全身の粗大な振戦，幻覚，興奮，中等度の意識混濁(せん妄)，より著明な自律神経症状(発汗，発熱，頻脈など)などが生じる．幻覚では小動物やこびとなどが見える幻視，それが体に這い回る幻触が多く，壁のシミが人の顔に見えるなどの錯視もある．通常は 4〜7 日後には回復するが，ときにコルサコフ症候群(不可逆的な神経障害を伴う認知症)に移行する．

3) 耐　性

肝臓のアルコール代謝酵素の誘導と脳のアルコールに対する反応性の低下などにより耐性が獲得され，同じ酩酊状態になるには，より多くの飲酒が必要となる．

■治　療

1) 離脱症状の治療

離脱症状の予防と治療にはアルコールと交差性をもつベンゾジアゼピン系抗不安薬を用いる．振戦せん妄の精神症状には抗精神病薬を投与し，栄養管理と補液にも心がける．

2) アルコール依存の治療

アルコール依存治療の目標はアルコール離脱後に断酒を維持し，社会性を再獲得することである．そのために 2〜3 ヵ月入院し，個人精神療法，集団精神療法を行い，退院後も断酒会などの自助グループに参加するように促す．地域の保健所，福祉事務所や家族との連携も重要である．不安，睡眠障害などの精神症状が持続する場合は，ベンゾジアゼピン系薬を投与することが多い．禁酒の継続が困難な場合は抗酒薬(**ジスルフィラム，シアナミド**)を用いる．

中枢興奮薬

種類　薬物［代表的な商品名］	作用機序	注意すべき副作用
覚醒アミン		
●メタンフェタミン塩酸塩　［ヒロポン］ ●メチルフェニデート塩酸塩　［リタリン，コンサータ］ ●マジンドール［サノレックス］	覚醒剤，メチルフェニデートはモノアミントランスポーターおよびMAO阻害作用によって，脳内ノルアドレナリン，ドパミンおよびセロトニン神経終末から，それぞれの神経伝達物質の遊離を促進し，さらに，神経終末への再取り込みも抑制してシナプス間隙におけるカテコラミン，セロトニン濃度を上昇させる	依存性，興奮，口渇など
コカイン類		
●コカイン塩酸塩　［コカイン塩酸塩］	中脳辺縁ドパミン神経系のシナプス神経膜に分布するドパミントランスポーターに結合し，ドパミンの再取り込みを阻害する	精神依存
キサンチン誘導体		
●カフェイン水和物　［カフェイン］ ●テオフィリン［アプネカット］	ホスホジエステラーゼ阻害作用によって，細胞内cAMP濃度を上昇させることで発現する．さらにアデノシン受容体遮断作用も知られる	過量投与で振戦，めまいなど
呼吸興奮薬(蘇生薬)		
●ジモルホラミン［テラプチク］	延髄の呼吸中枢を興奮させ，呼吸を促進する	咳嗽，めまいなど

3章 免疫・炎症・アレルギーおよび骨・関節の疾患と治療薬

　この章では，炎症ならびに免疫系の関わる疾患とその治療薬を中心に扱う．
　炎症はさまざまな疾患の基本にあり，また，その背景には，免疫系の活性化や免疫担当細胞から遊離される各種サイトカイン類や化学伝達物質が関与している．本章では，炎症の基本的な事項と抗炎症薬，アレルギー疾患と抗アレルギー薬，自己免疫疾患と免疫抑制薬について扱う．また，骨・関節疾患についても，骨吸収で重要な役割を演じている破骨細胞は，骨髄幹細胞から単球系の細胞を経て分化する細胞であり，免疫系と密接に関与している．最後に，免疫抑制薬がその発展に重要な寄与をしてきた臓器移植についても本章で触れる．

★対応する薬学教育モデル・コアカリキュラム
E2 薬理・病態・薬物治療　(2)免疫・炎症・アレルギーおよび骨・関節の疾患と薬
　GIO
　・免疫・炎症・アレルギーおよび骨・関節に作用する医薬品の薬理および疾患の病態・薬物治療に関する基本的知識を修得し，治療に必要な情報収集・解析および医薬品の適正使用に関する基本的事項を修得する．
　SBO
【①抗炎症薬】
・抗炎症薬(ステロイド性および非ステロイド性)および解熱性鎮痛薬の薬理(薬理作用，機序，主な副作用)および臨床適用を説明できる．
・抗炎症薬の作用機序に基づいて炎症について説明できる．
・創傷治癒の過程について説明できる．
【②免疫・炎症・アレルギー疾患の薬，病態，治療】
・アレルギー治療薬(抗ヒスタミン薬，抗アレルギー薬等)の薬理(薬理作用，機序，主な副作用)および臨床適用を説明できる．
・免疫抑制薬の薬理(薬理作用，機序，主な副作用)および臨床適用を説明できる．
・以下の疾患について，治療薬の薬理(薬理作用，機序，主な副作用)を説明できる．
　・アレルギー疾患：アトピー性皮膚炎，蕁麻疹，接触性皮膚炎，アレルギー性鼻炎，アレルギー性結膜炎，花粉症，消化管アレルギー
　・アナフィラキシーショック
　・臓器特異的自己免疫疾患：アジソン病，重症筋無力症，多発性硬化症，特発性血小板減少性紫斑病，シェーグレン症候群
　・全身性自己免疫疾患：全身性エリテマトーデス，強皮症，多発筋炎/皮膚筋炎
【③骨・関節・カルシウム代謝疾患の薬，病態，治療】
・以下の疾患について，治療薬の薬理(薬理作用，機序，主な副作用)を説明できる．
　・関節リウマチ
　・骨粗鬆症
　・変形性関節症

1 炎症性疾患

■病態生理

❶ 基本的事項

炎症は，微生物・物理的刺激(放射線，紫外線，熱)などの外来性因子，自己の壊死細胞由来の内因性物質など，さまざまな有害刺激に対する生体防御反応として，微小循環の存在する局所で生じる反応である．血球の血管外浸潤や血漿の血管外漏出，局所組織や細胞の変性，循環障害，修復に伴う細胞増殖などが同時に生じる，複合的で動的な反応である．

❷ 急性炎症と慢性炎症

炎症は，時間経過から**急性炎症**と**慢性炎症**に分類される．急性炎症の持続時間は数時間～数日で**自然免疫系**が主体である．血漿漏出に伴う浮腫，好中球などの血管外浸潤を生じる．慢性炎症は数週間から何年にもわたる場合もある．組織の損傷と修復が同時に生じ，血管新生や組織の線維化を生じる．**獲得免疫系**の役割が重要である．

❸ 炎症の4大症状

炎症の発症過程で生じる**発赤**，**疼痛**，**発熱**，**腫脹**を炎症の4大症状(4徴候)という．炎症は本質的には生体防衛反応であるが，過剰な反応による組織傷害作用の結果として機能障害が生じる場合もあり，上記の4徴候に**機能障害**も加えて炎症の5徴候という場合もある．常に5徴候すべてが現れるわけではない．

❹ 炎症の発症機序と経過

炎症は，発症の各段階で各種の**化学伝達物質**(ケミカルメディエーター chemical mediator)が関与する．炎症初期には，微小血管の拡張で局所血流量が増加し(血管拡張)，細静脈の内皮細胞間隙が開いて，血漿成分が組織間質へ滲出する(血管透過性亢進)．これらは，**ヒスタミン** histamine や**セロトニン** serotonin[5-hydroxy-tryptamine(5-HT)]により即時的に生じる．続いて，炎症細胞(肥満細胞や好中球)の遊離する**プロスタグランジン** prostaglandin(**PG**)類や**トロンボキサン** thromboxane(**TX**)，**ロイコトリエン** leukotriene(**LT**)類による持続的な反応に移行する．さらに，好中球，単球，リンパ球などが細静脈から組織間質に浸潤する．血漿やこれらの細胞由来の各種成長因子は，組織の細胞増殖を促進し，組織の修復が開始する．

治癒過程では，細胞増殖，結合組織の増殖，血管新生，浸出液のリンパ管への排出，異物の貪食を生じ，損傷した組織が実質細胞の再生や結合組織の修復を生じるが，瘢痕組織が傷ついた組織の実質細胞に置き換わると，機能不全を生じ得る(線維化)．治癒過程には，血小板由来増殖因子，内皮成長因子などの成長因子やさまざまなサイトカイン，走化性因子などが関与する．

■薬　理

 抗炎症薬(ステロイド性および非ステロイド性)

a　抗炎症薬を使用する目的

抗炎症薬は，生体防御反応としての炎症の目的をできるだけ損なわないようにしつつ，不快感や自己破壊的な反応を抑制することを目的としている．抗炎症薬は化学構造および作用様式の違いから，**ステロイド性抗炎症薬(副腎皮質ステロイド)** と**非ステロイド性抗炎症薬**(NSAIDs)に大別できる．

b　ステロイド性抗炎症薬

副腎皮質から分泌されるステロイドホルモンは，**糖質コルチコイド** glucocorticoid と**鉱質コルチコイド** mineralocorticoid に大別される．抗炎症作用を示すのは糖質コルチコイドである．ステロイド性抗炎症薬とは，天然の糖質コルチコイドとこれに類似した構造をもつ合成品を指す．ステロイド性抗炎症薬は，炎症時の血管拡張と血管透過性の亢進，炎症性細胞の組織内浸潤，細胞および結合組織の増殖と血管新生のすべての段階を強力に抑制する．ただし，有害作用も少なくない．

▍薬理作用▕　内因性糖質コルチコイドの**ヒドロコルチゾン** hydrocortisone(**コルチゾール** cortisol ともいう)，**コルチコステロン** corticosterone，**コルチゾン** cortisone は，糖質，脂質，タンパク質の代謝やストレス応答に必須な役割を果たす(**表3-1**)．糖質コルチコイドは，天然型も合成品も強力な抗炎症作用と抗アレルギー作用をもち，皮膚，気道およびその他の部位の炎症性疾患やアレルギー疾患の治療に汎用される．鉱質コルチコイド(**アルドステロン** aldosterone)は，塩類および水分のバランスの調節に不可欠な役割をもつ．

▍作用機序▕　**ステロイド受容体**は核内受容体スーパーファミリーに属し，DNAとの相互作用により遺伝子転写を調節する．糖質コルチコイドが細胞質に存在する受容体に結合すると，受容体に結合していた**熱ショックタンパク質** heat shock protein (HSP)90 がはずれ，DNA結合ドメインが露出する．ステロイド-受容体複合体は核内に移行してDNAの glucocorticoid responsive element(GRE)に結合し，各種の遺伝子の転写を開始もしくは阻害する(**図3-1**)．

糖質コルチコイドにより転写が開始されるタンパク質の1つに，ホスホリパーゼA_2阻害作用をもつ**リポコルチン-1** lipocortin-1 がある．その結果，アラキドン酸の

表 3-1　ステロイド性抗炎症薬の薬理作用と副作用

	薬理作用	副作用
糖代謝	グルコースの取り込み低下・糖新生促進	高血糖症
タンパク質代謝	タンパク質の分解促進・合成低下	消化性潰瘍，筋力の低下（ステロイドミオパチー），骨基質の消失
骨代謝	骨形成抑制，骨吸収増大，腎臓からのカルシウム排泄増加	骨粗鬆症，大腿骨骨頭無菌性壊死
脂質代謝	脂質の分解・合成促進	中心性肥満，野牛肩，満月様顔貌
電解質代謝	Na^+の再吸収とK^+の排泄促進	全身浮腫，低カリウム血症
視床下部・下垂体	負のフィードバックによるCRF，ACTH分泌抑制	副腎萎縮，副腎不全，ステロイド離脱症候群
血管系	血管拡張の抑制，体液漏出の抑制	高血圧
免疫系	白血球の血管外浸潤や活性化を抑制．単球やリンパ球の活性化を抑制．血管新生や組織の線維化を抑制．T細胞やB細胞のクローン増殖抑制．T細胞のサイトカイン産生抑制．炎症性サイトカインの分泌や作用を抑制．プロスタグランジン類およびロイコトリエン類の産生抑制．IgG産生抑制．補体合成低下	易感染性，感染症増悪
神経系	—	多幸感，神経過敏，不眠，感情変化，精神障害
その他	—	白内障，緑内障，多毛症，成長抑制，皮膚萎縮，創傷治癒の遅延，皮下出血，食欲増進

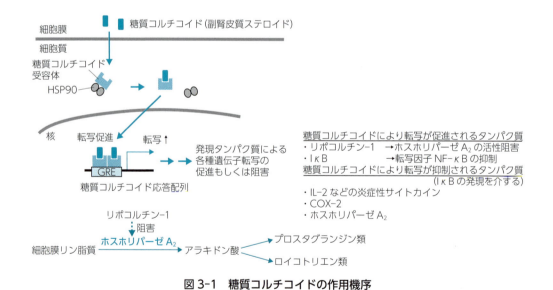

図 3-1　糖質コルチコイドの作用機序

産生が抑制され，PG類，TX，LT類の産生が阻害される．転写因子 **NF-κB**(nuclear factor kappa-light-chain-enhancer of activated B cells)を抑制する **IκB**(inhibitor of κB)の転写も促進される．NF-κBは，炎症誘発刺激を受けた際の炎症促進性応答を仲介し，**インターロイキン-2(IL-2)**，誘導型 **シクロオキシゲナーゼ**の **COX-2，ホスホリパーゼA_2** などの転写を促進する．IκBはNF-κBを抑制してこれ

らの転写を抑制する．また，糖質コルチコイドの作用には，ステロイド-受容体複合体と転写因子活性化タンパク質AP-1(activator protein 1)との相互作用も関与する．AP-1はCOX-2やIL-2などの遺伝子誘導にも関わっており，糖質コルチコイドの抗炎症作用には，AP-1を介したCOX-2発現の抑制も関与する．

副作用 副腎皮質ステロイド(糖質コルチコイド)は非常に多くの作用を有し，目的以外の作用が副作用として発現すると，有害な作用となる場合が少なくない(表3-1)．長期に全身投与を続けると，負のフィードバックにより下垂体からの副腎皮質刺激ホルモン(ACTH)分泌が低下し，副腎皮質が萎縮する．このため，急に投与を中止すると，副腎機能不全により死に至ることすらある．ステロイド性抗炎症薬の離脱にあたっては，慎重に漸減しなければならない．

臨床応用 糖質コルチコイドは，抗炎症作用または免疫抑制作用を目的として，以下のような疾患の治療に用いられる．

アレルギー疾患(アトピー性皮膚炎，気管支喘息，アレルギー性鼻炎など)，免疫学的疾患(関節リウマチ，潰瘍性大腸炎など)，各種自己免疫疾患(全身性エリテマトーデス，自己免疫性溶血性貧血，特発性血小板減少性紫斑病，多発性硬化症，重症筋無力症，ギラン・バレー症候群など)，ネフローゼ症候群，臓器移植，悪性腫瘍(白血病，悪性リンパ腫など)，各種関節炎，各種皮膚疾患，副腎不全症候群など．

代表的な薬物の応用を以下に示す．

●コルチゾン酢酸エステル

糖質コルチコイドと鉱質コルチコイドの両方の性質を有し(ほぼ同程度の強さ)，副腎摘出手術後のホルモン不足を補うための補充療法に用いられる．コルチゾンは体内でヒドロコルチゾンに変換されて作用する．

●ヒドロコルチゾン

コルチゾン酢酸エステルと同様，糖質コルチコイドと鉱質コルチコイドの両方の性質を有し(ほぼ同程度の強さ)，副腎摘出手術後のホルモン不足などにおける補充療法に使用される．また，さまざまな関節炎，副腎皮質不全症，ショック，炎症性腸疾患，過敏性反応などに使用される．

●プレドニゾロン

リウマチ性疾患およびアレルギー疾患(とくに関節炎や気道の炎症性疾患)，各種の炎症性疾患，潰瘍性大腸炎，炎症性腸疾患，クローン病の治療や重症筋無力症に抗炎症薬あるいは免疫抑制薬として使用される．

> **コラム**
>
> **パルス療法**
>
> 薬物を投与する際に，投与期間と休薬期間を周期的に繰り返す投与法を一般にパルス療法という．また，自己免疫疾患などの際に，ステロイド性抗炎症薬を短期間に集中的に大量投与する方法をステロイドパルス療法という．ステロイドパルス療法では，水溶性が高く鉱質コルチコイド作用の弱いメチルプレドニゾロン500〜1,000 mgの点滴注射を3日間行う．

● **メチルプレドニゾロン**

アレルギー反応，脳浮腫，ショック，リウマチ性疾患，湿疹や乾癬などの炎症性皮膚疾患の治療に使用される．糖質コルチコイド作用がプレドニゾロンよりも強く，鉱質コルチコイド作用がやや弱いのが特徴で，移植後の拒絶反応抑制や，ループス腎炎や急性進行性糸球体腎炎，ネフローゼ症候群などの治療におけるパルス療法にも用いられる（☞コラム）．

● **ベタメタゾン**

脳浮腫や先天性副腎皮質過形成症などの治療も含めた，多くの目的に利用される．

● **デキサメタゾン**

炎症やアレルギー疾患の抑制，ショック，クッシング症候群の診断，先天性副腎過形成症候群，脳浮腫，およびリウマチ性疾患の治療など，多くの目的に使用される．

コルチゾン酢酸エステル　　ヒドロコルチゾン　　プレドニゾロン

メチルプレドニゾロン　　ベタメタゾン　　デキサメタゾン

c 非ステロイド性抗炎症薬（NSAIDs）

非ステロイド性抗炎症薬 non-steroidal anti-inflammatory drugs（**NSAIDs**）はステロイド骨格をもたず，ステロイド性抗炎症薬とはまったく異なった機序で作用する．炎症反応の際に生じる血管拡張と血管透過性の亢進，炎症性細胞の組織内浸潤の段階に作用する．鎮痛作用も有するため鎮痛薬に分類されることもあり，依存性がないため，**非麻薬性鎮痛薬**と呼ばれる場合もある．NSAIDs は，PG 類や TX の産生を阻害して抗炎症作用を発揮する．解熱・鎮痛の目的で用いるほか，関節リウマチや変形性関節炎まで，広い範囲の疾患治療に使用される．NSAIDs の PG 類合成阻害作用は，NSAIDs に共通するさまざまな有害作用にも関与する．

薬理作用　NSAIDs には非常に多くの種類の薬物があり，薬物ごと，あるいは化学構造の特徴によって作用の特徴が異なるが，抗炎症作用，解熱作用，鎮痛作用の 3 つの作用はすべての NSAIDs に共通する．

抗炎症作用：NSAIDs は，**COX-2**（**COX-1** も阻害するが）を阻害して血管拡張，浮腫，疼痛を抑制し，抗炎症作用を発揮する（☞ p. 228，**図 3-2**）．NSAIDs は，関節リウマチ，血管炎，腎炎などの慢性炎症性疾患における組織傷害に関与する反応

(リソソーム酵素の遊離，活性酸素産生)には，直接的な抑制作用を示さない．長期にNSAIDsを使用すると，組織傷害が増強される場合もある．

解熱作用：正常体温は視床下部前部の体温調節中枢で調節されている．この「サーモスタット」が乱れて体温のセットポイントが上昇すると，発熱を生じる．炎症時にマクロファージの産生する **IL-1** は，視床下部で **COX** を活性化して PGE_2 産生を亢進し，PGE_2 がセットポイントを上昇させる．NSAIDs は，PGE_2 産生を抑制してサーモスタットをリセットする．正常体温は NSAIDs の影響を受けない．

鎮痛作用：PG 類(PGE_2，PGI_2)は発痛物質ではないが，知覚神経終末でブラジキニンなどの化学伝達物質に対する疼痛閾値を低下させる．NSAIDs は，PG 類産生を阻害して，主に炎症や組織傷害に伴う痛覚過敏状態を解消し，鎮痛作用を示す．

作用機序　PG 類合成の出発点であるアラキドン酸を PGH_2 に変換する COX を阻害する．アスピリン以外の NSAIDs は，COX を可逆的に阻害するが，アスピリンは COX のセリン残基をアセチル化して不可逆的に阻害する．

アスピリンは $I\kappa B$ を活性化し，転写因子 NF-κB の活性を抑制することで，NF-κB を介した炎症性サイトカインの発現を抑制し，抗炎症作用を示すことも示唆されている．スリンダクはラジカルスカベンジャー作用をもち，活性酸素による組織傷害を軽減する．

多くの NSAIDs は，COX-1，COX-2 のいずれも阻害するが，炎症時に発現する COX-2 が炎症では重要である．一方，構成的に発現している COX-1 は，消化管粘膜保護因子としての PG 類産生などに関わっており，COX-1 阻害は消化管障害などの副作用に関与する．抗炎症作用を目的とする場合，COX-2 選択性の高い薬物が望ましい．一方，血小板凝集抑制を目的とする場合は，血小板の TXA_2 産生が COX-1 に依存するため，COX-1 選択性の高い薬物が必要となる．

副作用

消化管障害：消化不良，下痢，便秘，悪心，嘔吐など．重篤な出血や穿孔のリスクもある．主に COX-1 阻害作用により粘膜保護の調節因子である PGE_2 の産生が抑制されることによる．

皮膚反応：メフェナム酸やスリンダク，ケトプロフェンで高頻度に生じる．軽度な発赤，蕁麻疹，光線過敏症から，重篤な皮膚障害まである．

腎臓に対する有害作用：一部の患者で急性腎不全が惹起される場合がある．腎血流量の調節に PGE_2 や PGI_2 が関与するためと考えられる．慢性的な投与により慢性腎炎や腎乳頭壊死などの腎障害を生じる場合がある．

その他：骨髄障害や肝障害がある．また，喘息患者では喘息発作を誘発しやすくなるため(**アスピリン喘息**)，禁忌もしくは慎重投与となる．

薬物相互作用：NSAIDs には血漿タンパク質結合率が高い薬物が多く，ほかの血漿タンパク質結合率の高い薬物と相互作用を起こしやすい．プロベネシドは，NSAIDs の排泄を抑制して作用を増強する．ニューキノロン系抗菌薬と NSAIDs を併用すると，ニューキノロン系抗菌薬の血中濃度が上昇し，ニューキノロン系抗菌薬

の $GABA_A$ 受容体阻害作用により痙攣を生じる場合がある.

d　NSAIDs の化学構造上の分類

NSAIDs は，化学構造上の特徴ごとに薬理作用の共通性が認められるため，一般に下のような化学構造に従った分類が行われる．なお，1)〜5)は酸性化合物，6)は中性化合物である．1)〜5)は酸性抗炎症薬とも呼ばれる．

1) サリチル酸系

●アスピリン（構造式☞ p.202）　　●サリチル酸

COX-1 選択性が高く，消化管に対する副作用やその他の副作用も現れやすい．解熱，鎮痛および抗炎症薬として使用される．アスピリンの血液凝固阻害作用は，血栓治療に用いられる．

作用機序　血管内では，血管内皮細胞の産生する PGI_2 が血小板凝集を抑制し，血小板は TXA_2 を産生して血小板凝集を増幅する．したがって，PGI_2 と TXA_2 のバランスを PGI_2 優位に保つことが重要である．アスピリンは COX-1 を不可逆的に阻害するため，核をもたない血小板は COX-1 の合成ができない．しかし，血管内皮細胞は新たに COX-1 を合成できるため，血小板寿命の期間（約 10 日）は PGI_2 優位となる．さらに，アスピリンは経口投与後速やかに脱アセチル化されるため，COX-1 アセチル化は門脈で最も強力に生じ，COX-1 が不活性化された血小板が血流に乗って全身に運ばれることで，血栓予防効果につながっている．

副作用　消化管障害があるほか，過量投与によるサリチル酸耳鳴り，過敏症などがある．ライ症候群との関連性も指摘されており，幼児・小児の水痘症やインフルエンザウイルス感染症には投与しない．

●メサラジン　　●サラゾスルファピリジン（構造式☞ p.425）

潰瘍性大腸炎など，消化管の炎症性疾患の治療に用いられる薬物である（☞ 6 章 B.4 腸疾患，p.425）．

2) アントラニル酸系

●メフェナム酸　　●フルフェナム酸

鎮痛作用の強力な薬物である．手術や外傷後の消炎・鎮痛，変形性関節症，腰痛症，関節リウマチ，急性上気道炎の解熱・鎮痛などに使用される．副作用には，消化管障害，皮膚障害，腎障害（ネフローゼ症候群，腎不全），ショック，骨髄障害などがある．

3）アリール酢酸系

アリール酢酸系はさらに，フェニル酢酸系，インドール酢酸系，イソキサゾール酢酸系，ピラノ酢酸系，ナフタレン系に分類できる．比較的作用の強いものが多い．

（ⅰ）フェニル酢酸系

● ジクロフェナク　● アンフェナク

関節リウマチ，変形性関節症，腰痛症，腱鞘炎，手術・抜歯後の消炎・鎮痛などに使用される．副作用には，消化管障害，血液異常，腎障害，急性脳症，ショック，アナフィラキシー様症状などがある．

（ⅱ）インドール酢酸系

● インドメタシン　● インドメタシンファルネシル　● アセメタシン
● プログルメタシン

インドメタシンは，抗炎症作用のほか，解熱，鎮痛作用も強力である．抗リウマチ薬や変形性関節症の治療薬として非常に強力な薬物で，関節リウマチ，各種の炎症性疾患，外科手術後の鎮痛・消炎など適応症は多岐にわたる．COX-1 選択性がかなり高く副作用も強く，強い消化管障害を示すほか，造血障害，過敏症などがある．

インドメタシンファルネシル以下は，いずれもインドメタシンのプロドラッグで，インドメタシンの副作用を軽減する目的でつくられた薬物である．

● スリンダク

インドメタシン類似の構造を有するプロドラッグで，インドメタシンより弱いがかなり強い抗炎症作用をもち，作用の持続時間も長い．関節リウマチ，変形性関節症，腰痛症，腱鞘炎などの消炎・鎮痛に用いられる．腎毒性は低いが，皮膚反応を生じやすい．

（ⅲ）イソキサゾール酢酸系

● モフェゾラク

イソキサゾール骨格をもつ薬物で，副作用には消化管障害，ショック，アナフィラキシー様症状などがある．

（ⅳ）ピラノ酢酸系

● エトドラク

比較的 COX-2 選択性が高い薬物で，関節リウマチや変形性関節症，腰痛症などに用いられる．副作用には消化管障害，ショック，アナフィラキシー様症状，腎不全などがある．

（ⅴ）ナフタレン系

● ナブメトン

プロドラッグで，作用の持続時間が長く，COX-2 選択性も比較的高い．副作用にはショックやアナフィラキシー様症状，間質性肺炎，ネフローゼ症候群，腎不全などがある．

ジクロフェナク　　　　　アンフェナク

インドメタシン：R=CO₂H
インドメタシンファルネシル：

インドメタシン　インドメタシンファルネシル

アセメタシン　　　　　プログルメタシン

スリンダク　　　　　モフェゾラク

エトドラク　　　　　ナブメトン

4) プロピオン酸系

- イブプロフェン　● フルルビプロフェン　● フルルビプロフェンアキセチル
- ケトプロフェン　● ナプロキセン　● プラノプロフェン　● チアプロフェン酸
- オキサプロジン　● ロキソプロフェン　● ザルトプロフェン

　抗炎症作用，鎮痛作用，解熱作用を均等にもつものが多い．関節リウマチや変形性関節症，腰痛症，手術や抜歯後の消炎・鎮痛，急性上気道炎における解熱などの目的で使用される．副作用には，NSAIDs に共通するショック，アナフィラキシー様症状，血液障害，消化管障害などがある．

フルルビプロフェン：R=CO₂H
フルルビプロフェンアキセチル：

イブプロフェン　　フルルビプロフェン　フルルビプロフェンアキセチル

[ケトプロフェン] [ナプロキセン] [プラノプロフェン]

[チアプロフェン酸] [オキサプロジン]

[ロキソプロフェン] [ザルトプロフェン]

5) オキシカム系

● **ピロキシカム** ● **アンピロキシカム** ● **ロルノキシカム** ● **メロキシカム**

　ロルノキシカム以外は半減期が長いことを特徴とする．アンピロキシカムはピロキシカムのプロドラッグである．主に関節リウマチや変形性関節炎，腰痛症，肩関節周囲炎，手術・抜歯後の消炎・疼痛などに使用される．メロキシカムは比較的 COX-2 選択性が高い．副作用には，消化管障害，ショック，造血器障害，腎障害などがある．

[ピロキシカム] [アンピロキシカム]

[ロルノキシカム] [メロキシカム]

6) コキシブ系

● **セレコキシブ**

　選択的 COX-2 阻害薬で，消化管障害が少ない．関節リウマチ，変形性関節症，腰痛症，肩関節周囲炎，頸肩腕症候群，腱鞘炎，術後・外傷後・抜歯後などの消炎・鎮痛に用いられる．副作用には，ショック，アナフィラキシー，消化性潰瘍，心筋梗塞などがある．

7) 塩基性抗炎症薬
● チアラミド　● エモルファゾン

比較的作用が弱く，抗リウマチ作用はほとんどない．COX阻害作用も非常に弱く，作用機序は十分明らかにはなっていない．手術や抜歯後の鎮痛・消炎，急性上気道炎の発熱，関節炎，腰痛症などに使用する．有害作用には，ショック，アナフィラキシー様症状，消化管障害などがあるが，酸性抗炎症薬よりも弱い．

セレコキシブ　　　チアラミド　　　エモルファゾン

e　その他の抗炎症薬

1) パラアミノフェノール誘導体
● アセトアミノフェン（構造式☞ p.202）

比較的緩和な鎮痛薬で，消化管に対する刺激作用はほとんどなく，有効な解熱薬である．小児科領域も含めて，急性上気道炎の解熱・鎮痛目的に使用される．また，**ライ症候群**やインフルエンザ脳症のリスクを回避するため，幼小児や成人のインフルエンザウイルス感染症の解熱目的に使用される．アセトアミノフェンそのものは，COX阻害作用をほとんどもたないが，代謝生成物が中枢のCOX-1,2を阻害する．

2) ピラゾロン系薬（ピリン系薬）
● スルピリン（構造式☞ p.202）

視床下部の体温調節中枢に作用し，解熱効果を示す．鎮痛作用は弱い．上気道炎などの発熱時に使用するが，ショックなどの重篤な有害作用があるため，ほかの解熱薬では効果が期待できない場合の緊急解熱に限って使用する．有害作用には，ショックのほか，消化管障害，腎障害，再生不良性貧血や無顆粒球症などの骨髄抑制がある．

● ミグレニン

ピリン系鎮痛薬のアンチピリンと，カフェインの相乗作用で鎮痛効果を高めたもので，とくに頭痛に効果的である．アンチピリンは視床に作用し，痛覚伝達路の求心性シナプスの感受性を低下させることにより疼痛閾値を上昇させ，鎮痛作用を現す．またカフェインは中枢性の鎮痛作用のほか，脳血管抵抗を増加し，脳血流量を減少させることにより，頭痛を抑える．

（アンチピリン）　（無水カフェイン）　（無水クエン酸）
ミグレニン

抗炎症薬

種類　薬物　[代表的な商品名]	作用機序	注意すべき副作用
ステロイド性抗炎症薬(副腎皮質ステロイド)		
●コルチゾン酢酸エステル [コートン] ●ヒドロコルチゾン [コートリル] ●プレドニゾロン [プレドニン] ●メチルプレドニゾロン [メドロール] ●ベタメタゾン [リンデロン] ●トリアムシノロン [レダコート] ●デキサメタゾンリン酸エステルナトリウム [デカドロン]	細胞質に存在するステロイド受容体に結合し、ステロイド-受容体複合体が転写制御因子として抗炎症タンパク質の産生を促進したりサイトカイン産生を抑制したりする	感染症(全身性および局所)の誘発・増悪、骨粗鬆症・骨折、幼小児の発育抑制、骨頭無菌性壊死、動脈硬化病変(心筋梗塞、脳梗塞、動脈瘤、血栓症)、副腎不全、ステロイド離脱症候群、消化管障害、糖尿病の誘発・増悪、精神神経障害(精神変調、うつ状態、痙攣)
非ステロイド性抗炎症薬(NSAIDs)		
サリチル酸系 ●アスピリン [アスピリン]	アスピリンはCOXに共有結合して不可逆的に阻害、ほかの薬物はCOXを可逆的に阻害する。その結果、プロスタグランジン類の産生を阻害する	消化性潰瘍・穿孔、消化管出血、直腸・肛門出血(坐剤)、悪心・嘔吐、下痢、口内炎、浮腫、尿量減少、高血圧、腎障害、心不全、肝障害、膵炎、出血傾向、骨髄障害(再生不良性貧血、血小板減少、白血球減少)、溶血性貧血、眠気、めまい、耳鳴り、インフルエンザ脳症増悪、ライ症候群(とくにアスピリン)、動脈管閉塞による胎児死亡(妊娠後期)、アスピリン喘息(アスピリンに限らない)、心血管系障害(アスピリンを除く)
アントラニル酸系 ●メフェナム酸 [ポンタール] ●フルフェナム酸アルミニウム [オパイリン]		
アリール酢酸系(フェニル酢酸系) ●ジクロフェナクナトリウム [ボルタレン] ●アンフェナクナトリウム水和物 [フェナゾックス]		
アリール酢酸系(インドール酢酸系) ●インドメタシン [インダシン、インテバン] ●インドメタシンファルネシル [インフリー] ●アセメタシン [ランツジール] ●プログルメタシンマレイン酸塩 [ミリダシン] ●スリンダク [クリノリル]		
アリール酢酸系(イソキサゾール酢酸系) ●モフェゾラク [ジソペイン]		
アリール酢酸系(ピラノ酢酸系) ●エトドラク [ハイペン]		
アリール酢酸系(ナフタレン系) ●ナブメトン [レリフェン]		
プロピオン酸系 ●イブプロフェン [ブルフェン] ●フルルビプロフェン [フロベン] ●フルルビプロフェンアキセチル [ロピオン] ●ケトプロフェン [カピステン] ●ナプロキセン [ナイキサン] ●プラノプロフェン [ニフラン] ●チアプロフェン酸 [スルガム] ●オキサプロジン [アルボ] ●ロキソプロフェンナトリウム水和物 [ロキソニン] ●ザルトプロフェン [ソレトン]		
オキシカム系 ●ピロキシカム [バキソ] ●アンピロキシカム [フルカム] ●ロルノキシカム [ロルカム] ●メロキシカム [モービック]		
コキシブ系 ●セレコキシブ [セレコックス]		

抗炎症薬（つづき）

種類　薬物　[代表的な商品名]	作用機序	注意すべき副作用
塩基性抗炎症薬 ● チアラミド［ソランタール］ ● エモルファゾン［ペントイル］	比較的作用が弱く，抗リウマチ作用はほとんどない．COX阻害抑制作用も非常に弱く，作用機序は十分明らかでない	ショック，アナフィラキシー様症状，消化管障害など
パラアミノフェノール誘導体		
● アセトアミノフェン［カロナール］	詳細な作用機序は不明であるが，代謝生成物が中枢でCOX-1とCOX-2を抑制して解熱・鎮痛作用を示すとともに，内因性カンナビノイド受容体およびセロトニン神経系を介して，下行性に疼痛を抑制することが報告されている	肝障害，劇症肝炎，黄疸，喘息発作の誘発，間質性腎炎，急性腎不全，中毒性表皮壊死融解症，皮膚粘膜眼症候群，顆粒球減少症，間質性肺炎，ショック(頻度不明)，アナフィラキシー
ピラゾロン系薬（ピリン系薬）		
● スルピリン水和物［メチロン］	視床下部の体温調節中枢に作用し，解熱効果を示す．鎮痛作用は弱い	ショック，過敏症，消化管障害，急性腎不全，再生不良性貧血，無顆粒球症
● ミグレニン［ミグレニン］	アンチピリンの視床での痛覚中枢抑制作用とカフェインの脳血管抵抗性増加による脳血流量の減少により，頭痛を抑える	ショック，過敏症，消化管障害，腎障害，無顆粒球症

2 アレルギー疾患

■病態生理

　アレルギーとは，ある特定の抗原（アレルゲン）に曝露されて起こる過敏性の状態で，再度同一の抗原にさらされる際に生じる生体を傷害する免疫反応と定義できる．

　アレルギー反応は，その成因に従って以下の4つの型に分類される（CoombsとGellの分類，**表3-2**）．Ⅰ，Ⅱ，Ⅲ型は抗体が関与する**液性免疫反応**，Ⅳ型は感作リンパ球による**細胞性免疫反応**である．

　アレルギー疾患とは，広義には，Ⅰ～Ⅳ型のいずれかの機序によってもたらされる疾患を意味するが，一般には，IgEの関与するⅠ型アレルギーよる狭義のアレルギー疾患を指す場合が多い．代表的な疾患に，**気管支喘息**，**アレルギー性鼻炎**，**アトピー性皮膚炎**がある．なお，これらの疾患は必ずしもⅠ型アレルギーのみの機序で起きるものではなく，ほかのアレルギーとの混合型として生じる場合や，アレルギー以外の

表3-2　アレルギー反応の分類（Coombs, Gell）

分類	特徴・機序	代表的疾患
Ⅰ型 （アナフィラキシー型，即時型）	・抗原は，ダニ，ハウスダスト，花粉，真菌，食物中タンパク質，各種薬物など ・肥満細胞や好塩基球表面の高親和性IgE受容体に結合したIgEが多価抗原で架橋されて活性化→化学伝達物質（ヒスタミンやロイコトリエン類）遊離→速やかな反応惹起（皮膚反応では15～30分で最大）	気管支喘息，アレルギー性鼻炎，アレルギー性結膜炎，花粉症，蕁麻疹，アトピー性皮膚炎，消化管アレルギー，アナフィラキシーショックなど
Ⅱ型[*1] （細胞傷害型，細胞融解型）	・抗原は，赤血球，白血球，血小板などの血液細胞，腎基底膜の成分やハプテンの結合した細胞など ・IgGやIgMが抗原抗体反応により補体を活性化し，自己の細胞を傷害 ・標的を認識したIgGにマクロファージやキラー細胞が結合し，標的細胞が傷害される反応もある	自己免疫性溶血性貧血，特発性血小板減少性紫斑病，顆粒球減少症，重症筋無力症，グッドパスチャー症候群，橋本病など
Ⅲ型[*2] （免疫複合体型，アルサス型）	・可溶性抗原がIgGまたはIgMと抗原抗体複合体を形成し，血管や組織に沈着→補体やマクロファージなどの活性化→C3aやC5aによる肥満細胞や好塩基球からの化学伝達物質遊離，局所への好中球遊走→好中球が免疫複合体を食食する際に活性酸素やタンパク質分解酵素を遊離して組織を傷害	全身性エリテマトーデス，関節リウマチ，急性糸球体腎炎
Ⅳ型 （遅延型，細胞性免疫型，ツベルクリン型）	・感作T細胞が抗原を認識→さまざまなサイトカイン遊離→マクロファージ，細胞傷害性T細胞，キラー細胞などの活性化→細胞や組織を傷害 ・皮膚では抗原認識後24～72時間で紅斑・硬結を伴う炎症を生じる ・抗体や補体は関与しない	接触性皮膚炎，ツベルクリン反応，同種移植拒絶

[*1]：受容体刺激性自己抗体が産生される場合をⅤ型アレルギーと分類する場合がある．代表的疾患にバセドウ病（グレーブス病）がある．
[*2]：炎症が全身に及ぶ場合を血清病，局所に留まる場合をアルサス型と分類．

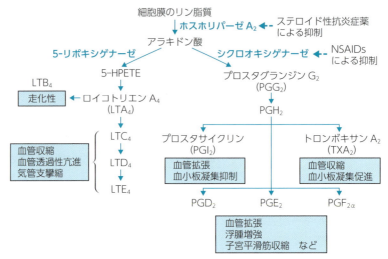

図 3-2　アラキドン酸代謝系

機序が炎症増悪に関与する場合がある．

a　アレルギーとアラキドン酸代謝系

肥満細胞，好塩基球，好酸球などが活性化されると，細胞膜リン脂質にホスホリパーゼ A_2 が作用し，アラキドン酸が遊離される．アラキドン酸にシクロオキシゲナーゼ(COX)が作用すると PG 類が生合成される．また，リポキシゲナーゼが作用すると，LT 類が生合成される．アラキドン酸代謝系と産生される LT 類ならびに PG 類の代表的な生理作用について，図 3-2 に示した．

❶ 気管支喘息（☞ 6 章 A.2 気管支喘息，p.393）

喘息治療薬は，予防薬としての長期管理薬と急性発作に対する発作治療薬に分類される．長期管理薬として，副腎皮質ステロイド薬(吸入，経口)，長時間作用性 β_2 受容体刺激薬(吸入，貼付，経口)，ロイコトリエン受容体遮断薬，テオフィリン徐放製剤，化学伝達物質遊離抑制薬，化学伝達物質遊離抑制作用を持つ H_1 受容体遮断薬，TXA_2 受容体遮断薬，TXA_2 合成阻害薬，Th2 サイトカイン産生阻害薬，長時間作用性抗コリン薬，抗ヒト IgE モノクローナル抗体製剤，抗ヒト IL-5 モノクローナル抗体製剤，抗ヒト IL-5 受容体 α サブユニットモノクローナル抗体，抗ヒト IL-4/IL-13 受容体モノクローナル抗体などが用いられる．発作治療薬には，短時間作用性 β_2 受容体刺激薬(吸入，経口)，短時間作用性テオフィリン製剤(経口，注射)，アドレナリン皮下注射薬などがある．

② アレルギー性鼻炎

アレルギー性鼻炎は，鼻粘膜のⅠ型アレルギー性疾患であり，発作性反復性のくしゃみ，水様性鼻漏，鼻閉を3主徴とする．

治療に用いられる薬物には，H_1受容体遮断薬，化学伝達物質遊離抑制薬，PGD_2受容体遮断薬，抗ロイコトリエン薬，Th2サイトカイン産生阻害薬，副腎皮質ステロイド薬，抗ヒトIgEモノクローナル抗体製剤などがある．

③ アトピー性皮膚炎（☞8章C.1 アトピー性皮膚炎，p.516）

治療にあたっては，アレルギー性炎症を抑制し，保湿を行い，増悪因子を回避することが基本となる．薬物治療には，副腎皮質ステロイド外用薬，タクロリムス外用薬，シクロスポリン内服薬，H_1受容体遮断薬，抗ヒトIL-4/IL-13受容体モノクローナル抗体製剤などが用いられる．

■薬　理

① アレルギー疾患治療薬

アレルギー疾患治療薬としては以下の薬物以外にも副腎皮質ステロイドが用いられる（☞本章1■薬理1 抗炎症薬，p.215）．

a　化学伝達物質（ケミカルメディエーター）遊離抑制薬

- クロモグリク酸ナトリウム　●トラニラスト　●アンレキサノクス
- イブジラスト（構造式☞p.145）　●ペミロラスト　●アシタザノラスト

薬理作用　抗アレルギー作用．気管支喘息，アレルギー性鼻炎，アレルギー性結膜炎，アトピー性皮膚炎に用いる．

作用機序　抗原抗体反応による肥満細胞からの化学伝達物質遊離を抑制する．

クロモグリク酸ナトリウム　　トラニラスト

アンレキサノクス　　　ペミロラスト　　　アシタザノラスト

b　第一世代ヒスタミン H_1 受容体遮断薬

- エタノールアミン系：●ジフェンヒドラミン　●ジフェニルピラリン　●クレマスチン　●ジメンヒドリナート*

*ジフェンヒドラミンと8-クロルテオフィリンの複塩

- プロピルアミン系：●dl-/d-クロルフェニラミン　●トリプロリジン
- フェノチアジン系：●プロメタジン　●アリメマジン
- ピペラジン系：●ヒドロキシジン　●ホモクロルシクリジン
- ピペリジン系：●シプロヘプタジン

薬理作用　抗ヒスタミン作用に基づく抗アレルギー作用．中枢移行性が高く，中枢神経抑制作用が出現しやすい．また，比較的強い抗コリン作用を有する．抗動揺病作用(ジメンヒドリナート，プロメタジン)，抗パーキンソン病作用(プロメタジン)．蕁麻疹，アトピー性皮膚炎などの瘙痒を伴う皮膚疾患や，アレルギー性鼻炎，アレルギー性結膜炎などに用いられるが，抗コリン作用ももつため，気管支喘息には使用しない．

作用機序　ヒスタミン H_1 受容体においてヒスタミンと競合的に拮抗することで，血管拡張，血管透過性亢進，知覚神経刺激，粘液分泌亢進などを抑制する．

副作用　中枢神経抑制作用．高用量では中枢興奮作用．抗コリン作用のため，緑内障や前立腺肥大に伴う排尿困難では禁忌．

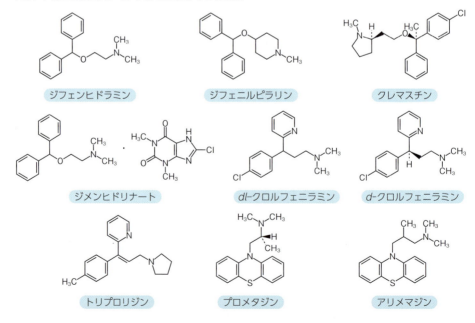

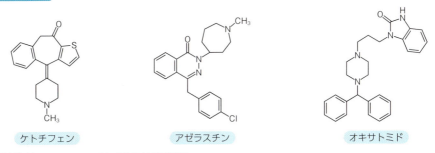

ヒドロキシジン　　ホモクロルシクリジン　　シプロヘプタジン

c 第二世代ヒスタミンH_1受容体遮断薬

1) 化学伝達物質遊離抑制作用をもつヒスタミンH_1受容体遮断薬

●ケトチフェン　●アゼラスチン　●オキサトミド

薬理作用　ケトチフェンとオキサトミドの中枢移行性は第一世代と同程度であり,第一世代とほぼ同様の中枢抑制作用をもつ.アゼラスチンの中枢抑制作用はやや弱い.いずれも抗コリン作用が第一世代よりも弱くなっており,気管支喘息に用いられる.抗アレルギー作用がある.気管支喘息,アレルギー性鼻炎,蕁麻疹,アレルギー性結膜炎に用いられる.

作用機序　H_1受容体遮断作用.肥満細胞からの化学伝達物質遊離抑制作用,抗ロイコトリエン作用,抗PAF作用ももつ.抗コリン作用は弱い.

副作用　中枢抑制作用による眠気.

ケトチフェン　　アゼラスチン　　オキサトミド

2) 非鎮静性ヒスタミンH_1受容体遮断薬

●メキタジン　●フェキソフェナジン　●エピナスチン　●エバスチン　●セチリジン　●レボセチリジン　●ベポタスチン　●エメダスチン　●オロパタジン　●ロラタジン　●デスロラタジン　●ビラスチン　●レボカバスチン　●ルパタジン

非鎮静性ヒスタミンH_1受容体遮断薬は,親水性基であるカルボキシ基もしくはアミノ基を導入することで血液脳関門を通過しにくくしている.カルボキシ基を有する薬物(ビラスチン,レボセチリジン,フェキソフェナジン,オロパタジン,ベポタスチンなど)はH_1受容体に特異性が高い.一方,アミノ基をもつ薬物(エピナスチン,メキタジン,デスロラタジン,ロラタジン,ルパタジン)は,カルボキシ基を有する薬物よりもH_1受容体に対する特異性が低く,ムスカリン受容体やPAF受容体など,ほかの受容体も遮断する.

ルパタジンは体内でCYP3A4により,ロラタジンはCYP3A4またはCYP2D6により,デスロラタジンに変換されて作用する.

レボセチリジンはセチリジンのL体であり，H_1 受容体親和性が高く，セチリジンの約半量でセチリジンと同等の H_1 受容体遮断作用を示す．

薬理作用　中枢移行性が第一世代や第二世代の初期のものに比較して低く，眠気などの原因となる中枢抑制作用も弱いものが多い．抗コリン作用も第一世代よりも弱くなっており，気管支喘息に用いられる．ただし，レボカバスチンは局所投与のみで使用される．抗アレルギー作用，気管支喘息，アレルギー性鼻炎，蕁麻疹，アレルギー性結膜炎などに用いられる．

作用機序　H_1 受容体遮断作用．肥満細胞からの化学伝達物質遊離抑制作用をもつものが多い．

メキタジン　フェキソフェナジン　エピナスチン

エバスチン　セチリジン　レボセチリジン

ベポタスチン　エメダスチン　オロパタジン　ロラタジン

デスロラタジン　ビラスチン　レボカバスチン　ルパタジン

d　トロンボキサン A_2 合成阻害薬

● オザグレル

薬理作用　抗アレルギー作用．

作用機序 TX合成酵素を阻害することにより，気道過敏性亢進ならびに気道収縮作用を有するTXA$_2$の産生を抑制する．

副作用 発疹，瘙痒，悪心，肝機能異常（AST，ALT上昇）．血液凝固に必要な血小板のTXA$_2$産生も抑制するため，出血傾向．抗血小板薬や抗凝固薬との併用は注意する．

臨床応用 気管支喘息には**オザグレル塩酸塩**を経口で使用する．一方，**オザグレルナトリウム**は抗血小板薬として，脳血栓急性期の治療に点滴静注で使用する（☞4章B.1.1-2■薬理a.1)TXA$_2$合成阻害薬，p.335）．

e　トロンボキサンA$_2$受容体遮断薬

●セラトロダスト

薬理作用 抗アレルギー作用．気管支喘息に使用する．

作用機序 TXA$_2$受容体を遮断することにより，気道過敏性亢進ならびに気道収縮作用を有するTXA$_2$の作用を阻害する．

副作用 肝障害，劇症肝炎など．溶血性貧血を副作用にもつ薬物と併用すると溶血性貧血発現．

オザグレル

セラトロダスト

f　プロスタグランジンD$_2$・トロンボキサンA$_2$受容体遮断薬

●ラマトロバン

薬理作用 抗アレルギー作用．アレルギー性鼻炎に使用する．

作用機序 TXA$_2$受容体を遮断し，血管透過性亢進と炎症性細胞浸潤を抑制する．また，炎症細胞のPGD$_2$受容体を遮断し，炎症細胞の遊走や脱顆粒を抑制する．

副作用 肝炎，肝障害，黄疸．抗凝固薬や抗血小板薬との併用で出血傾向．

ラマトロバン

g　ロイコトリエン受容体遮断薬

●プランルカスト　●モンテルカスト

薬理作用 抗アレルギー作用．気管支喘息，アレルギー性鼻炎に使用する．

作用機序 LTC$_4$, LTD$_4$の受容体〔システインニルロイコトリエン(CysLTs)タイプ1受容体〕を遮断して，LT類による気管支平滑筋収縮や血管透過性亢進，血管収縮を抑制する．

副作用 肝障害など

プランルカスト

モンテルカスト

h Th2サイトカイン阻害薬

● スプラタスト

薬理作用 抗アレルギー作用．気管支喘息，アトピー性皮膚炎，アレルギー性鼻炎に使用する．

作用機序 Ⅱ型ヘルパーT細胞(Th2)に対して作用し，**Th2サイトカイン**であるインターロイキン(IL)-4, IL-5の産生を抑制する．その結果，IgE抗体産生や好酸球の増殖・活性化を抑制する．

スプラタスト

i 免疫抑制薬

● タクロリムス

薬理作用 免疫抑制作用．アトピー性皮膚炎に使用する．

作用機序 T細胞，肥満細胞，好酸球，ランゲルハンス細胞などの炎症性細胞に作用し，イムノフィリンの一種である**FKBP12**(FK506 binding protein 12)と複合体をつくり，**カルシニューリン**の活性を阻害する．その結果，**NFATc**(活性化T細胞核内因子 nuclear factor of activated T cellsの細胞質成分)の脱リン酸化を抑制する．とくにT細胞からのサイトカインの産生を強く阻害する．

タクロリムス

j アナフィラキシーショックに対する治療薬

● **アドレナリン**（構造式 ☞ p. 47）

薬理作用 血管収縮作用，心刺激作用，気管支拡張作用．

作用機序 血管に対しては $α_1$ 受容体刺激による収縮作用と $β_2$ 受容体刺激による拡張作用を示すが，皮膚血管では収縮作用が優先するため，局所に適用すると末梢血管を収縮させ，止血作用を現し，また，鼻・口腔粘膜の充血・腫脹を抑制する．筋肉の血管では拡張作用が優先するため，アナフィラキシーショック時には筋肉内注射により速やかに吸収させる．心臓では，洞房結節の刺激発生のペースを速めて心拍数を増加させ，心筋の収縮力を強め，心拍出量を増大して強心作用を発揮する．気管支平滑筋に対しては，平滑筋弛緩作用を現し，気管支を拡張させて呼吸量を増加させる．

副作用 肺水腫，呼吸困難，心停止，心悸亢進，不整脈，血圧異常上昇など．

k 減感作療法

アレルギー患者に対し，アレルギー症状を誘発しない範囲の微量のアレルゲンを反復投与することで，Ⅰ型ヘルパー T 細胞(Th1)や制御性 T 細胞(Treg)を誘導し，Th2 を抑制して IgE 抗体の産生を低下させ，アレルギー反応を減弱させる治療法を**減感作療法（免疫療法）**という．アレルゲンの投与経路は皮下と舌下の場合がある．各種アレルゲンが皮下投与で用いられるほか，スギ花粉エキスやダニ抗原が舌下免疫療法で用いられる．

抗アレルギー薬

種類　薬物　[代表的な商品名]	作用機序	注意すべき副作用
化学伝達物質遊離抑制薬		
●クロモグリク酸ナトリウム [インタール]	肥満細胞からの IgE を介した化学伝達物質の遊離を抑制する	【吸入薬・エアロゾル】気管支痙攣 【細粒】発疹，下痢
●トラニラスト [リザベン]		膀胱炎様症状，発疹，食欲不振など消化器症状
●アンレキサノクス [ソルファ]		過敏症，悪心・嘔吐，頭痛，眠気，好酸球増加
●イブジラスト [ケタス]		発疹，めまい，頭痛，食欲不振など消化器症状
●ペミロラスト [アレギサール]		腹痛，肝障害，眠気，悪心
●アシタザノラスト [ゼペリン]		【点眼】眼刺激，眼痛，眼瞼浮腫など
第一世代ヒスタミン H_1 受容体遮断薬		
エタノールアミン系 ●ジフェンヒドラミン [レスタミン] ●ジフェニルピラリン [ハイスタミン] ●クレマスチンフマル酸塩 [タベジール] ●ジメンヒドリナート [ドラマミン] **プロピルアミン系** ●d-クロルフェニラミンマレイン酸塩 [ポララミン] ●トリプロリジン塩酸塩水和物 [ベネン] **フェノチアジン系** ●プロメタジン塩酸塩 [ヒベルナ] ●アリメマジン酒石酸塩 [アリメマジン] **ピペラジン系** ●ヒドロキシジン [アタラックス] ●ホモクロルシクリジン塩酸塩 [ホモクロミン]	ヒスタミン H_1 受容体を遮断することにより，ヒスタミンによる知覚神経刺激，血管拡張，血管透過性亢進，粘液分泌亢進，平滑筋収縮などを抑制する ジメンヒドリナートは鎮暈・鎮吐薬として用いる	中枢抑制作用(鎮静作用，眠気，倦怠感，めまい)，高用量では中枢興奮作用(痙攣，興奮作用)，認知機能障害，抗コリン作用(口渇，粘膜乾燥感，視調節障害，尿閉，便秘，頻脈など)，消化器症状(悪心，嘔吐，下痢，食欲不振，上腹部痛)など
ピペリジン系 ●シプロヘプタジン塩酸塩水和物 [ペリアクチン]		上記に加え，抗セロトニン作用による食欲亢進とその結果生じる体重増加
第二世代ヒスタミン H_1 受容体遮断薬：化学伝達物質遊離抑制作用をもつヒスタミン H_1 受容体遮断薬		
●ケトチフェンフマル酸塩 [ザジテン]	H_1 受容体遮断により，ヒスタミンによる知覚神経刺激，血管拡張，血管透過性亢進，平滑筋収縮などを抑制する．抗ロイコトリエン作用，抗PAF作用，肥満細胞などからの化学伝達物質遊離抑制作用をもつ	眠気，倦怠感，口渇，痙攣
●アゼラスチン塩酸塩 [アゼプチン]		眠気，倦怠感，口渇，苦味感，味覚異常
●オキサトミド [セルテクト]		眠気，過敏症，悪心，肝障害，皮膚粘膜眼症候群，中毒性表皮壊死融解症
第二世代ヒスタミン H_1 受容体遮断薬：非鎮静性ヒスタミン H_1 受容体遮断薬		
●メキタジン [ゼスラン] ●フェキソフェナジン塩酸塩 [アレグラ] ●エピナスチン塩酸塩 [アレジオン] ●エバスチン [エバステル] ●セチリジン塩酸塩 [ジルテック] ●レボセチリジン塩酸塩 [ザイザル] ●ベポタスチンベシル酸塩 [タリオン] ●エメダスチンフマル酸塩 [レミカット] ●オロパタジン塩酸塩 [アレロック] ●ロラタジン [クラリチン] ●デスロラタジン [デザレックス]	H_1 受容体遮断により，ヒスタミンによる知覚神経刺激，血管拡張，血管透過性亢進，平滑筋収縮などを抑制する．抗コリン作用は弱い．肥満細胞などからの化学伝達物質遊離抑制作用をもつ．中枢抑制作用はほとんどないか弱い	眠気，倦怠感，口渇，頭痛，めまい，胃不快感など消化器症状 【点眼】局所刺激感

抗アレルギー薬（つづき）

種類　薬物　[代表的な商品名]	作用機序	注意すべき副作用
● ビラスチン [ビラノア] ● レボカバスチン塩酸塩 [リボスチン] ● ルパタジンフマル酸塩 [ルパフィン]		
トロンボキサン A_2 合成阻害薬		
● オザグレル塩酸塩水和物 [ベガ]	TX 合成酵素を阻害することにより，気道過敏性亢進ならびに気道収縮作用を有する TXA_2 の産生を抑制する	発疹，瘙痒，悪心，胃・腹部不快感，肝機能異常（AST・ALT 上昇），出血傾向
トロンボキサン A_2 受容体遮断薬		
● セラトロダスト [ブロニカ]	TXA_2 受容体を遮断することにより，気道過敏性亢進ならびに気道収縮作用を有する TXA_2 の作用を阻害する	肝障害，劇症肝炎，発疹，悪心，食欲不振，口渇，眠気，倦怠感
プロスタグランジン D_2・トロンボキサン A_2 受容体遮断薬		
● ラマトロバン [バイナス]	TXA_2 受容体を遮断し，血管透過性亢進と炎症性細胞浸潤を抑制する．炎症細胞の PGD_2 受容体を遮断し，炎症細胞の遊走や脱顆粒を抑制する	肝炎，肝障害，黄疸，発疹，瘙痒，APTT 延長，眠気，めまい，下痢など消化器症状
ロイコトリエン受容体遮断薬		
● プランルカスト水和物 [オノン]	システイニルロイコトリエン（CysLTs）タイプ 1 受容体を遮断して，LT 類による気管支平滑筋収縮や血管透過性亢進，血管収縮を抑制する	白血球・血小板減少，肝障害，発疹，瘙痒，悪心
● モンテルカストナトリウム [シングレア]		劇症肝炎，肝障害，中毒性表皮壊死融解症，皮疹，傾眠，倦怠感，下痢など消化器症状
Th2 サイトカイン阻害薬		
● スプラタストトシル酸塩 [アイピーディ]	Th2 細胞に対して作用し，Th2 サイトカインであるインターロイキン（IL）-4，IL-5 の産生を抑制する．その結果，IgE 抗体産生や好酸球の増殖・活性化を抑制する	肝障害，ネフローゼ症候群，悪心，胃不快感，発疹，瘙痒，倦怠感
免疫抑制薬		
● タクロリムス水和物 [プログラフ]	FKBP12 に結合し，カルシニューリンの活性化を阻害して NFATc の核内移行を阻害する	急性腎不全，汎血球減少症，感染症，悪性腫瘍，高血圧，高尿酸血症，心不全，不整脈，心筋梗塞
アナフィラキシーショックに対する治療薬		
● アドレナリン [ボスミン，エピペン]	血管拡張作用を示すが，皮膚血管は収縮し，鼻・口腔粘膜の充血・腫脹を抑制．強心作用や気管支拡張作用も示す	肺水腫，呼吸困難，心停止，心悸亢進，不整脈，血圧異常上昇など
免疫（減感作）療法		
● 標準化スギ花粉エキス [シダトレン] ● ヤケヒョウヒダニエキス・コナヒョウヒダニエキス配合 [アシテア，治療用ダニアレルゲンエキス「トリイ」]	アレルゲンを生体内に投与することで，Th1 や Treg を誘導し，Th2 の機能を抑制する	ショック，アナフィラキシー，口内炎，舌下・口腔内腫脹，耳・咽喉痛，瘙痒，蕁麻疹

3 自己免疫疾患

■病態生理

免疫系は，通常は自己の成分に対して無反応である(寛容)．しかし，何らかの異常が生じて寛容状態が破綻すると，自己の組織に対して異常な反応を生じることがある．これが自己免疫疾患である．

自己免疫疾患は，臓器特異的自己免疫疾患と全身性自己免疫疾患(臓器非特異的自己免疫疾患)に大別される．

臓器特異的自己免疫疾患：臓器に限局して病変がみられる疾患で，臓器特異的なホルモンや細胞表面の受容体に対する自己抗体が産生されることが多い．**アジソン病，重症筋無力症，多発性硬化症，特発性血小板減少性紫斑病，シェーグレン症候群，1型糖尿病，バセドウ病，橋本病**などがある．

全身性自己免疫疾患：全身の多臓器を侵す疾患で，**全身性エリテマトーデス** systemic lupus erythematosus(**SLE**)に代表される．抗核抗体などの臓器非特異的な抗体を産生することが多い．自己免疫疾患と考えられている膠原病 collagen disease には，SLE，**関節リウマチ，強皮症，多発性筋炎/皮膚筋炎**などがある．

自己免疫疾患では，特異的な自己抗体の産生，リンパ球やマクロファージの浸潤と活性化，炎症性サイトカインの産生などを生じている．自己免疫疾患に使用する免疫抑制薬は，これらを抑制することを目的として使用される．

■薬　理

1 免疫抑制薬

免疫抑制薬は，その作用機序により，代謝拮抗薬(プリン代謝拮抗薬，その他の代謝拮抗薬)，アルキル化薬，リンパ球増殖抑制薬，細胞増殖シグナル抑制薬，カルシニューリン阻害薬，ヤヌスキナーゼ(JAK)阻害薬，生物学的製剤，その他に分類できる．抗リウマチ薬も免疫系に対する作用を有するものが多く，ほかの疾患で使用する薬物にも関節リウマチに用いる薬物があることから，ここにまとめて示した(**表3-3**)．

a 代謝拮抗薬(プリン代謝拮抗薬)

●アザチオプリン

[薬理作用] 免疫抑制作用．各種の自己免疫疾患や移植時拒絶反応の抑制に用いられる．

[作用機序] 生体内で6-メルカプトプリン(6-MP)に分解され，6-MPがDNA合成阻害作用，細胞傷害作用，免疫抑制作用を発揮する．

表 3-3 低分子免疫抑制薬の作用機序による分類

作用機序	薬物	特徴
プリン代謝阻害	アザチオプリン	6-MP に変換されて作用
	ミゾリビン ミコフェノール酸モフェチル	リンパ球に特異的
ピリミジン代謝阻害	レフルノミド	リンパ球に特異的
	メトトレキサート	葉酸代謝拮抗薬
DNA アルキル化	シクロホスファミド	活性代謝物がグアニン N7 をアルキル化
リンパ球増殖抑制	グスペリムス	核酸合成は阻害しない
細胞増殖シグナル阻害	エベロリムス	FKBP12 に結合して mTOR を阻害
カルシニューリン阻害	シクロスポリン	シクロフィリンに結合してカルシニューリンを阻害
	タクロリムス	FKBP12 に結合してカルシニューリンを阻害
リソソーム内 pH の上昇	ヒドロキシクロロキン	クロロキン誘導体
JAK 阻害	トファシチニブ	JAK1〜3 と TyK2 を阻害
	バリシチニブ	JAK1, 2 を阻害
	ペフィシチニブ	JAK1〜3 と Tyk2 を阻害
	ウパダシチニブ	JAK1 を阻害
	フィルゴチニブ	JAK1 を阻害
	デルゴシチニブ	JAK1〜3 と Tyk2 を阻害

副作用 骨髄抑制，血液障害，肝障害，悪性腫瘍，感染症，間質性肺炎，進行性多巣性白質脳症(PML)など．生ワクチンとの併用禁忌．

●ミゾリビン

薬理作用 免疫抑制作用．抗リウマチ作用．腎移植時拒絶反応抑制，ステロイド難治例の原発性糸球体疾患によるネフローゼ症候群，ステロイド難治例のループス腎炎，関節リウマチなどに使用する．

作用機序 イノシン酸からグアニル酸に至る経路を拮抗阻害して，核酸合成を抑制する．リンパ系細胞増殖を強く抑制する．

副作用 骨髄抑制，感染症，間質性肺炎，肝障害，急性腎不全など．生ワクチンとの併用禁忌．

●ミコフェノール酸モフェチル

薬理作用 免疫抑制作用．腎移植後の難治性拒絶反応抑制，心・肝・肺・膵移植時拒絶反応抑制．ループス腎炎に使用する．

作用機序 生体内で速やかにミコフェノール酸(MPA)に加水分解され，MPA が *de novo* プリン生合成経路の律速酵素であるイノシン酸(IMP)脱水素酵素を可逆的かつ特異的に阻害し，GTP，dGTP を枯渇させて DNA 合成を抑制する．リンパ球は核酸合成を主に *de novo* 系に依存するため，リンパ球の増殖を選択的に抑制する．

副作用 感染症，PML，骨髄抑制，消化管出血・穿孔・潰瘍，血栓症など．生

ワクチンとの併用禁忌.

| アザチオプリン | ミゾリビン | ミコフェノール酸モフェチル |

b その他の代謝拮抗薬

●レフルノミド
薬理作用 免疫抑制作用，抗リウマチ作用．

作用機序 活性代謝物が *de novo* ピリミジン生合成に関与するジヒドロオロテートデヒドロゲナーゼを阻害するため，*de novo* 経路からのピリミジンヌクレオチドの供給に依存する活性化リンパ球の増殖を抑制．

副作用 間質性肺炎，汎血球減少症，肝不全，急性肝壊死，感染症など．

●メトトレキサート
薬理作用 免疫抑制作用，抗リウマチ作用，抗腫瘍作用．各種の自己免疫疾患，関節リウマチ，各種の白血病や腫瘍に使用される．

作用機序 ジヒドロ葉酸還元酵素を阻害し，チミジル酸合成およびプリン合成系を阻害して細胞増殖を抑制する．

副作用 骨髄抑制，感染症，間質性肺炎，肝障害，腎障害，ショック，アナフィラキシーなど．

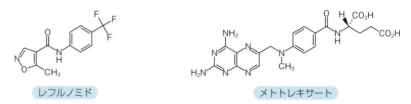

レフルノミド　　　　　メトトレキサート

c アルキル化薬

●シクロホスファミド
薬理作用 免疫抑制作用．抗腫瘍作用．各種の自己免疫疾患，悪性新生物に対して用いられる．

作用機序 肝臓で代謝され，活性代謝物のホスホラミドマスタードがDNAのグアニン7位の窒素原子(N7)に作用してアルキル化を起こす．

副作用 ショック・アナフィラキシー，皮膚粘膜眼症候群，中毒性表皮壊死融解症，骨髄抑制，出血性膀胱炎，イレウス，消化管出血，間質性肺炎，肺線維症，心不全など．

d　リンパ球増殖抑制薬

● グスペリムス

薬理作用　免疫抑制作用．腎移植後の拒絶反応抑制に用いられる．

作用機序　細胞傷害性 T 細胞の前駆細胞からの成熟および細胞傷害性 T 細胞の増殖を抑制し，臓器移植時の拒絶反応を抑制する．また，活性化 B 細胞の増殖・分化を抑制して，B 細胞の抗体産生を抑制する．

副作用　血液障害，呼吸抑制，PML，感染症．

e　細胞増殖シグナル阻害薬

● エベロリムス

薬理作用　免疫抑制作用．心・腎・肝移植後の拒絶反応抑制に用いられる．

作用機序　マクロライド構造をもち，細胞内でイムノフィリンの FKBP12 に結合して作用する．エベロリムスと FKBP12 の複合体が，セリン・スレオニンキナーゼである **mTOR1**（mammalian target of rapamycin 1）を選択的に阻害する．mTOR1 は，p70 S6 キナーゼおよび 4E-BP1 をリン酸化してタンパク質合成を調節し，細胞の成長，増殖および生存に関与するため，エベロリムスは p70 S6 キナーゼの活性化を阻害して T 細胞の増殖を抑制する．

副作用　悪性腫瘍，腎障害，感染症，移植腎血栓症，間質性肺炎．生ワクチンとの併用禁忌．

シクロホスファミド

グスペリムス

エベロリムス

f　カルシニューリン阻害薬

● シクロスポリン

薬理作用　免疫抑制作用．各種臓器移植時の拒絶反応抑制，各種の自己免疫疾患に用いられる．

作用機序　環状ポリペプチド構造をもつ抗生物質由来化合物．ヘルパー T 細胞でイムノフィリンの一種である**シクロフィリン**と複合体を形成し，脱リン酸化酵素のカルシニューリンに結合して**カルシニューリン**の活性化を阻害する．その結果，脱リン酸化による転写因子 **NFATc** の核内移行が抑制され，IL-2 などのサイトカイン産生が

低下する．

副作用 腎障害，肝障害，肝不全，感染症，急性膵炎，高血圧，脂質異常症，高尿酸血症など．

● **タクロリムス**（構造式☞ p. 234）

薬理作用 免疫抑制作用．各種臓器移植時の拒絶反応抑制，各種の自己免疫疾患に用いられる．

作用機序 マクロライド構造をもつ抗生物質．T 細胞の細胞内でイムノフィリンの１つである **FKBP12** と複合体を形成してカルシニューリンに結合し，カルシニューリンの活性化を阻害する．その結果，脱リン酸化による転写因子 NFATc の核内移行が阻害され，IL-2 などのサイトカインの産生が抑制される．

副作用 急性腎不全，心不全，不整脈，心筋梗塞，心筋障害，高血圧性脳症，汎血球減少症など．生ワクチンとの併用禁忌．

表 3-4　生物学的製剤の標的分子と薬物

	標的分子	薬物	特徴
細胞表面のタンパク質	CD25（IL-2 受容体 α 鎖）	バシリキシマブ	抗ヒト CD25 マウス/ヒトキメラ型モノクローナル抗体．T 細胞活性化を抑制
	CD20（B 細胞の表面抗原）	リツキシマブ	抗ヒト CD20 マウス/ヒトキメラ型モノクローナル抗体．B 細胞増殖や抗体産生を抑制
	CD80 および CD86	アバタセプト	可溶型 CTLA-4 として抗原提示細胞の CD80/CD86 に結合し，CD28 を介した T 細胞活性化を抑制
	BLyS	ベリムマブ	完全ヒト型抗 BLyS モノクローナル抗体．B 細胞のアポトーシスを促進し，形質細胞への分化を抑制
サイトカイン	TNFα	インフリキシマブ	抗ヒト TNFα マウス/ヒトキメラ型モノクローナル抗体．TNFα を介した炎症反応を抑制
		アダリムマブ ゴリムマブ	抗ヒト TNFα 完全ヒト化モノクローナル抗体．TNFα を介した炎症反応を抑制
		エタネルセプト	ヒト型可溶型 TNFα/LTα 受容体．TNFα を介した炎症反応を抑制
		セルトリズマブ ペゴル	抗ヒト TNFα ヒト化モノクローナル抗体の Fab' 断片誘導体．TNFα を介した炎症反応を抑制
	IL-6	トシリズマブ	抗ヒト IL-6 受容体ヒト化モノクローナル抗体．IL-6 を介した炎症反応を抑制
		サリルマブ	抗ヒト IL-6 受容体完全ヒト化モノクローナル抗体．IL-6 を介した炎症反応を抑制
		サトラリズマブ	pH 依存的結合性抗ヒト IL-6 受容体ヒト化モノクローナル抗体．IL-6 を介した炎症反応を抑制

―Ala―D―Ala―MeLeu―MeLeu―MeVal―N―Abu―MeGly―MeLeu―Val―MeLeu―

Abu＝(2S)-2-アミノ酪酸　　MeLeu＝N-メチルロイシン
MeGly＝N-メチルグリシン　　MeVal＝N-メチルバリン

シクロスポリン

g　ヤヌスキナーゼ(JAK)阻害薬

JAKはサイトカイン受容体の情報伝達に関与するチロシンキナーゼであり，JAKの活性化によりSTATという転写制御因子が活性化される．図3-3にサイトカインによるJAK/STAT系の活性化機構とJAK阻害薬の作用点を示した．

● トファシチニブ

薬理作用　免疫抑制作用，抗リウマチ作用．既存治療で効果不十分な関節リウマチや，中等症から重症の潰瘍性大腸炎の寛解導入および維持療法（既存治療で効果不十分な場合に限る）に対して経口投与で用いる．

作用機序　非受容体型チロシンキナーゼのJAKは，JAK1，JAK2，JAK3，チロシンキナーゼ2(TyK2)に分類される．トファシチニブは，JAK1，JAK2，JAK3を阻害し，TyK2も軽度に阻害する．細胞内では2分子のJAKが介在してシグナル伝達が行われるが，トファシチニブはJAK1またはJAK2に会合するヘテロ2量体受容体によるシグナル伝達を強力に阻害し，IL-2，IL-4，IL-7，IL-9，IL-15およびIL-21などのサイトカイン受容体を介したシグナル伝達を遮断して，リンパ球の活性

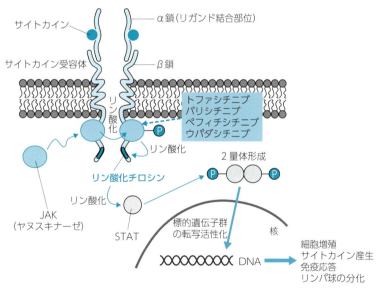

図3-3　サイトカインによるJAK/STAT経路の活性化機構とJAK阻害薬の作用点

化, 増殖, 機能発現を抑制する. また, JAK1 阻害作用により, IL-6 や I 型インターフェロンなどの炎症性サイトカインを介したシグナル伝達も抑制する.

副作用 感染症, 消化器穿孔, 好中球・リンパ球・ヘモグロビン減少, 肝障害など.

● **バリシチニブ**

薬理作用 免疫抑制作用, 抗リウマチ作用. 既存治療で効果不十分な関節リウマチやアトピー性皮膚炎, SARS-CoV-2 による肺炎 (ただし, 酸素吸入を要する患者に限る) に対して経口投与で用いる.

作用機序 JAK1 と JAK2 を選択的に阻害し, STAT のリン酸化および活性化を抑制することによりシグナル伝達を阻害する.

副作用 感染症, 消化器穿孔, 好中球・リンパ球・ヘモグロビン減少, 肝障害など.

トファシチニブ　　　　バリシチニブ

● **ペフィシチニブ**

薬理作用 免疫抑制作用, 抗リウマチ作用. 既存治療で効果不十分な関節リウマチに対して経口投与で用いる.

作用機序 JAK1, JAK2, JAK3, TyK2 を阻害し, 炎症性サイトカインのシグナル伝達や細胞増殖を抑制する. JAK 1 および JAK 3 が介在する IL-2 刺激によるヒト末梢血単核球からの IL-13, GMCSF, IFN-γ, TNFα の産生を抑制する. また, IL-6 のシグナル伝達を抑制し, IFN-α のシグナル伝達を抑制する. JAK 1 および JAK 3 が介在する IL-2 刺激によるヒト末梢血 T 細胞の増殖を抑制する.

副作用 感染症, 消化管穿孔, 好中球・リンパ球・ヘモグロビン減少, 肝障害, 間質性肺炎など.

● **ウパダシチニブ**

薬理作用 免疫抑制作用, 抗リウマチ作用. 既存治療で効果不十分な関節リウマチやアトピー性皮膚炎, 関節症性乾癬に対して経口投与で用いる.

作用機序 選択的かつ可逆的に JAK1 を阻害し, STAT リン酸化の阻害を介して炎症性サイトカインのシグナル伝達を抑制する.

副作用 感染症, 消化管穿孔, 好中球・リンパ球・ヘモグロビン減少, 肝障害, 間質性肺炎など.

- ●フィルゴチニブ

  薬理作用　免疫抑制作用，抗リウマチ作用．既存治療で効果不十分な関節リウマチに対して経口投与で用いる．

  作用機序　選択的かつ可逆的にアデノシン三リン酸(ATP)を競合的に阻害してJAK1 を阻害し，STAT リン酸化の阻害を介して炎症性サイトカインのシグナル伝達を抑制する．

  副作用　感染症，消化管穿孔，好中球・リンパ球・ヘモグロビン減少，肝障害，間質性肺炎など．

- ●デルゴシチニブ

  薬理作用　免疫抑制作用，アトピー性皮膚炎に軟膏剤で用いる．

  作用機序　JAK1，JAK2，JAK3，Tyk2 を阻害することにより，サイトカインにより誘発される免疫細胞および炎症細胞の活性化を抑制して皮膚の炎症を抑制する．また，サイトカインにより誘発される掻破行動(瘙痒)を抑制する．

  副作用　適用部位毛包炎，カポジ水痘様発疹，適用部位痤瘡など．

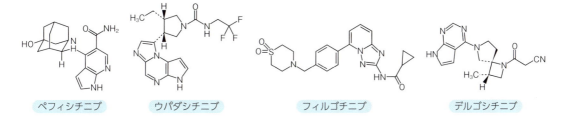

ペフィシチニブ　　ウパダシチニブ　　フィルゴチニブ　　デルゴシチニブ

h　生物学的製剤

図3-4 に，抗リウマチ作用・免疫抑制作用をもつ代表的な生物学的製剤の作用標的をまとめた．

1) 細胞表面のタンパク質を認識するもの

- ●バシリキシマブ

  薬理作用　免疫抑制作用．臓器移植時の急性拒絶反応抑制．

  作用機序　抗ヒト IL-2 受容体 α 鎖(**CD25**)マウス/ヒトキメラ型モノクローナル抗体で，T 細胞表面の CD25 抗原に特異的に結合して IL-2 受容体に対する IL-2 の結合を遮断し，IL-2 による T 細胞活性化を抑制する．

  副作用　急性過敏症反応，感染症，頭痛，咽頭痛，血圧上昇など．生ワクチンとの併用禁忌．

- ●リツキシマブ

  薬理作用　免疫抑制作用．B 細胞増殖型の悪性新生物に対する抗腫瘍作用．B 細胞性ホジキンリンパ腫や B 細胞増殖型疾患，一部の自己免疫疾患に用いられる．

  作用機序　抗ヒト CD20 マウス/ヒトキメラ型モノクローナル抗体で，**CD20** 陽性 B 細胞に結合し，抗腫瘍作用を示すだけでなく，抗体産生を抑制することで免疫抑制作用を発揮する．

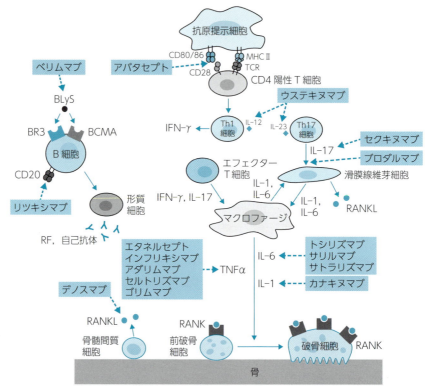

図 3-4 抗リウマチ作用・免疫抑制作用をもつ主な生物学的製剤の作用標的
BLyS：B リンパ球刺激因子，BR3：B 細胞活性化因子受容体 3，BCMA：B 細胞成熟抗原，RANK：NFκB 活性化受容体，RANKL：NFκB 活性化受容体リガンド，RF：リウマトイド因子，TACI：トランスメンブラン活性化因子およびカルシウムモジュレーターおよびシクロフィリンリガンド-相互作用体

副作用 アナフィラキシー，肺障害，心障害，腫瘍崩壊症候群（TLS），肝炎の増悪，B 型肝炎ウイルスによる劇症肝炎，肝障害など．

● **アバタセプト**

薬理作用 免疫抑制作用．抗リウマチ作用．既存治療で不十分な関節リウマチや，多関節に活動性を有する若年性特発性関節炎に用いられる．

作用機序 ヒト細胞傷害性 T リンパ球抗原-4（CTLA-4）の細胞外ドメインとヒト IgG1 の Fc ドメインからなる遺伝子組換え可溶性融合タンパク質である．抗原提示細胞表面の CD80 抗原および CD86 抗原に特異的に結合することで，T 細胞の活性化に必要な CD80/86 と CD28 抗原の相互作用による共刺激シグナルを選択的かつ抑制的に調節する．

副作用 重篤な感染症，重篤な過敏症，間質性肺炎など．

● **ベリムマブ**

薬理作用 免疫抑制作用．既存治療で効果不十分な全身性エリテマトーデスに用いられる．

作用機序 B 細胞のアポトーシスを抑制し，形質細胞への分化を促進させる可溶型

Bリンパ球刺激因子 B lymphocyte stimulator (BLyS) に結合する完全ヒト型抗BLyS モノクローナル抗体で，BLyS の活性を阻害する．

副作用 重篤な感染症，重篤な過敏症，進行性多巣性白質脳症，間質性肺炎など．

2) サイトカインの作用を阻害するもの

● インフリキシマブ

薬理作用 免疫抑制作用．抗リウマチ作用．既存治療で効果不十分な関節リウマチや，クローン病などの自己免疫疾患に用いられる．

作用機序 抗ヒト TNFα マウス/ヒトキメラ型モノクローナル抗体．可溶性 **TNFα**（**腫瘍壊死因子** tumor necrosis factor α）に特異的に結合し，TNFα の作用を中和する．また，膜結合型 TNFα に結合して，TNFα 産生細胞のアポトーシスや抗体依存性細胞傷害，補体依存性細胞傷害を誘導する．

副作用 感染症，結核，重篤な infusion reaction，脱髄疾患，間質性肺炎など．

● アダリムマブ

薬理作用 免疫抑制作用．抗リウマチ作用．既存治療で効果不十分な関節リウマチや膿疱性乾癬，ベーチェット病，クローン病など各種の自己免疫疾患に用いられる．

作用機序 抗ヒト TNFα 完全ヒト化モノクローナル抗体である．ヒト TNFα に選択的に結合し，TNFα を介した情報伝達を抑制する．

副作用 重篤な感染症，結核，ループス様症候群，脱髄疾患，重篤なアレルギー反応，重篤な血液障害，間質性肺炎，劇症肝炎など．

● ゴリムマブ

薬理作用 免疫抑制作用．抗リウマチ作用．既存治療で不十分な関節リウマチに用いられる．

作用機序 抗ヒト TNFα 完全ヒト化モノクローナル抗体．TNFα を介した炎症反応を阻害する．

副作用 敗血症性ショック，敗血症，重篤な感染症，間質性肺炎，結核，脱髄疾患，重篤な血液疾患，うっ血性心不全，重篤なアレルギー反応など．

● セルトリズマブ ペゴル

薬理作用 免疫抑制作用，抗リウマチ作用．

作用機序 抗ヒト TNFα ヒト化モノクローナル抗体の Fab′ 断片誘導体で，L 鎖（κ 鎖）とポリエチレングリコールを結合させた H 鎖からなる修飾タンパク質．TNFα と結合して TNFα を介した炎症反応を抑制するが，Fc 部分がないため，補体活性化などを介した細胞死誘発作用はないと考えられる．

副作用 敗血症，肺炎，結核，重篤なアレルギー反応，脱髄疾患，重篤な血液障害，ループス様症候群，間質性肺炎など．

● エタネルセプト

薬理作用 免疫抑制作用．抗リウマチ作用．既存治療で効果不十分な関節リウマチや，若年性特発性関節炎に用いられる．

作用機序　ヒト腫瘍壊死因子Ⅱ型受容体の細胞外ドメインのサブユニット2量体にヒトIgG1のFc領域を結合させた遺伝子組換えタンパク質．TNFαならびにリンホトキシン(LT)αに対して可溶性おとり受容体として作用し，TNFαおよびLTαを介した反応を抑制する．
　副作用　日和見感染症，結核，重篤なアレルギー反応，重篤な血液障害，間質性肺炎，急性腎不全，脱髄疾患，肝障害など．

● トシリズマブ
　薬理作用　免疫抑制作用，抗リウマチ作用．既存治療で効果不十分な関節リウマチや，高安動脈炎，巨細胞性動脈炎，キャッスルマン病などの自己免疫疾患に用いられる．
　作用機序　抗ヒトIL-6受容体ヒト化モノクローナル抗体である．可溶性および膜結合性IL-6受容体と結合してIL-6の受容体への結合を抑制し，IL-6による炎症反応を抑制．
　副作用　ショック，アナフィラキシー，感染症(肺炎，帯状疱疹など)，間質性肺炎，好中球減少症など．

● サリルマブ
　薬理作用　免疫抑制作用，抗リウマチ作用．既存治療で効果不十分な関節リウマチに用いられる．
　作用機序　抗ヒトIL-6受容体完全ヒト化モノクローナル抗体である．可溶性および膜結合型IL-6受容体サブユニット(IL-6Rα)と結合してIL-6の受容体への結合を抑制し，IL-6による炎症反応を抑制．
　副作用　感染症(鼻咽頭炎，蜂巣炎，肺炎など)，好中球減少症，注射部位紅斑，間質性肺炎，口内炎，腸管穿孔，肝障害など．

● サトラリズマブ
　薬理作用　免疫抑制作用，視神経脊髄炎スペクトラム障害の再発予防に用いられる．
　作用機序　ヒトIL-6受容体に対しpH依存的な結合親和性を示すヒト化モノクローナル抗体．可溶性および膜結合性IL-6受容体に結合してそれらを介したIL-6の生理活性の発現を抑制．
　副作用　感染症，アナフィラキシーショック，白血球・好中球・血小板減少，肝障害など．

i　その他の免疫系に作用する薬物

● ヒドロキシクロロキン
　薬理作用　免疫抑制作用．全身性エリテマトーデスに用いられる．
　作用機序　クロロキン誘導体で，リソソーム内に蓄積してリソソーム内pHを上昇させ，リソソーム内の種々の機能を抑制する．その結果，抗原提示の阻害，サイトカイン産生と放出の抑制，Toll様受容体 Toll-like receptor(TLR)を介する免疫反応

抑制，アポトーシス誘導，アラキドン酸放出抑制などを介して作用を発揮すると推察されている．

副作用 網膜症などの眼障害，中毒性表皮壊死融解症，皮膚粘膜眼症候群など．

ヒドロキシクロロキン

j 疾患修飾性抗リウマチ薬 disease modifying antirheumatic drugs (DMARDs)

●金チオリンゴ酸ナトリウム ●オーラノフィン

薬理作用 免疫抑制作用，抗リウマチ作用．

作用機序 作用機序は十分明らかにはなっていないが，自己抗体産生抑制，マクロファージや好中球の貪食能の抑制などにより，免疫応答を抑制的に調節すると考えられる．

副作用 腎障害，血液障害，間質性肺炎，口内炎などがある．

●ペニシラミン ●ブシラミン

薬理作用 免疫抑制作用，抗リウマチ作用．関節リウマチに使用する．なお，ペニシラミンは重金属イオンキレート作用により，ウィルソン病や重金属中毒に使用する．

作用機序 分子内のSH基によってリウマトイド因子や免疫複合体の分子内S-S結合を解離．詳細な機序は明らかではないが，ヘルパーT細胞や線維芽細胞，マクロファージに対する作用を介して免疫調節作用を示すと考えられる．なお，ペニシラミンは，ペニシリンの加水分解産物で，銅，水銀，亜鉛，鉛などの金属イオンとキレート形成をして腎排泄を促進させる作用をもつ．

副作用 血液障害，肝障害，腎障害，皮膚炎など．

●サラゾスルファピリジン（構造式☞ p.425）

薬理作用 免疫抑制作用，抗リウマチ作用．関節リウマチ，潰瘍性大腸炎などに使用する．

作用機序 T細胞やマクロファージに作用して，IL-1，IL-2，IL-6などのサイトカイン産生を抑制し，関節リウマチにおける異常な抗体産生を抑制．また，滑膜細胞の活性化や炎症性細胞の浸潤などを抑制し，多形核白血球の活性酸素産生を抑制．

副作用 肝障害，血液障害，重度の皮膚粘膜症状，発疹，頭痛など．

●イグラチモド

薬理作用 免疫抑制作用，抗リウマチ作用．

作用機序 抗体産生抑制作用，マクロファージや滑膜細胞の炎症性サイトカイン（TNFα，IL-1β，IL-6，IL-8，MCP-1）産生抑制作用などにより，免疫反応を抑制すると考えられる．

副作用　肝障害，血液障害，消化性潰瘍，間質性肺炎，感染症など．

金チオリンゴ酸ナトリウム　　オーラノフィン

ペニシラミン　　ブシラミン　　イグラチモド

k　免疫学的機序の関与する希少疾病に用いられる生物学的製剤

●カナキヌマブ
薬理作用　免疫抑制作用．既存治療で効果不十分な全身型若年性特発性関節炎や，クリオピリン関連周期熱症候群に使用する．
作用機序　抗ヒト IL-1β ヒト型モノクローナル抗体．ヒト IL-1β に結合して IL-1β の受容体への結合を阻害し，その活性を中和する．
副作用　重篤な感染症，好中球減少など．

●エクリズマブ
薬理作用　免疫抑制作用．発作性夜間ヘモグロビン尿症における溶血抑制や，全身型重症筋無力症（免疫グロブリン大量静注療法または血液浄化療法による症状の管理が困難な場合に限る）に用いる．
作用機序　抗ヒト補体 C5a ヒト化モノクローナル抗体．C5a の中和抗体として作用する．
副作用　髄膜炎菌感染症，infusion reaction など．
禁忌　髄膜炎菌感染症

●ラブリズマブ
薬理作用　抗ヒト補体 C5a ヒト型モノクローナル抗体．発作性夜間ヘモグロビン尿症や非典型溶血性尿毒症症候群に用いる．
作用機序　抗ヒト補体 C5a ヒト化モノクローナル抗体．補体タンパク C5 に特異的に結合し，C5 の C5a および C5b への開裂を阻害することで，終末補体複合体（C5b-9）の生成を抑制する．
副作用　髄膜炎菌感染症，infusion reaction，頭痛など．
禁忌　髄膜炎菌感染症

> **コラム**
>
> **希少疾病用医薬品**
>
> 　免疫学的機序が関与する希少疾病の治療にも，免疫系に作用する薬物が用いられる．対象患者数が5万人未満で，医療上とくにその必要性が高く，開発の可能性が高いことから認められている医薬品を希少疾病用医薬品（オーファン・ドラッグ）という．そのなかでも，患者数が1,000人未満のような，希少疾患のなかでもさらに希少な疾患に使用する医薬品を超希少疾病用医薬品（ウルトラ・オーファン・ドラッグ）という．

3-1 全身性エリテマトーデス

■病態生理

　全身性エリテマトーデス systemic lupus erythematosus（SLE）は，核，細胞質，細胞膜などの自己抗原に対する抗体の産生と，抗原抗体複合体の組織沈着というⅢ型アレルギーの機序によって全身性の炎症性病変を生じる自己免疫疾患である．20～40歳代の女性に多い．薬物アレルギー，細菌・ウイルス感染，妊娠などをきっかけとして，発病・再燃することが多い．抗核抗体として，抗2本鎖DNA抗体，抗Sm抗体，抗ヒストン抗体，抗U1RNP抗体などがあるほか，抗リン脂質抗体（抗カルジオリピン抗体）がつくられる場合もある．発熱，全身倦怠感，易疲労感，体重減少などの全身症状のほか，皮膚・粘膜病変として顔面蝶形紅斑（butterfly rash），光線過敏症，脱毛，レイノー症状（指先の血行障害），関節症状として関節痛，まれに関節炎など，腎症状としてループス腎炎，タンパク尿，精神神経症状として抑うつ，意識障害など，漿膜炎症状として胸膜炎，心膜炎，腹膜炎，呼吸器症状として胸膜炎，間質性肺炎を認めるほか，口腔内潰瘍，陰部粘膜潰瘍なども生じる．とくにループス腎炎は最も高度にみられる臓器障害である．周辺疾患に薬剤誘発ループスがある．

　薬物療法としては，腎機能が正常で皮膚症状や関節炎のみの軽症例では，関節炎に対してNSAIDs，レイノー症状に対しては血管拡張作用を有する薬物，紅斑に対して副腎皮質ステロイドの軟膏を使用する．ネフローゼ症候群や胸膜炎のある中等症例では，プレドニゾロンなどの副腎皮質ステロイドを用いる．ループス腎炎や血小板減少，溶血性貧血を併発している重症例では，メチルプレドニゾロン注射液を用いた副腎皮質ステロイドのパルス療法を行う．ステロイド抵抗性ループスや予後不良因子を有する症例などの難治性病態に対しては，免疫抑制薬としてシクロホスファミド，アザチオプリン，ミゾリビン，タクロリムス，シクロスポリン，ヒドロキシクロロキンなどが用いられる．

■薬　理

1) **副腎皮質ステロイド**(抗炎症薬の項参照)
   - プレドニゾロン
   - メチルプレドニゾロン
2) **免疫抑制薬**(免疫抑制薬の項参照)
   - メトトレキサート
   - ミコフェノール酸モフェチル
   - シクロホスファミド
   - シクロスポリン
   - タクロリムス
   - ヒドロキシクロロキン
3) **生物学的製剤**(免疫抑制薬の項参照)
   - リツキシマブ
   - ベリムマブ

3-2　関節リウマチ(RA)

■病態生理

　関節リウマチ rheumatoid arthritis(**RA**)は原因不明の非化膿性多発性関節炎を主徴とする自己免疫疾患で，いわゆる膠原病の1つである．増悪と寛解を繰り返し，進行例では関節の破壊と変形を生じる．多くの場合進行性であり，完全寛解は少ない．全身症状として，全身倦怠感，微熱，貧血，体重減少などがあり，関節症状として**朝のこわばり** morning stiffness，多発性関節炎を認め，多発性関節炎が進行すると，関節の変形や強直などを生じる．「**白鳥の首** swan neck」**変形**はその1つである．関節外症状には，皮下結節(リウマトイド結節)，心膜炎などの心病変，胸膜炎，間質性肺炎，肺線維症などの肺病変，神経症状，眼症状(上強膜炎，強膜炎)などがある．

　免疫異常が液性ならびに細胞性の両面で認められる．液性免疫異常として滑液中に認められる**リウマトイド因子**は，滑膜内B細胞により産生されるIgGを抗原とする自己抗体(血中で検出されるのは大部分がIgMクラス)で，自己IgGと免疫複合体を形成し，これを貪食した好中球から放出される酵素(コラゲナーゼ，エラスターゼ，カテプシンD)，活性酸素などにより滑膜や軟骨が傷害される．滑膜細胞，リンパ球，単球・マクロファージは，**IL-1**，**IL-6**，**TNFα**などの**炎症性サイトカイン**を産生し，これらが好中球や滑膜細胞などを刺激してコラゲナーゼやプロスタノイドなどを産生させ，骨破壊を起こすとともに，滑膜細胞を増殖させ，滑膜の増殖性肥厚による炎症性肉芽(パンヌス)形成に関与する．

　治療にあたっては，薬物治療と並行して，局所および全身の安静を保ち十分な栄養をとるとともに，可動範囲を維持し，血行を改善し，筋肉萎縮を防ぐために適度な関節の運動を行うことは重要である．関節痛の治療には，NSAIDsが用いられる．長期にわたる治療になるため，上部消化管障害，肝障害，腎障害などに注意する必要がある．RAに特有な炎症の制御には，メトトレキサートをはじめとする疾患修飾性抗リウマチ薬(DMARDs)などの抗リウマチ薬を使用する．炎症性サイトカインの重要

性から，これらを標的とした生物学的製剤が用いられている．

■薬　理

1) **NSAIDs**(☞本章1■薬理1抗炎症薬，p. 218)
   - ジクロフェナクナトリウム　●エトドラク　●スリンダク　●ロキソプロフェン
   - アルミノプロフェン　●ザルトプロフェン　●イブプロフェン　など．
2) **副腎皮質ステロイド**(☞本章1■薬理1抗炎症薬，p. 215)
   - プレドニゾロン　●デキサメタゾンパルミチン酸エステル　など．
3) **疾患修飾性抗リウマチ薬(DMARDs)**
   ▶免疫調節薬(☞本章3■薬理1免疫抑制薬，p. 249)
   - 金チオリンゴ酸ナトリウム　●オーラノフィン　●ペニシラミン　●ブシラミン
   - サラゾスルファピリジン　●ロベンザリット　●アクタリット　●イグラチモド
   ▶免疫抑制薬(☞本章3■薬理1免疫抑制薬，p. 238)
   - メトトレキサート　●ミゾリビン　●レフルノミド　●アザチオプリン
   - シクロホスファミド　●シクロスポリン　●タクロリムス　●トファシチニブ
4) **生物学的製剤**(☞本章3■薬理1免疫抑制薬，p. 245)
   - インフリキシマブ　●エタネルセプト　●トシリズマブ　●サリルマブ
   - アバタセプト　●アダリムマブ　●ゴリムマブ　●セルトリズマブ　ペゴル
5) **JAK阻害薬**(☞本章3■薬理1免疫抑制薬，p. 243)
   - トファシチニブクエン酸塩　●バリシチニブ　●ペフィシチニブ臭化水素酸塩
   - ウパダシチニブ　●フィルゴチニブマレイン酸塩
6) **抗RANKLモノクローナル抗体**(☞本章4■薬理2骨粗鬆症治療薬，p. 265)
   - デノスマブ

アルミノプロフェン　　　　ロベンザリット　　　　アクタリット

3-3　臓器特異的自己免疫疾患

① 多発性硬化症(MS)と治療薬

多発性硬化症 multiple sclerosis(MS)は脳・脊髄・視神経など，中枢神経系の髄鞘(ミエリン)が傷害を受けることにより，時間的・空間的に病変が多発する慢性炎症性脱髄疾患である．抗アクアポリン4抗体との関連が指摘されている．ミエリン類似物質を抗原として活性化したT細胞が中枢神経系に浸潤してサイトカインを遊離

することによりマクロファージの浸潤を促し，ミエリン産生細胞を傷害して脱髄が起こると考えられている．

急性増悪期には，メチルプレドニゾロンなどのステロイド大量点滴静注療法（パルス療法）を行う．再発・進行防止には，**インターフェロンβ**注射剤，スフィンゴシン1-リン酸受容体機能的アンタゴニスト（**フィンゴリモド**，**シポニモド**），抗α4インテグリンモノクローナル抗体（**ナタリズマブ**），抗CD20モノクローナル抗体（**オファツムマブ**），**グラチラマー**，免疫抑制薬などが用いられる．痙縮，神経因性膀胱，有痛性強直性痙攣などの対症療法には筋弛緩薬などを用いる．

❷ 特発性血小板減少性紫斑病（ITP）と治療薬

特発性血小板減少性紫斑病 idiopathic thrombocytopenic purpura（ITP）は自己抗体による血小板の破壊亢進と巨核球の造血不全により血小板が減少する疾患である．小児ITPの多くは先行感染を伴う急性型であるのに対し，成人ITPは慢性型となりやすい．

治療には副腎皮質ステロイド（プレドニゾロン，メチルプレドニゾロン），免疫抑制薬（アザチオプリン，リツキシマブ）を用いる．また，トロンボポエチン受容体作動薬（**エルトロンボパグ**，**ロミプロスチム**）は，骨髄の巨核球に作用して血小板を増加させる作用があり，慢性型に対して用いられる．副腎皮質ステロイドが無効または治療困難な場合には，脾臓摘出手術を検討する場合がある．

3-4 乾癬

■病態生理

乾癬 psoriasis は，遺伝的要因と種々の環境要因により発症すると考えられる慢性炎症性皮膚疾患である．角質層の肥厚による鱗屑・落屑，真皮の血管拡張による紅斑，強い痒み，炎症細胞の浸潤に伴う皮膚の隆起などが全身に多発する．TNFα，IL-23，IL-17などのサイトカインを産生する細胞を介した自己免疫疾患の一種と考えられる．乾癬の病型は，尋常性乾癬，滴状乾癬，膿疱性乾癬，関節症性乾癬，乾癬性紅皮症に分類される．皮疹の好発部位は皮膚以外に関節炎症状が現れる場合も多く，関節の疼痛や不可逆性の関節変形，関節拘縮を生じる．

治療は，皮疹を日常生活に支障のない状態にし，関節炎による不可逆的な関節変形や関節拘縮を予防することを目的とする．

治療には，皮疹に対する外用療法，紫外線療法，内服薬を用いた治療，生物学的製剤による治療が行われる．

■薬　理

a　外用療法

副腎皮質ステロイド，活性型ビタミンD_3または両者の合剤の外用薬が用いられる．

1) **副腎皮質ステロイド薬**（抗炎症薬の項参照）
   - ベタメタゾンプロピオン酸エステル
   - ベタメタゾン酪酸エステルプロピオン酸エステル
   - クロベタゾールプロピオン酸エステル
   - ヒドロコルチゾン酪酸エステル

2) **ビタミンD_3**
   - カルシポトリオール
   - マキサカルシトール

薬理作用	細胞増殖作用，細胞周期調節作用，細胞分化誘導作用
作用機序	皮膚の角化細胞の活性型ビタミンD_3受容体に作用して，細胞増殖を抑制し，細胞分化を誘導する．
副作用	高カルシウム血症，急性腎障害など．

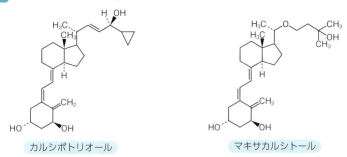

カルシポトリオール　　マキサカルシトール

b　内服薬

1) **ヒスタミンH_1受容体遮断薬**（ヒスタミンH_1受容体遮断薬の項参照）

   瘙痒への対処として使用する．
   - オロパタジン
   - エピナスチン

2) **ホスホジエステラーゼ(PDE)4阻害薬**
   - アプレミラスト

薬理作用	炎症性サイトカイン産生抑制作用，PDE4阻害作用
作用機序	主に炎症性細胞に発現するPDE4を阻害することにより，細胞内cAMP濃度を上昇させ，IL-17，TNFα，IL-23その他の炎症性サイトカインの発現を抑制する．
副作用	重篤な感染症，過敏症，下痢，悪心，頭痛など．
禁忌	妊婦または妊娠している可能性のある女性．

3）ビタミンA誘導体

● エトレチナート

難治例，汎発性膿疱性乾癬に使用する．

<u>薬理作用</u> 上皮の再形成（増殖および分化）促進作用（抗角化作用）．

<u>副作用</u> 中毒性表皮壊死症，多形紅斑，血管炎，皮膚落屑，口唇炎，肝障害，黄疸など．催奇形性があるため，投与中ならびに投与中止後，少なくとも女性で2年間，男性で6ヵ月間は避妊が必要．

<u>禁　忌</u> 妊婦または妊娠している可能性のある女性，肝障害のある患者，ビタミンA製剤を投与中の患者．

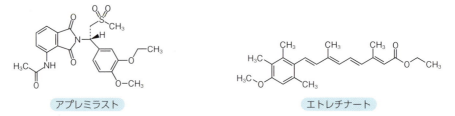

アプレミラスト　　エトレチナート

4）免疫抑制薬（免疫抑制薬の項を参照）

● シクロスポリン　● メトトレキサート

5）NSAIDs（NSAISs の項を参照）

乾癬性関節炎に対して使用する．

● ロキソプロフェン　● セレコキシブ

c　生物学的製剤（免疫抑制薬の項参照）

皮疹重症例，乾癬性関節炎に有効．免疫抑制薬の項参照．

1）抗ヒトTNFα モノクローナル抗体製剤

● インフリキシマブ　● アダリムマブ

2）ペグ化抗ヒトTNFα モノクローナル抗体 Fab' 断片製剤

● セルトリズマブ ペゴル

3）抗ヒトIL-12/23p40 モノクローナル抗体製剤

● ウステキヌマブ

4）抗ヒトIL-17A モノクローナル抗体製剤

● セクキヌマブ　● イキセキズマブ

5）抗ヒトIL-17受容体A モノクローナル抗体製剤

● ブロダルマブ

6）抗ヒトIL-23p19 モノクローナル抗体製剤

● グセルクマブ　● リサンキズマブ　● チルドラキズマブ

自己免疫疾患治療薬
1. 免疫抑制薬（免疫抑制作用を主な作用機序とする抗リウマチ薬を含む）

種類　薬物［代表的な商品名］	作用機序	注意すべき副作用
代謝拮抗薬（プリン代謝拮抗薬）		
●アザチオプリン［イムラン］	DNA 合成阻害作用，細胞傷害作用，免疫抑制作用を示す	骨髄抑制（汎血球減少，好中球減少，貧血，赤芽球癆など），感染症，悪性新生物，間質性肺炎，肝障害
●ミゾリビン［ブレディニン］	イノシン酸からグアニル酸に至る経路を拮抗阻害して，核酸合成を抑制する	
●ミコフェノール酸モフェチル［セルセプト］	IMP 脱水素酵素を可逆的かつ特異的に阻害し，GTP，dGTP を枯渇させて DNA 合成を抑制する	
その他の代謝拮抗薬		
●レフルノミド［アラバ］	ジヒドロオロテートデヒドロゲナーゼを阻害し，活性化リンパ球の増殖を抑制する	骨髄抑制，感染症，間質性肺炎，肝障害
●メトトレキサート［メトトレキセート，リウマトレックス］	ジヒドロ葉酸還元酵素を阻害し，チミジル酸合成およびプリン合成系を阻害して細胞増殖を抑制する	
アルキル化薬		
●シクロホスファミド水和物［エンドキサン］	DNA（グアニン 7 位）をアルキル化し，DNA 合成を阻害する	骨髄抑制，出血性膀胱炎，中毒性表皮壊死融解症，間質性肺炎，肺線維症
リンパ球増殖抑制薬		
●グスペリムス塩酸塩［スパニジン］	細胞傷害性 T 細胞の増殖・分化を阻害するとともに，B 細胞の抗体産生を抑制する	血液障害，呼吸抑制，感染症
細胞増殖シグナル阻害薬		
●エベロリムス［サーティカン］	FKBP12 に結合し，mTOR1 による p70 S6 キナーゼの活性化を阻害して T 細胞の増殖を抑制する	悪性腫瘍，腎障害，感染症，白血球・血小板減少，貧血，脂質異常症，高コレステロール血症，高 TG 血症，心嚢液貯留
カルシニューリン阻害薬		
●シクロスポリン［サンディミュン，ネオーラル］	シクロフィリンに結合し，カルシニューリンの活性化を阻害して NFATc の核内移行を阻害する	腎障害，肝障害，感染症，高血糖，高血圧，脂質異常症，横紋筋融解症，歯肉肥厚，多毛，高尿酸血症
●タクロリムス水和物［プログラフ，グラセプター，プロトピック軟膏］	FKBP12 に結合し，カルシニューリンの活性化を阻害して NFATc の核内移行を阻害する	急性腎不全，汎血球減少症，感染症，悪性腫瘍，高血圧，高尿酸血症，心不全，不整脈，心筋梗塞
その他の免疫系に作用する薬物		
●ヒドロキシクロロキン硫酸塩［プラケニル］	リソソームの機能を抑制し，抗原提示・サイトカイン産生・Toll 様受容体を介する免疫反応・アラキドン酸放出などの抑制とアポトーシス誘導を引き起こす	網膜症などの眼障害，中毒性表皮壊死融解症，皮膚粘膜眼症候群

1. 免疫抑制薬（つづき）

種類　薬物　[代表的な商品名]	作用機序	注意すべき副作用
JAK 阻害薬		
●トファシチニブクエン酸塩　[ゼルヤンツ]	JAK1〜3 と Tyk2 を阻害し，サイトカインの細胞内シグナル伝達を抑制する	感染症，消化器穿孔，好中球・リンパ球・ヘモグロビン減少，肝障害
●バリシチニブ　[オルミエント]	JAK1, 2 を阻害し，サイトカインの細胞内シグナル伝達を抑制する	感染症，消化器穿孔，好中球・リンパ球・ヘモグロビン減少，肝障害
●ペフィシチニブ臭化水素酸塩　[スマイラフ]	JAK1〜3 と Tyk2 を阻害し，サイトカインの細胞内シグナル伝達を抑制する	感染症，消化管穿孔，好中球・リンパ球・ヘモグロビン減少，肝障害，間質性肺炎
●ウパダシチニブ　[リンヴォック]	JAK1 を阻害し，サイトカインの細胞内シグナル伝達を抑制する	感染症，消化管穿孔，好中球・リンパ球・ヘモグロビン減少，肝障害，間質性肺炎
●フィルゴチニブマレイン酸塩　[ジセレカ]	ATP を競合的に阻害し JAK1 を阻害し，サイトカインの細胞内シグナル伝達を抑制する	感染症，消化管穿孔，好中球・リンパ球・ヘモグロビン減少，肝障害，間質性肺炎
●デルゴシチニブ　[コレクチム]	JAK1〜3 と Tyk2 を阻害し，サイトカインの細胞内シグナル伝達を抑制する	適用部位毛包炎，カポジ水痘様発疹，適用部位痤瘡
生物学的製剤		
細胞表面のタンパク質を認識するもの ●バシリキシマブ　[シムレクト]	抗 CD25 キメラ型モノクローナル抗体．IL-2 による T 細胞活性化を抑制する	急性過敏症反応，感染症，頭痛，咽頭痛，血圧上昇
●リツキシマブ　[リツキサン]	抗 CD20 キメラ型モノクローナル抗体．CD20 陽性 B 細胞に結合し，抗腫瘍作用，抗体産生抑制作用を示す	アナフィラキシー，肺障害，心障害，腫瘍崩壊症候群，肝炎の増悪，B 型肝炎ウイルスによる劇症肝炎，肝障害
●アバタセプト　[オレンシア]	可溶型 CTLA-4 として抗原提示細胞の CD80/CD86 に結合し，CD28 を介した T 細胞活性化を抑制する	重篤な感染症，重篤な過敏症，間質性肺炎，上気道感染
●ベリムマブ　[ベンリスタ]	完全ヒト型抗 BLyS モノクローナル抗体．B 細胞のアポトーシスを抑制し，形質細胞への分化を促進させる可溶型 BLyS に結合して活性を阻害する	重篤な感染症，重篤な過敏症，進行性多巣性白質脳症，間質性肺炎
サイトカインの作用を阻害するもの ●インフリキシマブ　[レミケード]	抗 TNFα キメラ型モノクローナル抗体．TNFα の作用を中和する	感染症，結核，重篤な infusion reaction，脱髄疾患，間質性肺炎
●アダリムマブ　[ヒュミラ] ●ゴリムマブ　[シンポニー]	抗ヒト TNFα 完全ヒト化モノクローナル抗体．TNFα の作用を中和する	重篤な感染症，結核，ループス様症候群，脱髄疾患，重篤なアレルギー反応，重篤な血液障害，間質性肺炎，劇症肝炎，ゴリムマブ：敗血性ショック
●セルトリズマブ　ペゴル　[シムジア]	抗ヒト TNFα ヒト化モノクローナル抗体の Fab' 断片誘導体．TNFα の作用を中和する	敗血症，肺炎，結核，重篤なアレルギー反応，脱髄疾患，重篤な血液障害，細菌・ウイルス・真菌感染
●エタネルセプト　[エンブレル]	ヒト型可溶性 TNFα/LTα 受容体．TNFα および LTα の作用を中和する	日和見感染症，結核，重篤なアレルギー反応，重篤な血液障害，間質性肺炎，急性腎不全，脱髄疾患，肝障害

1. 免疫抑制薬（つづき）

種類　薬物［代表的な商品名］	作用機序	注意すべき副作用
●トシリズマブ［アクテムラ］	抗ヒトIL-6受容体ヒト化モノクローナル抗体．IL-6の作用を中和する	アナフィラキシー，感染症（肺炎，帯状疱疹など），間質性肺炎，好中球減少症
●サリルマブ［ケブザラ］	抗ヒトIL-6受容体完全ヒト化モノクローナル抗体．IL-6の作用を中和する	鼻咽頭炎，好中球減少症，注射部位紅斑，口内炎，感染症，腸管穿孔，間質性肺炎，肝障害
●サトラリズマブ［エンスプリング］	pH依存的結合性抗ヒトIL-6受容体ヒト化モノクローナル抗体．IL-6の作用を中和する	感染症，アナフィラキシーショック，アナフィラキシー，白血球・好中球・血小板減少，肝障害など
疾患修飾性抗リウマチ薬（免疫調節薬）		
●金チオリンゴ酸ナトリウム［シオゾール］ ●オーラノフィン［リドーラ］	自己抗体産生抑制，マクロファージや好中球の貪食能の抑制などにより，免疫調節作用を示す	アナフィラキシー，瘙痒感，腎障害，血液障害，間質性肺炎，口内炎
●ペニシラミン［メタルカプターゼ］ ●ブシラミン［リマチル］	リウマトイド因子や免疫複合体の分子内S-S結合を解離し，免疫調節作用を示す	血液障害，肝障害，腎障害，皮膚炎，味覚異常
●サラゾスルファピリジン ［腸溶錠：アザルフィジンEN，錠剤・坐剤：サラゾピリン］	T細胞やマクロファージに作用して異常な抗体産生を抑制し，抗炎症作用を示す	肝障害，血液障害，重度の皮膚粘膜症状，発疹，頭痛など
●イグラチモド［ケアラム］	抗体産生抑制，炎症性サイトカイン産生抑制による免疫抑制作用を示す	肝障害，汎血球減少症，消化性潰瘍，間質性肺炎，感染症
希少疾病治療薬		
●カナキヌマブ［イラリス］	抗ヒトIL-1βヒト型モノクローナル抗体	重篤な感染症，好中球減少など
●エクリズマブ［ソリリス］	抗ヒト補体C5aヒト化モノクローナル抗体	髄膜炎菌感染症，infusion reactionなど
●ラブリズマブ［ユルトミリス］	抗ヒト補体C5aヒト化モノクローナル抗体	髄膜炎菌感染症，infusion reactionなど

2. 疾患別治療薬

種類　薬物［代表的な商品名］	作用機序	注意すべき副作用
多発性硬化症治療薬		
インターフェロンβ（IFN-β） ●インターフェロンベータ-1b［ベタフェロン］ ●インターフェロンベータ-1a［アボネックス］	T細胞の活性化抑制作用，活性化T細胞の血液脳関門通過抑制作用と炎症性サイトカイン分泌抑制作用により免疫調節作用を示す	インフルエンザ様症状（発熱，頭痛，倦怠感，関節痛など），うつ，自殺企図，躁状態，間質性肺炎，汎血球減少，肝障害，糖尿病（1型・2型）
スフィンゴシン1-リン酸（S1P）受容体機能的アンタゴニスト ●フィンゴリモド塩酸塩［イムセラ］	生体内で代謝活性化され，S1P受容体1の機能的遮断薬として作用する．二次リンパ組織からのリンパ球の移出を抑制し，自己反応性T細胞の中枢神経組織への浸潤を抑制する	感染症，徐脈性不整脈，黄斑浮腫，悪性リンパ腫，可逆性後白質脳症症候群，虚血性および出血性脳卒中，末梢動脈閉塞性疾患，進行性多巣性白質脳症

2. 疾患別治療薬（つづき）

種類　薬物［代表的な商品名］	作用機序	注意すべき副作用
●シポニモドフマル酸［メーゼント］	S1P 受容体 1 の機能的遮断薬，S1P 受容体 5 の刺激薬として作用する．二次リンパ組織からのリンパ球の移出を抑制し，自己反応性 T 細胞の中枢神経組織への浸潤を抑制する．また，中枢神経系に対する保護作用を示す	感染症，黄斑浮腫，徐脈性不整脈，QT 延長，悪性リンパ腫，末梢動脈閉塞性疾患，PML，可逆性後白質脳症症候群
抗ヒト α4 インテグリンヒト化モノクローナル抗体 ●ナタリズマブ［タイサブリ］	ヒトインテグリン α4 サブユニットに特異的に結合し，α4β1 インテグリンと VCAM-1 との相互作用を阻害することで，T 細胞などの炎症性細胞の血液脳関門の通過を阻害して多発性硬化症の病巣形成を阻止する	進行性多巣性白質脳症，感染症，過敏症，肝障害
免疫療法薬 ●グラチラマー酢酸塩［コパキソン］	T 細胞受容体における抗原-主要組織適合遺伝子複合体との競合によって多発性硬化症に関する抗原特異的な T 細胞の活性化を阻害する	注射直後反応，注射部位壊死，過敏性反応，不安，振戦，悪心・嘔吐
特発性血小板減少性紫斑病治療薬		
トロンボポエチン受容体作動薬 ●エルトロンボパグ オラミン［レボレード］	低分子トロンボポエチン受容体作動薬．骨髄前駆細胞から巨核球への増殖・分化を促進し，血小板数を増加させる	肝障害，血栓塞栓症，出血，骨髄線維化
●ロミプロスチム［ロミプレート］	トロンボポエチン受容体に作用する遺伝子組換えタンパク質．巨核球系前駆細胞に直接作用し，血小板産生を促進する	血栓症・血栓塞栓症，骨髄レチクリン増生・骨髄線維化，出血
乾癬治療薬		
免疫調節薬 ●エトレチナート［チガソン］	ビタミン A 誘導体（合成レチノイド）で上皮の再形成を促進する	中毒性表皮壊死症 (Lyell 症候群)，多形紅斑，血管炎，口唇炎，皮膚落屑，口内乾燥，皮膚菲薄化，瘙痒，脱毛，肝障害，胃腸障害，結膜炎，頭蓋内圧亢進，催奇形性
●アプレミラスト［オテズラ］	主に炎症性細胞に分布する PDE4 を阻害することで，炎症性サイトカインの産生を抑制する	重篤な感染症，気管支炎，悪心，下痢，頭痛，浮動性めまい，食欲不振，疲労，乾癬
生物学的製剤 ●セクキヌマブ［コセンティクス］	ヒト型抗ヒト IL-17A モノクローナル抗体．IL-17 の作用を中和する	重篤な感染症，過敏症反応，上気道感染，カンジダ症，蕁麻疹
●イキセキズマブ［トルツ］		上気道感染，白癬感染，注射部位反応
●ブロダルマブ［ルミセフ］		上気道感染，カンジダ症，尿路感染，瘙痒症，乾癬，関節痛，頭痛，注射部位反応，倦怠感
●グセルクマブ［トレムフィア］	ヒト型抗ヒト IL-23p19 モノクローナル抗体．IL-23 の作用を中和する	上気道感染，白癬感染，注射部位紅斑，関節痛
●リサンキズマブ［スキリージ］		重篤な感染症，重篤な過敏症，上気道感染，白癬感染，頭痛，注射部位反応
●チルドラキズマブ［イルミア］		重篤な感染症，上気道感染，ALT 増加

中枢性筋弛緩薬，末梢性筋弛緩薬については，それぞれ該当の章を参照されたい．

4 骨・関節疾患

4-1 骨粗鬆症

■病態生理

　骨粗鬆症 osteoporosis は，骨量の減少と骨組織の微細構造の異常により骨の脆弱性が増大し，骨折の危険性が増大する疾患である．骨量は 30〜40 歳以降加齢とともに減少するが，とくに女性では閉経後の 50 歳代に著しく低下する．骨粗鬆症は男性よりも女性に多い．

　骨吸収と骨形成の平衡調節には，**甲状腺傍濾胞細胞**の分泌する**カルシトニン**と，**副甲状腺（上皮小体）**の分泌する**パラトルモン** parathormone（**PTH**）が関与する．カルシトニンは，血中 Ca^{2+} 濃度の上昇により分泌され，**破骨細胞**による骨吸収を抑制し，骨へのカルシウムとリン酸の沈着を促進させる．PTH は，血中 Ca^{2+} 濃度の低下により分泌され，**骨芽細胞**に作用して破骨細胞分化誘導因子の **RANKL**（receptor activator of NF-κB ligand）を発現させて骨吸収を促進する．腎臓ではカルシウムの尿中排泄を抑制し，**活性型ビタミン D** の変換を促進する．**ビタミン K** は，骨芽細胞における骨基質タンパク質のオステオカルシン合成に不可欠である．

　PTH，活性型ビタミン D，IL-1，IL-6，IL-11 などは，RANKL 発現を上昇させて破骨細胞の分化を促進する．エストロゲンは，破骨細胞による骨吸収を抑制するとともに，RANKL の発現を抑制して破骨細胞分化を抑制する．

　さまざまな疾患や薬物治療に伴って発症する骨粗鬆症を**続発性骨粗鬆症**というが，その原因には，内分泌疾患（副甲状腺機能亢進症，クッシング症候群，甲状腺機能亢進症，性腺機能不全など），薬物（副腎皮質ステロイド，抗痙攣薬，ワルファリン，性ホルモン低下療法治療薬，メトトレキサートなど），その他（糖尿病，関節リウマチ，アルコール多飲，慢性腎臓病など）がある．性ホルモン低下療法に伴う骨粗鬆症の原因として，タモキシフェン，GnRH（性腺刺激ホルモン放出ホルモン）アゴニスト，アロマターゼ阻害薬，アンドロゲン遮断薬がある．

■薬　理

1　主にカルシウム代謝調節を介して作用する骨粗鬆症治療薬

a　カルシウム薬

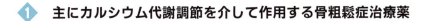
●L-アスパラギン酸カルシウム　●リン酸水素カルシウム

　薬理作用　カルシウムの補給．骨軟化症，妊婦・授乳婦のカルシウム補給などにも用いられる．

作用機序 カルシウムを補充することで，副甲状腺ホルモンの分泌を抑制し，骨吸収を抑制する．単剤で用いることは少なく，骨吸収抑制薬と併用することが多い．

副作用 長期投与時の高カルシウム血症など．

L-アスパラギン酸カルシウム　　リン酸水素カルシウム

b　活性型ビタミン D_3 製剤

● アルファカルシドール　● カルシトリオール　● エルデカルシトール

薬理作用 カルシウム吸収促進作用．アルファカルシドールとカルシトリオールは，慢性腎不全，副甲状腺機能低下症にも用いられる．

作用機序 活性型ビタミン D_3 は，腸管からのカルシウム吸収促進作用，骨吸収ならびに骨形成促進作用を発揮するほか，副甲状腺に作用して，PTH 分泌抑制作用を示す．

副作用 急性腎不全，肝障害，高カルシウム血症など．

アルファカルシドール：R=H
カルシトリオール：R=OH

アルファカルシドール　カルシトリオール　　　　エルデカルシトール

❷ 骨吸収を抑制することを目的とする骨粗鬆症治療薬

a　ビスホスホネート（BP）薬

BP（bisphosphonate）薬の世代分類は，開発の順序にもよるが，構造上は，第一世代は側鎖に窒素原子を含まない化合物，第二世代は側鎖に窒素原子を含むが環状構造をもたない化合物，第三世代は側鎖に窒素を含み環状構造をもつ化合物である．世代が進むにつれて，破骨細胞のアポトーシス誘導作用，骨吸収抑制作用が上昇する．

1）第一世代 BP 薬

● エチドロン酸

2）第二世代 BP 薬

● アレンドロン酸　● イバンドロン酸

3) 第三世代BP薬

● リセドロン酸　● ミノドロン酸　● ゾレドロン酸

薬理作用　骨吸収抑制作用．骨ページェット病(エチドロン酸，リセドロン酸)，脊髄損傷後・股関節形成術後の異所性骨化の抑制(エチドロン酸)，悪性腫瘍による高カルシウム血症(アレンドロン酸，ゾレドロン酸)にも用いられる．

作用機序　ピロリン酸に類似した構造をもち，体内に取り込まれると骨中のハイドロキシアパタイトに吸着し，破骨細胞のアポトーシスを誘導して破骨細胞による骨吸収を抑制して骨粗鬆症における骨量の減少を抑制する．また，骨質を保つことにより，骨強度を維持する．

副作用　消化管障害(上部消化管障害が比較的多い)，顎骨壊死，非定型大腿骨骨折(長期服用時にリスクが高まる)，肝障害など．

エチドロン酸　　アレンドロン酸　　イバンドロン酸

リセドロン酸　　ミノドロン酸　　ゾレドロン酸　　パミドロン酸

4) 参考：骨粗鬆症を適応にもたないBP薬

● パミドロン酸

悪性腫瘍に伴う高カルシウム血症(☞7章B.4.4-4 悪性腫瘍に伴う高カルシウム血症，p.491)，乳がんの溶骨性骨転移，骨形成不全症に用いられる．

b　エストロゲン製剤

● エストラジオール

薬理作用　骨吸収抑制作用．更年期障害・卵巣欠落症状に伴う血管運動神経症状，性腺機能低下症，低エストロゲン症にも用いられる．

作用機序　エストロゲンは強力な骨吸収抑制作用を示し，閉経後の女性の腰椎や大腿骨の骨量を増加させる．

副作用　静脈血栓塞栓症，血栓性静脈炎など．エストロゲン依存性悪性腫瘍には禁忌．

エストラジオール

c 選択的エストロゲン受容体モジュレーター selective estrogen receptor modulator（SERM）

●ラロキシフェン　●バゼドキシフェン

薬理作用　骨吸収抑制作用．とくに閉経後の骨粗鬆症に用いられる．

作用機序　骨や脂質代謝に関してはエストロゲン受容体の刺激薬として作用し，乳房や子宮ではエストロゲン受容体の遮断薬として作用する．そのため，エストロゲン製剤と異なり，エストロゲン依存性悪性腫瘍を増悪することなく，骨吸収を抑制する．

副作用　静脈血栓塞栓症，肝障害など．

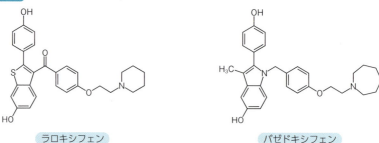

ラロキシフェン　　　　　　　バゼドキシフェン

d フラボノイド製剤

●イプリフラボン

薬理作用　骨吸収抑制作用．骨量減少改善作用．

作用機序　骨に直接作用して骨吸収を抑制するとともに，エストロゲンのカルシトニン分泌促進作用を増強して骨吸収を抑制し，骨形成を促進することにより，骨粗鬆症における骨量の減少を抑制する．

副作用　消化性潰瘍，消化管出血，黄疸など．

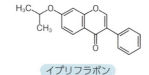

イプリフラボン

e カルシトニン製剤

●エルカトニン　●サケカルシトニン

エルカトニンは合成ウナギカルシトニン誘導体，サケカルシトニンは合成サケカルシトニン製剤である．

薬理作用　骨吸収抑制作用．骨粗鬆症における疼痛の改善作用．

作用機序　カルシトニンは，破骨細胞や前破骨細胞のカルシトニン受容体に作用し，細胞内 cAMP 濃度の上昇を介してこれらの細胞の機能を抑制することにより，骨吸収を抑制する．骨形成促進作用を有することも示唆されている．また，カルシトニンには，主に下行性疼痛抑制系（セロトニン神経系）を介した鎮痛作用がある．さら

に，末梢性 Na⁺ チャネル発現異常の改善による痛覚過敏の解消，血流改善作用なども報告されている．

副作用 ショックやアナフィラキシーなどのアレルギー症状誘発，テタニー，肝障害など．

f 抗 RANKL モノクローナル抗体

●デノスマブ

薬理作用 破骨細胞の形成抑制作用に基づく骨吸収抑制作用．骨粗鬆症以外に，多発性骨髄腫による骨病変，固形がん骨転移による骨病変，骨巨細胞腫，関節リウマチに伴う骨びらんの進行抑制にも用いる．

作用機序 破骨細胞の分化・活性化に必須なサイトカインであるヒト RANKL に結合するヒト型 IgG$_2$ モノクローナル抗体である．RANKL は膜結合型あるいは可溶型として存在し，破骨細胞およびその前駆細胞の表面に存在する受容体である RANK に作用し，破骨細胞の分化・機能・生存を調節する．デノスマブは RANK/RANKL 経路を阻害することにより，破骨細胞の形成を抑制し，骨吸収を抑制する．その結果，皮質骨および海綿骨の骨量を増加させ，骨強度を増強させる．

副作用 低カルシウム血症，顎骨壊死，顎骨骨髄炎，アナフィラキシー，大腿骨転子下および大腿骨骨幹部の非定型骨折，重篤な皮膚感染症など．

❸ 骨芽細胞による骨形成を促進させる骨粗鬆症治療薬

a 副甲状腺ホルモン薬

●テリパラチド

薬理作用 骨形成促進作用．間欠的投与で糖新生を誘発する．

作用機序 ヒト PTH の N 末端側 34 個のアミノ酸で構成される遺伝子組換えタンパク質である．前駆細胞から骨芽細胞への分化促進作用，骨芽細胞のアポトーシス抑制作用により，骨芽細胞の機能を活性化し，骨吸収よりも骨形成が上回る結果，骨新生を誘発し，骨粗鬆症における骨折リスクを低下させる．

副作用 ショック，アナフィラキシーなど．

b ビタミン K 製剤

●メナテトレノン

薬理作用 骨基質タンパク質オステオカルシンの合成促進作用に基づく骨形成促進作用．

作用機序 骨芽細胞において，オステオカルシンは，前駆体タンパク質のグルタミン酸残基が，ビタミン K を補酵素とする γ-カルボキシラーゼによってカルボキシル化され，γ-カルボキシグルタミン酸に転換されることで生成する．ビタミン K$_2$ 製剤であるメナテトレノンは，補酵素としてこの反応を促進し，活性型オステオカルシン

の生合成を増加させ，骨形成を促進する．オステオカルシンの生合成は，活性型ビタミンD_3の共存下にさらに増強される．一方，メナテトレノンは活性型ビタミンD_3による破骨細胞の分化誘導を抑制し，骨吸収抑制作用も示す．

副作用 胃不快感，悪心，口内炎，食欲不振など．ワルファリンとの併用禁忌．

メナテトレノン

④ その他の骨粗鬆症治療薬

a タンパク質同化ステロイド

●メテノロン

薬理作用 骨基質タンパク質の合成促進作用に基づく骨形成促進作用．再生不良性貧血にも用いられる．

作用機序 タンパク質合成促進作用により，骨基質タンパク質の合成を促進し，骨形成を促進すると考えられる．また，筋肉量を増加させることで筋力を高め，間接的に骨密度を上昇させる可能性も指摘されている．

副作用 肝障害，黄疸，男性ホルモン様作用など．アンドロゲン依存性悪性腫瘍や妊婦には禁忌．

b カルシウム受容体作動薬

●シナカルセト

薬理作用 PTH分泌抑制作用．

作用機序 カルシウム受容体は，PTH生合成と分泌，ならびに副甲状腺細胞の増殖を制御する受容体である．シナカルセトは，副甲状腺細胞表面のカルシウム受容体に作用して，主にPTH分泌を抑制することにより，血清PTH濃度を低下させる．また，反復投与により副甲状腺細胞の増殖を抑制することも，血清PTH濃度低下に寄与する．このような機序により，血清PTHおよびカルシウム濃度低下作用，二次性副甲状腺機能亢進症における血清PTH濃度上昇を介した骨障害の発症を抑制する．

副作用 低カルシウム血症，QT延長，消化管出血，消化性潰瘍，意識レベルの低下，一過性意識消失など．

c 抗スクレロスチン抗体

●ロモソズマブ

薬理作用 骨形成促進，骨吸収抑制作用．

作用機序 ヒト化抗スクレロスチンモノクローナル抗体．スクレロスチンに結合し，骨芽細胞系細胞での古典的Wntシグナル伝達の抑制を阻害することで骨形成を促進し，骨吸収を抑制する．

副作用 関節痛，注射部位疼痛，注射部位紅斑，鼻咽頭炎，低カルシウム血症，顎骨壊死・顎骨骨髄炎，大腿骨転子下および近位大腿骨骨幹部の非定型骨折など．

メテノロン　　　シナカルセト

4-2 変形性関節症（OA）

■病態生理

変形性関節症 osteoarthritis（**OA**）は，関節軟骨の破壊と減少によって特徴づけられる慢性関節障害である．変形性関節症では，関節に対する力学的または生物学的要因により，関節軟骨の変性とそれに続く関節周囲の骨変化ならびに滑膜炎を生じ，関節の変形が徐々に進行するに伴って，疼痛，圧痛，可動域制限，関節水腫などの症状を生じる．股，膝，足，肩，肘などの大関節だけでなく，脊椎の椎間関節，指趾の関節など，関節軟骨の存在する全身の関節で，関節症性変化を生じる．高齢者に多く，また，女性に多い．

可動性をもつ関節（可動関節，滑膜関節）の摺動面は関節軟骨で覆われ，周囲に滑膜が存在する．正常時は滑膜関節の関節腔内は少量の滑液で満たされており，関節軟骨同士の摩擦を防いでいる．関節軟骨は軟骨細胞と軟骨基質からなり，損傷されると自己修復が起こりにくい組織である．軟骨基質は主にコラーゲンと糖タンパク質であるアグリカンで構成され，多くの水分を含んでいる．正常時には，関節軟骨は力学的な変形などに対しても柔軟に対応している．一方，外傷などの過剰な力学的変形に加齢や代謝異常などの因子が加わると，軟骨基質におけるタンパク質分解酵素の発現，炎症性サイトカインの発現増強や軟骨細胞のアポトーシスを生じ，関節軟骨の変性と破壊が次第に進行する．これが変形性関節症の機序と考えられる．

変形性関節症は，原疾患のない一次性変形性関節症と，何らかの原疾患に続発して発生する二次性変形性関節症に分類できる．二次性変形性関節症の原因には，先天性疾患，外傷，炎症性疾患，感染症，代謝性疾患，骨壊死症などがある．

■薬　理

1）NSAIDs またはアセトアミノフェン

アセトアミノフェンは，ほかの NSAIDs よりも消化管障害のリスクが低い．NSAIDs は変形性関節症による疼痛緩和に有効で，アセトアミノフェンよりも強力であるとされるが，消化管障害のリスクを考え長期投与は可能な限り回避する．使用する場合には，COX-2 選択的な薬物が望ましい．

2）オピオイド

変形性関節症による疼痛に対して，ほかの薬物が無効もしくは禁忌の場合にオピオイドが用いられる．用いられるオピオイドには，**トラマドールとブプレノルフィン**がある．オピオイドは強力な鎮痛効果を有するが，悪心・嘔吐，便秘や眠気などの副作用があり，使用には注意が必要である．

3）ステロイド関節内注射

ステロイド関節内注射は，疼痛や炎症が強い場合に考慮される．短期的な疼痛改善効果は認められるが，長期的な機能改善効果は明らかでないとされている．ステロイド関節内投与に伴う副作用として，石灰化，皮膚萎縮，感染，シャルコー Charcot 関節症などがある．

4）ヒアルロン酸関節内注射

ヒアルロン酸は，関節液の弾性，粘性，潤滑機能を改善することや関節内の炎症を抑制することで，変形性関節症の症状を改善する．短期的には疼痛緩和に有効であり，軟骨変性の進行を抑制する効果もある．

骨粗鬆症治療薬

種類　薬物 [代表的な商品名]	作用機序	注意すべき副作用
カルシウム薬		
●L-アスパラギン酸カルシウム水和物 [アスパラ-CA]	カルシウムを補充することで，副甲状腺ホルモンの分泌を抑制し，骨吸収を抑制する	腹部膨満，頭痛，心窩部不快感
●リン酸水素カルシウム水和物 [リン酸水素カルシウム]		長期投与時の高カルシウム血症，結石症
活性型ビタミン D_3 製剤		
●アルファカルシドール [アルファロール] ●カルシトリオール [ロカルトロール] ●エルデカルシトール [エディロール]	腸管からのカルシウム吸収促進作用，骨吸収および骨形成促進作用のほか，副甲状腺に作用して PTH 分泌抑制作用を示す	高カルシウム血症，急性腎不全，尿路結石，肝障害
ビスホスホネート薬		
●エチドロン酸二ナトリウム [ダイドロネル] ●アレンドロン酸ナトリウム水和物 [フォサマック] ●イバンドロン酸ナトリウム水和物 [ボンビバ] ●リセドロン酸ナトリウム水和物 [ベネット] ●ミノドロン酸水和物 [リカルボン] ●ゾレドロン酸水和物 [リクラスト]	骨中のハイドロキシアパタイトに吸着し，破骨細胞のアポトーシスを誘導することで，破骨細胞による骨吸収を抑制して骨粗鬆症における骨量の減少を抑制する．また，骨質を保つことにより，骨強度を維持する	消化管障害，顎骨壊死，非定型大腿骨骨折，肝障害，骨髄障害，アナフィラキシー（イバンドロン酸，ゾレドロン酸），皮膚粘膜眼症候群（アレンドロン酸），中毒性表皮壊死融解症（アレンドロン酸）

骨粗鬆症治療薬（つづき）

種類　薬物［代表的な商品名］	作用機序	注意すべき副作用
エストロゲン製剤		
●エストラジオール［エストラーナ，ジュリナ］	エストロゲン欠乏により亢進した骨代謝回転を調節し，骨密度を改善する	静脈血栓塞栓症，血栓性静脈炎，乳房緊満，乳房痛，子宮出血，アナフィラキシー
選択的エストロゲン受容体モジュレーター（SERM）		
●ラロキシフェン塩酸塩［エビスタ］ ●バゼドキシフェン酢酸塩［ビビアント］	骨や脂質代謝でエストロゲン受容体に作用し，骨吸収を抑制する	静脈血栓塞栓症，ほてり，乳房緊満，筋痙縮，肝障害（ラロキシフェン）
フラボノイド製剤		
●イプリフラボン［オステン］	直接的な骨吸収抑制作用と，エストロゲンのカルシトニン分泌促進作用増強による骨吸収抑制作用・骨形成促進作用を示す	過敏症，悪心・嘔吐，消化性潰瘍，消化管出血，黄疸
カルシトニン製剤		
●エルカトニン［エルシトニン］ ●サケカルシトニン［カルシトラン］	破骨細胞や前破骨細胞のカルシトニン受容体に作用することで，骨吸収を抑制し，骨形成を促進する	アレルギー症状（ショック，アナフィラキシー），エルカトニンはテタニーや肝障害も
抗RANKLモノクローナル抗体		
●デノスマブ［プラリア］	ヒトRANKLに結合するヒト型IgG$_2$モノクローナル抗体である．RANK/RANKL経路を阻害することで，破骨細胞の形成を抑制し，骨吸収を抑制する	低カルシウム血症，顎骨壊死，顎骨骨髄炎，アナフィラキシー，非定型大腿骨骨折，重篤な皮膚感染症
副甲状腺ホルモン薬		
●テリパラチド酢酸塩［テリボン］ ●テリパラチド［フォルテオ］	ヒト副甲状腺ホルモンの遺伝子組換えタンパク質である．骨芽細胞の活性化により骨形成を促進する	ショック，アナフィラキシー，悪心，血中尿酸上昇（テリパラチド）
ビタミンK製剤		
●メナテトレノン［グラケー］	活性型オステオカルシンの生合成を増加させ，骨形成を促進する．破骨細胞の分化誘導を抑制し，骨吸収抑制作用も示す	胃不快感，悪心，口内炎，食欲不振
タンパク質同化ステロイド		
●メテノロン酢酸エステル［プリモボラン］	骨基質タンパク質の合成を促進し，骨形成を促進する	肝障害，黄疸，男性ホルモン様作用など
カルシウム受容体作動薬		
●シナカルセト［レグパラ］	副甲状腺細胞表面のカルシウム受容体に作用してPTH分泌を抑制し，血清PTH濃度を低下させる	低カルシウム血症，QT延長，消化管出血，消化性潰瘍，意識レベルの低下，一過性意識消失など
ヒト化抗スクレロスチンモノクローナル抗体製剤		
●ロモソズマブ［イベニティ］	ヒト化抗スクレロスチンモノクローナル抗体である．骨芽細胞系細胞での古典的Wntシグナル伝達の抑制を阻害することで骨形成を促進し，骨吸収を抑制する	関節痛，注射部位疼痛，注射部位紅斑，鼻咽頭炎，低カルシウム血症，顎骨壊死・顎骨骨髄炎，大腿骨転子下および近位大腿骨骨幹部の非定型骨折

変形性関節症治療薬

種類　薬物［代表的な商品名］	作用機序	注意すべき副作用
ヒアルロン酸製剤		
●精製ヒアルロン酸ナトリウム［アルツ］	関節液の弾性，粘性，潤滑機能を改善したり関節内の炎症を抑制したりする．短期的には疼痛緩和に有効であり，軟骨変性の進行を抑制する効果もある	ショック，疼痛など
●ヒアルロン酸ナトリウム架橋処理ポリマー等配合［サイビスク］		ショック，アナフィラキシー，関節炎，疼痛など

5 臓器移植

　臓器移植とは，疾患や事故などが原因で臓器が機能しなくなった場合に，提供者（ドナー）の健康な臓器を受給者（レシピエント）に移植し，機能を回復させる医療行為である．移植で用いられる組織・臓器を移植片という．ドナーの状態により，健常者からの臓器を提供される生体移植，死亡したドナーから提供される脳死移植，心臓死移植がある．

　移植の施行対象となる臓器は，心臓，肺，肝臓，腎臓，膵臓，小腸，骨髄（造血幹細胞），角膜である．輸血も本質的には移植の一種である．

1 臓器移植に用いられる免疫抑制薬（☞本章3■薬理1 免疫抑制薬，p.238）

1）代謝拮抗薬（構造式☞p.240）
　●アザチオプリン　●ミゾリビン　●ミコフェノール酸モフェチル

2）アルキル化薬
　●シクロホスファミド（構造式☞p.241）

3）リンパ球増殖阻害薬
　●グスペリムス（構造式☞p.241）

4）細胞増殖シグナル阻害薬
　●エベロリムス（構造式☞p.241）

5）カルシニューリン阻害薬
　●シクロスポリン（構造式☞p.243）　●タクロリムス（構造式☞p.234）

6）生物学的製剤
　●バシリキシマブ（☞本章3■薬理1.g 生物学的製剤，p.245）

循環器系・血液系・造血器系の疾患と治療薬 4章

A 循環器内科領域の疾患に用いる薬物

心臓の拍動は昼夜を問わず絶え間なく維持されなければ，われわれの生命は成り立たない．心臓のもつ機能は，①興奮を発生させ，これを伝導する機能(調律)と，②血液を送り出す収縮機能の2つに大きく分けられる．そして，これらの機能は，③大動脈基部から出る3本の冠動脈(左冠状動脈，回旋枝，右冠状動脈)を介した血流により維持される．これら3つの機能の異常により生じる代表的な疾患が，興奮伝導の異常である不整脈，収縮力の低下である心不全，そして，冠動脈の障害による虚血性心疾患(狭心症，心筋梗塞)である．

★ 対応する薬学教育モデル・コアカリキュラム

E2 薬理・病態・薬物治療　(3)循環器系・血液系・造血器系・泌尿器系・生殖器系の疾患と薬
　GIO
　　循環器系・血液・造血器系・泌尿器系・生殖器系に作用する医薬品の薬理および疾患の病態・薬物治療に関する基本的知識を修得し，治療に必要な情報収集・解析および医薬品の適正使用に関する基本事項を修得する．
　SBO　【①循環器系疾患の薬，病態，治療】
　・以下の疾患について，治療薬の薬理(薬理作用，機序，主な副作用)を説明できる．
　　・不整脈および関連疾患
　　　不整脈の例示：上室性期外収縮(PAC)，心室性期外収縮(PVC)，心房細動(Af)，発作性上室頻拍(PSVT)，WPW症候群，心室頻拍(VT)，心室細動(VF)，房室ブロック，QT延長症候群
　　・急性および慢性心不全
　　・虚血性心疾患(狭心症，心筋梗塞)
　　・高血圧症
　　　本態性高血圧症，二次性高血圧症(腎性高血圧症，腎血管性高血圧症を含む)

1 不整脈および関連疾患

■病態生理

　　不整脈 arrhythmia とは，心筋の興奮を発生させ，それを伝導する機能(調律)の異常を示す状態の総称である．不整脈は，自覚症状がなく治療の対象とならないものから，血液を拍出する心室の収縮を失い突然死に至る心室細動など，その症状も多様である．これらの不整脈は，脈拍数の増加・減少に基づき**頻脈性不整脈** tachyarrhythmia と**徐脈性不整脈** bradyarrhythia に分けられる．徐脈性不整脈については，その治療は主に電気的ペースメーカーが用いられ，薬物による治療は一般的でない．また，頻脈性不整脈は，原因となる異常の発生場所や発症機序により分類される(表4A-1)．

1 不整脈の分類

a 頻脈性不整脈

　　異常が発生する場所から，心房および房室結節に由来する上室性不整脈 supraventricular arrhythmia と，心室に由来する心室性不整脈 ventricular arrhythmia に大別される．

　　上室性不整脈：上室性期外収縮 premature atrial contraction(PAC)，心房細動 atrial fibrillation(AF)，心房粗動 atrial flutter(AFL)，発作性上室頻拍 paroxysmal supraventricular tachycardia(PSVT)，洞頻脈 sinus tachycardia がある．

　　心室性不整脈：心室性期外収縮 premature ventricular contraction(PVC)，心室細動 ventricular fibrillation(VF)，心室頻拍 ventricular tachycardia(VT)がある．

b 徐脈性不整脈

　　洞房結節の興奮が繰り返されることで生じる心拍数は，60〜100回/分である．徐脈性不整脈は心拍数が60回/分以下となる調律異常である．徐脈性不整脈は，刺激形成の異常あるいは興奮伝導の異常で生じる．洞性徐脈 sinus bradycardia，洞不全症候群 sick sinus syndrome(SSS)，房室ブロック(A-V block)がある．

c その他の不整脈

　　WPW症候群(Wolff-Parkinson-White syndrome)，**QT延長症候群** long QT syndrome(LQTS)，**ブルガダ症候群** Brugada syndrome などがある．

表 4A-1　不整脈の分類

不整脈の種類		特　徴
頻脈性不整脈	上室性不整脈	
	上室性期外収縮 (PAC)	洞房結節外の心房で生じた異所性部位からの発火またはリエントリーを原因とする不整脈．洞調律より早期に心房が収縮する．健常者にもみられ，とくに治療は必要としない
	心房細動 (AF)（☞図 4A-1 ②）	心電図上にはっきりとした P 波を認めず，450〜600 回/分の頻度での基線の細かな動揺が生じる．高頻度の心房の興奮は房室結節の不応期でブロックされるため，心室へは一部の興奮が不規則に伝わる．心房の血流うっ滞により塞栓症を引き起こすことがある
	心房粗動 (AFL)	心房レートが 180〜350 回/分で，速くて規則的に心房が興奮する状態
	発作性上室頻拍 (PSVT)	心房が関与する頻脈発作を生じる不整脈の総称で，房室結節リエントリー性頻脈 (AVNRT)，房室回帰性頻拍 (AVRT) などが含まれる．心房レートは，140〜250 回/分で，突然発症して突然に停止するなどの特徴を示す
	洞頻脈（☞図 4A-1 ③）	洞房結節の発火頻度が 100 回/分以上に増加した状態．心電図の P 波，QRS 波の波形は正常である．交感神経の過剰な興奮で生じる
	心室性不整脈	
	心室性期外収縮 (PVC)	心室で生じた異所性の興奮により，早期に心筋の収縮が生じる不整脈で，心電図上では P 波を欠いた幅の広い QRS 波が認められる．心筋梗塞などの基礎疾患がない場合は治療を必要としない
	心室細動 (VF)（☞図 4A-1 ④）	個々の心室筋が無秩序に興奮し，心室全体としての収縮を失ったものをいう．心拍出量が極端に低下することで死をもたらす最も危険な不整脈．心電図では，振幅が小さく不規則な細動が 250〜350 回/分で現れるが，明確な P 波，QRS 波，T 波の区別はなくなる
	心室頻拍 (VT)	心室に起因する頻拍の総称で，3 個以上の心室性期外収縮が連続したものを呼ぶ．心室頻拍が 30 秒以上持続し治療を要する持続性心室頻拍と，それ以外の非持続性心室頻拍に分けられる
徐脈性不整脈	洞性徐脈	洞房結節の発火が減少し，心拍数が 60 回/分以下に低下した状態．加齢，虚血性心疾患やある種の薬物（カルシウム拮抗薬，β遮断薬）などで生じることがある
	洞不全症候群 (SSS)	内因性の洞房結節の機能障害から生じる徐脈を呼ぶ．発作性めまい，錯乱，失神などを生じる．急性症状の生じている洞性徐脈は，抗コリン薬やβ刺激薬を用いるが，原因が取り除かれない場合は人工的ペースメーカー植え込みにより根治的に治療する
	房室ブロック（☞図 4A-1 ⑤）	心房から心室への興奮伝導が遅延または遮断され，徐脈が生じる状態．次の 3 つのタイプに分けられる．1 度房室ブロック（心房-心室刺激伝導時間が延長し PR 間隔が 0.2 秒以上になったもの），2 度房室ブロック（房室伝導が途絶え，P 波のあとの QRS 波に欠損が生じるもの），3 度房室ブロック（完全房室ブロックとも呼び，心房-心室伝導が完全に途絶えた状態）
その他	WPW 症候群（早期心室興奮症候群）	心房からの興奮が刺激伝導系以外に副伝導系（ケント束）を通って伝わる．この副伝導路は，プルキンエ線維を介さずに心室筋に興奮を伝えるので，正常より早く心室が収縮する．発作性上室性頻脈との合併が多く，ときに心房細動の原因となる．薬物治療のほか，ケント束を電気で焼き切るカテーテルアブレーションが行われる
	QT 延長症候群 (LQTS)	原因から先天的なもの（ロマノ・ワード症候群，ジャーベル・ランゲ・ニールセン症候群）と二次的なものに大別される．二次的な QT 延長をもたらす原因としては，低カリウム血症などの電解質異常や徐脈性不整脈に起因するほか，Ⅰa 群やⅢ群抗不整脈薬による薬剤誘発性のものがある．QT 間隔の延長は，多形性心室頻拍 (torsades de pointes) および心室細動など致死的な不整脈を誘発する
	ブルガダ症候群	心室細動による突然死を引き起こす不整脈．12 誘導心電図の V1〜V3 誘導で特徴的な ST 上昇を認める．アジア系の男性に多くみられる．患者のなかには，Na^+ チャネルサブユニットの遺伝子変異を有する者が報告されている

P 波：心房の興奮を示す．
QRS 波：心筋の興奮を示す．
T 波：心筋の再分極を示す．

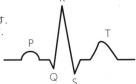

①正常な心電図：

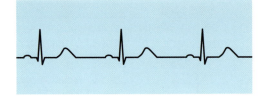

②心房細動：
高頻度での基線の細かな動揺が生じる（矢印）．

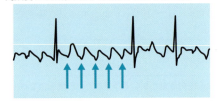

③洞頻脈：
P 波および QRS 波は正常にみられるが，洞房結節の高頻度の発火が生じる．

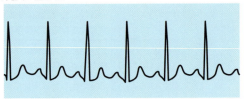

④心室細動：
振幅が小さく不規則な細動が生じる．明確な P 波，QRS 波を認めない．

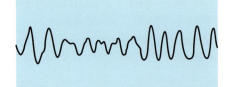

⑤房室ブロック（2 度房室ブロック）：
P 波の後の QRS 波の消失がみられる（矢印）．

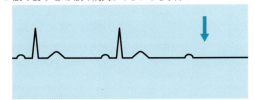

図 4A-1　不整脈の典型的な心電図例

2　不整脈の発生機序

a　興奮発生の異常

洞房結節の自動能の異常のほか，次の場合がある．

異常自動能の発生：もとは自動能をもたない刺激伝導系以外の心筋細胞が，傷害されることで自動能を示すようになった場合に不整脈が生じる．

異所性刺激の発生：洞房結節からプルキンエ線維までの刺激伝導系（図 4A-2）の細胞は，すべて自動能をもつ．刺激伝導系の興奮頻度は通常，自動能が最も強い洞房結節の興奮頻度に支配されるが，洞房結節の機能が減弱すると，房室結節，ヒス束（房室束），プルキンエ線維などの自動能が優位になり，これらの調律で心筋が収縮し始め，不整脈となる．このように洞房結節以外の部分から生じた興奮を異所性興奮という．

撃発活動（誘発活動）triggered activity：心筋細胞の活動電位の再分極終了前あるいは後に小さな活動電位が発生し，これが閾値に達して再び興奮が出現することを撃発活動（誘発活動）と呼ぶ．この撃発活動が不整脈をもたらす（図 4A-3a）．

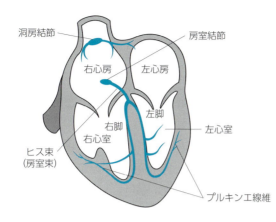

図 4A-2　心臓の刺激伝導系
刺激伝導系は，収縮性はもたないが自ら興奮を発生する(自動能をもつ)「特殊心筋」と呼ばれる細胞で構成される．右心房の上大静脈開口部の近くにある洞房結節は，収縮の刺激を開始するペースメーカーとしての働きをもつ．洞房結節の刺激は心房を興奮させ，房室結節に届く．房室結節に届いた興奮は，ヒス束(房室束)を経て右脚と左脚に分かれ，心室中隔から心室内部に広がるプルキンエ線維に伝わる．プルキンエ線維の興奮は，心室筋に伝わり，律動的に心臓が収縮する．

(a) 撃発活動（誘発活動）

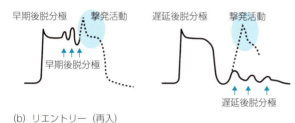

(b) リエントリー（再入）

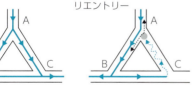

図 4A-3　不整脈の発生機序
(a)撃発活動：心筋が，活動電位の再分極終了直前あるいは直後に小さな電位の増加を起こし，これが閾値に達すると活動電位が発生し，収縮が生じることがある．このような活動電位を「撃発活動(誘発活動)」と呼ぶ．撃発活動は頻脈時に生じやすく，細胞内へのCa^{2+}の過剰が発生の原因とされる．
(b)リエントリー：正常の心筋組織では「A」に届いた興奮が「B」と「C」に伝わる．一方，興奮が「B」から「A」，あるいは「C」から「A」へと逆行することはない．しかし，なんらかの障害により「A」から「C」の経路で伝導の遅延・遮断があったとする．「A」に届いた興奮が「B」に伝わると，この興奮が「C」にも伝わる．「C」⇒「A」に逆行した興奮が再び伝導路に再入し，心拍リズムの乱れとなる．

b　興奮伝導の異常

　　心筋が収縮するための興奮を伝える刺激伝導系の異常も不整脈の原因となる．伝導の遮断・遅延(伝導ブロック)は，一般的には徐脈性不整脈を起こすが，ある条件下ではリエントリー re-entry が起こり頻脈性不整脈を起こす(**図 4A-3b**)．

3　不整脈の治療

　　不整脈には，治療対象とならないものから早急な対応を要するものまである．不整脈の治療方法は，その重症度と発症機構により，電気的治療(電気的除細動，人工ペースメーカー植え込み)，外科的療法(カテーテルアブレーション)や薬物療法がある．

薬　理

❶ 抗不整脈薬

不整脈には治療が不要のものから，放置すれば直ちに死に至るものまで多くのタイプがある（**表 4A-1**）．不整脈の治療には，薬物療法以外のものもあるが，一般に抗不整脈薬は，心筋の自動能低下，伝導速度の抑制や不応期の延長などにより頻脈性不整脈を改善する薬物を示すことが多い．従来，抗不整脈薬の分類は，各薬物の活動電位に与える特徴からⅠ群～Ⅳ群に分ける **Vaughan Williams**（ヴォーン・ウィリアムズ）**分類**が広く用いられてきた．しかし近年，それらの標的分子であるチャネルや受容体に対する詳細な作用をもとに分類した **Sicilian Gambit**（シシリアン・ギャンビット）**分類**も用いられている（**表 4A-2**）．

a　Ⅰ群抗不整脈薬

Na^+ チャネルを遮断することにより活動電位の立ち上がりを遅延させ，刺激の伝導を抑制する．また，異所性の興奮も抑制する．活動電位持続時間 action potential duration（APD）への作用により，Ⅰa 群，Ⅰb 群，Ⅰc 群に分けられる（**図 4A-4**，**図 4A-5**）．しかし近年，心肥大，心不全や心虚血などの器質的心疾患を有する患者にはリスクを高めるとして使用が避けられるようになった．

1）Ⅰa 群

Na^+ **チャネル**遮断とともに，K^+ チャネルも遮断する．これにより心室筋での，活動電位第 0 相の立ち上がりの遅延と活動電位の維持（不応期の延長）を起こす．上室性および心室性不整脈に有効．副作用としては，ヒス-プルキンエ線維での伝導障害による房室ブロック，QT 間隔延長や心筋収縮低下（陰性変力作用）が生じる．QT 間隔延長作用はⅠ群中で最も強い．抗コリン作用をもつものが多い．

- **キニジン**

  薬理作用　キニーネ（抗マラリア薬）の右旋光体．抗コリン作用のため，心房細動の際に用いると心拍数がかえって増加することとなる．期外収縮，発作性頻拍，心房細動，急性心筋梗塞時における心室性不整脈の予防などに用いる．

  作用機序　Na^+ チャネルへの結合・解離速度は中程度．細胞内への Na^+ の流入を抑制することで，心房筋，心室筋，プルキンエ線維における活動電位第 0 相の立ち上がりを抑制し，刺激伝導を遅延させる．また活動電位持続時間と絶対不応期を延長し，心筋の自動性低下，刺激に対する閾値の上昇，異所性自動能の抑制を生じる．

  副作用　期外収縮の増加，高度伝導障害，心停止，心室細動，房室ブロック，心房細動，消化器系症状（悪心，嘔吐），中枢症状（頭痛，聴力障害）．

- **ジソピラミド**

  薬理作用　陰性変力作用が比較的強いが，QT 延長作用は弱い．キニジンに比べ抗コリン作用は強い．ほかの抗不整脈薬が有効でない頻脈性不整脈に用いられる．

表 4A-2　Vaughan Williams 分類と Sicillian Gambit 分類の比較

Vaughan Williams 分類		薬物	Sicillian Gambit 分類								ポンプ
			イオンチャネル					受容体			
			Na$^+$			Ca^{2+}	K$^+$	α	β	M$_2$	Na$^+$ポンプ
群	性質		速い*	中間	遅い						
I	Ia　Na$^+$チャネル遮断, APDを延長	キニジン	◎A				○	△		△	
		ジソピラミド			◎A		○			△	
		プロカインアミド	◎A				○				
		シベンゾリン			◎A	△	○			△	
		ピルメノール			◎A		○			△	
	Ib　Na$^+$チャネル遮断, APDを短縮	リドカイン	△I								
		メキシレチン	△I								
		アプリンジン		○I		△	△				
	Ic　Na$^+$チャネル遮断, APDは不変	フレカイニド			◎A		△				
		プロパフェノン	◎A							○	
		ピルシカイニド			◎A						
II	β受容体遮断	プロプラノロール	△						◎		
		ナドロール							◎		
III	K$^+$チャネル遮断	アミオダロン	△I			△	◎	○	○		
		ソタロール					◎		◎		
		ニフェカラント					◎				
IV	Ca^{2+}チャネル遮断	ベラパミル	△			◎		○			
		ベプリジル	△I			◎	○				
		ジルチアゼム				○					
		アトロピン									◎
		ジゴキシン									◇	◎

遮断作用　◎：強い, ○：中間, △：弱い. ◇：刺激作用
作用する Na$^+$ チャネルの状態　A：活性化状態に結合, I：不活性化状態に結合
＊：Na$^+$ チャネルの遮断速度
M$_2$：ムスカリン M$_2$ 受容体, A$_1$：アデノシン A$_1$ 受容体

作用機序　Na$^+$チャネルへの結合・解離速度は遅い．心筋の活動電位第 0 相の立ち上がり速度を減少させるが，その作用はキニジンより弱い．また洞結節細胞およびプルキンエ線維においては第 4 相の拡張期脱分極相の抑制を示す．

副作用　心停止，心室細動，心室頻拍，心室粗動，心房粗動，房室ブロック，洞停止，失神，心不全悪化，抗コリン作用に基づく副作用（緑内障悪化，麻痺性イレウス）．

● プロカインアミド

薬理作用　プロカインのエステル部分をアミド化して加水分解されにくくした薬物．抗不整脈作用はキニジンよりは弱い．期外収縮，発作性頻拍，手術および麻酔に伴う不整脈，心房粗動に用いられる．

作用機序　Na$^+$チャネルへの結合・解離速度は中程度．

副作用　心室頻拍，心室粗動，心室細動，心不全，全身性エリテマトーデス（SLE）様症状，発疹，発熱．

A　循環器内科領域の疾患に用いる薬物

(a) 洞房結節と心室筋の活動電位パターン

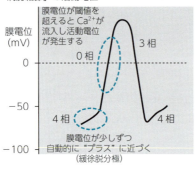
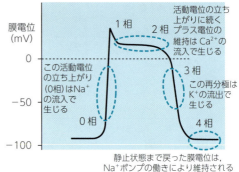

(b) 心筋の興奮と不応期

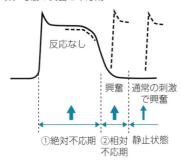

図 4A-4　心筋の活動電位
(a) 洞房結節と心室筋の活動電位パターン：心臓を構成する細胞は、収縮を引き起こす細胞（心房筋や心室筋）と刺激伝導系を構成する細胞があり、両者は活動電位発生の機構が異なる。
(b) 心筋細胞は、一度活動電位を発生すると、ある期間は活動電位を発生することができない。この期間のことを「不応期」と呼ぶ。不応期には、「絶対不応期」と「相対不応期」の2つの時期がある。
①絶対不応期：いかなる強い刺激に対しても活動電位を発生できない期間
②相対不応期：通常の活動電位を発生させる刺激よりも強い刺激に対しては反応できる期間

Ia 群
（キニジン，ジソピラミドなど）

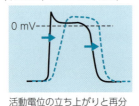

活動電位の立ち上がりと再分極の遅延による不応期の延長をもたらす．

Ib 群
（リドカイン，メキシレチンなど）

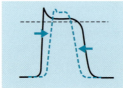

活動電位の立ち上がりを遅延するとともに、再分極の促進による不応期の短縮をもたらす．

Ic 群
（ピルシカイニド，フレカイニドなど）

活動電位の立ち上がりを遅延させるが、不応期の長さには影響を与えない．

II 群
（プロプラノロール，ナドロールなど）

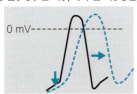

交感神経刺激による洞房結節の自動能亢進を抑制し、興奮の発生頻度を減少させる．活動電位上では、緩徐脱分極の抑制がみられる．

III 群
（アミオダロン，ソタロールなど）

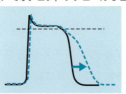

再分極を抑制し、活動電位の維持と絶対不応期の延長をもたらす．

IV 群
（ベラパミル，ベプリジルなど）

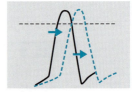

Ca^{2+} チャネルを介した洞房結節および房室結節での自動能を抑制し、房室結節での伝導速度を遅らせる．

図 4A-5　心筋の活動電位パターンに与える抗不整脈薬の作用

● シベンゾリン
　Na⁺チャネルへの結合・解離速度は遅い．I群抗不整脈薬としての作用に加えて，とくに高濃度では，Ca^{2+}チャネルの抑制作用（第IV群の抗不整脈作用）を有する．抗コリン作用は中程度．ほかの抗不整脈薬が無効な場合に用いる．

● ピルメノール
　Na⁺チャネルへの結合・解離速度は遅い．抗コリン作用は弱い．ほかの抗不整脈薬が無効な心室性不整脈に用いる．

キニジン　　　ジソピラミド

プロカインアミド　　シベンゾリン　　ピルメノール

2) Ib群

　心室性不整脈に有効であるが，上室性不整脈ではあまり効果を示さない．これは，心房細胞の活動電位持続時間（APD）が短く，薬物がNa⁺チャネルに結合し抑制作用を示すには十分な時間がないためである．

● リドカイン（構造式☞ p.82）
　薬理作用　局所麻酔薬であるが，抗不整脈作用ももつ．期外収縮（上室性），発作性頻拍（上室性）急性心筋梗塞，ジギタリス中毒や手術時にみられる心室性不整脈に静脈注射で用いる．
　作用機序　心筋細胞においてNa⁺チャネル機能を抑制し，活動電位第0相の立ち上がり速度の低下と興奮伝導の遅延をもたらし，異所性自動能を抑制する．
　副作用　刺激伝導系抑制，ショック，意識障害，振戦，痙攣，悪性高熱

● メキシレチン
　薬理作用　リドカインとは異なり初回通過効果を受けにくく，経口投与が可能である．心室性不整脈のほかに糖尿病性神経障害に適応がある（☞ 7章A.1 ■薬理2 糖尿病合併症治療薬，p.456）．
　作用機序　リドカインに同じ．
　副作用　食欲不振・胸やけなどの消化器症状，経口投与の際，胃に滞留すると食道潰瘍を誘発するため，大量の水で服用する．

● アプリンジン

活性型よりも不活性型のNa$^+$チャネルを強く抑制する．Ⅰb群に分類されるが，Sicillian Gambit分類によるとCa^{2+}チャネルやK$^+$チャネルなどにも作用し，心房および心室筋の各活動電位相に影響をもたらすとされる．上室性不整脈にも有効．（陰性変力作用は弱い）ほかの抗不整脈薬が無効な頻脈性不整脈に用いる．

メキシレチン　　アプリンジン

3）Ⅰc群

Na$^+$チャネルを遮断し，心房筋，心室筋やプルキンエ線維での活動電位第0相の立ち上がりと伝導速度を遅らせる一方，活動電位持続時間（APD）は変化させない．上室性および心室性不整脈に有効であるが，わが国では，ほかの抗不整脈薬が無効な場合に用いられる．Na$^+$チャネル阻害作用はⅠ群の薬物で最も強いが，チャネルに対する結合・解離速度が遅いので，頻脈性不整脈に有効なだけでなく，正常の調律も遅くする．

● フレカイニド

活性化状態のNa$^+$チャネルおよびK$^+$チャネルに対し強い遮断作用をもつ．うっ血性心不全や高度の房室・洞房ブロックの患者，心筋梗塞後の無症候性期外収縮あるいは非持続型心室頻拍には禁忌．

● プロパフェノン

Na$^+$チャネルに対する作用に加え，β受容体遮断作用をもつ．

● ピルシカイニド

Na$^+$チャネルに対する選択的な遮断作用をもつ．心臓以外の副作用は少ない．

フレカイニド　　プロパフェノン　　ピルシカイニド

b　Ⅱ群抗不整脈薬

心室筋での交感神経刺激は，β$_1$受容体を介して心筋へのCa^{2+}流入を促進し，異常自動能や撃発活動を発生させる．また，洞房結節では第4相緩徐脱分極を促進し心拍数の増加をもたらす．このようにして交感神経の亢進は不整脈を惹起しやすくなる．Ⅱ群抗不整脈薬は，β受容体を遮断してとくに交感神経の緊張に由来する不整脈

に有効となる．

● プロプラノロール（構造式☞ p. 59）

　薬理作用　はじめて臨床的に応用されたβ受容体遮断薬．

　　抗不整脈作用：交感神経の刺激に対する不整脈や心筋虚血が誘発する不整脈を改善する．上室性および心室性の期外収縮，心房細動などに用いられる．

　　心負荷の軽減：安静時および運動時での心拍数，血圧値を低下させ心仕事量を軽減する．また，心拡張期を延長し，心内膜/心外膜の血流比を増加させる．その結果，心筋における酸素の需要と供給の不均一が是正され心筋虚血が改善する．これらの作用により，狭心症に対する治療効果が示される．

　　降圧作用：レニン分泌の抑制，心拍出量減少や末梢血管抵抗減少が関わるとされる．本態性高血圧症（軽度～中等度）に用いられる．

　作用機序　β受容体を非選択的に遮断する．膜安定化作用を有するが，ISA はもたない．

　副作用　循環器系への作用により，うっ血性心不全，徐脈，房室ブロック，末梢性虚血，起立性低血圧を起こすことがある（徐脈，房室ブロック（2，3度），洞室ブロックの患者には禁忌）．また β_2 受容体の遮断は，気管支痙攣（気管支喘息の患者には禁忌）をもたらす．糖尿病性アシドーシス・代謝性アシドーシスでの心筋収縮力の抑制を増強する．

● ナドロール（構造式☞ p. 59）

　β非選択的な遮断薬．ISA はもたない．抗不整脈作用や降圧作用はプロプラノロールに同じであるが，親水性タイプのβ遮断薬（☞ 1 章 3.4.b アドレナリンβ受容体遮断薬，p. 58）で血液脳関門を通過しにくく，降圧作用における中枢機序は少ないと考えられる．頻脈性不整脈，本態性高血圧症（軽度～中等度）や狭心症に用いられる．

● ピンドロール（構造式☞ p. 59）

　薬理作用　プロプラノロールに同じ．洞性頻脈，狭心症および本態性高血圧症（軽度～中程度）に用いられる．

　作用機序　β受容体を非選択的に遮断する．β遮断作用はプロプラノロールよりも 15～40 倍強い．ISA を有するが，膜安定化作用はもたない．

　副作用　心不全の誘発・悪化，心胸比増大，喘息症状の誘発・悪化．

● アルプレノロール（構造式☞ p. 59）

　頻脈性不整脈および狭心症に用いられる．非選択的にβ受容体を遮断する．ISA および膜安定作用を有する．副作用としてはうっ血性心不全，血小板減少がある．

● ブフェトロール（構造式☞ p. 59）

　洞性頻脈および狭心症に用いられる．非選択的にβ受容体を遮断する．ISA はもたない．副作用としてはうっ血性心不全がある．

● アテノロール（構造式☞ p. 59）

　薬理作用　心臓に対する作用は，プロプラノロールに類似する．気管および末梢血管の β_2 受容体に対する作用はきわめて弱い．洞性頻脈，狭心症および本態性高血圧

症(軽度〜中程度)に用いられる．これらの疾患に対して，1日1回の投与で良好なコントロールが得られる．

作用機序 選択的 β_1 遮断薬．β_1 遮断作用はプロプラノロールより弱いが，β_1 受容体への選択性はピンドロールやメトプロロールより高く，アセブトロールとは同等．また ISA をもたない．

副作用 徐脈，心不全の誘発・悪化，心胸比増大，気管支痙攣，血小板減少症，紫斑病．

● アセブトロール(構造式☞ p.59)

薬理作用 アテノロールに同じ．頻脈性不整脈，狭心症，本態性高血圧症(軽度〜中等度)に用いられる．

作用機序 β_1 選択的にアドレナリンの作用を遮断する．ISA および膜安定作用を有する．

副作用 心不全，房室ブロック，SLE 様作用，間質性肺炎．

● ランジオロール(構造式☞ p.59)

血中薬物濃度半減期が約4分の短時間作用型選択的 β_1 遮断薬．手術期の頻脈性不整脈(心房細動，心房粗動，洞性頻脈)に対する緊急処置および心機能低下例における頻脈性不整脈(心房細動，心房粗動)に用いられる．急性期の心拍数のコントロールにおいて左室駆出率をさらに低下させることなく，ジゴキシンより速やかに心拍数を低下させることが報告されている．

● エスモロール(構造式☞ p.59)

短時間作用型の β_1 遮断薬で，血中からの消失が速やかである．β_1/β_2 比が 44.7 と心臓選択性が高い．手術時の上室性頻脈性不整脈に対する緊急処置に用いられる．

c　III 群抗不整脈薬

K^+ チャネル遮断薬が III 群に属する．III 群抗不整脈薬は，K^+ チャネルのほかに Na^+ チャネルや Ca^{2+} チャネルも遮断する作用をもつものが多い．K^+ チャネルを遮断することで，心室筋の脱分極状態を維持し，絶対不応期を延長させる．このため QT 間隔の延長による致死的副作用を起こす危険性があり，ほかの抗不整脈薬が効かない場合に用いられる．

● アミオダロン

薬理作用 致死的な再発性不整脈(心室細動，心室頻拍，肥大型心筋症に伴う心房細動)を改善する．

作用機序 心筋細胞の K^+ チャネルを抑制し，活動電位持続時間および絶対不応期を延長するほかに，Na^+ チャネル，Ca^{2+} チャネルおよび β 受容体の遮断作用もあわせもつ．

副作用 間質性肺炎，肺線維症，肝障害，不整脈の悪化など．重篤な副作用のため，その使用は限られ，本剤について十分な使用経験のある医師・施設で，ほかの抗不整脈薬が無効または使用できない場合に用いる．

● ソタロール

薬理作用 致死的な心室細動，心室頻拍の再発性不整脈を改善する．ほかの抗不整脈薬が無効または使用できない場合に用いる．

作用機序 心筋細胞の K^+ チャネルの抑制のほかに，β 受容体の遮断作用もあわせもつ．ソタロールはラセミ体で，l-体には β 受容体の遮断作用があるが，K^+ チャネルへの作用は両異性体間で差異はない．

副作用 心室細動，心室頻拍，torsades de pointes，洞停止，完全房室ブロック，心不全．

● ニフェカラント

選択的な K^+ チャネル遮断作用により抗不整脈効果を生じる．致死的な心室頻拍や心室細動でほかの薬物が無効または使用できない場合に用いられる．

アミオダロン　　　　　ソタロール　　　　　ニフェカラント

d　IV群抗不整脈薬

洞房結節や房室結節の心筋は静止膜電位が浅く，Na^+ チャネルは不活性化された状態にある．そのため，活動電位の第0相は，電位依存的L型 Ca^{2+} チャネルを介した Ca^{2+} 流入により生じる．**カルシウム拮抗薬**のうち，心筋に対する作用が強い薬物がIV群抗不整脈薬として用いられる．主に上室性不整脈(発作性上室性頻拍，心房粗動・細動)に用いる．

● ベラパミル

薬理作用 フェニルアルキルアミン系カルシウム拮抗薬．ジヒドロピリジン系カルシウム拮抗薬と比較すると，心収縮力や心拍数に対する抑制作用が強い．内服薬は狭心症や心筋梗塞にも用いられる．

作用機序 Ca^{2+} チャネル遮断により，心筋細胞への Ca^{2+} の細胞内流入を阻害し洞房結節自動能の抑制，房室伝導時間や房室結節不応期の延長を生じる．これらの作用により異所性興奮が抑制され上室性頻拍を減少させる．

副作用 心不全，洞停止，房室ブロック(重篤なうっ血性心不全や2度以上の房室ブロック，洞房ブロックのある患者には禁忌)，皮膚障害(皮膚粘膜眼症候群，多形滲出性紅斑，乾癬型皮疹)

● ベプリジル

薬理作用 多剤抵抗性の心房粗動・細動を抑制する．ほかの抗不整脈薬が有効でない場合の心室性の頻脈性不整脈や持続性心房細動に用いられる．

作用機序 L型 Ca^{2+} チャネル以外に，T型 Ca^{2+} チャネル，Na^+ チャネルおよび

K^+ チャネルの遮断作用ももつ．

副作用　QT 延長，心室頻拍，心室細動，洞停止，房室ブロック，とくに過度の QT 延長や torsades de pointes 発現に注意する．うっ血性心不全，房室ブロック，洞房ブロックのある患者には禁忌．

●**ジルチアゼム**

ベンゾチアゼピン系カルシウム拮抗薬．注射剤が上室性頻脈性不整脈への適用をもつ．上記の心筋への作用のほか，血管平滑筋 Ca^{2+} チャネル遮断による血管拡張は高血圧や狭心症の治療に有効となる．

ベラパミル　　　　ベプリジル　　　　ジルチアゼム

e　その他の抗不整脈薬（Sicilian Gambit 分類に含まれるもの）

●**アトロピン**（構造式☞ p.72）

抗コリン薬．M_2 受容体の遮断により，迷走神経からの伝達を抑制し徐脈性不整脈を改善する．洞不全症候群の洞徐脈，房室ブロックの改善に用いられる．

●**ジゴキシン**（構造式☞ p.289）

強心作用のほかに，反射性の迷走神経興奮を介した刺激伝導速度の抑制作用をもつ．心房細動・粗動による頻脈，発作性上室頻拍に用いられる．

抗不整脈薬

種類　薬物［代表的な商品名］	作用機序	注意すべき副作用
Ⅰa 群		
●キニジン硫酸塩水和物 ［硫酸キニジン］	Na^+ チャネル遮断とともに，K^+ チャネルも遮断する．これにより心室筋での，活動電位第 0 相の立ち上がりの遅延と活動電位の持続(不応期の延長)を起こす	高度伝導障害，心停止，心室細動，心不全，SLE 様症状，無顆粒球症，白血球減少，再生不良性貧血，溶血性貧血，血小板減少性紫斑病
●ジソピラミド［リスモダン］		心停止，心室細動，心室頻拍*，心室粗動，心房粗動，房室ブロック，洞停止，失神，心不全悪化，麻痺性イレウス，緑内障悪化，痙攣
●プロカインアミド塩酸塩 ［アミサリン］		心室頻拍，心室粗動，心室細動，心不全，SLE 様症状，無顆粒球症
●シベンゾリンコハク酸塩 ［シベノール］		催不整脈作用，ショック，アナフィラキシー，低血糖，循環不全による肝障害，顆粒球減少，白血球減少，貧血，血小板減少，間質性肺炎
●ピルメノール塩酸塩水和物 ［ピメノール］		心不全，心室細動，心室頻拍*，房室ブロック，洞停止，失神，低血糖

抗不整脈薬（つづき）

種類　薬物　[代表的な商品名]	作用機序	注意すべき副作用
Ｉb群		
●リドカイン塩酸塩 [キシロカイン，オリベス]	Na^+ チャネルを遮断し，心室筋での活動電位第 0 相の立ち上がりを遅らせる．活動電位持続時間を短縮させる	刺激伝導系抑制，ショック，意識障害，振戦，痙攣，悪性高熱
●メキシレチン塩酸塩 [メキシチール]		食欲不振，胸やけなどの消化器症状，食道潰瘍
●アプリンジン塩酸塩 [アスペノン]		催不整脈，無顆粒球症，間質性肺炎，肝障害
Ｉc群		
●フレカイニド酢酸塩 [タンボコール] ●プロパフェノン塩酸塩 [プロノン] ●ピルシカイニド塩酸塩水和物 [サンリズム]	Na^+ チャネルを遮断し，心房筋，心室筋やプルキンエ線維での活動電位第 0 相の立ち上がりと伝導速度を遅らせる一方，活動電位持続時間は変化させない	心室頻拍*，心室細動，心房粗動，高度房室ブロック，一過性心停止，洞停止，心不全，肝障害，黄疸など
Ⅱ群		
●プロプラノロール塩酸塩 [インデラル]	アドレナリン $β_1$ 受容体を遮断し，心室筋での異常自動能の発生を抑制する．また，洞房結節では第 4 相緩徐脱分極を抑制し，心拍数を減少させる	うっ血性心不全，徐脈，末梢性虚血，房室ブロック，失神を伴う起立性低血圧，気管支痙攣
●ナドロール [ナディック]		心不全，洞房ブロック，洞不全症候群
●ピンドロール [カルビスケン]		心不全の誘発・悪化，心胸比増大，喘息症状の誘発・悪化
●アルプレノロール [スカジロール]		うっ血性心不全，血小板減少
●ブフェトロール [アドビオール]		うっ血性心不全
●アテノロール [テノーミン]		徐脈，心不全，心胸比増大，気管支痙攣，血小板減少症，紫斑病
●アセブトロール [アセタノール]		心不全，房室ブロック，SLE 様症状，間質性肺炎
●ランジオロール塩酸塩 [オノアクト，コアベータ]		ショック，心停止，完全房室ブロック，洞停止，高度徐脈，心不全
●エスモロール塩酸塩 [ブレビブロック]		心不全，末梢性虚血，気管支痙攣，低血圧
Ⅲ群		
●アミオダロン塩酸塩 [アンカロン]	K^+ チャネルを遮断することで，心室筋の脱分極状態を維持し，絶対不応期を延長させる	間質性肺炎，肺線維症，既存の不整脈の重度の悪化
●ソタロール塩酸塩 [ソタコール]		心室細動，心室頻拍，torsades de pointes，洞停止，完全房室ブロック，心不全，心拡大
●ニフェカラント塩酸塩 [シンビット]		心室頻拍*，心室細動，心室性期外収縮，心房細動，心房粗動
Ⅳ群		
●ベラパミル塩酸塩 [ワソラン]	洞房結節や房室結節での Ca^{2+} チャネル遮断により，心筋細胞への Ca^{2+} の細胞内流入を阻害し，自動能の抑制，房室伝導時間や房室結節不応期の延長を生じる	心不全，洞停止，房室ブロック，徐脈，意識消失，皮膚粘膜眼症候群，多形滲出性紅斑，乾癬型皮疹
●ベプリジル塩酸塩水和物 [ベプリコール]		QT 延長，心室頻拍*，心室細動，洞停止，房室ブロック，無顆粒球症，間質性肺炎
●ジルチアゼム塩酸塩 [ヘルベッサー]		完全房室ブロック，高度徐脈，うっ血性心不全，頭痛，めまい，顔面紅潮，低血圧，歯肉肥厚，催奇形性

* torsades de pointes を含む

2 急性および慢性心不全

■病態生理

心不全 heart failure とは，心臓のポンプ機能低下により血流の循環を維持できず，肺や体静脈でのうっ血を生じる病態である．**うっ血性心不全** congestive heart failure とも呼ばれる．

❶ 心不全の分類

1) **急性心不全** acute heart failure

心筋梗塞などの疾患あるいは慢性心不全の増悪により，急速な心機能低下と交感神経系およびレニン-アンジオテンシン-アルドステロン系による代償機構の破綻を生じた状態．心停止や心原性ショックに至るため，原因疾患に対する治療とともに早急な血液循環の改善と呼吸維持が必要となる．

2) **慢性心不全** chronic heart failure

高血圧や弁膜疾患などによる慢性的な心負担により，血液循環の悪化が徐々に進行する状態．慢性心不全の状態においては代償機構が働き続けるため，さらに心負担は増大し心不全を進行させる．また，代償機構としての交感神経系やレニン-アンジオテンシン-アルドステロン系は，体液性因子を介して，心筋リモデリング（心筋の肥

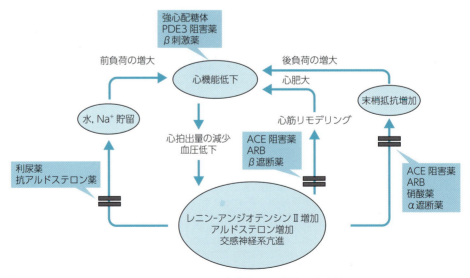

図 4A-6 心不全における病態進展の機構と治療薬の作用

心機能の低下は，代償機構としてのレニン-アンジオテンシン-アルドステロン系および交感神経系の亢進を生じさせる．この機構により，心拍出量の増加と血圧の上昇が生じるが，これは心臓への前負荷および後負荷の増大となり，心不全の病態を進展させる．

大，線維化)を引き起こす．慢性心不全の治療は，長期にわたり血液の循環を安定させ，QOLの向上，予後の改善および延命を目的に薬物治療が行われる(図 4A-6)．

2 心不全の原因

1) 心疾患
心筋梗塞：心筋が壊死することで，心筋の収縮力が低下する．
心筋症：心筋の変性により収縮力が低下する．とくに「拡張型心筋症(心筋の収縮力が低下し，左心室が拡張する)」が重要である．

2) 前負荷の増大
弁膜症：僧帽弁閉鎖不全，大動脈弁閉鎖不全では大量の血液の逆流が生じ，心拍出量を維持するためには心臓の仕事量が増える．
慢性閉塞性肺疾患：肺高血圧症，肺気腫や慢性気管支炎では，右心不全の原因となる．

3) 後負荷の増大
高血圧：血液が拍出される際の抵抗が増大し，心臓に負荷がかかる．

4) 内分泌疾患
甲状腺機能亢進症：甲状腺ホルモンの過剰分泌により，心臓のβ受容体が増加し，交感神経刺激に対する仕事量が増加する．

■薬　理

1 強心薬

強心薬とは心筋の収縮力を増強する薬物であり，強心配糖体，β受容体刺激薬，ホスホジエステラーゼ(PDE)阻害薬がこれに属する(図 4A-7)．

a 強心配糖体

●ジゴキシン
薬理作用　*Digitalis lanata* 葉由来の配糖体．薬理作用としては，①心筋収縮力増強(陽性変力作用)，②心拍数減少(陰性変時作用)，③房室伝導時間の遅延(陰性変伝導作用)，④心室筋の自動性亢進(催不整脈作用)，⑤利尿作用，がある．先天性心疾患，弁膜疾患，高血圧症，虚血性心疾患などの疾患に基づくうっ血性心不全，心房細動・粗動による頻脈，発作性上室頻拍に用いられる．また，延髄の化学受容器引き金帯に対する刺激作用を有するので，嘔吐を引き起こす．

作用機序　**心筋収縮力増強**：心筋細胞にある Na^+, K^+-ATPase を阻害し，細胞内からの Na^+ 排出を抑制する．細胞内 Na^+ 量の増加は Na^+/Ca^{2+} 交換系の活性を低下させ，細胞内 Ca^{2+} 量が増加することで心筋の収縮力が高まる．この作用はうっ血

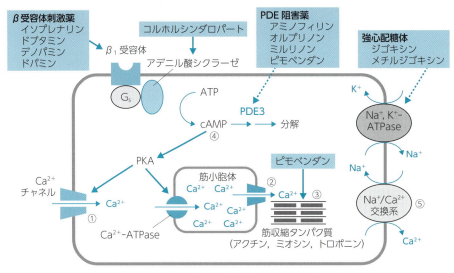

図 4A-7 心室筋の収縮機構と強心薬の作用点
心室筋が刺激伝導系から伝えられた興奮により収縮する機構は，①活動電位の発生に続き，電位依存性 Ca^{2+} チャネルを介した Ca^{2+} 流入が生じる．②細胞内 Ca^{2+} 量が増加すると，これが引き金となり，筋小胞体の Ca^{2+} が細胞質へと放出される．③ Ca^{2+} の増加は筋収縮タンパク質に働き，心筋が収縮する．④β受容体刺激により増加した cAMP は，プロテインキナーゼ A を介して，筋小胞体内への Ca^{2+} 蓄積を増大する．この機構により興奮時の Ca^{2+} 放出量が増加する．⑤筋収縮後，Ca^{2+} は Ca^{2+}-ATPase と Na^+/Ca^{2+} 交換系に排出され，筋が弛緩する．

性心不全によって収縮力が低下した心臓で著明である．

心拍数減少：心筋収縮力の増強により心拍出量が増加すると，心不全時に低下していた圧受容器反射が働きだし迷走神経の興奮を引き起こす．この間接的な作用と，刺激伝導系の伝導速度の減少や不応期の延長という直接作用の両者により，心拍数を減少させる．

房室伝導時間の遅延：房室結節の不応期を延長して，興奮の伝導を遅延させる．

心室筋の自動性亢進：多量を用いるとプルキンエ線維の自動能を亢進して，心室性期外収縮などの不整脈を引き起こす．

利尿作用：腎臓での血行動態が改善される結果，二次的に腎血流量の増加が生じる．

[副作用] ジギタリス中毒(高度の徐脈，二段脈，多源性心室性期外収縮，発作性心房頻拍などの不整脈が生じる)，非閉塞性腸間膜虚血

[相互作用] ループ利尿薬，チアジド系利尿薬など低カリウム血症を起こす薬物との併用はジゴキシンの作用を強める(血中 K^+ 減少がジゴキシンと Na^+,K^+-ATPase との結合を増加させる)．

● **メチルジゴキシン**

ジゴキシンの糖部分にある遊離水酸基をメチル化した薬物．ジゴキシンに比べ吸収が速やか．薬理作用はジゴキシンに同じ．

ジゴキシン：R=H
メチルジゴキシン：R=CH₃

ジゴキシン　メチルジゴキシン

b　β受容体刺激薬

アドレナリンβ受容体刺激薬によって，心筋の$β_1$受容体が刺激されるとG_sタンパク質を介したアデニル酸シクラーゼ活性化により細胞内cAMPが増加する．増加したcAMPは，電位依存性Ca^{2+}チャネルの開口促進や筋小胞体内のCa^{2+}蓄積量の増加を引き起こし，心筋興奮時の筋収縮力を高める．

● **イソプレナリン**（構造式☞ p.47）

薬理作用　非選択的β刺激薬．生体由来のカテコールアミンよりさらに強い強心作用と気管支拡張作用を有する．β受容体への作用は，l体がd体およびdl体に比べ作用が強い．

心筋収縮力増強（陽性変力作用）：心収縮力を増強して，心拍出量を増加する．これに伴って，左心室駆出速度の増大および左心室拡張末期圧の低下をもたらし静脈還流を改善し，心拍出量をさらに増加するが，この場合の心筋酸素消費量の増加は比較的軽度である．

心拍数増加（陽性変時作用）：心臓の刺激伝導系に作用して心拍数を増加する．洞機能を亢進し房室伝導を促進する．

組織循環促進作用：強力な心拍出量の増加とともに末梢血管の抵抗を減少させて，各組織や重要臓器の血流量を増大する．

気管支拡張作用：気管支平滑筋に作用し，気管支内腔を拡張する．

アダムス・ストークス症候群の発作時，あるいは発作反復時，急性心不全，手術後の低心拍出量症候群，気管支喘息の重症発作時に用いられる．

作用機序　心臓，血管，気管支のアドレナリン$β_1$および$β_2$受容体を非選択的に刺激し，強いβ作用を発現する．心拍出量増大（陽性変力作用：$β_1$作用），洞機能および房室伝導亢進による心拍数増加（陽性変時作用：$β_1$作用），骨格筋，内臓血管拡張作用（$β_2$作用），気管支拡張作用（$β_2$作用）を示す．

副作用　重篤な血清カリウム値の低下．

●ドブタミン（構造式☞ p. 53）

薬理作用 選択的 β_1 刺激薬．心収縮力増強作用および末梢血管抵抗の低下作用をもつ．急性循環不全の改善にほかの強心薬（ドパミンやミルリノン）と併用され，静脈注射される．

作用機序 心筋 β_1 受容体を選択的に刺激し心筋の収縮力を高める．また，軽度ながら血管の β_2 受容体を刺激し，末梢血管の抵抗性を低下させる．

副作用 不整脈，過度の血圧上昇，肥大型閉塞性心筋症の患者には禁忌（左室からの血液流出路の閉塞が増強され症状が悪化する）

●デノパミン（構造式☞ p. 53）

麦角アルカロイドに分類される選択的 β_1 刺激薬．ドブタミンより β_1 受容体に対する選択性が高い．部分刺激薬として働く．慢性心不全患者に対してドブタミン離脱期に用いられる．副作用として，心室頻拍が生じることがある．

●ドパミン（構造式☞ p. 51）

薬理作用 静脈投与により強心作用および利尿作用を示し，心原性ショックや出血性ショックなどの急性循環不全に用いられる．

作用機序 低用量では腎動脈のドパミン受容体を刺激することで，細胞内 cAMP 量を増加させ，動脈を拡張し，腎血流量の増加に伴う利尿作用をもたらす．さらに糸球体ろ過を増大させて，Na^+ 利尿を起こす．用量を増すと，主として交感神経終末からのノルアドレナリン遊離を介する間接作用により心筋の β_1 受容体を刺激して強心作用を示す．高用量では，血管の α_1 受容体を刺激し昇圧作用を示す．

副作用 頻脈，不整脈（心室性期外収縮，心房細動，心室性頻脈），麻痺性イレウス，消化管障害，末梢虚血

●ドカルパミン

ドパミンのプロドラッグとして経口投与される．

ドカルパミン

c ホスホジエステラーゼ阻害薬

cAMP 分解酵素である**ホスホジエステラーゼ（PDE）**を阻害し，心筋での cAMP を増加させ強心作用をもたらす．また血管平滑筋に作用し血管拡張を起こし心臓の負担を軽減するため心臓の酸素要求性を増大させにくい．PDE のサブタイプのうち，cAMP への基質特異性をもつ PDE3 が心臓には多く存在している．選択的 PDE3 阻害薬と非選択的阻害薬の両者に適応がある．

2 急性および慢性心不全

●アミノフィリン

薬理作用 非選択的 PDE 阻害薬．テオフィリン 2 分子とエチレンジアミン 1 分子の塩であり，体内ではテオフィリンとして存在する．心拍出量の増加，冠動脈拡張，利尿，気管支拡張を生じる．気管支喘息，うっ血性心不全，肺水腫，心臓喘息，チェーン・ストークス型呼吸，閉塞性肺疾患における呼吸困難，狭心症に用いられる．

作用機序 PDE3 阻害により心筋内の cAMP を増加させるほかに，アデノシン受容体の遮断も強心作用に関わる．

副作用 痙攣，意識障害，急性脳症，過敏症，動悸，悪心・嘔吐など．

●オルプリノン

選択的 PDE3 阻害薬．心筋で cAMP を増加し心収縮力の増強を示す．また血管拡張作用により急性左心不全による肺うっ血を速やかに軽減する．ほかの薬剤で効果不十分な急性心不全に用いられる．副作用としては，心室細動，心室頻拍，血圧低下，腎障害がある．肥大型閉塞性心筋症には禁忌．

●ミルリノン

選択的 PDE3 阻害薬．薬理作用および副作用は，オルプリノンを参照．

●ピモベンダン

PDE3 阻害作用に加え，心筋の収縮調節タンパク質であるトロポニン C の Ca^{2+} 感受性を増強させ，強心作用を示す．Ca^{2+} 感受性増強薬とも呼ばれる．急性心不全および慢性心不全に用いられる．副作用には，心室細動，心室頻拍，心室性期外収縮，肝障害，黄疸がある．

アミノフィリン

オルプリノン

ミルリノン

ピモベンダン

d その他の強心薬

●コルホルシンダロパート

シソ科の植物 *Coleus forskohlii* から抽出されたフォルスコリン（コルホルシン）をもとに，臨床適用可能な水溶性誘導体として合成された薬物．アデニル酸シクラーゼを直接活性化し細胞内の cAMP 量を増加させることで心筋の収縮と血管の拡張を生じる．他剤の効果が不十分な急性心不全に用いる．副作用には心室頻拍，心室細動などがある．

● ブクラデシン

ジブチリル cAMP 製剤．細胞膜を透過後 cAMP となり陽性変力作用と血管拡張作用を示す．また，PDE 阻害作用も強心作用に関わる．急性心不全に用いる．

コルホルシンダロパート　　　ブクラデシン

❷ 心負担を軽減する薬物

循環血流量の減少や，血管拡張を生じる薬物は心前負荷を軽減し，心不全の治療に有効である．利尿薬，硝酸薬，アンジオテンシン拮抗薬やβ遮断薬がこれに相当する．

a 利 尿 薬（☞ 5 章 A.1 利尿薬，p.352）

心拍出量の低下により生じる肺や体静脈系のうっ血を改善するために利尿薬が用いられる．また，循環血流量を減少させ，心臓の前負荷を軽減する作用ももつ．ループ利尿薬（ブメタニド，トラセミド，フロセミド），カリウム保持性利尿薬（カンレノ酸カリウム，スピロノラクトン，トリアムテレン）やカルペリチドが用いられる．

b 硝 酸 薬（☞ 本章 A.3 ■薬理 1 狭心症治療薬，p.298）

薬物から放出された一酸化窒素（NO）が，細静脈および細動脈の拡張を起こし，前負荷および後負荷の両者を軽減する．ニトログリセリンおよび硝酸イソソルビドが急性心不全に用いられる．

c アンジオテンシン拮抗薬（☞ 本章 A.4 ■薬理 1 高血圧症治療薬，p.306）

ACE 阻害薬のエナラプリルとリシノプリル（☞ p.310），AT_1 受容体遮断薬のカンデサルタンシレキセチル（☞ p.311）が慢性心不全に適応される．アンジオテンシン II の作用が阻害されると，血管の拡張により前負荷・後負荷が減少する．また，交感神経系の抑制，アルドステロン分泌抑制も心不全に対する治療効果に関わる．さらに，アンジオテンシン II が心臓に対してもつ心筋の肥大作用もこれらの薬物で抑制される．

d β受容体遮断薬（☞ 1 章 3.4.b アドレナリンβ受容体遮断薬，p.58）

β遮断薬は一般には心不全には禁忌であるが，少量から投与を開始し徐々に投与量

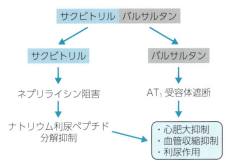

図 4A-8 サクビトリルバルサルタンの作用機序
体内でサクビトリルとバルサルタンに解離し、それぞれがネプリライシンおよびアンジオテンシン AT_1 受容体を阻害する。この 2 つの作用により心不全を改善する。

を増やしていくと，心不全に対する症状と予後を改善させる。わが国では，$\alpha_1\beta$ 遮断薬のカルベジロール (☞ p.60) および選択的 β_1 遮断薬ビソプロロール (☞ p.59) が虚血性心疾患または拡張型心筋症に基づく心不全に適応がある。

e アンジオテンシン受容体ネプリライシン阻害薬

●サクビトリルバルサルタン

薬理作用 経口投与後にサクビトリルとバルサルタンに解離し、それぞれがネプリライシンおよびアンジオテンシンⅡ AT_1 受容体を阻害する。ネプリライシンはナトリウム利尿ペプチドを分解する酵素である。サクビトリルはナトリウム利尿ペプチドの働きを増加させ，利尿作用，心肥大抑制作用および血管拡張作用を示す（**図 4A-8**）。

副作用 血管浮腫，腎障害，低血圧，高カリウム血症。

❸ その他の心不全治療薬

●ユビデカレノン

心不全患者では，ミトコンドリア電子伝達系で酸化的リン酸化を促進させ ATP 産生を高めるユビデカレノン（コエンザイム Q10）が減少している。この減少を補充する目的で，基礎治療施行中の軽度および中等度のうっ血性心不全症状に用いられる。

●イバブラジン

慢性心不全患者では，心拍数の増加が予後を悪化させる。イバブラジンは房結節の自動能発生に関わる HCN4（過分極活性化環状ヌクレオチド依存性チャネル 4）を阻害することで過分極活性化陽イオン電流を抑制する。その結果，拡張期脱分極相における活動電位の立ち上がり時間を遅延させ，心拍数を減少させる。

●ベルイシグアト

心不全の病態において心筋収縮，血管緊張，心臓リモデリングなどの生理機能を担う cGMP シグナルが減弱している．ベルイシグアトは，可溶性グアニル酸シクラーゼ (sGC) を直接刺激する作用および，NO に対する感受性を高める作用により sGC を活性化し，慢性心不全の病態進行を抑制する．

ユビデカレノン

ベルイシグアト

イバプラジン

心不全治療薬

種類　薬物［代表的な商品名］	作用機序	注意すべき副作用
強心配糖体		
●ジゴキシン［ジゴシン，ジゴキシン］ ●メチルジゴキシン［ラニラピッド］	心筋細胞の Na^+, K^+-ATPase 阻害による細胞内 Na^+ 増加が，Na^+/Ca^{2+} 交換系活性を低下させ，その結果生じる細胞内 Ca^{2+} 増加が心収縮力を高める	ジギタリス中毒（高度の徐脈，二段脈，多源性心室性期外収縮，発作性心房頻拍），非閉塞性腸間膜虚血
β受容体刺激薬		
●イソプレナリン塩酸塩［プロタノール］	心筋のβ₁受容体を刺激し細胞内 cAMP を増加させることで心収縮力を高める	重篤な血清カリウム値の低下，心筋虚血，ショック，アナフィラキシー様症状
●ドブタミン塩酸塩［ドブトレックス］		不整脈（頻脈・期外収縮など），血圧低下，過度の血圧上昇，動悸，胸部不快感，狭心痛，前胸部熱感，息切れ
●デノパミン［カルグート］		心室頻拍などの不整脈
●ドパミン塩酸塩［イノバン，カコージン］		麻痺性イレウス，四肢冷感，末梢虚血
●ドカルパミン［タナドーパ］		心室頻拍，肝障害，黄疸
ホスホジエステラーゼ阻害薬		
●アミノフィリン［ネオフィリン］	心筋の PDE3 を阻害し細胞内 cAMP を増加させることで心収縮力を高める	ショック，アナフィラキシーショック，痙攣，意識障害，急性脳症，横紋筋融解症，赤芽球癆，肝障害，黄疸，頻呼吸，高血糖症
●オルプリノン塩酸塩水和物［コアテック］		心室細動，心室頻拍（torsades de pointes を含む），血圧低下，腎障害
●ミルリノン［ミルリーラ］		心室頻拍（torsades de pointes を含む），心室細動，血圧低下，腎障害
●ピモベンダン［アカルディ］	心筋 PDE3 の阻害に加え，筋収縮調節タンパク質の Ca^{2+} 感受性を高める	心室細動，心室頻拍，心室性期外収縮，肝障害，黄疸

心不全治療薬（つづき）

種類　薬物　[代表的な商品名]	作用機序	注意すべき副作用
その他の強心薬		
●コルホルシンダロパート塩酸塩　[アデール]	アデニル酸シクラーゼを直接活性化し細胞内のcAMP量を増加させることで心筋収縮と血管拡張を生じる	心室頻拍，心室細動
●ブクラデシンナトリウム　[アクトシン]	細胞膜を透過後，cAMPとなり心筋収縮の増強と血管拡張作用を示す	高度な血圧低下，期外収縮，心室頻拍，心房細動，肺動脈楔入圧上昇，心拍出量低下
利尿薬		
●ブメタニド　[ルネトロン]	腎尿細管のヘンレ係蹄上行脚での$Na^+/K^+/2Cl^-$共輸送体を介するNa^+再吸収抑制により利尿作用を示す	脱水症状
●トラセミド　[ルプラック]		肝障害，黄疸，血小板減少，低カリウム血症，高カリウム血症
●フロセミド	本章 A.4. 表 高血圧症治療薬（☞ p.319）参照	
●カンレノ酸カリウム　[ソルダクトン]	アルドステロンと拮抗し，Na^+排泄による利尿作用を示す	ショック，電解質異常（高カリウム血症，低ナトリウム血症，高ナトリウム血症，低クロール血症，高クロール血症など）
●スピロノラクトン	本章 A.4. 表 高血圧症治療薬（☞ p.319）参照	
●トリアムテレン	本章 A.4. 表 高血圧症治療薬（☞ p.319）参照	
●カルペリチド　[ハンプ]	ANP受容体に働き，利尿作用および血管弛緩を介して心負荷を軽減する	血圧低下，低血圧性ショック，徐脈，過剰利尿（脱水），重篤な肝障害，重篤な血小板減少
硝酸薬		
●ニトログリセリン ●硝酸イソソルビド	本章 A.3. 表 狭心症治療薬（☞ p.303）参照	
アンジオテンシン拮抗薬		
●エナラプリル ●リシノプリル ●カンデサルタンシレキセチル	本章 A.4. 表 高血圧症治療薬（☞ p.318）参照	
β受容体遮断薬		
●カルベジロール　[アーチスト]	低用量から投与を開始し，継続投与することで慢性心不全の進展を抑制する．カルベジロールはβ受容体および$α_1$受容体を遮断し，ビソプロロールは，$β_1$受容体を選択的に遮断し，心負荷を軽減する	高度な徐脈，ショック，完全房室ブロック，心不全，心停止，肝障害，黄疸，急性腎不全，中毒性表皮壊死融解症，皮膚粘膜眼症候群，アナフィラキシー
●ビソプロロールフマル酸塩　[メインテート]		心不全，完全房室ブロック，高度徐脈，洞不全症候群
アンジオテンシン受容体ネプリライシン阻害薬		
●サクビトリルバルサルタンナトリウム水和物　[エンレスト]	経口投与後にサクビトリルとバルサルタンに解離し，それぞれがネプリライシンおよびアンジオテンシンⅡAT_1受容体を阻害する．ネプリライシンの阻害はナトリウム利尿ペプチドを増加させ，利尿作用，心肥大抑制作用および血管拡張作用を示す	血管浮腫，腎障害，低血圧，高カリウム血症
その他		
●ユビデカレノン　[ノイキノン]	心筋において，ATP産生を高め，心筋の障害を軽減する	胃部不快感，食欲不振，悪心・嘔吐，下痢

心不全治療薬（つづき）

種類　薬物［代表的な商品名］	作用機序	注意すべき副作用
HCNチャネル遮断薬		
●イバブラジン［コララン］	HCN4を阻害することで過分極活性化陽イオン電流を抑制し，拡張期脱分極相における活動電位の立ち上がり時間を遅延させ，心拍数を減少させる	徐脈，房室ブロック，QT延長
可溶性グアニル酸シクラーゼ刺激薬		
●ベルイシグアト［ベリキューボ］	可溶性グアニル酸シクラーゼ（sGC）を直接刺激する作用とNOに対する感受性を高める作用によりsGCを活性化し，慢性心不全の病態進行を抑制する	低血圧

3 虚血性心疾患(狭心症,心筋梗塞)

　心臓は常に収縮・拡張を繰り返している組織であり,その機能を維持するためには,血液による絶え間ないエネルギー源の供給が必要である.虚血性心疾患 ischemic heart disease とは,心臓に血液を供給する冠状動脈に狭窄・閉塞が生じ,酸素需要に見合う心筋への血液供給ができなくなった状態(心筋虚血)をもたらす病態の総称である.虚血性心疾患には,一過性の心筋虚血である**狭心症** angina pectoris と持続的な心筋虚血により心筋壊死が生じる**心筋梗塞** myocardial infarction がある.

■病態生理

① 狭心症

　冠状動脈の動脈硬化や攣縮による狭窄が,一時的に心筋虚血を起こし,主に胸骨後方の胸痛を主症とする疾患.心筋の壊死は生じない.
　狭心症は発作の誘因,経過および発生機序に基づいて分類される.

1) 誘因による分類(図 4A-9)

　労作性狭心症 effort angina:冠動脈の動脈硬化によって生じる病変(器質的狭窄)による冠動脈血流の減少が背景にあり,身体的・精神的な労作が加わったときに,心筋の酸素需要量が高まり,冠動脈血流での酸素供給が追い付かなくなり生じるもの.
　冠攣縮性狭心症 vasospastic angina:安静時に発作が生じるもので,とくに自律神経の活動が変化しやすい就寝時の明け方に好発する.冠動脈が攣縮(スパスム)することで冠動脈の血流量が急激に低下し,心臓への酸素供給が一過的に減少して発症する.

2) 経過による分類

　安定狭心症 stable angina:発作の起こる労作の強さがほぼ一定であり,予測が可能な一過性の発作を生じるもの.心筋の損傷は生じない.安定したアテローム性プラーク(粥腫)が冠動脈内にあり,血管を狭窄している場合に生じる.
　不安定狭心症 unstable angina:発生頻度や症状が増悪傾向にある狭心症で,急性心筋梗塞に至ることがある(不安定狭心症は急性心筋梗塞と合わせて,急性冠症候群 acute coronary syndrome と呼ばれる).冠動脈内のアテローム性プラークの破裂および,それに続く血小板凝集と血栓形成が原因となる.

3) その他

　異型狭心症 variant angina:動脈硬化病変がなくても,安静時に強い冠攣縮が生じ胸痛を生じるもの.血管内皮細胞の障害が発症に関連するとされる.
　無症候性心筋虚血 silent ischemia:心筋虚血は生じているが,胸痛などの自覚症状を伴わないもの.糖尿病患者や高齢者にみられる.

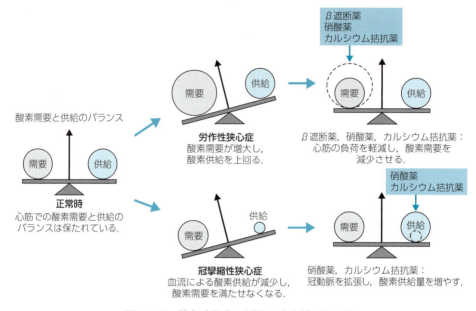

図 4A-9　狭心症発作の誘因と治療薬の作用点
狭心症は，心筋での酸素需要が酸素供給を上回ることで生じる一過性の心筋虚血である．狭心症治療薬は，酸素需要と供給のバランスを保つことで発作を予防・改善する．

❷ 心筋梗塞

急性心筋梗塞 acute myocardial infarction：持続的に冠血流が遮断され，その支配下灌流域にある心筋が壊死に至ることで生じる．狭心症から進行する場合のほか，発作的に発症することがある．心機能の低下により短時間で，心原性ショック，期外収縮，心室細動・粗動など致死的な状態に至る．急性心筋梗塞の患者には，経皮的冠動脈インターベンション（PCI）による冠動脈の再灌流治療が緊急に行われるが，PCIが行えない場合にはt-PA製剤による血栓溶解療法が用いられる．

陳旧性心筋梗塞 chronic myocardial infarction：発症後，30日を経過した心筋梗塞を陳旧性心筋梗塞と呼ぶ．

■薬　　理

❶ 狭心症治療薬

狭心症の治療には，冠血流を増加させ酸素供給を増加させる薬物や，心筋の負荷を軽減し酸素需要を減少させる薬物が用いられる．また，薬物の投与方法により，発作時に用いるものと発作を予防するものとに分けられる．

a 酸素供給を増加させる薬物

1) 硝酸薬（図4A-10）

●**ニトログリセリン**

薬理作用 直接血管平滑筋に作用し，低用量では静脈の，高用量では静脈および動脈の拡張作用を示す．心臓では冠動脈とともに側副血行路を拡張し，虚血部への血流を増加させる．また，静脈系の拡張は心還流量を減少させる（前負荷の軽減）ことで左室拡張期圧を低下させ，心内膜下筋層の血流が増加し，虚血心筋への血流再分配を改善する．さらに動脈系の拡張により末梢血管抵抗，血圧が低下し後負荷が軽減する．舌下錠およびエアゾール剤が発作の寛解に用いられる．

作用機序 細胞内で一酸化窒素（NO）に変換された後，血管平滑筋の可溶性グアニル酸シクラーゼを活性化してcGMPを増加させる．増加したcGMPは細胞内Ca^{2+}濃度を減少させ，血管の弛緩が生じる．

副作用 動悸（血圧低下による反射性の頻脈），悪心・嘔吐，頭痛（脳血管の拡張のため），血圧低下，めまい．また閉塞隅角緑内障患者への使用（眼内血管拡張による眼圧上昇のため），PDE5阻害薬との併用（過度な血圧低下のため）は禁忌である．

●**硝酸イソソルビド**

薬理作用，作用機序および副作用はニトログリセリンと同じ．その作用はニトログリセリンより弱いが，持続は長い．狭心症，心筋梗塞，その他の虚血性心疾患に用いられる．スプレー剤は狭心症発作の寛解に使用される．

●**一硝酸イソソルビド**

硝酸イソソルビドの活性代謝物．肝臓での初回通過効果を受けにくく，ほかの経口硝酸・亜硝酸薬に比べ効果が持続する一方，作用の発現には時間がかかるため，狭心

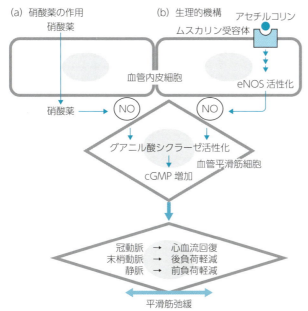

図4A-10 硝酸薬による狭心症改善作用

症の発作時には用いられない.

硝酸イソソルビド R=NO₂
一硝酸イソソルビド R=H

ニトログリセリン　　硝酸イソソルビド　一硝酸イソソルビド

2) カルシウム拮抗薬（Ca²⁺ チャネル遮断薬）（図 4A-11）

血管平滑筋にある L 型電位依存性 Ca^{2+} チャネルを遮断し，細胞内への Ca^{2+} 流入を阻害する．冠血管の攣縮抑制作用や冠動脈拡張作用により，心臓への血流量が増加する．また，動脈が拡張すると，後負荷が軽減され心臓の酸素要求性が低下する．これらの作用により，抗狭心症作用を示す．とくに安静型狭心症（冠攣縮性狭心症）の予防に有効である．ニフェジピン，アムロジピン，エホニジピン，ジルチアゼム，ベラパミルなどが用いられる（☞本章 A.4 ■薬理 1 高血圧症治療薬, p.306）.

3) その他の冠拡張薬

● ニコランジル

薬理作用　硝酸エステル基をもつニコチン酸誘導体．冠血管を拡張し冠血流量を増加させるとともに冠動脈の攣縮を抑制する．心筋虚血に対する保護効果も有する．冠血管以外の血管も拡張させ心筋の負担を軽減するため，急性心不全（慢性心不全の急性増悪期を含む）にも用いられる．

作用機序　ニトログリセリンと同様に NO を遊離させる．これに加えて，ATP 感

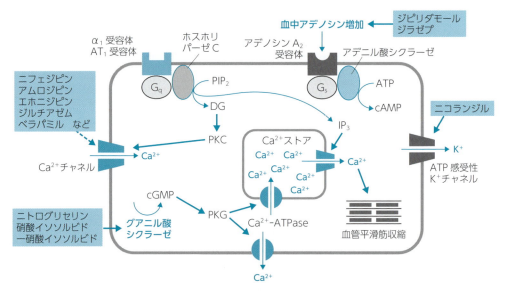

図 4A-11　冠動脈平滑筋での狭心症治療薬の作用点
DG：ジアシルグリセロール, PKC：プロテインキナーゼ C, IP₃：イノシトール三リン酸, PKG：プロテインキナーゼ G, PIP₂：ホスファチジルイノシトール二リン酸

受性 K^+ チャネルを開口させる作用もあり，この2つの作用で冠動脈を拡張させる．血圧の降下作用は弱い．

副作用 頭痛，動悸，めまい，顔面紅潮．PDE5 阻害薬との併用は禁忌．

● ジピリダモール

薬理作用 冠血管拡張作用のほか，血小板凝集抑制による抗血栓作用，尿タンパク質減少作用のほか，心筋ミトコンドリア保護作用を有する．狭心症，心筋梗塞，うっ血性心不全，心臓弁置換術後の血栓・塞栓の抑制，ネフローゼ症候群の尿タンパク質減少に用いられる．

作用機序 血中のアデノシンが赤血球，血管壁へ再取り込みされるのを抑制し，血中アデノシン濃度を上昇させる．血中アデノシンは，血小板および冠血管のアデニル酸シクラーゼ活性を増強し，血小板凝集抑制と冠血管拡張が生じる．また，血管壁からのプロスタサイクリン（PGI_2）の放出促進，PDE 活性の抑制も，その作用に関わるとされる．

副作用 狭心症症状の悪化，出血傾向，血小板減少，過敏症．

● ジラゼプ

アデノシンの再取り込みを抑制することにより，局所のアデノシン濃度を上昇させ，冠血管拡張や抗血小板作用を示す．狭心症，その他の虚血性心疾患（心筋梗塞を除く），腎障害での尿タンパク質減少に用いられる．

ニコランジル

ジピリダモール

ジラゼプ

b 酸素需要を減少させる薬物

1） β 受容体遮断薬

心筋の β_1 受容体を遮断し，心筋収縮力の増加と血圧上昇を抑制することで，運動時の心筋酸素要求性を低下させる．労作型狭心症の予防に有効である．プロプラノロール，アルプレノロール，ブフェトロール，ピンドロール，アテノロール，メトプロロール，ビソプロロール，アセブトロールなどが用いられる（☞本章 A.1 ■薬理 1.b Ⅱ群抗不整脈薬，p.280/本章 A.4 ■薬理 1 高血圧症治療薬，p.306）．

❷ 心筋梗塞治療薬

冠状動脈の動脈硬化と血栓形成により冠状動脈が閉塞し，支配下灌流域の心筋が壊死を起こす疾患が心筋梗塞である．心筋梗塞の治療に用いられる薬物には以下のものがある．日本循環器学会などが示すガイドライン（「急性冠症候群ガイドライン（2018年改訂版）」）で，使用が推奨される薬物を挙げる．

a 初期治療時

1) **硝酸薬（ニトログリセリン）**（☞本章 A.3 ■薬理 1 狭心症治療薬，p. 298）
   前負荷および後負荷を軽減することで心筋酸素消費量を減少する．さらに冠攣縮の解除や側副路の血流を増加することで虚血心筋の血流を改善する．

2) **モルヒネ**（☞ 2 章 B.2.2-1.5 麻薬性鎮痛薬，p. 199）
   胸痛の持続は心筋酸素消費量を増加させ梗塞巣の拡大や不整脈を誘発するため，鎮痛，鎮静は速やかに行わなければならない．

3) **アスピリン**（☞本章 B.1.1-2 ■薬理 a.1）TXA_2 合成阻害薬，p. 334）
   アスピリンは急性心筋梗塞の予後改善に有用であり，できるだけ早期の投与が推奨されている．

b 再灌流治療時

再灌流治療には，血栓溶解療法と経皮的冠動脈インターベンション（PCI）がある．いずれの治療法もできるだけ早期に再灌流を得ることが予後を改善する．PCI 施行時にはステント血栓の予防のため，アスピリン，チエノピリジン系抗血小板薬（プラスグレル，クロピドクレル），ヘパリンおよび抗トロンビン薬（アルガトロバン）が用いられる（☞本章 B.1.1-2 ■薬理，p. 333）．また，血栓溶解療法ではアルテプラーゼやモンテプラーゼが用いられる（☞ 4 章 B.1.1-3 ■薬理 2) 組織プラスミノーゲン活性化因子，p. 340）．

狭心症治療薬

種類　薬物［代表的な商品名］	作用機序	注意すべき副作用
硝酸薬		
●ニトログリセリン ［ニトロペン，ミオコール］	NOに変換され血管平滑筋の可溶性グアニル酸シクラーゼを活性化する．その結果，増加したcGMPが血管を弛緩させる	動悸，悪心・嘔吐，頭痛，急激な血圧低下，心拍出量低下
●硝酸イソソルビド［ニトロール］		ニトログリセリンに同じ．ショック，心室細動，心室頻拍
●一硝酸イソソルビド ［アイトロール］		肝障害，黄疸
β受容体遮断薬		
本章 A.1.表 抗不整脈薬（☞ p.285）および本章 A.4.表 高血圧症治療薬（☞ p.320）参照		
カルシウム拮抗薬		
本章 A.4.表 高血圧症治療薬（☞ p.318）参照		
冠拡張薬		
●ニコランジル［シグマート］	NOを遊離させ硝酸薬と同じ作用をもつほか，血管平滑筋のATP感受性K⁺チャネルを開口させ冠動脈を拡張させる	頭痛，動悸，めまい，顔面紅潮，肝障害，黄疸，血小板減少，口内潰瘍，舌潰瘍，肛門潰瘍，消化管潰瘍
●ジピリダモール ［ペルサンチン，アンギナール］	血液中のアデノシンが赤血球，血管壁へ再取り込みされるのを抑制し，アデノシン濃度を上昇させて，冠血管拡張および血小板凝集抑制が生じる	狭心症症状の悪化，出血傾向，血小板減少，過敏症
●ジラゼプ［コメリアン］		頭痛，頭重感，めまい，動悸，頻脈，熱感，顔面紅潮，悪心・嘔吐，便秘

心筋梗塞治療薬

血栓溶解薬	
本章 B.1.1-3.表 血栓溶解薬（☞ p.349）参照	

4 高血圧症

■病態生理

1 血圧の調節機構(図 4A-12)

高血圧 hypertension は，安静時の収縮期血圧または拡張期血圧が，それぞれ 140 mmHg 以上および 90 mmHg 以上の持続的な上昇を示した状態である．高血圧が重症でない限り，その初期には症状や病理学的変化は起こらないが，重度または長期の高血圧は標的器官(主に心血管系，脳，腎臓)に損傷を与え，冠動脈疾患 coronary artery disease，心筋梗塞 myocardial infarction，脳卒中 stroke および腎不全 renal failure のリスクを高める．血圧は，①細動脈での末梢抵抗，②心拍出量，③循環血流量，および④静脈内血液貯留量の 4 つの要因で規定されるが，これらの要因は，主に交感神経系とレニン-アンジオテンシン-アルドステロン系により調節されている．

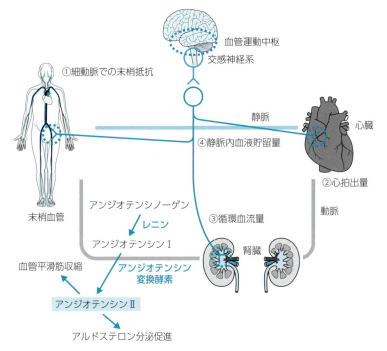

図 4A-12　血圧値を規定する 4 つの要因
①交感神経系の興奮は，細動脈を収縮させ，末梢抵抗を増加させる．この作用は α_1 受容体を介している．また，アンジオテンシンⅡも細動脈を収縮させる．この作用は AT_1 受容体を介している．
②交感神経系の興奮は，心筋細胞の β_1 受容体を介して，心拍出量を増加させる．
③血圧の低下は腎臓からのレニン分泌を促進する．これにより増加したアンジオテンシンⅡはアルドステロン分泌を高め，循環血流量が増加する．
④ノルアドレナリンやアンジオテンシンⅡによる静脈の収縮は，静脈内に貯留できる血液量を減少させる．その結果，心臓に還流する血液量が増え，前負荷が増大する．

1) 交感神経系

交感神経系の活動が高まると，①心臓ではノルアドレナリンが心筋の β_1 受容体を介して，心拍数と心収縮力を増加させる．②肺，肝臓，筋肉などの太い動脈では，β_2 受容体を介して血管を拡張させる（☞図4A-14）．一方，③細動脈では α_1 受容体を介した収縮が生じる．また，④腎臓に対しては，β_1 受容体を介してレニンの分泌を高める．これらのうち，①，③および④の働きで血圧が上昇する．

2) レニン-アンジオテンシン-アルドステロン系

レニンは腎臓の傍糸球体細胞が産生・放出するタンパク質分解酵素で，交感神経系活性化や腎輸入細動脈の血圧低下により分泌が高められる．分泌されたレニンは肝臓から放出されるアンジオテンシノーゲンを部分分解し，アンジオテンシンⅠを生成する．アンジオテンシンⅠは，肺を循環する過程でアンジオテンシン変換酵素（ACE）の作用でアンジオテンシンⅡに変換される．アンジオテンシンⅡによる AT_1 受容体の刺激は，血管平滑筋を収縮させる．また，副腎皮質では，腎臓での水や Na^+ 排泄を抑制し循環血流量を増加させるアルドステロンの分泌を高める．アンジオテンシンⅡによる昇圧作用は，これらの機構で生じる．

❷ 高血圧症の分類

高血圧症をその発生原因で分類すると，本態性高血圧と二次性高血圧に大別される．

1) 本態性高血圧

原因が明確でない高血圧を「本態性高血圧」と呼ぶ．高血圧症の大部分（90〜95％）を占める．遺伝的要因，環境因子（塩分摂取，肥満，飲酒，ストレスなど）および加齢が関係する．食習慣の改善，運動や減量など非薬物治療を行い，効果が不十分な際に薬物治療を行う．

2) 二次性高血圧

原因疾患があり，その結果二次的に起こる高血圧である．原因疾患の治療を行うことで，高血圧は改善される．以下のものが含まれる．

腎実質性高血圧症：糖尿病性腎炎，慢性糸球体腎炎や慢性腎盂腎炎などによる腎実質の病変により生じる．

内分泌性高血圧症：褐色細胞腫，原発性アルドステロン症，クッシング症候群，甲状腺機能亢進などで生じる．

3) その他の高血圧症

高血圧緊急症：血圧の急激な上昇（180 mmHg/120 mmHg 以上）により脳，心血管系および腎臓に急性の臓器障害をもたらす疾患．高血圧性脳症，肺水腫を伴う急性左室不全，心筋虚血，急性大動脈解離，腎不全など致死的な状態に至るため，直ちに静注による降圧薬での治療を行う．

妊娠高血圧症候群：妊娠20週以降から産後12週までの間に発症した高血圧を妊

娠高血圧症候群と呼ぶ．妊娠中の高血圧は，腎炎（妊娠高血圧腎炎）や痙攣を伴うもの（子癇）がある．妊婦に対しACE阻害薬やARBは禁忌で，ラベタロール，メチルドパは使用が可能である．

■薬　理

1 高血圧症治療薬

　心疾患を伴う場合など積極的適応のない高血圧の薬物治療について，日本高血圧学会「高血圧治療ガイドライン2019」では，カルシウム拮抗薬，アンジオテンシン拮抗薬（アンジオテンシン受容体遮断薬，ACE阻害薬），チアジド系利尿薬の各群の薬物いずれかを，単剤で投与することが推奨されている（図4A-13）．これで十分な効果が得られない場合には，異なる薬物群の2剤併用，さらに，上記各3群からの3剤併用を行う．これら3剤での治療でも十分な効果が得られない場合（治療抵抗性高血圧）は，β遮断薬，α遮断薬，αβ遮断薬，抗アルドステロン薬が追加される．

a　カルシウム拮抗薬（Ca^{2+}チャネル遮断薬）

　血管平滑筋にある電位依存性L型Ca^{2+}チャネルを遮断し，筋収縮を抑制することで末梢血管抵抗を低下させる（図4A-14）．ジヒドロピリジン系薬およびベンゾチアゼピン系薬が，高血圧症に用いられる．また，冠血管を拡張させる作用は，狭心症の治療に有効である．

1）ジヒドロピリジン系薬

●ニフェジピン

【薬理作用】　Ca^{2+}チャネル遮断作用は，ベラパミル，ジルチアゼムに比べ強力で，かつ血管平滑筋に高い選択性を示す．全身細動脈および冠動脈を拡張させ，心機能を抑制することなく降圧作用や冠血流の増加が得られる．高血圧症，腎実質性高血圧症，腎血管性高血圧症，狭心症，異型狭心症に用いる．

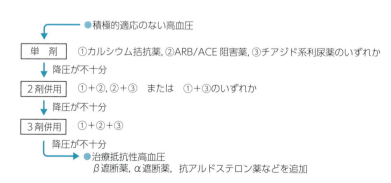

図4A-13　高血圧治療ガイドライン2019（日本高血圧学会）が推奨する高血圧症の薬物治療

作用機序 電位依存性 L 型 Ca^{2+} チャネルを介する細胞外 Ca^{2+} の血管平滑筋への流入を特異的に遮断し，筋の機械的収縮を抑制する．これにより，全身細動脈および冠動脈を拡張し，血管抵抗の減少と血流量の増加をもたらす．

副作用 紅皮症（脱性皮膚炎），無顆粒球症，血小板減少，肝障害，黄疸．

● アムロジピン

薬理作用 冠血管および末梢血管の平滑筋を弛緩させる．Ca^{2+} チャネル遮断作用は緩徐に発現するとともに持続性を示す．心抑制作用は弱く血管選択性を示す．高血圧症および狭心症に用いる．

作用機序 作用機序はニフェジピンに同じ．緩やかな作用発現と作用持続性の機序としては，アムロジピンが生体内でイオン化し生体膜リン脂質とイオン結合することが関与しているものと考えられている．

副作用 劇症肝炎，肝障害，黄疸，無顆粒球症，白血球減少，血小板減少，房室ブロック，横紋筋融解症が認められている．

● エホニジピン

薬理作用 持続的な降圧作用や強い脈拍数の減少に加え，腎障害患者でのタンパク尿の改善作用をもつ．高血圧症，腎実質性高血圧症，狭心症に用いられる．

作用機序 L 型 Ca^{2+} チャネルに加え T 型 Ca^{2+} チャネルも遮断する．腎臓での輸入細動脈と輸出細動脈をともに拡張させ，糸球体内圧の過度な上昇を抑制する．

副作用 洞不全症候群，房室接合部調律，房室ブロック，ショック．

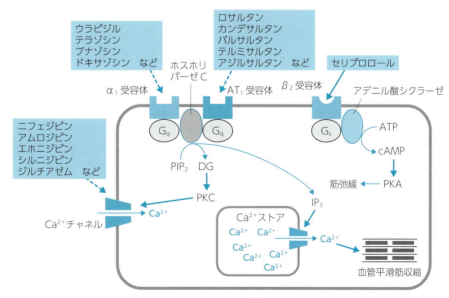

図 4A-14 血管平滑筋の収縮機構と降圧薬の作用点
降圧薬のなかで血管平滑筋に標的分子をもつものを挙げた．
PKA：プロテインキナーゼ A

● シルニジピン

　薬理作用　降圧作用に加え交感神経系の抑制作用をもつ．心拍数増加やストレス性昇圧の抑制，および腎細動脈の拡張を起こす．

　作用機序　L型およびN型の両Ca^{2+}チャネルを遮断するカルシウム拮抗薬．血管のL型Ca^{2+}チャネルを遮断することにより，血管収縮を抑制し降圧作用を生じる．また，交感神経終末に存在するN型Ca^{2+}チャネルの遮断により，降圧時の交感神経興奮によって引き起こされるノルアドレナリン放出を抑制し，心拍数の上昇やストレス性昇圧を抑制する．

　副作用　肝障害，黄疸，血小板減少．

● フェロジピン

　血管に対する高い選択性を有するカルシウム拮抗薬．血管平滑筋のL型Ca^{2+}チャネルを阻害することにより，末梢血管を拡張して降圧作用をもたらす．副作用としては血管浮腫，頭痛，動悸，めまい・ふらつきなどがある．

● アゼルニジピン

　長時間作用型カルシウム拮抗薬．高い血管選択性により，持続した降圧作用を示す．高血圧症に用いる．副作用としては，肝障害，黄疸，房室ブロック，洞停止，徐脈が報告されている．

● マニジピン

　降圧作用は，主として血管平滑筋におけるL型Ca^{2+}チャネルに作用してCa^{2+}流入を抑制して，血管平滑筋を弛緩し，血管を拡張することによりもたらされると考えられる．副作用として過度の血圧低下による一過性の意識消失や脳梗塞，無顆粒球症，血小板減少，心室性期外収縮，上室性期外収縮，紅皮症がある．

● ニカルジピン

　脳血管に対する特異性が高い短時間作用型のカルシウム拮抗薬．経口剤は本態性高血圧症に，注射剤は手術時の異常高血圧の救急処置，高血圧性緊急症，急性心不全に用いる．副作用には肝障害，血小板減少がある．

ニフェジピン　　　アムロジピン　　　エホニジピン

シルニジピン　　　フェロジピン　　　アゼルニジピン

マニジピン   ニカルジピン

2) ベンゾチアゼピン系薬

● **ジルチアゼム**（構造式 ☞ p. 284）

薬理作用 血管平滑筋に働き冠血管や末梢血管を拡張させる．また，心筋の刺激伝導系に対する抑制作用をもち，心拍数を減少させる．経口剤は本態性高血圧症（軽症～中等症）や狭心症に，注射剤は頻脈性不整脈や高血圧緊急症などに用いられる．

作用機序 血管平滑筋のL型Ca^{2+}チャネルを遮断し，細胞内へのCa^{2+}流入を抑制することで，末梢血管を拡張させ降圧作用を示す．また，心筋へのCa^{2+}流入は心拍数を減少させ，心筋虚血時あるいは高血圧時の心臓の負担を軽減する．

副作用 完全房室ブロック，高度徐脈，うっ血性心不全，頭痛，めまい，顔面紅潮，低血圧，歯肉肥厚，催奇形性．

b アンジオテンシン変換酵素（ACE）阻害薬

強力な昇圧作用をもつアンジオテンシンⅡは，アンジオテンシンⅠから**アンジオテンシン変換酵素** angiotensin converting enzyme（**ACE**）の働きでつくられる．ACE阻害薬はアンジオテンシンⅡの産生を阻害して，血管収縮とアルドステロン分泌を抑制する．また，ACEはブラジキニンを不活性化するキニナーゼⅡと同一の酵素であり，ACE阻害薬はブラジキニンを増加させる．このブラジキニンの増加も降圧作用に関係すると考えられているが，副作用としての空咳の原因ともなる．

● **カプトプリル**

薬理作用 アンジオテンシンⅡの産生を抑制し，血管拡張およびアルドステロン分泌抑制を生じる．利尿降圧薬との併用でも降圧作用を示す，脳や腎の血流量を増加させる，中枢神経系や自律神経系の抑制に伴う諸症状や脂質・糖質代謝に大きな影響を与えない，休薬・中止によるリバウンドがみられない，などの特徴がある．本態性高血圧症，腎性高血圧症，腎血管性高血圧症，悪性高血圧に用いられる．

作用機序 血漿中ならびに組織に存在するレニン-アンジオテンシン系で，ACEを阻害してアンジオテンシンⅡの生成を抑える．また，ACEの阻害により降圧作用をもつブラジキニンの分解が抑制される．これらの作用により末梢血管が拡張し，総末梢血管抵抗が下がり降圧作用が生じる．さらに，アンジオテンシンⅡの減少は，アルドステロンの分泌を抑え，軽度のナトリウム排泄作用を現す．

副作用 血管浮腫，汎血球減少，無顆粒球症，急性腎不全，ネフローゼ症候群，高カリウム血症など．

● アラセプリル

薬理作用 カプトプリルのプロドラッグ．薬理作用はカプトプリルに同じ．本態性高血圧症および腎性高血圧症に用いる．

作用機序 アラセプリルは，生体内でデアセチルアラセプリルに変換され，さらにカプトプリルに変換される．生成したカプトプリルがACEを阻害し，アンジオテンシンⅡ産生を抑制する．また，中間代謝物であるデアセチルアラセプリルも降圧作用を有することが，アラセプリルの作用の持続性に関与していると考えられている．

副作用 血管浮腫，無顆粒球症，天疱瘡様症状，高カリウム血症，汎血球減少，急性腎不全，膵炎．

● エナラプリル

薬理作用 プロドラッグとして，体内でACE阻害作用を示す活性化体に変換される．前負荷と後負荷を軽減させ，心機能の改善や心肥大を抑制する．本態性高血圧症，腎性高血圧症，腎血管性高血圧症，悪性高血圧のほか，忍容性が良好であり耐薬性を示すことが少ないため，慢性心不全にも用いられる．

作用機序 経口吸収後ジアシド体(エナラプリラート)に加水分解され，このジアシド体がACEを阻害しアンジオテンシンⅡの生成を抑制する．慢性心不全に対する効果は，アンジオテンシンⅡの生成を抑制し生じる末梢血管抵抗の減少(後負荷の軽減)，およびアルドステロン分泌の抑制によりNa^+・水の体内貯留を減少(前負荷の軽減)することで生じる．

副作用 カプトプリルに同じ．

● イミダプリル

薬理作用 体内でイミダプリラートに変換されACE阻害作用を生じる．腎症患者の尿中タンパク質を減少させるため，糖尿病性腎症への適応をもつ．

作用機序 経口投与後，加水分解により活性代謝物であるジアシド体(イミダプリラート)に変換される．イミダプリラートが血中・組織中のACE活性を阻害し，アンジオテンシンⅡの生成を抑制することによって降圧作用を発現する．また，糖尿病性腎症に対する腎保護作用は，腎臓でのアンジオテンシンⅡの産生を抑制し，糸球体内圧が低下することでタンパク尿を減少させ，腎機能低下の進行を抑制することによる．

副作用 血管浮腫，血小板減少，急性腎不全，腎障害の増悪，高カリウム血症，紅皮症(剥脱性皮膚炎)，皮膚粘膜眼症候群(スティーブンス・ジョンソン症候群)．

● リシノプリル

作用発現に際して活性体への変換を要しないが，エナラプリルより持続的なACE阻害作用をもつ．薬理作用はエナラプリルに同じ．高血圧症，慢性心不全に用いる．

● シラザプリル

プロドラッグであり，経口投与後に体内活性代謝物シラザプリラートとなりこれがACEを阻害する．

カプトプリル　　　アラセプリル　　　エナラプリル

イミダプリル　　　リシノプリル　　　シラザプリル

c　アンジオテンシンⅡ受容体遮断薬（ARB）

　　アンジオテンシンⅡの受容体にはAT_1受容体とAT_2受容体の2種類がある．AT_1受容体を介した作用としては，1)全身的な血管収縮，とくにこの作用は腎臓の輸出動脈で顕著，2)副腎皮質からのアルドステロン分泌，3)近位尿細管でのNa^+再吸収促進，4)交感神経系からのノルアドレナリン遊離促進，がある．これらの作用は，血圧を上昇させるため，AT_1受容体遮断薬は降圧薬として働く．またAT_1受容体の刺激は心筋を増殖させ，心肥大の要因ともなる．

　　ARB (angiotensin Ⅱ receptor blocker)製剤には利尿薬やカルシウム拮抗薬との配合剤があり，単剤で降圧効果が十分でない場合に用いられる．

●ロサルタン

　薬理作用　経口吸収後カルボン酸体に代謝され，ロサルタンおよびカルボン酸体の両化合物が，AT_1受容体を遮断し降圧作用および腎保護効果を示す．高血圧症および2型糖尿病患者の腎症の改善に用いられる．

　作用機序　降圧作用は，AT_1受容体遮断による血管の弛緩および，アルドステロン分泌の低下で生じる．尿タンパク質の減少および腎保護作用は，AT_1受容体の遮断が腎臓の輸出細動脈を拡張させ，糸球体内圧を低下させることにより生じる．

　副作用　アナフィラキシー，血管浮腫，急性・劇症肝炎，腎不全，高カリウム血症，ショック，失神，意識消失．

●カンデサルタンシレキセチル

　薬理作用　体内でカンデサルタンに変換され，持続的な降圧作用および腎保護効果を示す．高血圧症，腎実質性高血圧症のほか，ACE阻害薬の投与が適切でない慢性心不全に用いられる．

　作用機序　生体内での吸収過程において速やかに加水分解され活性代謝物カンデサルタンとなり，血管平滑筋のAT_1受容体を遮断することで，血管収縮の抑制および末梢血管抵抗の低下を生じる．さらに，副腎からのアルドステロン遊離の抑制も降圧作用に関与する．

[副作用] 血管浮腫，ショック，失神・意識消失，急性腎不全，高カリウム血症，肝障害．

● バルサルタン

AT_1 受容体への親和性が AT_2 受容体に対して約 30,000 倍と選択性の高い AT_1 受容体遮断薬．薬理作用はロサルタンに同じ．半減期は比較的短い．

● テルミサルタン

[薬理作用] 血中半減期の長い持続性 AT_1 受容体遮断薬．持続的な降圧作用により早朝の高血圧に有効．また，ペルオキシソーム増殖因子活性化受容体 γ($PPAR\gamma$)を活性化する作用ももつ．$PPAR\gamma$ 活性化は脂肪細胞でのアディポネクチン産生を促進することから，テルミサルタンの動脈硬化抑制作用や腎保護作用には，アディポネクチンを介する機序の関与も考えられている．

[副作用] 血管浮腫，高カリウム血症，腎障害，ショック，失神，意識消失，肝障害，黄疸，低血糖，アナフィラキシー，間質性肺炎，横紋筋融解症．

● アジルサルタン

高い降圧効果と作用の持続性をもつ AT_1 受容体遮断薬で，夜間および早朝の高血圧のコントロールに有効な薬物．

● オルメサルタンメドキソミル

経口服用後に小腸上皮において加水分解を受け，活性代謝物であるオルメサルタンに変換される．AT_1 受容体に対する高い親和性をもち，持続的な降圧作用を示す．

● イルベサルタン

比較的半減期の長い(10～17 時間)AT_1 受容体遮断薬．

ロサルタン　　カンデサルタンシレキセチル　　バルサルタン　　テルミサルタン

アジルサルタン　　オルメサルタンメドキソミル　　イルベサルタン

d　レニン阻害薬

●アリスキレン

薬理作用　直接的レニン阻害薬であり，レニン-アンジオテンシン-アルドステロン系の起点であるレニンを選択的に阻害し，血中アンジオテンシンを減少させ，持続的な降圧効果を生じる．ACE 阻害薬や AT_1 受容体遮断薬は，フィードバック機構により血漿レニン活性を上昇させ，血中アンジオテンシンの増加をもたらす．これは，休薬時の血圧のリバウンドの要因と考えられている．アリスキレンも，フィードバック機構によりレニン分泌を増加させるが，血漿レニン活性自体を抑制するため効率よくレニン-アンジオテンシン-アルドステロン系全体を抑制できることが特徴である．

副作用　血管浮腫，アナフィラキシー，高カリウム血症，腎障害．

アリスキレン

e　降圧利尿薬（☞ 5 章 A.1．利尿薬，p.352）

利尿薬は，腎尿細管に働き Na^+ の再吸収を抑制することで利尿作用を示す．これによって循環血流量が減少し，心拍出量が低下することで降圧作用をもたらす．

●ヒドロクロロチアジド（構造式☞ p.353）

薬理作用　チアジド系利尿薬．高血圧症のほか，心性浮腫，腎性浮腫，肝性浮腫などに用いられる．

作用機序　腎遠位曲尿細管における Na^+ と Cl^- の再吸収を抑制し，水の排泄を促進させる．降圧作用は，初期には循環血流量の低下により，長期的には末梢血管の拡張によると考えられている．

副作用　再生不良性貧血，溶血性貧血，壊死性血管炎，間質性肺炎，肺水腫，低ナトリウム血症，低カリウム血症．

●トリクロルメチアジド（構造式☞ p.353）

チアジド系利尿薬．薬理作用および副作用は，ヒドロクロロチアジドに同じ．

●インダパミド（構造式☞ p.354）

薬理作用　持続性チアジド系類似薬．本態性高血圧症に用いられる．末梢血管平滑筋の収縮抑制および遠位尿細管における Na^+ および水再吸収の減少による循環血流量の減少により降圧作用が生じると考えられる．

副作用　中毒性表皮壊死融解症，皮膚粘膜眼症候群，多形滲出性紅斑，低ナトリウム血症，低カリウム血症．

●フロセミド（構造式☞ p.355）

薬理作用　ループ利尿薬．高血圧症のほか，心性浮腫（うっ血性心不全），腎性浮

腫，肝性浮腫，月経前緊張症，末梢血管障害による浮腫，尿路結石排出促進に用いる．

作用機序 尿細管ヘンレ係蹄上行脚の $Na^+/K^+/2Cl^-$ 共輸送体を阻害し，Na^+ の再吸収を抑制し，利尿作用を示す．また，血管拡張性プロスタグランジンの産生促進を介する腎血流量の増加も利尿効果に関与していると考えられている．

副作用 ショック，アナフィラキシー，再生不良性貧血，汎血球減少症，無顆粒球症，血小板減少，赤芽球癆，水疱性類天疱瘡，低カリウム血症，低ナトリウム・カルシウム血症．

● **スピロノラクトン**（構造式☞ p.356）

薬理作用 カリウム保持性利尿薬．K^+ の排泄を抑制するため，ほかの利尿薬の投与などで血中 K^+ に低下傾向がある場合に併用される．高血圧症のほか，心性浮腫，腎性浮腫，肝性浮腫，原発性アルドステロン症も用いられる．

作用機序 集合管の鉱質コルチコイド受容体でアルドステロンと拮抗し，アルドステロン依存性 Na^+/K^+ 交換系の働きを抑制し，Na^+ および水の排泄促進と，K^+ 排泄抑制を生じる．

副作用 電解質異常（高カリウム血症，低ナトリウム血症，代謝性アシドーシスなど），急性腎不全，中毒性表皮壊死融解症，皮膚粘膜眼症候群．

● **エプレレノン**（構造式☞ p.356）　● **エサキセレノン**

選択性の高い鉱質コルチコイド受容体拮抗薬．カリウム保持性の利尿作用を示す．鉱質（ミネラル）コルチコイド受容体（MR）を選択的に遮断すると水の再吸収が阻害され，水は尿から体外へ排出される．その結果体液量が減少して，血圧低下作用を示す．エサキセレノンは非ステロイド型の構造をもつ．

エサキセレノン

● **トリアムテレン**（構造式☞ p.356）

薬理作用 カリウム保持性利尿薬．ほかの利尿薬の投与などで血中 K^+ に低下傾向がある場合に併用される．高血圧症のほか，心性浮腫，腎性浮腫，肝性浮腫にも用いられる．

作用機序 集合管の管腔側に発現しているアルドステロン依存性 Na^+ チャネルを遮断する．このため，Na^+ 再吸収が抑制され循環血流量が減少する．

副作用 急性腎不全

f β受容体遮断薬

心臓にある β_1 受容体を遮断し心拍数と心収縮力を低下させ，心拍出量を減少させ

る．また，腎臓β_1受容体の遮断を介したレニン分泌の抑制，中枢神経系にある昇圧性血管運動中枢のβ受容体を遮断する，などの機序も降圧作用に関わる．

● **アテノロール**(構造式☞ p. 59)

　　ISA(内因性交感神経刺激作用)をもたない選択的β_1遮断薬．β_1受容体遮断作用によって降圧作用，抗狭心症作用，抗不整脈作用を生じる．本態性高血圧症(軽症～中等症)，狭心症，頻脈性不整脈(洞性頻脈，期外収縮)に用いられる．副作用としては，徐脈，心不全，心胸比増大，房室ブロック，洞房ブロック，呼吸困難，気管支痙攣，喘鳴，血小板減少症，紫斑病がある．

● **ビソプロロール**(構造式☞ p. 59)

　　降圧薬としてはじめてテープ製剤として適応された薬物．本態性高血圧症(軽症～中等症)に用いられる．

● **ベタキソロール**(構造式☞ p. 59)

　　不整脈，狭心症，高血圧症に用いる．点眼剤は緑内障の治療に用いる(☞ 8章 A.1 ■薬理 b 房水産生抑制薬，p. 503)．

● **メトプロロール**(構造式☞ p. 59)

　　ISAをもたない選択的β_1遮断薬．薬理作用はアテノロールに同じ．本態性高血圧症(軽症～中等症)，狭心症，頻脈性不整脈に用いられる．副作用としては，心原性ショック，うっ血性心不全，房室ブロック，徐脈，洞機能不全，喘息症状の誘発・悪化，肝障害がある．

● **アセブトロール**(構造式☞ p. 59)

　　ISAを有する選択的β_1遮断薬．薬理作用はアテノロールに同じ．本態性高血圧症(軽症～中等症)，狭心症，頻脈性不整脈に用いられる．副作用としては，心不全，房室ブロック，SLE様症状がある．

● **セリプロロール**(構造式☞ p. 59)

　　ISAを有する選択的β_1遮断薬．血管拡張作用を有するため，血管拡張性β_1遮断薬とも呼ばれる．本態性高血圧症(軽症～中等症)，腎実質性高血圧症および狭心症に用いられる．β_1受容体の選択的遮断作用による心拍出量低下とβ_2受容体刺激による末梢抵抗の減少によって，降圧作用と抗狭心症作用を示す．副作用としては，心不全，房室ブロック，洞房ブロックがある．

● **プロプラノロール**(構造式☞ p. 59)

　　ISAをもたず，β_1およびβ_2受容体を非選択的に遮断する．β_1受容体の遮断作用が，本態性高血圧症，狭心症，不整脈などに広く用いられる．一方，β_2受容体の遮断作用は，気管支収縮を増強するため，気管支喘息の患者には使用禁忌となる．副作用としては，うっ血性心不全，徐脈，末梢性虚血，房室ブロック，無顆粒球症，血小板減少症，紫斑病，気管支痙攣，呼吸困難，喘鳴がある．

● **カルテオロール**(構造式☞ p. 59)

　　作用の持続時間が長い非選択的β遮断薬．ISAを有する．本態性高血圧症(軽症～中等症)，心臓神経症，不整脈に用いられる．副作用としては，房室ブロック，洞不

全症候群，洞房ブロック，洞停止などの徐脈性不整脈，うっ血性心不全，冠攣縮性狭心症および失神がある．

- **ピンドロール**（構造式☞ p.59）

ISA を有する非選択的 β 遮断薬．洞性頻脈，本態性高血圧症（軽症～中等症），狭心症に用いられる．

- **ニプラジロール**（構造式☞ p.60）

薬理作用　β 遮断作用に加えて血管拡張作用をあわせもつ β 遮断薬．ISA はもたない．本態性高血圧症（軽症～中等症），狭心症に用いられる．β_1 受容体の遮断による作用に加え，ニプラジロールのニトロキシ基から産生される一酸化窒素（NO）が血管を拡張させ，高血圧症および狭心症の治療効果をもたらす．

副作用　心不全，完全房室ブロック，洞停止，高度徐脈．

g　α_1 受容体遮断薬

末梢血管平滑筋にある α_1 受容体を遮断し，血管収縮を抑制することで降圧作用を示す（☞ 図 4A-14）．選択的 α_1 遮断薬は，血圧低下による交感神経の反射的な興奮による頻脈が生じることがある．降圧薬としての α_1 遮断薬は，治療抵抗性高血圧に対して主要な降圧薬と併用することが推奨されている．心拍出量が低下しないため，心機能の低下した患者にも使いやすい．一方，初回投与時に起立性低血圧によるめまい，動悸，失神を起こすことがある．

- **ウラピジル**（構造式☞ p.57）

薬理作用　選択的 α_1 遮断薬．本態性高血圧症，腎性高血圧症，褐色細胞腫による高血圧症のほか，排尿障害にも用いられる．

作用機序　シナプス後 α_1 受容体に対する選択的な遮断作用により，末梢血管抵抗，尿道抵抗を減少することにより降圧作用，排尿障害改善作用を示す．

副作用　肝障害，頭痛・頭重，動悸，めまい，悪心・嘔吐，立ちくらみ．

- **テラゾシン**（構造式☞ p.57）

薬理作用および副作用はウラピジルに同じ．本態性高血圧症，腎性高血圧症，褐色細胞腫による高血圧症，前立腺肥大症に伴う排尿障害に用いる．

- **ブナゾシン**（構造式☞ p.57）

薬理作用および副作用はウラピジルに同じ．経口剤は本態性高血圧症，腎性高血圧症，褐色細胞腫による高血圧症，前立腺肥大症に伴う排尿障害に，点眼剤は緑内障，高眼圧症に用いられる．

- **ドキサゾシン**（構造式☞ p.57）

長時間作用型の α_1 遮断薬．薬理作用および副作用はウラピジルに同じ．高血圧症，褐色細胞腫による高血圧症に用いられる．

- **プラゾシン**（構造式☞ p.57）

短時間作用型の選択的 α_1 遮断薬．降圧薬としての使用は限られる．

h $\alpha_1\beta$ 受容体遮断薬

　α_1 受容体遮断による血管拡張と，β 受容体遮断による心拍数低下，心収縮力低下およびレニン分泌抑制により降圧作用を生じる．これらの作用は，各薬物の α_1 遮断作用と β 遮断作用の比率で異なる．心臓の β_1 受容体が遮断されるため，α_1 受容体遮断による反射性頻脈やレニン分泌亢進が生じないなどの利点がある．

- ラベタロール（構造式☞ p.60）

  薬理作用　β 受容体遮断作用に加えて，選択的 α_1 受容体遮断作用をあわせもった薬物としてはじめて臨床応用された降圧薬．心拍出量に大きな影響を与えることなく全末梢血管抵抗を減少させることで，安定した降圧作用を示す．本態性高血圧症のほか，妊娠高血圧症候群にも使用可能（ほかの $\alpha_1\beta$ 遮断薬は使用禁忌）．

  作用機序　各受容体の遮断作用の比は，α_1 遮断：β 遮断＝1：3．

  副作用　うっ血性心不全，重篤な肝障害，黄疸，SLE 様症状（筋肉痛，関節痛，抗核抗体陽性）

- アモスラロール（構造式☞ p.60）

  薬理作用はラベタロールに同じ．各受容体の遮断作用の比は，α_1 遮断：β 遮断＝1：1．本態性高血圧症，褐色細胞腫による高血圧症に用いる．副作用には，過敏症，頭痛，眠気，めまい，肝障害がある．

- アロチノロール（構造式☞ p.60）

  薬理作用はラベタロールに同じ．各受容体の遮断作用の比は，α_1 遮断：β 遮断＝1：8．本態性高血圧症，狭心症，頻脈性不整脈のほか，本態性振戦に用いられる．副作用には，心不全，房室・洞房ブロック，洞不全症候群，徐脈がある．

- ベバントロール（構造式☞ p.60）

  受容体の遮断作用は，α_1：β＝1：14．Ca^{2+} チャネル遮断作用もあわせもつ．

- カルベジロール（構造式☞ p.60）

  本章 A.2 ■薬理 2 心負担を軽減する薬物，p.292 を参照．

i 中枢性交感神経抑制薬（☞1章3.自律神経系の機能と作用薬，p.52，60）

　延髄の血管運動中枢のアドレナリン作動性神経の伝達を遮断し，交感神経を介する中枢からの昇圧命令を抑制する．以下の薬物があるが，これらの降圧薬としての使用は限られる．

- クロニジン（構造式☞ p.52）　　● グアナベンズ（構造式☞ p.52）
- メチルドパ（構造式☞ p.55）　　● レセルピン（構造式☞ p.61）

j その他の高血圧症治療薬

- ニトロプルシド

  血管平滑筋においてニトロプルシドより遊離した一酸化窒素（NO）がグアニル酸シクラーゼを活性化させて cGMP を産生し，細胞内の Ca^{2+} 濃度を低下させ平滑筋の弛緩を生じると考えられる．この作用は血管内皮の有無に依存せず，静脈と動脈の両

方に作用する．手術時の低血圧維持や手術時の異常高血圧の救急処置に用いられる．

ニトロプルシド

高血圧症治療薬

種類　薬物［代表的な商品名］	作用機序	注意すべき副作用
カルシウム拮抗薬		
●ニフェジピン ［アダラート，セパミット］	血管平滑筋にある電位依存性L型 Ca^{2+} チャネルを遮断し，筋収縮を抑制することで末梢血管抵抗を低下させ血圧を下げる	紅皮症，無顆粒球症，血小板減少，意識障害，肝障害，黄疸
●アムロジピンベシル酸塩 ［ノルバスク，アムロジン］		肝障害，黄疸，血小板減少，白血球減少，房室ブロック
●エホニジピン塩酸塩エタノール付加物　［ランデル］		洞不全症候群，房室接合部調律，房室ブロック，ショック
●シルニジピン［アテレック］		肝障害，黄疸，血小板減少
●フェロジピン［スプレンジール］		血管浮腫
●アゼルニジピン［カルブロック］		肝障害，黄疸，房室ブロック，洞停止，徐脈
●マニジピン塩酸塩 ［カルスロット］		過度の血圧低下による一過性の意識消失，脳梗塞，無顆粒球症，血小板減少，心室性期外収縮，上室性期外収縮，紅皮症
●ニカルジピン塩酸塩 ［ペルジピン］		血小板減少，肝障害，黄疸
●ジルチアゼム塩酸塩 ［ヘルベッサー］		完全房室ブロック，高度徐脈，うっ血性心不全，頭痛，めまい，顔面紅潮，低血圧，歯肉肥厚，催奇形性
アンジオテンシン変換酵素（ACE）阻害薬		
●カプトプリル［カプトリル］ ●エナラプリルマレイン酸塩 ［レニベース］	アンジオテンシンⅡの産生酵素であるACEを阻害し，血管収縮とアルドステロン分泌を抑制することで血圧を下げる	血管浮腫，汎血球減少，無顆粒球症，急性腎不全，ネフローゼ症候群，高カリウム血症，天疱瘡様症状，狭心症，心筋梗塞，うっ血性心不全，心停止，アナフィラキシー，皮膚粘膜眼症候群，剥脱性皮膚炎，錯乱，膵炎
●アラセプリル［セタプリル］		血管浮腫，無顆粒球症，天疱瘡様症状，高カリウム血症
●イミダプリル塩酸塩 ［タナトリル］		血管浮腫，血小板減少，急性腎不全，腎障害の増悪，高カリウム血症，紅皮症，皮膚粘膜眼症候群，天疱瘡様症状
●リシノプリル水和物 ［ロンゲス，ゼストリル］		血管浮腫，急性腎不全，高カリウム血症，抗利尿ホルモン不適合分泌症候群
●シラザプリル水和物 ［インヒベース］		血管浮腫，急性腎不全，高カリウム血症，膵炎

高血圧症治療薬（つづき）

種類　薬物［代表的な商品名］	作用機序	注意すべき副作用
アンジオテンシンⅡ受容体遮断薬		
◉ロサルタンカリウム ［ニューロタン］	アンジオテンシンⅡAT$_1$受容体を遮断し，アンジオテンシンⅡによる血管収縮，副腎皮質からのアルドステロン分泌，近位尿細管でのNa$^+$再吸収促進，および交感神経系の亢進を抑制し，血圧を下げる	アナフィラキシー，血管浮腫，急性・劇症肝炎，腎不全，高カリウム血症，ショック，失神，意識消失
◉カンデサルタンシレキセチル ［ブロプレス］		血管浮腫，ショック，失神，意識消失，急性腎不全，高カリウム血症，肝障害，横紋筋融解症，間質性肺炎，低血糖，低ナトリウム血症
◉バルサルタン［ディオバン］		血管浮腫，高カリウム血症，ショック，低血糖，横紋筋融解症
◉テルミサルタン［ミカルディス］ ◉アジルサルタン［アジルバ］ ◉イルベサルタン［イルベタン］ ◉オルメサルタンメドキソミル ［オルメテック］		血管浮腫，ショック，失神，意識消失，腎障害，高カリウム血症，肝障害，黄疸，低血糖，アナフィラキシー，間質性肺炎，横紋筋融解症
レニン阻害薬		
◉アリスキレンフマル酸塩 ［ラジレス］	レニン-アンジオテンシン-アルドステロン系の起点であるレニンを阻害し，血中アンジオテンシンⅡを減少させ，血圧を下げる	血管浮腫，アナフィラキシー，高カリウム血症，腎障害
降圧利尿薬		
◉ヒドロクロロチアジド ［ヒドロクロロチアジド］	腎尿細管でのNa$^+$再吸収の抑制による利尿により，循環血流量を減少させ心拍出量が低下することで血圧を下げる	再生不良性貧血，溶血性貧血，壊死性血管炎，間質性肺炎，肺水腫，全身性紅斑性狼瘡の悪化，アナフィラキシー，低ナトリウム血症，低カリウム血症，急性近視，閉塞隅角緑内障
◉トリクロルメチアジド ［フルイトラン］		血管浮腫，ショック，失神，意識消失，高カリウム血症，低ナトリウム血症，肝障害，黄疸，低血糖，横紋筋融解症，再生不良性貧血
◉インダパミド ［ナトリックス，テナキシル］		皮膚粘膜眼症候群，多形滲出性紅斑，低ナトリウム血症，低カリウム血症
◉フロセミド ［ラシックス，オイテンシン］		ショック，アナフィラキシー，再生不良性貧血，難聴，心室性不整脈，低カリウム血症，低ナトリウム・カルシウム血症
◉スピロノラクトン ［アルダクトンA］		電解質異常（高カリウム血症，低ナトリウム血症，代謝性アシドーシスなど），急性腎不全，中毒性表皮壊死融解症，皮膚粘膜眼症候群
◉トリアムテレン［トリテリン］		急性腎不全
◉エプレレノン［セララ］ ◉エサキセレノン［ミネブロ］	鉱質コルチコイド受容体の選択的遮断により水の再吸収が阻害され，水の排出促進により体液量が減少し血圧を下げる	高カリウム血症

高血圧症治療薬（つづき）

種類　薬物［代表的な商品名］	作用機序	注意すべき副作用
β受容体遮断薬		
●アテノロール［テノーミン］	心臓β₁受容体を遮断し、心拍出量を減少させる。このほかに、腎臓β₁受容体の遮断を介したレニン分泌の抑制、中枢神経系にある昇圧性血管運動中枢のβ受容体の遮断、などの機序で血圧を下げる	徐脈、心不全、心胸比増大、房室ブロック、洞房ブロック、失神を伴う起立性低血圧、呼吸困難、気管支痙攣、喘鳴、血小板減少症、紫斑病
●ビソプロロールフマル酸塩（テープ剤）［ビソノテープ］		心不全、完全房室ブロック、高度徐脈、洞不全症候群
●ベタキソロール塩酸塩［ケルロング］		完全房室ブロック、心不全、心胸比増大、徐脈、低血圧
●メトプロロール酒石酸塩［ロプレソール、セロケン］		心原性ショック、うっ血性心不全、房室ブロック、徐脈、洞機能不全、喘息症状の誘発・悪化、肝障害、黄疸
●アセブトロール塩酸塩［アセタノール］		心不全、房室ブロック、SLE様症状、間質性肺炎
●セリプロロール塩酸塩［セレクトール］		心不全、房室ブロック、洞房ブロック
●プロプラノロール塩酸塩［インデラル］		うっ血性心不全、徐脈、末梢性虚血、房室ブロック、失神を伴う起立性低血圧、無顆粒球症、血小板減少症、紫斑病、気管支痙攣、呼吸困難、喘鳴
●カルテオロール塩酸塩［ミケラン］		低血糖、房室ブロック、洞不全症候群、洞房ブロック、洞停止、うっ血性心不全、冠攣縮性狭心症
●ピンドロール［カルビスケン、ブロクリンL］		心不全の誘発・悪化、心胸比増大、喘息症状の誘発・悪化
●ニプラジロール［ハイパジール］		心不全、完全房室ブロック、洞停止、高度徐脈
α₁受容体遮断薬		
●ウラピジル［エブランチル］	末梢血管平滑筋にあるα₁受容体を遮断し、血管収縮を抑制することで降圧作用を示す	肝障害、頭痛・頭重、動悸、めまい、悪心・嘔吐、立ちくらみ
●テラゾシン塩酸塩水和物［ハイトラシン、バソメット］		意識喪失、肝障害、黄疸
●ブナゾシン塩酸塩［デタントール］		失神・意識喪失
●ドキサゾシンメシル酸塩［カルデナリン］		失神・意識喪失、不整脈、脳血管障害、狭心症、心筋梗塞、無顆粒球症、白血球減少、血小板減少、肝炎、肝障害、黄疸
●プラゾシン塩酸塩［ミニプレス］		失神・意識喪失、狭心症
α₁β受容体遮断薬		
●ラベタロール塩酸塩［トランデート］	α₁受容体遮断による血管拡張と、β受容体遮断による心拍数低下、心収縮力低下およびレニン分泌抑制により降圧作用を生じる	うっ血性心不全、肝壊死などの重篤な肝障害、黄疸、SLE様症状、乾癬、ミオパシー
●アモスラロール塩酸塩［ローガン］		めまい、立ちくらみ、過敏症、頭痛、眠気、肝障害
●アロチノロール塩酸塩［アロチノロール塩酸塩］		心不全、房室ブロック、洞房ブロック、洞不全症候群、徐脈
●ベバントロール塩酸塩［カルバン］		心不全、房室ブロック、洞機能不全、喘息発作、呼吸困難
●カルベジロール［アーチスト］		高度な徐脈、ショック、完全房室ブロック、心不全、心停止、肝障害、黄疸、急性腎不全、中毒性表皮壊死融解症、皮膚粘膜眼症候群、アナフィラキシー

高血圧症治療薬（つづき）

種類　薬物［代表的な商品名］	作用機序	注意すべき副作用
中枢性交感神経抑制薬		
●クロニジン塩酸塩［カタプレス］	脳幹部のα$_2$受容体を刺激して，交感神経の活動を抑制することで，末梢血管を拡張させ血圧を下げる	幻覚，錯乱
●グアナベンズ酢酸塩［ワイテンス］		発疹，眠気，めまい，ふらつき
●メチルドパ水和物［アルドメット］	代謝物が①シナプス後α$_2$受容体を刺激して，末梢交感神経活性を低下させる，②神経終末のシナプス小胞に取り込まれ，ノルアドレナリンに置き換わる，③レニンの遊離を抑制する，などの機序で，降圧作用を示す	溶血性貧血，白血球減少，無顆粒球症，血小板減少，脳血管不全症状，舞踏病アテトーゼ様不随意運動，両側性ベル麻痺，狭心症発作誘発，心筋炎，SLE様症状，脈管炎，うっ血性心不全，骨髄抑制，中毒性表皮壊死融解症，肝炎
●レセルピン［アポプロン］	シナプス小胞へのカテコールアミン取り込みを阻害して小胞のノルアドレナリンを枯渇させることで，交感神経系を抑制し降圧作用を示す	うつ状態
その他の高血圧症治療薬		
●ニトロプルシドナトリウム水和物［ニトプロ］	遊離した一酸化窒素（NO）がグアニル酸シクラーゼを活性化させる．増加したcGMPにより平滑筋が弛緩し，血圧を下げる	過度の低血圧，リバウンド現象

5 その他の循環器系疾患

5-1 低血圧症

■病態生理

低血圧症 hypotension には明確な血圧値の基準はなく，収縮期血圧が 100 mmHg 未満，拡張期血圧が 60 mmHg の場合に低血圧と呼ぶことが多い．低血圧は，その原因の有無から本態性低血圧と二次性（症候性）低血圧に分類される．本態性低血圧は，その原因が明らかでないもので自覚症状のない患者も多い．二次性（症候性）低血圧は，出血や心拍出量の低下あるいは自律神経系の障害などを原因として生じるが，ショック（末梢循環不全）を伴うものは，昇圧薬による緊急処置が必要である．また，臥位から立位への体位の変化により収縮時血圧が 20 mmHg 以上低下する場合，これを起立性低血圧と呼ぶ．

■薬　理

- **フェニレフリン**（構造式☞ p.52）

  選択的 α_1 刺激薬．交感神経末梢刺激による末梢血管の収縮によって昇圧作用を示す．急性低血圧またはショック（出血性，心原性，アナフィラキシー）時の補助治療として用いる．副作用として，胸内苦悶，呼吸困難，頭痛，悪心・嘔吐，手足のしびれ，などがある．

- **エチレフリン**（構造式☞ p.51）

  α および β 受容体の刺激により心拍出量を増加させるが，心拍数には影響しない．また静脈緊張度の改善により，循環血流量を増加させ，血圧を上昇させる．本態性低血圧，症候性低血圧，起立性低血圧および網膜動脈の血行障害に用いられる．副作用としては，心悸亢進，口渇，悪心などが生じる．

- **ミドドリン**（構造式☞ p.52）

  選択的 α_1 刺激薬．活性本体であるジメトキシフェニルアミノエタノールをグリシンで修飾したプロドラッグであり，細動脈の α_1 受容体を刺激し全末梢血管抵抗を増大することで血圧を上昇させる．本態性低血圧，起立性低血圧に用いる．

- **アメジニウム**（構造式☞ p.55）

  ノルアドレナリンの神経終末への再取り込みを抑制するとともに，モノアミンオキシダーゼ（MAO）阻害によりノルアドレナリンの不活性化を抑制する．これらの作用により間接的に交感神経機能を亢進させ，血圧を上昇させる．本態性低血圧，起立性低血圧，透析施行時の血圧低下の改善に用いる．

● **ドロキシドパ**（構造式☞ p.55）

ノルアドレナリンの前駆物質として末梢の交感神経機能を賦活することにより，血圧および脳血流の低下，運動抑制を改善すると考えられる．シャイ・ドレーガー症候群，家族性アミロイドポリニューロパチーおよび血液透析患者における起立性低血圧の改善に用いる．

5-2 末梢動脈疾患（PAD）

■病態生理

末梢動脈疾患 peripheral arterial disease（**PAD**）とは，広義において，動脈瘤を含めた四肢の末梢動脈に病変を生じる疾患を示すが，その患者の多くが**閉塞性動脈硬化症** arteriosclerosis obliterans（**ASO**）であるため，PAD と ASO を同義で用いることも多い．

1) **閉塞性動脈硬化症（ASO）**

動脈硬化が原因で，主として下肢に血流障害を生じる疾患である．50 歳以降の男性に好発する．初期には下肢の冷感を認め，進行すると，一定の歩行距離で痛みにより歩けなくなり，しばらく休むとまた歩けるようになる間欠性跛行がみられる．さらに進行すると，安静時の疼痛から下肢の潰瘍，壊死にまで至ることがある．糖尿病，高血圧，脂質異常症，喫煙などが危険因子となる．

2) **閉塞性血栓血管炎** thromboangiitis obliterans（**TAO**）
   （**バージャー病** Buerger's disease）

Leo Buerger によって報告された，四肢末梢血管の炎症（血管炎）により血管の閉塞をきたす疾患で，その発症には喫煙が強く関連する．四肢の血流低下は，末梢部のしびれ，冷感，間欠跛行，安静時疼痛をもたらし，さらに潰瘍や壊死が生じる．

■薬　理

これら末梢動脈疾患の治療には危険因子の改善のほか，PG 製剤，抗血小板薬や抗凝固薬などによる治療が行われる（図 4A-15）．

● **アルプロスタジル**

[薬理作用] PGE_1 製剤．末梢血管の拡張および血小板凝集抑制により末梢循環を改善する．閉塞性動脈硬化症や閉塞性血栓血管炎における四肢潰瘍，安静時疼痛の改善に用いる．

[作用機序] プロスタノイド受容体を刺激し，末梢血管平滑筋および血小板内のcAMP を増加させ，血管収縮および血小板凝集を抑制する．

[副作用] ショック，アナフラキシー，心不全，肺水腫，脳出血．

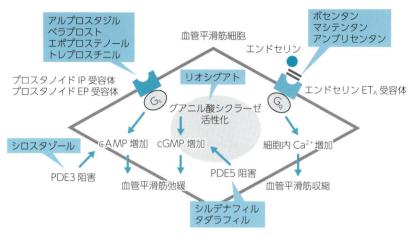

図4A-15　血管平滑筋における末梢循環改善薬の作用機序

- ●アルプロスタジルアルファデクス

　アルプロスタジルを安定化させるため α-シクロデキストリン包接化した薬物．薬理作用などは，アルプロスタジルに同じ．

- ●ベラプロスト

　薬理作用　経口投与可能な PGI_2（プロスタサイクリン）誘導体．血小板凝集抑制，血管拡張などにより末梢の血液循環を改善する．閉塞性動脈硬化症（ASO），閉塞性血栓血管炎（TAO）のほか，肺高血圧症に用いる．

　作用機序　血小板および血管平滑筋の PGI_2 受容体（IP 受容体）を介して，アデニル酸シクラーゼを活性化し，細胞内 cAMP 増加，Ca^{2+} 流入抑制およびトロンボキサン A_2 生成抑制などにより，血小板凝集抑制および血管拡張作用を示す．

　副作用　出血傾向（脳出血，消化管出血，肺出血，眼底出血），ショック，失神，意識消失，間質性肺炎，肝障害，狭心症，心筋梗塞．

- ●シロスタゾール

　薬理作用　ホスホジエステラーゼ3（PDE3）を選択的に阻害し細胞内の cAMP を増加させる．血小板においてその凝集を抑制し抗血栓作用を示す．末梢血管平滑筋では拡張作用により，末梢の血行動態を改善する．慢性動脈閉塞での潰瘍・疼痛の改善や，脳梗塞の再発を抑制するために用いられる．

　副作用　うっ血性心不全，心筋梗塞，狭心症，心室頻脈，出血，肝障害．

その他，チクロピジン，クロピドグレル，イコサペント酸エチルなどの抗血小板薬が閉塞性動脈硬化症による潰瘍，疼痛および冷感の緩和に用いられる．

5-3　肺動脈性肺高血圧症(PAH)

■病態生理

肺動脈性肺高血圧症 pulmonary arterial hypertension(**PAH**)は，肺動脈の血圧が上昇し，心臓と肺の機能に障害をもたらす疾患である．肺動脈の圧上昇は，肺動脈を損傷し肺の毛細血管壁が肥厚することで酸素と二酸化炭素の交換が困難となる．その結果，血中の酸素濃度が低下する．酸素濃度の低下は，さらなる肺動脈の狭窄を起こし，心臓への負荷が増加する．このような状態が持続すると右心室が肥大し，肺性心と呼ばれる心不全を引き起こす．PGI_2 製剤，PDE5 阻害薬およびエンドセリン拮抗薬が用いられる（図 4A-15）．

■薬理

●エポプロステノール

PGI_2（プロスタサイクリン）製剤．PGI_2 は血管平滑筋および血小板のプロスタノイド受容体に作用し細胞内の cAMP 産生を促進することにより，血管拡張作用および血小板凝集抑制作用を発現する．エポプロステノールは，肺動脈の拡張により動脈圧を低下させ，肺動脈性高血圧症を改善する．また，肺動脈の血管透過性を低下させる作用も有する．

●トレプロスチニル

PGI_2 誘導体．PGI_2 の化学構造を改変することにより，消失半減期および室温下での溶液安定性を改善した，静脈内投与のみでなく皮下投与が可能な薬物である．

●シルデナフィル

勃起不全改善薬にも使用される選択的**ホスホジエステラーゼ 5(PDE5)阻害薬**．PDE5 は肺動脈平滑筋に存在し，一酸化窒素(NO)および心房性ナトリウム利尿ペプチド(ANP)により増加する cGMP を加水分解する．シルデナフィルが肺動脈平滑筋内の cGMP の分解を阻害することにより，平滑筋内の cGMP 濃度が上昇し，肺動脈平滑筋が弛緩する．その結果，肺動脈圧および肺血管抵抗が低下する．

●タダラフィル

選択的 PDE5 阻害薬．シルフィナデルと同じ作用機序により，肺動脈圧および肺血管抵抗を低下させる．

●リオシグアト

可溶性グアニル酸シクラーゼ(sGC)刺激薬．NO 非依存的に sGC を直接刺激する作用および，NO の sGC への感受性を高める作用の 2 つの機序で cGMP の産生を

促進し，肺動脈を拡張させる．肺動脈肺高血圧症のほか，慢性血栓塞栓性肺高血圧症に適用される．

●ボセンタン　●マシテンタン

エンドセリン endothelin-1（**ET-1**）は内皮細胞の産生する血管収縮ペプチドである．ET-1 の作用は，ET_A ならびに ET_B 受容体を介して生じる．肺高血圧症患者の血漿と肺組織で ET-1 濃度が上昇しており，ET-1 は肺動脈性肺高血圧症の発症と進展に重要であると考えられている．ボセンタンおよびマシテンタンは，ET_A と ET_B の両受容体を非選択的遮断し，肺血管平滑筋の収縮および増殖を抑制する．

●アンブリセンタン

ET 受容体のうち ET_A 受容体に高親和性（ET_A 受容体に比べて 1/4,000 以下の親和性）を示す選択的 ET_A 受容体遮断薬．肺血管の ET_A 受容体を遮断し，ET-1 による肺血管平滑筋の収縮および増殖を抑制することで肺動脈性肺高血圧症を改善する．

エポプロステノール　　トレプロスチニル　　シルデナフィル

タダラフィル　　リオシグアト　　ボセンタン

マシテンタン　　アンブリセンタン

低血圧症治療薬

種類　薬物［代表的な商品名］	作用機序	注意すべき副作用
α₁受容体刺激薬		
●フェニレフリン塩酸塩 ［ネオシネジン］	血管平滑筋のα₁受容体を刺激し，末梢血管を収縮させ昇圧作用を示す	胸内苦悶，呼吸困難，頭痛，悪心・嘔吐，手足のしびれ
●エチレフリン塩酸塩 ［エホチール，エフォリン］		心悸亢進，口渇，悪心，食欲不振，消化管障害
●ミドドリン塩酸塩 ［メトリジン，アパルナート］		発疹，立毛感，瘙痒，蕁麻疹，発赤，悪心，腹痛，嘔吐，頭痛，めまい，眠気
間接的交感神経刺激薬		
●アメジニウムメチル硫酸塩 ［リズミック，アコミック］	ノルアドレナリンの神経終末への再取り込み抑制およびMAO阻害によりノルアドレナリンの不活性化を抑制する	動悸，頭痛，悪心・嘔吐，ほてり感，高血圧
●ドロキシドパ ［ドプス，ドロキシドパ］	ノルアドレナリンの前駆物質として末梢の交感神経機能を賦活する	悪性症候群，白血球減少，無顆粒球症，好中球減少，血小板減少

末梢動脈疾患治療薬

種類　薬物［代表的な商品名］	作用機序	注意すべき副作用
PG製剤		
●アルプロスタジル ［パルクス，リプル，プリンク］ ●アルプロスタジルアルファデクス［プロスタンディン，アピスタンディン，アルテジール］	PGE₁として末梢血管拡張・血小板凝集抑制により，末梢循環を改善する	ショック，アナフィラキシー様症状，意識消失，心不全，肺水腫，間質性肺炎，心筋梗塞，脳出血，消化管出血，無顆粒球症，白血球減少，血小板減少，無呼吸発作
●ベラプロストナトリウム ［ドルナー，プロサイリン］	PGI₂として末梢血管拡張・血小板凝集抑制により，末梢循環を改善する	出血傾向，ショック，失神，意識消失，間質性肺炎，肝障害，狭心症，心筋梗塞
PDE阻害薬		
●シロスタゾール［プレタール］	血小板でPDE3を選択的に阻害し，細胞内cAMPを増加させ，血小板凝集を抑制する	うっ血性心不全，心筋梗塞，狭心症，心室頻脈，出血，肝障害

肺動脈性肺高血圧症治療薬

種類　薬物［代表的な商品名］	作用機序	注意すべき副作用
PGI$_2$ 製剤		
●エポプロステノールナトリウム［フローラン］	肺動脈の PGI$_2$ 受容体に作用し，細胞内の cAMP 産生を促進することで，血管拡張作用，血小板凝集抑制作用を発現する	過度の血圧低下や過度の徐脈，意識喪失などのショック状態，尿量減少，肺水腫，肺水腫
●トレプロスチニル［トレプロスト］		血圧低下，失神，出血，血小板減少，好中球減少
PDE5 阻害薬		
●シルデナフィルクエン酸塩［レバチオ］	肺動脈平滑筋の PDE5 を阻害し，細胞内 cGMP を増加することにより，肺動脈平滑筋が弛緩する	頭痛，めまい，顔面紅潮，消化不良，悪心，下痢，四肢痛，失神，低血圧，動悸
●タダラフィル［アドシルカ］		過敏症（発疹，蕁麻疹，顔面浮腫，剥脱性皮膚炎），頭痛，めまい，顔面紅潮
可溶性グアニル酸シクラーゼ刺激薬		
●リオシグアト［アデムパス］	可溶性グアニル酸シクラーゼを直接刺激し，cGMP を増加させ肺動脈を拡張する	喀血，肺出血，頭痛，浮動性めまい，悪心，胃・腹部痛，下痢，嘔吐，低血圧，動悸，紅潮，失神
エンドセリン受容体遮断薬		
●ボセンタン水和物［トラクリア］	非選択的 ET 受容体遮断薬．ET$_A$ 受容体・ET$_B$ 受容体を遮断し，肺血管平滑筋の収縮および増殖を抑制する	重篤な肝障害，汎血球減少，白血球減少，好中球減少，血小板減少，貧血，心不全，うっ血性心不全
●マシテンタン［オプスミット］		貧血
●アンブリセンタン［ヴォリブリス］	ET$_A$ 受容体を選択的に遮断し，肺血管平滑筋の収縮および増殖を抑制する	貧血，体液貯留，間質性肺炎，心不全

4章 循環器系・血液系・造血器系の疾患と治療薬

B 血液・造血器内科領域の疾患に用いる薬物

　血液は液体成分である血漿と血球細胞からなり，全身への栄養素や酸素の運搬，免疫機能，止血（血液凝固）と血栓の溶解などさまざまな重要な役割を担っている．そのため，何らかの原因で血液凝固と血栓溶解系のバランスが崩れたり，血球細胞が異常をきたすと，出血性疾患，血栓塞栓症，貧血，白血球減少症などさまざまな疾患を発症する．本章では，まず止血機構や血栓溶解系について学び，止血薬，抗血栓薬（抗血小板薬，抗凝固薬）および血栓溶解薬の薬理作用，作用機序，副作用について学習する．続いて，代表的な血液・造血器疾患である貧血，播種性血管内凝固症候群，血友病，血栓性血小板減少性紫斑病，白血球減少症，血栓塞栓症の病態生理とそれら疾患の治療に用いられる薬物を概説する．

★対応する薬学教育モデル・コアカリキュラム

E2 薬理・病態・薬物治療　（3）循環器系・血液系・造血器系・泌尿器系・生殖器系の疾患と薬
　GIO
　　循環器系・血液・造血器系・泌尿器系・生殖器系に作用する医薬品の薬理および疾患の病態・薬物治療に関する基本的知識を修得し，治療に必要な情報収集・解析および医薬品の適正使用に関する基本的事項を修得する．
　SBO 【②血液・造血器系疾患の薬，病態，治療】
・止血薬の薬理（薬理作用，機序，主な副作用）および臨床適用を説明できる．
・抗血栓薬，抗凝固薬および血栓溶解薬の薬理（薬理作用，機序，主な副作用）および臨床適用を説明できる．
・以下の疾患について，治療薬の薬理（薬理作用，機序，主な副作用）を説明できる．
　・貧血
　　鉄欠乏性貧血，巨赤芽球性貧血（悪性貧血等），再生不良性貧血，自己免疫性溶血性貧血（AIHA），腎性貧血，鉄芽球性貧血
　・播種性血管内凝固症候群（DIC）
　・血友病
　・血栓性血小板減少性紫斑病（TTP）
　・白血球減少症
　・血栓塞栓症

1 血液・造血器障害

■病態生理

1 止血および血栓溶解機構（図 4B-1）

　血管損傷により出血すると，止血機構が働き血栓が形成される．血栓形成は，血小板が関与する一次止血と血液凝固反応によるフィブリン形成を伴う二次止血により行われる．血栓による止血後，血管が修復されるとプラスミンにより血栓が溶解され，一連の血管修復機構が完了する．

　血小板血栓（一次止血）：血管損傷により内皮下組織（コラーゲン線維）が露出すると，血漿中のフォンビルブランド因子 von Willebrand factor（**vWF**）が内皮下組織に結合する．この vWF に血小板膜上の糖タンパク質 GPⅠb が結合して血小板が内皮下組織に粘着する．活性化された血小板は，フィブリノーゲン結合部位である GPⅡb/Ⅲa 複合体が膜表面に発現しており，フィブリノーゲンを介して複数の血小板と結合し血小板凝集を引き起こす．さらに，活性化された血小板は **ADP**，**トロンボキサン A_2（TXA_2）**および**セロトニン**を放出し，周囲の血小板を次々に活性化し一次

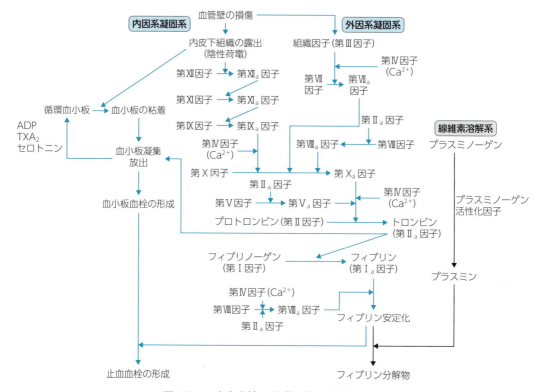

図 4B-1　止血血栓の形成と線維素溶解系

血栓を形成する．

止血血栓（二次止血）：血小板血栓の形成と平行して，内因系あるいは外因系血液凝固機構が活性化され，血液凝固因子が連鎖的に活性化される．内因系と外因系血液凝固系は，第X因子の活性化以後は，共通の血液凝固系を活性化し最終的にフィブリノーゲンをフィブリンに転化し止血血栓が形成される．

1-1 止 血 薬

出血性疾患は，血小板の減少や異常，血液凝固因子の低下や異常，線維素溶解系（線溶系）の異常，血管壁の異常などさまざまな原因により出血傾向や止血困難を起こす疾患の総称である．止血薬は，出血性疾患の治療に用いられる薬物であり，それぞれの原因に基づいて用いられる．

■薬 理

a 血液凝固促進薬

1）ビタミン K 製剤

血液凝固因子のうちプロトロンビン（第Ⅱ因子），第Ⅶ・Ⅸ・X因子は，ビタミン K 依存性に生合成される血液凝固因子である．これら血液凝固因子は，肝臓において前駆体タンパク質のグルタミン酸残基が γ-カルボキシラーゼの作用により γ-カルボキシグルタミン酸残基に変換されることにより，血液凝固活性をもつ．γ-カルボキシラーゼは，還元型ビタミン K をビタミン K エポキシドへ変換するビタミン K エポキシダーゼと共役しているため，γ-カルボキシグルタミン酸残基への変換には還元型ビタミン K が必要である（**図 4B-2**）．ビタミン K 製剤はビタミン K 欠乏に伴う出血

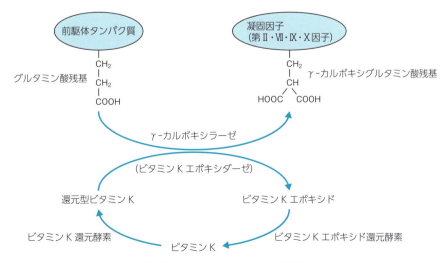

図 4B-2 ビタミン K の作用機構

傾向に用いられる．

● **フィトナジオン**

　薬理作用　ビタミンK欠乏に伴う出血傾向を改善する．

　作用機序　ビタミンK_1製剤であり，生体内でビタミンK_2に酵素的に変換されてビタミンK依存性血液凝固因子の産生を促進する．

　副作用　ショック，過敏症，消化器症状など．

● **メナテトレノン**（構造式☞ p.266）

　ビタミンK_2製剤であり，代謝を受けずビタミンK依存性血液凝固因子の産生を促進する．フィトナジオンに比べて作用の発現が速やかである．

フィトナジオン

b　血管強化薬

● **アドレノクロム**

　薬理作用　アドレナリンの酸化物である．毛細血管の抵抗性を高め，血管透過性を抑制することにより出血時間を短縮する．紫斑病などの毛細血管抵抗性の減弱および透過性の亢進による出血傾向や術中・術後の異常出血に用いられる．

　作用機序　血管壁成分であるヒアルロン酸を分解するヒアルロニダーゼを阻害し，毛細血管の抵抗性を高める．

　副作用　過敏症，消化器症状など．

● **カルバゾクロムスルホン酸ナトリウム**

　アドレノクロムの安定な誘導体である．作用は，アドレノクロムと同様である．

アドレノクロム　　　　カルバゾクロムスルホン酸ナトリウム

c　抗線溶薬（抗プラスミン薬）

● **トラネキサム酸**

　薬理作用　線溶系を阻害することにより，白血病，紫斑病，術後などの線溶系亢進が全身におよぶ異常出血を改善する．

　作用機序　プラスミノーゲンやプラスミンは，自身の有するリシン結合部位を介してフィブリンに結合する．トラネキサム酸は，そのリシン結合部位に作用し，プラスミノーゲンからプラスミンへの変換や，プラスミンのフィブリンへの結合を阻害してプラスミンによるフィブリンの溶解を阻害する（図4B-3）．

図 4B-3 線溶系とトラネキサム酸の作用点

副作用　ショック，過敏症，一過性の色覚異常など．

d　タンパク質分解酵素薬

●ヘモコアグラーゼ

薬理作用　トロンビン様作用およびトロンボプラスチン様作用，さらに血小板機能亢進作用を示す蛇毒由来のタンパク質分解酵素である．フィブリノーゲンをフィブリンに転化することにより止血作用を示す．ヘモコアグラーゼにより転化されたフィブリンはトロンビンにより転化されたフィブリンよりも可溶性が高いため，血栓性エンボリズムを起こす危険性は低いとされる．

副作用　ショック，過敏症．

●トロンビン

薬理作用　血液凝固系第II_a因子製剤である．フィブリノーゲンをフィブリンに転化することにより止血作用を示す．また，血小板活性化作用を有する．血管内に投与すると血液凝固を起こすため，結紮困難な部位の出血などに対して外用で用いる．

副作用　ショック，過敏症．

1-2　抗血栓薬

　　血液は血栓形成作用をもっているが，正常な血管内では血管内皮細胞により血小板機能や血液凝固系が抑制され，血栓は形成されない．しかし，血管内皮細胞異常や血液のうっ滞などが起こると病的血栓が形成される．血流の速い動脈では，血管内皮細胞の脱落や機能異常による血小板血栓（白色血栓）が形成されやすく，一方，血流の遅い静脈ではフィブリン血栓（赤色血栓）が形成されやすい．血栓形成の予防には抗血小板薬（血小板凝集阻害薬）や抗凝固薬が，また，形成された血栓を溶解するためには血栓溶解薬が用いられる．

■薬　　理

a　抗血小板薬

　　動脈血栓は，**血小板**の粘着や凝集から血栓形成がはじまるため，動脈系血栓の予防や再発防止には抗血小板薬が主に用いられる．抗血小板薬が使用される疾患として，

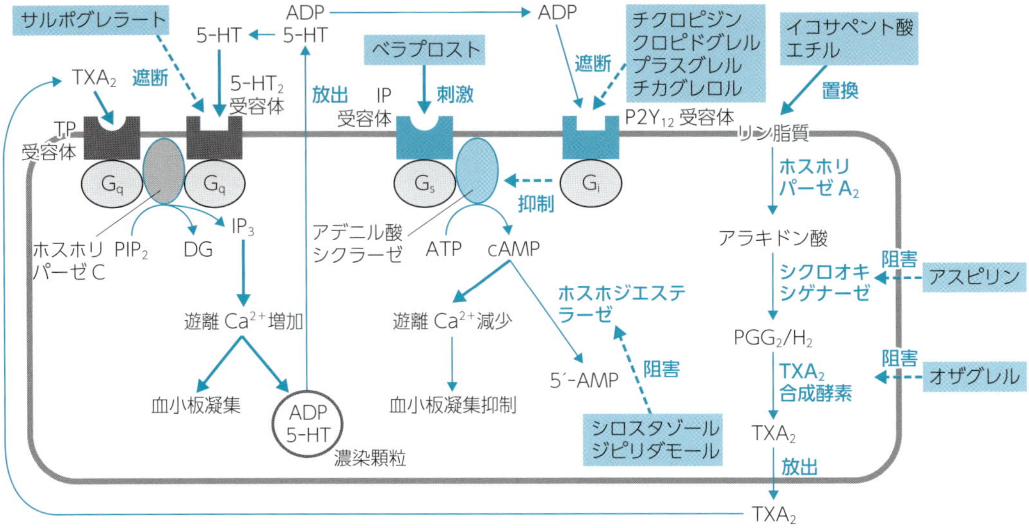

図 4B-4　抗血小板薬の作用点

　心筋梗塞，不安定狭心症，脳梗塞などがある．
　主な抗血小板薬の作用点を**図 4B-4** に示した．活性化された血小板は ADP，TXA_2 およびセロトニンを放出し，周囲の血小板を次々に活性化して血小板凝集を促進する．ADP は，血小板膜上の **P2Y₁₂受容体**（G_i タンパク質共役型）を刺激することにより① cAMP 量の減少や②ホスファチジルイノシトール 3-キナーゼ（PI3 キナーゼ）活性化による GPⅡb/Ⅲa 複合体の活性化，さらに③ P2Y₁ 受容体（G_q タンパク質共役型）を刺激することによるイノシトール三リン酸（IP_3）やジアシルグリセロール（DG）の産生促進による細胞内 Ca^{2+} の増加，により血小板凝集を促進する．TXA_2 は，血小板膜上のプロスタノイド **TP 受容体**（G_q タンパク質共役型）を刺激することにより血小板凝集を促進する．また，セロトニンは血小板膜上のセロトニン **5-HT₂受容体**（G_q タンパク質共役型）を刺激することにより血小板凝集を促進する．したがって，これら血小板活性化因子の受容体遮断薬や生合成阻害薬が血小板凝集抑制作用を示す．また，血小板内の cAMP 量の増加は，血小板凝集を抑制することから，cAMP 増加薬も抗血小板作用を有する．

1）TXA_2 合成阻害薬

●アスピリン（構造式☞ p. 202）

　薬理作用　血小板における TXA_2 合成の阻害により血小板凝集を抑制する．解熱性鎮痛薬として用いるように高用量を投与すると，血管内皮細胞のプロスタグランジン I_2（PGI_2，プロスタサイクリン）産生も抑制されるため抗血栓作用が減弱する．
　作用機序　血小板内の**シクロオキシゲナーゼ-1（COX-1）**のセリン残基をアセチル化し，非可逆的に阻害することにより TXA_2 合成を阻害する．
　副作用　ショック，アナフィラキシー様症状，出血，消化器症状など．

1　血液・造血器障害

● オザグレルナトリウム

薬理作用　トロンボキサン合成酵素を選択的に阻害することによりTXA_2合成を阻害するとともにPGI_2(プロスタサイクリン)の産生を促進し，血小板凝集を抑制する．

副作用　出血，ショック，アナフィラキシー様症状，肝障害，血小板減少など．

● イコサペント酸エチル

薬理作用　細胞膜リン脂質中のアラキドン酸をイコサペント酸と置換して，TXA_2合成を阻害し，血小板凝集を抑制する．長期服用により効果が期待できる．

副作用　肝障害，過敏症，出血傾向など．

2) プロスタグランジン関連薬

● ベラプロスト (構造式☞ p.324)

薬理作用　PGI_2誘導体である．プロスタノイド IP 受容体(G_sタンパク質共役型)を刺激して，アデニル酸シクラーゼを活性化させ，血小板内の cAMP 量を増加させることにより血小板凝集を抑制する．

副作用　出血傾向，ショック，めまい，意識消失，間質性肺炎，肝障害など．

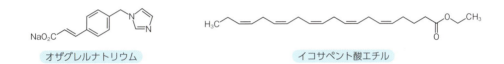

オザグレルナトリウム　　　　　イコサペント酸エチル

3) ADP 受容体遮断薬

● チクロピジン

薬理作用　プロドラッグであり肝臓で代謝を受け活性体となる．活性代謝物が血小板の **ADP 受容体**と共有結合を形成し，ADP の結合を非可逆的に阻害することにより血小板凝集を抑制する．

作用機序　血小板の ADP 受容体のサブタイプである$P2Y_{12}$受容体を遮断することにより，ADP による血小板内の cAMP 量の減少や PI3 キナーゼ活性化による GPⅡb/Ⅲa 複合体の活性化を抑制し，血小板凝集を抑制する．また$P2Y_{12}$受容体を遮断することによりホスホリパーゼ C の活性化を介した細胞質Ca^{2+}の増加を抑制し血小板凝集を抑制する．

副作用　出血，過敏症，血栓性血小板減少性紫斑病(TTP)，無顆粒球症，重篤な肝障害など．

● クロピドグレル

プロドラッグであり肝臓で代謝を受け活性体となる．チクロピジンと同様の作用機序により血小板凝集を抑制する．チクロピジンと比べて重篤な副作用が少ない．

● プラスグレル

プロドラッグであり小腸および肝臓で代謝を受け活性体となる．チクロピジンと同様の作用機序により血小板凝集を抑制する．また，チクロピジンやクロピドグレルと比べて活性体への代謝が早いため，作用の発現が早い．

●チカグレロル

ADP受容体のサブタイプであるP$_2$Y$_{12}$受容体に対する選択的かつ可逆的な遮断薬である．P$_2$Y$_{12}$受容体のADP結合部位とは異なる部位に結合し，P$_2$Y$_{12}$受容体のシグナル伝達を阻害して，血小板凝集を抑制する．また，受動拡散型ヌクレオシドトランスポーター-1（ENT-1）を阻害し，局所アデノシン濃度を上昇させる作用も有しており，アデノシンの作用を増強して血小板凝集を抑制する可能性もある．

チクロピジン　　クロピドグレル　　プラスグレル　　チカグレロル

4）ホスホジエステラーゼ3阻害薬

●シロスタゾール（構造式☞ p. 324）

薬理作用　ホスホジエステラーゼ3（PDE3）を選択的に阻害し，cAMPを増加させることにより血小板凝集を阻害する．また，血管平滑筋に対しても同様にcAMPを増加させ血管を拡張する．

副作用　うっ血性心不全，出血，消化器症状，汎血球減少，間質性肺炎など．

5）アデノシン増強薬

●ジピリダモール（構造式☞ p. 301）　●ジラゼプ（構造式☞ p. 301）

薬理作用　血小板には，アデノシンA$_{2A}$受容体（G$_s$タンパク質共役型）が存在し，アデノシンは血小板内のcAMP量を増加させることにより血小板凝集を抑制する．ジピリダモールおよびジラゼプは，アデノシンの分解や赤血球への取り込みを阻害することやホスホジエステラーゼの阻害により血中アデノシン量を増加させ，血小板凝集を阻害する．

副作用　狭心症の悪化，出血傾向，血小板減少，過敏症など．

6）セロトニン関連薬

●サルポグレラート

薬理作用　血小板および血管平滑筋のセロトニン5-HT$_2$受容体を遮断することにより，血小板凝集と血管収縮を抑制し，末梢循環障害を改善する．

副作用　脳出血，消化管出血，血小板減少，肝障害，過敏症など．

サルポグレラート

b 抗凝固薬

抗凝固薬は，血管内における血液凝固（フィブリン血栓の形成）を抑制する薬物であり，フィブリン血栓が主体の静脈系血栓の予防や再発防止に主に用いられる．抗凝固薬が使用される疾患として，脳塞栓症，肺塞栓症，深部静脈血栓症，播種性血管内血液凝固症候群（DIC）などがある．

1）ヘパリン関連薬

●ヘパリン

ブタの腸粘膜から精製される未分画ヘパリンであり，平均分子量は 30,000 くらいである．そのため，動物由来成分による汚染の可能性がある．また，効果にばらつきがあり，個人差が大きい．消失半減期が短い（約 40 分）．

薬理作用 血液凝固因子の作用を抑制することにより血液凝固を阻害し，血栓形成を抑制する．また，血小板の粘着，凝集も阻害する．

作用機序 ヘパリンは，ムコ多糖でそれ自体には抗凝固作用はなく，血漿中の生理的な抗凝固因子である**アンチトロンビンIII**と結合し，血液凝固因子（トロンビン，第IX_a・X_a・XI_a・XII_a因子）の作用を強力に抑制する．

副作用 ショック，アナフィラキシー様症状，出血，ヘパリン起因性血小板減少など．

●ダルテパリン　●パルナパリン　●レビパリン　●エノキサパリン

未分画ヘパリンを化学処理した平均分子量約 5,000 の**低分子ヘパリン**製剤であり，効果に個人差が少ない．アンチトロンビンIIIと結合して第X_a因子を間接的に阻害する．トロンビン阻害作用は減弱している．消失半減期は，ヘパリンよりは長い（約 90 分）．

●ダナパロイド

平均分子量約 5,500 のヘパリン様物質である．低分子ヘパリンに比べて，さらに選択的にアンチトロンビンIIIによる第X_a因子阻害作用を増強する．消失半減期が長く作用が持続する．

●フォンダパリヌクス

ヘパリンのアンチトロンビンIII結合部位を化学合成したペンタサッカライドである．アンチトロンビンIIIに結合し，ダナパロイドよりもさらに選択的に第X_a因子を阻害する．化学合成品であるため，動物由来成分の汚染の心配はなく，血小板第 4 因子（PF4）と複合体を形成しないため，ヘパリン起因性血小板減少のリスクは少ないと考えられている．

●プロタミン硫酸塩

塩基性タンパク質で酸性のヘパリンと複合体を形成し，ヘパリンの作用を減弱させる**ヘパリン拮抗薬**である．ヘパリンの解毒に用いられる．

2）合成抗トロンビン薬

●アルガトロバン

アンチトロンビン非依存的にトロンビンの活性部位に結合し，トロンビンの作用を

直接阻害する.

● **ダビガトランエテキシラート**

プロドラッグであり，経口投与後，速やかにエステラーゼで加水分解を受け活性体となる．作用はアルガトロバンと同様である．

ヘパリン

アルガトロバン

ダビガトランエテキシラート

3）経口第 X_a 因子阻害薬

● **エドキサバン**　● **リバーロキサバン**　● **アピキサバン**

作用機序　経口投与で有効な直接第 X_a 因子阻害薬である．アンチトロンビンを介さずに直接第 X_a 因子を阻害する．

エドキサバン

リバーロキサバン

アピキサバン

4）合成プロテアーゼ阻害薬

セリンプロテアーゼである第 II_a・IX_a・X_a 因子やプラスミンを直接阻害するため，

抗凝固作用ばかりではなく抗線溶系作用を有するので，出血リスクが高くヘパリン類が使用困難な場合も使用可能である．

● ガベキサート　● カモスタット　● ナファモスタット

作用機序　アンチトロンビン非依存的にトロンビンおよび第X_a因子および線溶系因子であるプラスミンを阻害する．

副作用　ナファモスタット：高カリウム血症．ガベキサート：注射部位の皮膚潰瘍・壊死など．

ガベキサート

カモスタット　　　　　　　　　　　　　ナファモスタット

5) クマリン系経口抗凝固薬

● ワルファリン

薬理作用　経口投与により，ビタミンK依存性血液凝固因子であるプロトロンビン（第Ⅱ因子），第Ⅶ・Ⅸ・Ⅹ因子の産生を阻害することにより血液凝固を抑制する．血液中に存在する血液凝固因子が低下するまで効果を示さないため作用発現に時間を要する．

作用機序　**ビタミンKエポキシド還元酵素**の阻害により，還元型ビタミンKの産生を阻害し，ビタミンK依存性血液凝固因子の産生を抑制して血液凝固を阻害する（☞図4B-2，p.331）．その際，血中に修飾を受けない前駆体であるprotein induced by vitamin K absence(PIVKA)が増加する．

副作用　脳出血などの臓器内出血，皮下壊死，肝障害など．

ワルファリン

1-3 血栓溶解薬

血栓溶解薬は，血管内で凝固した血液（フィブリン血栓）を溶解する薬物であり，心筋梗塞，脳梗塞，脳塞栓などの急性期に血流を回復させることを目的に用いられる．

凝固した血液（フィブリン血栓）は，組織の修復とともに徐々に溶解される．この働きをするのが線維素溶解系であり，セリンプロテアーゼであるプラスミンが重要な働きをする．プラスミンは，血液中の前駆体であるプラスミノーゲンから，**プラスミノーゲン活性化因子**の作用によって産生され，フィブリンを分解する．プラスミノーゲン活性化因子には，腎血管の内皮細胞から分泌されるウロキナーゼ型プラスミノーゲン活性化因子（u-PA）とほとんどの組織の血管内皮細胞で分泌される組織プラスミノーゲン活性化因子（t-PA）がある．

■薬　理

1) ウロキナーゼ型プラスミノーゲン活性化因子（u-PA）

●**ウロキナーゼ**

[薬理作用] プラスミノーゲンをプラスミンに変換して，生成したプラスミンがフィブリンを分解することにより血栓を溶解する．ウロキナーゼは，血液中でプラスミンを生成し，その大部分は血液中で分解されてしまうため，治療効果を得るには大量の投与が必要となる．

[副作用] 出血性脳梗塞，脳出血，消化管出血，ショックなど．

2) 組織プラスミノーゲン活性化因子（t-PA）

●**アルテプラーゼ**　●**モンテプラーゼ**

[薬理作用] ウロキナーゼと同様にプラスミン生成を促進し，フィブリンを分解することにより血栓を溶解する．t-PAはフィブリンに高い親和性をもっているため，血栓上でプラスミンを生成し効率よくフィブリンを分解し，血栓を溶解する．そのため，ウロキナーゼより出血リスクは少ない．

[副作用] 出血性脳梗塞，ショック，アナフィラキシー様症状など．

1-4 貧　血

■病態生理

貧血は，血液中の赤血球数や赤血球に含まれるヘモグロビン量が減少した状態であり，動悸や息切れ，易疲労感，全身倦怠感などの症状を示す．貧血には，鉄欠乏性貧血，巨赤芽球性貧血（悪性貧血など），再生不良性貧血，自己免疫性溶血性貧血（AIHA），腎性貧血，鉄芽球性貧血がある（**図4B-5**）．

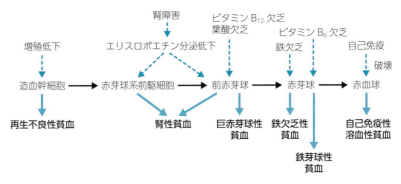

図 4B-5　貧血

■薬　理

a　鉄欠乏性貧血治療薬

鉄欠乏性貧血では，体内で鉄が不足することにより，十分な血色素（ヘモグロビン）が産生できず，小球性低色素性貧血となる．

- 硫酸鉄　● クエン酸第一鉄　● フマル酸第一鉄　● 溶性ピロリン酸第二鉄
- シデフェロン（注射剤）　● 含糖酸化鉄（注射剤）
- カルボキシマルトース第二鉄（注射剤）

体内で欠乏した鉄を補充し，ヘモグロビン生合成を促進することにより鉄欠乏性貧血を改善する．鉄は，上部消化管から2価鉄として吸収されるため，鉄の補充は2価鉄の経口投与が基本となる．

副作用　悪心・嘔吐などの消化器症状，発疹などの過敏症，頭痛．

b　巨赤芽球性貧血治療薬

巨赤芽球性貧血では，赤血球の生成に必要なDNAの合成に必須のビタミンB_{12}または葉酸が不足し，DNA合成障害により核が未熟な大型細胞が出現する大球性貧血となる．とくに，ビタミンB_{12}の吸収に不可欠な内因子に対する自己免疫（内因子に対する自己抗体や内因子を産生する胃壁細胞に対する自己抗体）が原因でビタミンB_{12}不足が生じるものを悪性貧血という．

- シアノコバラミン　● ヒドロキソコバラミン

天然型ビタミンB_{12}である．ビタミンB_{12}は，胃粘膜の壁細胞から分泌される内因子と結合して腸より吸収され，体内で補酵素型に変換されて作用する．

- メコバラミン　● コバマミド

活性型ビタミンB_{12}である．経口投与で用いても有効である．

- 葉　酸

ジヒドロ葉酸を経て活性型のテトラヒドロ葉酸に変換され，DNA合成経路の補因子として作用する．葉酸欠乏が原因の巨赤芽球性貧血に用いられる．

シアノコバラミン：R＝CN
ヒドロキソコバラミン：R＝OH
メコバラミン：R＝CH₃
コバマミド：

シアノコバラミン　ヒドロキソコバラミン　メコバラミン　コバマミド

葉酸

c 再生不良性貧血治療薬

再生不良性貧血は，骨髄の造血幹細胞障害により，赤血球だけでなく，白血球や血小板も低下し汎血球減少を伴う貧血である．

治療には，抗胸腺細胞ウサギ免疫グロブリン（ATG），免疫抑制薬であるシクロスポリン，タンパク質同化ステロイドであるメテノロンなどが用いられる．

d 自己免疫性溶血性貧血治療薬

自己免疫性溶血性貧血（AIHA）は，赤血球に対する抗体が産生され，主に血管外で赤血球が破壊される自己免疫疾患である．治療には，副腎皮質ステロイドや免疫抑制薬（シクロホスファミド，アザチオプリン）などが用いられる．

e 腎性貧血治療薬

腎性貧血は腎障害に伴う貧血で，赤血球増殖ホルモンである**エリスロポエチン**の腎臓からの分泌不全により発症する．

●エポエチンアルファ　●エポエチンベータ　●エポエチンベータペゴル

エリスロポエチンの遺伝子組換え製剤である．骨髄中の赤血球系造血前駆細胞のエリスロポエチン受容体を刺激して，赤芽球の分化・増殖を促進し，赤血球の産生を促進する．

副作用 血圧上昇，脳梗塞，心筋梗塞，頭痛，瘙痒など．

●ダルベポエチンアルファ

ヒトエリスロポエチンのアミノ酸の一部を変え，新たな糖鎖を付加させて半減期を延長している．

●バダデュスタット ●ダプロデュスタット ●ロキサデュスタット
●エナロデュスタット ●モリデュスタット

プロリン水酸化酵素(PHD)を阻害することにより低酸素誘導因子(HIF)の分解を抑制する．それにより，エリスロポエチンの産生を促進して低酸素時の赤血球の産生を促進する．

副作用 血栓塞栓症

バダデュスタット　ダプロデュスタット　ロキサデュスタット

エナロデュスタット　モリデュスタット

f 鉄芽球性貧血治療薬

鉄芽球性貧血では，赤血球中のヘム合成に必要なビタミン B_6 の作用不足により，ヘモグロビン合成が障害され低色素性貧血となる．治療には，ビタミン B_6 製剤である**ピリドキシン**や**ピリドキサールリン酸**の投与が行われる．

ピリドキシン

1-5 播種性血管内凝固症候群(DIC)

播種性血管内凝固症候群 disseminated intravascular coagulation(**DIC**)とは感染症や悪性腫瘍などさまざまな基礎疾患に合併して血液凝固系が亢進し，全身の細小血管に微小血栓が多発して臓器障害が起こる疾患である．微小血栓の形成により血小板や血液凝固因子が大量に消費され，また線溶系も亢進するため出血症状をきたす．

DICは，敗血症や白血病などの基礎疾患に合併し，凝固系優位型と線溶系優位型がある．

凝固系優位型には，血液凝固阻害薬であるヘパリン，ダルテパリン，エノキサパリン，パルナパリン，レビパリン，ダナパロイド，フォンダパリヌクス，乾燥濃縮アンチトロンビンⅢ，トロンボモジュリンアルファ（遺伝子組換え）が用いられる．一方，線溶系優位には，合成プロテアーゼ阻害薬であるガベキサートやナファモスタットが用いられる．

1-6 血友病

■病態生理

血友病 hemophilia は，血液凝固第Ⅷ因子（血友病 A）または第Ⅸ因子（血友病 B）が先天的に低下する遺伝性疾患である．臨床症状は，関節内，筋肉内，頭蓋内などへの深部組織への出血が特徴である．

■薬理

1) **血液凝固第Ⅶ因子製剤**

   ● エプタコグ アルファ　● ダモクトコグ アルファ ペゴル

   遺伝子組換え型の血液凝固第Ⅶ因子（活性型）であり，血液凝固第Ⅶ因子を補充して出血傾向を改善する．

   副作用 血栓塞栓症，播種性血管内凝固症候群（DIC）．ダモクトコグ アルファ ペゴルはショック，アナフィラキシー様症状を起こすことがある．

   ● 乾燥濃縮ヒト血液凝固第Ⅹ因子加活性化第Ⅶ因子

   血液凝固第Ⅶ因子を補充して出血傾向を改善する．

   副作用 血圧上昇，腹痛，発熱などを起こすことがある．

2) **血液凝固第Ⅷ因子製剤**

   ● オクトコグ アルファ　● ルリオクトコグ アルファ　● ツロクトコグ アルファ
   ● エフラロクトコグ アルファ　● シモクトコグ アルファ

   遺伝子組換え型の血液凝固第Ⅷ因子であり，血液凝固第Ⅷ因子を補充して出血傾向を改善する．

3) **血液凝固Ⅷ因子機能代替製剤**

   ● エミシズマブ

   IgG型の遺伝子組換えヒト二重特異性モノクローナル抗体である．第Ⅸ$_a$因子と第Ⅹ因子を結合し，両因子を架橋することにより第Ⅷ因子の補因子機能を代替し，その下流の血液凝固反応を促進する．血液凝固第Ⅷ因子に対するインヒビターを保有する先天性第Ⅷ因子欠乏患者における出血傾向を抑制する．

4）血液凝固第Ⅸ因子製剤

- ノナコグ アルファ　● エフトレノナコグ アルファ　● ノナコグ ガンマ
- ノナコグ ベータ ペゴル

遺伝子組換え型の血液凝固第Ⅸ因子であり，血液凝固第Ⅸ因子を補充して出血傾向を改善する．

- 乾燥濃縮ヒト血液凝固第Ⅸ因子

血液凝固第Ⅸ因子を補充して出血傾向を改善する．

5）バソプレシン誘導体

- デスモプレシン

デスモプレシンは，血管内皮細胞などに貯蔵されているvWFや第Ⅷ因子を放出させ，止血作用を示すため，血友病Aの治療に用いられる．

1-7 血栓性血小板減少性紫斑病（TTP）

血栓性血小板減少性紫斑病 thrombotic thrombocytopenic purpura（TTP）はvWF切断酵素の活性が低下し，通常血漿中には認められない超高分子vWFが出現し，これが細動脈の血小板血栓を多発させる．その結果，循環障害に伴う臓器機能障害や消耗性血小板減少による出血傾向が起こる．先天性TTPの治療にはvWF切断酵素を補充するために，新鮮凍結血漿の投与が行われる．また，後天性TTPの治療には，血漿交換療法やvWF切断酵素に対する抗体抑制の補助療法として，副腎皮質ステロイドや免疫抑制薬が用いられる．

1-8 白血球減少症

白血球減少症は，白血球の多くを占める好中球の減少であり，感染に対する抵抗性が低下し易感染となる．原因の多くは，抗悪性腫瘍薬，抗甲状腺薬，抗菌薬などの薬剤である．

1）顆粒球コロニー刺激因子（G-CSF）製剤

- フィルグラスチム　● レノグラスチム　● ナルトグラスチム
- ペグフィルグラスチム

骨髄において，好中球前駆細胞の分化および増殖を促進することにより，好中球の産生を促進する．さらに，好中球の機能亢進作用も有する．

2）マクロファージコロニー刺激因子（M-CSF）製剤

- ミリモスチム

成熟単球・マクロファージに作用してG-CSFおよび顆粒球・マクロファージコロニー刺激因子（GM-CSF）を産生させることにより，白血球を増加させる．

1-9 血栓塞栓症

血栓症は，血管内で血栓が形成され血流が閉塞する病態である．一方，**塞栓症**は血管内で形成された血栓から凝血塊がはがれ，血流により運ばれ肺や脳などの血管を閉塞する病態である．手や足などの筋肉の静脈内で血栓が形成され(**深部静脈血栓**)，その血栓がはがれ凝血塊となって血流にのって右心系に運ばれ，肺動脈より送り出され肺動脈を閉塞すると**肺塞栓症**を発症する．また，心房細動で心房内にできた血栓が大動脈，頸動脈を経て脳の動脈を閉塞すると脳梗塞を発症する．

深部静脈血栓症には，抗凝固療法として急性期にヘパリンやフォンダパリヌクスなどの注射剤が用いられ，その後，経口剤のワルファリンやエドキサバンに切り替えられる．また，肺塞栓症の治療には，抗凝固薬であるヘパリンと血栓溶解薬であるモンテプラーゼなどが併用される．

止血薬

種類　薬物［代表的な商品名］	作用機序	注意すべき副作用
血液凝固促進薬		
ビタミンK製剤 ●フィトナジオン［ケーワン］ ●メナテトレノン［ケーツー］	ビタミンK依存性血液凝固因子の産生を促進する	ショック，過敏症，消化器症状
血管強化薬		
●アドレノクロムモノアミノグアニジンメシル酸水和物［S・アドクノン］ ●カルバゾクロムスルホン酸ナトリウム水和物［アドナ］	血管壁成分であるヒアルロン酸を分解するヒアルロニダーゼを阻害し，毛細血管の抵抗性を高める	過敏症，消化器症状
抗線溶薬（抗プラスミン薬）		
●トラネキサム酸［トランサミン］	プラスミノーゲンからプラスミンへの変換・プラスミンのフィブリンへの結合を阻害する	ショック，過敏症，一過性の色覚異常
タンパク分解酵素薬		
●ヘモコアグラーゼ［レプチラーゼ］ ●トロンビン［トロンビン］	フィブリノーゲンをフィブリンに転化する	ショック，過敏症

抗血小板薬

種類　薬物［代表的な商品名］	作用機序	注意すべき副作用
TXA_2合成阻害薬		
●アスピリン［バイアスピリン］	血小板内のCOX-1を非可逆的に阻害することによりTXA_2合成を阻害する	ショック，アナフィラキシー様症状，出血，消化器症状
●オザグレルナトリウム［キサンボン］	トロンボキサン合成酵素を選択的に阻害することによりTXA_2合成を阻害するとともにPGI_2の産生を促進する	出血，ショック，アナフィラキシー様症状，肝障害，血小板減少
●イコサペント酸エチル［エパデール］	細胞膜リン脂質中のアラキドン酸をイコサペント酸と置換し，TXA_2合成を阻害する	肝障害，過敏症，出血傾向
プロスタグランジン関連薬		
●ベラプロストナトリウム［ベラサス］	プロスタノイドIP受容体を刺激して，血小板内のcAMP量を増加させる	出血傾向，ショック，めまい，意識消失，間質性肺炎，肝障害
ADP受容体遮断薬		
●チクロピジン塩酸塩［パナルジン］ ●クロピドグレル硫酸塩［プラビックス］ ●プラスグレル塩酸塩［エフィエント］	血小板のADP受容体のサブタイプである$P2Y_{12}$受容体を遮断し血小板内のcAMP量減少を抑制する	出血，過敏症，血栓性血小板減少性紫斑病（TTP），無顆粒球症，重篤な肝障害
●チカグレロル［ブリリンタ］		出血，過敏症，呼吸困難，高尿酸血症
ホスホジエステラーゼ3（PDE3）阻害薬		
●シロスタゾール［プレタール］	血小板内PDE3阻害によりcAMPを増加させる	うっ血性心不全，出血，消化器症状，汎血球減少，間質性肺炎
アデノシン増強薬		
●ジピリダモール［ペルサンチン］ ●ジラゼプ塩酸塩水和物［コメリアンコーワ］	アデノシンの分解や赤血球への取り込みの阻害により増加したアデノシンが血小板に作用し，血小板凝集を抑制する	ジピリダモール：狭心症の悪化，出血傾向，血小板減少，過敏症 ジラゼプ：頭痛，便秘，過敏症
セロトニン関連薬		
●サルポグレラート塩酸塩［アンプラーグ］	血小板のセロトニン$5-HT_2$受容体を遮断する	脳出血，消化管出血，血小板減少，肝障害，過敏症

抗凝固薬

種類　薬物［代表的な商品名］	作用機序	注意すべき副作用
ヘパリン関連薬		
●ヘパリンナトリウム ［ノボ・ヘパリン］	アンチトロンビンⅢに結合することによりアンチトロンビンⅢの作用を増強し、血液凝固因子（トロンビン、第Ⅸ$_a$・Ⅹ$_a$・Ⅺ$_a$・Ⅻ$_a$因子）の作用を抑制する	ショック、アナフィラキシー様症状、出血、ヘパリン起因性血小板減少
低分子ヘパリン製剤 ●ダルテパリンナトリウム ［フラグミン］ ●パルナパリンナトリウム ［ローヘパ］ ●レビパリンナトリウム ［クリバリン］ ●エノキサパリンナトリウム ［クレキサン］	アンチトロンビンⅢと結合して第Ⅹ$_a$因子を間接的に阻害する 第Ⅹ$_a$因子選択性：低分子ヘパリン製剤＜ダナパロイド＜フォンダパリヌクス	ショック、アナフィラキシー様症状、血小板減少、出血
●ダナパロイドナトリウム ［オルガラン］		ショック、アナフィラキシー様症状、血小板減少、出血
●フォンダパリヌクスナトリウム ［アリクストラ］		出血、肝障害、ショック、アナフィラキシー様症状
●プロタミン硫酸塩 ［ノボ・硫酸プロタミン］	ヘパリンと複合体を形成し、ヘパリンの作用を減弱させる	ショック、アナフィラキシー様症状、呼吸困難、肺高血圧症
合成抗トロンビン薬		
●アルガトロバン水和物 ［ノバスタン］	トロンビンの活性部位に結合し、トロンビンの作用を阻害する	ショック、アナフィラキシー様症状、出血性脳梗塞、消化管出血、劇症肝炎
●ダビガトランエテキシラートメタンスルホン酸塩 ［プラザキサ］	エステラーゼで加水分解を受け活性体となり、トロンビンの活性部位に結合し、トロンビンの作用を阻害する	出血、間質性肺炎、アナフィラキシー様症状
経口第Ⅹ$_a$因子阻害薬		
●エドキサバントシル酸塩水和物［リクシアナ］ ●リバーロキサバン ［イグザレルト］ ●アピキサバン［エリキュース］	第Ⅹ$_a$因子を直接阻害する	エドキサバン、アピキサバン：出血 リバーロキサバン：出血、肝障害
合成プロテアーゼ阻害薬		
●ガベキサートメシル酸塩 ［エフオーワイ］ ●カモスタットメシル酸塩 ［フオイパン］ ●ナファモスタットメシル酸塩 ［フサン］	セリンプロテアーゼである第Ⅱ$_a$・Ⅸ$_a$・Ⅹ$_a$因子やプラスミンを直接阻害する	ナファモスタット：高カリウム血症、ショック、アナフィラキシー様症状 ガベキサート：注射部位の皮膚潰瘍・壊死、ショック、アナフィラキシー様症状
クマリン系経口抗凝固薬		
●ワルファリンカリウム ［ワーファリン］	ビタミンK依存性血液凝固因子（プロトロンビン（第Ⅱ因子）、第Ⅶ・Ⅸ・Ⅹ因子）産生を阻害する	臓器内出血、皮膚壊死、肝障害

血栓溶解薬

種類　薬物［代表的な商品名］	作用機序	注意すべき副作用
u-PA 製剤		
●ウロキナーゼ［ウロキナーゼ］	血液中でプラスミノーゲンをプラスミンに変換し，生成したプラスミンがフィブリンを分解する	出血性脳梗塞，脳出血，消化管出血，ショック
t-PA 製剤		
●アルテプラーゼ［アクチバシン，グルトパ］ ●モンテプラーゼ［クリアクター］	血栓上でプラスミノーゲンをプラスミンに変換し，生成したプラスミンがフィブリンを分解する	出血性脳梗塞，ショック，アナフィラキシー様症状

貧血治療薬

種類　薬物［代表的な商品名］	作用機序	注意すべき副作用
鉄欠乏性貧血治療薬		
●硫酸鉄水和物［フェロ・グラデュメット］ ●クエン酸第一鉄ナトリウム［フェロミア］ ●フマル酸第一鉄［フェルム］ ●溶性ピロリン酸第二鉄［インクレミン］ ●シデフェロン［フェリコン鉄］ ●含糖酸化鉄［フェジン］ ●カルボキシマルトース第二鉄［フェインジェクト］	体内で欠乏した鉄を補充し，ヘモグロビン生合成を促進する	過敏症，悪心・嘔吐，頭痛
巨赤芽球性貧血治療薬		
●シアノコバラミン［ビタミン B_{12} 注］ ●ヒドロキソコバラミン［フレスミン S］ ●メコバラミン［メチコバール］ ●コバマミド［ハイコバール］ ●葉酸［フォリアミン］	体内で欠乏したビタミン B_{12} または葉酸を補充し，DNA 合成を促進する	ヒドロキソコバラミン，コバマミド：過敏症 メコバラミン：アナフィラキシー様症状，悪心・嘔吐，下痢，腹痛
腎性貧血治療薬		
●エポエチンアルファ［エスポー］ ●エポエチンベータ［エポジン］ ●エポエチンベータペゴル［ミルセラ］ ●ダルベポエチンアルファ［ネスプ］	骨髄中の赤血球系造血前駆細胞のエリスロポエチン受容体を刺激し，赤芽球の分化・増殖，赤血球産生を促進する	ショック，アナフィラキシー様症状，脳梗塞，心筋梗塞，肺梗塞，血圧上昇
●バダデュスタット［バフセオ］ ●ダプロデュスタット［ダーブロック］ ●ロキサデュスタット［エベレンゾ］ ●エナロデュスタット［エナロイ］ ●モリデュスタット［マスーレッド］	プロリン水酸化酵素（PHD）を阻害することにより低酸素誘導因子（HIF）の分解を抑制する．それにより，エリスロポエチンの産生を促進して低酸素時の赤血球の産生を促進する	血栓塞栓症
鉄芽球性貧血治療薬		
●ピリドキシン塩酸塩［アデロキシン］ ●ピリドキサールリン酸エステル水和物［ピリドキサール］	体内で欠乏したビタミン B_6 を補充し，ヘム合成を促進する	横紋筋融解症

血友病治療薬

種類　薬物［代表的な商品名］	作用機序	注意すべき副作用
血液凝固第Ⅶ因子製剤		
●エプタコグ　アルファ［ノボセブン HI］	血液凝固第Ⅶ因子を補充し，出血傾向を改善する	血栓塞栓症，播種性血管内凝固症候群（DIC）
●ダモクトコグ　アルファ　ペゴル［ジビイ］		血栓塞栓症，播種性血管内凝固症候群（DIC），ショック，アナフィラキシー
●乾燥濃縮ヒト血液凝固第Ｘ因子加活性化第Ⅶ因子［バイクロット］		血圧上昇，腹痛，発熱
血液凝固第Ⅷ因子製剤		
●オクトコグ　アルファ［コージネイト FS］ ●ルリオクトコグ　アルファ［アドベイト］ ●ツロクトコグ　アルファ［ノボエイト］ ●エフラロクトコグ　アルファ［イロクテイト］ ●シモクトコグ　アルファ［ヌーイック］ ●乾燥濃縮ヒト血液凝固第Ⅷ因子［コンファクト F］	血液凝固第Ⅷ因子を補充し，出血傾向を改善する	アナフィラキシー様症状，発疹
第Ⅷ因子機能代替製剤		
●エミシズマブ［ヘムライブラ］	IgG 型の遺伝子組換えヒト二重特異性モノクローナル抗体．第Ⅸ$_a$因子と第Ｘ因子を結合し，両因子を架橋することにより第Ⅷ因子の補因子機能を代替し，その下流の血液凝固反応を促進する	血栓塞栓症，血栓性微小血管症，注射部位反応
血液凝固第Ⅸ因子製剤		
●ノナコグ　アルファ［ベネフィクス］ ●エフトレノナコグ　アルファ［オルプロリクス］ ●ノナコグ　ガンマ［リクスビス］ ●乾燥濃縮ヒト血液凝固第Ⅸ因子［ノバクト M］ ●ノナコグ　ベータ　ペゴル［レフィキシア］	血液凝固第Ⅸ因子を補充し，出血傾向を改善する	ショック，アナフィラキシー様症状，頭痛，めまい ノナコグ　ベータ　ペゴル：血栓塞栓症
バソプレシン誘導体		
●デスモプレシン酢酸塩水和物［デスモプレシン］	第Ⅷ因子や vWF の血中放出を促進する	脳浮腫，昏睡，痙攣などを伴う水中毒

白血球減少症治療薬

種類　薬物［代表的な商品名］	作用機序	注意すべき副作用
G-CSF 製剤		
●フィルグラスチム［グラン］ ●レノグラスチム［ノイトロジン］ ●ナルトグラスチム［ノイアップ］ ●ペグフィルグラスチム［ジーラスタ］	骨髄における好中球前駆細胞の分化・増殖を促進する．好中球の機能を亢進する	ショック，間質性肺炎，急性呼吸窮迫症候群，芽球増加，毛細血管漏出症候群
M-CSF 製剤		
●ミリモスチム［ロイコプロール］	成熟単球・マクロファージに作用し，G-CSF，GM-CSF の産生により白血球を増加させる	ショック，発熱，手指のしびれ，消化器症状

泌尿器系・生殖器系の疾患と治療薬 章

A 泌尿器内科領域の疾患に用いる薬物

　腎臓は尿の生成を通じて体内の恒常性を維持している．膀胱は尿を貯留する働きがある．これらの臓器が障害を受けると，著しいQOLの低下はいうまでもなく，生命の危険に陥る場合もある．ここでは，利尿薬について学習するとともに，腎不全，ネフローゼ症候群，過活動膀胱などの泌尿器系疾患について，その概要を学び，治療に用いられている薬物の作用機序までを体系的に学習する．

★**対応する薬学教育モデル・コアカリキュラム**

E2 薬理・病態・薬物治療　(3)循環器系・血液系・造血器系・泌尿器系・生殖器系の疾患と薬
　GIO
　・循環器系・血液・造血器系・泌尿器系・生殖器系に作用する医薬品の薬理および疾患の病態・薬物治療に関する基本的知識を修得し，治療に必要な情報収集・解析および医薬品の適正使用に関する基本的事項を修得する．
　SBO　【③泌尿器系，生殖器系疾患の薬，病態，薬物治療】
　・利尿薬の薬理(薬理作用，機序，主な副作用)および臨床適用を説明できる．
　・以下の疾患について，治療薬の薬理(薬理作用，機序，主な副作用)を説明できる．
　　・急性および慢性腎不全
　　・ネフローゼ症候群
　　・過活動膀胱および低活動膀胱
　　・慢性腎臓病(CKD)
　　・尿路結石

1 利尿薬

　腎臓の主な役割は，尿の生成を介して，血液中の老廃物を体外へ排泄するとともに，体内の水・電解質の量とバランスを調節することである．尿の生成は，腎皮質および腎髄質(図 5A-1a)に存在しているネフロン(図 5A-1b)において行われる．尿の生成過程は，糸球体ろ過，尿細管再吸収，尿細管分泌の 3 つによって成り立っている．尿細管は，近位尿細管，ヘンレ係蹄，遠位尿細管，集合管を主な構成部位としており(図 5A-1b)，糸球体でろ過された原尿は尿細管を通過する際に再吸収や分泌を受けることによって尿が生成される．

　利尿とは，尿の生成量が増大した結果，尿の排泄量(尿量)が増大することである．利尿薬は，腎臓における尿生成のしくみに作用して尿量を増大させ，循環血漿と組織間液を減少させる．

　利尿薬使用の目的として，利尿効果のみを期待する場合と，降圧効果を期待する場合とがある．前者は，うっ血性心不全，腎疾患や肝疾患による浮腫，特発性浮腫などに対する使用であり，後者は高血圧症(本態性および二次性)に対する使用である．

a　チアジド系利尿薬

●トリクロルメチアジド　●ヒドロクロロチアジド　●ベンチルヒドロクロロチアジド

薬理作用　チアジド系利尿薬は利尿作用に加えて血管平滑筋収縮抑制作用を有しており，血圧下降作用が強いので高血圧症の治療に用いられる．その他には，浮腫(心性浮腫，腎性浮腫，肝性浮腫)に用いられる．ただし，腎機能が低下している患者では利尿効果が期待できず，血清クレアチニンが 1.5 mg/dL 以上または糸球体ろ過量が 15〜20 mL/min 以下では投与しない．K^+ 排泄を促進して血中の K^+ を低下させる一方で，Ca^{2+} の排泄を低下させて血中の Ca^{2+} を増大させる．

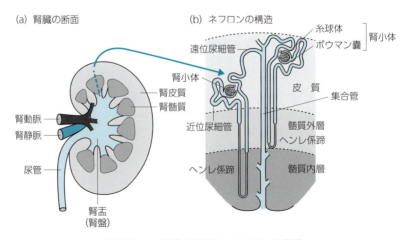

図 5A-1　腎臓の断面とネフロンの構造

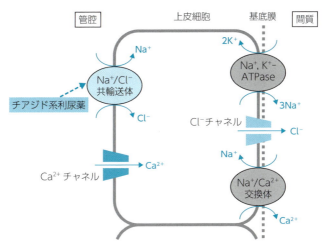

図 5A-2 チアジド系利尿薬の作用点

　チアジド系利尿薬，ループ利尿薬，炭酸脱水酵素阻害薬は共通して K^+ 排泄を促進する．これらの薬物の作用部位で Na^+ の再吸収が抑制されると，後方の Na^+/K^+ 交換が行われる部位（遠位尿細管後半部と集合管）では，管腔の Na^+ の増加に伴いより多くの Na^+ が上皮細胞内へ流入する．その結果，細胞内と管腔側との電位差が減少し，細胞内から K^+ が管腔側へ流出しやすくなるため K^+ 排泄が促進される．

作用機序　チアジド系利尿薬は，遠位尿細管前半部の **Na^+/Cl^- 共輸送体**を阻害して，Na^+ と水の排泄を増大させる（図 5A-2）．

副作用　主な副作用に高血糖症，高尿酸血症，代謝性アルカローシスがある．高血糖症は，血清 K^+ の低下によりインスリン分泌が低下するために生じる．高尿酸血症は，薬物が近位尿細管での尿酸の排出を競合することにより生じる．代謝性アルカローシスは，血中 Cl^- の低下により，代償的に血中 HCO_3^- が増大することで生じる．その他，低カリウム血症がある．

　ループ利尿薬に比べ有効な用量の範囲が狭い．尿が生成されていない状態では，利尿効果が期待できないため，無尿状態における使用は禁忌とされる．ほかに，急性腎不全ではチアジド系利尿薬による糸球体ろ過量減少が腎機能の低下を悪化させるため禁忌である．

トリクロルメチアジド　　ヒドロクロロチアジド　　ベンチルヒドロクロロチアジド

b チアジド系類似薬

- メフルシド
- インダパミド
- トリパミド
- メチクラン

チアジド系薬と作用部位・作用機序は同じであり，臨床的にはほぼ同等である．チアジド系薬よりも K^+ 排泄促進作用が小さいといわれている．適応症は，高血圧症，心性浮腫，腎性浮腫，肝性浮腫である(薬物によって異なる)．

メフルシド　　インダパミド　　トリパミド　　メチクラン

c ループ利尿薬

- フロセミド
- ブメタニド
- ピレタニド
- アゾセミド
- トラセミド

薬理作用　ループ利尿薬は，浮腫(心性浮腫，腎性浮腫，肝性浮腫)や高血圧症(フロセミドのみ)に用いられる．利尿作用が強力であり，高用量まで直線的な用量-効果関係を示す．糸球体ろ過の約 20％まで排泄させる(ほかの利尿薬は数％までである)．ループ利尿薬は尿の濃縮を抑制し低張の尿を多量に排泄させる．また，K^+ 排泄を促進して，血中の K^+ を低下させる(☞チアジド系利尿薬 薬理作用，p.352)．ただし，トラセミドは抗アルドステロン作用(K^+ 排泄を低下)をあわせもつので，K^+ 排泄への影響が小さい．

作用機序　ループ利尿薬は，ヘンレ係蹄上行脚の $Na^+/K^+/2Cl^-$ 共輸送体を阻害して，Na^+ と水の排泄を増大させる(図 5A-3)．

副作用　主な副作用に高血糖症，高尿酸血症，代謝性アルカローシス，低カリウム血症，難聴がある．無尿時には禁忌であるとともに，肝性昏睡においては Cl^- 排泄促進による代謝性アルカローシスが病態を悪化させるため禁忌である．

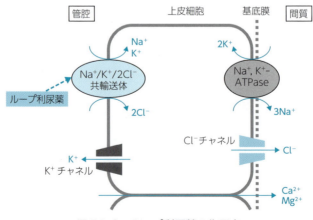

図 5A-3　ループ利尿薬の作用点

フロセミド　　ブメタニド　　ピレタニド

アゾセミド　　トラセミド

d　カリウム保持性利尿薬-Na^+チャネル遮断薬

●トリアムテレン

薬理作用　（アルドステロン拮抗薬と共通）　トリアムテレンと後述のアルドステロン拮抗薬は，尿中へのK^+の排泄を低下させ血清K^+を上昇させるので，カリウム保持性利尿薬と呼ばれる．これらの薬物は尿細管上皮細胞内へのNa^+の流入を低下させる．その結果，細胞内Na^+が減少し，管腔側との電位差が増大するので，管腔へのK^+の流出が低下する(**図 5A-4**)．すなわち，遠位尿細管後半部と集合管におけるNa^+-K^+交換を抑制してK^+の排泄を低下させる．また，尿細管H^+分泌を抑制して，代謝性アシドーシスをきたす．チアジド系利尿薬・ループ利尿薬による低カリウム血症の予防のために併用されることがある．高血圧症，浮腫(心性浮腫，腎性浮腫，肝性浮腫)に適用される．

作用機序　トリアムテレンは，遠位尿細管後半部と集合管の**上皮型 Na^+ チャネル** epitherial sodium channel(**ENaC**)を遮断して，Na^+と水の排泄を増大させる．この尿細管再吸収に関わるNa^+チャネルは，アミロライドにより阻害されるので，ア

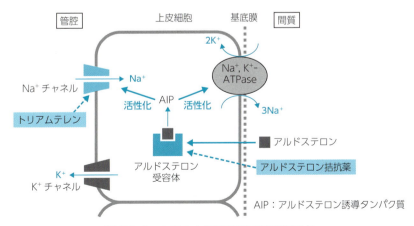

図 5A-4　カリウム保持性利尿薬の作用点

アミロライド感受性 Na^+ チャネルともいう．

副作用　主な副作用としては高カリウム血症がある．無尿，急性腎不全，高カリウム血症における使用は禁忌である．

トリアムテレン

e　カリウム保持性利尿薬-アルドステロン拮抗薬

- スピロノラクトン　● カンレノ酸　● エプレレノン
- エサキセレノン（構造式☞ p.314）

薬理作用　（Na^+チャネル遮断薬と共通）　スピロノラクトンは浮腫（心性浮腫，腎性浮腫，肝性浮腫），高血圧症，原発性アルドステロン症に適応があり，エプレレノンは高血圧症および慢性心不全に，エサキセレノンは高血圧症に適応がある．カンレノ酸カリウムは注射剤であり，経口剤の服用が困難なときに使用され，浮腫（心性浮腫，腎性浮腫，肝性浮腫）および原発性アルドステロン症に適応がある．

作用機序　アルドステロン拮抗薬は，遠位尿細管後半部と集合管の**アルドステロン受容体**を遮断して，Na^+と水の排泄を増大させる．エプレレノンとエサキセレノンはアルドステロン受容体への選択性が高く，「選択的アルドステロン拮抗薬」や「鉱質（ミネラル）コルチコイド受容体（MR）拮抗薬」などと呼ばれている（**図5A-4**）．

副作用　主な副作用は高カリウム血症である．また，スピロノラクトン，カンレノ酸およびエプレレノンは，性ホルモンに類似の化学構造により，性ホルモンの受容体にも結合して月経不順（女性），女性化乳房（男性）などの副作用を示す．ただし，エプレレノンはアルドステロン受容体への選択性が高いため，これらの副作用を起こしにくい．

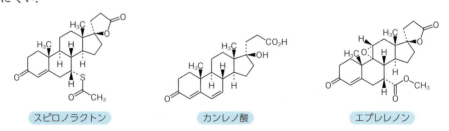

スピロノラクトン　　　　カンレノ酸　　　　エプレレノン

f　炭酸脱水酵素阻害薬

- アセタゾラミド（構造式☞ p.180）

薬理作用　利尿作用はほかの薬物よりも弱く，降圧利尿以外の目的で使用される．眼の毛様体上皮細胞の**炭酸脱水酵素**を阻害し，眼房水の産生を抑制して眼圧を低下させる．そのため，緑内障に適応される．炭酸脱水酵素阻害による血清電解質バランスの変化が，神経系や呼吸器系の働きに影響を与えることから，てんかん，メニエール

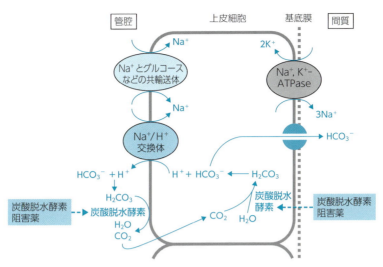

図 5A-5　炭酸脱水酵素阻害薬の作用点

病，睡眠時無呼吸症候群に適応される．呼吸性アシドーシスの改善にも用いられる．その他，心性・肝性浮腫に適応される．

作用機序　炭酸脱水酵素阻害薬は，近位尿細管の細胞膜および上皮細胞内の炭酸脱水酵素を阻害して Na^+ と水の排泄を増大させる．炭酸脱水酵素を阻害すると，尿細管上皮細胞内における H_2CO_3 の産生が低下して，細胞内の H^+ と HCO_3^- が減少する．その結果，Na^+/H^+ 交換による Na^+ の再吸収が低下する（図 5A-5）．

副作用　主な副作用として，低カリウム血症がある．また，HCO_3^- の尿中排泄を増大させて血中 HCO_3^- を低下させるので，代謝性アシドーシスをきたす．

g　浸透圧性利尿薬

●D-マンニトール　●イソソルビド

浸透圧性利尿薬は，血液の浸透圧を上昇させて組織中の水分を血液中に引きつけ，循環血漿量を増大させるので，糸球体ろ過を亢進する．さらに，これらの薬物は尿細管で再吸収されないので，尿細管内の浸透圧を上昇させ，水の再吸収を抑制し，Na^+ の再吸収も低下する．その結果，浸透圧性利尿薬は尿量を増大させる．

D-マンニトールは点滴静注で，イソソルビドは経口投与で用いられる．腫瘍・頭部外傷による脳圧亢進時の脳圧降下，緑内障の眼内圧降下や腎・尿管結石時の利尿に適応される．さらに，D-マンニトールは術中・術後・外傷・薬物中毒時の急性腎不全の予防と治療に用いられる．

D-マンニトール　　イソソルビド

h その他の利尿薬

1) α型ヒト心房性ナトリウム利尿ペプチド（α-hANP）
● カルペリチド

腎臓のANP（atrial natriuretic peptide）受容体を刺激して利尿作用を示す．また，血管のANP受容体を刺激して，血管を拡張させ前負荷および後負荷を軽減させ，急性心不全に適応される．

```
H-Ser-Leu-Arg-Arg-Ser-Ser-Cys-Phe-Gly-Gly-Arg-Met-Asp-Arg-
                        └S-S┐
Ile-Gly-Ala-Gln-Ser-Gly-Leu-Gly-Cys-Asn-Ser-Phe-Arg-Tyr-OH
```
カルペリチド

2) バソプレシン V_2 受容体遮断薬
● モザバプタン　● トルバプタン

バソプレシン V_2 受容体を遮断し腎集合管でのバソプレシンによる水再吸収を阻害する．その結果，選択的に水の排泄を促進して電解質排泄の増加を伴わない利尿作用（水利尿作用）を示す．

モザバプタンは，異所性抗利尿ホルモン産生腫瘍による**抗利尿ホルモン不適合分泌症候群（SIADH）**における低ナトリウム血症の改善に用いられる．トルバプタンは，ループ利尿薬などのほかの利尿薬で効果不十分な心不全および肝硬変における体液貯留に併用される．投与開始日には，血中ナトリウム濃度の頻回の測定が必要である．また，常染色体優性多発性囊胞腎の進行抑制に適応がある．

モザバプタン　　　　トルバプタン

利尿薬

種類　薬物　[代表的な商品名]	作用機序	注意すべき副作用
チアジド系利尿薬		
●トリクロルメチアジド [フルイトラン] ●ヒドロクロロチアジド [ヒドロクロロチアジド] ●ベンチルヒドロクロロチアジド [ベハイド] **チアジド系類似薬** ●メフルシド [バイカロン] ●インダパミド [ナトリックス, テナキシル] ●トリパミド [ノルモナール] ●メチクラン [アレステン]	遠位尿細管前半部の Na^+/Cl^- 共輸送体を阻害して，Na^+ と水の排泄を増大させる	低カリウム血症，高血糖症，高尿酸血症，代謝性アルカローシス
ループ利尿薬		
●フロセミド [ラシックス] ●ブメタニド [ルネトロン] ●ピレタニド [アレリックス] ●アゾセミド [ダイアート] ●トラセミド [ルプラック]	ヘンレ係蹄上行脚の $Na^+/K^+/2Cl^-$ 共輸送体を阻害して，Na^+ と水の排泄を増大させる	低カリウム血症，難聴，高尿酸血症，高血糖症，中毒性表皮壊死融解症，代謝性アルカローシス
カリウム保持性利尿薬		
Na^+ チャネル遮断薬 ●トリアムテレン [トリテレン]	遠位尿細管後半部と集合管の Na^+ チャネルを遮断して，Na^+ と水の排泄を増大させる	高カリウム血症
アルドステロン拮抗薬 ●スピロノラクトン [アルダクトン A] ●カンレノ酸カリウム [ソルダクトン] ●エプレレノン [セララ] ●エサキセレノン [ミネブロ]	遠位尿細管後半部と集合管のアルドステロン受容体を遮断して，Na^+ と水の排泄を増大させる	月経不順，女性化乳房，高カリウム血症
炭酸脱水酵素阻害薬		
●アセタゾラミド [ダイアモックス]	近位尿細管の炭酸脱水酵素を阻害して Na^+ と水の排泄を増大させる	代謝性アシドーシス，低カリウム血症
浸透圧性利尿薬		
●D-マンニトール [マンニットール] ●イソソルビド [イソバイド]	尿細管内の浸透圧を上昇させ，Na^+ と水の排泄を増大させる	電解質異常，急性腎障害（D-マンニトール）
α型ヒト心房性ナトリウム利尿ペプチド製剤（α-hANP）		
●カルペリチド [ハンプ]	腎臓の ANP 受容体を刺激して利尿作用を示す	血圧低下
バソプレシン V_2 受容体遮断薬		
●モザバプタン塩酸塩 [フィズリン] ●トルバプタン [サムスカ]	バソプレシン V_2 受容体を遮断し腎集合管でのバソプレシンによる水再吸収を阻害する	高ナトリウム血症，肝障害

2 腎疾患

腎疾患には，「臨床症候および経過による分類」「組織学的分類」「病因による分類」のように，症候，経過，障害部位，原因によりさまざまな診断名がつけられる．腎機能の低下を伴う腎疾患を**腎不全**と総称し，経過の速さから急性腎不全と慢性腎不全に分類される．また，臨床症候から，急性腎炎症候群，急速進行性腎炎症候群，慢性腎炎症候群，ネフローゼ症候群，反復性・持続性血尿症候群に分類される．組織学的分類では，病変部位や病理像から巣状糸球体硬化症，膜性腎症，IgA腎症，尿細管間質性腎炎，腎硬化症，腎盂腎炎，腎がんなどに分類されている．薬剤性腎症や遺伝性腎疾患，あるいは糖尿病性腎症，ループス腎炎，痛風腎などは病因が明らかであるため，病因に基づいて分類されている．

ただしこのような分類は，腎疾患をある側面から捉えたものであり，実際には症候，経過，障害部位，原因を踏まえて，「糖尿病性腎症によるネフローゼ症候群」のように表現されることもある．

2-1 急性腎不全（ARF）

■病態生理

❶ 急性腎不全の病態

急性腎不全 acute renal failure（**ARF**）とは，数日から数週間の間に腎機能が低下する病態の総称である．急性腎不全では，急激な腎機能低下によって窒素生成物が血中に蓄積して高尿素窒素血症を生じ，体液の水分および電解質バランスの恒常性が維持できなくなる．急性腎不全は対症療法により腎機能の回復は可能とされているが，多臓器不全の1つとして発症する急性腎不全は予後が悪く死亡率が高い．

❷ 急性腎不全の診断

急性腎不全の診断基準について統一されたものはないが，一般的には血清クレアチニン値が 2.0～2.5 mg/dL 以上へ急速に上昇したもの，基礎的な腎疾患がある場合には血清クレアチニン値が前値の 50％以上上昇したもの，血清クレアチニン値の上昇が 0.5 mg/dL/day 以上または血液尿素窒素の上昇が 10 mg/dL/day 以上で数日続くものとして扱われることが多い．

❸ 急性腎不全の症状

急性腎不全は，発症期→乏尿期→利尿期→回復期という経過をたどる．症状はそれ

ぞれの病期によって異なっている．このうち乏尿期では，乏尿(尿量 400 mL/day 以下)または無尿(尿量 100 mL/day 以下)になることが多く，血中尿素窒素および血清クレアチニン値の上昇がみられ尿毒症になる場合もある．また，糸球体ろ過速度の低下によって引き起こされる体液量増加のため，血圧が上昇する．さらには，K^+ やリン，H^+ の排泄が低下するため，高カリウム血症，高リン血症，代謝性アシドーシスを引き起こすことがある．

■薬　理

急性腎不全における治療薬は，**浮腫**，**代謝性アシドーシス**，**高カリウム血症**および**高リン血症**に対して用いられる．

- **フロセミド**(☞本章 A.1.c ループ利尿薬，p.354)
- **炭酸水素ナトリウム**

体内の HCO_3^- を増大させるため，代謝性アシドーシスを改善する目的で経口または静注で用いられる．

- **沈降炭酸カルシウム**

消化管内において，摂取物由来のリン酸イオンと結合し，リンの吸収を抑制するため，高リン血症を改善する．

- **ポリスチレンスルホン酸ナトリウム**　● **ポリスチレンスルホン酸カルシウム**

陽イオン交換樹脂であり，消化管内で K^+ を吸着して K^+ の吸収を抑制するため，高カリウム血症を改善する．

炭酸水素ナトリウム　　　沈降炭酸カルシウム

2-2 慢性腎不全(CRF)

■病態生理

① 慢性腎不全の病態

慢性腎不全 chronic renal failure (**CRF**) とは，さまざまな原因により数ヵ月から数十年にわたって腎機能が低下していき，腎機能が障害される疾患である．慢性腎不全では，浮腫や高血圧，代謝性アシドーシス，高カリウム血症，高リン血症など，急性腎不全と類似した症状がみられる．その他，高尿酸血症や，骨粗鬆症様症状，耐糖能異常や血清脂質の上昇などが出現する．また，慢性的に経過するすべての腎臓病を慢性腎臓病 chronic kidney disease (CKD) といい，CKD は慢性腎不全へと進行する場合がある．

❷ 慢性腎不全の診断

腎機能低下を確認する．血清クレアチニン値や尿中 β_2-ミクログロブリン，血中尿素窒素の増加や**糸球体ろ過量** glomerular filtration rate（**GFR**）の低下，さらには代謝性アシドーシスの出現などによって診断される．

❸ 慢性腎不全の症状

慢性腎不全は，第Ⅰ期（腎予備力低下期）→第Ⅱ期（機能代償期）→第Ⅲ期（機能非代償期）→第Ⅳ期（尿毒症期）という流れで経過する．症状はそれぞれの病期によって異なり，進行に伴いGFR値が低下していく．第Ⅳ期では，尿毒症によるさまざまな全身症状を呈する．生命維持のために透析が必要となる．

■薬　理

慢性腎不全における治療薬は，急性腎不全の場合と同様に，浮腫，代謝性アシドーシス，高カリウム血症および高リン血症に対して用いられる．さらに，高尿酸血症，腎性貧血，高血圧の治療薬も用いられる．

- ●フロセミド（☞本章 A.1.c ループ利尿薬，p.354）
- ●炭酸水素ナトリウム（☞本章 A.2.2-1 急性腎不全■薬理，p.361）
- ●沈降炭酸カルシウム（☞本章 A.2.2-1 急性腎不全■薬理，p.361）
- ●ポリスチレンスルホン酸ナトリウム　●ポリスチレンスルホン酸カルシウム

  （☞本章 A.2.2-1 急性腎不全■薬理，p.361）
- ●アロプリノール　●フェブキソスタット

  高尿酸血症治療薬．キサンチンオキシダーゼを阻害して，尿酸の生合成を阻害するため，高尿酸血症を改善する（☞7章 A.3 ■薬理 b 尿酸生成抑制薬，p.469）．
- ●アルファカルシドール　●カルシトリオール

  活性型ビタミン D_3 製剤．腎性骨異栄養症による骨粗鬆症様症状を改善する．（☞3章4■薬理 1.b 活性型ビタミン D_3 製剤，p.262）
- ●エポエチンアルファ　●エポエチンベータ

  慢性腎不全では**エリスロポエチン**産生が低下し，腎性貧血を引き起こすため，遺伝子組換えヒトエリスロポエチン製剤により腎性貧血を改善する（☞4章 B.1.1-4■薬理 e 腎性貧血治療薬，p.342）．
- ●ニフェジピン　●カプトプリル　●ロサルタン

  慢性腎不全による高血圧の改善には，長時間作用型のカルシウム拮抗薬やアンジオテンシン変換酵素阻害薬，アンジオテンシンⅡ AT_1 受容体遮断薬などの**降圧薬**が用いられる．（☞4章 A.4■薬理 1 高血圧症治療薬，p.306）

- ●ダパグリフロジン

　SGLT2阻害薬であり，糸球体内圧の低下や血行動態の改善により腎保護作用を示すと考えられ，慢性腎臓病に適応される（☞7章A.1■薬理1.h SGLT2阻害薬，p.454）．

2-3 ネフローゼ症候群

■病態生理

1 ネフローゼ症候群の病態

　ネフローゼ症候群 nephrotic syndrome はタンパク尿を主症状とする腎疾患の総称である．ネフローゼ症候群では，高度なタンパク尿に伴い，低タンパク血症（低アルブミン血症）によって浮腫が出現する．

2 ネフローゼ症候群の診断

　成人におけるネフローゼ症候群の診断基準については，**高度タンパク尿**（3.5 g/day以上）と**低タンパク血症**（血清アルブミン値3.0 g/dL以下，血清総タンパク質6.0 g/dL以下），**高コレステロール血症**（血清総コレステロール値250 mg/dL以上），浮腫の発現であるとされる．このうち，高度タンパク尿と低タンパク血症は診断の必須条件となっている．

3 ネフローゼ症候群の症状

　タンパク尿，低アルブミン血症および低タンパク血症，浮腫，高コレステロール血症が発現する．

■薬　理

　ネフローゼ症候群の治療薬は，原因である免疫学的異常に用いるものと，腎機能の維持または関連症状の改善に用いるものがある．

- ●フロセミド（☞本章A.1.c ループ利尿薬，p.354）
- ●プレドニゾロン　●メチルプレドニゾロン

　副腎皮質ステロイドは炎症や免疫反応に関与するタンパク質の発現を抑制するとともに，抗炎症作用を示すタンパク質の発現を促進する．主な副作用としては，連続投与により高血糖，易感染性（免疫力低下），消化管障害，骨粗鬆症，副腎不全，精神神経障害，高血圧，浮腫が生じる（☞3章1■薬理1.b ステロイド性抗炎症薬，p.

215).

- **シクロスポリン** **シクロホスファミド** **ミゾリビン**

    副腎皮質ステロイドに抵抗性の場合にこれらの**免疫抑制薬**が併用される（☞ 3 章 3 ■薬理 1 免疫抑制薬, p.238）.

- **ジピリダモール**（☞ 4 章 A.3 ■薬理 1.a 酸素供給を増加させる薬物, p.301）

    血小板のホスホジエステラーゼを阻害して, 血小板の凝集を抑制する. 高用量ではタンパク尿を減少させる.

- **シンバスタチン**

    シンバスタチンなどの **HMG-CoA 還元酵素阻害薬**は, ネフローゼ症候群による高コレステロール血症を改善する.（☞ 7 章 A.2 ■薬理 a スタチン（HMG-CoA 還元酵素阻害薬）, p.461）

- **カプトプリル** **ロサルタン**

    アンジオテンシン変換酵素（ACE）阻害薬, アンジオテンシン II AT_1 受容体遮断薬は, 糸球体の輸出細動脈を拡張させることで糸球体の負荷を軽減して, タンパク質透過性を改善する.（☞ 4 章 A.4 ■薬理 1 高血圧症治療薬, p.309）

急性腎不全治療薬

種類　薬物　[代表的な商品名]	作用機序	注意すべき副作用
ループ利尿薬		
●フロセミド [ラシックス]	ヘンレ係蹄上行脚の $Na^+/K^+/2Cl^-$ 共輸送体を阻害し, 尿量を増大させ, 浮腫を改善する	低カリウム血症, 難聴, 高尿酸血症, 高血糖症, 中毒性表皮壊死融解症, 代謝性アルカローシス
代謝性アシドーシス治療薬		
●炭酸水素ナトリウム [重曹]	代謝性アシドーシスを改善する	代謝性アルカローシス
高リン血症治療薬		
●沈降炭酸カルシウム [カルタン]	リンの吸収を抑制して高リン血症を改善する	高カルシウム血症, 腎結石, 尿路結石, 便秘
陽イオン交換樹脂		
●ポリスチレンスルホン酸ナトリウム [ケイキサレート]	消化管内で K^+ を吸着して高カリウム血症を改善する	心不全誘発, 腸穿孔, 腸壊死, 腸潰瘍, 浮腫, 低カリウム血症, 低カルシウム血症
●ポリスチレンスルホン酸カルシウム [カリメート]		腸穿孔, 腸閉塞, 大腸潰瘍, 低カリウム血症

慢性腎不全治療薬

種類　薬物［代表的な商品名］	作用機序	注意すべき副作用
●フロセミド［ラシックス］ ●炭酸水素ナトリウム［重曹］ ●沈降炭酸カルシウム［カルタン］ ●ポリスチレンスルホン酸ナトリウム［ケイキサレート］ ●ポリスチレンスルホン酸カルシウム［カリメート］	表 急性腎不全治療薬参照	
高尿酸血症治療薬		
●アロプリノール［ザイロリック］	キサンチンオキシダーゼを阻害して，尿酸の生合成を抑制する	皮膚粘膜眼症候群，中毒性表皮壊死融解症，再生不良性貧血，肝障害，腎障害
●フェブキソスタット［フェブリク］		肝障害，過敏症
活性型ビタミンD_3製剤		
●アルファカルシドール［ワンアルファ］	肝臓で代謝されて活性代謝物となる	急性腎不全，肝障害，黄疸
●カルシトリオール［ロカルトロール］	ビタミンD_3の活性代謝物である	注射剤：高カルシウム血症 経口剤：急性腎不全，肝障害，黄疸
エリスロポエチン製剤		
●エポエチンアルファ［エスポー］ ●エポエチンベータ［エポジン］	エリスロポエチンを補充し，腎性貧血を改善する	ショック・アナフィラキシー様症状，脳出血，脳梗塞，血圧上昇
降圧薬		
●ニフェジピン［アダラート］	Ca^{2+}チャネルを遮断して，腎性高血圧を改善する	頭痛，顔面紅潮
●カプトプリル［カプトリル］	アンジオテンシン変換酵素を阻害して腎性高血圧を改善する	空咳，血管浮腫，高カリウム血症
●ロサルタンカリウム［ニューロタン］	アンジオテンシンⅡAT_1受容体を遮断して腎性高血圧を改善する	血管浮腫，高カリウム血症
SGLT2阻害薬		
●ダパグリフロジンプロピレングリコール水和物［フォシーガ］	糸球体内圧の低下や血行動態の改善により腎保護作用を示す	脱水症状，頻尿・多尿，尿路感染症

A　泌尿器内科領域の疾患に用いる薬物

ネフローゼ症候群治療薬

種類　薬物［代表的な商品名］	作用機序	注意すべき副作用
ループ利尿薬		
●フロセミド［ラシックス］	表 急性腎不全治療薬（☞ p. 364）参照	
副腎皮質ステロイド		
●プレドニゾロン酢酸エステル［プレドニン］ ●メチルプレドニゾロン［メドロール］	抗炎症作用	高血糖，易感染性（免疫力低下），消化管障害，骨粗鬆症，副腎不全，精神神経障害，高血圧，浮腫
免疫抑制薬		
●シクロスポリン［サンディミュン］	カルシニューリンを阻害し，ヘルパーT細胞のサイトカイン生合成・分泌を抑制する	腎障害，高血圧
●シクロホスファミド水和物［エンドキサン］	DNAをアルキル化して，B細胞やT細胞を抑制する	骨髄抑制，間質性肺炎，出血性膀胱炎
●ミゾリビン［ブレディニン］	核酸のプリン合成系酵素を阻害し，T細胞とB細胞の分裂・増殖を抑制する	骨髄抑制，胃傷害，高尿酸血症
抗血栓薬		
●ジピリダモール［ペルサンチン］	血小板のホスホジエステラーゼを阻害して，血小板凝集を抑制する	狭心症の悪化，出血傾向，血小板減少
HMG-CoA 還元酵素阻害薬		
●シンバスタチン［リポバス］など	HMG-CoA 還元酵素を阻害して，高コレステロール血症を改善する	横紋筋融解症
降圧薬		
●カプトプリル［カプトリル］など	ACEを阻害して糸球体におけるタンパク質透過性を改善する	空咳，血管浮腫，高カリウム血症
●ロサルタンカリウム［ニューロタン］など	アンジオテンシンⅡ AT_1 受容体を遮断して糸球体におけるタンパク質透過性を改善する	血管浮腫，高カリウム血症

3 過活動膀胱および低活動膀胱

3-1 過活動膀胱

■病態生理

1 蓄尿と排尿の機序

腎臓で生成された尿は膀胱に蓄えられ（蓄尿），尿意に応じて体外へ排出される（排尿）．これらの反応は，膀胱体部の**排尿筋**，膀胱の出口を囲む**内尿道括約筋**（**膀胱括約筋**）およびその先の尿道を囲む**外尿道括約筋**が調和して収縮・弛緩することで成り立っている（**図 5A-6**）．

排尿筋と内尿道括約筋は平滑筋であり，副交感神経と交感神経に支配されている．膀胱壁には伸展受容器として働く知覚神経が存在し，膀胱容量の変化を感知する．外尿道括約筋は横紋筋であり，主に体性運動神経に支配されている．

尿の流入により膀胱壁が伸展するにつれて，脊髄に存在する反射中枢が交感神経と体性運動神経の活性を上昇させ，蓄尿を促す（蓄尿反射）．交感神経活性が上昇すると，アドレナリン**β_2 および β_3 受容体**の刺激により膀胱体部の排尿筋が弛緩し，アドレナリン**α_1 受容体**の刺激により内尿道括約筋が収縮する．体性運動神経の活性が上昇すると，外尿道括約筋と骨盤底筋が収縮する．外尿道括約筋は横紋筋であるが交感神経の支配も受け，アドレナリン**β_2 受容体**の刺激によって収縮が増強される．

膀胱が尿で充満し一定の容量に達すると，脳幹に存在する排尿中枢が脊髄にある反射中枢に向けて命令を送り，脊髄の反射中枢は交感神経と体性運動神経の活性を低下

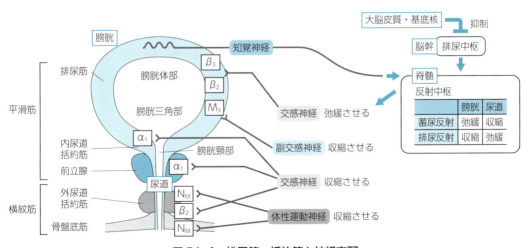

図 5A-6 排尿筋・括約筋と神経支配

させ，同時に副交感神経の活性を上昇させて，排尿を生じさせる(排尿反射)．交感神経と体性運動神経の活性が低下すると，内尿道括約筋と外尿道括約筋が弛緩し，また副交感神経の活性が上昇すると，ムスカリン M_3 受容体の刺激により排尿筋が収縮する．

通常では，不意の排尿が起こらないように，大脳皮質と基底核が脳幹の排尿中枢を抑制して排尿反射を止めている．膀胱が充満して尿意を感じ排尿を決意すると，この脳幹の排尿中枢に対する抑制が解除され尿の排出が開始される．したがって，虚血性の脳疾患などで排尿中枢やその情報の経路が障害を受けると，尿をためておくことができなくなる．

❷ 過活動膀胱の病態

過活動膀胱は，膀胱の血流障害や炎症，加齢に伴う膀胱伸展性の減少，前立腺肥大による尿路の狭窄などで引き起こされる．ほかに，前立腺がん，下部尿路感染症(膀胱と尿道を合わせて**下部尿路**と呼ぶ)，下部尿路結石などで過活動膀胱を伴うことがある．原因を特定できない場合もあるが，膀胱容量を感知する知覚神経の異常興奮や，その信号を処理し交感・副交感神経の活性を変える中枢神経系の障害が関与すると考えられている．脳出血や脳梗塞などの脳血管障害，脊髄損傷や多発性硬化症などの脊髄の障害，またパーキンソン病などで，過活動膀胱の症状が現れることがある．

❸ 過活動膀胱の症状・診断

過活動膀胱は，**尿意切迫感**，**頻尿**，**切迫性尿失禁**を主症状とする蓄尿機能の障害である．過活動膀胱の診断には尿意切迫感が必須条件である．尿意切迫感とは，突然起こる我慢できないほどの強い尿意である．これは膀胱に尿が蓄積されるにつれ感じる正常な尿意と異なるもので，膀胱が過敏に反応し収縮することで引き起こされる．

■薬　理

過活動膀胱の治療には，抗コリン薬とアドレナリン β_3 受容体刺激薬が用いられる．いずれの薬物も蓄尿機能を亢進し，過活動膀胱における尿意切迫感，頻尿および切迫性尿失禁を改善する．また上述の前立腺肥大などの原疾患がある場合にはその治療を行う．

a　抗コリン薬

●トルテロジン　●フェソテロジン　●ソリフェナシン　●イミダフェナシン
●オキシブチニン　●プロピベリン

膀胱平滑筋のムスカリン M_3 受容体を遮断して，副交感神経の興奮による膀胱の収

縮を抑制して膀胱を弛緩させる．

ソリフェナシン，イミダフェナシン，オキシブチニンは M_3 受容体への選択性が高い．トルテロジン，フェソテロジン，プロピベリンは M_2 受容体と M_3 受容体を同程度に遮断する．しかし M_2 受容体の刺激が β_3 受容体を介する排尿筋の弛緩を抑制するといわれ，M_2 受容体の遮断も膀胱収縮の抑制に関与すると考えられる．オキシブチニンとプロピベリンにはカルシウム拮抗作用もある．

抗コリン作用に基づく禁忌として，尿閉，閉塞隅角緑内障，麻痺性イレウス，重症筋無力症などが挙げられる．前立腺肥大症など下部尿路閉塞疾患を合併している患者では尿閉を誘発する危険があるので，その疾患に対する治療を優先させる．

トルテロジン　　フェソテロジン　　ソリフェナシン

イミダフェナシン　　オキシブチニン　　プロピベリン

b　アドレナリン β_3 受容体刺激薬

● ミラベグロン　　● ビベグロン

膀胱平滑筋のアドレナリン β_3 受容体を選択的に刺激し，膀胱を弛緩させる．

心拍数増加が報告されているため，重篤な心疾患を有する患者には禁忌であり，カテコールアミン投与中の患者では頻脈や心室細動発現の危険性が増大する．しかし抗コリン薬と比べ前立腺肥大の患者でも尿閉を起こしにくく，また緑内障の患者にも使用できるという利点を有する．

ミラベグロン　　ビベグロン

3-2 低活動膀胱

■病態生理

低活動膀胱は排尿機能の障害であり，**尿勢低下**，**尿線途絶**（尿が途切れる），排尿遅延，腹圧排尿（力まないと排尿できない）を主症状とする．低活動膀胱では，尿流動態検査で排尿時の尿流・膀胱内圧・直腸内圧・排尿筋圧を測定することで，排尿筋の低活動が認められる．

過活動膀胱の場合と同様，尿排出に関与する神経系の障害が低活動膀胱を引き起こすことがある．膀胱壁は加齢とともに平滑筋細胞の割合が低下し，伸展性とともに収縮性も低下する．したがって加齢も低活動膀胱の原因となる．

■薬理

低活動膀胱の治療には，ムスカリン M_3 受容体を刺激して膀胱平滑筋を収縮させる薬物が用いられる．前立腺肥大を改善する薬物は，膀胱を収縮させるわけではないが，下部尿路の抵抗を低下させることで，低活動膀胱の排尿困難を改善する（☞本章 B.1 前立腺肥大症，p. 374）．

1) コリン作動薬

●ベタネコール（構造式☞ p. 65）

膀胱平滑筋のムスカリン M_3 受容体を非選択的に刺激して膀胱を収縮させる．

2) コリンエステラーゼ阻害薬

●ネオスチグミン（構造式☞ p. 70）　●ジスチグミン（構造式☞ p. 70）

アセチルコリンエステラーゼを阻害して，膀胱平滑筋のシナプス間隙のアセチルコリン濃度を高め，副交感神経の興奮による膀胱の収縮を増強する．

過活動膀胱治療薬

種類　薬物［代表的な商品名］	作用機序	注意すべき副作用
抗コリン薬		
●トルテロジン酒石酸塩［デトルシトール］ ●フェソテロジンフマル酸塩［トビエース］ ●コハク酸ソリフェナシン［ベシケア］ ●イミダフェナシン［ウリトス］ ●オキシブチニン塩酸塩［ネオキシ］ ●プロピベリン塩酸塩［バップフォー］	ムスカリン M_3 受容体を遮断して膀胱平滑筋を弛緩させる	尿閉，口渇，便秘，消化不良，心悸亢進，頻脈，心電図 QT 延長
β_3 刺激薬		
●ミラベグロン［ベタニス］	アドレナリン β_3 受容体を選択的に刺激して膀胱平滑筋を弛緩させる	尿閉，血液およびリンパ系障害（白血球数減少・増加，血小板数減少・増加），心臓障害（右脚ブロック，動悸など），耳および迷路障害（回転性めまい）
●ビベグロン［ベオーバ］		尿閉，めまい，動悸

低活動膀胱治療薬

種類　薬物［代表的な商品名］	作用機序	注意すべき副作用
コリン作動薬 ●ベタネコール塩化物［ベサコリン］	ムスカリン M_3 受容体を刺激して膀胱平滑筋を収縮させる	コリン性クリーゼ（悪心・嘔吐，腹痛，下痢，唾液分泌過多，発汗，徐脈，血圧低下，縮瞳など），心悸亢進，胸やけ，悪心・嘔吐，唾液分泌過多，腹痛など
コリンエステラーゼ阻害薬 ●ネオスチグミン臭化物［ワゴスチグミン］ ●ジスチグミン臭化物［ウブレチド］	アセチルコリンエステラーゼを阻害してアセチルコリン濃度を高め，副交感神経の興奮による膀胱平滑筋の収縮を増強する	

4 その他の泌尿器系疾患

4-1 慢性腎臓病（CKD）

慢性腎臓病 chronic kidney disease（**CKD**）は，早期の腎障害を含めた慢性に経過する腎病変を包括する概念であり，具体的には eGFR が 60 mL/min/1.73 m^2（正常な腎機能の約 60％に相当）未満の腎機能低下またはタンパク尿などの腎機能障害が 3 ヵ月以上持続する状態すべてを含む．初期には自覚症状が認められないことが多いが，進行すると浮腫，倦怠感，貧血などの症状を呈する．慢性腎臓病の治療は，一般的には低タンパク質・低塩分などの食事療法や，運動療法，禁煙などの生活習慣の改善から開始される．慢性腎臓病に用いられる薬物は慢性腎不全に用いられる薬物と同様である．

4-2 尿路結石

尿路結石には，腎臓や尿管に結石が形成される上部尿路結石と，膀胱や尿道に結石が形成される下部尿路結石があり，その多くはシュウ酸カルシウムやリン酸カルシウムなどの**カルシウム結石**である．

尿路結石の 3 大症状は，疼痛，血尿，結石の排出である．疼痛は腰背部から側腹部にかけての激しい痛み（疝痛発作）である．血尿は結石による尿路の損傷で生じる．

尿路結石を治療する際，長径 10 mm 未満の尿管結石の多くは自然排石が期待できるので，薬物治療を含む保存的治療（排石促進，溶解療法，疼痛管理）を行う．それ以上の大きさや，症状発現後 1 ヵ月以内に自然排石を認めない場合には飲水や運動および利尿薬を用いた排石促進治療やクエン酸製剤や炭酸水素ナトリウムを用いた溶解療法が行われる．

慢性腎臓病治療薬

種類　薬物［代表的な商品名］	作用機序	注意すべき副作用
SGLT2 阻害薬		
●ダパグリフロジンプロピレングリコール水和物［フォシーガ］	表　慢性腎不全治療薬（☞p. 365）参照	

泌尿器系・生殖器系の疾患と治療薬 5章

B 生殖器科領域の疾患に用いる薬物

　生殖器科領域の代表的な薬物として，男性生殖器系では前立腺肥大症の治療薬，産・婦人科系では子宮内膜症と子宮筋腫の治療薬，および分娩に関連する子宮弛緩薬と子宮収縮薬をとりあげる．いずれの場合も病態と治療薬の効果にはホルモンの作用が密接に関与しているが，ホルモンについては概要に留め，ここでは主に平滑筋に作用する薬物に関して学習する．妊娠・避妊に関わる薬物を含め，ホルモンとその関連薬は他章を参照のこと．

★対応する薬学教育モデル・コアカリキュラム
E2 薬理・病態・薬物治療　（3）循環器系・血液系・造血器系・泌尿器系・生殖器系の疾患と薬
　GIO
　・循環器系・血液・造血器系・泌尿器系・生殖器系に作用する医薬品の薬理および疾患の病態・薬物治療に関する基本的知識を修得し，治療に必要な情報収集・解析および医薬品の適正使用に関する基本的事項を修得する．
　SBO　【③泌尿器系，生殖器系疾患の薬，病態，薬物治療】
　・以下の生殖器系疾患について，治療薬の薬理（薬理作用，機序，主な副作用），および病態（病態生理，症状等）・薬物治療（医薬品の選択等）を説明できる．
　　・前立腺肥大症
　　・子宮内膜症
　　・子宮筋腫
　・妊娠・分娩・避妊に関連して用いられる薬物について，薬理（薬理作用，機序，主な副作用），および薬物治療（医薬品の選択等）を説明できる．

1 前立腺肥大症

■病態生理

1 前立腺肥大症の病態

前立腺は男性の膀胱の下で尿道を取り巻くように存在するクルミ大の臓器で，精液の構成成分である前立腺液を分泌する．前立腺肥大症は，尿道に近い側の前立腺組織が過形成された状態である．加齢とともに発症の頻度は増加し，組織学的には50〜60歳代で約半数，70歳代以上では8割以上の男性に前立腺の肥大があるといわれている．そのすべてが治療を必要とするわけではないが，肥大した前立腺が尿道を圧迫し排尿の障害が現れる場合には，薬物で症状を改善することになる．

排尿に関連した下記の症状に加え，排尿の障害による膀胱内の尿の残存は，尿路感染を起こしやすくする．また多量の残尿を膀胱が貯留できなくなると少量の尿が常に漏れ続ける溢流性尿失禁が起き，尿道が閉塞すると膀胱に尿が充満していても排尿できない尿閉となる．さらに，腎臓から膀胱への尿流が障害され腎臓内の圧力が高まり続けると腎臓の組織が損傷し（水腎症），腎不全をきたすことがある．

2 前立腺肥大症の症状

前立腺肥大症では排尿時の症状として，尿勢低下，尿線途絶，排尿遅延，腹圧排尿が認められる．排尿後には残尿感があり，排尿後尿滴下（排尿後，下着のなかでの尿漏れ）が生じる．また前立腺肥大の大部分が過活動膀胱を併発するため，尿意切迫，頻尿，切迫性失禁などの蓄尿症状も生じる．

3 前立腺肥大症の診断

前立腺肥大症の診断では，自覚症状の評価，直腸内指診，尿検査，尿流測定，残尿測定，血清PSA測定，前立腺超音波検査が行われる．自覚症状の評価には国際前立腺症状スコア（IPSS）が用いられる．**PSA**（前立腺特異抗原 prostate-specific antigen）は前立腺の上皮細胞から分泌される前立腺特異的なタンパク質である．

■薬　理

前立腺肥大症の治療には，下部尿路を広げて排尿の障害を改善する薬物と，肥大した前立腺を縮小させる薬物が用いられる．膀胱の出口を囲む内尿道括約筋と尿道の周りを囲む前立腺の平滑筋にはアドレナリンα_1受容体が存在し，交感神経の緊張亢進

に応じてこれらの平滑筋を収縮させ，下部尿路の抵抗を高めている．血中の**テストステロン**は前立腺細胞に取り込まれ，**5α還元酵素**の働きで**ジヒドロテストステロン**となり，前立腺細胞を増殖させる．したがって，アドレナリン α_1 受容体を遮断する薬物およびこれら男性ホルモンの作用を抑制する薬物は，前立腺肥大症に対する治療効果を示す．

a　アドレナリン α_1 受容体遮断薬

- タムスロシン
- ナフトピジル
- ウラピジル
- シロドシン
- プラゾシン
- テラゾシン（構造式☞ p. 57, 58）

作用機序　α_1 遮断薬は，内尿道括約筋と前立腺平滑筋のアドレナリン α_1 受容体を選択的に遮断してこれらを弛緩させ，下部尿路の抵抗を減少させ前立腺肥大に伴う排尿障害を改善する．その結果，過活動膀胱の症状も改善される．

副作用　血管平滑筋の α_1 受容体の遮断による起立性低血圧が生じる．しかし，血管平滑筋の α_1 受容体サブタイプ（主に α_{1B} が収縮に関与）よりも前立腺平滑筋の α_1 受容体サブタイプ（α_{1A}, α_{1D}）を選択的に遮断するタムスロシン（α_{1A} を遮断）とナフトピジル（α_{1D} を遮断）は，血圧をさほど変化させずに治療効果を示す．

b　ホスホジエステラーゼ 5（PDE5）阻害薬

- タダラフィル（構造式☞ p. 326）

薬理作用　膀胱，尿道および前立腺の平滑筋を弛緩させて下部尿路の抵抗を減少させるとともに，血管平滑筋の弛緩により下部尿路の血流を増加させる．これらが前立腺肥大症に伴う排尿障害の症状を緩和すると考えられている．

作用機序　cGMP を分解する PDE5 を阻害し，平滑筋細胞内の cGMP 濃度を上昇させて，膀胱平滑筋弛緩，尿道平滑筋，および前立腺平滑筋を弛緩させる．

禁忌　ニトログリセリンなどの硝酸薬やニコランジルなど cGMP 産生を増大させて血管を拡張させる薬物との併用は，急激な血圧低下をきたすために禁忌である．

c　5α還元酵素阻害薬

- デュタステリド

作用機序　テストステロンをジヒドロテストステロンへ変換する 1 型および 2 型 5α還元酵素を阻害することで，肥大した前立腺を縮小させる．

副作用　抗アンドロゲン薬と異なり血中のテストステロン濃度を低下させないため，勃起障害や性欲減退などの副作用は抗アンドロゲン薬よりも少ないとされている．

血清 PSA 値を減少させるので，デュタステリドの服用中に前立腺がんの診断を受ける際には注意が必要である．

d 抗アンドロゲン薬（抗男性ホルモン薬）

●クロルマジノン　●アリルエストレノール（構造式☞ p.477）

7章B.1.1.c 抗アンドロゲン薬, p.476 参照.

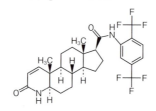

デュタステリド

前立腺肥大症治療薬

種類　薬物［代表的な商品名］	作用機序	注意すべき副作用
α₁遮断薬		
●タムスロシン塩酸塩［ハルナール］ ●ナフトピジル［フリバス］ ●ウラピジル［エブランチル］ ●シロドシン［ユリーフ］ ●プラゾシン塩酸塩［ミニプレス］ ●テラゾシン塩酸塩［ハイトラシン］	アドレナリン α_1 受容体を遮断し，内尿道括約筋と前立腺平滑筋を弛緩させる	失神・意識喪失（血圧低下に伴う一過性の意識喪失など），肝障害，黄疸
PDE5 阻害薬		
●タダラフィル［ザルティア］	PDE5 を阻害して平滑筋細胞内の cGMP 量を増大させ，膀胱・尿道・前立腺平滑筋を弛緩させる	過敏症（顔面浮腫，剥脱性皮膚炎，皮膚粘膜眼症候群など）
5α還元酵素阻害薬		
●デュタステリド［アボルブ］	5α還元酵素を阻害し，前立腺細胞の増殖を促進するジヒドロテストステロンを減少させることで，肥大した前立腺を縮小させる	肝障害，黄疸

2 産・婦人科系疾患

2-1 子宮内膜症

■病態・症状

　　子宮の内腔は子宮内膜と呼ばれる粘膜組織で覆われている．子宮内膜は月経後で1 mm程度の厚さであるが，排卵までの間にエストロゲンの作用で増殖し約10倍に肥厚する．排卵後は**エストロゲン**と**プロゲステロン**の作用で栄養分を蓄え柔軟になり，受精卵の着床に備える．妊娠が成立しなければ，子宮内膜の増殖した分は不要となり剥落・出血し，体外へ排出される(月経)．

　　子宮内膜症は，子宮内膜あるいはそれに類似した組織が子宮内腔と異なる部位に存在し，増殖する疾患である．子宮内膜症は骨盤腔内に発生しやすく，その部位は，子宮(表面や筋層)，卵巣，腹壁，ダグラス窩，S状結腸，直腸，仙骨子宮靱帯，腟，外陰部，膀胱などである．子宮筋層内に発生したものを**子宮腺筋症**と呼ぶ．

　　子宮内膜症の部位では，本来の子宮内膜と同様，性周期を担うホルモンの変化に応じて増殖・剥離が繰り返され，月経時の下腹部痛や腰痛(月経痛)が起こる．剥離した組織と血液は，排出されずその部位にたまり，嚢胞化や周辺組織との癒着が生じる．出血による褐色の液が貯留している嚢胞を**チョコレート嚢胞**と呼ぶ．嚢胞や癒着が生じると，月経時以外でも腹部痛，腰痛，排便痛が生じるようになる．子宮内膜症は不妊の大きな原因の1つである．

■薬　理

　　子宮内膜症には，疼痛を軽減するために非ステロイド性抗炎症薬(NSAIDs)が用いられ，病巣の縮小を目的として性ホルモンとその誘導体が用いられる．薬物の各論については3章1■薬理1.c非ステロイド性抗炎症薬(☞p.218)および7章B.1性ホルモン関連薬(☞p.475)を参照のこと．

2-2 子宮筋腫

■病態・症状

　　子宮筋腫は子宮筋層内の平滑筋に発生した良性の腫瘍であり，30～40歳代の女性に好発する．筋腫はエストロゲン依存性に増殖するため，初経がくる前に筋腫はみられず，閉経後には新たな筋腫は発生せず既発の筋腫は退縮する．筋腫の90%以上は子宮体部に，残りは子宮頸部に発生する．

子宮筋腫は，筋腫が子宮筋層内で増殖する筋層内筋腫，子宮の外側に向かい増殖する漿膜下筋腫，子宮の内側に向かい増殖する粘膜下筋腫の3つに分けられる．一番多いのは筋層内筋腫である．粘膜下筋腫は発症は少ないが症状が最も強く現れる．

子宮筋腫の症状には，月経時の出血量が異常に多い月経過多，下腹部痛・腰痛などの疼痛が生じる月経困難などがある．出血により貧血や動悸が生じることもある．しかし筋腫があっても症状が出ないことが多い．

■薬　理

子宮筋腫の治療には，エストロゲン分泌を抑制して筋腫を縮小させるために，**性腺刺激ホルモン放出ホルモン(GnRH)**の誘導体が用いられる(☞9章B.2.5.f GnRH誘導体，p.578)．この療法は人為的に閉経の状態をつくり出すため，長期にわたると更年期障害を生じ，また骨粗鬆症の危険が増す．

2-3 妊娠・分娩・避妊に関連して用いられる薬物

妊娠末期に子宮は律動的・進行的に収縮し，陣痛が発来して分娩となる．分娩に関連する薬物には，切迫流産・早産に対し用いられる子宮弛緩(収縮抑制)薬と，陣痛の誘発・促進，分娩促進を目的に用いられる子宮収縮薬がある．分娩後の出血を抑制するための薬物もある．

子宮筋は平滑筋であり，自律神経に支配され，オータコイドとホルモンによる調節を受けている．子宮平滑筋は副交感神経の興奮によりムスカリンM_3受容体を介して収縮し，交感神経の興奮によりアドレナリンβ_2受容体を介して弛緩する．プロスタグランジン(PG)E_2，$PGF_{2\alpha}$およびオキシトシンは子宮を律動的に収縮させる．したがって，抗コリン薬とアドレナリンβ_2受容体刺激薬は子宮弛緩作用を示し，PG製剤とオキシトシン製剤は分娩を促すように子宮収縮作用を示す．エストロゲンは子宮平滑筋のオキシトシン受容体の発現を増大させ，オキシトシンに対する感受性を高める．プロゲステロンはオキシトシンに対する感受性を低下させる．

妊娠・避妊に関連する薬物については7章B.1 性ホルモン関連薬(☞p.475)を参照のこと．

1 子宮弛緩薬

a　アドレナリンβ受容体刺激薬
● リトドリン　● イソクスプリン

子宮平滑筋のβ_2受容体を刺激して子宮を弛緩させる．**切迫流産・切迫早産**に対して用いる．β_2受容体に対してリトドリンは選択的，イソクスプリンは非選択的である．イソクスプリンは**閉塞性動脈硬化症**や**レイノー病**などの末梢循環障害にも用いる．

b 抗コリン薬

- ピペリドレート

ピペリドレートは，子宮平滑筋のムスカリン M_3 受容体を遮断して，副交感神経興奮による子宮収縮を抑制する．切迫流産・切迫早産に対して用いられる．

c 硫酸マグネシウム

- 硫酸マグネシウム

Mg^{2+} が平滑筋細胞内への Ca^{2+} の流入を抑制し，子宮平滑筋を弛緩させる．妊娠高血圧症候群における子癇(全身の痙攣)の抑制に静注で投与される．

リトドリン　　イソクスプリン　　ピペリドレート

2 子宮収縮薬

a プロスタグランジン(PG)製剤・誘導体

- ジノプロストン　　- ジノプロスト

ジノプロストンは PGE_2 製剤，ジノプロストは $PGF_{2\alpha}$ 製剤である．ジノプロストンは子宮平滑筋のプロスタノイド EP_1 受容体を刺激し，ジノプロストはプロスタノイド FP 受容体を刺激して，子宮を律動的に収縮させ，妊娠末期における陣痛誘発・陣痛促進および分娩促進に用いられる．これらの薬物どうしで，またはオキシトシンと併用してはならない．

- ゲメプロスト

PGE_1 誘導体であり，プロスタノイド EP_1 受容体を刺激して子宮を収縮させる．妊娠中期における治療的流産を目的に用いられる．

ジノプロストン　　ジノプロスト　　ゲメプロスト

b 下垂体後葉ホルモン製剤

- オキシトシン

子宮平滑筋の**オキシトシン受容体**を刺激して子宮を律動的に収縮させ，分娩誘発，微弱陣痛，弛緩出血，また帝王切開で胎児の娩出後に用いられる．

Cys–Tyr–Ile–Gln–Asn–Cys–Pro–Leu–Gly–NH_2

オキシトシン

c 麦角アルカロイド

●エルゴメトリン　●メチルエルゴメトリン（構造式☞ p.56）

子宮平滑筋に作用して子宮を持続的に収縮させる．これらの薬物は種々の神経伝達物質受容体に結合し，その平滑筋収縮作用はセロトニン **5-HT$_1$ 受容体**の刺激によるといわれている．子宮壁の収縮による血管の圧迫と直接の血管収縮作用により，出産後の弛緩出血を止める目的で用いられる．

子宮弛緩薬

種類　薬物［代表的な商品名］	作用機序	注意すべき副作用
アドレナリンβ受容体刺激薬		
●リトドリン塩酸塩［ウテメリン］ ●イソクスプリン塩酸塩［ズファジラン］	アドレナリンβ$_2$受容体を刺激して子宮平滑筋を弛緩させる	（リトドリンの副作用） 横紋筋融解症，汎血球減少症，血清カリウム値低下，高血糖，糖尿病性ケトアシドーシス，動悸，振戦，嘔気
抗コリン薬		
●ピペリドレート塩酸塩［ダクチル］	ムスカリンM$_3$受容体を遮断して子宮平滑筋を弛緩させる	肝障害，黄疸，尿閉，口渇，便秘，消化不良，心悸亢進
硫酸マグネシウム		
●硫酸マグネシウム・ブドウ糖配合［マグネゾール］	Mg^{2+}がCa^{2+}の細胞内流入を抑制して子宮平滑筋を弛緩させる	マグネシウム中毒（筋緊張低下，心電図異常，呼吸低下など）

子宮収縮薬

種類　薬物［代表的な商品名］	作用機序	注意すべき副作用
PGE$_2$ 製剤		
●ジノプロストン［プロスタグランジンE$_2$］	プロスタノイドEP$_1$受容体を刺激して子宮平滑筋を収縮させる	過強陣痛，胎児仮死
PGF$_{2α}$ 製剤		
●ジノプロスト［プロスタルモン・F］	プロスタノイドFP受容体を刺激して子宮平滑筋を収縮させる	心室細動，心停止，ショック，呼吸困難，過強陣痛，胎児仮死徴候
PGE$_1$ 誘導体		
●ゲメプロスト［プレグランディン］	プロスタノイドEP$_1$受容体を刺激して子宮平滑筋を収縮させる	ショック，子宮破裂，子宮頸管裂傷
下垂体後葉ホルモン製剤		
●オキシトシン［アトニン-O］	オキシトシン受容体を刺激して子宮平滑筋を収縮させる	ショック，アナフィラキシー，過強陣痛，子宮破裂，子宮頸管裂傷

呼吸器系・消化器系の疾患と治療薬

A 呼吸器内科領域の疾患に用いる薬物

　呼吸器系は，その機能を果たすために外気に直接さらされる唯一の臓器であり，外気とともに侵入する粉塵や病原微生物に対応して換気路を正常に保つために，咳反射や粘液線毛輸送系などの防御機構を備えている．呼吸器疾患時にみられる主な症状は，これらの防御機構が過剰に反応したり障害されて生じる．ここでは，呼吸器の生理や主な病的症状の発生機序を踏まえつつ，鎮咳薬，去痰薬，呼吸機能改善薬，および気管支喘息治療薬などの薬物について学習する．

★対応する薬学教育モデル・コアカリキュラム

　E2 薬理・病態・薬物治療　（4）呼吸器系・消化器系の疾患と薬
　　GIO　呼吸器系・消化器系に作用する医薬品の薬理および疾患の病態・薬物治療に関する基本的知識を修得し，治療に必要な情報収集・解析および医薬品の適正使用に関する基本的事項を修得する．
　　SBO　【①呼吸器系疾患の薬，病態，治療】
　・以下の疾患について，治療薬の薬理（薬理作用，機序，主な副作用）を説明できる．
　　・気管支喘息
　　・慢性閉塞性肺疾患および喫煙に関連する疾患（ニコチン依存症を含む）
　　・間質性肺炎
　・鎮咳薬，去痰薬，呼吸興奮薬の薬理（薬理作用，機序，主な副作用）および臨床適用を説明できる．

1 鎮咳薬，去痰薬，呼吸障害改善薬

1-1 鎮咳薬

1 咳反射

咳(咳嗽，cough)は，本来，気道内の異物や痰を排出するために反射的に生じる生体防御反応(咳反射)であり，以下のような行程を経て発生する(図6A-1)．
①受容器：主に気管および気管支に分布する求心性神経の終末部に刺激受容の機構が存在する．2つのタイプがあり，主に粉塵などの機械的・物理的刺激に応答するものと炎症性物質などの化学的刺激に応答するものである．前者は有髄神経(Aδ線維)末端に，後者は無髄神経(C線維)の末端に存在する．
②求心路：Aδ線維，C線維ともに迷走神経の上行路に含まれる．
③咳中枢：延髄(孤側核)に存在する．求心性神経を上行してきたインパルスに反応し，咳反射の実行器官を支配するいくつかの遠心性神経へと信号を伝える．咳は呼吸停止，声門閉塞，気管支平滑筋緊張，爆発的呼息などの一連の反応から成り立っており，咳中枢はこれらの反応を生じさせるための回路網である．
④遠心路：肋間神経や横隔神経など主に呼息筋を支配する神経が興奮し，爆発的呼息を生じる．

2 湿性咳と乾性咳

咳は痰を伴う湿性の咳と，痰を伴わない乾性の咳(空咳)に分けられる．湿性の咳は

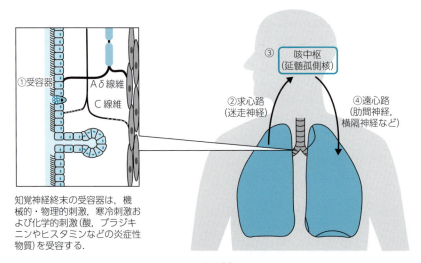

図6A-1 咳反射のしくみ

痰を排出するために起こる咳で，感染を伴う呼吸器疾患時や慢性閉塞性肺疾患（COPD）などでよく認められる．このような咳を鎮咳薬で止めると，痰の喀出を妨げ原因疾患の病態を悪化させる可能性があり，安易に鎮咳薬を用いるべきでなく，必要に応じて去痰薬，抗生物質あるいは副腎皮質ステロイドなどの抗炎症薬を用いる．一方，乾性の咳は気道上皮の咳受容器が直接刺激されたために起こる咳で，痰の喀出はないか少量のみである．このような咳の原因は，上気道炎，胸膜炎，心臓疾患，心因性あるいはACE阻害薬などの薬物の副作用などさまざまだが，本来の働きから逸脱したものであり，睡眠障害，胸痛あるいは妊娠時には切迫流産などの二次的障害につながる可能性があり，必要に応じて鎮咳薬を用いて抑制する必要がある．

■薬　理

鎮咳薬 antitussives は薬理学的に大きく2つに大別される．すなわち**中枢性鎮咳薬**と**末梢性鎮咳薬**である．中枢性鎮咳薬の作用点は咳中枢であり，求心性のインパルスに対する閾値を上げ，遠心性の反応を起こさないようにする（狭義の鎮咳薬）．一方，末梢性鎮咳薬は去痰や局所麻酔作用により，求心性神経の興奮を抑制する薬物である（図6A-2）．

a 中枢性鎮咳薬

1）中枢性麻薬性鎮咳薬

●コデイン　●ジヒドロコデイン

> 薬理作用　コデインをはじめとするアヘンアルカロイドの鎮咳作用は鎮痛作用よりも低用量で生じる．鎮静作用もあり，著効を示すことが多い．鎮咳作用に関わる受容体は，鎮痛作用に関わるμ_1，κ受容体などとは別のオピオイド受容体と考えられている．鎮咳作用はモルヒネ≫ジヒドロコデイン＞コデインであるが，モルヒネを鎮咳薬として用いることはない．

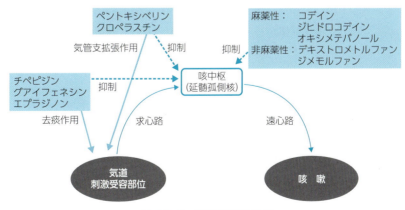

図6A-2　鎮咳薬の作用点

副作用 依存性，呼吸抑制（重篤な呼吸抑制のある患者や気管支喘息発作中の使用は禁忌），眠気，消化管運動抑制（麻痺性イレウス，便秘）などがある．

●オキシメテバノール

コデインよりも鎮咳・鎮痛・鎮静作用は強く，副作用は少ない．肺結核，急性・慢性気管支炎，肺がん，じん肺，感冒などの咳に用いられる．

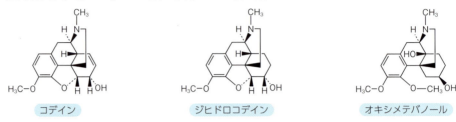

コデイン　　　　　　ジヒドロコデイン　　　　　　オキシメテバノール

2）中枢性非麻薬性鎮咳薬

非麻薬性中枢性鎮咳薬の効果は麻薬性のものには及ばないが，耐性，依存性がなく，副作用も少ない．アヘンアルカロイドや合成麻薬性鎮咳薬から転じたものや，抗ヒスタミン薬の構造から誘導したものなどが主だが，ほかにアドレナリン受容体刺激薬や，抗不安薬，抗炎症薬および去痰薬の構造から誘導したものなど多岐にわたっている．

●デキストロメトルファン

薬理作用 アヘンアルカロイドの構造をもとに合成された誘導体であり，コデインと同程度の鎮咳作用をもつ．デキストロメトルファンは d 体であり，鎮咳作用のみが強く麻薬としての作用はもたないが，l 体のレボメトルファンは鎮痛，呼吸抑制，鎮咳作用をもち，麻薬性である．

副作用 アヘンアルカロイド誘導体の主な副作用は眠気，頭痛，食欲不振，口渇などである．デキストロメトルファンは，MAO阻害薬の投薬中は禁忌である．

●ジメモルファン

アヘンアルカロイドの誘導体である．副作用として下痢があるため，便秘が問題となる患者に用いる．気道分泌などへの影響は少ない．

●ペントキシベリン

抗ヒスタミン薬から誘導されたもの．抗コリン作用を有すため，緑内障の患者には禁忌である．また，弱い局所麻酔作用ももち，咽頭の刺激や痛みを伴う咳に有効である．

●クロペラスチン

抗ヒスタミン薬から誘導されたもので，気管支拡張作用をあわせもつ．

●チペピジン　●グアイフェネシン　●エプラジノン

鎮咳作用とともに，去痰作用をあわせもつ．上気道炎や気管支炎の咳に適用する．

●ベンプロペリン

気管支収縮抑制作用をあわせもつ．聴覚障害（可逆性の音程障害）の副作用がある．

● クロフェダノール

気管支収縮抑制作用をあわせもつ.

デキストロメトルファン　　ジメモルファン　　ペントキシベリン　　クロペラスチン

チペピジン　　グアイフェネシン　　エプラジノン

ベンプロペリン　　クロフェダノール

b　末梢性鎮咳薬

　　気道への刺激を除去し，受容器の興奮を低下させることにより咳は鎮まる．例えば，湿性咳の場合は去痰薬で痰を除くとやむことが多く，気道分泌促進作用をもつ薬物では炎症粘膜面を被覆保護することによって鎮咳効果をもたらす.
　　気管支拡張薬も有用な末梢性鎮咳薬で，とくにβ刺激薬，抗コリン薬，副腎皮質ステロイドの吸入はケミカルメディエーターに対する抑制効果なども期待できる.

● ベンゾナテート

　　局所麻酔薬テトラカインから誘導されたもので，主に肺伸展受容器を選択的に麻酔してコデインと同程度の鎮咳効果を現す．一方，咳中枢の抑制作用や気管粘膜の知覚の受容器の麻酔作用も有しており，これらの作用も鎮咳効果に貢献する．現在わが国では使われていない.

● 麦門冬湯

　　臨床で妊婦や高齢者に汎用される漢方鎮咳薬で，正常な動物ではまったく鎮咳作用を示さないが気管支炎罹患動物では著効を示す．ACE 阻害薬の副作用として起こる咳も中枢性鎮咳薬では抑制されにくいが麦門冬湯はよく奏功する．ケミカルメディエーターに対する拮抗作用と産生・遊離抑制作用が関与し，過敏状態にある気道粘膜の侵害受容器および C 線維終末受容器の興奮性を低下させる.

ベンゾナテート

1-2 去痰薬

a 痰

痰は気道粘膜の炎症などによって引き起こされる気道粘液の過剰産生の結果である．過剰に産生された粘液は気道の線毛運動によって排出されず，粘稠な痰となって気道内に貯留されるので，末梢気道での気流を制限したり，感染した細菌の温床となる．したがって，過剰に産生された痰は気道疾患の病態とも密接に関わる．粘液の産生源は気管支壁の深部に位置している**気管支腺** bronchial glands と気道上皮層のなかに点在する**杯細胞** goblet cells があるが，とくに痰の原因となる病態時の粘液は主に杯細胞に由来する．

b 痰の組成

痰を構成する主成分は，**ムチン**(高分子糖タンパク質)である．ムチンのコアタンパク質は高度に糖付加され，糖鎖はムチン分子量の 50％以上を占める．また，分子中のシステイン残基がジスルフィド結合を形成することで多量体となり，さらに高分子化することで高い粘性を示す．

■薬　理

杯細胞の過形成や粘液産生の亢進を薬物によって完全に抑制することは難しく，ほとんどの去痰薬は痰の排出を促進することを目的とする薬物である．その作用の特性により粘液溶解型，気道潤滑型および粘液修復型に大別される(図 6A-3，図 6A-4)．

a 粘液溶解型去痰薬

●アセチルシステイン　●L-エチルシステイン

ムチンのペプチド鎖を連結するジスルフィド(-S-S-)結合を非酵素的に開裂して 2 つの-SH 基にする．そのため，ムチンはペプチド鎖に分断されて分子が小さくなり痰の粘度が低下する．

アセチルシステイン　　L-エチルシステイン

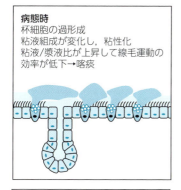
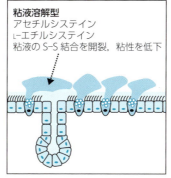
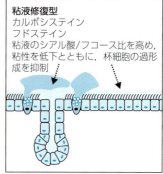
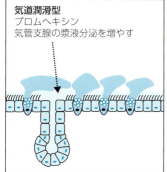
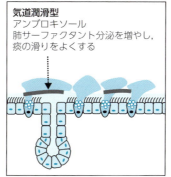

図 6A-3　病態時の気道粘液と主な去痰薬の作用点

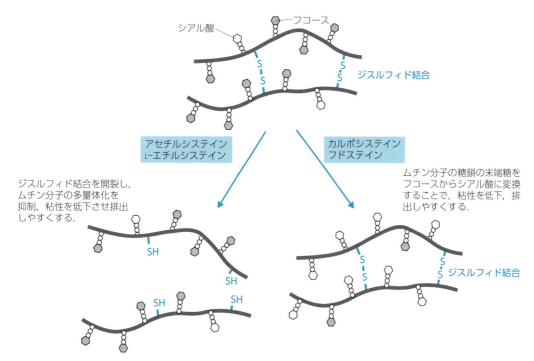

図 6A-4　痰の性状に影響する去痰薬の作用

b 気道潤滑型去痰薬

●ブロムヘキシン

胃粘膜刺激による反射性分泌亢進作用と直接作用の双方により気管支腺の漿液の分泌を増やす．これにより，漿液と粘液のバランスを正常に近づけ，粘液線毛輸送機能を改善する．また，漿液成分の1つであるリソソーム酵素の遊離も促進し，ムチンを低分子化する作用ももつため，気道粘液溶解型と分類されることもある．

●アンブロキソール

ブロムヘキシンの活性代謝物であり，共通の作用を有するが，肺サーファクタント分泌の促進作用が強い．分泌された肺サーファクタントは気道粘液の滑りをよくし，線毛運動による痰の排出を促進する．

c 粘液修復型去痰薬

●カルボシステイン

ほかのシステイン誘導体と異なり，-SH 基が遊離していないため，直接-S-S-開裂する作用はなく，間接的に気道液の粘稠性を低下させる．痰中のフコムチンを減少させシアロムチンを増加させるとともに，粘液分泌細胞の大きさと数を減少させる作用などもあわせもち，それらの結果として気道粘液の性状を正常に近づけ，粘膜に膠着している痰を気道壁から離れやすくする．

●フドステイン

カルボシステインのカルボキシル基を修飾してヒドロキシエチル基を導入したもので，粘液を分泌する気道上皮杯細胞の過形成を抑制する作用，漿液性分泌の促進作用，抗炎症作用などをもち粘液過分泌を抑制する．

1-3 呼吸障害改善薬

呼吸障害改善薬は，重症疾患に伴う虚脱や麻酔薬および麻薬などの薬物中毒で呼吸中枢が抑制され，呼吸機能の低下が起こったときに，呼吸運動を促進する目的で用いる薬物である．中枢神経系に作用して延髄の呼吸中枢を直接刺激する中枢性のものと，頸動脈小体と大動脈小体の化学受容器を刺激し，反射性に呼吸を興奮させる末梢性のものがある．また，麻薬の過剰投与などによって起こる呼吸抑制の治療および予

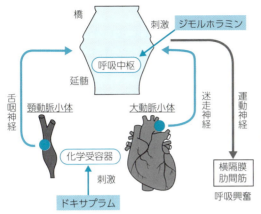

図 6A-5　呼吸運動の調節と呼吸興奮薬の作用点
頸動脈小体と大動脈小体に存在する化学受容器は血液の pO_2，pCO_2 および pH の変化を感知し，延髄および橋に存在する呼吸中枢に信号を伝え，呼吸興奮を生じる．呼吸興奮薬の作用点はこの化学受容器と呼吸中枢である．

防には合成麻薬拮抗薬などが用いられる．

a　呼吸興奮薬

呼吸興奮薬は，呼吸中枢を刺激することにより呼吸運動を促進する薬物で，さまざまな原因による換気低下に対して用いられる．延髄の呼吸中枢を直接刺激する中枢性呼吸興奮薬と，末梢の化学受容器を介して間接的に呼吸興奮作用を現す末梢性の 2 つに分類される（**図 6A-5**）．

●ジモルホラミン

呼吸中枢を直接刺激して呼吸促進を起こす．循環賦活化作用をあわせもち，血圧上昇を生じる．消化管吸収が悪く，筋肉内または静脈内（新生児の場合は臍帯静脈）に注射して用いる．麻酔薬使用時，新生児仮死，催眠薬中毒，溺水，肺炎，ショック，熱性疾患時の呼吸障害および循環機能低下などに適用される．

●ドキサプラム

主に末梢性**化学受容器**を介して間接的に呼吸中枢を興奮させる．呼吸促進作用と覚醒作用をあわせもつ．麻酔時，中枢神経抑制薬による中毒時の呼吸抑制ならびに覚醒遅延などに使用される．新生児および未熟児への使用は認められていない．

●フルマゼニル

$GABA_A$ 受容体のベンゾジアゼピン結合部位で，ベンゾジアゼピンと競合拮抗する．静脈内に注射して用いる．ベンゾジアゼピン系薬による鎮静の解除，呼吸抑制の改善を目的に適用される．ベンゾジアゼピン系薬過敏症，長期間ベンゾジアゼピン系薬投与中のてんかん患者には禁忌である．

b　麻薬拮抗薬

モルヒネやコデインなどの麻薬による呼吸抑制に用いる薬物である．バルビツール系薬などの非麻薬性中枢神経抑制薬・病的原因による呼吸抑制には無効である．

●ナロキソン

オピオイド μ 受容体との親和性が強く，それ自身には鎮痛作用などはない純粋な麻薬拮抗薬である．麻薬による延髄呼吸中枢への抑制作用を強く抑制する．麻薬による呼吸抑制および覚醒遅延の改善に静注で用いる．

●レバロルファン

麻薬による呼吸抑制に対する拮抗．麻薬投与前後あるいは投与と同時に皮下注，筋注あるいは静注で用いる．効果は注射後1～2分で発現し，2～5時間持続する．

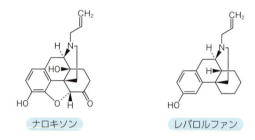

c　肺サーファクタント

●肺サーファクタント

在胎37週未満で出生した新生児の未熟肺では，肺サーファクタントの産生が十分に行われず**新生児呼吸窮迫症候群** infant respiratory distress syndrome（**IRDS**）を発症する．これに対し，肺の虚脱を防止し，安定した換気を維持するために人工の肺サーファクタント（ウシ肺抽出物で，一定の比率のリン脂質，遊離脂肪酸，トリグリセリドを含むもの）を用いる．新生児の気管内に注入して使用，肺サーファクタントの生理的役割を代償し，表面張力を低下させる（図6A-6）．

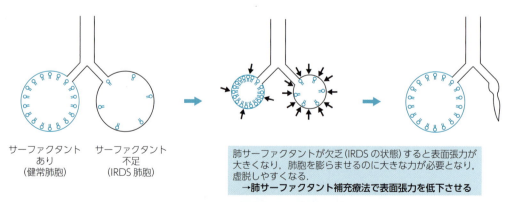

図6A-6　新生児呼吸窮迫症候群（IRDS）と肺サーファクタント
肺胞の気液界面部に広がり，表面張力を低下させることで肺胞の虚脱を防いでいる．未熟肺での肺サーファクタントの不足はIRDSの原因となり，これを補充する治療がなされる．

鎮咳薬

種類　薬物［代表的な商品名］	作用機序	注意すべき副作用
中枢性麻薬性鎮咳薬		
●コデインリン酸塩水和物［シオエ］ ●ジヒドロコデインリン酸塩［ホエイ］ ●オキシメテバノール［メテバニール］	延髄の咳中枢を抑制する．オピオイド受容体に作用する	依存性，呼吸抑制，眠気，消化管運動抑制による便秘．気管支喘息発作時には禁忌
中枢性非麻薬性鎮咳薬		
●デキストロメトルファン臭化水素酸塩水和物［メジコン］ ●ジメモルファンリン酸塩［アストミン］	アヘンアルカロイドの誘導体である．非麻薬性に延髄の咳中枢を抑制する	眠気，頭痛，食欲不振，口渇．デキストロメトルファンは MAO 阻害薬との併用禁忌（併用により痙攣，反射亢進，異常高熱などを生じる）
●ペントキシベリンクエン酸塩［トクレス］ ●クロペラスチンフェンジゾ酸塩［フスタゾール］	抗ヒスタミン薬の誘導体である．弱い気管支拡張作用や抗コリン作用をあわせもつ	眠気，口渇，悪心，食欲不振など
●チペピジンヒベンズ酸塩［アスベリン］ ●グアイフェネシン［フストジル］ ●エプラジノン塩酸塩［レスプレン］	鎮咳作用とともに去痰作用をあわせもつ．上気道炎や気管支炎の咳に適用する	食欲不振，悪心など
●ベンプロペリンリン酸塩［フラベリック］	気管支収縮抑制作用をあわせもつ	聴覚障害
●クロフェダノール塩酸塩［コルドリン］		胃腸障害，便秘，下痢など
末梢性鎮咳薬		
●麦門冬湯	気道粘膜の知覚神経の過剰な興奮を抑制する	甘草を含んでおり常用による偽アルドステロン病に注意

去痰薬

種類　薬物［代表的な商品名］	作用機序	注意すべき副作用
粘液溶解型去痰薬		
●アセチルシステイン［ムコフィリン］ ●L-エチルシステイン塩酸塩［チスタニン］	ムチンの-S-S-結合を開裂して痰の粘度を低下させる．抗酸化作用を示す	特異なにおい（軽い硫黄臭）がある．食欲不振などの副作用，アセチルシステインは気管支閉塞，気管支痙攣にも注意
気道潤滑型去痰薬		
●ブロムヘキシン塩酸塩［ビソルボン］	気道分泌促進作用，リソソーム酵素によるムチンの低分子化作用，抗酸化作用を示す	喀痰量の一時的増加を示す．副作用はほとんどない
●アンブロキソール塩酸塩［ムコソルバン］	ブロムヘキシンの活性代謝物．気道分泌促進作用，肺サーファクタントの分泌促進作用，線毛運動促進作用，抗酸化作用を示す	
粘液修復型去痰薬		
●カルボシステイン［ムコダイン］	気道粘液調整作用（痰中のフコムチンを減少させシアロムチンを増加），粘膜正常化作用（杯細胞数の減少）を示す	副作用はほとんどないが，肝障害などに注意
●フドステイン［クリアナール，スペリア］	粘液修復作用（杯細胞過形成抑制），漿液性気道分泌亢進作用，そのほか抗炎症作用を示す	副作用はほとんどないが，肝障害などに注意

A 呼吸器内科領域の疾患に用いる薬物

呼吸障害改善薬

種類　薬物［代表的な商品名］	作用機序	注意すべき副作用
呼吸興奮薬		
●ジモルホラミン［テラプチク］	呼吸中枢を直接刺激する．呼吸促進作用，循環賦活化作用を示す	咳，めまい，耳鳴，口内熱感，しびれなど
●ドキサプラム塩酸塩水和物［ドプラム］	末梢性化学受容器を介して呼吸促進作用，呼吸促進作用，覚醒作用を示す	禁忌：てんかん，痙攣状態，換気能力低下，重症高血圧症，脳血管障害，冠動脈疾患，代謝不全性心不全，新生児・未熟児，本剤過敏症
ベンゾジアゼピン拮抗薬		
●フルマゼニル［アネキセート］	GABA$_A$受容体のベンゾジアゼピン結合部位でベンゾジアゼピンと競合拮抗する	
麻薬拮抗薬		
●ナロキソン塩酸塩［ナロキソン塩酸塩］ ●レバロルファン酒石酸塩［ロルファン］	オピオイド受容体に拮抗する	バルビツール系薬などの非麻薬性中枢神経抑制薬・病的原因による呼吸抑制のある者，麻薬依存者には禁忌である
肺サーファクタント		
●肺サーファクタント［サーファクテン］	肺胞表面張力低下作用を示す．新生児の呼吸窮迫症候群で不足する肺サーファクタントを補充する	

2 気管支喘息

■病態生理

1 気管支喘息の病態

　気管支喘息は，繰り返し起こる咳，喘鳴(ゼーゼー)，呼吸困難を主症状とし，発作性の気道狭窄と気道過敏症を特徴とする呼吸器疾患である．しかし病態の主体は気道粘膜への炎症性細胞(好酸球，T細胞，好塩基球，好中球など)の浸潤すなわち慢性炎症であり，その原因はアレルギーである場合が多い．わが国の喘息患者総数は100万人を超えており，性別をみるとやや男性に多い傾向にあり，乳幼児・小児ではその傾向はとくに著明である．年齢別では10歳未満の患者が最も多く，20～40歳代が少なく，50歳以上の高齢者にも多い傾向がある．

2 気管支喘息の原因

　気管支喘息の原因は，アレルギー性(アトピー型)と非アレルギー性(非アトピー型)に大別される．アレルギー性の喘息では，B細胞によるアレルゲン特異的IgEの持続産生，IL-4，IL-5およびIL-13などのTh2サイトカインの産生亢進とこれに伴う好酸球の活性化，また，アレルゲンの侵入に伴う肥満細胞からのヒスタミン，プロスタグランジン，ロイコトリエンなどのケミカルメディエーターの遊離が重要な役割を果たす．一般に，小児の喘息ではアレルギー性が多いといわれている．一方，非アレルギー性喘息の原因はさまざまで，①ウイルスなどの感染により気道上皮下の刺激に対する受容部位が露出して気道過敏症が亢進するもの，②アスピリン，β遮断薬および亜硫酸塩化合物などの薬物が原因となるもの，③大気汚染などが原因となるものなどがある．また近年では，傷害された気道上皮細胞から放出されるIL-33によって引き起こされる2型自然リンパ球(ILC2細胞)によるTh2サイトカインの産生や，Th17型リンパ球に由来するIL-17による好中球の活性化なども喘息の重症化の要因であることが示されている(図6A-7)．

3 気管支喘息の症状

　気管支喘息の症状あるいは気管支喘息の愁訴は基本的には，咳，痰，胸部圧迫感，呼吸困難(息苦しさ)，喘鳴(ゼーゼー)などで，発作的に短時間あるいは数日間継続し，しばしば繰り返し生じて，自然にあるいは薬物によって消失する．これらの症状は気管支喘息に特異的なものではないため，同様の症状を引き起こすほかの疾患(心疾患，肺炎や胸膜炎など)が認められず，肺機能検査によって気道の狭窄が証明され

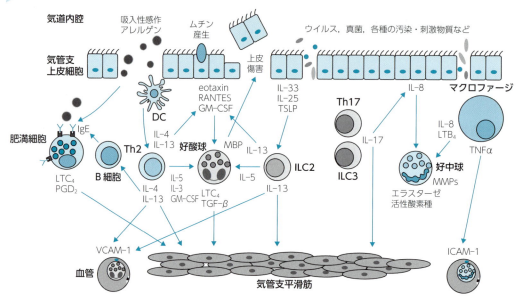

図 6A-7 気管支喘息の病態

DC：樹状細胞 dendritic cell，TSLP：胸腺間質性リンパ球新生因子 thymic stromal lymphopoietin，IL：interleukin，RANTES：regulated on activation, normal T cell expressed and secreted，GM-CSF：顆粒球マクロファージコロニー刺激因子 granulocyte macrophage colony-stimulating factor，LT：leukotriene，PG：prostaglandin，TGF：形質転換増殖因子 transforming growth factor，MBP：major basic protein，ILC：自然リンパ球 innate lymphoid cell，TNF：腫瘍壊死因子 tumor necrosis factor，ICAM：細胞間接着分子 intercellular adhesion molecule，VCAM：血管細胞接着分子 vascular cell adhesion molecule，MMP：matrix metalloproteinase
[日本アレルギー学会喘息ガイドライン専門部会監修：喘息予防・管理ガイドライン 2021，p.52，図 4-2，協和企画，2021 より許諾を得て一部改変し転載]

たときに，気管支喘息と診断される．

1）発作性の気道狭窄

気管支喘息の特徴的な症状であり，夜間・早朝に出現する場合が多い．呼吸困難，喘鳴および咳を伴うが，この気道狭窄は自然に，あるいは治療により可逆性を示す．発作時には，肺からの努力性最大呼気流量（最大の吐き出す空気量）すなわち**ピークフロー** peak expiratory flow（**PEF**）や肺機能検査による **1 秒量**（**FEV$_1$**）は自己最良値の 80％未満に低下する．

2）気道過敏性の亢進

アセチルコリンやヒスタミンなど，気道収縮を引き起こす刺激に対する反応性が亢進する．気管支喘息の患者では呼吸機能検査で正常であっても，気道過敏症を有することがある．

3）気道のリモデリング

長期罹患した喘息患者では，慢性的な炎症の結果として，上皮化生，上皮化の粘膜下腺の過形成，平滑筋の肥厚，線維化，粘膜浮腫などを伴った気道粘膜構造の変化が生じ，これを**リモデリング**と呼ぶ．リモデリングは非可逆的な気道狭窄と持続的な気道過敏症の亢進の原因となる（**図 6A-8**）．

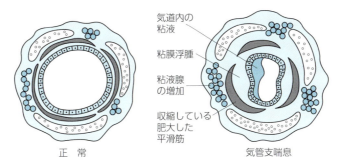

図 6A-8　気管支喘息患者に生じる気道粘膜のリモデリング

表 6A-1　気管支喘息の治療ステップ

		治療ステップ1	治療ステップ2	治療ステップ3	治療ステップ4
長期管理薬	基本治療	ICS（低用量）	ICS（低～中用量）	ICS（中～高用量）	ICS（高用量）
		上記が使用できない場合，以下のいずれかを用いる LTRA テオフィリン徐放製剤 ※症状がまれなら必要なし	上記で不十分な場合に以下のいずれか1剤を併用 LABA（配合剤使用可[*5]） LAMA LTRA テオフィリン徐放製剤	上記に下記のいずれか1剤，あるいは複数を併用 LABA（配合剤使用可[*5]） LAMA（配合剤使用可[*6]） LTRA テオフィリン徐放製剤 抗 IL-4Rα抗体[*7,8,10]	上記に下記の複数を併用 LABA（配合剤使用可） LAMA（配合剤使用可[*6]） LTRA テオフィリン徐放製剤 抗 IgE 抗体[*2,7] 抗 IL-5 抗体[*7,8] 抗 IL-5Rα抗体[*7] 抗 IL-4Rα抗体[*7,8] 経口ステロイド薬[*3,7] 気管支熱形成術[*7,9]
	追加治療	アレルゲン免疫療法[*1] （LTRA 以外の抗アレルギー薬）			
増悪治療[*4]		SABA	SABA[*5]	SABA[*5]	SABA

ICS：吸入ステロイド薬，LABA：長時間作用性β2刺激薬，LAMA：長時間作用性抗コリン薬，LTRA：ロイコトリエン受容体拮抗薬，SABA：短時間作用性吸入β2刺激薬，抗 IL-5Rα抗体：抗 IL-5 受容体α鎖抗体，抗 IL-4Rα抗体：抗 IL-4 受容体α鎖抗体
* 1：ダニアレルギーでとくにアレルギー性鼻炎合併例で，安定期% FEV₁≧70%の場合にはアレルゲン免疫療法を考慮する
* 2：通年性吸入アレルゲンに対して陽性かつ血清総 IgE 値が 30～1,500 IU/mL の場合に適用となる
* 3：経口ステロイド薬は短期間の間欠的投与を原則とする．短期間の間欠投与でもコントロールが得られない場合は必要最小量を維持量として生物学的製剤の使用を考慮する
* 4：軽度増悪までの対応を示し，それ以上の増悪についてはガイドラインの「急性増悪（発作）への対応（成人）」の項を参照
* 5：ブデソニド/ホルモテロール配合剤で長期管理を行っている場合は同剤を増悪治療にも用いることができる（ガイドライン本文参照）
* 6：ICS/LABA/LAMA の配合剤（トリプル製剤）
* 7：LABA, LTRA などを ICS に加えてもコントロール不良の場合に用いる
* 8：成人および 12 歳以上の小児に適応がある
* 9：対象は 18 歳以上の重症喘息患者であり，適応患者の選定の詳細はガイドライン本文参照
* 10：中用量 ICS との併用は医師により ICS を高用量に増量することが副作用などにより困難であると判断された場合に限る

[日本アレルギー学会 喘息ガイドライン専門部会監修：喘息予防・管理ガイドライン 2021, p.109, 表 6-7, 協和企画, 2021 より許諾を得て一部改変し転載]

■薬　理

1 気管支喘息治療薬

　気管支喘息の薬物療法では，気道の炎症を改善させ発作を予防する**長期管理薬（コントローラー）**と，発作が起きたときに速やかに気道を広げる**発作治療薬（リリーバー）**の2つが基本となる．コントローラーには主に吸入ステロイド薬が，リリーバーには短時間作用性β_2刺激薬（SABA）が用いられるが，何らかの理由で吸入ステロイドが奏功しない場合や，病態の重篤度が進むとこれを補完するためにコントローラーとしてロイコトリエン受容体拮抗薬（LTRA），テオフィリン，長時間作用性β_2刺激薬（LABA）あるいは抗アレルギー薬などを追加する（表6A-1，図6A-9, 10）．

a　吸入ステロイド薬

●ベクロメタゾン　●フルチカゾン　●ブデソニド　●モメタゾン

[薬理作用]　気管支喘息の病態が気道炎症であることから，最も抗炎症作用の強い**糖質コルチコイド（副腎皮質ステロイド）**が著効を示す．近年では，喘息治療のガイドラインでも，吸入ステロイド薬はコントローラーとして喘息治療の薬物療法のなかで最も重要な薬物となっている．また，喘息の治療に吸入剤として用いられる副腎皮質ステロイドはすべて，局所作用は強いが血中に移行後は肝代謝を速やかに受け全身作用を示しにくい**アンテドラッグ**型のステロイドである．

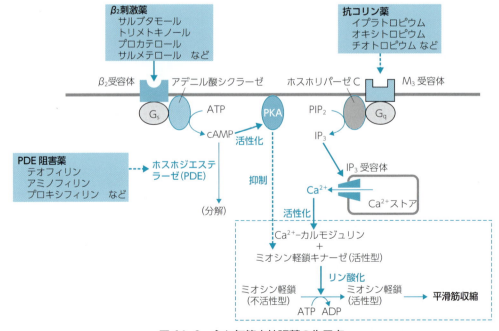

図6A-9　主な気管支拡張薬の作用点

ステロイドによる抗喘息作用の機序には次の 2 つがある．①転写促進作用：抗炎症タンパク質（リポコルチン-1）の発現を促し，ホスホリパーゼ A_2 活性を抑制して抗炎症効果を発揮する．②転写抑制作用：転写因子 NF-κB の作用を阻害して種々のサイトカイン産生を抑制し，抗炎症作用を示す（☞ 3 章 1 ■薬理 1 抗炎症薬, p.215）．

副作用 経口ステロイド薬に比べてはるかに副作用が少ない．しかし，口腔あるいは上気道粘膜から吸収された薬物によって，視床下部・下垂体，副腎機能の抑制，骨粗鬆症，易出血などの副作用が起こりうる．また，咽喉頭症状，口腔カンジダ症，嗄声，咳などの局所での副作用は高頻度に起こる．これらを予防するために，うがいが有効である．

● シクレソニド

細胞内エステラーゼによる代謝により活性体へと変換するプロドラッグである．作用の持続時間がほかの薬物に比べて長い．

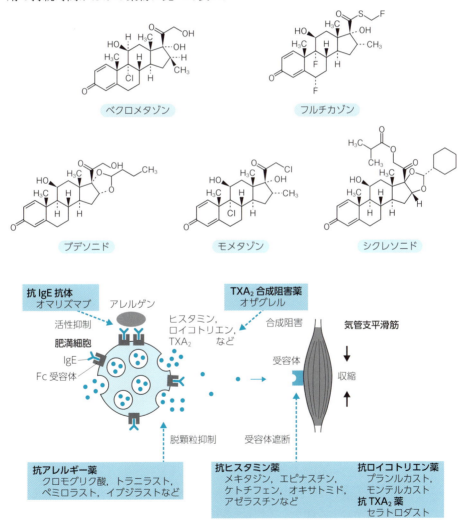

図 6A-10　主な気管支喘息治療薬（コントローラー）の作用点

b　β_2刺激薬

　　β_2刺激薬は気管支平滑筋の細胞膜上で受容体に結合後，促進性のGTP調節タンパク質（G_s）を介してcAMPの濃度を上昇させることにより，平滑筋を弛緩させる．また，この**気管支拡張**作用に加えて，β_2刺激薬は線毛運動の促進作用など，気道クリアランスに関連する種々の作用を現す．アドレナリンやイソプレナリンを基本骨格にしたβ刺激薬のなかでも，近年のβ_2刺激薬ではβ_1刺激作用がほとんどなくなっているだけでなく，構造上の特性から，モノアミンオキシダーゼ（MAO）やカテコール-O-メチルトランスフェラーゼ（COMT）などの酵素的分解を受けにくく，生物学的に安定である．近年では，経口剤だけでなく，吸入剤，経皮吸収剤などの剤形もあり，その使用法は多様となっている．従来，β_2刺激薬は代表的なリリーバーで発作治療のための治療薬であり，現在もそのことに変わりはない．しかし，サルメテロールのような**長時間作用性β_2刺激薬**（long acting beta agonist, **LABA**）が開発され，コントローラーとして用いられるようになってからは，サルブタモールに代表される従来型の薬物を**短時間作用性β_2刺激薬**（short acting beta agonist, **SABA**）と表記するようになっている．

●**サルブタモール**（構造式☞ p.53）

　薬理作用　短時間作用性β_2刺激薬（SABA）で代表的なリリーバーである．吸入あるいは経口で用いられ，気管支平滑筋の受容体に結合後，細胞内cAMPの濃度を上昇させることにより，平滑筋を弛緩させる．β_2とβ_1作用比はイソプレナリンの288倍とβ_2受容体に対する選択性が非常に高い．

　副作用　重篤な血清カリウムの低下に注意を要する．また，心悸亢進，頭痛，めまい，過敏症状，口渇などを起こすことがある．

●**トリメトキノール**　●**フェノテロール**（構造式☞ p.53）

　サルブタモールと同様，選択性の高いβ_2刺激薬で，発作時に吸入または経口で用いる．

トリメトキノール

●**テルブタリン**（構造式☞ p.53）

　β_2受容体選択的で，リリーバーとして経口または注射で用いる．

●**サルメテロール**（構造式☞ p.53）

　薬理作用　長時間作用性β_2刺激薬（LABA）でコントローラーとして用いられる．サルメテロールはサルブタモールの基本骨格のN原子に大きな疎水性の置換基を付加させることにより，その置換基がβ_2受容体の非活性部位に結合した状態を維持す

るため，β_2 受容体活性部位と結合および解離を繰り返し，作用が長時間持続する．作用の発現が遅いためリリーバーとしては用いない．

副作用 重篤な血清カリウムの低下，ショック，アナフィラキシーに注意を要する．また，心悸亢進，発疹，血管浮腫，振戦などが生じることがある．

● **プロカテロール**（構造式☞ p. 53）

持続性の β_2 刺激薬で，経口でコントローラーとして，また吸入ではリリーバーとして用いる．

● **ホルモテロール**（構造式☞ p. 53）　　● **インダカテロール**（構造式☞ p. 53）

持続性の β_2 刺激薬．吸入でコントローラーとして用いる．

● **クレンブテロール**（構造式☞ p. 53）

持続性の β_2 刺激薬．経口でコントローラーとして用いる．

● **ツロブテロール**（構造式☞ p. 53）

β_2 刺激薬．経皮（テープ剤）または経口でコントローラーとして用いる．

● **エフェドリン**（構造式☞ p. 55）　　● **メチルエフェドリン**（構造式☞ p. 55）

リリーバーとして用いられる．β_2 受容体に対する選択性はなく，循環器系への副作用に注意を要する．

c　キサンチン類

● **テオフィリン**（構造式☞ p. 208）

薬理作用 cAMP の分解酵素である**ホスホジエステラーゼ（PDE）**を阻害して気管支平滑筋内の cAMP 濃度を上昇させることにより，直接気管支平滑筋の弛緩を起こす．また，平滑筋の収縮を引き起こすアデノシン A_1 受容体の遮断作用も，薬効発現の機序として挙げられている．さらに，T 細胞や好酸球の気道への浸潤を抑制し，T 細胞の細胞増殖反応やサイトカイン産生能を抑制することも見いだされている．通常の経口剤（顆粒剤，錠剤，シロップ剤）のほかに，急激な血中濃度の上昇を防ぐ徐放剤がある．

副作用 悪心，嘔吐などの消化管症状，痙攣，興奮などの中枢神経症状，動悸，頻脈などの循環器症状などの副作用がある．通常の副作用は，血中濃度の上昇に起因する場合が多い．至適血中濃度は 10～20 μg/mL と治療域が狭いため，TDM が必要となる．また，併用により相互作用を生じる薬物も多く，注意を要する．

● **アミノフィリン**（構造式☞ p. 291）　　● **プロキシフィリン**　　● **ジプロフィリン**

気管支拡張作用のほかに，冠状動脈拡張作用および心筋収縮力増強作用が認められ，気管支拡張薬としてだけでなくうっ血性心不全などの治療に用いられる．

プロキシフィリン　　ジプロフィリン

d 吸入抗コリン薬

●イプラトロピウム

薬理作用 アトロピンの構造からつくられた誘導体である．抗コリン薬の気管支拡張作用は，β_2 刺激薬やキサンチン類に比べると劣るが，喘息患者でみられるムスカリン受容体の機能亢進すなわち気道過敏性亢進の抑制には有効である．アトロピンに比べ粘膜からの吸収が少なく，吸入で用いることで全身性の副作用は少ない．

副作用 アナフィラキシー様症状，上室性頻脈，心房細動，心悸亢進，頭痛などが出ることがある．緑内障，前立腺肥大には禁忌である．

●オキシトロピウム

スコポラミンから誘導された化合物である．

●チオトロピウム

選択的ムスカリン受容体遮断薬で，持続的な気管支平滑筋の収縮抑制作用をもつ．$M_1 \sim M_5$ にほぼ同程度の親和性をもつものの，M_3 受容体からの解離がきわめて遅い．そのため，M_3 受容体が関わる気管支平滑筋収縮作用は，M_2 受容体による ACh 遊離増強作用などよりも長時間持続し，この解離速度の面で M_3 選択性を生じる．

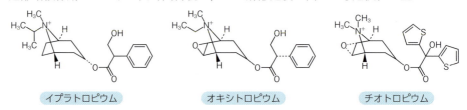

イプラトロピウム　オキシトロピウム　チオトロピウム

e 抗アレルギー薬

●クロモグリク酸　●トラニラスト　●ペミロラスト　●イブジラスト

肥満細胞に IgE 抗体が結合することにより生じるヒスタミン，ロイコトリエン類などの**ケミカルメディエーター**の遊離を抑制する．基本的に気管支拡張作用はないため喘息発作時には効果がなく，喘息発作の予防を目的にコントローラーの追加薬として用いられる（☞ 3 章 2 ■薬理 1.a 化学伝達物質遊離抑制薬，p.229）．

f 抗ヒスタミン薬

●メキタジン　●エピナスチン　●ケトチフェン　●オキサトミド　●アゼラスチン
●セチリジン

H_1 受容体への結合を選択的に遮断する．コントローラーの追加薬として用いられる（☞ 3 章 2 ■薬理 1 アレルギー疾患治療薬，p.231）．

g 抗トロンボキサン A_2（TXA_2）薬

●オザグレル塩酸塩

TXA_2 合成酵素の阻害薬である（☞ 3 章 2 ■薬理 1.d トロンボキサン A_2 合成阻害薬，p.232）．

- ●セラトロダスト

    TXA_2 受容体遮断薬である(☞ 3 章 2 ■薬理 1.e トロンボキサン A_2 受容体遮断薬, p.233).

h 抗ロイコトリエン薬(☞ 3 章 2 ■薬理 1.g ロイコトリエン受容体遮断薬, p.233)
- ●プランルカスト

    選択的なロイコトリエン受容体遮断薬である.
- ●モンテルカスト

    選択的システイニルロイコトリエン CysLT1 受容体遮断薬である.

i Th2 サイトカイン阻害薬
- ●スプラタスト

    Th2 サイトカインである IL-4, IL-5 の産生を抑制し, IgE および好酸球を減少させる薬物である(☞ 3 章 2 ■薬理 1.h Th2 サイトカイン阻害薬, p.234).

j 生物学的製剤
- ●オマリズマブ

    ヒト化抗ヒト IgE モノクローナル抗体であり, IgE と高親和性に結合することで, IgE が Fc 受容体に結合するのを阻害し, 肥満細胞や好塩基球などの炎症性細胞の活性化を抑制する. 吸入ステロイド薬と LABA を併用してもコントロールが不十分な患者に用いる.
- ●メポリズマブ　●ベンラリズマブ

    メポリズマブはヒト化抗 IL-5 モノクローナル抗体, ベンラリズマブはヒト化抗 IL-5 受容体 α モノクローナル抗体である. いずれも, 既存治療で症状をコントロールできない重症または難治患者に用いられる. IL-5 は最強の好酸球活性化因子であり, 両薬物は IL-5 の作用を阻害することで, 血中の好酸球数を減少させる. したがって末梢血中好酸球数が高いほど増悪抑制効果も高い.
- ●デュピルマブ

    ヒト型抗ヒト IL-4 受容体 α モノクローナル抗体である. 既存治療で症状をコントロールできない重症または難治患者に用いられる. IL-4 および IL-13 受容体が共有している IL-4 受容体 α サブユニットに特異的に結合するため, 双方の作用を阻害する. IL-4 は Th2 分化や IgE クラススイッチに関わり, IL-13 は主に上皮細胞のケモカイン産生やリモデリングに関わる.

気管支喘息治療薬

種類　薬物［代表的な商品名］	作用機序	注意すべき副作用
副腎皮質ステロイド		
●ベクロメタゾンプロピオン酸エステル　［キュバール］ ●フルチカゾンプロピオン酸エステル　［フルタイド］ ●ブデソニド［パルミコート］ ●モメタゾンフランカルボン酸エステル　［アズマネックス］ ●シクレソニド［オルベスコ］	糖質コルチコイドによる抗炎症作用を示す．吸入剤として用いることで全身性の副作用を軽減したDDS製剤である	吸入ステロイド薬の副作用は経口ステロイド薬に比べてはるかに少ないものの，咽喉頭症状，発疹，蕁麻疹，口腔カンジダ症，嗄声，咳などがある
長時間作用性 β_2 刺激薬 (LABA)		
●サルメテロールキシナホ酸塩　［セレベント］	作用発現が遅く，長時間作用性でコントローラーとして用いる．リリーバーではない	重篤な血清カリウム低下，ショック，アナフィラキシー，心悸亢進，発疹，血管浮腫，振戦，口腔咽頭刺激感など
キサンチン類		
●テオフィリン［テオドール］ ●アミノフィリン［ネオフィリン］ ●プロキシフィリン［アストモリジン］ ●ジプロフィリン　［ジプロフィリン「エーザイ」］	PDE阻害によるcAMP濃度の上昇およびアデノシン A_1 受容体遮断により気管支平滑筋の収縮を抑制する	悪心，嘔吐などの消化器症状，痙攣，興奮などの中枢神経症状，動悸，頻脈などの循環器症状など．服薬中はTDMを実施し，用量を調整する．併用により相互作用を生じる薬物が多数ある
抗コリン薬		
●イプラトロピウム臭化物水和物　［アトロベント］ ●オキシトロピウム臭化物［テルシガン］	ムスカリン受容体遮断により平滑筋収縮を抑制する．コントローラーの追加薬として用いる	アナフィラキシー様症状，上室性頻脈，心房細動，心悸亢進，頭痛など 禁忌：緑内障，前立腺肥大
●チオトロピウム臭化物水和物　［スピリーバ］	選択的ムスカリン M_3 受容体遮断により平滑筋収縮を抑制する．コントローラーの追加薬として用いる	心不全，心房細動，期外収縮，イレウス，口渇，発疹，便秘など 禁忌：緑内障，前立腺肥大などによる排尿障害
抗アレルギー薬		
●クロモグリク酸ナトリウム　［インタール］	IgE抗体による肥満細胞からの脱顆粒や化学伝達物質の遊離を抑制する．とくに小児の治療においてコントローラーの追加薬として用いる	気管支痙攣，PIE症候群，アナフィラキシー様症状など
●トラニラスト［リザベン］		膀胱炎様症状，肝障害，黄疸，腎障害，白血球・血小板減少など．禁忌：妊婦
●ペミロラストカリウム　［アレギサール］		腹痛，肝障害，眠気，悪心，頭痛，食欲不振，血小板増加，過敏症，タンパク尿など
●イブジラスト［ケタス］		血小板減少，肝障害，黄疸のほかに，発疹，めまい，頭痛，食欲不振，悪心など

気管支喘息治療薬（つづき）

種類　薬物［代表的な商品名］	作用機序	注意すべき副作用
抗ヒスタミン薬		
●メキタジン［ゼスラン］	H_1受容体を遮断し，発作を予防する．吸入ステロイド薬に追加するコントローラーとして用いる	肝障害，血小板減少，眠気，倦怠感，口渇など．禁忌：フェノチアジン系薬過敏症，緑内障，前立腺肥大
●エピナスチン塩酸塩［アレジオン］	H_1受容体遮断作用，LTC_4・PAF拮抗作用を示す．発作を予防する	肝障害，血小板減少，眠気，倦怠感，口渇など
●ケトチフェンフマル酸塩［ザジテン］	H_1受容体遮断作用，ケミカルメディエーター遊離抑制作用，好酸球活性化抑制作用，抗PAF作用を示す	痙攣，興奮，肝障害，眠気，倦怠感，口渇など．禁忌：てんかんおよびその既往歴
●オキサトミド［セルテクト］	H_1受容体遮断作用，ヒスタミン，LTsなどの遊離抑制作用，抗PAF作用を示す	肝障害，血小板減少，眠気，倦怠感，口渇など．禁忌：妊婦
●アゼラスチン塩酸塩［アゼプチン］	H_1受容体遮断作用，LTsの産生・遊離抑制作用，ヒスタミンの遊離抑制作用を示す	眠気，倦怠感，口渇など
●セチリジン塩酸塩［ジルテック］	H_1受容体遮断作用，好酸球の遊走・活性化抑制作用を示す	眠気，倦怠感，口渇，悪心など．禁忌：ピペラジン誘導体過敏症，重度腎障害
抗TXA_2薬		
●オザグレル塩酸塩水和物［ベガ］	TXA_2合成酵素を強力に阻害し，発作を予防する．コントローラーの追加薬である	発疹，瘙痒，悪心，胃腹部不快感，AST/ALT上昇，出血傾向など．禁忌：小児など
●セラトロダスト［ブロニカ］	TXA_2受容体を遮断し，即時型，遅延型喘息反応および気道過敏症の亢進を抑制する．コントローラーの追加薬である	肝障害，AST/ALT上昇，発疹，悪心，食欲不振，口渇，味覚異常，貧血など
抗ロイコトリエン薬		
●プランルカスト水和物［オノン］	選択的LT受容体遮断薬．気道収縮抑制作用をもち，コントローラーの追加薬である	発疹，倦怠感，悪心，腹痛など
●モンテルカストナトリウム［シングレア］	CysLT1受容体を選択的に遮断し，CysLTsの作用を抑制する	アナフィラキシー，血管浮腫，肝障害，皮疹，頭痛，眠気など
Th2サイトカイン阻害薬		
●スプラタストトシル酸塩［アイピーディ］	IgE抗体，IL-4およびIL-5の産生を抑制し，IgE，好酸球を減少させ，抗アレルギー作用を示す．コントローラーの追加薬である	肝障害，ネフローゼ症候群，悪心，胃不快感，発疹，瘙痒，AST・ALT上昇など
生物学的製剤		
●オマリズマブ［ゾレア］	ヒト化抗ヒトIgE抗体でIgEのFc受容体への結合を阻害する	ショック，アナフィラキシーなど
●メポリズマブ［ヌーカラ］	ヒト化抗IL-5モノクローナル抗体でIL-5の受容体への結合を阻害する	アナフィラキシーなど
●ベンラリズマブ［ファセンラ］	ヒト化抗IL-5受容体αモノクローナル抗体で本受容体を阻害する	アナフィラキシーなど
●デュピルマブ［デュピクセント］	ヒト型抗ヒトIL-4/13受容体モノクローナル抗体でIL-4およびIL-13の受容体への結合を阻害する	アナフィラキシーなど

3 慢性閉塞性肺疾患（COPD）

■病態生理

1 COPDとは

慢性閉塞性肺疾患 chronic obstructive pulmonary disease（**COPD**）は，以前は肺気腫と慢性気道炎症の総称として用いられていたが，現在は「COPD（慢性閉塞性肺疾患）診断と治療のためのガイドライン，第4版」で以下のように定義されている．「喫煙を主とする有害物質を長期に吸入曝露することで生じた炎症性肺疾患である．呼吸機能検査で正常に復すことのない気流閉塞を示す．気流閉塞は末梢気道病変と気腫性病変がさまざまな割合で複合的に作用することにより起こり，通常は進行性である．臨床的には，徐々に生じる労作時の呼吸困難や慢性の咳，痰を特徴とするが，これらの症状に乏しいこともある．」わが国の有病者数は500万人以上と推定されているが，治療を受けている患者は約22万人であることから，多くは未受診であると考えられている．COPDの病態は非可逆的であるため，その治療は患者のQOL改善と病態の進行や増悪を予防することに主眼がおかれる．これは病気が可逆的で，無症状を目指す気管支喘息の治療目標とは大きく異なる．

2 COPDの原因

COPDの原因は，有害物質を長期に吸入することで生じた肺の慢性炎症である．なかでも，最大の危険因子はタバコ喫煙で，COPD発症の80％以上を占める．持続的な喫煙によって酸化ストレスが生じ，これが慢性炎症を引き起こすことにより，末梢気道の破壊や線維化，気腫性病変をもたらすと考えられている．しかし，すべての喫煙者がCOPDを発症するわけではなく，喫煙者の15〜20％程度しかみられないことから，喫煙に対する感受性には個人差があると考えられている．喫煙などの外的要因以外のCOPD発症の危険因子としては，α_1-アンチトリプシン欠損が内因性の素因として知られているが，わが国ではまれである．そのほかにCOPDの発症と直接結びつく単一遺伝子の変異は知られておらず，発症には外因性および内因性の複数の要因が関わっていると推定されている．

3 COPDの病態

a 末梢気道病変 small airway disease

慢性的な気道の炎症により気道壁の線維化および平滑筋層の肥大化などを生じて細気管支壁が肥厚化しており，呼吸のための気流が制限される．また，気道粘液の産生

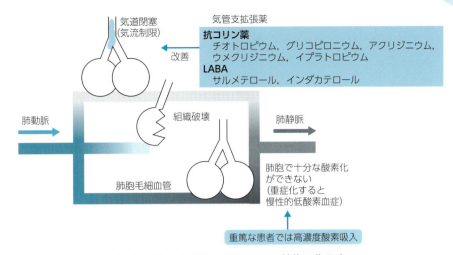

図 6A-11　COPD に用いられる薬物の作用点

も過剰となり，慢性の痰の貯留を生じ，これも気道閉塞の原因となる．これらの病的変化は呼吸機能検査の **1 秒量**（FEV$_1$）の低下として現れ，患者では自己最良値の 70％未満となる．

b 肺気腫 emphysema

マクロファージや好中球に由来するプロテアーゼが肺胞と肺胞を隔てる肺胞壁を破壊するため，複数の肺胞が融合して肥大化した状態である．通常，呼気時には肺胞はその弾性収縮力によって縮み肺胞内の空気を押し出すが，気腫化し肥大化した肺胞では弾性収縮力が低下しているため，空気を出しにくくなる．

■薬　理

1　COPD 治療薬（図 6A-11）

a　抗コリン薬（☞本章 A.2 ■薬理 1.d 吸入抗コリン薬，p. 400）

● **チオトロピウム**（構造式☞ p. 400）

長時間作用性抗コリン薬（LAMA）であり，COPD の気道閉塞を改善し，QOL を高めるために，長時間作用性 β_2 刺激薬（LABA）とともに，第一選択薬である．

● **グリコピロニウム**　● **アクリジニウム**　● **ウメクリジニウム**

吸入薬として用いられる長時間作用性の抗コリン薬で，気管支拡張効果が速やかに発現する．

● **イプラトロピウム**（構造式☞ p. 400）

短時間作用性の抗コリン薬である．強い労作時に息切れを感じるような軽症の患者から中等度以上の患者で必要に応じて用いる．

グリコピロニウム　　　　アクリジニウム　　　　ウメクリジニウム

b　β_2 刺激薬（☞本章 A.2 ■薬理 1.b β_2 刺激薬，p.398）
- サルメテロール（構造式☞ p.53）
- インダカテロール
- ホルモテロール（構造式☞ p.53）

長時間作用性 β_2 刺激薬（LABA）で，抗コリン薬とともに第一選択薬として用いられる．サルブタモールなどの短時間作用性 β_2 刺激薬（SABA）も，必要に応じて用いられる．

インダカテロール

c　吸入ステロイド薬

COPD の約 8 割の患者では，副腎皮質ステロイドは無効である．ベクロメタゾン，フルチカゾン，ブデソニド，シクレソニドなどの吸入ステロイド薬は，増悪を繰り返す重症例に対してのみ用いられ，増悪頻度の減少や QOL の悪化抑制に効果がある．

d　ワクチン

インフルエンザや肺炎などの感染症は，COPD の急性増悪の重大な原因となる．感染予防のためにワクチン（不活性化ワクチン）の投与が推奨される．

慢性閉塞性肺疾患（COPD）治療薬

種類　薬物［代表的な商品名］	作用機序	注意すべき副作用
抗コリン薬		
●グリコピロニウム臭化物 ［シーブリ］	長時間作用性のムスカリン受容体遮断薬であり，吸入薬として COPD の治療に用いられる．気管支喘息への適用はない	心房細動，口内乾燥，発疹，尿閉など．禁忌：緑内障，前立腺肥大
●イプラトロピウム臭化物水和物 ［アトロベント］ ●チオトロピウム臭化物水和物 ［スピリーバ］ ●アクリジニウム［エクリラ］ ●ウメクリジニウム ［エンクラッセ］	表 気管支喘息治療薬（☞ p.402）参照	

4 間質性肺炎

■病態生理

① 間質性肺炎(間質性肺疾患)の病態

　　　肺炎は病変の主な存在部位により分類されるが，**間質性肺炎** interstitial pneumonia(間質性肺疾患)とは，肺間質を炎症や線維化の基本的な場とする疾患の総称で，びまん性肺疾患(胸部X線やCTなどの画像検査で，両側肺野にびまん性陰影を認める疾患)の1つに分類される．肺間質とは，狭義では肺胞中隔を指すが，広義では気管支血管周辺，小葉間隔壁，胸膜直下などを含める場合がある．

　　　間質性肺炎では，マクロファージや好中球などの炎症性細胞の活性化により，間質を中心に炎症を生じ，この炎症が慢性化すると不可逆的な線維化病変に至る．線維化病変は肺胞上皮細胞の損傷と，それに続いて起こる異常修復すなわち線維芽細胞の異常増殖とコラーゲンの過剰産生を特徴とし，これにより肺組織の硬変化を生じる．

② 間質性肺炎の原因

　　　間質性肺炎は，原因がはっきりしているものと不明なものに大別され，前者は**じん肺**，**過敏性肺炎**，**薬剤性肺炎**および**放射性肺炎**などで，後者は**特発性間質性肺炎**である．放射線や薬物(サプリメントや栄養食品も含む)が直接に細胞傷害を引き起こしたり，免疫系の活性化によって間接的に肺組織が障害されることが引き金となる．

③ 間質性肺炎の症状

　　　間質性肺炎では肺組織の**線維化**によって硬変化するため，肺胞は膨らみにくくなり肺活量が低下する(**拘束性換気障害**)．また，肺胞壁の肥厚化に伴って肺胞・血管間の酸素拡散効率の低下(拡散障害)を引き起こし，乾性の咳や運動時の息切れ，呼吸困難が認められる．

■薬　　理

① 間質性肺炎治療薬

　　　原因の明確な**薬剤性肺炎**などでは，原因となる薬物の投与中止が大前提であるが，原因の不明な特発性肺線維症では，抗炎症のみならず進行性の線維化を抑制することが目的とされる．

a 抗線維化薬

●ピルフェニドン

抗酸化作用や抗炎症作用など多彩な作用をもち，線維化に関わる TGF-β などの栄養因子の産生を抑制し，線維芽細胞の増殖を抑制する．光線過敏症の副作用が高頻度に出現するほか，消化管障害や肝障害などの副作用が知られている．

ピルフェニドン

●ニンテダニブ（構造式☞ p. 597）

線維化に関与する血小板由来増殖因子受容体(PDGFR)，線維芽細胞増殖因子受容体(FGFR)，血管内皮増殖因子受容体(VEGFR)の ATP 結合部位を可逆的に阻害し，これら受容体のチロシンキナーゼ活性を抑制することで線維化を抑制する．

b 抗酸化薬

●アセチルシステイン（構造式☞ p. 386）

去痰作用をもつだけでなく抗酸化作用が強く，活性酸素による細胞傷害の軽減のために用いられる．

c 副腎皮質ステロイド

軽症例ではプレドニゾロンなどの経口ステロイド薬を少量投与で用いる．また，呼吸不全を伴う重症例では，パルス療法が考慮される．

間質性肺炎治療薬

種類　薬物［代表的な商品名］	作用機序	注意すべき副作用
抗線維化薬		
●ピルフェニドン［ピレスパ］	線維芽細胞増殖抑制作用により間質性肺炎の線維症を抑制する	光線過敏症が高頻度に生じる．肝障害，消化管障害，悪心など
●ニンテダニブ［オフェブ］	PDGFR，FGFR，VEGFR のチロシンキナーゼを阻害し，線維化を抑制する	下痢，肝障害，血栓塞栓症，血小板減少，消化管穿孔，間質性肺炎など
抗酸化薬		
●アセチルシステイン［ムコフィリン］	表 去痰薬(☞ p. 391)参照	

呼吸器系・消化器系の疾患と治療薬　6章

B 消化器内科領域の疾患に用いる薬物

　消化器系は，口腔から肛門に至る消化管(食道，胃，小腸，大腸，肛門)とそれに付随する分泌臓器(肝臓，膵臓，胆嚢)から構成され，食物の消化・吸収・排泄に携わる．消化器系の機能は中枢・末梢神経系や内分泌系によって制御されており，その乱れによって消化器系の機能異常が誘発される．

★対応する薬学教育モデル・コアカリキュラム
　E2 薬理・病態・薬物治療　(4)呼吸器系・消化器系の疾患と薬
　　GIO　呼吸器系・消化器系に作用する医薬品の薬理および疾患の病態・薬物治療に関する基本的知識を修得し，治療に必要な情報収集・解析および医薬品の適正使用に関する基本的事項を修得する．
　　SBO　【②消化器系疾患の薬，病態，治療】
　　・以下の疾患について，治療薬の薬理(薬理作用，機序，主な副作用)を説明できる．
　　　・上部消化器疾患：胃食道逆流症(逆流性食道炎を含む)，消化性潰瘍，胃炎
　　　・炎症性腸疾患(潰瘍性大腸炎，クローン病等)
　　　・肝疾患(肝炎，肝硬変(ウイルス性を含む)，薬剤性肝障害)
　　　・膵炎
　　　・胆道疾患(胆石症，胆道炎)
　　　・機能性消化管障害(過敏性腸症候群を含む)
　　　・便秘・下痢
　　　・悪心・嘔吐
　　　・痔

1 消化性潰瘍・胃炎

■病態生理

　胃の粘膜防御機構が破綻し，胃内の塩酸が粘膜組織内に拡散して，ペプシンとともに攻撃因子として組織を自己消化し，上皮組織が欠損する．塩酸とペプシンの自己消化により発症するので，病因論の立場から消化性潰瘍ともいわれている．**消化性潰瘍**は胃液と接する消化管に生じる限局性の組織欠損(粘膜筋板より深層におよぶ欠損)である．しかし，近年は，胃潰瘍・十二指腸潰瘍の発症には塩酸・ペプシンよりも，非ステロイド性抗炎症薬(NSAIDs)による粘液・重炭酸分泌，粘膜血流など防御的に働く因子(防御因子)の平衡破綻によって発症すると考えられるようになってきている．また**ヘリコバクター・ピロリ** *Helicobacter pylori*(ピロリ菌)感染の関与も指摘され，NSAIDs潰瘍，ヘリコバクター・ピロリ潰瘍ともいう(図6B-1)．

　また，ストレスによる迷走神経の活性化により，胃酸やペプシン分泌が増加し，胃粘膜が易損性の状態になる．内臓神経の刺激による粘液，重炭酸イオン分泌および胃粘膜血流量の低下が起こり，胃粘膜防御機構の破綻による潰瘍発生はストレス潰瘍ともいわれる．

　組織の欠損が上皮のみで，急激に心窩部痛などの症状が現れた場合には急性胃炎，内視鏡検査で胃粘膜に白苔を伴うびらん，発赤，小出血などの異常所見が認められる場合には内視鏡的胃炎という．胃粘膜生検組織や手術標本の病理組織学的検索で胃粘膜に炎症細胞浸潤や胃腺組織脱落(胃粘膜萎縮)などの異常所見がみられる場合，組織学的胃炎という．上腹部に痛みやもたれ感などの症状がみられる場合には臨床的胃炎という．

■薬　理

　胃粘膜の恒常性は，胃酸やペプシン，ヘリコバクター・ピロリ，薬剤などの攻撃因子と，粘液，粘膜血流，重炭酸イオンなどの防御因子のバランスにより保たれている(図6B-1)．このバランスが崩れることにより胃粘膜炎や胃潰瘍が発症することになる．

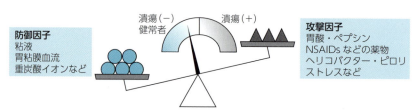

図6B-1　攻撃因子と防御因子のバランス説

1 攻撃因子抑制薬

胃酸は胃粘膜に存在する壁細胞から分泌される．この壁細胞には主に，ヒスタミン H_2，ムスカリン M_3，ガストリン CCK2 受容体があり，おのおのの受容体に，ヒスタミン，アセチルコリン，ガストリンが作用する．この刺激によって，壁細胞のプロトンポンプ（H^+, K^+-ATPase）が活性化され，胃管腔内に胃酸（HCl）が分泌される（☞ 図 6B-2）．また，ヒスタミン産生細胞であるエンテロクロマフィン様（ECL）細胞も存在し，ムスカリン M_1 受容体や，ガストリン CCK2 受容体を介したヒスタミン遊離による胃酸分泌促進作用もある．

a ヒスタミン H_2 受容体遮断薬

●シメチジン　●ラニチジン　●ファモチジン　●ニザチジン　●ロキサチジン

薬理作用　ヒスタミンの H_2 受容体刺激による胃酸分泌量と酸度の増加を抑制し，胃内 pH は上昇する．

作用機序　ヒスタミン受容体は H_1，H_2 および H_3 の 3 種類のサブタイプが知られているが，胃の壁細胞には H_2 受容体が存在する．H_2 受容体遮断薬はヒスタミンのみならず，ガストリンあるいはアセチルコリンによって刺激される酸分泌に対しても抑制作用を示す．

副作用　シメチジン：女性化乳房，乳汁分泌，ショック，血液障害，肝・腎障害，中枢症状（めまい，眠気，頭痛）など．CYP3A4 阻害による相互作用がある．

●ラフチジン

胃粘膜カプサイシン感受性知覚神経を介した胃粘膜増強作用がある．

シメチジン

ラニチジン

ファモチジン

ニザチジン

ロキサチジン

ラフチジン

b　ムスカリン受容体遮断薬

1) 三級アミン類
- アトロピン（構造式☞ p.72）
- スコポラミン（構造式☞ p.72）
- ジサイクロミン
- ピペリドレート（構造式☞ p.379）

　　三級アミン系化合物は抗コリン作用のほかにパパベリン様鎮痙作用を示したり，また血液脳関門を通過して中枢興奮作用を示すものが多い．

2) 四級アンモニウム類
- ブチルスコポラミン（構造式☞ p.72）
- N-メチルスコポラミン（構造式☞ p.72）
- プロパンテリン
- チキジウム
- チメピジウム
- ブトロピウム

　　三級アミン類の中枢作用を軽減するため，ブチルスコポラミン，プロパンテリンなどの四級アンモニウム類が使用されている．しかし，これらの薬物は副交感神経節遮断作用を示すものが多く，酸分泌抑制作用のほかに循環器異常，平滑筋異常による排尿障害および便秘などを起こすことがある．

3) 選択的 M_1 受容体遮断薬
- ピレンゼピン

　薬理作用　ムスカリン受容体は自律神経節のエンテロクロマフィン様細胞と壁細胞に存在し，ACh 刺激によって胃酸分泌量の増加を起こす．ムスカリン受容体遮断薬は胃酸分泌を抑える．

　作用機序　ヒスタミン産生細胞に存在する M_1 受容体を選択的に遮断し，胃酸分泌抑制および抗ガストリン作用（ガストリン分泌抑制）などを示す．また，胃粘膜血流，粘液，プロスタグランジンの増加などを介した防御因子増強作用を有することも報告されている．なお，ピレンゼピンの胃酸分泌抑制作用には M_3 受容体遮断作用も一部関与しているものと考えられている．

ジサイクロミン　　プロパンテリン　　チキジウム

チメピジウム　　ブトロピウム　　ピレンゼピン

c　プロトンポンプ阻害薬

●オメプラゾール　●ランソプラゾール　●ラベプラゾール　●エソメプラゾール

薬理作用　酸分泌機構の最終段階に位置するプロトンポンプ(H^+, K^+-ATPase)が壁細胞のミクロゾーム分画に発見された．本薬物の1回投与は24時間以上にわたって胃酸分泌を強力に抑制する．

作用機序　プロトンポンプ阻害薬は，胃酸で活性型となり胃酸分泌の最終過程であるプロトンポンプ(H^+, K^+-ATPase)のSH基と反応して酵素活性を強力かつ持続的に阻害する．薬物は吸収された後，血液中から壁細胞内に入り，そこで管状小胞または分泌細管中に移行する．小胞内および細管中は酸性であり，塩基性化合物であるオメプラゾールはイオン化し，細管中に蓄積される．イオン化したオメプラゾールは平面構造(スルフェンアミド)をとり，これがプロトンポンプのSH基と共有結合することにより，酵素活性を非可逆的に抑制する．

副作用　ランソプラゾールとオメプラゾールは，CYP2C19の遺伝子多型の影響を受ける．エソメプラゾールは，最近国内承認されたオメプラゾールの光学異性体であり，CYP2C19遺伝子多型の影響が少なく，従来のプロトンポンプ阻害薬より強い酸分泌抑制作用を有する．

●ボノプラザン

酸による活性化を必要とせず，カリウムイオン(K^+)に競合する形でH^+, K^+-ATPaseを可逆的に阻害し，酸分泌抑制作用を発揮するK^+競合型アシッドブロッカーに分類される(図6B-2)．塩基性が強く，また酸性環境下でも安定なため，分泌細管に高濃度に集積し，長時間残存する．これにより速やかで優れた酸分泌抑制作用を示す．

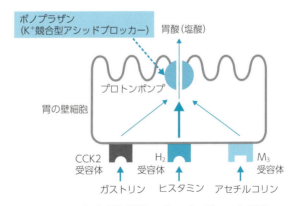

図6B-2　胃酸分泌機構とボノプラザンの作用点
従来のプロトンポンプ阻害薬は，H^+, K^+-ATPaseを阻害するが，ボノプラザンはK^+に競合してプロトンポンプの働きを抑制する．

オメプラゾール　　　　　　　　　　　ランソプラゾール

ラベプラゾール　　　　エソメプラゾール　　　ボノプラザン

d　抗ガストリン薬

● **プログルミド**（販売中止）

壁細胞やECL細胞上に存在する**ガストリン受容体（CCK2受容体）**を遮断することによる胃酸分泌抑制作用を示す．

プログルミド

e　制酸薬

制酸薬は胃内に分泌された塩酸を中和し，その結果ペプシンの消化作用も軽減する．制酸薬によって胃内pHは4〜5.5となる．制酸薬には酸の中和・緩衝作用に加えて粘膜への吸着・被覆などの作用を有するものもある．

1）吸収性制酸薬

● **炭酸水素ナトリウム**（構造式☞ p.361）　● **クエン酸ナトリウム**　● **酢酸ナトリウム**

大量を用いた場合，酸を中和した後，吸収されて全身性アルカローシスを引き起こす．炭酸水素ナトリウムは酸を中和することによりCO_2を放出し，このCO_2は胃粘膜を刺激して二次的に胃液分泌を増加させることがある．

クエン酸ナトリウム　　　　　酢酸ナトリウム

2）局所性制酸薬

● **炭酸カルシウム**　● **酸化マグネシウム**　● **水酸化アルミニウム**
● **天然ケイ酸アルミニウム**

消化管から吸収され難いため強い制酸効果を発揮する．水酸化アルミニウムゲルについては，塩酸と反応して生じる$AlCl_3$が収斂作用を有しているため潰瘍治療には

好都合である．一般にカルシウム化合物，およびアルミニウム化合物は便秘を誘起する傾向があり，逆にマグネシウム化合物は下痢を引き起こす傾向があるため，使用においては両者を併用することが多い．

❷ 防御因子賦活薬

粘膜血流，粘液分泌，重炭酸イオン分泌などに関わる防御因子を賦活させることにより損傷の修復・治癒を促進させる．

a プロスタグランジン関連薬

消化管粘膜に対して保護的に働くプロスタグランジン（PG）類として，PGE_1 および E_2 製剤がある．

- ミソプロストール
- オルノプロスチル（臨床適用なし）

PGE_1 製剤．

- エンプロスチル（臨床適用なし）

PGE_2 製剤．

ミソプロストール　　オルノプロスチル　　エンプロスチル

b 内因性プロスタグランジン増加薬

- テプレノン

  内因性 PG 増加作用があり，胃粘膜保護・胃粘膜血流増加作用をもつ．

- セトラキサート

  内因性 PG 増加とともに，胃粘膜微小循環改善，抗トリプシン活性，抗ウレアーゼ活性をもつ．

- レバミピド

  内因性 PG 増加による胃粘膜保護作用．活性酸素抑制作用をもつ．

- ソファルコン

  豆根抽出物ソファラジン誘導体．内因性 PG 増加．

- エカベト

  松香成分の誘導体．粘膜に選択的に結合して被覆保護，粘液分泌・アルカリ分泌を促進する．内因性 PG 増加，抗ヘリコバクター・ピロリ作用によって抗潰瘍作用を示す．

テプレノン　　セトラキサート

レバミピド　　ソファルコン　　エカベト

c 防御因子増強薬

- **スクラルファート**
  ショ糖硫酸エステルアルミニウム塩であり，胃潰瘍部に結合，被覆作用により潰瘍部を胃酸から保護することで抗潰瘍作用を示す．抗ペプシン作用もあわせもつ．
- **メチルメチオニンスルホニウムクロリド**
  生キャベツエキス中に多量に存在する抗潰瘍因子(ビタミン U)．
- **ポラプレジンク**
  亜鉛錯体で，胃粘膜損傷部位に特異的に付着し被覆保護する．
- **イルソグラジン**
  ギャップ結合補強(粘膜増強)作用をもつ．
- **エグアレン**
  pH 非依存性の胃粘膜被覆保護作用がある(シメチジンとの併用で用いられる)．

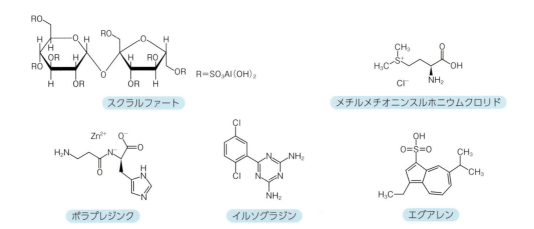

スクラルファート　　メチルメチオニンスルホニウムクロリド

ポラプレジンク　　イルソグラジン　　エグアレン

③ 抗ヘリコバクター・ピロリ薬

ヘリコバクター・ピロリに対する強い抗菌作用を有するものとしては，ペニシリン系抗菌薬のアモキシシリンやクラリスロマイシンおよび抗原虫薬のメトロニダゾールなどがあり，プロトンポンプ阻害薬（ボノプラザンを含む）との併用療法が用いられている．一次除菌が成功しなかった場合，二次除菌としてクラリスロマイシンをメトロニダゾールに変更して治療を行う．

> **コラム　なぜピロリ菌は胃酸のなかで生息できるのか**
>
> ヘリコバクター・ピロリ（ピロリ菌）は**ウレアーゼ**を産生することにより，胃内の尿素を分解してアンモニアをつくり，ピロリ菌の周りの胃酸（pH1）を中和するため，強い酸（胃酸）のなかでも生息・活動できるのである．
>
> ピロリ菌はオーストラリアのウォレン Robin Warren とマーシャル Barry Marshall によって発見された．マーシャルは，自らこのピロリ菌を飲み，自分の胃に胃炎が発生するかどうかを調べ，ピロリ菌が胃炎を起こすことを証明した．

消化性潰瘍・胃炎治療薬

種類　薬物［代表的な商品名］	作用機序	注意すべき副作用
攻撃因子抑制薬		
ヒスタミン H_2 受容体遮断薬		
●シメチジン［タガメット］ ●ラニチジン塩酸塩［ザンタック］ ●ファモチジン［ガスター］ ●ニザチジン［アシノン］ ●ロキサチジン酢酸エステル塩酸塩［アルタット］ ●ラフチジン［プロテカジン］	胃壁細胞の H_2 受容体を遮断することにより胃酸分泌を抑制する ラフチジン：カプサイシン感受性知覚神経を介した胃粘膜増強作用をもつ	シメチジン：女性化乳房，乳汁分泌，房室ブロックなど．CYP3A4 阻害による相互作用
ムスカリン受容体遮断薬		
●ブチルスコポラミン臭化物［ブスコパン］ ●N-メチルスコポラミンメチル硫酸塩［ダイピン］ ●プロパンテリン臭化物［プロ・バンサイン］ ●チキジウム臭化物［チアトン］ ●チメピジウム臭化物水和物［セスデン］ ●ブトロピウム臭化物［コリオパン］	抗コリン作用による胃酸分泌抑制作用ならびに鎮痙作用をもつ	酸分泌抑制作用，口渇，排尿障害および頻脈など
●ピレンゼピン塩酸塩水和物［ガストロゼピン］	ヒスタミン産生細胞に存在する M_1 受容体を選択的に遮断し，迷走神経刺激による酸分泌を抑制する	

消化性潰瘍・胃炎治療薬（つづき）

種類　薬物［代表的な商品名］	作用機序	注意すべき副作用
プロトンポンプ阻害薬		
●オメプラゾール［オメプラール，オメプラゾン］ ●ランソプラゾール［タケプロン］ ●ラベプラゾールナトリウム［パリエット］ ●エソメプラゾールマグネシウム水和物［ネキシウム］	胃酸で活性型となり，胃壁細胞にあるプロトンポンプ（H^+, K^+-ATPase）の酵素活性を非可逆的に抑制する	ランソプラゾールとオメプラゾールは CYP2C19 の遺伝子多型の影響を受ける．エソメプラゾールは CYP2C19 遺伝子多型の影響が少ない
●ボノプラザンフマル酸塩［タケキャブ］	カリウムイオンと競合して H^+, K^+-ATPase を可逆的に阻害する	
抗ガストリン薬		
●プログルミド［プロミド］（販売中止）	壁細胞および ECL 細胞のガストリン CCK2 受容体遮断作用により胃酸分泌を抑制する	口渇，便秘，下痢
制酸薬		
●炭酸水素ナトリウム［重曹］ ●クエン酸ナトリウム ●酢酸ナトリウム ●炭酸カルシウム ●酸化マグネシウム［重カマ］ ●水酸化アルミニウム ●天然ケイ酸アルミニウム	胃酸を胃内で中和する	炭酸水素ナトリウムはアルカローシスを引き起こす可能性がある．また，中和によって CO_2 を放出し，胃粘膜を刺激して二次的に胃液分泌を増加させることがある マグネシウム化合物は下痢，アルミニウム化合物は便秘を引き起こす可能性がある アルミニウム化合物の長期投与でアルミニウム脳症がみられる場合がある
防御因子賦活薬		
プロスタグランジン関連薬		
●ミソプロストール［サイトテック］	プロスタグランジン E_1 製剤	腹痛，腹部膨満感
内因性プロスタグランジン増加薬		
●テプレノン［セルベックス］ ●セトラキサート塩酸塩［ノイエル］ ●レバミピド［ムコスタ］ ●ソファルコン［ソロン］ ●エカベトナトリウム水和物［ガストローム］	内因性 PG 増加作用，胃粘膜保護作用をもつ	便秘
防御因子増強薬		
●スクラルファート［アルサルミン］	胃潰瘍部に結合，被覆保護する	長期投与によりアルミニウム脳症，アルミニウム骨症
●メチルメチオニンスルホニウムクロリド［キャベジン］	粘液分泌促進作用，粘膜血流増加作用をもつ	
●ポラプレジンク［プロマック］	胃粘膜損傷部位に特異的に付着し被覆保護する	
●イルソグラジンマレイン酸塩［ガスロン］	ギャップ結合補強（粘膜増強）作用をもつ	
●エグアレンナトリウム水和物［アズロキサ］	胃粘膜被覆保護作用をもつ	

2 胃食道逆流症

■病態生理

1 胃食道逆流症の病態

胃食道逆流症は，さまざまな刺激原因により食道粘膜に炎症を生じる病態である．その原因としては，化学的刺激（酸，アルカリなど），物理的刺激（熱，機械的刺激など），感染性（細菌，ウイルスなど）などが挙げられる．一般的に食道炎という場合は，胃内容物の食道への逆流により生じる**逆流性食道炎** reflux esophagitis（**RE**）を意味する．胃切除後の腸液（アルカリ）逆流による術後逆流性食道炎もある．

2 胃食道逆流症の症状

比較的軽い場合の最も典型的な症状は「胸やけ」であり，その他，つかえ感や物を飲みにくいなどの症状もみられる．重症となると，狭窄や慢性出血の合併症がみられるようになり，嚥下障害などの食道狭窄症状や貧血によるめまい，立ちくらみなどの症状が現れる．慢性咳，喘息様症状，胸痛などがみられる場合もある．

■治　療

胃食道逆流症の治療の主目的は，主症状の改善による QOL の向上である．酸逆流を改善するような生活指導や，逆流防止術を実施するほか，薬物による治療が行われる．第一選択薬はプロトンポンプ阻害薬である．

a 胃酸分泌抑制薬（☞本章 B.1 ■薬理 1 攻撃因子抑制薬, p.411）

1) プロトンポンプ阻害薬

●オメプラゾール　●ランソプラゾール（構造式☞ p.414）

胃酸で活性型となり胃酸分泌の最終過程であるプロトンポンプ（H^+, K^+-ATPase）の SH 基と反応して酵素活性を強力かつ持続的に阻害する．

2) ヒスタミン H_2 受容体遮断薬

●ファモチジン　●シメチジン（構造式☞ p.411）

H_2 受容体遮断による胃液・胃酸分泌低下に伴いペプシン分泌も低下する．

3) 制　酸　薬

●炭酸水素ナトリウム（構造式☞ p.361）

胃酸を中和する．

b 消化管運動機能改善薬

1) ドパミン D_2 受容体遮断薬

- **スルピリド**（構造式☞ p. 90）

  副交感神経終末のアセチルコリン遊離を促進して胃運動を亢進し，胃内容物の胃内貯留を改善する．

2) セロトニン受容体刺激薬

- **モサプリド**

  セロトニン 5-HT_4 受容体の刺激によりアセチルコリン遊離を促進し，胃運動を亢進する．

モサプリド

胃食道逆流症治療薬

種類　薬物　[代表的な商品名]	作用機序	注意すべき副作用
胃酸分泌抑制薬		
プロトンポンプ阻害薬		
●オメプラゾール　[オメプラール，オメプラゾン]　●ランソプラゾール　[タケプロン]	表 消化性潰瘍・胃炎治療薬(☞ p. 418)参照	
ヒスタミン H_2 受容体遮断薬		
●ファモチジン [ガスター]　●シメチジン [タガメット]	表 消化性潰瘍・胃炎治療薬(☞ p. 417)参照	
制酸薬		
●炭酸水素ナトリウム [重曹]	表 消化性潰瘍・胃炎治療薬(☞ p. 418)参照	
消化管運動機能改善薬		
ドパミン D_2 受容体遮断薬		
●スルピリド [ドグマチール]	表 腸疾患治療薬(☞ p. 431)参照	
セロトニン受容体刺激薬		
●モサプリドクエン酸水和物　[ガスモチン]	5-HT_4 受容体刺激により消化管運動機能を改善する	劇症肝炎，肝障害，黄疸など

3 悪心・嘔吐

■病態生理

嘔吐は，摂取した生体に有害な物質を速やかに排出するための生体防御反応の1つであり，延髄の嘔吐中枢の活性化により引き起こされる．

消化管における化学的あるいは物理的刺激は，迷走神経求心路あるいは内臓知覚神経により直接あるいは**化学受容器引き金帯（CTZ）**を介して嘔吐中枢に伝えられる．CTZは嘔吐中枢近傍の第4脳室底に存在すると考えられており，CTZへの刺激は嘔吐中枢へと伝えられる（図6B-3）．

消化管の迷走神経終末にはセロトニン 5-HT_3 受容体，サブスタンスPの受容体であるニューロキニン（NK）1受容体が，CTZにはセロトニン 5-HT_3 受容体，ドパミン D_2 受容体，ムスカリン受容体，オピオイド受容体が，さらに前庭神経から小脳を介する経路にはヒスタミン H_1 受容体やムスカリン受容体が存在することが知られている．

■薬 理

1 催吐薬

薬理作用 胃内の有害物質を吐出させる．

作用機序 催吐薬には胃粘膜を刺激して反射的に嘔吐中枢を興奮させる末梢性（反射性）催吐薬と直接的に嘔吐中枢を興奮させる中枢性催吐薬がある．CTZは中枢性催吐薬が第一に作用する部位と考えられる．

禁 忌 催吐薬の使用は心疾患，妊娠，脱腸のほか，一般的に衰弱状態，腐食性

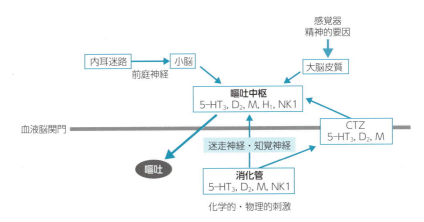

図 6B-3 嘔吐の機序

薬物内服時には禁忌である．

a 中枢性催吐薬

● モルヒネ（構造式☞ p. 200）　● アポモルヒネ（モルヒネ誘導体）

　　CTZ のドパミン受容体を刺激する．レボドパもドパミンに代謝された後，CTZ の D_2 受容体を刺激するので嘔吐を引き起こす．

b 末梢性催吐薬

● トコン（吐根）　● エメチン（トコンアルカロイド）

　　強い局所刺激作用を有し，内服すると胃粘膜を刺激して悪心・嘔吐を発する．

● 硫酸銅　● 硫酸亜鉛

　　胃粘膜を刺激して反射的に嘔吐を起こす．硫酸銅は急性リン中毒の際，胃内のリンを吐出させ，また，リンと結合して難吸収性のリン化銅をつくり，解毒効果がある．

❷ 制吐薬

薬理作用　嘔吐を抑制する．
作用機序　嘔吐中枢の興奮を鎮静する中枢性鎮吐薬と反射性嘔吐を抑制する末梢性鎮吐薬がある．

a 中枢性鎮吐薬

● クロルプロマジン（構造式☞ p. 89）　● プロクロルペラジン

　　フェノチアジン誘導体．CTZ および嘔吐中枢に働いて強い鎮吐作用を示す．

● ジメンヒドリナート（構造式☞ p. 230）　● メクリジン

● ドンペリドン　● メトクロプラミド　● スルピリド（構造式☞ p. 90）

　　抗ヒスタミン薬およびドパミン D_2 受容体遮断作用を介して強い鎮吐作用を発揮する．

プロクロルペラジン　　メクリジン　　ドンペリドン　　メトクロプラミド

b　末梢性鎮吐薬

●**アミノ安息香酸エチル**（構造式☞ p.81）

　　局所麻酔薬は，胃の知覚神経終末を麻酔して，反射性嘔吐を抑制する．

●**アトロピン**（構造式☞ p.72）

　　ムスカリン受容体遮断薬は，反射性嘔吐を抑制するとともに，胃の平滑筋を弛緩させ，また酸分泌も抑制する．

c　5-HT₃受容体遮断薬

●**アザセトロン**　●**インジセトロン**　●**オンダンセトロン**　●**グラニセトロン**
●**ラモセトロン**

　　シスプラチンなどの抗悪性腫瘍薬の副作用である悪心・嘔吐の軽減のために用いる．

　　胃の機能に関与する5-HT₃受容体は，胃から低位脳幹部に達する求心性迷走神経終末やCTZに存在し，セロトニンによりこの受容体が刺激されると嘔吐中枢の興奮を介して嘔吐が発現すると考えられている．

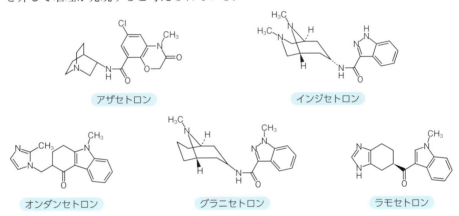

アザセトロン　　インジセトロン　　オンダンセトロン　　グラニセトロン　　ラモセトロン

d　NK1受容体遮断薬

●**アプレピタント**　●**ホスアプレピタント**

　　迷走神経終末および嘔吐中枢に発現しているサブスタンスPの受容体（NK1受容体）を遮断し，抗悪性腫瘍薬による**遅発性嘔吐**を抑制する．

アプレピタント：R=H
ホスアプレピタント：R=PO₃H₂

アプレピタント　ホスアプレピタント

悪心・嘔吐治療薬

種類　薬物［代表的な商品名］	作用機序	注意すべき副作用
催吐薬		
中枢性催吐薬		
●モルヒネ塩酸塩　［オプソ，パシーフ］ ●アポモルヒネ（モルヒネ誘導体）	CTZのドパミン受容体を刺激する	薬物依存，呼吸抑制，便秘
末梢性催吐薬		
●トコン（吐根） ●エメチン（トコンアルカロイド）	局所刺激作用をもつ	
●硫酸銅，硫酸亜鉛	胃粘膜を直接刺激する	発疹，肝機能異常
制吐薬		
中枢性鎮吐薬		
●クロルプロマジン塩酸塩　［コントミン，ウィンタミン］ ●プロクロルペラジン［ノバミン］	CTZのドパミンD_2受容体を遮断する	遅発性ジスキネジア，パーキンソン症候群
●ジメンヒドリナート　［ドラマミン］	ヒスタミンH_1受容体を遮断する	
●ドンペリドン［ナウゼリン］ ●メトクロプラミド　［プリンペラン］ ●スルピリド［ドグマチール］	CTZおよび消化管のドパミンD_2受容体を遮断する	錐体外路症状，肝障害，黄疸
末梢性鎮吐薬		
●アミノ安息香酸エチル	胃の知覚神経終末を麻酔して，反射性嘔吐を抑制する	
●アトロピン	ムスカリン受容体を遮断する	
5-HT_3受容体遮断薬		
●アザセトロン塩酸塩　［セロトーン］ ●インジセトロン塩酸塩　［シンセロン］ ●オンダンセトロン塩酸塩水和物［ゾフラン］ ●グラニセトロン塩酸塩　［カイトリル］ ●ラモセトロン塩酸塩［ナゼア］	求心性迷走神経終末やCTZの5-HT_3受容体を遮断する	アナフィラキシー，頭痛，発熱，肝障害
NK1受容体遮断薬		
●アプレピタント［イメンド］ ●ホスアプレピタントメグルミン　［プロイメンド］	嘔吐中枢にあるサブスタンスPの受容体（NK1受容体）を遮断する	皮膚粘膜眼症候群，穿孔性十二指腸潰瘍

4 腸疾患

4-1 炎症性腸疾患（潰瘍性大腸炎，クローン病）

■病態生理

1 炎症性腸疾患の病態

潰瘍性大腸炎は，大腸にびらん・潰瘍を形成する原因不明の慢性炎症性腸疾患である．下痢や血便を主症状とする疾患で寛解と増悪を繰り返す．大腸に限局して発生し病変は直腸から口側へと連続する．内視鏡検査では，直腸よりはじまる連続性病変を呈し，ハウストラの消失（鉛管状）と偽ポリポーシス，陰窩膿瘍がみられる．

クローン病は主として若年者にみられ，口腔にはじまり肛門に至るまでの消化管のどの部位にも炎症や潰瘍が起こり得る．小腸の末端部が好発部位で，非連続性の病変（病変と正常部分が繰り返されること：縦走潰瘍，敷石像）が特徴である．

2 炎症性腸疾患の症状

潰瘍性大腸炎の症状は，粘血便，下痢，腹痛，食欲不振，体重減少，発熱などである．クローン病では，病変により腹痛や下痢，血便，体重減少などが生じる．

■薬 理

1) 5-アミノサリチル酸関連薬

● サラゾスルファピリジン　● メサラジン（5-アミノサリチル酸）

サラゾスルファピリジンは腸内細菌により 5-アミノサリチル酸とスルファピリジンに分解され，5-アミノサリチル酸が薬理作用を発揮する．T 細胞・マクロファージの胃におけるサイトカイン産生を抑制する．

メサラジンは小腸・大腸で放出されるよう設計された希少疾病用医薬品である．

2) 副腎皮質ステロイド（☞ 3 章 1 ■薬理 1.b ステロイド性抗炎症薬，p.215）

プレドニゾロン，デキサメタゾン，ベタメタゾンなどが経口投与や直腸内投与で使

用される.

3) 免疫抑制薬
- **タクロリムス**(構造式☞ p. 234)   - **アザチオプリン**(構造式☞ p. 240)
- **メルカプトプリン**(構造式☞ p. 567)   - **シクロスポリン**(構造式☞ p. 243)

潰瘍性大腸炎の寛解導入および寛解維持に用いられるが，メルカプトプリン，シクロスポリンは保険適用外である．アザチオプリン，メルカプトプリンは，クローン病の寛解維持にも用いられる．

4) 生物学的製剤(☞ 3章3 ■薬理 1.i.2)サイトカインの作用を阻害するもの, p. 247)
- **インフリキシマブ**   - **アダリムマブ**   - **ゴリムマブ**

TNFα に対するモノクローナル抗体であり，関節リウマチにも適応がある．ゴリムマブはクローン病には適応がない．

- **ウステキヌマブ**

IL-12/23p40 モノクローナル抗体であり，クローン病に適応がある．

- **トファシチニブ**

ヤヌスキナーゼ(JAK)に結合し，STAT のリン酸化を抑制することにより，サイトカイン産生を抑制する．

- **ベドリズマブ**

α4β7 インテグリンと特異的に結合し，腸粘膜へリンパ球が移動する経路を阻害するヒト化モノクローナル抗体である．

4-2 機能性消化管障害(過敏性腸症候群を含む)

■病態生理

1 機能性消化管障害の病態

胸やおなかのあたりに不快な症状があるにもかかわらず，内視鏡検査などを行っても症状の原因となる器質的な異常がみとめられない場合，**機能性消化管障害** functional gastrointestinal disorders(**FGID**)と呼ぶ．機能性消化管障害には，**機能性ディスペプシア** functional dyspepsia(**FD**)のほかに，**非びらん性胃食道逆流症** non-erosive reflux disease(**NERD**)や**過敏性腸症候群** irritable bowel syndrome(**IBS**)などがある．

2 機能性消化管障害の症状

FDやNERDは，胃もたれや早期飽満感などの不定愁訴が主であり，胃機能の亢進または低下により発生するが，多くの場合，胃運動性の低下により胃内容物が停滞することによる．IBSは，下腹部痛が主であり，下痢や便秘などの便通異常が持続する．

■薬　理

a　消化管運動機能改善薬

1) D_2 受容体遮断薬

- メトクロプラミド（構造式☞ p. 422）
- ドンペリドン（構造式☞ p. 422）
- イトプリド
- スルピリド（構造式☞ p. 90）

鎮吐作用と胃排出促進作用を示す．胃の副交感神経節後線維に存在するドパミン D_2 受容体を遮断して，アセチルコリン（ACh）遊離に対するドパミンの抑制作用を除去することにより胃運動を促進する．メトクロプラミドは D_2 受容体遮断作用に加えて，セロトニン 5-HT_3 受容体の遮断と 5-HT_4 受容体の刺激作用も有しており，これらの作用が消化管運動の改善効果に関連するものと考えられている．

2) 5-HT_3 受容体遮断薬

- ラモセトロン（構造式☞ p. 423）

5-HT_3 受容体を介した消化管運動と痛覚伝達を遮断する．下痢型過敏性腸症候群に適用する．

3) コリンエステラーゼ阻害薬

- アコチアミド

副交感神経終末から遊離したアセチルコリンが，コリンエステラーゼによって分解されるのを阻害し，消化管運動機能を改善する．機能性ディスペプシアにおける食後腹部膨満感に適用する．

イトプリド

アコチアミド

b　酸分泌抑制薬

H_2 受容体遮断薬，**プロトンポンプ阻害薬**は，胃酸分泌を抑制し，みぞおちの焼けるような感じや痛みを改善する．

4-3　便秘・下痢

■病態生理

便秘と**下痢**は頻繁に認められる．便秘は，腸管内容物の移動が遅く水分が過度に吸収されて排便困難を起こした状態である．下痢は種々の要因により糞便中の水分量が増加した状態であり，腸管運動亢進との相互作用の結果起きる．水分泌亢進は腸上皮細胞のアデニル酸シクラーゼの活性化による cAMP の増大に起因する．

■薬　理

a　瀉下薬

腸管運動の亢進，あるいは便の柔軟化を目的として使用する薬物である．

1）膨張性下剤

- カルボキシメチルセルロース（カルメロース）

腸管内で水分を吸収，膨潤することにより腸粘膜に機械的刺激を与えて蠕動運動を促進する．緩下剤・軟化剤として用いられるが，腸狭窄時に投与するとイレウスを起こすことがある．

2）粘滑性・潤滑性下剤

- 流動パラフィン　● ジオクチルコハク酸ナトリウム

腸で吸収されずに，界面活性作用によって腸管内容物への水・脂肪の混入を容易にして内容物を膨潤・軟化させる．緩下剤であり，常習便秘，妊婦・高血圧患者にも適している．流動パラフィンは，消化されず腸壁に粘滑性を付与し，かつ水分の吸収を阻止するので緩下作用があり，痙攣性便秘に用いられる．ジオクチルコハク酸ナトリウムは，界面活性作用により糞塊の表面張力を低下させ水分浸潤が容易となり，便を軟らかくする．

3）塩類・浸透圧性下剤

- 酸化マグネシウム　● 水酸化マグネシウム　● 硫酸マグネシウム
- クエン酸マグネシウム　● 炭酸水素ナトリウム　● 塩化ナトリウム
- 硫酸ナトリウム　● 硫酸カリウム　● ラクツロース

難吸収性の塩類は腸粘膜から吸収されにくく，腸管内浸透圧を高めて組織から管腔内に水分泌を増加させ腸管内容量を増やす．

4）化学的刺激

- ヒマシ油　● ビサコジル（坐剤）　● ピコスルファートナトリウム　● センノシド

腸管内で分解され，その分解産物が，腸粘膜直接刺激作用や知覚神経終末刺激による壁内神経叢反射亢進作用を現すことによって蠕動運動を亢進させる．小腸に作用する小腸性下剤（常習性には不適）と，大腸に作用する大腸性下剤（常習性に適）がある．

5）その他の瀉下薬

- ルビプロストン

小腸上皮に存在する ClC-2 クロライド（Cl^-）チャネルを直接活性化し，腸管管腔内への Cl^- 分泌を促進する（Cl^- チャネル活性化因子）．その結果，腸管内浸透圧が高まり，腸管内への水分泌が亢進して瀉下作用を示す．慢性便秘症に適用する．

- エロビキシバット

回腸の上皮細胞に発現している胆汁酸トランスポーター（IBAT）を阻害し，胆汁酸の再吸収抑制により，大腸管腔内に水分および電解質を分泌させる．慢性便秘症に適用する．

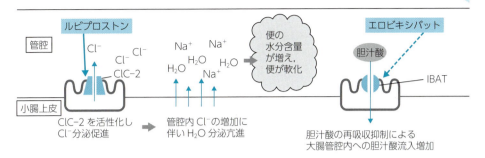

図6B-4 ルビプロストンとエロビキシバットの作用点

● リナクロチド
　グアニル酸シクラーゼC受容体刺激により，腸管分泌および腸管輸送能促進作用ならびに大腸痛覚過敏改善作用がある．

● ナルデメジン
　消化管に存在するオピオイドμ受容体を遮断し，オピオイドの末梢性作用に拮抗することによりオピオイド誘発性便秘を改善する．

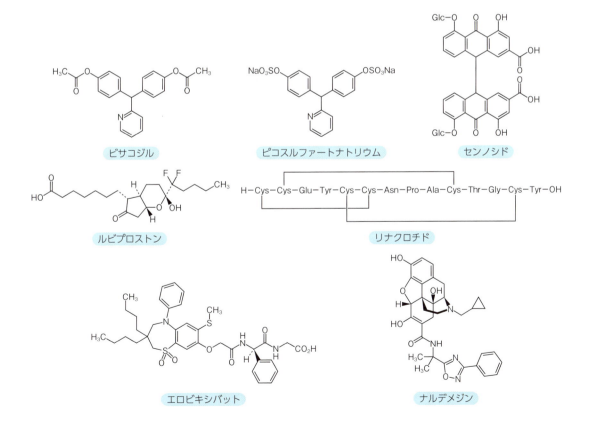

b 止瀉薬

重篤な下痢は体内の水分・無機質を喪失させるため，血液は濃縮され中枢興奮症状および栄養障害を招く．刺激物質による下痢の場合には，その刺激物質を速やかに排泄した後に止瀉薬を使用する．

1）粘滑薬
● アラビアゴム　● デンプン

粘膜表面に付着して粘稠な薄膜を形成し，外来刺激を緩和する．

2）吸着薬
● 薬用炭　● ケイ酸アルミニウム

下痢を誘発する腸管内の有毒物質である腐敗物，細菌，細菌毒素を吸着して炎症の悪化を防ぎ，中毒を防止する．

3）収斂薬
● 次硝酸ビスマス　● アセンヤク　● ゲンノショウコ　● タンニン酸アルブミン

腸粘膜から吸収されずに粘膜表面のタンパク質と結合し，沈殿して，不溶性の被膜を形成し腸粘膜を保護する．

4）腸管運動抑制薬
● モルヒネ（構造式☞ p. 200）　● ロペラミド　● トリメブチン

副交感神経終末μ受容体刺激によってアセチルコリン遊離を阻害し，腸管運動と腸管内への水分泌を抑制する．

5）整腸剤

乳酸菌やビフィズス菌を含有する製剤により腸内環境を整える．

ロペラミド　　トリメブチン

4-4 痔

痔には，肛門の歯状線よりも口側に生じる内痔核と肛門側に生じる外痔核があり，両者が混在した混合痔核の頻度が高い．

症状は，排便時に自覚する脱出と出血と激しい疼痛である．

自然治癒することはほとんどなく，外科的治療が原則となるが，保存的治療として外用薬や内服薬が用いられる．

1) **局所麻酔薬**(☞ 1 章 4.3.2)アミド型局所麻酔薬, p.82)
  リドカイン,ジブカインなどの局所麻酔薬により痔の痛みを和らげる.
2) **抗炎症薬**(☞ 3 章 1 ■薬理 1.b ステロイド性抗炎症薬, p.215)
  副腎皮質ステロイドのプレドニゾロンやヒドロコルチゾンが使用される.
3) **抗ヒスタミン薬**(☞ 3 章 2 ■薬理 1.b 第一世代ヒスタミン H_1 受容体遮断薬, p.230)
  ジフェンヒドラミン,クロルフェニラミンは,瘙痒を抑える目的で使用される.

腸疾患治療薬

種類　薬物［代表的な商品名］	作用機序	注意すべき副作用
炎症性腸疾患治療薬		
5-アミノサリチル酸関連薬		
●サラゾスルファピリジン［サラゾピリン］	腸内細菌により 5-アミノサリチル酸とスルファピリジンに分解され,5-アミノサリチル酸が T 細胞・マクロファージの胃におけるサイトカイン産生を抑制する	腹痛,下痢,下血,発疹,発熱
●メサラジン［ペンタサ,アサコール］	炎症細胞から放出される活性酸素を消去する	
免疫抑制薬		
●アザチオプリン［アザニン］ ●メルカプトプリン水和物［ロイケリン］	DNA 合成におけるプリン代謝を阻害する	血液障害,消化器症状,感染症
●タクロリムス水和物［プログラフ］ ●シクロスポリン［サンディミュン］	カルシニューリン活性化を阻害する	腹痛,下痢,便秘,鼻咽頭炎,血圧上昇,振戦など
生物学的製剤		
●インフリキシマブ［レミケード］ ●アダリムマブ［ヒュミラ］ ●ゴリムマブ［シンポニー］	抗 TNFα 抗体製剤.TNFα 作用を阻害する	頭痛,気道感染,咽喉頭炎
●ウステキヌマブ［ステラーラ］	抗 IL-12/23 p40 抗体製剤.IL-12/23 作用を阻害する	アナフィラキシーショック,結核の再燃,肺炎
●トファシチニブクエン酸塩［ゼルヤンツ］	JAK に結合し,STAT のリン酸化を抑制することにより,サイトカイン産生を抑制する	感染症,消化管裂孔,好中球減少,肝障害,黄疸など
●ベドリズマブ［エンタイビオ点眼静注］	ヒト化モノクローナル抗体.α4β7 インテグリンと特異的に結合し,腸粘膜へ移動する経路を阻害する	重篤な感染症,進行性多巣性白質脳症など
消化管運動機能改善薬		
D_2 受容体遮断薬		
●メトクロプラミド［プリンペラン］ ●ドンペリドン［ナウゼリン］ ●イトプリド塩酸塩［ガナトン］	消化管の D_2 受容体を遮断する.メトクロプラミドは 5-HT_3 受容体遮断と 5-HT_4 受容体刺激作用も有し,胃腸運動を改善する	錐体外路症状,肝障害,黄疸
●スルピリド［ドグマチール］	D_2 受容体遮断により胃運動を促進する	悪性症候群,痙攣,肺塞栓症
5-HT_3 受容体遮断薬		
●ラモセトロン塩酸塩［イリボー］	消化管の 5-HT_3 受容体を遮断する	虚血性大腸炎
コリンエステラーゼ阻害薬		
●アコチアミド塩酸塩水和物［アコファイド］	副交感神経終末から遊離したアセチルコリンのコリンエステラーゼによる分解を阻害する	下痢,便秘,吐き気・嘔吐

腸疾患治療薬（つづき）

種類　薬物　[代表的な商品名]	作用機序	注意すべき副作用
瀉下薬		
膨張性下剤		
●カルボキシメチルセルロース [カルメロースナトリウム]	腸粘膜に機械的刺激を与える	
粘滑性・潤滑性下剤		
●流動パラフィン ●ジオクチルコハク酸ナトリウム	界面活性作用により腸管内容物を膨潤・軟化させる	
塩類・浸透圧性下剤		
●酸化マグネシウム [重カマ] ●水酸化マグネシウム [ミルマグ] ●硫酸マグネシウム　●クエン酸マグネシウム　●炭酸水素ナトリウム　●塩化ナトリウム　●硫酸ナトリウム　●硫酸カリウム　●ラクツロース	腸管内浸透圧を高めて組織から管腔内に水分を吸引し，腸管内容量を増やす	マグネシウム製剤は高マグネシウム血症に注意
化学的刺激		
●ヒマシ油 [ヒマシ油シオエ] ●ビサコジル [ビサコジル] ●ピコスルファートナトリウム水和物 [ラキソベロン] ●センノシド [プルゼニド]	腸粘膜直接刺激作用（cAMP 増加による Cl^- 能動分泌促進や Na^+ ポンプ抑制による）や，知覚神経終末刺激による壁内神経叢反射亢進作用を示す	腹痛
その他		
●ルビプロストン [アミティーザ]	小腸上皮に存在する ClC-2 電位依存性 Cl^- チャネルを活性化し，腸管管腔内への Cl^- 分泌を促進する	下痢，悪心，腹痛
●エロビキシバット水和物 [グーフィス]	胆汁酸トランスポーター（IBAT）を阻害する	
●リナクロチド [リンゼス]	グアニル酸シクラーゼ C 受容体刺激により，腸管分泌・腸管輸送能促進作用，大腸痛覚過敏改善作用を示す	重度の下痢
●ナルデメジントシル酸塩 [スインプロイク]	末梢性オピオイド μ 受容体を遮断する	下痢，腹痛，嘔吐，悪心，食欲不振，ALT 増加，AST 増加
止瀉薬		
粘滑薬		
●アラビアゴム　●デンプン	粘膜表面に付着して粘稠な薄膜を形成する	
吸着薬		
●薬用炭　●ケイ酸アルミニウム	腐敗物，細菌，細菌毒素を吸着して炎症の悪化を防ぐ	
収斂薬		
●次硝酸ビスマス　●アセンヤク　●ゲンノショウコ　●タンニン酸アルブミン	粘膜表面のタンパク質と結合・沈殿し，不溶性の被膜を形成する	
腸管運動抑制薬		
●モルヒネ	副交感神経終末 μ 受容体刺激によるアセチルコリン遊離阻害により腸管運動を抑制する．トリメブチンは腸管運動低下時には交感神経 μ 受容体刺激によってノルアドレナリン遊離を阻害し，腸管運動を亢進する	イレウス
●ロペラミド塩酸塩 [ロペミン]		
●トリメブチンマレイン酸塩 [セレキノン]		
整腸剤		
●ラクトミン製剤 [ビオフェルミン] ●乳酸菌 [ラックビー]	乳酸菌やビフィズス菌により腸内環境を整える	

5 肝・膵臓・胆道疾患

5-1 肝疾患（肝炎，肝硬変，薬物性肝障害）

■病態生理

❶ 肝疾患の病態

a 肝　炎

急性肝炎は種々の肝炎ウイルス，薬物，アルコールなどが原因で起こる一過性の炎症性肝疾患であり，主症状としては食欲不振，悪心などが認められる．**慢性肝炎**は，B型およびC型急性肝炎から移行する場合が多い．急性肝炎の約1%は，広範な肝細胞壊死により肝不全状態に陥り劇症肝炎と呼ばれる．

血液検査により6ヵ月以上肝炎症状が持続する場合に，慢性肝炎と診断される．急性肝炎から移行する場合もあるが，無症候性の肝炎ウイルスキャリアが健康診断でみつかることも多い．肝組織では，肝小葉内への炎症細胞（リンパ球など）の集積と肝細胞の壊死巣が散在する．肝組織の生検により，炎症の強さと線維化の程度を病理的に診断し，予後を推測する．従来，慢性活動性肝炎とされた炎症および線維化の強い症例は，肝硬変へ進展する危険性が高い．

b 肝硬変

肝硬変はウイルス性慢性肝炎をはじめとする種々の肝疾患の終末像で，肝障害と門脈圧亢進による症状が生じる．また，肝硬変からは高率に肝がんの発生がみられる．病理学的にはびまん性の高度の線維化と肝実質の再生結節，小葉構造の改築が生じる結果，肝臓は硬化する．

c 薬物性肝障害

薬物によって肝臓の機能が障害され肝障害もしくは胆汁うっ滞が生じる病態である．さまざまな薬物で肝障害が起こる可能性があり，原因として多くみられるのは抗菌薬，解熱性鎮痛薬，精神神経系薬物，抗悪性腫瘍薬，漢方薬などである．

❷ 肝疾患の症状

慢性肝炎の自覚症状は，全身倦怠感，易疲労感などであるが，慢性肝炎が進行して肝硬変に進展するまで，何ら自覚症状を示さない患者も多い．他覚症状としては，肝腫大や脾腫が認められることが多く，肝硬変を発症すると胸腹壁のクモ状血管腫や手掌紅斑などが出現する．肝硬変では肝障害と門脈圧亢進がみられ，重篤（非代償性）に

なった場合，肝性脳症や腹水がたまる，黄疸が出るという合併症がみられる．

■薬　理

a　インターフェロン製剤
- インターフェロンα
- インターフェロンβ
- ペグインターフェロンα-2a
- ペグインターフェロンα-2b

免疫増強作用，$2',5'$-オリゴアデニル酸合成を促進してリボヌクレアーゼ(RNase)を活性化し，RNA分解を促進してウイルスタンパク質合成を阻害する．

b　抗ウイルス薬

1990年代はインターフェロンで著効率6%程度であったが，2000年代にはインターフェロンと抗ウイルス薬(リバビリン)の併用で著効率が大幅に上昇した．2014年には直接作用型抗ウイルス薬(DAA製剤)が開発され，レジパスビルとソホスビルの経口2剤併用で著効率は100%にまで上昇している．

- ラミブジン
- アデホビル　ピボキシル
- エンテカビル

B型肝炎ウイルス(HBV：DNAウイルス)のDNAポリメラーゼに対する競合的拮抗作用と，DNA鎖伸長停止作用によって，抗HBV作用を示す逆転写酵素阻害薬である(図6B-5)．

- テノホビル　ジソプロキシル

HBVの増殖を伴い，肝機能の異常が確認されたHBVの増殖を抑制する逆転写酵素阻害薬．抗HIV薬としても使用されている．

- リバビリン

C型肝炎ウイルス(HCV)のRNA依存性RNAポリメラーゼを阻害し，ウイルスのRNA合成を阻害してタンパク質合成を阻害する．インターフェロンα-2a，2bと併用する(図6B-6)．

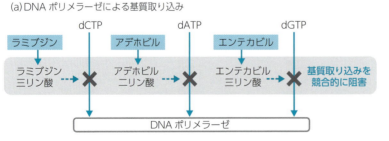

図6B-5　B型肝炎治療における抗ウイルス薬の作用点

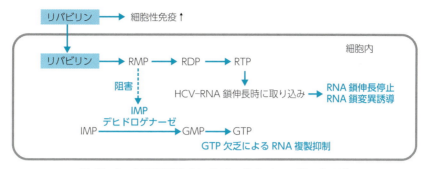

図6B-6　C型肝炎治療における抗ウイルス薬の作用点

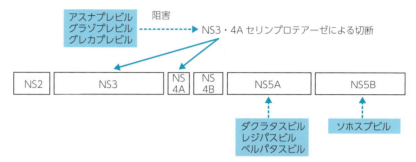

図6B-7　C型肝炎治療における直接作用型抗ウイルス薬の作用点
NS：非構造タンパク質．HCV遺伝子中のウイルス複製を担う部分．

- アスナプレビル　●グラゾプレビル　●グレカプレビル

　HCVのNS3・4Aプロテアーゼを阻害し，抗HCV作用を示す（**図6B-7**）．

- ダクラタスビル　●レジパスビル　●エルバスビル　●ピブレンタスビル
- ベルパタスビル

　HCVのNS5A複製複合体を阻害し，HCVの複製・増殖を阻害する（**図6B-7**）．

- ソホスブビル

　HCVのNS5Bポリメラーゼを阻害し，抗HCV作用を示す（**図6B-7**）．

テノホビル ジソプロキシル　　リバビリン　　アスナプレビル

ダクラタスビル　　レジパスビル

ソホスブビル　　ベルパタスビル

c 肝庇護薬

●グリチルリチン製剤

強力ネオミノファーゲンシー®はインターフェロン誘導作用などを有している．
偽アルドステロン症(高血圧，浮腫，低カリウム血症，代謝性アルカローシスなど)や横紋筋融解症(経口剤)などの副作用に注意する．

d 漢方薬

●小柴胡湯

インターフェロンとの併用による間質性肺炎などの副作用増強に注意する．

e　肝タンパク質代謝改善薬

● マロチラート

　　肝細胞に作用し，RNA合成促進によりタンパク質合成能を高め，肝硬変代償期における肝機能を改善する．

マロチラート

f　代償性肝硬変の合併症治療

1) スピロノラクトン（構造式☞ p. 356）
　　カリウム保持性利尿薬．重症の場合はフロセミドを併用する．
2) アルブミン製剤
　　低アルブミン血症で腹水コントロール困難なときに用いる．
3) ヒスタミン H_2 受容体遮断薬
　　消化管出血時に消化管内pHを上昇させて血液凝固能を正常化する．
4) ラクツロース
　　合成二糖類で，腸内のpHを酸性にし，アンモニア産生菌の発育を抑制し，アンモニア生成を抑える．肝性脳症の改善に用いる．
5) 難吸収性・非吸収性抗生物質
　　● カナマイシン（構造式☞ p. 533）　　● アムホテリシンB（構造式☞ p. 552）
　　● バンコマイシン（構造式☞ p. 529）
　　腸内での細菌増殖を抑制してアンモニアの発生を阻止する．
6) 分岐鎖アミノ酸顆粒製剤（リーバクト®など）
　　高アンモニア血症の治療にアミノ酸製剤を用いる．
7) 経腸栄養剤（アミノレバン®など）
　　芳香族アミノ酸を制限し，分岐鎖アミノ酸を多く含有する．タンパク質，糖質，脂質とビタミン，ミネラルおよび微量元素を含み，脳症の改善だけでなく，栄養状態の改善効果も示す．

5-2　膵　炎

■病態生理

1　膵炎の病態

　　膵炎とは，種々の原因により膵臓の防御機構が十分に作動しなくなり，膵臓から分

泌される酵素が間質組織に漏出して，自己の組織を消化してしまう病態をいう．膵炎には，**急性膵炎** acute pancreatitis と炎症が長期にわたって反復する**慢性膵炎** chronic pancreatitis とがある．

a　急性膵炎

活性化された膵消化酵素（主としてトリプシン，エステラーゼなど）が膵臓組織を自己消化し，その分解産物が全身を循環し，循環不全，呼吸不全，腎不全などを引き起こす疾患である．主な原因は胆石による膵管または胆管の一過性閉塞による胆石症とアルコール多飲である．

b　慢性膵炎

種々の原因により，膵実質が不可逆性な線維化・石灰化をきたし，膵酵素逸脱を伴う上腹部痛が6ヵ月以上持続する状態をいう．主な原因はアルコール多飲である．

❷　膵炎の症状

急性膵炎では，腹痛が最も高頻度で現れ，突発する上腹部痛で発症し，徐々に痛みが強くなり，2～3時間でピークに達する．悪心・嘔吐や発熱も多くの例でみられる．慢性膵炎では，腹痛とともに背部痛を伴う．また食欲不振，悪心・嘔吐，下痢，便秘など，不定の消化器症状が現れる．これらの症状は，飲酒や高脂肪食摂取により増悪する．臨床経過により代償期と非代償期に分けられる．代償期には反復・継続する上腹部痛を主症状とし，急性膵炎症状がみられる急性増悪期と，症状が軽減する間欠期を繰り返して進行する．非代償期には膵外分泌が低下し，消化吸収不全（脂肪便，体重減少，下痢），膵内分泌不全による糖尿病が主症状となる．

■薬　理

a　オピオイド系鎮痛薬

●**モルヒネ**（構造式☞ p.200）　　●**ペンタゾシン**（構造式☞ p.201）

オピオイド系鎮痛薬はOddi括約筋攣縮による膵内圧増加作用をもつため，抗コリン薬を併用する．過度の腸管運動抑制による便秘・麻痺性イレウスに注意する．

b　抗コリン薬

●**プロパンテリン**（構造式☞ p.412）　　●**チキジウム**（構造式☞ p.412）

胃酸分泌阻害作用により，十二指腸内pHを上げてセクレチンの分泌を抑制する．

c タンパク質分解酵素阻害薬

● **ウリナスタチン**

ペプチド系のタンパク質分解酵素阻害薬で，抗トリプシン，抗リパーゼ，抗顆粒球エラスターゼ作用がある．

● **カモスタット**（構造式☞ p. 339）　● **ナファモスタット**（構造式☞ p. 339）
● **ガベキサート**（構造式☞ p. 339）

非ペプチド系のタンパク質分解酵素阻害薬であり，トリプシン・カリクレインを阻害するとともに，Oddi 括約筋に対して弛緩作用を示す．

d Oddi 括約筋弛緩薬

● **フロプロピオン**

COMT 阻害による交感神経作用および抗セロトニン作用によって，消化器，尿路系平滑筋の運動異常を改善する．とくに膵胆管末端部の Oddi 括約筋に対して的確な弛緩効果を有し，膵胆道内圧を低下させ，肝胆道，膵疾患に伴う腹部症状を除去する．

● **トレピブトン**

Ca^{2+} 貯蔵部位への Ca^{2+} 取り込み促進によって胆嚢・Oddi 括約筋を弛緩させ排胆する．消化管平滑筋，とくに Oddi 括約筋を直接弛緩させて胆汁・膵液の排出を促進する．

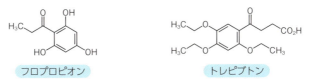

フロプロピオン　　　トレピブトン

5-3 胆道疾患（胆石症，胆道炎）

■病態生理

1 胆道疾患の病態

胆石保有者は，胆道系に結石が形成され，症状の有無にかかわらず，**胆石症**と称する．**胆道炎**とは，胆嚢に細菌が感染し炎症を起こした胆嚢炎と，胆石などにより胆嚢または胆管がうっ滞して胆道内に細菌感染が起こる胆管炎を指す．

2 胆道疾患の症状

胆嚢炎では，高熱，右腹部痛，黄疸という三大主徴を示し，胆管炎では，重症化すると肝腫瘍も起こる可能性がある．

■薬　理

a　催胆薬

- **デヒドロコール酸**

  胆汁酸は胆汁の分泌を促進するが，コール酸の酸化により得られるデヒドロコール酸は水利胆作用が強い．

- **ウルソデオキシコール酸**

  クマの胆汁成分で，コール酸から合成可能である．胆汁合成酵素活性化と強い利胆作用を示し，胆石表面のコレステロール溶解作用により，胆石溶解薬としても作用する．

b　排胆薬

- **フロプロピオン**（構造式☞ p. 439）

  COMT阻害による交感神経作用および抗セロトニン作用によって胆嚢・Oddi括約筋を弛緩させ排胆する．

- **トレピブトン**（構造式☞ p. 439）

  Ca^{2+}貯蔵部位へのCa^{2+}取り込み促進によって胆嚢・Oddi括約筋を弛緩させ排胆する．

- **硫酸マグネシウム**

  マグネシウムがOddi括約筋を弛緩させる．

- **パパベリン**

  ホスホジエステラーゼ阻害，Ca^{2+}チャネル阻害による平滑筋弛緩作用を示す．

c　胆石溶解薬

胆汁酸を補充してコレステロール胆石表面のコレステロールを溶解する．フィブラート系薬との併用で効果が減弱する場合がある．

- **ケノデオキシコール酸**

  胆汁酸を補充して胆石表面のコレステロールをミセル化して溶解するとともに，肝臓のコレステロール合成を抑制する．

- **ウルソデオキシコール酸**

  胆汁成分分泌型催胆薬であり，胆石表面のコレステロールを液化/小胞化して胆石を溶解する．

デヒドロコール酸　　パパベリン　　ウルソデオキシコール酸：$R^1=OH$　$R^2=H$　ケノデオキシコール酸：$R^1=H$　$R^2=OH$

肝・膵臓・胆道疾患治療薬

種類　薬物　[代表的な商品名]	作用機序	注意すべき副作用
肝疾患治療薬		
インターフェロン(IFN)製剤		
●インターフェロンα [スミフェロン] ●インターフェロンβ [フエロン] ●ペグインターフェロンα-2a [ペガシス] ●ペグインターフェロンα-2b [ペグイントロン]	IFN 受容体に結合し，2′,5′-オリゴアデニル酸合成を促進してリボヌクレアーゼ(RNase)を活性化し，RNA 分解を促進してウイルスタンパク質合成を阻害する	インフルエンザ様症状，精神神経障害
抗ウイルス薬		
●ラミブジン [ゼフィックス] ●アデホビル ピボキシル [ヘプセラ] ●エンテカビル水和物 [バラクルード] ●テノホビル ジソプロキシルフマル酸塩 [テノゼット]	逆転写酵素阻害により HBV の DNA 鎖伸長停止作用を示す	貧血，肝障害，高血圧，急性腎不全など
●リバビリン [レベトール，コペガス]	HCV の RNA 依存性 RNA ポリメラーゼ阻害により，RNA 合成→タンパク質合成を阻害する	
●アスナプレビル [スンベプラ] ●グラゾプレビル水和物 [グラジナ] ●グレカプレビル水和物 [*1]	HCV の NS3/4A プロテアーゼを阻害する	
●ダクラタスビル塩酸塩 [ダクルインザ] ●レジパスビルアセトン付加物 [*2] ●エルバスビル [エレルサ] ●ピブレンタスビル [*1] ●ベルパタスビル [*3]	HCV の NS5A 複製複合体を阻害する	[*1] グレカプレビル水和物・ピブレンタスビル配合 [マヴィレット] [*2] レジパスビルアセトン付加物・ソホスブビル配合 [ハーボニー] [*3] ソホスブビル・ベルパタスビル配合 [エプクルーサ]
●ソホスブビル [ソバルディ]	HCV の NS5B ポリメラーゼを阻害する	
肝庇護薬		
●グリチルリチン製剤 [強力ネオミノファーゲンシー]	抗炎症作用，免疫調節作用，肝細胞膜安定化作用を示す	偽アルドステロン症(高血圧，浮腫，低カリウム血症)，食欲不振，悪心・嘔吐などの消化器症状，横紋筋融解症
漢方薬		
●小柴胡湯 [小柴胡湯]	肝再生促進，肝線維化抑制作用および免疫調整作用を示す	IFN との併用による間質性肺炎の副作用増強
肝タンパク質代謝改善薬		
●マロチラート [カンテック]	肝細胞に作用し，RNA 合成促進およびリボソームの活性化によるタンパク質合成能を高め，タンパク質代謝改善作用を発現し，肝細胞の賦活作用ならびに肝線維化抑制作用を示す	黄疸などの症状は，食欲不振，悪心などの消化器症状が先行して現れることがある
膵臓疾患治療薬		
オピオイド系鎮痛薬		
●モルヒネ ●ペンタゾシン [ソセゴン]	Oddi 括約筋攣縮作用により膵内圧増加を示す	過度の腸管運動抑制による便秘・麻痺性イレウス
抗コリン薬		
●プロパンテリン臭化物 [プロ・バンサイン] ●チキジウム臭化物 [チアトン]	胃酸分泌阻害により，十二指腸内 pH を上げてセクレチンの分泌を抑制する	

肝・膵臓・胆道疾患治療薬(つづき)

種類　薬物 [代表的な商品名]	作用機序	注意すべき副作用
タンパク質分解酵素阻害薬		
●ウリナスタチン [ミラクリッド]	トリプシン，リパーゼ，顆粒球エラスターゼを阻害する	ショック，アナフィラキシー，白血球減少
●カモスタットメシル酸塩 [フオイパン] ●ナファモスタットメシル酸塩 [フサン] ●ガベキサートメシル酸塩 [エフオーワイ]	トリプシン・カリクレインを阻害する．Oddi 括約筋に対して弛緩作用を示す	ショック，肝障害
Oddi 括約筋弛緩薬		
●フロプロピオン [コスパノン]	COMT 阻害により交感神経作用および抗セロトニン作用を示す	悪心・嘔吐，腹部膨満感
●トレピブトン [スパカール]	Ca^{2+} 貯蔵部位への Ca^{2+} 取り込みを促進する	悪心，便秘，腹部膨満感
胆道疾患治療薬		
催胆薬		
●デヒドロコール酸 [10%デヒドロコール酸]	水利胆作用が強く，肝臓で還元され，タウリン・グリシンと抱合体を形成して胆汁内に排出される	
●ウルソデオキシコール酸 [ウルソ]	肝臓において，組織傷害性の高い胆汁酸に代わりウルソデオキシコール酸の割合を高くし，肝細胞への傷害作用を軽減する．抗炎症作用，サイトカイン・ケモカイン産生抑制作用を示す	下痢，腹部膨満感，間質性肺炎
排胆薬		
●フロプロピオン [コスパノン] ●トレピブトン [スパカール]	胆嚢・Oddi 括約筋弛緩作用を示す	Oddi 括約筋弛緩薬(上記)参照
●硫酸マグネシウム	Oddi 括約筋弛緩作用を示す	
●パパベリン [塩酸パパベリン]	ホスホジエステラーゼ・Ca^{2+} チャネル阻害による平滑筋弛緩作用を示す	
胆石溶解薬		
●ケノデオキシコール酸 [チノカプセル]	胆石表面のコレステロールをミセル化・溶解し，肝臓のコレステロール合成を抑制する	
●ウルソデオキシコール酸	催胆薬の項参照	

7章 代謝系・内分泌系の疾患と治療薬

A 糖尿病・代謝系内科領域の疾患に用いる薬物

　生活習慣病には，糖尿病，脂質異常症，高尿酸血症・痛風などがあり，いずれも運動不足，過食，肥満といった生活習慣の不摂生が主な原因となる慢性疾患である．その発症には，糖，脂質，核酸などの代謝異常と内分泌（ホルモン）の異常が関与する．ここでは，糖尿病，脂質異常症および高尿酸血症・痛風について，その病態生理の概要を学び，治療に用いられる薬物の作用機序までを体系的に学習する．

★対応する薬学教育モデル・コアカリキュラム
  E2 薬理・病態・薬物治療　（5）代謝系・内分泌系の疾患と薬
　　GIO
　　・代謝系・内分泌系に作用する医薬品の薬理および疾患の病態・薬物治療に関する基本的知識を修得し，治療に必要な情報収集・解析および医薬品の適正使用に関する基本的事項を修得する．
　　SBO　【①代謝系疾患の薬，病態，治療】
　　・以下の疾患について，治療薬の薬理（薬理作用，機序，主な副作用）を説明できる．
　　　・糖尿病とその合併症
　　　・脂質異常症
　　　・高尿酸血症・痛風

1 糖 尿 病

■病態生理

糖尿病 diabetes mellitus は，インスリン作用の不足に基づく慢性の高血糖状態を主徴とする代謝症候群であり，糖質，脂質，タンパク質の代謝異常を伴う．インスリン作用不足の機序には，膵臓のランゲルハンス島β細胞（膵β細胞）からのインスリン分泌不全と，筋肉，肝臓，脂肪組織などのインスリン作用臓器におけるインスリン感受性の低下（インスリン抵抗性）が関連する．内臓脂肪型肥満が，**インスリン抵抗性**の病態基盤をなすと考えられている．

糖尿病の症状は高血糖などの代謝異常による症状（口渇，多飲，多尿，体重減少）である．高度のインスリン不足はケトアシドーシスや高度の脱水を引き起こし，糖尿病性昏睡をきたす．長期にわたって血糖コントロールが不良であった場合には，三大合併症と呼ばれる細小血管障害（網膜症，腎症，神経障害）を合併する．さらに，高血糖が持続すると大血管障害である動脈硬化性疾患（冠動脈疾患，脳血管障害，末梢動脈疾患）の発症リスクが高まる．

糖尿病の発症には，遺伝因子と環境因子が関与する．糖尿病は成因により，①**1型糖尿病**，②**2型糖尿病**，③その他の原因による糖尿病，④妊娠糖尿病の4つに分類される．1型糖尿病は，主に自己免疫によって膵β細胞の破壊を生じ，インスリンの欠乏をきたして発症する．インスリンが絶対的に欠乏するため，生命維持のためにはインスリン療法が不可欠となる．2型糖尿病は，インスリン分泌低下やインスリン抵抗性に関連する複数の遺伝因子に，過食，運動不足などの生活習慣に起因する内臓脂肪型肥満が加わり，インスリン作用の需要と供給のバランスに破綻が生じて糖尿病を発症する．わが国の糖尿病の95％以上が2型糖尿病である．2型糖尿病治療の基本は，食事療法と運動療法であり，それらのみで十分に血糖値がコントロールできない場合に糖尿病治療薬が使用される．

■薬　理

 インスリン分泌のしくみ

インスリンは，血糖値を低下させる唯一のホルモンで，膵β細胞から分泌される．その主な標的臓器は，骨格筋，肝臓，脂肪組織である．骨格筋におけるグルコースの取り込み促進とグリコーゲンの合成促進，肝臓における糖新生の抑制，グリコーゲンの合成促進と分解抑制，脂肪組織における糖の取り込み，トリグリセリドの合成促進などの作用により血液中の血糖値を低下させる．

血液中のグルコース濃度が上昇すると，糖輸送担体（**GLUT2**：glucose transporter

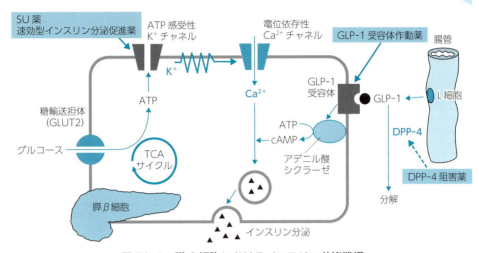

図7A-1　膵β細胞におけるインスリン分泌機構

2)を介して，膵β細胞内にグルコースが流入する．細胞内にグルコースが流入すると，グルコキナーゼにより解糖系が働き，TCAサイクルを経てATPが産生される．ATP濃度が高くなると細胞表面のATP感受性K^+チャネルを閉鎖し，β細胞膜の脱分極が起こる．続いて，電位依存性Ca^{2+}チャネルが開口し細胞内にCa^{2+}が流入することにより，インスリン分泌顆粒が開口してインスリンが分泌される(図7A-1)．

❷ 糖尿病治療薬

血糖降下薬は，その作用機序から，①糖吸収系(α-グルコシダーゼ阻害薬)，②インスリン分泌促進系(スルホニル尿素薬，速効型インスリン分泌促進薬，DDP-4阻害薬，GLP-1受容体作動薬)，③インスリン抵抗性改善系(ビグアナイド薬，チアゾリジン薬)，④糖排泄調節系(SGLT2阻害薬)に分類される(図7A-2)．

a　インスリン製剤

薬理作用　インスリン製剤は，インスリンを注射で直接補うことにより，血糖降下作用を発揮する．絶対的適応は，1型糖尿病，糖尿病昏睡，糖尿病合併妊娠などである．重症感染症，全身管理が必要な外科手術でもインスリン製剤を使用する．

副作用　低血糖．低血糖が無処置の状態で続くと低血糖昏睡などを起こす．低血糖症状が認められた場合には通常はショ糖を経口摂取し，α-グルコシダーゼ阻害薬との併用の場合にはブドウ糖を経口摂取する．

1) インスリン製剤の分類

インスリン製剤には，ヒトインスリン製剤とインスリンアナログ製剤がある．インスリンアナログ製剤とは，ヒトインスリンの構造式を修飾することにより，インスリンと同じ生理作用をもちながら薬物動態を調節した製剤である．また，作用時間およ

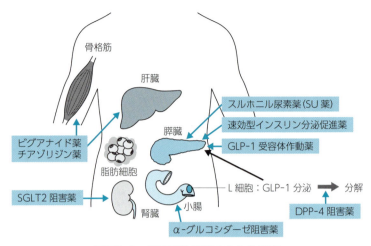

図7A-2 糖尿病治療薬の主な作用点

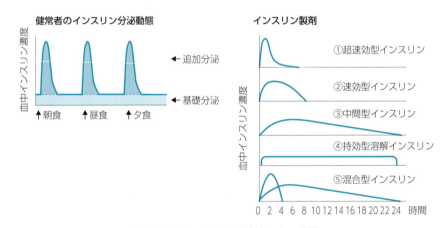

図7A-3 インスリン製剤の作用動態

び作用様式から，①超速効型，②速効型，③中間型，④持効型溶解，⑤混合型に分類される(図7A-3)．

　超速効型および速効型インスリン製剤は，製剤溶液中では6量体を形成している．皮下注射されると超速効型は6量体から単量体に速やかに解離し，速効型は2量体を経て単量体に解離することで，毛細血管から速やかに吸収される．

　持効型のインスリンデグルデクは，製剤中では2つの6量体からなるダイヘキサマーとして存在するが，投与後は皮下組織において会合して可溶性で安定なマルチヘキサマーを形成し，一時的に皮下組織に留まる．マルチヘキサマーから単量体が徐々に解離するため，投与部位から緩徐にかつ持続的に血中に吸収され，長い作用持続時間をもたらす(図7A-4)．

（i）超速効型インスリン

　食後のインスリン追加分泌パターンの再現を目的につくられたインスリン製剤で，

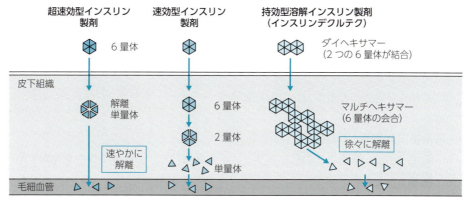

図 7A-4　皮下からのインスリン吸収の模式図

作用発現時間は 10〜20 分と早く，作用持続時間は 3〜5 時間と短い．食直前の投与で，食後高血糖を抑制する．

　　インスリンアナログ製剤：●インスリンアスパルト　●インスリンリスプロ
　　　　　　　　　　　　　　　　●インスリングルリジン

（ⅱ）　速効型インスリン

　食後のインスリン追加分泌パターンの再現を目的につくられたインスリン製剤で，作用発現時間は 30 分〜1 時間，作用持続時間は 5〜8 時間である．食前 30 分に投与する．

　　ヒトインスリン製剤：●インスリンヒト（遺伝子組換え）

（ⅲ）　中間型インスリン

　基礎分泌を補うことを目的として，作用時間を長くしたインスリン製剤である．作用発現時間は 30 分〜3 時間，作用持続時間は 18〜24 時間で製剤によって異なる．

　　ヒトインスリン製剤：●ヒトイソフェンインスリン

（ⅳ）　持効型溶解インスリン

　基礎分泌を補うことを目的につくられたインスリン製剤で，作用持続時間は約 24 時間である．投与後に明らかなピークは認められない．

　　インスリンアナログ製剤：●インスリンデグルデク　●インスリンデテミル
　　　　　　　　　　　　　　　　●インスリングラルギン

（ⅴ）　混合型インスリン

　インスリンの基礎分泌と追加分泌の補填を同時に行うことを目的としてつくられた製剤で，超速効型や速効型インスリンと中間型インスリンを組み合わせた混合製剤と，超速効型インスリン製剤と持効型溶解インスリン製剤を組み合わせた混合製剤がある．

　　インスリンアナログ製剤：●インスリンリスプロ混合製剤
　　　　　　　　　　　　　　　　●インスリンアスパルト二相性製剤
　　ヒトインスリン製剤：●ヒト二相性イソフェンインスリン

配合溶解インスリン製剤：●インスリンデグルデク・インスリンアスパルト溶解インスリン製剤

配合溶解インスリン製剤は，超速効型インスリン（インスリンアスパルト）と持効型インスリン（インスリンデグルデク）を含有するインスリン製剤で，インスリン療法における基礎分泌と追加分泌の両方を補う．

b　スルホニル尿素（SU）薬

薬理作用　膵臓からのインスリン分泌を促進して，血糖降下作用を発揮する．

作用機序　膵β細胞膜上の K^+ チャネルの一部を構成するスルホニル尿素 sulfonylurea（SU）受容体に結合し，ATP感受性 K^+ チャネルを閉鎖することでβ細胞を活性化させ，インスリンを放出させる（☞図7A-2）．

副作用　低血糖．とくにSU薬による低血糖は，重篤かつ遷延性となることがあるため注意を必要とする．

1）第一世代SU薬
●アセトヘキサミド　●グリクロピラミド

2）第二世代SU薬
●グリベンクラミド　●グリクラジド

インスリン分泌促進作用に加えて，抗酸化作用と血小板機能抑制作用も有する．

3）第三世代SU薬
●グリメピリド

インスリン分泌促進作用に加えて，インスリン抵抗性改善作用も有する．

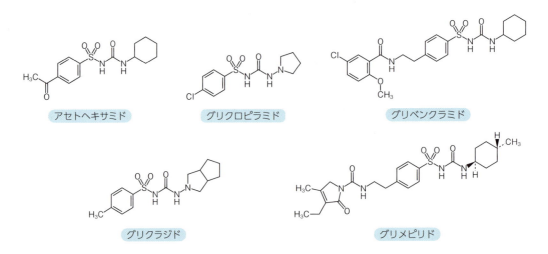

c　速効型インスリン分泌促進薬
●ナテグリニド

薬理作用　膵β細胞膜上のSU受容体に結合してインスリン分泌を促進し，服用後短時間で血糖降下作用を発揮する．食後高血糖の是正に適し，食直前に服用する．

作用機序 SU 構造を有さないが，作用機序は SU 薬と同様である．しかし，SU 薬に比べ吸収が速いため作用発現が速く，血中からの消失も速いため作用時間が短い．

副作用 低血糖(SU 薬と比べて，低血糖症状を起こしにくい)．

- ミチグリニド
- レパグリニド

ナテグリニド　　ミチグリニド　　レパグリニド

d　α-グルコシダーゼ阻害薬

- ボグリボース

薬理作用 糖質の消化・吸収を遅延させることにより，食後の過血糖を抑制する．必ず，食直前に服用する．

作用機序 食事により摂取されたデンプン(多糖類)は，α-アミラーゼにより二糖類に分解され，さらに小腸粘膜上皮細胞に存在する二糖類分解酵素(α-グルコシダーゼ)により単糖類にまで分解されて吸収される．ボグリボースは，α-グルコシダーゼの作用を競合的に阻害することで，糖の消化・吸収を遅らせる(図 7A-5)．

副作用 上部小腸での吸収が阻害された糖類の一部が大腸へ移行し，腸内細菌により発酵されることで腹部膨満や放屁などが現れる．腸内ガスの貯留により腸閉塞を発症する可能性があり，開腹手術や腸閉塞の既往がある患者には慎重投与である．単独投与では低血糖をきたす可能性は低いが，低血糖に対しては必ずブドウ糖を服用する．

- アカルボース

アカルボースは，α-グルコシダーゼに加えて α-アミラーゼに対する阻害作用も有する．

- ミグリトール

アカルボースとボグリボースは腸管からほとんど血中に吸収されないが，ミグリトールは小腸上部で吸収されるため作用時間が短く，食後 2 時間より食後 1 時間の血糖抑制作用が強い．

ボグリボース　　アカルボース　　ミグリトール

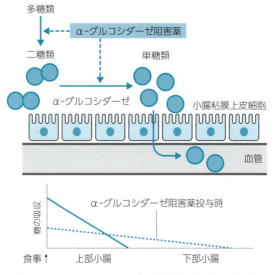

図 7A-5　α-グルコシダーゼ阻害薬の作用機序

e　ビグアナイド薬

●メトホルミン

薬理作用　主に，肝臓での糖新生を抑制することにより，血糖降下作用を発揮する．その他，インスリン抵抗性改善作用を有する．

作用機序　AMP 活性化プロテインキナーゼ(AMPK)を活性化することにより薬理作用を発揮する．肝臓では，主に乳酸からの糖新生を抑制することにより糖放出を抑制する．骨格筋では，インスリンによる GLUT4 の細胞膜への転位の誘導を促進し，インスリン抵抗性を改善する(図 7A-6)．

副作用　乳酸からの糖新生が抑制され乳酸が貯留傾向となるため，重篤な乳酸アシドーシスをきたすことがある．とくに，高齢患者，肝障害・腎障害患者では注意が必要となる．また，ヨード造影剤を用いて検査を行う場合などには，腎機能が低下するため注意が必要となる．

●ブホルミン

重篤な乳酸アシドーシスをきたすことがあるため，高齢患者，肝障害・腎障害患者では注意が必要となる．

メトホルミン　　　　　　ブホルミン

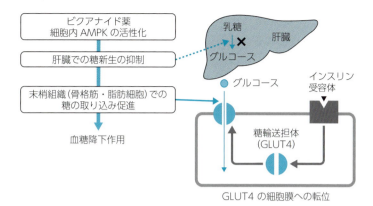

図 7A-6　ビグアナイド薬の作用機序

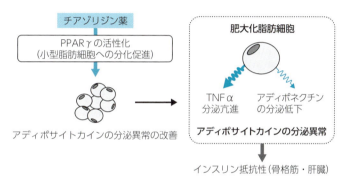

図 7A-7　チアゾリジン薬の作用機序

f　インスリン抵抗性改善薬(チアゾリジン薬)

●ピオグリタゾン

薬理作用　インスリン抵抗性とは，インスリンに対する感受性が低下し，インスリンの作用が十分に発揮できない状態である．チアゾリジン薬は，主に筋肉や肝臓のインスリン抵抗性を改善して，血糖降下作用を発揮する．

作用機序　肥大化した脂肪細胞では，インスリン抵抗性を誘発する**TNFα**の分泌亢進とインスリン抵抗性を改善する**アディポネクチン**の分泌低下が誘発される．ピオグリタゾンは，脂肪細胞の**ペルオキシソーム増殖因子活性化受容体γ(PPARγ)**を活性化することで小型の脂肪細胞への分化を促す．これにより，TNFαの産生抑制とアディポネクチン産生促進が誘発され，骨格筋・肝臓でのインスリン抵抗性が改善する(図7A-7)．

副作用　水分貯留を示す傾向があり，心不全患者には禁忌である．副作用として，浮腫，貧血，肝障害などがある．

ピオグリタゾン

g インクレチン関連薬

1) インクレチンによる血糖調整

インクレチンは，食事摂取時に消化管から分泌されて膵β細胞からのインスリン分泌を促進するホルモンの総称で，小腸上部の十二指腸・空腸の粘膜上皮細胞に存在するK細胞から分泌される**グルコース依存性インスリン分泌刺激ポリペプチド** glucose-dependent insulinotropic peptide(**GIP**)と小腸下部の回腸粘膜上皮細胞に存在するL細胞から分泌される**グルカゴン様ペプチド-1** glucagon-like peptide-1 (**GLP-1**)の2種類がある．インクレチンは高血糖に反応して膵β細胞からのインスリン分泌を増強するため，**ジペプチジルペプチダーゼ-4** dipeptidyl peptidase-4 (**DPP-4**)阻害薬やGLP-1受容体作動薬の血糖降下作用は血糖依存的で，単独投与では低血糖を起こしにくい．

2) DPP-4阻害薬

DPP-4阻害薬は，代謝・排泄経路に違いがある．リナグリプチンは胆汁排泄型，テネリグリプチンは腎・肝排泄型薬物であり，腎障害合併例でも投与量を調節することなく使用できる．しかし，その他のDPP-4阻害薬は腎排泄型薬物のため，腎障害のある患者では減量が必要となる．

- シタグリプチン
- ビルダグリプチン
- アログリプチン
- リナグリプチン
- テネリグリプチン
- アナグリプチン
- サキサグリプチン
- トレラグリプチン
- オマリグリプチン

薬理作用 インクレチンを不活性化する酵素であるDPP-4を阻害することにより，インクレチン濃度を上昇させる．インクレチンは，インスリンの分泌促進とグルカゴンの分泌抑制作用により，血糖依存的に血糖降下作用を発揮する．

作用機序 DPP-4を阻害することにより，インクレチン(GIPおよびGLP-1)の血中濃度を上昇させ，インスリン分泌を促進する．一方，グルカゴンは肝臓のグリコーゲン分解や糖新生の促進により血糖値を上昇させるが，インクレチンは**グルカゴン**の分泌も抑制する．これらの作用は血糖依存的であり，高血糖の場合のみ血糖改善効

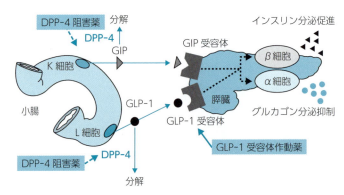

図7A-8 インクレチン関連薬(DPP-4阻害薬，GLP-1受容体作動薬)の作用機序

果を示す(図 7A-8).

副作用 1 型糖尿病，重症感染症，手術前後など，インスリン注射による血糖管理が必要な患者では禁忌である．経口糖尿病用薬との併用で低血糖の発現に注意が必要となる．ビルダグリプチンは，重度の肝障害のある患者では禁忌．

シタグリプチン　　　　　　ビルダグリプチン　　　　　　アログリプチン

リナグリプチン　　　　　　テネリグリプチン　　　　　　アナグリプチン

サキサグリプチン　　　　　トレラグリプチン　　　　　　オマリグリプチン

3) GLP-1 受容体作動薬

GLP-1 受容体作動薬は，ペプチド構造が GLP-1 に類似する GLP-1 アナログである．DPP-4 による分解を受けないようさまざまに製剤化がなされている．セマグルチドには皮下注射剤と内服薬があるが，そのほかの製剤は皮下注射剤である．セマグルチドの内服薬は吸収促進剤のサルカプロザートナトリウムを含有することで，胃での吸収を促進してバイオアベイラビリティ(生物学的利用能)を高めた経口投与製剤である．しかし，本剤の吸収は胃の内容物により低下することから，1 日のうちの最初の食事または飲水の前に空腹の状態でコップ約半分(約 120 mL)の水とともに服用し，その後は少なくとも 30 分は飲食およびほかの薬剤の経口摂取を避ける必要がある．

- リラグルチド　● エキセナチド　● リキシセナチド　● デュラグルチド
- セマグルチド

薬理作用 膵 β 細胞膜上の GLP-1 受容体に結合して，血糖依存的にインスリン分泌促進作用とグルカゴン分泌抑制作用を発揮することにより，血糖を降下させる．

作用機序 リラグルチドは DPP-4 の分解作用を受けない GLP-1 アナログで，膵

臓のGLP-1受容体を刺激してcAMPを増加させ，血糖依存的にインスリン分泌を促進させる．さらに，血糖依存的にグルカゴン分泌を抑制することにより血糖降下作用を発揮する．

副作用 糖尿病性ケトアシドーシス，糖尿病性昏睡，1型糖尿病，重症感染症，手術前後など，インスリン療法を要する病態での使用は禁忌である．経口糖尿病治療薬との併用で低血糖の発現に注意する．

エキセナチドは，重度腎機能障害のある患者では禁忌である．

h SGLT2阻害薬

SGLT(sodium glucose cotransporter)とは，Na^+/グルコース共輸送体のことで，Na^+の細胞内外の濃度差を利用して，同時に細胞内にグルコースを取り込む糖輸送タンパク質である．主なものに，SGLT1とSGLT2がある．SGLT1は消化管などでグルコースの吸収に関与している．SGLT2は腎近位尿細管に発現し，糸球体でろ過されたグルコースの再吸収に主たる役割を担っており，SGLT2の阻害薬が2型糖尿病治療薬として使用される．イプラグリフロジンとダパグリフロジンは，1型糖尿病患者におけるインスリン製剤との併用療法として適応を取得している．

- イプラグリフロジン ● ダパグリフロジン ● ルセオグリフロジン
- トホグリフロジン ● カナグリフロジン ● エンパグリフロジン

薬理作用 腎近位尿細管に発現するSGLT2を阻害し，血液中の過剰なグルコースを体外に排出することで血糖降下作用を発揮する．

作用機序 糸球体でろ過された原尿に含まれるグルコースは，腎近位尿細管に発現するSGLT2により再吸収される．SGLT2阻害薬は，SGLT2によるグルコースの再吸収を阻害することで，糖を尿中に排泄し血糖を下げる（図7A-9）．

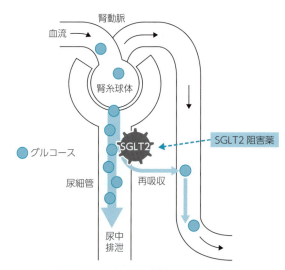

図7A-9 SGLT2阻害薬の作用機序

副作用 腎障害のある患者では，糸球体ろ過率が低下しているため，効果が減弱する．脱水症状を起こしやすい患者(高齢者，利尿薬併用患者など)では，慎重投与である．副作用としては，頻尿・多尿，尿路感染症・性器感染症などがある．

イプラグリフロジン　　ダパグリフロジン　　ルセオグリフロジン

トホグリフロジン　　カナグリフロジン　　エンパグリフロジン

i ミトコンドリア機能改善薬

●イメグリミン

薬理作用 膵β細胞におけるインスリン分泌促進作用と肝臓・骨格筋における糖代謝改善作用により血糖降下作用を示す．

作用機序 ミトコンドリア呼吸鎖複合体Ⅰの阻害作用を介して，膵β細胞における血糖依存的なインスリン分泌促進作用と，肝臓・骨格筋における糖新生の抑制作用ならびに糖取り込み能の改善作用により糖代謝を改善することで血糖降下作用を現す．

副作用 重大な副作用として，低血糖がある．

イメグリミン

❸ 糖尿病合併症治療薬

●エパルレスタット
アルドース還元酵素を特異的に阻害し，神経内ソルビトールの蓄積を抑制することにより，糖尿病性末梢神経障害に伴う自覚症状（しびれ感，疼痛），振動覚異常，心拍変動異常を改善する．

●メキシレチン（構造式☞ p.280）
知覚神経の Na^+ チャネルを遮断することにより，知覚神経の自発性活動電位の発生を抑制し，糖尿病性末梢神経障害に伴う自覚症状（自発痛，しびれ感）を改善する．重篤な心不全を合併している患者には，原則禁忌である．

●デュロキセチン（構造式☞ p.106）
抗うつ薬である．セロトニンとノルアドレナリンの再取り込みを阻害することにより，脳・脊髄における下行性疼痛抑制系を賦活化し，糖尿病性末梢神経障害に伴う疼痛に対して鎮痛効果を発揮する．

●プレガバリン
電位依存性 Ca^{2+} チャネルの $\alpha2\delta$ サブユニットに結合し，神経細胞内への Ca^{2+} 流入を抑制し，グルタミン酸などの神経伝達物質の遊離を抑制することで，神経障害性疼痛に対して疼痛緩和作用を発揮する．

●イミダプリル（構造式☞ p.311）
アンジオテンシン変換酵素（ACE）を阻害することによりアンジオテンシンⅡの産生を抑制し，糖尿病性腎症の進行を抑制する（適応は，1型糖尿病に伴う糖尿病性腎症）．

●ロサルタン（構造式☞ p.312）
アンジオテンシンⅡAT₁受容体を遮断することにより，糖尿病性腎症の進行を抑制する（適応は，高血圧およびタンパク尿を伴う2型糖尿病における糖尿病性腎症）．

糖尿病治療薬

種類　薬物　[代表的な商品名]	作用機序	注意すべき副作用
インスリン製剤		
●インスリンアスパルト［ノボラピッド注フレックスタッチ，フィアスプ注］ ●インスリンリスプロ［ヒューマログ注ミリオペン］ ●インスリングルリジン［アピドラ注ソロスター］	超速効型インスリンアナログ製剤	低血糖
●インスリン ヒト［ノボリンR注フレックスペン，ヒューマリンR注ミリオペン］	速効型ヒトインスリン製剤	
●ヒトイソフェンインスリン水性懸濁［ノボリンN注フレックスペン，ヒューマリンN注ミリオペン］	中間型ヒトインスリン製剤	
●インスリンデグルデク［トレシーバ注フレックスタッチ］ ●インスリンデテミル［レベミル注フレックスペン］ ●インスリングラルギン［ランタス注ソロスター］	持効型溶解インスリンアナログ製剤	
●インスリンリスプロ混合製剤［ヒューマログミックス注ミリオペン］ ●インスリンアスパルト二相性製剤［ノボラピッドミックス注フレックスペン］	混合型インスリンアナログ製剤	
●ヒト二相性イソフェンインスリン［イノレットR注，ヒューマリン注ミリオペン］	混合型ヒトインスリン製剤	
●インスリンデグルデク・インスリンアスパルト［ライゾデグ配合注フレックスタッチ］	配合溶解インスリンアナログ製剤	
スルホニル尿素（SU）薬		
●アセトヘキサミド［ジメリン］ ●グリクロピラミド［デアメリンS］ ●グリベンクラミド［オイグルコン，ダオニール］ ●グリクラジド［グリミクロン］ ●グリメピリド［アマリール］	膵β細胞膜上のSU受容体に結合してインスリン分泌を促進する	低血糖
速効型インスリン分泌促進薬		
●ナテグリニド［ファスティック，スターシス］ ●ミチグリニドカルシウム水和物［グルファスト］ ●レパグリニド［シュアポスト］	服用後短時間で，膵β細胞膜上のSU受容体に結合してインスリン分泌を促進する	低血糖
α-グルコシダーゼ阻害薬		
●ボグリボース［ベイスン］ ●アカルボース［グルコバイ］ ●ミグリトール［セイブル］	二糖類分解酵素（α-グルコシダーゼ）の阻害作用により，糖の消化・吸収を遅らせる	腹部膨満，放屁
ビグアナイド薬		
●メトホルミン塩酸塩［メトグルコ］ ●ブホルミン塩酸塩［ジベトス］	AMPK活性化作用により，肝臓での糖新生を抑制する	乳酸アシドーシス
インスリン抵抗性改善薬（チアゾリジン薬）		
●ピオグリタゾン塩酸塩［アクトス］	ペルオキシソーム増殖因子活性化受容体γ（PPARγ）の活性化作用により，インスリン抵抗性を改善する	浮腫，貧血，肝障害

糖尿病治療薬（つづき）

種類　薬物［代表的な商品名］	作用機序	注意すべき副作用
DPP-4 阻害薬		
●シタグリプチンリン酸塩水和物［グラクティブ，ジャヌビア］ ●ビルダグリプチン［エクア］ ●アログリプチン安息香酸塩［ネシーナ］ ●リナグリプチン［トラゼンタ］ ●テネリグリプチン臭化水素酸塩水和物［テネリア］ ●アナグリプチン［スイニー］ ●サキサグリプチン水和物［オングリザ］ ●トレラグリプチンコハク酸塩［ザファテック］ ●オマリグリプチン［マリゼブ］	DPP-4 阻害作用によりインクレチン濃度を上昇させ，インスリンの分泌促進とグルカゴンの分泌抑制を誘発し，血糖依存的に血糖を降下させる	経口糖尿病用薬との併用で低血糖
GLP-1 受容体作動薬		
●リラグルチド［ビクトーザ］ ●エキセナチド［バイエッタ］ ●リキシセナチド［リキスミア］ ●デュラグルチド［トルリシティ］ ●セマグルチド［オゼンピック，リベルサス］	膵β細胞膜上の GLP-1 受容体に結合することにより，血糖依存的にインスリン分泌促進作用とグルカゴン分泌抑制作用を発揮する	経口糖尿病用薬との併用で低血糖
SGLT2 阻害薬		
●イプラグリフロジン L-プロリン［スーグラ］ ●ダパグリフロジンプロピレングリコール水和物［フォシーガ］ ●ルセオグリフロジン水和物［ルセフィ］ ●トホグリフロジン水和物［デベルザ］ ●カナグリフロジン水和物［カナグル］ ●エンパグリフロジン［ジャディアンス］	SGLT2 阻害作用により，腎近位尿細管でのグルコース再吸収を抑制し，血液中の過剰なグルコースを体外に排出することで血糖降下作用を示す	脱水症状，頻尿・多尿，尿路感染症，性器感染症
ミトコンドリア機能改善薬		
●イメグリミン［ツイミーグ］	膵β細胞における血糖依存的なインスリン分泌促進作用と，肝臓・骨格筋での糖代謝改善作用（糖新生抑制・糖取り込み能改善）により血糖降下作用を示す	低血糖
糖尿病合併症治療薬		
●エパルレスタット［キネダック］	アルドース還元酵素阻害作用により，神経内ソルビトールの蓄積を抑制することで，糖尿病性末梢神経障害に効果を示す	血小板減少，肝障害
●メキシレチン塩酸塩［メキシチール］	知覚神経 Na^+ チャネルを遮断することにより，糖尿病性末梢神経障害に効果を示す	重篤な心不全を合併している患者：心不全の悪化，不整脈の誘発
●デュロキセチン塩酸塩［サインバルタ］	セロトニンとノルアドレナリンの再取り込みの阻害作用により，脳・脊髄における下行性疼痛抑制系を賦活化し，糖尿病性末梢神経障害に効果を示す	セロトニン症候群，傾眠，悪心
●プレガバリン［リリカ］	神経細胞内への Ca^{2+} 流入を抑制することで，神経障害性疼痛に効果を示す	めまい，傾眠
●イミダプリル塩酸塩［タナトリル］	ACE 阻害作用により，糖尿病性腎症の進行を抑制する	咳，高カリウム血症
●ロサルタンカリウム［ニューロタン］	AT_1 受容体遮断作用により，糖尿病性腎症の進行を抑制する	高カリウム血症

2 脂質異常症

■病態生理

1 脂質異常症の病態

　脂質は水に不溶性であるため，血液中では界面活性をもつアポタンパク質と結合して球状粒子構造のリポタンパク質として存在する．リポタンパク質はその大きさと密度から，**キロミクロン** chylomicron(**CM**)，**超低密度リポタンパク質** very low density lipoprotein(**VLDL**)，**中間比重リポタンパク質** intermediate density lipoprotein(**IDL**)，**低密度リポタンパク質** low density lipoprotein(**LDL**)，**高密度リポタンパク質** high density lipoprotein(**HDL**)に大別される．CMは外因性(食事由来)の**トリグリセリド** triglyceride(**TG**，中性脂肪)を，VLDLは内因性(肝合成)のTGを転送し，**リポタンパク質リパーゼ** lipoprotein lipase(**LPL**)と**肝性トリグリセリドリパーゼ** hepatic triglyceride lipase(**HTGL**)により異化代謝されLDLとなる．

　脂質異常症 dyslipidemia とは，血液中のLDLコレステロールまたはTGが基準値より高く，HDLコレステロールが基準値より低い状態をいう．自覚症状はなく放置すると動脈硬化が進行し，冠動脈疾患，脳梗塞，閉塞性動脈硬化症などの動脈硬化性疾患の危険因子となる．脂質異常症の診断基準では，空腹時の血液中にLDLコレステロールが140 mg/dL以上，HDLコレステロールが40 mg/dL未満，TGが150 mg/dL以上の場合に，脂質異常症と診断される．

2 脂質異常症の原因

　脂質の代謝経路は，外因性(食事由来の脂質)と内因性(体内で合成された脂質)に大別される．さらに，HDLを介してコレステロールを末梢組織から引き抜き肝臓へ輸送するコレステロール逆転送系が存在する．したがって，LDLは悪玉コレステロール，HDLは善玉コレステロールとも呼ばれる．肝臓で合成されるコレステロール量は，食事からの供給量より多い．肝臓でのコレステロールの合成は，アセチルCoAから**HMG-CoA**(3-hydroxy-3-methylglutaryl-coenzyme A)がつくられ，さらにHMG-CoA還元酵素によってメバロン酸へと変換されたのちコレステロールとなる．

　脂質異常症は，生活習慣に起因するものと，先天的要因(遺伝素因)による脂質代謝異常症(家族性高コレステロール血症)などがある．まず，食事療法と運動療法から始め，治療目標値に届かないときには薬物療法となる．薬物療法により脂質異常の改善(LDLコレステロールの減少，HDLコレステロールの増加，TGの減少)を目指し，動脈硬化性疾患を予防する．

■薬　理

脂質異常症治療薬は，主にコレステロールを下げる薬(HMG-CoA 還元酵素阻害薬，小腸コレステロールトランスポーター阻害薬，コレステロール吸収阻害薬など)と，主に TG を下げる薬(フィブラート系薬，ニコチン酸誘導体，オメガ-3 系多価不飽和脂肪酸など)に大別される．なお，肝臓でのコレステロール合成低下は，VLDL 合成分泌の抑制を介して TG の低下作用を示す(図 7A-10，表 7A-1)．

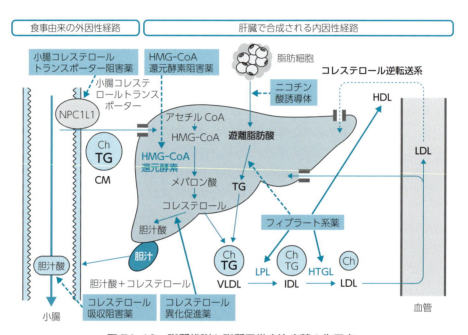

図 7A-10　脂質代謝と脂質異常症治療薬の作用点

表 7A-1　脂質異常症治療薬の薬理作用と特性

治療薬	主な薬理作用	LDL-C	TG	HDL-C
高コレステロール血症治療薬				
HMG-CoA 還元酵素阻害薬	肝臓でのコレステロール合成抑制	↓↓↓	↓	↑
小腸コレステロールトランスポーター阻害薬	小腸からのコレステロール吸収阻害	↓↓	↓	↑
コレステロール吸収阻害薬（陰イオン交換樹脂製剤）	腸管内での胆汁酸との結合によるコレステロールの再吸収阻害	↓↓	—	↑
プロブコール(コレステロール異化促進薬)	胆汁中へのコレステロール異化排出の促進	↓	—	↓↓
高トリグリセリド血症治療薬				
フィブラート系薬	脂肪酸の β 酸化の亢進，LPL・HTGL の活性化	↓	↓↓↓	↑↑
ニコチン酸誘導体	脂肪組織からの脂肪分解抑制，LPL の活性化	↓	↓↓	↑
オメガ-3 系多価不飽和脂肪酸	肝臓での TG 産生抑制，LPL の活性化	—	↓	—

a　スタチン（HMG-CoA 還元酵素阻害薬）

- アトルバスタチン
- ピタバスタチン
- ロスバスタチン
- プラバスタチン
- シンバスタチン
- フルバスタチン

薬理作用　コレステロール合成の律速酵素である HMG-CoA 還元酵素を阻害することにより，脂質代謝を改善する．

作用機序　HMG-CoA 還元酵素を競合的に阻害することにより，肝臓でのコレステロール合成を抑制する．肝細胞内のコレステロールの減少を補うために肝細胞膜表面の LDL 受容体の発現が増加し，血液からの肝臓へのコレステロール取り込みが促進される．これにより，血中の LDL コレステロールが低下する．

副作用　重大な副作用として，肝障害，ミオパチー，**横紋筋融解症**（筋肉痛，脱力感，**クレアチンキナーゼ**上昇，血中・尿中**ミオグロビン**上昇）がきわめてまれに起こる．とくに，腎障害患者においてフィブラート系薬との併用は横紋筋融解症が現れやすいため，原則併用禁忌となっている．

アトルバスタチン　　　ピタバスタチン　　　ロスバスタチン

プラバスタチン　　　シンバスタチン　　　フルバスタチン

コラム

ストロングスタチンとスタンダードスタチン

スタチンは，高 LDL コレステロール血症に対する第一選択薬である．臨床上，スタチンは LDL コレステロール低下作用の強さが 30〜50% のストロング（強）スタチンと約 20% のスタンダード（標準）スタチンに分けられる．

- ストロングスタチン：アトルバスタチン，ピタバスタチン，ロスバスタチン
- スタンダードスタチン：プラバスタチン，シンバスタチン，フルバスタチン

b 小腸コレステロールトランスポーター阻害薬

●エゼチミブ

薬理作用 小腸での食事由来および胆汁性のコレステロール吸収の阻害によって，血中LDLコレステロールを低下させる．

作用機序 小腸粘膜に存在する**小腸コレステロールトランスポーター(NPC1L1)**を阻害することによって，食事および胆汁中の小腸からのコレステロールの吸収を選択的に阻害する．肝臓のコレステロールプールが減少するため，肝細胞膜表面のLDL受容体の発現が増加し，血液からの肝臓へのコレステロール取り込みが促進される．これにより，LDLコレステロール低下作用を示す．腸肝循環を繰り返すため，作用が持続する．

副作用 副作用としては，消化器症状が多い．肝障害やクレアチニンキナーゼの上昇に注意が必要である．

エゼチミブ

c コレステロール吸収阻害薬(陰イオン交換樹脂製剤)

●コレスチミド

薬理作用 腸管内において胆汁酸を吸着し，胆汁酸の再吸収を阻害することにより，血中LDLコレステロールを低下させる．

作用機序 陰イオン交換樹脂製剤は，四級アンモニウム化合物のため経口投与しても腸管から吸収されない．腸管内においてコレステロールの代謝物である胆汁酸と結合し，胆汁酸の再吸収による腸肝循環を阻害することにより，コレステロールや胆汁酸の糞中排泄を促進する．排泄量の増大による胆汁酸の減少を補償するために，肝臓においてはコレステロールから胆汁酸への異化が亢進する．これにより，肝臓のコレステロールプールが減少するため，肝細胞膜表面のLDL受容体が増加し血中LDLの取り込み亢進が生じて，血中LDLコレステロールが減少する．

副作用 副作用としては，非吸収性のため，便秘，腹部膨満感などの消化器症状が多い．

●コレスチラミン

高コレステロール血症に加えて，「レフルノミドの活性代謝物の体内からの除去」に適応を有する．その機序は，コレスチラミンが胆汁中に排泄されたレフルノミド(関節リウマチ治療薬)の活性代謝物を吸着することにより消化管からの再吸収を抑制し，レフルノミドの活性代謝物の体外排泄を促進させる．

コレスチミド　　　　　コレスチラミン

d　コレステロール異化促進薬

●プロブコール

薬理作用　コレステロールの胆汁中への異化排泄を促進することにより，血中LDLコレステロールを低下させる．しかし，いわゆる善玉コレステロールのHDLコレステロールを低下させる．抗酸化作用によってLDLコレステロールの酸化変性を防ぎ，動脈硬化を予防する作用をもつ．

作用機序　コレステロールの胆汁中への異化排泄の促進作用により，LDLコレステロールを低下させる．肝臓でのコレステロール生合成を抑制する．

副作用　副作用として，肝障害や発疹が起こることがある．重大な副作用として，QT延長に伴う心室性不整脈がある．

プロブコール

e　フィブラート系薬

●ベザフィブラート

薬理作用　核内受容体のペルオキシソーム増殖因子活性化受容体α（PPARα）を活性化することにより脂質代謝を改善する．とくに，血中TG濃度の低下作用が強い．血中LDLコレステロールの低下作用とHDLコレステロールの上昇作用も有する．

作用機序　核内受容体のPPARαを活性化することにより，種々のタンパク質の発

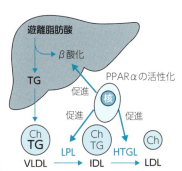

図7A-11　フィブラート系薬の作用点

現を調節する．①肝細胞内で脂肪酸の**β酸化**を促進し，TGの生合成を抑制することにより，VLDL産生を抑制する．②**LPL**(リポタンパク質リパーゼ)活性および**HTGL**(肝性トリグリセリドリパーゼ)活性を亢進し，リポタンパク質の代謝を促進する(図7A-11)．

> 副作用　腎障害の患者では，横紋筋融解症が現れやすいため禁忌である．また，腎障害患者においてスタチンとの併用は，横紋筋融解症が現れやすいため原則併用禁忌となっている．

● フェノフィブラート

半減期が長いフィブラート系薬で，脂質代謝の改善作用以外に尿酸低下作用を有する．肝障害，胆嚢疾患，腎障害の患者では禁忌である．腎障害患者においてスタチンとの併用は原則併用禁忌である．

● クロフィブラート

コレステロールの胆汁中への排泄を促進するため，胆石またはその既往歴のある患者には禁忌である．腎障害患者においてスタチンとの併用は原則併用禁忌である．

● ペマフィブラート

重篤な肝障害，胆道閉塞のある患者，重篤な腎障害の患者では禁忌である．

ベザフィブラート　　　フェノフィブラート　　　クロフィブラート

ペマフィブラート

f　ニコチン酸誘導体

● ニコモール

> 薬理作用　脂肪組織からの脂肪分解を抑制することで，血中のTGを低下させる．血中LDLコレステロールの低下作用とHDLコレステロールの上昇作用を有する．

> 作用機序　脂肪組織のアデニル酸シクラーゼを阻害することで脂肪組織からの脂肪分解を抑制し，遊離脂肪酸の肝臓への流入を減少させることにより，肝臓でのVLDLの産生を抑制する．また，LPL(リポタンパク質リパーゼ)活性を亢進し，リポタンパク質の代謝を促進することにより，血中のTGを低下させる．

> 副作用　主な副作用として，瘙痒と末梢血管拡張による顔面紅潮や熱感がある．

●ニセリトロール

脂肪組織からの脂肪分解を抑制し，リポタンパク質の代謝を亢進することにより，血中の TG を低下させる．

ニコモール　　　　　　　　ニセリトロール

g　オメガ-3 系多価不飽和脂肪酸

●イコサペント酸エチル（構造式☞ p.335）

薬理作用　オメガ-3 系多価不飽和脂肪酸のイコサペント酸エチル［**EPA**(eicosapentaenoic acid)**製剤**］は，TG 低下作用や血小板凝集抑制作用を示す．抗血小板凝集作用を有するため，閉塞性動脈硬化症に伴う潰瘍，疼痛および冷感の改善にも有効である．

作用機序　肝臓での VLDL 合成の抑制作用と，LPL(リポタンパク質リパーゼ)活性亢進によるリポタンパク質の代謝促進により，血中の TG を低下させる．

副作用　主な副作用は下痢であるが，抗血小板凝集作用を有するため，出血傾向に注意する．

●オメガ-3 脂肪酸エチル

オメガ-3 系多価不飽和脂肪酸の 1 つであるオメガ-3 脂肪酸エチルには，イコサペント酸エチル(EPA)やドコサヘキサエン酸エチル(DHA：docosahexaenoic acid)が含まれている．EPA・DHA 製剤の適応症は，脂質異常症のみである．

h　PCSK9 阻害薬

●エボロクマブ　●アリロクマブ

薬理作用　ヒトプロタンパク質転換酵素サブチリシン/ケキシン 9 型(PCSK9)に対する遺伝子組換えヒト IgG モノクローナル抗体(PCSK9 阻害薬)は，PCSK9 と LDL 受容体の結合を阻害することで血中 LDL コレステロールを低下させる．HMG-CoA 還元酵素阻害薬で効果不十分で心血管イベントの発現リスクが高い患者に対して適応を取得している．

作用機序　PCSK9 は LDL 受容体の分解を促進するタンパク質である．PCSK9 阻害薬は PCSK9 の LDL 受容体へ結合を阻害することで，肝細胞の LDL 受容体を増加させて血中 LDL コレステロールの肝細胞内への取り込みを促進し，血中 LDL コレステロールを強力に低下させる．

副作用　主な副作用は，皮下投与による疼痛，紅斑，腫脹などの注射部位反応で

ある．

i MTP 阻害薬

●ロミタピド

薬理作用　ミクロソームトリグリセリド転送タンパク質 microsomal triglyceride transfer protein(MTP)を阻害することにより，LDL コレステロールを低下させる．ホモ接合体家族性高コレステロール血症に適応症を取得している．

作用機序　MTP は肝細胞と小腸上皮細胞に多く発現し，TG をアポタンパク質 B に転送することにより，肝臓では VLDL，小腸ではカイロミクロンの形成に関与している．MTP 阻害薬は MTP に直接結合して脂質転送を阻害することにより，TG とアポ B を含むリポタンパク質の転送を阻害する．その結果，肝細胞の VLDL と小腸細胞のカイロミクロンの形成が阻害され，肝臓からの VLDL 分泌が低下することにより LDL コレステロールが低下する．

副作用　肝障害が発現するため定期的な肝機能検査が必要で，中等度または重度の肝障害の患者では禁忌となる．

ロミタピド

脂質異常症治療薬

種類　薬物 [代表的な商品名]	作用機序	注意すべき副作用
スタチン（HMG-CoA 還元酵素阻害薬）		
●アトルバスタチンカルシウム水和物 [リピトール] ●ピタバスタチンカルシウム水和物 [リバロ] ●ロスバスタチンカルシウム [クレストール] ●プラバスタチンナトリウム [メバロチン] ●シンバスタチン [リポバス] ●フルバスタチンナトリウム [ローコール]	コレステロール合成の律速酵素である HMG-CoA 還元酵素を競合的に阻害することにより，肝臓でのコレステロール合成を抑制する	横紋筋融解症（筋肉痛，脱力感），肝障害
小腸コレステロールトランスポーター阻害薬		
●エゼチミブ [ゼチーア]	小腸コレステロールトランスポーターを阻害することによって，コレステロールの吸収を阻害する	消化器症状，肝障害
コレステロール吸収阻害薬（陰イオン交換樹脂製剤）		
●コレスチミド [コレバイン] ●コレスチラミン [クエストラン]	消化管内において胆汁酸を吸着することにより，コレステロールと胆汁酸の再吸収を阻害し，糞中排出を促進する	便秘，腹部膨満感
コレステロール異化促進薬		
●プロブコール [シンレスタール，ロレルコ]	コレステロールの胆汁中への異化排泄を促進する．肝臓でのコレステロール生合成を抑制する	肝障害，発疹，QT 延長に伴う心室性不整脈
フィブラート系薬		
●ベザフィブラート [ベザトール SR] ●フェノフィブラート [リピディル，トライコア] ●クロフィブラート [クロフィブラート] ●ペマフィブラート [パルモディア]	PPARα の活性化による脂肪酸の β 酸化の促進，リポタンパク質の代謝亢進（LPL と HTGL の活性化）により，血中の TG を低下させる	横紋筋融解症，肝障害
ニコチン酸誘導体		
●ニコモール [コレキサミン] ●ニセリトロール [ペリシット] ●トコフェロールニコチン酸エステル [ユベラ N]	脂肪組織からの脂肪分解を抑制，リポタンパク質の代謝亢進（LPL の活性化）により，血中の TG を低下させる	瘙痒，顔面紅潮，熱感
オメガ-3 系多価不飽和脂肪酸		
●イコサペント酸エチル（EPA）[エパデール] ●オメガ-3 脂肪酸エチル（EPA・DHA）[ロトリガ]	肝臓での VLDL 合成抑制，リポタンパク質の代謝亢進（LPL の活性化）により，血中の TG を低下させる	出血傾向，下痢
PCSK9 阻害薬		
●エボロクマブ [レパーサ] ●アリロクマブ [プラルエント]	PCSK9 と LDL 受容体の結合を阻害することで，肝細胞への LDL コレステロールの取り込みを促進し，LDL コレステロールを低下させる	注射部位反応
MTP 阻害薬		
●ロミタピドメシル酸塩 [ジャクスタピッド]	小胞体内腔に存在するミクロソームトリグリセリド転送タンパク質（MTP）に直接結合して脂質転送を阻害し，VLDL 産生を抑制することにより LDL の合成を抑制する	肝障害

3 高尿酸血症・痛風 gout

■病態生理

❶ 高尿酸血症・痛風の病態

高尿酸血症 hyperuricemia は血液中に尿酸が過剰に蓄積している状態（血清尿酸値 7.0 mg/dL 以上）で，尿酸塩沈着症（痛風関節炎，腎障害，尿路結石など）の原因となる．痛風関節炎（痛風発作）は，高尿酸血症により関節内に尿酸塩結晶が析出することによって引き起こされる急性関節炎である．主に，第一中足趾節関節などの下肢の関節に激痛，発赤，腫脹が生じ，歩行困難となる．

❷ 高尿酸血症・痛風の原因

プリン体とはプリン環をもつ物質の総称で，生物が存在するために必須なエネルギー（ATP，GTP など）や核酸（DNA，RNA）の原料となる．尿酸はヒトにおけるプリン体の最終代謝産物であり，通常，体内の尿酸総量（尿酸プール）は一定に保たれている．尿酸は 20〜30％が食事から摂取されるが，残りの 70〜80％は体内で生合成される．過剰なプリン体は尿酸に代謝され，主に腎臓から尿中排泄される．しかし，尿酸の産生過剰（尿酸産生過剰型）や排泄低下（尿酸排泄低下型）または両者の合併（混合型）により，尿酸の産生と排泄のバランスが崩れると高尿酸血症になる（図 7A-12）．高尿酸血症は，生活習慣などの原因が改善されない限り持続し，慢性疾患となる．

痛風発作は，高尿酸血症の持続により関節腔内で過飽和となることによって引き起こされる．過飽和状態は不安定で体内局所の pH や温度変化または急激な尿酸値の変動により尿酸塩が析出する．尿酸塩結晶が関節腔内に放出されると，白血球などの炎症細胞が遊走される．白血球は尿酸塩結晶を貪食し，炎症メディエーターを放出して炎症を引き起こす（図 7A-13）．

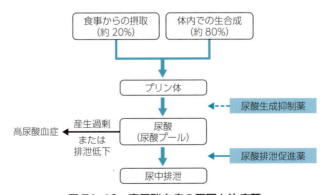

図 7A-12　高尿酸血症の原因と治療薬

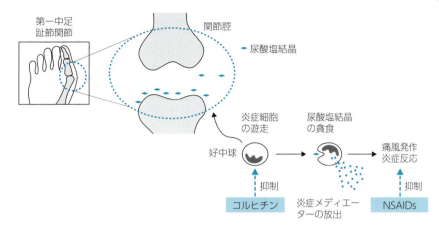

図 7A-13　痛風発作の発生機序と治療薬

■薬　理

a　痛風発作治療薬

痛風発作治療薬には，コルヒチン，NSAIDs，副腎皮質ステロイドが使用される．コルヒチンは発作の前兆期，NSAIDs は発作後に使用する．NSAIDs を使用できないときや無効の場合には副腎皮質ステロイドを使用する．

● コルヒチン

　薬理作用　**好中球**の遊走を阻害することで，痛風発作を予防する．

　作用機序　チュブリンと結合して微小管重合を阻害することで好中球の遊走を阻害し，炎症発生の引き金となる白血球の尿酸塩結晶の貪食と炎症メディエーターの放出を抑制して，痛風発作を予防する．

　副作用　ほかの組織の微小管重合も阻害して細胞分裂を抑制するため，消化器症状（悪心・嘔吐，腹部痛，下痢など），脱毛などの副作用を誘発する．重大な副作用として，再生不良性貧血，白血球・血小板減少，横紋筋融解症，末梢神経障害がある．

コルヒチン

b　尿酸生成抑制薬

尿酸生成抑制薬は，プリン体から尿酸への代謝に関連する酵素（**キサンチンオキシダーゼ**）を阻害することで，尿酸の生成を抑制して血清尿酸値を低下させる（**図 7A-14**）．主に尿酸産生過剰型の高尿酸血症に用いる．

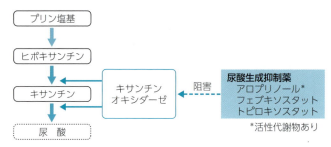

図7A-14 尿酸生成抑制薬の作用機序

● アロプリノール

　薬理作用　キサンチンオキシダーゼを競合的に阻害し,尿酸の生合成を抑制する.

　作用機序　アロプリノールはプリン骨格を有することから,キサンチンオキシダーゼに対して,ヒポキサンチンおよびキサンチンと競合的に阻害することによって尿酸の生合成を抑制する.主代謝物のオキシプリノールもキサンチンオキシダーゼを阻害する.

　副作用　重大な副作用として,中毒性表皮壊死融解症 toxic epidermal necrolysis（TEN）,皮膚粘膜眼症候群（スティーブンス・ジョンソン症候群）,肝障害,腎不全の増悪がある.主代謝物のオキシプリノールは腎臓から排泄されるため,腎機能低下患者では副作用が起こりやすい.

● フェブキソスタット

　薬理作用　キサンチンオキシダーゼを選択的に阻害し,尿酸の生合成を抑制する.

　作用機序　プリン骨格をもたない非プリン型の構造であり,選択的にキサンチンオキシダーゼを阻害する（非プリン型の選択的キサンチンオキシダーゼ阻害薬）.

　副作用　重大な副作用として肝障害がある.

● トピロキソスタット

　非プリン型の選択的キサンチンオキシダーゼ阻害薬.

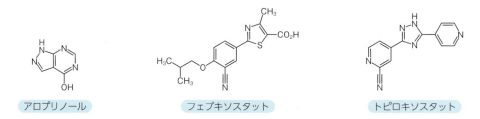

c　尿酸排泄促進薬

　血液中の尿酸は腎糸球体でろ過されるが,尿細管で約90％が再吸収される.尿酸の再吸収には,尿酸輸送体の**尿酸トランスポーター** urate transporter（URAT）1 が関与している.尿酸排泄促進薬は,尿細管での再吸収を抑制して尿酸の尿中排泄を促進する.主に尿酸排泄低下型の高尿酸血症に用いる（図7A-15）.

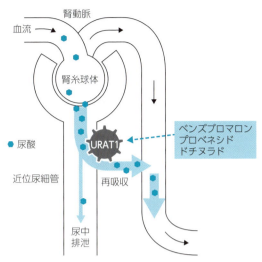

図7A-15 尿酸排泄促進薬の作用機序

●ベンズブロマロン
薬理作用 尿酸の尿中排泄を促進することで血清尿酸値を低下させる．

作用機序 尿細管での再吸収に関与するURAT1を特異的に抑制し，尿酸の尿中排泄を促進する（尿酸分泌は阻害しない）．

副作用 尿が酸性の場合，尿酸結石が起こりやすい．重大な副作用として，劇症肝炎があるため定期的な肝機能検査の実施が必要で，肝障害の患者には禁忌である．

●プロベネシド
薬理作用 尿酸の尿中排泄を促進することで血清尿酸値を低下させる．

作用機序 尿酸は尿細管で再吸収を受け，再び尿細管に分泌されたあと，もう一度再吸収される．プロベネシドは尿酸の再吸収と分泌の両方を抑制するが，吸収抑制作用が強く，尿中排泄が促進される．

副作用 尿が酸性の場合，尿酸結石が起こりやすい．重大な副作用として，溶血性貧血，再生不良性貧血などがある．

●ドチヌラド
薬理作用 尿酸の再吸収に関与するURAT1を選択的に阻害することにより，血中尿酸値を低下させる．

作用機序 尿細管におけるURAT1を選択的に阻害し，糸球体でろ過された尿酸の再吸収を抑制することにより，尿中尿酸排泄量を増加させて血清尿酸値を低下させる（尿酸分泌は阻害しない）．

副作用 痛風関節炎など．

●ブコローム
　尿酸排泄促進作用を有する**NSAIDs**であり，高尿酸血症に適応がある．抗炎症作用をもつため，手術後や外傷後の炎症・腫脹の寛解ならびに関節リウマチなどに適応がある．

ベンズブロマロン　プロベネシド　ドチヌラド　ブコローム

d　尿アルカリ化薬

● クエン酸カリウム・クエン酸ナトリウム

　　尿酸は pH6.0 未満では溶けにくく，尿路結石や腎障害を起こしやすい．尿酸排泄促進薬を使用する場合には，尿アルカリ化薬を併用する．クエン酸カリウム・クエン酸ナトリウムの代謝物（HCO_3^-）が，酸性尿やアシドーシスを改善する．

クエン酸カリウム・クエン酸ナトリウム

e　尿酸分解酵素薬

● ラスブリカーゼ

　　腫瘍崩壊症候群は，がん化学療法後など，がん細胞が短時間に大量に死滅することで起こる症候群で，内部に蓄積されていた核酸（尿酸の増加），リン酸，カリウムなどが血液中に流れ出し，急性腎不全，不整脈，電解質異常をきたす．ラスブリカーゼは，尿酸を直接分解する酵素製剤（遺伝子組換え尿酸オキシダーゼ）で，血液中の尿酸を水溶性のアラントインに変換して尿中に排出する．がん化学療法に伴う急激な高濃度の高尿酸血症の予防に対して用いる．

高尿酸血症・痛風治療薬

種類　薬物　[代表的な商品名]	作用機序	注意すべき副作用
痛風発作治療薬		
●コルヒチン［コルヒチン］	チュブリンと結合して微小管重合を阻害し，好中球の遊走を抑制	悪心・嘔吐，腹部痛，下痢，肝・腎障害，脱毛，血液障害，横紋筋融解症，末梢神経障害
NSAIDs ●オキサプロジン［アルボ］ ●ナプロキセン［ナイキサン］	シクロオキシゲナーゼ（COX）阻害により，抗炎症作用を示す	消化管障害，腎障害
尿酸生成抑制薬		
●アロプリノール［ザイロリック］	キサンチンオキシダーゼを阻害し，尿酸の生成を抑制	皮膚粘膜眼症候群，中毒性表皮壊死融解症，再生不良性貧血，肝障害，腎不全の増悪など
●フェブキソスタット［フェブリク］		肝障害，過敏症
●トピロキソスタット［トピロリック］		肝障害，多形紅斑
尿酸排泄促進薬		
●ベンズブロマロン［ユリノーム］	尿細管における尿酸の再吸収抑制により，尿中への尿酸排泄を促進	尿酸結石，重篤な肝障害
●プロベネシド［ベネシッド］		尿酸結石，溶血性貧血，再生不良性貧血
●ドチヌラド［ユリス］		痛風関節炎
●ブコローム［パラミヂン］		尿酸結石，皮膚粘膜眼症候群，中毒性表皮壊死融解症
尿アルカリ化薬		
●クエン酸カリウム・クエン酸ナトリウム配合［ウラリット］	代謝物（HCO_3^-）が酸性尿やアシドーシスを改善	高カリウム血症
尿酸分解酵素薬		
●ラスブリカーゼ［ラスリテック］	尿酸を水溶性のアラントインに変換して尿中に排出	アナフィラキシーショック，溶血性貧血，メトヘモグロビン血症

代謝系・内分泌系の疾患と治療薬 7章

B 内分泌内科領域の疾患に用いる薬物

　内分泌内科領域の疾患は，内分泌腺からのホルモンの産生・分泌異常によって，ホルモン作用の変調をきたす疾患の総称である．ホルモンは特定の腺構造をもつ内分泌臓器（内分泌腺）で産生・分泌され，血流を介して遠くに運ばれ，特定の標的器官に作用し，少量で特異的効果を発揮する情報伝達物質と定義される．内分泌臓器には，脳下垂体，甲状腺，副甲状腺，膵臓，副腎および性腺がある（図7B-1）．ここでは，これらの疾患の治療に用いられる薬物について学ぶ．

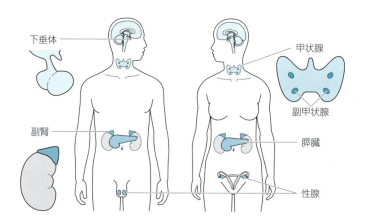

図7B-1　内分泌腺

★対応する薬学教育モデル・コアカリキュラム
　E2 薬理・病態・薬物治療　（5）代謝系・内分泌系の疾患と薬
　　GIO　代謝系・内分泌系に作用する医薬品の薬理および疾患の病態・薬物治療に関する基本的知識を修得し，治療に必要な情報収集・解析および医薬品の適正使用に関する基本的事項を修得する．
　　SBO　【②内分泌系疾患の薬，病態，治療】
　　・性ホルモン関連薬の薬理（薬理作用，機序，主な副作用）を説明できる．
　　・以下の疾患について，治療薬の薬理（薬理作用，機序，主な副作用）を説明できる．
　　　・Basedow（バセドウ）病　・甲状腺炎（慢性（橋本病），亜急性）　・尿崩症
　E2 薬理・病態・薬物治療　（2）免疫・炎症・アレルギーおよび骨・関節の疾患と薬
　　GIO　免疫・炎症・アレルギーおよび骨・関節に作用する医薬品の薬理および疾患の病態・薬物治療に関する基本的知識を修得し，治療に必要な情報収集・解析および医薬品の適正使用に関する基本的事項を修得する．
　　SBO　【③骨・関節・カルシウム代謝疾患の薬，病態，治療】
　　・以下の疾患について，治療薬の薬理（薬理作用，機序，主な副作用）を説明できる．
　　　・カルシウム代謝の異常を伴う疾患（副甲状腺機能亢進（低下）症，骨軟化症（くる病を含む），悪性腫瘍に伴う高カルシウム血症）

1 性ホルモン関連薬 hormone substitutes

生殖機能(受精や妊娠)や性行動において重要な役割を有する性ホルモンは，男性ホルモン(アンドロゲン)と女性ホルモン(卵胞ホルモン：エストロゲン，黄体ホルモン：ゲスタゲン)に分類される．性ホルモンの産生・分泌は，脳下垂体前葉から分泌される性腺刺激ホルモン(ゴナドトロピン)により調節されている．性ホルモン関連薬は，これら生殖器系における男性ホルモンや女性ホルモンのバランスが崩れて発症する疾患に使用される．

1 男性ホルモン関連薬 male hormone substitutes

a 男性ホルモン(合成テストステロン)製剤

テストステロン誘導体であり，体内でテストステロン，ジヒドロテストステロンとなって作用する．精巣機能低下症，脳下垂体機能低下症などによる男子性腺機能不全のホルモン補充療法や，女性性器がんや乳がんなどに抗エストロゲン薬として用いられる場合もある．しかしながら，アンドロゲン依存性腫瘍(前立腺がんなど)に対しては症状を悪化させるため禁忌である．また，女性においては陰核肥大，体毛増加，骨格筋発達などの男性化を起こす場合がある．

- テストステロンプロピオン酸エステル
- テストステロンエナント酸エステル

テストステロンプロピオン酸エステルはテストステロンの作用を持続させたものである．エナント酸エステル型は，より吸収が遅く，作用持続時間が長いために，油性注射剤(筋注)として使用される．再生不良性貧血，骨髄線維症，腎性貧血にも用いられる．

- メチルテストステロン
- ダナゾール

エチステロン誘導体であり，乳腺症や子宮内膜症に経口で用いられる．

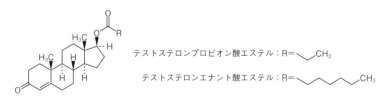

テストステロンプロピオン酸エステル　テストステロンエナント酸エステル

メチルテストステロン　　ダナゾール

b　タンパク質同化ステロイド

アンドロゲンのタンパク質同化作用を強めるとともに，男性化作用を弱めた合成ステロイドである．筋肉増強を目的として使用されるドーピングが社会問題となっている．タンパク質同化作用を期待して，骨粗鬆症や再生不良性貧血，消耗状態の回復目的で使用される．男性化作用もあるため，若年女性への長期投与は避ける．

● メテノロン酢酸エステル　● メテノロンエナント酸エステル

メテノロン酢酸エステルの有するタンパク質同化作用および男性ホルモン作用は，それぞれテストステロンの5倍および1/10であり，経口投与で用いられる．12日間程度の持続性がある．メテノロンエナント酸エステルも持続性があり，筋注で使用される．

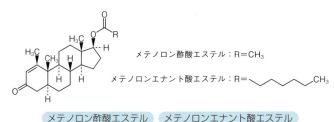

メテノロン酢酸エステル　メテノロンエナント酸エステル

c　抗アンドロゲン薬

ジヒドロテストステロンおよびテストステロンとアンドロゲン受容体との結合を阻害する．前立腺肥大症などに適応があり，重篤な肝障害，肝疾患には禁忌である．

● クロルマジノン

抗アンドロゲン作用に加え，テストステロンの標的細胞内への取り込みも阻害して，下部尿路通過障害を改善する．

● ゲストノロン

抗アンドロゲン作用，テストステロンの前立腺細胞内取り込み阻害作用に加え，5α還元酵素阻害作用もある．

● アリルエストレノール

19-ノルテストステロン誘導体である．

● アビラテロン

CYP 17阻害薬である．

● フルタミド　● ビカルタミド　● エンザルタミド

ステロイド骨格をもたない抗アンドロゲン薬である．

クロルマジノン　ゲストノロン　アリルエストレノール　アビラテロン

フルタミド　ビカルタミド　エンザルタミド

❷ 女性ホルモン関連薬 female hormone substitutes

卵巣機能低下による月経異常，二次性徴発現遅延，更年期症候群，骨粗鬆症などの治療のほか，女性性器がんや男性性器がんにも用いられる．女性ホルモン関連薬には，卵胞ホルモン製剤と黄体ホルモン製剤およびそれらの配合剤がある．

a 卵胞ホルモン製剤
1) 合成エストロゲン製剤
天然のエストロゲンは，経口投与では無効であるため，経口投与可能な製剤が開発された．

- **エストラジオール**（構造式☞ p.263）

初回通過効果を受けず，低用量での治療が可能な経皮吸収薬(テープ・貼付剤)として使用される．トリグリセリドや血液凝固系への影響が少ないとされる．しかしながら，子宮内膜がんの発症には注意を要する．

- **エストラジオールプロピオン酸エステル**

油性懸濁液として筋注で用いられ，持続型である．重大な副作用として血栓症が知られる．

- **エチニルエストラジオール**

経口投与可能な錠剤である．抗アンドロゲン薬に抵抗性を示す前立腺がんや閉経後の末期乳がんに用いられる．エストロゲン依存性腫瘍に対しては症状を悪化させるため禁忌である．また，重大な副作用として血栓症や循環器障害がある．

- **エストリオールプロピオン酸エステル**

湿潤性保持作用を有し，エストロゲン作用の低下による老人性膣炎，頸管炎や更年期障害に用いられる．

エストラジオールプロピオン酸エステル　　エチニルエストラジオール　　エストリオールプロピオン酸エステル

2）抗エストロゲン薬

エストロゲン受容体に対してエストロゲンと競合的に拮抗してエストロゲン作用を阻害する．

● **クロミフェン**

排卵障害をもつ不妊患者の排卵誘発薬である．視床下部において作用し，エストロゲンの負のフィードバック機構を抑制し，ゴナドトロピン分泌を促進する．多胎妊娠，卵巣腫大，顔面紅潮などの副作用がある．

● **タモキシフェン**　● **トレミフェン**

エストロゲン受容体に結合して作用を発揮する．乳腺では抑制作用があり，子宮・骨では刺激作用がある．閉経前および閉経後ホルモン受容体陽性乳がんの標準治療薬である．両薬物ともに効果・副作用は同様であるが，トレミフェンは高用量の使用が可能である．

クロミフェン　　タモキシフェン　　トレミフェン

3）アロマターゼ阻害薬

● **アナストロゾール**　● **エキセメスタン**

アロマターゼを阻害して，エストロゲンの生合成を抑制する．閉経後乳がんに用いられる．

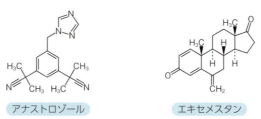

アナストロゾール　　エキセメスタン

b　黄体ホルモン製剤

1）合成黄体ホルモン製剤（プロゲステロン製剤）

プロゲステロン製剤は，月経困難症，無月経，機能性出血，黄体機能不全による不妊症，流早産などに筋注で用いられる．プロゲステロンは経口投与では無効であるた

め，経口投与可能な黄体ホルモンが合成された．

● プロゲステロン　● ジドロゲステロン　● ヒドロキシプロゲステロン
● メドロキシプロゲステロン　● ジエノゲスト　● クロルマジノン（構造式☞ p.477）

　　メドロキシプロゲステロン酢酸エステルはエストロゲン分泌抑制作用を期待して，エストロゲンが増悪因子となる女性特有のがんにも用いられる．

プロゲステロン　　　　ジドロゲステロン　　　　ヒドロキシプロゲステロン

メドロキシプロゲステロン　　　　ジエノゲスト

2) 合成黄体ホルモン製剤（19-ノルテストステロン誘導体）

● ノルエチステロン

　　エチステロン（エチニルテストステロン）の構造にある19位のメチル基がない19-ノルテストステロン誘導体である．強力な黄体ホルモン作用，弱い卵胞ホルモン作用と男性ホルモン様作用を有する．無月経に使用され，前立腺の肥大も抑制する．

● レボノルゲストレル　● デソゲストレル

　　レボノルゲストレルおよびデソゲストレルは，エストロゲン製剤との配合剤として用いられ，機能性子宮出血などに適応される．

ノルエチステロン　　　　レボノルゲストレル　　　　デソゲストレル

c　卵胞ホルモン・黄体ホルモン配合剤

　　機能性出血，月経異常，月経困難症，不妊症などに対して適応がある．エストロゲン受容体の発現はプロゲステロンによって抑制され，プロゲステロン受容体の合成はエストロゲンによって誘導される．両者の併用によってプロゲステロンの作用は増強され，エストロゲンの副作用や子宮内膜がんの発現が抑制される．配合剤のうち，エチニルエストラジオールの配合量が少ない低用量ピルが経口避妊薬として用いられる．

男性ホルモン関連薬

種類　薬物［代表的な商品名］	作用機序	注意すべき副作用
男性ホルモン（合成テストステロン）製剤		
●テストステロンプロピオン酸エステル［エナルモン注］ ●テストステロンエナント酸エステル［エナルモンデポー］ ●メチルテストステロン［エナルモン錠］ ●ダナゾール［ボンゾール］	テストステロン誘導体であり，体内でテストステロン，ジヒドロテストステロンとなって作用する	アンドロゲン依存性腫瘍（前立腺がんなど）に対しては症状を悪化させるため禁忌である．また，女性においては陰核肥大，体毛増加，骨格筋発達などの男性化を起こす場合がある
タンパク質同化ステロイド		
●メテノロン酢酸エステル［プリモボラン］ ●メテノロンエナント酸エステル［プリモボラン・デポー］	アンドロゲンのタンパク質同化作用を強めるとともに，男性化作用を弱めた合成ステロイドである	男性化作用もあるため，若年女性への長期投与は避ける
抗アンドロゲン薬		
●クロルマジノン酢酸エステル［プロスタール］ ●ゲストノロンカプロン酸エステル［デポスタット］ ●アリルエストレノール［パーセリン］ ●アビラテロン酢酸エステル［ザイティガ］ ●フルタミド［オダイン］ ●ビカルタミド［カソデックス］ ●エンザルタミド［イクスタンジ］	クロルマジノン酢酸エステルは抗アンドロゲン作用に加え，テストステロンの標的細胞内への取り込みも阻害して，下部尿路通過障害を改善する	重篤な肝障害，肝疾患には禁忌である

女性ホルモン関連薬（卵胞ホルモン製剤）

種類　薬物［代表的な商品名］	作用機序	注意すべき副作用
合成エストロゲン製剤		
●エストラジオール［エストラーナ］ ●エストラジオールプロピオン酸エステル［オバホルモンデポー］ ●エチニルエストラジオール［プロセキソール］ ●エストリオールプロピオン酸エステル［エストリールデポー］	天然のエストロゲンは，経口投与では無効であるため，経口投与可能な製剤が開発された	子宮内膜がんの発症には注意を要する．エストラジオールプロピオン酸エステル：血栓症 エチニルエストラジオール：血栓症，循環器障害．エストロゲン依存性腫瘍に対しては症状を悪化させるため禁忌
抗エストロゲン薬		
●クロミフェンクエン酸塩［クロミッド］ ●タモキシフェンクエン酸塩［ノルバデックス］ ●トレミフェンクエン酸塩［フェアストン］	エストロゲン受容体に対してエストロゲンと競合的に拮抗してエストロゲン作用を阻害する クロミフェンクエン酸塩：不妊患者の排卵誘発薬．視床下部において作用し，エストロゲンの負のフィードバック機構を抑制し，ゴナドトロピン分泌を促進する	多胎妊娠，卵巣腫大，顔面紅潮など
アロマターゼ阻害薬		
●アナストロゾール［アリミデックス］ ●エキセメスタン［アロマシン］	アロマターゼを阻害して，エストロゲンの生合成を抑制する	表 抗腫瘍ホルモン関連薬（☞ p.574）参照

女性ホルモン関連薬（黄体ホルモン製剤）

種類　薬物［代表的な商品名］	作用機序	注意すべき副作用
合成黄体ホルモン製剤（プロゲステロン製剤）		
●プロゲステロン［プロゲホルモン］ ●ジドロゲステロン［デュファストン］ ●ヒドロキシプロゲステロンカプロン酸エステル［プロゲデポー］ ●メドロキシプロゲステロン酢酸エステル［ヒスロン］ ●ジエノゲスト［ディナゲスト］ ●クロルマジノン酢酸エステル［ルトラール］	プロゲステロンは経口投与では無効であるため，経口投与可能な黄体ホルモンが合成された	重篤な動・静脈血栓症，重篤な肝障害・血栓症を起こすおそれのある患者には禁忌である
合成黄体ホルモン製剤（19-ノルテストステロン誘導体）		
●ノルエチステロン［ノアルテン］ ●レボノルゲストレル・エチニルエストラジオール配合［アンジュ21］ ●デソゲストレル・エチニルエストラジオール配合［マーベロン21］	ジヒドロテストステロンおよびテストステロンとアンドロゲン受容体との結合を阻害する	重篤な肝障害，肝疾患には禁忌である

2 甲状腺疾患 thyroid disease

2-1 バセドウ病

■病態生理

❶ バセドウ病の病態

甲状腺の表面には，下垂体で産生される**甲状腺刺激ホルモン** thyroid stimulating hormone(**TSH**)の受容体(甲状腺刺激ホルモン受容体：**TSH-R**)が存在する．バセドウ Basedow 病患者においては，抗 TSH 受容体抗体(TRAb)あるいは甲状腺刺激抗体(TSAb)が産生され，TSH-R を刺激するために，過剰の甲状腺ホルモン(T_3，T_4)が血中に放出されるとともに甲状腺が肥大する．負のフィードバックによって TSH の分泌は低下しているが，TRAb あるいは TSAb の刺激によって持続的に甲状腺ホルモンは放出される(**図 7B-2**)．甲状腺ホルモンは全身の新陳代謝を高めるホルモンであるため，心身にさまざまな影響を及ぼす．発症の男女比は 1：5 前後で，20～40 歳代の女性に多くみられる．

❷ バセドウ病の症状

メルゼブルク三徴候と呼ばれる「びまん性甲状腺腫」「眼球突出」「頻脈」が頻発する．その他の症状として，代謝機能の亢進による体温上昇や発汗過多，皮膚温上昇と浸潤がみられる．振戦や脱力感が生じる場合もある．一般的に，多飲，多食となるが，代謝が高いため体重減少をきたす．心悸亢進から，頻脈，脈圧差の拡大，高齢者では心不全症状が起こる．さらに，精神状態の不安定，イライラ感や集中力の低下もみられる．

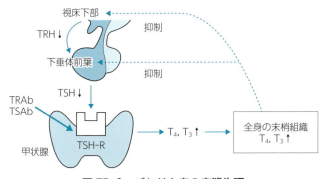

図 7B-2 バセドウ病の病態生理

眼球突出が顕著になると，眼球運動障害（複視）や視神経症をきたす場合もある．**ステルワーグ Stellwag 徴候**（まばたき回数減少）や**グレーフェ Graefe 徴候**（上眼瞼挙筋の過度の緊張で上方注視後に下方に視線を移すと，上眼瞼下際と角膜の間に白目がみえる）がみられる場合もある．治療法としては，薬物療法（抗甲状腺薬），手術療法，アイソトープ療法がある．

■薬　理

1　バセドウ病治療薬

a　抗甲状腺薬

●プロピルチオウラシル　●チアマゾール

薬理作用　抗甲状腺薬は，支障がない限りチアマゾールを第一選択薬とする．なお，妊婦・授乳期に抗甲状腺薬の服用が必要な場合はプロピルチオウラシルの使用が推奨されている．薬物投与に際しては，少量から開始し，2週間に1度の割合で甲状腺ホルモン（遊離 T_4，遊離 T_3）の検査を実施しながら，これらの値が適正となるように投与量を調節する．TSH の値は遊離 T_4，遊離 T_3 の値に遅れて正常化する．TSH 値が上昇してきたら，抗甲状腺薬を徐々に減量していく．機能が正常化してもしばらくは維持療法を継続する必要がある．

作用機序　プロピルチオウラシルやチアマゾールは甲状腺ペルオキシダーゼを競合的に阻害し，甲状腺ホルモンの産生を阻害する．バセドウ病では TRAb の血清濃度を減少させる働きもある．プロピルチオウラシルは，末梢組織における脱ヨウ素化も阻害するため，効果がチアマゾールより早く出現する（**図 7B-3**）．

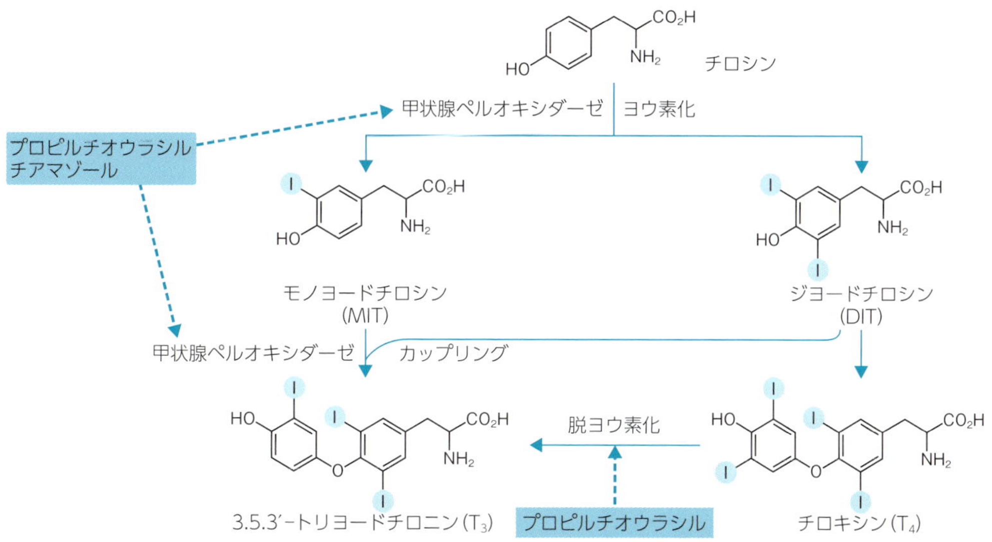

図 7B-3　T_3，T_4 の合成と抗甲状腺薬の作用点

副作用 抗甲状腺薬による副作用の頻度はかなり高く，皮膚の炎症，白血球の減少，無顆粒球症，再生不良性貧血などを生じることがある．

プロピルチオウラシル　　　チアマゾール

b　無機ヨード

● ヨウ化カリウム

ヨウ化物を大量に投与すると甲状腺ホルモン合成が抑制される．この抑制は24時間以内に発現するが，長期使用によって効果は消失する．したがって，甲状腺機能亢進症の術前の補助や甲状腺クリーゼに使用される．

2-2　慢性甲状腺炎（橋本病）

■病態生理

1　慢性甲状腺炎の病態

原因不明の機序によって，甲状腺に対する自己抗体や甲状腺傷害性 T 細胞が産生され，甲状腺を持続的に破壊した結果，甲状腺ホルモン（T_3，T_4）の産生，分泌が低下して生じる．正のフィードバックによって TSH の分泌は促進する．

2　慢性甲状腺炎の症状

びまん性の甲状腺腫大がみられる．また，初期には体重減少，脈拍数の増加などの甲状腺機能亢進による症状が発現する場合がある．その後，甲状腺機能低下に起因する症状が出現する．体温低下，体重増加，発汗低下による皮膚乾燥，全身疲労感，徐脈，高コレステロール血症，便秘，うつ状態，記憶力の低下，不妊，毛髪の脱落などが起こる．

■薬　理

1　慢性甲状腺炎治療薬

a　甲状腺ホルモン製剤

● レボチロキシン（T_4）　● リオチロニン（T_3）

甲状腺腫大が軽度で，甲状腺機能低下のない症例では，特別な治療は行わずに経過

を観察する．甲状腺機能低下を伴う症例に対しては，甲状腺ホルモンの補充療法を実施する．甲状腺ホルモン製剤としてレボチロキシン（T_4），リオチロニン（T_3）がある．一般的には，レボチロキシンの内服を行うことが多い．血中半減期が長い（約7日）ため，1日1回の内服で血中甲状腺ホルモン濃度の維持が可能となる．少量から投与を開始し，甲状腺ホルモン値の検査を実施しながら，これらの値が正常値を保つように投与量を調節する．TSH値は甲状腺ホルモンに遅れて正常化する．一方，リオチロニンの効果発現は早いが，作用時間は短いので，緊急投与に適した製剤である．なお，甲状腺ホルモン製剤の過剰投与によって，心悸亢進，頻脈，頭痛，発汗，振戦，不眠などの甲状腺中毒症を発症する場合がある．

レボチロキシン　　　　　リオチロニン

2-3 亜急性甲状腺炎

■病態生理

❶ 亜急性甲状腺炎の病態

甲状腺の炎症によって，甲状腺腫大と組織破壊を生じ，甲状腺ホルモンが血中に漏出することが原因とされる．しばしば上気道感染に続発して発症し，季節性や無治療でも自然寛解することからウイルス感染が原因と考えられている．

❷ 亜急性甲状腺炎の症状

炎症性と甲状腺中毒症に大別できる．
炎症性：発熱や倦怠感，筋肉痛などの全身症状を呈することがある．甲状腺腫に伴う前頸部痛および腫瘤を認める．これらに先行して上気道感染症状が認められる．
甲状腺中毒症：甲状腺炎に伴い，甲状腺ホルモンが血液内に漏出することで，動悸，息切れ，多汗，体重減少，振戦などの甲状腺中毒症状が認められる．

■薬　理

❶ 亜急性甲状腺炎治療薬

通常は，疼痛，発熱などに対する対症療法が主体となり，消炎鎮痛薬などが処方さ

れる．重症例には副腎皮質ステロイドが使用されることもある．一般に抗甲状腺薬は使われない．甲状腺中毒症状が強い場合にはプロプラノールなどのβ受容体遮断薬が使用される．甲状腺腫大が軽度で，甲状腺機能低下のない症例では，特別な治療は行わずに，経過を観察する．

バセドウ病治療薬

種類　薬物［代表的な商品名］	作用機序	注意すべき副作用
抗甲状腺薬		
●プロピルチオウラシル 　［チウラジール，プロパジール］ ●チアマゾール　［メルカゾール］	甲状腺ホルモンの産生を阻害する．バセドウ病ではTRAbの血清濃度を減少させる	副作用の頻度はかなり高い．皮膚の炎症，白血球の減少，無顆粒球症，再生不良性貧血など
無機ヨード		
●ヨウ化カリウム 　［ヨウ化カリウム］	ヨウ化物を大量に投与すると甲状腺ホルモン合成が抑制される．この抑制は24時間以内に発現するが，長期使用によって効果は消失する	

慢性甲状腺炎治療薬

種類　薬物［代表的な商品名］	作用機序	注意すべき副作用
甲状腺ホルモン製剤		
●レボチロキシンナトリウム 　水和物　［チラーヂンS］ ●リオチロニンナトリウム 　［チロナミン］	甲状腺ホルモンを補充する	心悸亢進，頻脈，頭痛，発汗，振戦，不眠などの甲状腺中毒症

3 尿崩症

■病態生理

尿崩症の病態

バソプレシンは血漿浸透圧，血圧，アンジオテンシンによって産生・分泌が制御されている．分泌されたバソプレシンは腎臓の集合管細胞のバソプレシン V_2 受容体に作用する．G_s タンパク質を介して活性化されたアデニル酸シクラーゼが ATP を cAMP に変換し，A キナーゼが活性化することで，小胞に存在する**水チャネル（アクアポリン 2）**を管腔側の細胞膜に移行させる．浸透圧は間質のほうが高く，集合管管腔から間質の方向へ水輸送が促進されるので，抗利尿作用が促進され，尿量減少と体内水分量増加が起こる．さらに，高濃度のバソプレシンが血管平滑筋の受容体に結合することによって，平滑筋の収縮と血圧上昇を引き起こす．**尿崩症** diabetes insipidus はバソプレシンの産生・分泌障害によって上記の制御機構が障害される中枢性尿崩症と，バソプレシン反応性の低下による尿の濃縮不能になる腎性尿崩症がある（図 7B-4）．

1) 中枢性尿崩症

発症原因として，遺伝によって発生する家族性，視床下部や下垂体の腫瘍，炎症，外傷などによって発生する続発性，原因不明の特発性の 3 つに分類される．中枢性尿崩症の 60％を占める続発性では，脳腫瘍，サルコイドーシス，がんの下垂体後葉転移，ランゲルハンス細胞肉芽腫症，そのほか外傷やクモ膜下出血で起こる．

2) 腎性尿崩症

遺伝性としては，伴性劣性遺伝によるバソプレシン V_2 受容体の異常あるいは常染色体劣性遺伝（一部優性）によるアクアポリン 2 の異常によって発症するものがある．続発性としては，腎疾患，炭酸リチウムなどの薬物に起因するものが知られる．

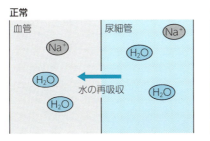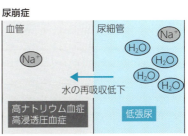

図 7B-4 尿崩症における水の移動

② 尿崩症の症状

中枢性尿崩症と腎性尿崩症に症状の大きな違いはないとされる．初発症状として，多飲，多尿，口渇が起こり，夜間尿，夜尿症などが続いた後に，脱水症状，急性腎前性腎不全に至る場合がある．

■ 薬　理

① 尿崩症治療薬

a　下垂体後葉ホルモン製剤

● デスモプレシン　● バソプレシン

中枢性尿崩症ではデスモプレシン（点鼻，スプレー）あるいはバソプレシン（皮下注射，筋肉内注射）を投与する．バソプレシン V_2 受容体に作用して抗利尿作用を示す．1日尿量2,000 mL以下，夜間排尿1回以下を目安として投与量を調整する．デスモプレシンの副作用として，脳浮腫，昏睡，痙攣などを伴う水中毒がある．本薬は三環系抗うつ薬との併用によって，低ナトリウム血症，痙攣発作の恐れがある．なお，外科的手術や輸液管理を要する病態の場合は，長時間作用型のデスモプレシンでは管理が困難な場合があるので，半減期の短い水溶性のバソプレシンを用いる．なお，腎性尿崩症においては，水補給や原因疾患の治療で対処する．

```
   S―――――S
   |       |
O= C― Try-Phe-Gln-Asn-Cys-Pro-DArg-Gly-NH₂
```
デスモプレシン

```
   S―――――S
   |       |
H― Cys-Try-Phe-Gln-Asn-Cys-Pro-Arg-Gly-NH₂
```
バソプレシン

尿崩症治療薬

種類　薬物［代表的な商品名］	作用機序	注意すべき副作用
下垂体後葉ホルモン製剤		
● デスモプレシン酢酸塩水和物　［デスモプレシン，ミニリンメルト］ ● バソプレシン［ピトレシン］	バソプレシン V_2 受容体に作用して抗利尿作用を示す	脳浮腫，昏睡，痙攣などを伴う水中毒

4 カルシウム代謝疾患 calcium metabolic disease

4-1 副甲状腺機能亢進症

■病態生理

1 副甲状腺機能亢進症の病態

副甲状腺は甲状腺の裏側四隅に1個ずつ存在し，カルシウムやリンの代謝を行う副甲状腺ホルモン［パラトルモン(PTH)］を分泌する内分泌器官である．副甲状腺ホルモンは血液中のカルシウム濃度を一定に保つため，骨からカルシウムを遊離させたり，腎臓からカルシウムを再吸収させたりしている．骨に対しては，破骨細胞の活性化による骨吸収促進と骨芽細胞を刺激して骨形成を促す作用があり，この過程でカルシウムが血液中に遊離する（図7B-5）．**副甲状腺機能亢進症** hyperparathyroidism は副甲状腺ホルモンの分泌が亢進することによって惹起される代謝性疾患である．上皮小体機能亢進症とも呼ばれる．副甲状腺の異常を原因とする原発性副甲状腺機能亢進症とカルシウム代謝の破綻を原因とする続発性副甲状腺機能亢進症とに区別される．

2 副甲状腺機能亢進症の症状

1) 原発性副甲状腺機能亢進症

血液中のカルシウム濃度が正常であっても，副甲状腺ホルモンが過剰に分泌される疾患である．その結果，骨からカルシウムが過剰に溶出し骨が脆弱になる（骨塩減少症，骨粗鬆症）．さらに，高カルシウム血症，低リン血症，筋力低下，意識障害，消化器症状，腎尿路結石などの多彩な症状がみられる．

2) 続発性副甲状腺機能亢進症

進行した腎臓病などによりカルシウム・リン代謝機構に障害が起こることから，副

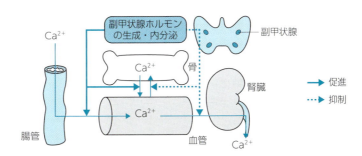

図7B-5　副甲状腺ホルモンの作用

甲状腺ホルモンが代償性に過剰に分泌される疾患である．「続発性」においても骨代謝に強く影響するものの，「原発性」と異なり，血中カルシウム値は低下している場合が多い．一方，リン排泄は低下するため血中リン値は上昇し，血管の石灰化に強く関与する．

■治　療

原発性副甲状腺機能亢進症の治療は腫瘍の摘出である．続発性副甲状腺機能亢進症治療にはカルシウムの補給とリン吸着剤などを用いる．

a　活性型ビタミン D_3 製剤

●アルファカルシドール　●カルシトリオール（構造式☞ p. 262）

PTH の合成，分泌の抑制，消化管と骨ではそれぞれ Ca^{2+} の吸収と再吸収を高め，体内の Ca^{2+} バランスを保持する．

b　リン吸着剤

●セベラマー　●沈降炭酸カルシウム（構造式☞ p. 361）

消化管でリンと結合する．副作用に腸管穿孔，腸閉塞などがある．

c　カルシウム受容体作動薬

●シナカルセト（構造式☞ p. 267）

副甲状腺細胞表面のカルシウム受容体に作用して，PTH の分泌を持続的に抑制することにより血清 PTH 濃度を低下させる．

4-2　副甲状腺機能低下症

■病態生理

1　副甲状腺機能低下症の病態

副甲状腺機能低下症 hypoparathyroidism は，PTH の不足を原因とした低カルシウム血症，高リン血症によって種々の症状を示す代謝性疾患である．上皮小体機能低下症とも呼ばれる．甲状腺機能亢進症の治療のための甲状腺切除によって発生する場合や頸部の外傷や腫瘍に続発する場合がある．

2　副甲状腺機能低下症の症状

神経過敏，全身性発作，テタニー，顔面筋の痙攣，運動失調，歩調異常，下痢，嘔

吐などが認められる．ストレス，運動，騒音などが誘引となり突然に発症する．血清PTH濃度の低下，PTHの生理的効果の低下，低カルシウム血症，高リン血症，代謝性アルカローシス，さらに呼吸窮迫時には呼吸性アルカローシスが認められる．

■ 治　　療

カルシウム剤，アルミニウムゲル，ビタミンDの投与が行われる．

4-3　骨軟化症，くる病

■ 病態生理

❶ 骨軟化症の病態

骨の組織中には，無機質である類骨と有機基質であるコラーゲンやオステオカルシンが石灰化のために一定割合で存在する．骨軟化を主な変化とする症候群で，これが成人に生じた場合を**骨軟化症** osteomalacia という．骨組織へのカルシウム沈着障害のため，骨のなかに類骨組織が過剰に形成される状態で，とくに女性に多い．この状態が小児に生じた場合がくる病である．

❷ 骨軟化症の症状

石灰化障害による骨の強度の低下と発育不全が起こる．それらに伴って，低身長，腰部の湾曲・変形などがみられる．

■ 治　　療

活性型ビタミンD_3製剤やリン製剤を使用する．

4-4　悪性腫瘍に伴う高カルシウム血症

■ 病態生理

悪性腫瘍ではしばしば**高カルシウム血症**(malignancy associated hypercalcemia)が認められる．とくに末期がん患者に頻発する傾向がある．経過が急激なことが多いので，がん患者では症状の有無にかかわらず，定期的に血清カルシウム値を測定することは重要である．発症原因から局所性骨融解性，体液性，その他の骨吸収促進因子の関与の3つに分類される．

1 悪性腫瘍に伴う高カルシウム血症の病態

1）局所性骨融解性
がん細胞の産生物である破骨細胞刺激因子が局所の破骨細胞による**骨吸収**を促進する．乳がん，多発性骨髄腫，悪性リンパ腫などの広範な骨転移などによる．

2）体液性
がん細胞がPTH関連ペプチドを産生し，全身の骨吸収を促進する．PTH関連ペプチドのN末端はほとんどPTHと同一なので同じ受容体に結合し，ほぼPTHに類似する作用を発揮する．肺・頭頸部・食道の扁平上皮がん，腎がん，膀胱がん，卵巣がんなどによる．

3）その他の骨吸収促進因子
まれであるが，活性型ビタミンDを過剰産出する腫瘍やPTHを異所性に過剰産出する腫瘍もある．

2 悪性腫瘍に伴う高カルシウム血症の症状

高カルシウム血症に起因する症状が出現するが，発症は原発性副甲状腺機能亢進症に比べるとはるかに急性である．急性または亜急性に，多尿，悪心，嘔吐，食欲不振，消化性潰瘍に伴う腹痛を訴え，集中力の低下，傾眠傾向をきたし，無治療の場合にはしばしば意識障害に陥る．

■治　療

ビスホスホネート薬［**パミドロン酸**（構造式☞ p.263）］，カルシトニン製剤，副腎皮質ステロイドおよびリン吸着剤の投与が行われる．

副甲状腺機能亢進症治療薬

種類　薬物［代表的な商品名］	作用機序	注意すべき副作用
活性型ビタミンD_3製剤		
●アルファカルシドール　［ワンアルファ，アルファロール］ ●カルシトリオール［ロカルトロール］	PTHの合成・分泌の抑制，腸管と骨ではそれぞれCa^{2+}の吸収と再吸収を高め，体内のCa^{2+}バランスを保持する	急性腎不全，肝障害など
リン吸着剤		
●セベラマー塩酸塩［レナジェル］ ●沈降炭酸カルシウム［カルタン］	消化管内でリンと結合する	腸管穿孔，腸閉塞など

5 その他の内分泌系疾患

5-1 先端巨大症

■病態生理

先端巨大症 acromegalia では成長ホルモン分泌腺細胞がその機能を保持した状態で腫瘍化し，成長ホルモンが過剰に産生・分泌されることで，四肢の異常な発達，四肢以外の筋肉の収縮，骨がもろくなるなどの症状がみられる．疾患名に由来するように，体の先端から肥大していく疾患である．発症頻度は100万人あたり40～60人程度といわれている．

■治　療

薬物療法として成長ホルモンの分泌を抑制する持続性ソマトスタチンアナログ(オクトレオチド)，成長ホルモン受容体拮抗薬(ペグビソマント)，ドパミン受容体刺激薬(カベルゴリン，ブロモクリプチン)(☞2章A.8■薬理1.bドパミン受容体刺激薬，p.161)などの投与が行われる．

5-2 高プロラクチン血症

■病態生理

高プロラクチン血症 hyperprolactinemia は催乳ホルモンであるプロラクチンの分泌が異常に亢進して，乳汁分泌，無排卵月経などを起こす疾患である．成因としては，脳下垂体にプロラクチノーマという腫瘍の形成やドパミン D_2 受容体遮断薬の投与による副作用が知られている．さらに，流産後や人工妊娠中絶後に起こる場合もある(図7B-6)．

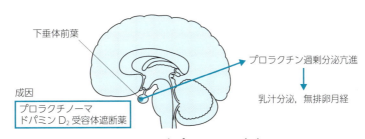

図7B-6　高プロラクチン血症

■治　療

薬物療法としては，ブロモクリプチン，テルグリドなどのドパミン受容体刺激薬を用いてプロラクチンの分泌を持続的に抑制する．

5-3　下垂体機能低下症

■病態生理

下垂体機能低下症 hypopituitarism は下垂体前葉ホルモンである副腎皮質刺激ホルモン(ACTH)，甲状腺刺激ホルモン(TSH)，成長ホルモン(GH)，黄体形成ホルモン(LH)や卵胞刺激ホルモン(FSH)などの性腺刺激ホルモン，プロラクチンの単独または複数の分泌が低下した状態である．

■治　療

薬物療法としては低下したホルモンの補充投与が行われる．

5-4　抗利尿ホルモン不適合分泌症候群(SIADH)

■病態生理

SIADH(syndrome of inappropriate secretion of antidiuretic hormone)は抗利尿ホルモンであるバソプレシンが，血漿浸透圧に対して不適切に分泌または作用することによって起こる症候群である．バソプレシンの過剰分泌あるいは過剰作用によって腎臓における水の再吸収が亢進し，循環血液量が増加する．その結果，血液が希釈され低ナトリウム血症をきたす(図7B-7)．低ナトリウム血症が重篤となれば，意識障害や痙攣などの神経症状が出現する．成因としては，肺がんなどの肺疾患や髄膜炎などの中枢神経疾患に合併する場合が多いが，その他にもバソプレシン産生部位の腫

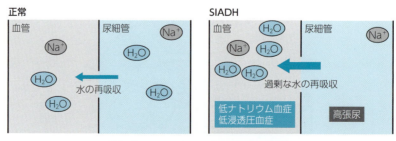

図 7B-7　SIADH における水の移動

瘍や薬剤によって発症する場合もある(図7B-7).

■治　療

テトラサイクリン系抗菌薬が腎臓に対するバソプレシンの作用を阻害するため，低ナトリウム血症が遷延する例において，その投与が考慮される．神経症状が出現しているような場合には高張食塩水の点滴を行う．

5-5　クッシング症候群

■病態生理

副腎の過形成，副腎腫瘍，下垂体腺腫などによって，過剰のコルチゾールが分泌されて発症する疾患である．特徴的な身体所見があり，高血圧，糖尿病，骨粗鬆症，感染症などのさまざまな病態を示す．男女比は1：4前後で，20〜40歳代の女性に多く発症する．

クッシング症候群 Cushing syndrome は，副腎皮質刺激ホルモン(ACTH)依存性およびACTH非依存性に大別される(図7B-8).

1) ACTH依存性クッシング症候群

脳下垂体などにおける腫瘍形成によって，ACTHが過剰産生・分泌されるために，副腎皮質が刺激されてコルチゾールが増加する疾患である．下垂体の腫瘍が原因の場合をクッシング病と呼ぶ．一方，肺がん，膵臓がんや卵巣がんなどの病変部位からACTHが分泌される異所性ACTH症候群もある．クッシング病や異所性ACTH症候群では過剰のACTHが分泌されるため，負のフィードバック機構が破綻し，持続的に副腎を刺激することでコルチゾールを過剰に産生する(図7B-8).

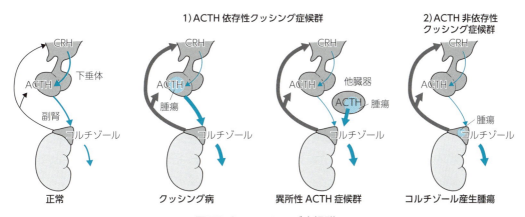

図7B-8　クッシング症候群

表 7B-1　クッシング症候群の臨床症状

分泌過剰ホルモン	症　状
コルチゾール	糖尿病，脂質異常症，中心性肥満(満月様顔貌，水牛様脂肪沈着)，骨粗鬆症，赤色皮膚線条，易感染性
アルドステロン	血中ナトリウム増加，血中カリウム低下，高血圧，浮腫
アンドロゲン	月経異常，女性の男性化(多毛症など)，痤瘡

2）ACTH 非依存性クッシング症候群

　　副腎皮質における腫瘍形成によって，過剰のコルチゾールの産生・分泌が起こる病態である．副腎腫瘍では視床下部・下垂系とは関係なく副腎皮質からのコルチゾールの自律的過剰産生・分泌が生じるが，副腎皮質刺激ホルモン放出ホルモン(CRH)やACTH 分泌は負のフィードバックによって抑制される(図 7B-8)．

　　副腎皮質は，球状層(アルドステロン分泌)，束状層(コルチゾール分泌)，網状層(アンドロゲン分泌)の 3 層からなり，多彩な症状がみられる(表 7B-1)．

■治　療

　　薬物療法として，トリロスタンやミトタンなどの副腎皮質ホルモン合成阻害薬が使用されるが，有効性は低く，補助的な治療として用いられている．

5-6　アルドステロン症

■病態生理

　　アルドステロン症 hyperaldosteronism は，副腎皮質球状層に腫瘍が形成されることや副腎皮質以外の病変によって，レニン-アンジオテンシン-アルドステロン系が刺激され，過剰にアルドステロンを産生し，腎尿細管に作用して，ナトリウム蓄積とカリウム消失を伴う疾患である．発症原因によって原発性および続発性に分類される．

1）原発性アルドステロン症

　　副腎皮質球状層の過形成や腺腫などによって，アルドステロンが自律的に過剰分泌されることによる．本症は負のフィードバックによって低レニン性を認める．

2）続発性アルドステロン症

　　ネフローゼ症候群，肝硬変，うっ血性心不全などによる循環血液量の低下に伴うレニン-アンジオテンシン-アルドステロン系の亢進によって，アルドステロンが高値となる病態である．本症はフィードバック機構が破綻するため，高レニン性を認める．

　　原発性および続発性アルドステロン症では，高血圧，高ナトリウム血症，低カリウム血症，脱力感，代謝性アルカローシス，低カルシウム血症によるテタニー，筋力低

下，四肢麻痺などがみられる．

■治　療

続発性アルドステロン症の薬物療法としては，**トリロスタン**（副腎皮質ホルモン合成阻害薬），**スピロノラクトンやエプレレノン**（抗アルドステロン薬），カルシウム拮抗薬，アンジオテンシン変換酵素（ACE）阻害薬，アンジオテンシン AT$_1$ 受容体遮断薬（ARB）などが用いられる．

5-7　褐色細胞腫

■病態生理

褐色細胞腫 pheochromocytoma は副腎髄質あるいは交感神経節細胞にできる腫瘍である．腫瘍からはカテコールアミンが過剰産生・分泌され，これが原因でさまざまな症状を呈する．大部分は良性であるが，悪性の場合もある．一部の患者に遺伝的素因が認められるが，ほとんどが原因不明である．症状はカテコールアミンの過剰分泌による交感神経系の亢進によって，高血圧，頭痛，発汗過多，代謝亢進，血糖上昇，動悸，体重減少，便秘，胸痛，視力障害など多彩である．

■治　療

薬物療法として，手術前および経過中にアドレナリン α 受容体遮断薬を用いて血圧をコントロールする．

5-8　副腎不全

■病態生理

副腎不全 adrenal insufficiency は副腎が分泌するステロイドホルモンの欠乏によって発症する．発熱，悪心，嘔吐などの症状が高頻度にみられるが，副腎不全特有の症状は少ない．急性と慢性に分類される．

1) **急性副腎不全（副腎クリーゼ）**

急激なコルチゾールの絶対的あるいは相対的欠乏状態で，ショックに陥るため，治療が遅れると，生命を脅かすこともある重篤な状態である．原因として慢性不全の経過中に外傷，感染，手術などのストレスが加わった場合，長期ステロイド治療時における急激な投与中止の場合，脳下垂体の急激な障害によって副腎皮質刺激ホルモン（ACTH）分泌が低下した場合，DIC や外傷によって急激な両側副腎出血で副腎が広

範囲に障害された場合などが考えられる．

症状としては，ショックに加えて，意識障害，脱水症状，全身倦怠感，悪心・嘔吐，下痢などがある．本疾患は，血液中のナトリウム濃度の低下とカリウム濃度の上昇，白血球，好酸球の増加などがしばしば認められる．

2）慢性副腎不全

副腎不全が慢性的に続いている状態である．放置すると，急性副腎不全（副腎クリーゼ）を惹起する．

症状としては，全身倦怠感や食欲不振などがある．副腎不全があると脳下垂体からACTHの分泌が高まり，その結果として皮膚のメラニン色素が増えるために皮膚が黒くなる例もみられる．小児では成長発達に影響を及ぼす．

■治　療

急性副腎不全治療においてはヒドロコルチゾンの大量投与，生理食塩液・ブドウ糖溶液の補液，昇圧薬の投与などが行われる．慢性副腎不全ではヒドロコルチゾンの投与が行われる．

感覚器・皮膚の疾患と治療薬

8章

　感覚器や皮膚は，身体の内外で起きる刺激を受け取ることのできる器官であり，加齢や外的ストレスなどの要因によって感覚器障害を引き起こす．感覚器障害は，65歳以上の高齢者において高率に発生し，著しい生活の質の低下を引き起こす．このことから，今後の高齢社会のなかで，感覚器障害を効率的に予防したり，治療したりすることは重要になってくる．本章では，感覚器障害の発症原因・機序，治療薬を体系的に学習する．

★対応する薬学教育モデル・コアカリキュラム
　E2 薬理・病態・薬物治療　（6）感覚器・皮膚の疾患と薬
　　GIO
　　・感覚器・皮膚の疾患と薬の薬理作用・機序および副作用に関する基本的知識を修得し，治療に必要な情報収集・解析および医薬品の適正使用に関する基本的事項を修得する．
　　SBO
　　【①眼疾患の薬，病態，治療】
　　・以下の疾患について，治療薬の薬理（薬理作用，機序，主な副作用）を説明できる．
　　　・緑内障
　　　・白内障
　　　・加齢性黄斑変性
　　【②耳鼻咽喉疾患の薬，病態，治療】
　　・以下の疾患について，治療薬の薬理（薬理作用，機序，主な副作用）を説明できる．
　　　・めまい（動揺病，Meniere（メニエール）病等）
　　【③皮膚疾患の薬，病態，治療】
　　・以下の疾患について，治療薬の薬理（薬理作用，機序，主な副作用）を説明できる．
　　　・アトピー性皮膚炎
　　　・皮膚真菌症
　　　・褥瘡

A 眼科領域の疾患に用いる薬物

1 緑内障

■病態生理

緑内障 glaucoma は，視神経と視野に特徴的変化を有し，通常，眼圧を十分に下降させることにより視神経障害を改善もしくは抑制しうる眼の機能的構造的異常を特徴とする疾患である（日本緑内障学会：緑内障診療ガイドライン第4版）．

❶ 緑内障の病態

緑内障の原因の多くは眼圧上昇だが，必ずしも高い眼圧が原因とは限らない．つまり，緑内障は眼圧上昇ないし視神経の脆弱性が原因である．

眼圧は，眼房水の産生と流出のバランスによって，通常，10〜20 mmHg に保たれている．緑内障では，このバランスが保たれず眼圧が上昇する．一般に眼房水の流出の低下が原因である．房水流出経路には線維柱帯・シュレム管を介した隅角経路と，ぶどう膜・強膜を介した副経路が存在し，前者が主経路とされている．線維柱帯細胞は，細胞外マトリックスの新陳代謝調節機能，貪食機能，収縮・弛緩機能などを有し，これらの機能障害が，眼房水の流出低下につながり眼圧を上昇させる．また，視神経乳頭の変化による視神経障害には，眼圧，加齢，血流障害，遺伝，近視や神経毒性物質などの環境因子など，複合的な要因で発症し，進行すると考えられている．

❷ 緑内障の分類

緑内障は，原因が不明の**原発緑内障**，原因が明確な**続発緑内障**，**発達緑内障**の3つに分類される．

❸ 緑内障の症状

初期には自覚症状がない．慢性期には視神経乳頭の変化による視神経障害に伴って，鼻側から視野が欠けていく視野欠損と視力の低下が現れる．**閉塞隅角緑内障**の急性期には，激しい眼痛や頭痛，悪心・嘔吐を伴う．

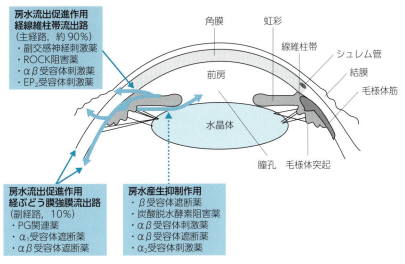

図 8-1　緑内障治療薬の作用部位と機序

■薬　理

　緑内障治療薬の作用機序は非常に複雑で理解しにくい．例えば，自律神経に対して相反する効果をもたらす副交感神経刺激薬，交感神経刺激薬，交感神経遮断薬を用いることは疑問に感じるかもしれない．しかし，それぞれの薬物の作用部位と機序が異なるため，眼圧を低下させると考えられている．ここでは，作用部位によって緑内障治療薬を，房水流出促進薬，房水産生抑制薬，両作用をあわせもつ薬物に分類した（図 8-1）．

a　房水流出促進薬
1）プロスタグランジン（PG）関連薬
●ラタノプロスト　●トラボプロスト　●タフルプロスト
●イソプロピルウノプロストン　●ビマトプロスト

　プロスタグランジン（PG）およびその誘導体の構造をもつ化合物をプロスト系と呼び，15 位に水酸基 OH をもった $PGF_{2\alpha}$ の 18 位にベンゼン環を挿入した誘導体として，ラタノプロスト，トラボプロスト，タフルプロストがある．PG は生体内において 2 種類の代謝酵素による代謝を受け，多彩な生理活性が不活化されるが，その代謝物およびその誘導体をプロストン系と呼び，イソプロピルウノプロストンがある．プロスト系はエステル結合を有しているが，アミド結合を有する $PGF_{2\alpha}$ およびその誘導体をプロスタマイド $F_{2\alpha}$ 誘導体と呼び，ビマトプロストがある．PG 関連薬は，強力な眼圧低下作用に加えて散瞳や縮瞳を起こさず，日内変動に影響せず，点眼投与のため副作用が少なく，緑内障治療の主流である．

薬理作用　ぶどう膜強膜流出経路からの眼房水の流出を促進し，眼圧を下げる．

作用機序 プロスト系は，$PGF_{2\alpha}$ **受容体（FP 受容体）**に結合する FP 受容体刺激薬である．イソプロピルウノプロストンは，FP 受容体への親和性が低く，K^+ チャネルを開口させる BK（大コンダクタンス Ca^{2+} 活性化 K^+）チャネル開口薬と考えられている．ビマトプロストはプロスタマイド $F_{2\alpha}$ 受容体（PM 受容体）に結合する PM 受容体刺激薬である．

副作用 プロスト系：虹彩・眼瞼色素沈着，睫毛・眼瞼部多毛，結膜充血，眼刺激感，角膜上皮障害．

プロストン系：一過性眼刺激症状，角膜上皮障害，結膜充血，まれに虹彩色素沈着．

ラタノプロスト

トラボプロスト

タフルプロスト

イソプロピルウノプロストン

ビマトプロスト

2) プロスタグランジン EP_2 受容体刺激薬

● オミデネパグ イソプロピル

非プロスタグランジン骨格の低分子化合物で，選択的なプロスタグランジン EP_2 受容体刺激作用を有するオミデネパグのプロドラッグである．

薬理作用 線維柱帯流出路およびぶどう膜強膜流出路を介した房水流出を促進し，強力な眼圧下降作用を示す．緑内障以外に高眼圧症の適応もある．

作用機序 プロスタグランジン E_2 受容体のサブタイプの EP_2 受容体を選択的に刺激する．

副作用 ．黄斑浮腫，結膜充血，角膜肥厚など

オミデネパグ イソプロピル

3) 交感神経 α_1 受容体遮断薬

●**ブナゾシン**（構造式☞ p. 57）

薬理作用 ぶどう膜強膜流出経路からの眼房水の流出を促進し，眼圧を下げる．

作用機序 α_1 受容体遮断薬であり，ぶどう膜強膜の血管の α_1 受容体を遮断して血管拡張を起こす．

副作用 結膜充血．

4) 副交感神経刺激薬

●**ピロカルピン**（構造式☞ p. 65） ●**ジスチグミン**（構造式☞ p. 70）

薬理作用 毛様体筋収縮作用と瞳孔括約筋の収縮による縮瞳作用によって虹彩が伸長することにより，線維柱帯とシュレム管を広げ，眼房水の流出を促進し，眼圧を低下させる．

作用機序 ピロカルピンはムスカリン M_3 受容体刺激薬で，ジスチグミンはコリンエステラーゼ（ChE）阻害薬である．ピロカルピンは直接，ジスチグミンは ChE 阻害によるアセチルコリンが毛様体筋と瞳孔括約筋の M_3 受容体を刺激する．

副作用 縮瞳による暗黒感，毛様体筋収縮による調節障害，近視化．

5) ROCK（Rho キナーゼ）阻害薬

●**リパスジル**

ROCK（Rho-associated coiled-coli containing protein kinase）は，低分子量（単量体）G タンパク質 Rho により活性化されるセリン・スレオニンタンパク質リン酸化酵素であり，平滑筋細胞の収縮，各種細胞の形態制御などさまざまな生理機能における情報伝達系として機能する．

薬理作用 眼局所で線維柱帯-シュレム管を介する主流出路からの眼房水の流出を促進し，眼圧を低下させる．

作用機序 ROCK 阻害薬で，主経路にある線維柱帯細胞，細胞外マトリックス，シュレム管内皮細胞に作用する．

副作用 結膜充血，結膜炎，眼瞼炎．

リパスジル

b 房水産生抑制薬

1) アドレナリン β 受容体遮断薬

●**チモロール** ●**カルテオロール** ●**ベタキソロール**（構造式☞ p. 59）

チモロールとカルテオロールは β 受容体非選択的であり，カルテオロールは内因

性交感神経刺激作用を有する．ベタキソロールはβ₁受容体選択的である．緑内障患者によく用いられる薬物であるが全身作用による副作用に注意が必要である．

> 薬理作用　毛様体上皮細胞の輸入動脈を収縮させ，房水産生を抑制し，眼圧を低下させる．

> 作用機序　毛様体上皮細胞の輸入動脈にあるβ受容体もしくは房水の分泌機構に関わるβ受容体を遮断する．

> 副作用　不快感，疼痛，瘙痒，結膜充血．

2）炭酸脱水酵素阻害薬

● アセタゾラミド（構造式☞ p.180）　● ドルゾラミド　● ブリンゾラミド

経口剤のアセタゾラミドと点眼剤のドルゾラミドとブリンゾラミドがある．

> 薬理作用　毛様体上皮細胞からの房水産生を抑制し，眼圧を低下させる．

> 作用機序　毛様体上皮細胞での房水の分泌機構に関わる炭酸脱水酵素を阻害する．

> 副作用　眼刺激症状，結膜充血，アセタゾラミドには四肢のしびれが，ブリンゾラミドは懸濁性の点眼剤のため霧視，苦味などがある．

ドルゾラミド

ブリンゾラミド

c　房水流出促進薬と房水産生抑制薬

1）アドレナリンαβ受容体刺激薬

● ジピベフリン

ジピベフリンはアドレナリンのカテコール基の2個の水酸基にピバリン酸がエステル結合したプロドラッグである．

> 薬理作用　毛様体上皮細胞の輸入動脈を収縮させ，房水産生を抑制する．また，線維柱帯の房水静脈を拡張し，眼房水の流出を促進する．この両作用によって眼圧が低下する．

> 作用機序　毛様体上皮細胞の輸入動脈の$α_1$受容体を刺激し，線維柱帯の房水静脈の$β_2$受容体を刺激する．

> 副作用　アレルギー性結膜炎・眼瞼炎，結膜充血，散瞳，眼痛．

ジピベフリン

2) アドレナリン αβ 受容体遮断薬

● ニプラジロール　● レボブノロール（構造式☞ p.60）

薬理作用　毛様体上皮細胞の輸入動脈を収縮させ，房水産生を抑制する．ぶどう膜強膜の血管を拡張し，ぶどう膜強膜流出経路からの眼房水の流出を促進する．この両作用によって眼圧が低下する．

作用機序　毛様体上皮細胞の輸入動脈の β_2 受容体を遮断し，ぶどう膜強膜の血管の α_1 受容体を遮断する．

副作用　アドレナリン β 受容体遮断薬と同じ．

緑内障治療薬

種類　薬物　[代表的な商品名]	作用機序	注意すべき副作用
交感神経遮断薬		
● チモロールマレイン酸塩 [チモプトール] ● カルテオロール塩酸塩 [ミケラン]	房水産生抑制作用 β 受容体遮断作用 部位：毛様体上皮細胞	不快感，疼痛，瘙痒，結膜充血，徐脈，呼吸困難など 禁忌：気管支喘息，心疾患の患者（ベタキソロール塩酸塩は β_1 選択性が高いので，気管支への影響は少なく，禁忌ではない）
● ベタキソロール塩酸塩 [ベトプティック]	房水産生抑制作用 選択的 β_1 受容体遮断作用 部位：毛様体上皮細胞	
● ニプラジロール [ハイパジール，ニプラノール] ● レボブノロール塩酸塩 [ミロル]	房水産生抑制作用と房水流出促進作用 $\alpha\beta$ 受容体遮断作用 部位：毛様体上皮細胞の輸入動脈の β_2 受容体とぶどう膜強膜の血管の α_1 受容体	結膜充血，しみる，角膜炎，頭痛，瘙痒，めまいなど 禁忌：気管支喘息，心疾患の患者
● ブナゾシン塩酸塩 [デタントール]	房水流出促進作用（ぶどう膜強膜） α_1 受容体遮断作用 部位：ぶどう膜強膜の血管の α_1 受容体	結膜充血，眼の異物感，眼刺激感など
交感神経刺激薬		
● ジピベフリン塩酸塩 [ピバレフリン]	房水産生抑制作用と房水流出促進作用 $\alpha\beta$ 受容体刺激作用 部位：毛様体上皮細胞の輸入動脈の α_1 受容体と線維柱帯の房水静脈の β_2 受容体	熱感，痛み，まぶたや眼のまわりに過敏症が現れることがある．散瞳によるぼやけ感 禁忌：狭隅角や前房が浅いなどの眼圧上昇の素因のある患者
● ブリモニジン酒石酸塩 [アイファガン] ● アプラクロニジン塩酸塩 [アイオピジン UD]	房水産生抑制作用 α_2 受容体刺激作用 部位：毛様体上皮細胞	結膜炎，散瞳 禁忌：2 歳未満の小児（ブリモニジン）
副交感神経刺激薬		
● ピロカルピン塩酸塩 [サンピロ]	房水流出促進作用 M_3 受容体刺激作用 部位：線維柱帯流出経路	結膜充血，悪心・嘔吐，下痢，発汗など 禁忌：虹彩炎の患者
● ジスチグミン臭化物 [ウブレチド]	房水流出促進作用 ChE 阻害作用 部位：線維柱帯流出経路	流涙，結膜炎，結膜充血，下痢，腹痛，口渇，発疹など 禁忌：スキサメトニウム投与中の患者

緑内障治療薬（つづき）

種類　薬物［代表的な商品名］	作用機序	注意すべき副作用
炭酸脱水酵素阻害薬		
●アセタゾラミド（内服）［ダイアモックス］	房水産生抑制作用 炭酸脱水酵素Ⅱ，Ⅳ阻害作用 部位：毛様体上皮細胞	四肢のしびれ（知覚異常，25％），発熱，発疹，食欲不振，悪心，嘔吐，下痢，便秘
●ドルゾラミド塩酸塩［トルソプト］	房水産生抑制作用 炭酸脱水酵素Ⅱ阻害作用 部位：毛様体上皮細胞	眼刺激感，結膜充血，かすみ眼など
●ブリンゾラミド［エイゾプト］		味覚倒錯（苦味），霧視，眼瞼炎，乾燥感，頭痛，下痢，口内乾燥など 禁忌：重篤な腎障害患者
プロスタグランジン（PG）関連薬		
プロスト系（PGF$_{2\alpha}$誘導体） ●ラタノプロスト・チモロールマレイン酸塩配合［ザラカム］ ●トラボプロスト・チモロールマレイン酸塩配合［デュオトラバ］ ●タフルプロスト・チモロールマレイン酸塩配合［タプコム］	房水流出促進作用 PGF$_{2\alpha}$（FP）受容体刺激作用 部位：ぶどう膜強膜流出経路	虹彩・眼瞼色素沈着，睫毛・眼瞼部多毛，結膜充血，眼刺激感，熱感，異物感，疼痛，悪心・嘔吐，鼻閉，舌のしびれなど
プロストン系（代謝型 PGF$_{2\alpha}$誘導体） ●イソプロピルウノプロストン［レスキュラ］	房水流出促進作用 BK（大コンダクタンス Ca^{2+} 活性化 K$^+$）チャネル開口作用 部位：ぶどう膜強膜流出経路	
プロスタマイド F$_{2\alpha}$誘導体 ●ビマトプロスト［ルミガン］	房水流出促進作用 プロスタマイド F$_{2\alpha}$（PM）受容体刺激作用 部位：ぶどう膜強膜流出経路	
プロスタグランジン EP$_2$ 受容体刺激薬 ●オミデナパグ イソプロピル［エイベリス］	房水流出促進作用 プロスタグランジン EP$_2$ 受容体刺激作用 部位：線維柱帯流出路とぶどう膜強膜流出路	黄斑浮腫，結膜充血，角膜肥厚など
ROCK（Rho キナーゼ）阻害薬		
●リパスジル塩酸塩水和物［グラナテック］	房水流出促進作用 ROCK 阻害作用 部位：線維柱帯流出経路	結膜充血，結膜炎，眼瞼炎
浸透圧利尿薬		
●濃グリセリン［グリセオール］	房水流出促進作用	悪心・嘔吐，食欲不振，下痢，不眠，頭痛など
●イソソルビド［イソバイド］		

2 白内障

■病態生理

白内障 cataract とは，水晶体に混濁が生じる疾患の総称である．

1 白内障の病態

水晶体中に含まれている水溶性タンパク質のクリスタリンが不溶化，凝集して水晶体を混濁させ，光を透過させなくなることである．長期間の紫外線曝露，血液循環の低下，活性酸素による酸化ストレス，糖化，アミノ酸の異性化による代謝異常などによってタンパク質が変性すると考えられている．その原因物質として，トリプトファンやチロシンの代謝異常によって生じるキノイド類やクリスタリン中のSH基の酸化が挙げられている．

2 白内障の分類

水晶体の混濁の部位によって，①核白内障，②皮質白内障，③後嚢下白内障に分類されている．
また，原因によって①先天性白内障と②後天性白内障に分類されている．
①先天性白内障：妊娠時の母親の風疹(先天性風疹症候群)など．
②後天性白内障：
　加齢性白内障：加齢による新陳代謝の低下，白内障のなかで最も多い．

3 白内障の症状

初期症状では，目がかすんだり，水晶体の混濁によって光が散乱し，まぶしく感じる．その後，水晶体の濁りが広がるとともに，物が二重，三重に見えたり，視力が低下する．核白内障では，近視が進んだり，明るい所で見えにくくなる．

■薬　理

白内障治療薬は，白内障の進行防止を目的としている．ピレノキシンとグルタチオンがある．

●ピレノキシン
　薬理作用　水晶体の混濁の進行を抑制する．
　作用機序　キノイド物質との結合を競合的に阻害する．

副作用 結膜充血，刺激感，瘙痒，眼瞼縁炎など．

ピレノキシン

● グルタチオン

グルタチオン（γ-L-グルタミル-L-システイニルグリシン）は，グルタミン酸，システイン，グリシンからなるトリペプチドである．生体内では，還元型（単量体）と酸化型（2分子のグルタチオンがジスルフィド結合した物質）で存在し，活性酸素の消去やグルタチオン抱合による解毒作用に関与している（図8-2）．水晶体中はグルタチオン濃度がきわめて高く，組織の透明性に関与しているといわれている．

薬理作用 水晶体の混濁の進行を抑制する．

作用機序 グルタチオンの補充によるSH酵素の活性化や細胞成分の保護，水晶体内可溶性タンパク質のジスルフィド結合を開裂させる．

副作用 結膜充血，刺激感，瘙痒，霧視など．

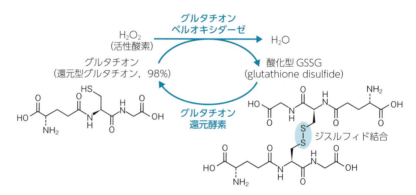

図8-2 グルタチオンの構造と活性酸素の分解機構

白内障治療薬

種類　薬物　［代表的な商品名］	作用機序	注意すべき副作用
●ピレノキシン［カタリン］	キノイド物質との結合を競合的に阻害する	結膜充血，刺激感，瘙痒，眼瞼縁炎など
●グルタチオン［タチオン］	グルタチオンの補充によるSH酵素の活性化や細胞成分の保護，水晶体内可溶性タンパク質のジスルフィド結合を開裂させる	結膜充血，刺激感，瘙痒，霧視など

3 加齢黄斑変性（AMD）

加齢黄斑変性症 age-related macular degeneration（**AMD**）とは，加齢によって起こる原因不明の黄斑部位に変性を伴う疾患で，高齢者の失明の主原因である．

■病態生理

1 加齢黄斑変性の病態と分類

脈絡膜から発生する新生血管（脈絡膜新生血管）の有無で，滲出型加齢黄斑変性と萎縮型加齢黄斑変性に分類される．脈絡膜新生血管とは，網膜に栄養を送っている脈絡膜から，ブルッフ膜を通り，網膜色素上皮細胞の上下にのびる新しい血管のことである．この血管は，正常な血管ではないので，血液の成分が漏れやすく，破れて出血を起こしやすい特徴をもつ．**血管内皮細胞増殖因子** vascular endothelial growth factor（**VEGF**）が関与しているといわれている．

1) 滲出型加齢黄斑変性（ウェット型，新生血管型）

脈絡膜に新生血管が存在する．急激な視力低下や中心暗点を自覚し，進行が速い．両眼で見ていると気づきにくい場合がある．

2) 萎縮型加齢黄斑変性（ドライ型）

脈絡膜新生血管はなく，黄斑の網膜色素上皮細胞の萎縮がみられる．網膜色素上皮細胞とブルッフ膜の間に黄白色の物質（脂質過酸化物：リポフスチンやドルーゼンなど）が貯留し，病状の進行が緩やかである．

2 加齢黄斑変性の症状

加齢黄斑変性の主な症状として，変視症，中心暗点，色視症，視野欠損，視力低下が挙げられる．

・変視症：ものがゆがんで見える．
・中心暗点：見ているものの中心が欠けて見えない．
・色視症：黄色のかすみでおおわれたように見える．
・視野欠損，視力低下：見たいものがはっきり見えない．

■薬　理

加齢黄斑変性治療薬には，新生血管抑制作用がある血管内皮細胞増殖因子（VEGF）阻害薬や抗炎症作用がある副腎皮質ステロイドが用いられる．

● **ラニビズマブ**

遺伝子組換え製剤で，抗体分子のうち抗原と結合する Fab 領域のみを有する構造をもっているヒト化モノクローナル抗体である．

薬理作用 脈絡膜の新生血管を抑制する．

作用機序 VEGF 抗体として作用し，VEGF を抑制する．

副作用 眼障害，脳卒中．

● **アフリベルセプト**

遺伝子組換え製剤で，ヒト免疫グロブリン(Ig)G1 の Fc ドメインにヒト VEGF 受容体の細胞外ドメインを結合した遺伝子組換え融合糖タンパク質の VEGF Trap 剤である．

薬理作用 脈絡膜の新生血管を抑制する．

作用機序 VEGF-A との優れた結合親和性を有する．その他 VEGF-B や胎盤成長因子にも結合する．可溶性のデコイ受容体として幅広い VEGF と結合する VEGF Trap 剤(ヒト型リコンビナント可溶性 VEGF 受容体-Fc 融合タンパク質)である．

副作用 眼障害，脳卒中．

● **ブロルシズマブ**

遺伝子組換え製剤で，ヒト化抗 VEGF モノクローナル抗体一本鎖フラグメント(scFv)であり，2〜111 番目はヒト化抗ヒト VEGF モノクローナル抗体の L 鎖の可変領域，133〜252 番目はヒト化抗ヒト VEGF モノクローナル抗体の H 鎖の可変領域からなるタンパク質である．ほかの VEGF 阻害薬に比べて，分子量が約 26 kDa で非常に小さく，高いモル濃度で投与ができる．

薬理作用 血管内皮細胞の増殖を抑制し，さらに病的血管新生および血管透過性の亢進を抑制する．

作用機序 VEGF 抗体として作用し，VEGF-A のアイソフォーム(VEGF110，VEGF121 および VEGF165)に対して高い結合親和性を示し，VEGF-A と VEGF 受容体(VEGFR1 および VEGFR2)の結合を阻害する．

副作用 眼障害，動脈血栓塞栓症，結膜出血など．

加齢黄斑変性治療薬

種類　薬物［代表的な商品名］	作用機序	注意すべき副作用
●ラニビズマブ ［ルセンティス］	VEGF抗体として働き、脈絡膜の新生血管を抑制する	眼障害、脳卒中 禁忌：眼または眼周囲の感染症、眼内の炎症をもつ患者 心・脳血管障害などの全身副作用を説明
●アフリベルセプト ［アイリーア］	VEGFに結合し、VEGF Trap剤（ヒト型リコンビナント可溶性VEGF受容体-Fc融合タンパク質）として働き、脈絡膜の新生血管を抑制する	眼障害、脳卒中、結膜出血、眼痛 禁忌：眼または眼周囲の感染、眼内の炎症をもつ患者、妊婦
●ブロルシズマブ ［ベオビュ］	VEGF抗体として働き、主にVEGF-AとVEGF受容体（VEGFR）の結合を阻害し、病的血管新生および血管透過性の亢進を抑制する	眼障害、動脈血栓塞栓症、結膜出血など
●ベルテポルフィン ［ビスダイン］	光線力学的療法用製剤。可視光線の赤色光の波長（689±3 nm）を照射する治療法で血管新生を閉塞する	眼障害、脳梗塞、大動脈瘤、心筋梗塞、全身性の疼痛

B 耳鼻咽喉科領域の疾患に用いる薬物

1 めまい(眩暈)

■病態生理

めまいとは,「自己の身体と周囲の物体空間の関係が調和を欠いた状態を感じる感覚」と定義づけられている.

1 めまいの病態と分類

障害部位によって前庭性めまいと非前庭性めまいに分類されている.

1) 前庭性めまい

内耳前庭から小脳に至る前庭神経系の障害が原因で起こるめまい.

（ⅰ）末梢性めまい(約80%)：内耳迷路から前庭神経核の障害

メニエール病,良性発作性頭位めまい,突発性難聴,前庭神経炎,アミノグリコシド系抗菌薬中毒(第8脳神経障害)などが挙げられる.

（ⅱ）中枢性めまい(約15%)：前庭神経核から小脳の障害

脳血管障害(脳出血,脳梗塞,一過性脳虚血発作),椎骨脳底動脈循環不全,腫瘍性や外傷性,中毒性(有機水銀,アルコール,フェニトイン,シンナー)などが挙げられる.

2) 非前庭性めまい

前庭以外の障害が原因で起こるめまい.眼科(屈折異常,調節異常),循環器(高血圧,低血圧,起立性低血圧),血液(貧血,酸素欠乏),婦人科(更年期障害),精神科(心身症,不安神経症,うつ病)などの疾患によって生じるめまいなどが挙げられる.

2 めまいの症状

めまいの症状には,回転性めまい,非回転性(浮動性)めまい,失神型めまいがある.

①回転性めまい：回転感

②非回転性(浮動性)めまい：墜落感,動揺感・不安定感(ふわふわ感),ふらつき・よろめき

③失神型めまい：眼前暗黒感(くらくら感)

1-1 メニエール病

メニエール病は，前庭性めまいで末梢性めまいの代表的な内耳性の疾患である．難聴，耳鳴，激しい回転性めまいが同時に繰り返し発症する．30歳代後半〜40歳代前半の女性に多く，難病に指定されている．

■病態生理

① メニエール病の病態

抗利尿ホルモンの**バソプレシン**などによって内リンパ液が増大し(内リンパ水腫)，リンパ腔内の内圧が上昇する(図8-3)．その内圧が有毛細胞を圧迫・刺激する．また，内耳の血行障害や代謝機能の障害，自律神経障害などが関与している．

② メニエール病の症状

多くの場合，めまいはないが，**耳鳴**や耳の閉塞感，低音性の**難聴**がみられるのが初期症状の特徴である．その後，めまいの症状が現れ，これらの発作と発作間欠期(症状が現れない時期)を繰り返し，耳鳴や難聴がはっきりと持続的に自覚されるようになる．

■薬　理

メニエール病の薬物療法には，内リンパ水腫改善薬，末梢神経障害改善薬，自律神経症状を改善する薬物に分類される．

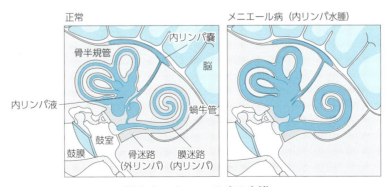

図8-3　メニエール病の病態

a 内リンパ水腫改善薬

1) 内耳循環改善薬

局所(内耳，椎骨動脈)血流を増加させ，内耳や脳幹の循環障害を改善する．

- ジフェニドール
- ベタヒスチン
- dl-イソプレナリン(イソプロテレノール，構造式☞ p. 47)
- カリジノゲナーゼ
- アデノシン三リン酸(ATP，構造式☞ p. 146)

2) 利尿薬

利尿作用により内リンパ水腫を軽減する．

- イソソルビド(構造式☞ p. 357)
- アセタゾラミド(構造式☞ p. 180)

3) 副腎皮質ステロイド

- プレドニゾロン(構造式☞ p. 218)

b 末梢神経障害改善薬

神経細胞の代謝を促進し，前庭神経障害を改善する．

▶ビタミン剤
- メコバラミン(構造式☞ p. 342)
- ニコチン酸
- ニコチン酸アミド

c 自律神経症状を改善する薬物

1) 制吐薬

めまいに伴う吐き気を抑える．

▶ヒスタミン H_1 受容体遮断薬
- ジフェンヒドラミン(構造式☞ p. 230)・ジプロフィリン配合
- ジメンヒドリナート(構造式☞ p. 230)

▶ドパミン受容体遮断薬
- メトクロプラミド(構造式☞ p. 422)
- ドンペリドン(構造式☞ p. 422)

2) 自律神経調節薬

▶ベンゾジアゼピン系抗不安薬
- ジアゼパム(構造式☞ p. 132)
- クロチアゼパム(構造式☞ p. 133)

ジフェニドール　　ベタヒスチン　　ニコチン酸　　ジプロフィリン

めまい治療薬

種類　薬物 [代表的な商品名]	作用機序	注意すべき副作用
内耳循環改善薬(抗めまい薬)		
●ジフェニドール塩酸塩 [セファドール]	作用機序不明(抗ヒスタミン作用?)，椎骨動脈の血流増加作用，前庭神経路の調整作用，眼振抑制作用がある	浮動感・不安定感，頭痛・頭重感
●ベタヒスチンメシル酸塩 [メリスロン]	作用機序不明 内耳循環障害改善作用，脳内血流改善作用がある	悪心・嘔吐，発疹
内耳循環改善薬(交感神経刺激薬)		
●dl-イソプレナリン塩酸塩 [イソメニール]	β受容体刺激作用(脳血管拡張と心血流増加作用)により脳循環を改善する．内耳障害に基づくめまいに適用がある	発疹，心悸亢進(頻脈)，胃部不快感，胸焼け，頭痛
内耳循環改善薬(循環系ホルモン剤)		
●カリジノゲナーゼ [サークレチン S，カリクレイン，カルナクリン]	血漿中のキニノーゲンからキニンを遊離させ，このキニンが直接平滑筋(ブラジキニン B_2 受容体)に作用して血管を拡張させる	発疹，蕁麻疹，胃部不快感，悪心・嘔吐，食欲不振，下痢
内耳循環改善薬(代謝賦活薬)		
●アデノシン三リン酸二ナトリウム水和物(ATP) [アデホスコーワ，トリノシン]	血管拡張作用により各種臓器組織の血流を増加させる	悪心，食欲不振，消化管障害，便秘，口内炎，全身拍動感，発疹，頭痛
利尿薬		
●イソソルビド [イソバイド]	浸透圧利尿薬で，内リンパ水腫を軽減する	嘔気，悪心，下痢，嘔吐，食欲不振，不眠，頭痛，発疹
制吐薬		
●ジメンヒドリナート [ドラマミン]	H_1 受容体遮断薬(嘔吐中枢興奮抑制作用，前庭迷路機能抑制作用)	胸やけ，胃痛，眠気，頭痛，手足のしびれ，手指に振戦，めまい
●ジフェンヒドラミン・ジプロフィリン配合 [トラベルミン]		眠気，倦怠感，頭重感，めまい，動悸，口渇，過敏症
末梢神経障害改善薬(ビタミン剤)		
●メコバラミン [メチコバール]	神経細胞の代謝を促進し前庭神経障害を改善する	食欲不振，悪心・嘔吐，下痢，発疹
●ニコチン酸 [ナイクリン] ●ニコチン酸アミド [ニコチン酸アミド]	神経細胞の代謝を促進し前庭神経障害を改善する NAD，NADP に変換され，多くの脱水素酵素の補酵素として作用する	顔面紅潮，消化不良

C 皮膚科領域の疾患に用いる薬物

1 アトピー性皮膚炎

■病態生理

アトピー性皮膚炎は，増悪・寛解を繰り返す，瘙痒のある湿疹を主病変とする疾患であり，患者の多くはアトピー素因をもつ．アトピー素因とは，①家族歴・既往歴（気管支喘息，アレルギー性鼻炎・結膜炎，アトピー性皮膚炎のうちいずれか，あるいは複数の疾患）があること，または② IgE 抗体を産生しやすい素因を指す．有病率は幼児期にピークがあり，成長とともに減少していく．

❶ アトピー性皮膚炎の病態

アトピー性皮膚炎の病態としては，以下の3つが挙げられる（図 8-4）．
皮膚バリア機能の低下：角質の保湿成分のセラミドやフィラグリンの発現低下によってバリア機能が低下する．
アレルギー炎症：皮膚バリア機能の低下は，抗原の皮膚への侵入をしやすくする．Ⅰ型アレルギー反応，Ⅳ型アレルギー反応，非アレルギー性機序（搔破など）が働き，皮膚炎を引き起こす．
瘙痒：Ⅰ型アレルギー反応により肥満細胞（マスト細胞）からヒスタミンなどの化学伝達物質が放出され，知覚神経（C 線維）を刺激し，瘙痒を引き起こす．

❷ アトピー性皮膚炎の症状

アトピー性皮膚炎の症状として，①瘙痒，②特徴的な皮疹と分布，③慢性・反復性

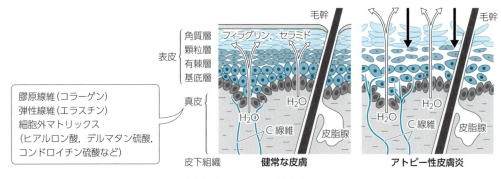

図 8-4　アトピー性皮膚炎

経過の3つが挙げられる．特徴的な皮疹の分布は左右対称性で，前額，眼囲，口囲・口唇，耳介周囲，頸部，四肢関節部，体幹などに好発する．分布には年齢的な特徴もあり，乳児期には頭，顔から皮疹が出現し，体幹や四肢に拡大する．幼小児期には頸部，肘窩，膝窩などのアトピー性皮膚炎に最も特徴的な部位に皮疹が出現するようになる．思春期・成人期には顔面を含む上半身に皮疹が強くなる傾向がある．

■治　療

炎症に対しては，①抗炎症薬(外用)：副腎皮質ステロイドあるいは**タクロリムス**(軟膏)，**デュピルマブ**(注射)，**デルゴシチニブ**(軟膏)，瘙痒に対しては，②抗ヒスタミン薬(経口)と③**シクロスポリン**，皮膚バリア機能の低下に対しては，④保湿剤などを用いる(☞3章)．

●デュピルマブ

ヒトインターロイキン(IL)-4受容体のαサブユニットに対する遺伝子組換え製剤で，452個のアミノ酸残基からなるH鎖(γ4鎖)2本および219個のアミノ酸残基からなるL鎖(κ鎖)2本で構成される糖タンパク質の生物学的製剤である．

薬理作用　IL-4/13によるシグナル伝達を阻害し，アトピー性皮膚炎の病態や喘息の気道炎症，鼻茸を伴う慢性副鼻腔炎の主体であるType 2炎症反応を上流から下流まで広範囲に抑制する．

作用機序　ヒト型抗ヒトIL-4/13受容体IgG4モノクローナル抗体

副作用　重篤な過敏症，注射部位反応，結膜炎，単純ヘルペス，眼瞼炎，好酸球増加症，頭痛，発熱など

●デルゴシチニブ(構造式☞p. 245)

薬理作用　皮膚の炎症を抑制する．また，サイトカインにより誘発されるフィラグリンなどの皮膚バリア機能関連分子の発現低下および瘙破行動(瘙痒)を抑制する．

作用機序　ヤヌスキナーゼファミリー(JAK1，JAK2，JAK3およびTyk2)のすべてのキナーゼ活性を阻害し，JAK/STAT経路を活性化するサイトカインシグナル伝達を阻害する．

副作用　適用部位毛包炎，接触皮膚炎，適用部位痤瘡など．

アトピー性皮膚炎治療薬

種類　薬物［代表的な商品名］	作用機序	注意すべき副作用
●デュピルマブ［デュピクセント，遺伝子組換え製剤］	ヒト型抗ヒトIL-4/13受容体モノクローナル抗体でType2炎症反応を抑制する	重篤な過敏症，注射部位反応，結膜炎，単純ヘルペス，眼瞼炎，好酸球増加症，頭痛，発熱など
●デルゴシチニブ［コレクチム］	ヤヌスキナーゼファミリー(JAK1～3およびTyk2)のすべてのキナーゼ活性を阻害し，JAK/STAT経路を活性化するサイトカインシグナル伝達を阻害する	適用部位毛包炎，接触皮膚炎，適用部位痤瘡など

2 皮膚真菌症（皮膚糸状菌症，白癬）

皮膚真菌症は，皮膚科において最も頻度の高い皮膚感染症で，皮膚糸状菌症，カンジダ症，スポロトリコーシス，黒色真菌感染症などがある．

■病態生理

1 白癬の病態と分類

白癬 tinea は，**皮膚糸状菌**が，角質層，毛，爪に寄生する浅在性白癬と，真皮，皮下脂肪組織，内臓に寄生する深在性白癬に分類される．浅在性白癬は，皮膚糸状菌が感染する部位によって頭部白癬（しらくも），股部白癬（いんきんたむし），体部白癬（ぜにたむし），足白癬（水虫），手白癬，爪白癬などと呼ばれている．

2 白癬の症状

1) 足白癬の症状
    小水疱型：小水疱が浅在あるいは融合し，乾くと鱗屑が生じる．春から夏にかけて発症・悪化しやすく，瘙痒を伴うことが多い．
    趾間型：頻度が最も高い病型で，乾燥型と湿潤型に分けられる．瘙痒は湿潤型で強いが，初期には瘙痒を訴えないことが多い．
    角質増殖型：かかとを中心に足の底全体の皮膚の肥厚・角化，細かく皮膚がむける落屑が生じる．
2) 爪白癬の症状
    爪甲の肥厚と混濁を主徴とし，種々の程度の変形や崩壊を伴う．

■治　　療

足白癬は，外用抗真菌薬を趾間から足底全体に塗り残しなく，最低1ヵ月間は塗り続けなければならない．爪の肥厚がみられる爪白癬では，経口抗真菌薬（イトラコナゾール，テルビナフィン）の内服か，外用抗真菌薬のエフィナコナゾール，ルリコナゾールで治療する．

経口抗真菌薬は長期の内服が必要で，肝障害などの副作用や相互作用が多く，高齢者など複数の治療薬を服用している患者は使用が制限されることがある．

●エフィナコナゾール

トリアゾール系の爪白癬外用治療薬で，ほかの外用薬に比べて爪の透過性が優れている．真菌細胞膜の必須構成成分であるエルゴステロールの生合成に関わる CYP51

を阻害することにより，抗真菌作用を示す．副作用として皮膚への刺激感がある．

● **ルリコナゾール**

ジチオラン環を有し，光学活性体の R-異性体のみを選択したイミダゾール系の白癬外用治療薬である．爪白癬の原因真菌である皮膚糸状菌(トリコフィトン属)に対する強い抗真菌作用を示したことから，爪白癬外用治療薬として新たに適応を追加している．ルリコナゾールは，ほかのイミダゾール系抗真菌薬と同様に，真菌細胞膜の必須構成成分であるエルゴステロールの生合成に関わる**ラノステロール 14α-デメチラーゼ**を阻害する．副作用として，皮膚乾燥，接触皮膚炎，湿疹，皮膚炎，皮膚刺激がある．

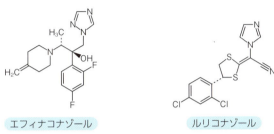

エフィナコナゾール　　　　　ルリコナゾール

白癬治療薬

種類　薬物［代表的な商品名］	作用機序	注意すべき副作用
経口抗真菌薬		
●イトラコナゾール［イトリゾール］ ●テルビナフィン塩酸塩［ラミシール］	表 真菌感染症治療薬(☞ p.555) 参照	
外用抗真菌薬		
●エフィナコナゾール［クレナフィン］	真菌細胞膜を構成するエルゴステロールの生合成に関わる CYP51 を阻害する	皮膚への刺激感
●ルリコナゾール［ルコナック］	真菌細胞膜を構成するエルゴステロールの生合成に関わるラノステロール 14α-デメチラーゼを阻害する	皮膚乾燥，接触性皮膚炎，湿疹，皮膚刺激

3　褥　瘡

■病態生理

褥瘡は，皮膚に持続的圧迫が加わるために血流障害が生じ，その結果，皮膚や皮下組織が壊死した状態である．一般的に「床ずれ」ともいわれている．褥瘡が最も多い部位は仙骨部で，次に踵骨部または尾骨部，大転子部で好発する．

褥瘡発生から約1〜2週間を急性期褥瘡，2週間以降を慢性期褥瘡に分類する．急性期褥瘡の時期は，病変部が刻々と変化し，発赤・紫斑，水疱，びらんといった皮膚症状を呈する．慢性期褥瘡の時期になると局所病態が比較的安定し，深さが真皮までに留まるものを「浅い褥瘡」，真皮を越えて皮下組織，筋肉，骨まで及ぶものを「深い褥瘡」に分類する．

■治　療

病期の状態によって，感染や滲出液の制御・除去を目的とする薬剤，肉芽形成促進作用や上皮形成促進作用を有する薬剤が使い分けられている．感染や滲出液の制御・除去を目的とする薬剤として，**ブロメライン**，**スルファジアジン銀**，精製**白糖・ポビドンヨード**，**カデキソマー・ヨウ素**が用いられ，肉芽形成促進作用や上皮形成促進作用を有する薬剤として**アルプロスタジルアルファデクス**，**ブクラデシン**，**トラフェルミン**，**トレチノイントコフェリル**が挙げられる．

褥瘡治療薬

種類　薬物［代表的な商品名］	作用機序	注意すべき副作用
●ブロメライン［ブロメライン］	壊死組織除去剤	アナフィラキシーショック
●スルファジアジン銀［ゲーベン］	銀の抗菌作用	汎血球減少，皮膚壊死，間質性肺炎．他剤と混合しない
●白糖・ポビドンヨード配合［ユーパスタ，ソアナース］	白糖による滲出液の吸収作用と創傷治癒促進作用 ポビドンヨードによる殺菌作用	ショック，アナフィラキシー様症状 禁忌：ヨウ素過敏症
●カデキソマー・ヨウ素［カデックス］	デキストリンポリマー（カデキソマー）による滲出液や細菌の吸収作用 ヨウ素の徐放能による持続的な殺菌作用	ヨウ素アレルギー
●アルプロスタジルアルファデクス［プロスタンディン］	PGE_1受容体刺激薬 潰瘍部位での局所血流改善による肉芽形成および表皮形成促進	使用部位の刺激感・疼痛，出血，接触皮膚炎 禁忌：重篤な心不全，出血，妊婦
●ブクラデシンナトリウム［アクトシン］	cAMP誘導体	使用部分の疼痛，接触皮膚炎，滲出液の増加
●トラフェルミン［フィブラスト］	FGF（線維芽細胞増殖因子）受容体刺激薬 血管新生や肉芽形成を促進する	刺激感・疼痛，発赤，発疹，接触皮膚炎，AST・ALT上昇，過剰肉芽組織
●トレチノイントコフェリル［オルセノン］	レチノイン酸（ビタミンA）とトコフェロールのエステル結合体，肉芽形成，血管新生促進作用	発赤，紅斑，瘙痒，投与部位の刺激感・疼痛
●アズレン（ジメチルイソプロピルアズレン）［アズノール］	抗炎症作用	皮膚刺激感等の過敏症状，接触皮膚炎

病原微生物（感染症）・悪性新生物（がん）と治療薬 9章

A 感染症内科領域の疾患に用いる薬物

感染症 infectious disease は，細菌，ウイルス，真菌および寄生虫によってもたらされる．これらの病原体の細胞（ウイルスの場合は粒子）は，構造のみならず栄養や代謝，発育，生殖などがそれぞれ異なることから，感染症治療には病原体の特性に合った作用機序をもつ薬物が使用される．ここでは，抗菌薬および抗真菌薬については作用機序ごとに，抗ウイルス薬および抗寄生虫薬については感染症ごとに治療薬をとりあげ，それらの薬理作用や適応症，副作用，体内動態，薬物相互作用などとともに体系的に学習する．

対応する薬学教育モデル・コアカリキュラム

E2 薬理・病態・薬物治療 （7）病原微生物（感染症）・悪性新生物（がん）と薬
　GIO　病原微生物（細菌，ウイルス，真菌，原虫），および悪性新生物に作用する医薬品の薬理および疾患の病態・薬物治療に関する基本的知識を修得し，治療に必要な情報収集・解析および医薬品の適正使用に関する基本的事項を修得する．
　SBO
【①抗菌薬】
・以下の抗菌薬の薬理（薬理作用，機序，抗菌スペクトル，主な副作用，相互作用，組織移行性）および臨床適用を説明できる．
　　β-ラクタム系，テトラサイクリン系，マクロライド系，アミノ配糖体（アミノグリコシド）系，キノロン系，グリコペプチド系，抗結核薬，サルファ剤（ST合剤を含む），その他の抗菌薬
【④ウイルス感染症およびプリオン病の薬，病態，治療】
・以下の疾患について，治療薬の薬理（薬理作用，機序，主な副作用）を説明できる．
　　・ヘルペスウイルス感染症
　　・サイトメガロウイルス感染症
　　・インフルエンザ
　　・ウイルス性肝炎（HAV，HBV，HCV）
　　・後天性免疫不全症候群（AIDS）
【⑤真菌感染症の薬，病態，治療】
・抗真菌薬の薬理（薬理作用，機序，主な副作用）を説明できる．
【⑥原虫・寄生虫感染症の薬，病態，治療】
・以下の疾患について，治療薬の薬理（薬理作用，機序，主な副作用）を説明できる．
　　・原虫感染症：マラリア，トキソプラズマ症，トリコモナス症，アメーバ赤痢
　　・寄生虫感染症：回虫症，蟯虫症，アニサキス症

1 細菌感染症

細菌感染症 bacterial infectious disease の治療に用いられる抗菌薬は，作用機序に基づき，細胞壁合成阻害薬，タンパク質合成阻害薬，葉酸合成系阻害薬，核酸合成阻害薬，細胞膜機能阻害薬などに分類される．以下それぞれについて解説する．

❶ 細胞壁合成阻害薬

細胞壁は細胞膜の外側にあり，形態の維持や細胞内の高い浸透圧(5〜20気圧)から細胞を保護する役割をもつ．細胞壁の基本骨格である**ペプチドグリカン**は，N-アセチルグルコサミンと N-アセチルムラミン酸が交互に連なった直鎖ポリマー間をペプチドが架橋してできた網目構造体で，UDP-N-アセチルグルコサミンを出発物質として図9A-1に示すような経路を経て生合成される．細胞壁合成阻害薬は，この経路のいずれかの段階を阻害することによりペプチドグリカンの合成を停止し細菌を溶菌へと導く．化学構造により$β$-ラクタム系，グリコペプチド系，その他に大別される．

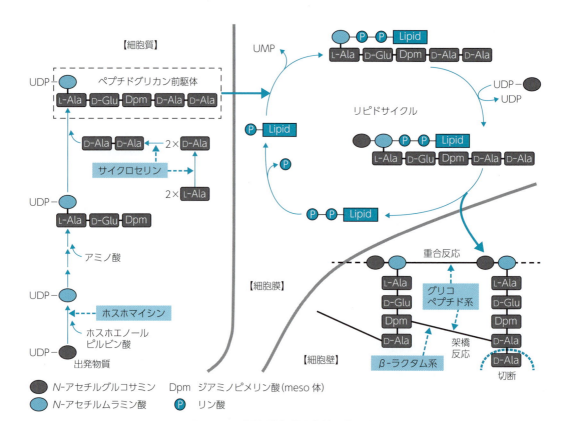

図9A-1 細胞壁合成阻害薬の作用点
生合成経路の詳細は菌種により異なる．また，ペプチド間の架橋反応は図とは異なり隣接する別の糖鎖間で起こる．

a β-ラクタム系抗菌薬

β-ラクタム系抗菌薬はβ-ラクタム環を母核とする抗菌薬の総称であり，基本骨格に基づきペニシリン系(ペナム系)，セフェム系(セファロスポリン系，セファマイシン系，オキサセフェム系)，ペネム系，カルバペネム系，モノバクタム系に分類される(図9A-2)．また，抗菌薬ではないがβ-ラクタム環を加水分解し抗菌作用の低下をもたらすβ-ラクタマーゼ(ペニシリナーゼとセファロスポリナーゼなどの総称)の阻害薬があり，β-ラクタマーゼ産生菌に無効なβ-ラクタム系抗菌薬との併用もしくは配合剤として用いられる．

薬理作用 優れた抗菌力を有し殺菌的に作用する．細菌感染症に対し第一選択薬として使用されるものが多い．しかしながら，細胞への移行性がよくないため細胞内寄生菌であるリケッチアやクラミジア，レジオネラなどの感染症には無効であり，また，細胞壁をもたないマイコプラズマにも無効である．

作用機序 ペプチドグリカン合成の最終段階にある重合反応，架橋反応および末端 D-Ala の切断は，それぞれトランスグリコシラーゼ，**トランスペプチダーゼ**，D-Ala カルボキシペプチダーゼが触媒する．これらの酵素のうちβ-ラクタム系抗菌薬の作用標的は主にトランスペプチダーゼであり，その活性を阻害することにより架橋反応が阻害され，増殖途上にある細菌は溶菌を起こす．

副作用 過敏症 drug allergy が問題となる．口内異常感，発疹，蕁麻疹，喘鳴，呼吸困難などの症状が現れた場合は投与を中止し適切な処置をとる．

相互作用 ペニシリン系抗菌薬は痛風治療薬プロベネシドとの併用により尿細管分泌が抑制されるため，尿中排泄は低下し血中濃度が高値に維持されるので注意が必要である．

セフェム系抗菌薬のセフメタゾール，セフォペラゾン，セフメノキシム，ラタモキセフなどは側鎖に N-メチルチオテトラゾール基をもつため，アルコールとの併用により**ジスルフィラム様作用**(顔面紅潮，心悸亢進，悪心・嘔吐，頭痛など)を呈するこ

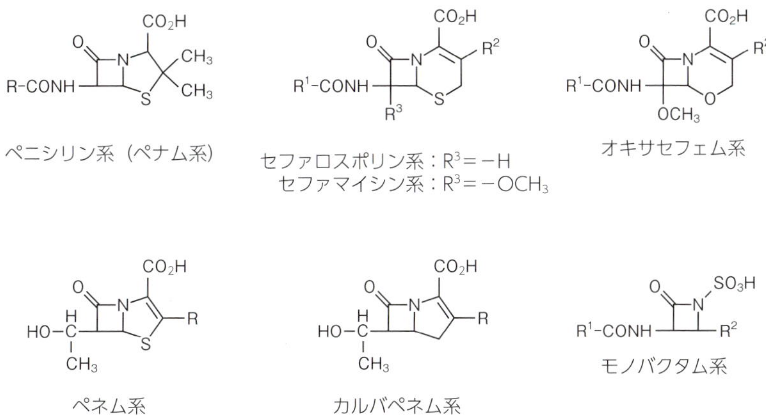

図9A-2 β-ラクタム系抗菌薬の基本骨格
セファロスポリン系，セファマイシン系，オキサセフェム系を総称してセフェム系と呼ぶ．

とがある.

　カルバペネム系抗菌薬は抗てんかん薬であるバルプロ酸と併用するとバルプロ酸の血中濃度が低下し，てんかん発作を起こしやすくなるので併用は禁忌である.

1) ペニシリン系

　ペニシリン系抗菌薬には天然ペニシリンと半合成ペニシリンがあり，後者は天然ペニシリンの欠点を補うことを目的に開発されたもので，ペニシリナーゼ抵抗性ペニシリンや広域ペニシリンなどがある.

（ⅰ）天然ペニシリン

● ベンジルペニシリン

　ベンジルペニシリンはフレミング A. Fleming によってアオカビから発見された最初の抗生物質である．感受性菌に対して強力な抗菌作用を示すことから現在もなお使用されている．しかしながら抗菌スペクトルは狭く，グラム陽性菌やグラム陰性球菌，スピロヘータに限られる．ベンジルペニシリンの $β$-ラクタム環を加水分解する**酵素ペニシリナーゼ**により不活化されるため，ペニシリナーゼ産生菌には無効である.

（ⅱ）半合成ペニシリン

● クロキサシリン

　ペニシリナーゼ抵抗性ペニシリンである．ペニシリナーゼ産生グラム陽性菌に有効であるが，単独では使用されずアンピシリンとの配合剤で用いられる.

● アンピシリン

　広域ペニシリンである．ベンジルペニシリンの抗菌スペクトルに加え，緑膿菌やセラチアを除くいくつかのグラム陰性桿菌にも有効である．ペニシリナーゼで分解されやすいため，ペニシリナーゼ産生菌に対しては $β$-ラクタマーゼ阻害薬あるいはクロキサシリンとの配合剤が用いられる.

● バカンピシリン

　アンピシリンの消化管吸収を改善し経口剤として開発されたプロドラッグで，アンピシリンのカルボキシ基をエステル化したものである.

● アモキシシリン

　アンピシリンのベンゼン環にヒドロキシ基を導入したもので消化管吸収に優れている．抗菌スペクトルはアンピシリンとほぼ同等だが，ヘリコバクター・ピロリに対する作用を有することから，マクロライド系抗菌薬のクラリスロマイシンとプロトンポンプ阻害薬(PPI)との併用によりヘリコバクター・ピロリの除菌に使用される．ペニシリナーゼ産生菌には無効である.

● ピペラシリン

　緑膿菌やセラチアなどにも有効な広域ペニシリンである．ペニシリナーゼで分解されるため $β$-ラクタマーゼ阻害薬との配合剤が開発されている.

ベンジルペニシリン　クロキサシリン　アンピシリン

バカンピシリン　アモキシシリン　ピペラシリン

2) セフェム系

セフェム系抗菌薬は，開発時期や抗菌スペクトルに基づいて第一世代から第四世代に分類されるが，化学構造上はセファロスポリン系と7位にメトキシ基を導入したセファマイシン系，さらに母核の硫黄原子を酸素原子に置き換えたオキサセフェム系の3系統からなる（図9A-2）．セフェム系抗菌薬は，広い抗菌スペクトルと高い安全性から多くの感染症の治療に用いられる．

(i) 第一世代セフェム系

腸球菌以外のグラム陽性球菌に対し強い抗菌活性を示し，一部のグラム陰性桿菌にも有効である．β-ラクタマーゼである**セファロスポリナーゼ**により分解されるが，ペニシリナーゼには安定なことからペニシリナーゼ産生菌に対して使用可能である．

● **セファゾリン**

セファロスポリン系抗菌薬で注射剤として用いられる．組織への移行は良好で広範な適応症を有する．腸内細菌によるビタミンK産生を抑制するため，ワルファリンの作用が増強されることがある．

● **セファレキシン**

セファロスポリン系抗菌薬で，小腸からの吸収が良好なことから経口剤として用いられる．抗菌スペクトルは上記に加え腸球菌にも有効である．

(ii) 第二世代セフェム系

第一世代に比べグラム陰性菌への抗菌スペクトルが拡大し，セファロスポリナーゼに対する抵抗性が付与されたが，グラム陽性菌への抗菌力はやや劣る．

● **セフォチアム**

グラム陰性菌のなかでも臨床分離例の多いインフルエンザ菌やプロテウス・ミラビリスなどへの抗菌力が強化された．注射剤として使用するが，体内動態は良好である．セフォチアムヘキセチルはセフォチアムのプロドラッグで経口剤として開発された．

● **セフメタゾール**

β-ラクタマーゼ産生菌に優れた抗菌力を示すセファマイシン系抗菌薬である．バクテロイデス属などの嫌気性菌にも有効である．

セファゾリン　　　　　　　　　　　　セファレキシン

セフォチアム　　　　　　　　　　　　セフメタゾール

(ⅲ) 第三世代セフェム系

　　第二世代セフェムのグラム陰性菌に対する抗菌力をさらに強化したもので，一部の薬物は緑膿菌にも有効である．また，β-ラクタマーゼに高い安定性を示し，体内動態も改善されている．一方，グラム陽性菌に対する抗菌力は第一，第二世代セフェムに比べて弱い．セフォタキシム，セフトリアキソン，セフォペラゾン，セフタジジム，セフメノキシムは注射剤として，セフジニル，セフカペン ピボキシル，セフジトレン ピボキシルなどは経口剤として用いられる．以上の抗菌薬はすべてセファロスポリン系であるが，オキサセフェム系ではラタモキセフがある．**メチシリン耐性黄色ブドウ球菌** methicillin-resistant *Staphylococcus aureus*（**MRSA**）による院内感染の拡大は，第三世代セフェムの乱用が一因と考えられている．

● セフォタキシム

　　グラム陰性菌に対する抗菌活性の強化により，抗菌薬に対する自然耐性をもつセラチアにも適応が可能となった．ただし緑膿菌には無効である．髄液への移行も良好で，肺炎球菌や髄膜炎菌，インフルエンザ菌が原因の髄膜炎 meningitis に対し第一選択薬として使用される．

● セフカペン ピボキシル

　　消化管吸収を改善し経口剤として開発された．ピボキシル基の導入により，小児に対し低カルニチン血症に伴う低血糖が起こることがあるので注意が必要である．

● セフォペラゾン

　　緑膿菌にも有効な第三世代セフェムである．β-ラクタマーゼ阻害薬であるスルバクタムとの配合剤が開発されている．

● セフタジジム

　　セフォペラゾンに比べてセラチアや緑膿菌に対する抗菌活性が強化され，さらに近年多剤耐性菌の出現が危惧されているアシネトバクターまで適応の範囲を拡大した．組織への移行性など体内動態も良好である．

セフォタキシム　　　　　　　　　セフカペン ピボキシル

セフォペラゾン　　　　　　　　　セフタジジム

(iv) 第四世代セフェム系

第三世代セフェムの弱点であった黄色ブドウ球菌に対する作用を補い，全体的に抗菌活性を強化した．セラチア，緑膿菌，アシネトバクターにも有効である．セファロスポリン系のセフピロム，セフェピム，セフォゾプランなどがある．

3) ペネム系

●ファロペネム

経口剤として使用される．グラム陽性菌・陰性菌に対して強い抗菌作用を示すが，グラム陰性菌に対する抗菌スペクトルは第三世代セフェムに比べるとやや劣る．β-ラクタマーゼにも安定である．

4) カルバペネム系

グラム陽性菌からグラム陰性菌，嫌気性菌にわたり幅広い抗菌スペクトルと強力な抗菌作用を示す．セラチア，緑膿菌，アシネトバクターにも有効である．通常のβ-ラクタマーゼに加え，セファマイシン系やオキサセフェム系を除くほとんどのセフェム系抗菌薬を分解する**基質拡張型 β-ラクタマーゼ** extended-spectrum β-lactamase(**ESBL**)にも安定なため，これらを産生する耐性菌にも使用できる．一方，ESBLの基質のみならずカルバペネム系抗菌薬をも分解する**メタロ β-ラクタマーゼ**産生菌やMRSAに対しては無効である．カルバペネム系抗菌薬は症状が重篤でほかの抗菌薬が無効の際に使用される．

●イミペネム

イミペネムを単独で用いると近位尿細管に局在するデヒドロペプチダーゼ-Ⅰ(DHP-Ⅰ)で分解され，その分解産物が腎毒性を示す．そのため，DHP-Ⅰ阻害薬である**シラスタチン**との1：1の配合剤が製品化されている．

●パニペネム

パニペネムもDHP-Ⅰで分解され腎毒性を示すが，有機アニオントランスポーター阻害薬である**ベタミプロン**はパニペネムの腎臓への移行を抑制することにより腎毒性を低減する．これも1：1の配合剤として製品化されている．

- **メロペネム**

   上記のカルバペネム系とは異なりDHP-Iで分解されないため単独で使用することができる．同様に，**ビアペネム**や**ドリペネム**がある．これらの抗菌薬は緑膿菌への抗菌力がイミペネムやパニペネムに比べて優れている．

- **テビペネム ピボキシル**

   上記の5剤はすべて注射剤であるが，テビペネム ピボキシルは経口剤として開発された．小児用として肺炎，中耳炎および副鼻腔炎に適応がある．

5) モノバクタム系

β-ラクタム環の単環構造をもつ抗菌薬で，メタロ β-ラクタマーゼには安定であるがESBLには分解される．緑膿菌を含むグラム陰性菌には強い抗菌活性を示すが，嫌気性菌やグラム陽性菌には無効である．**アズトレオナム**とカルモナムがある．

ファロペネム　　　イミペネム　　　パニペネム

メロペネム　　　テビペネム ピボキシル　　　アズトレオナム

6) β-ラクタマーゼ阻害薬

クラブラン酸，**スルバクタム**，**タゾバクタム**などがある．これらはβ-ラクタム系抗菌薬との配合剤として製品化されており，アモキシシリン/クラブラン酸，アンピシリン/スルバクタム，セフォペラゾン/スルバクタム，ピペラシリン/タゾバクタムがある．また，**スルタミシリン**はアンピシリンとスルバクタムをエステル結合した相互プロドラッグで，相互の消化管吸収性を改善した薬剤である．

b　グリコペプチド系抗菌薬

- **バンコマイシン**

   放線菌より見出された抗生物質で類似薬に**テイコプラニン**がある．MRSA感染症の治療に有効な数少ない薬物である．

   薬理作用　グラム陽性菌に対し強い抗菌力を有するが，グラム陰性菌に対しては分子が大きいため外膜を通過できず無効である．バンコマイシンには注射剤と経口剤があり，注射剤はMRSA感染症の第一選択薬として敗血症や感染性心内膜炎，肺炎，化膿性髄膜炎などの治療に用いられる．経口剤はMRSAによる腸炎やクロストリジウム・ディフィシルによる偽膜性大腸炎の治療などに用いられる．テイコプラニンの使用はMRSAに限定される．

作用機序 ペプチドグリカン合成における架橋反応と重合反応を阻害する．β-ラクタム系抗菌薬とは異なり，N-アセチルムラミン酸に結合しているペンタペプチド末端部の D-Ala-D-Ala に直接結合することにより阻害作用を示す．

副作用 耳鳴りや難聴などの第8脳神経障害と腎障害のほか過敏症にも注意が必要である．また，急速な静注によりレッドマン症候群（顔，頸，躯幹の紅斑性充血，瘙痒など）を引き起こすことがあるので60分以上かけて点滴静注する．

バンコマイシン

c その他の細胞壁合成阻害薬

●ホスホマイシン

ペプチドグリカン前駆体合成の初期段階である UDP-N-アセチルグルコサミンから UDP-N-アセチルムラミン酸への変換に関わるホスホエノールピルビン酸トランスフェラーゼを阻害することにより殺菌的に作用する．グラム陽性球菌のほか緑膿菌を含むグラム陰性菌に有効である．分子サイズが小さく組織への移行性がよい．副作用は比較的少ない．

●サイクロセリン

ペプチドグリカン前駆体となる最後の段階で取り込まれる D-Ala-D-Ala の合成に関与するアラニンラセマーゼと D-Ala-D-Ala 合成酵素の作用を阻害する．肺への移行性が良好なことから抗結核薬として経口使用されるが，抗菌力が劣るため使用機会は少ない．

ホスホマイシン　　サイクロセリン

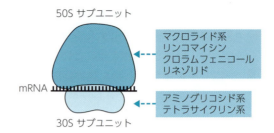

図 9A-3　タンパク質合成阻害薬の作用標的

❷ タンパク質合成阻害薬

　　タンパク質合成阻害薬のほとんどは細菌とヒトのリボソームに対する親和性の違いに基づいたものであり，細菌 70S リボソームには作用するがヒト 80S リボソームには作用しにくい．主なタンパク質合成阻害薬の作用標的を図 9A-3 に示した．

a　テトラサイクリン系抗菌薬

●テトラサイクリン　●ドキシサイクリン　●ミノサイクリン

　　4 つの六員環がつながった化学構造をもつ．

薬理作用　抗菌スペクトルは広く，グラム陽性菌，グラム陰性菌，マイコプラズマ，リケッチア，クラミジアなどに対し静菌的に作用するが，耐性菌の分離率も高い．脂溶性が高いため組織や細胞内への移行は良好である．ミノサイクリンの開発により緑膿菌を含むグラム陰性桿菌への抗菌力が強化され適応菌種が拡大された．

作用機序　細菌リボソーム 30S サブユニットに結合し，アミノアシル tRNA がリボソームに結合するのを阻害する．その結果，アミノ酸の取り込みが阻害されタンパク質合成が停止する．

副作用　胃粘膜の刺激による悪心・嘔吐や長期使用による菌交代症 microbial substitution のほか，まれに光線過敏症が現れることがある．また，妊婦や歯牙形成期にある小児に投与すると歯が着色したり骨発育不全を起こしたりすることがあるので使用は慎重に行う．

相互作用　2 価や 3 価の金属イオン（Mg^{2+}，Ca^{2+}，Fe^{2+}，Al^{3+} など）とキレートを形成し吸収率が低下するため，これらを含む胃腸薬や鉄剤，乳製品などとの併用は避ける．

テトラサイクリン

b　マクロライド系抗菌薬

マクロライド系抗菌薬は大環状ラクトン骨格をもち，これに2，3個のジメチルアミノ糖やデオキシアミノ糖が結合した配糖体である．環の大きさにより14員環，15員環および16員環マクロライドがある．

薬理作用　比較的抗菌スペクトルは広いが，グラム陰性桿菌に対しては一部を除きあまり作用しない．脂溶性が高く肺を含めた組織や細胞への移行も良好なことから，マイコプラズマ，クラミジア，レジオネラなどによる非定型肺炎 atypical pneumonia の治療に用いられる．また，抗菌作用以外にもバイオフィルム形成阻害，抗炎症作用，気道粘液分泌抑制作用などがあり，これらを応用してびまん性汎細気管支炎や慢性副鼻腔炎などの治療に少量長期投与が行われる．副作用は比較的少なく，とくに小児の呼吸器感染症に広く用いられる．

作用機序　細菌リボソーム50Sサブユニットに結合することにより，ペプチジルtRNAの転位を阻害しタンパク質合成を停止させる．

相互作用　14員環マクロライドは薬物代謝酵素CYP3A4を阻害するため，本酵素で代謝されるピモジドやエルゴタミンとの併用は禁忌であり，それ以外にもテオフィリン，ワルファリン，シクロスポリン，トリアゾラムなど多くの薬物との併用には注意が必要である．

1) 14員環マクロライド系薬

●エリスロマイシン　●クラリスロマイシン　●ロキシスロマイシン

エリスロマイシンは最も古いマクロライド系の抗生物質である．クラリスロマイシンは抗菌スペクトルを広げるとともに，胃酸に対する安定性を向上させ消化管吸収を改善したエリスロマイシン誘導体である．クラリスロマイシンは一般感染症のほか，アモキシシリンおよびPPIとの併用でヘリコバクター・ピロリの除菌に適応がある．

2) 15員環マクロライド系薬

●アジスロマイシン

治療薬として使用されるのはアジスロマイシンのみである．14員環マクロライドに比べ，抗菌スペクトルがやや広い．胃酸に安定で組織や細胞への移行性も良好である．半減期が長いため，1日1回（500 mg）3日間の内服で作用が約7日間持続する．

エリスロマイシン：R=H
クラリスロマイシン：R=CH$_3$

エリスロマイシン　クラリスロマイシン　　アジスロマイシン

3）16員環マクロライド系薬

ジョサマイシンと**スピラマイシン**がある．ともに経口剤として用いられるが，ほかのマクロライドに比べて臨床における使用機会は少ない．

c　アミノグリコシド系抗菌薬

糖に類似したアミノサイクリトールとアミノ糖がグリコシド結合した配糖体で水溶性の抗菌薬である．代表的な薬物としては，結核 tuberculosis の治療薬であるストレプトマイシンやカナマイシン，緑膿菌感染症治療に用いられる**ゲンタマイシン**，**トブラマイシン**，**アミカシン**，MRSA による敗血症や肺炎の治療に使用される**アルベカシン**などがある．

▎薬理作用▎　グラム陰性菌を中心に殺菌的に作用する．抗菌薬が作用し難い結核菌や緑膿菌，セラチアなどにも有効である．アミノグリコシド系薬の細菌細胞内への取り込みには酸素を必要とするため，嫌気性菌には無効である．親水性が高く消化管吸収がよくないため注射剤や外用剤として使用される．血清タンパク質との結合率が低いため細胞間液への移行は良好であるが，組織および細胞内移行性は低い．β-ラクタム系抗菌薬との併用で相乗効果が期待できることから，感染性心内膜炎や敗血症などの治療に用いられる．

▎作用機序▎　細菌リボソーム 30S サブユニットに結合し，コドンの誤読などを引き起こすことによりタンパク質合成を阻害する．

▎副作用▎　比較的毒性が強く，難聴や耳鳴り，めまいなどの聴覚障害（第 8 脳神経障害）や腎障害が現れることがある．

▎相互作用▎　ループ利尿薬やバンコマイシンとの併用で腎毒性および聴器毒性が増強することがある．また，シクロスポリンやアムホテリシン B などの腎毒性をもつ薬物との併用により腎障害が発現，悪化する恐れがあるので注意する．

●ストレプトマイシン

ワクスマン S.A. Waksman が放線菌からはじめて発見した抗生物質である．グラム陽性菌からグラム陰性菌にわたり幅広い抗菌スペクトルを示すが適応菌種は比較的限られる．主に結核治療におけるファーストラインドラッグの 1 つとして，ほかの抗結核薬との併用で使用される．

●カナマイシン

ストレプトマイシンに比べて適応菌種は多い．アミノグリコシド系では唯一経口剤があり，大腸菌，赤痢菌，腸炎ビブリオによる腸管感染症の治療に用いられる．注射剤は抗結核薬としての適応がある．

●ゲンタマイシン

緑膿菌を含むグラム陰性菌に強い抗菌力を示すが副作用も強い．注射剤のほか外用剤があり臨床における使用機会は多い．ゲンタマイシン耐性菌に対してはアミカシンが有効である．

ストレプトマイシン　　　　　　　　　カナマイシン

ゲンタマイシン C_1 : $R^1=CH_3$ $R^2=NHCH_3$
ゲンタマイシン C_2 : $R^1=CH_3$ $R^2=NH_2$
ゲンタマイシン C_{1a} : $R^1=H$ $R^2=NH_2$

ゲンタマイシン

d　その他のタンパク質合成阻害薬

●リンコマイシン　●クリンダマイシン

　作用機序はいずれもマクロライド系薬と同様である．抗菌スペクトルもマクロライドと類似しているが，とくに嫌気性菌に対して有効である．副作用は少ないが，クロストリジウム・ディフィシルによる菌交代症である偽膜性大腸炎を引き起こしやすい．

●クロラムフェニコール

　作用機序は細菌リボソーム50Sサブユニットに結合し，ペプチジルトランスフェラーゼによるペプチド結合反応を阻害することによりタンパク質合成を阻害する．抗菌スペクトルは広く，グラム陽性菌，グラム陰性菌，リケッチア，クラミジアなど多くの細菌に作用する．再生不良性貧血を引き起こすことがあるため，使用はほかの抗菌薬が無効な場合に限られる．骨髄抑制を起こすような薬物との併用は禁忌である．

●リネゾリド　●テジゾリド

　比較的新しい抗菌薬でいずれもMRSA治療薬である．リネゾリドについてはバンコマイシン耐性腸球菌（VRE）による敗血症や肺炎，皮膚・軟部組織感染症などの治療にも用いられる．細菌リボソーム50Sサブユニットに結合し，翻訳過程における70S開始複合体の形成を阻害することによりタンパク質合成を阻害する．注射剤と

錠剤があり，消化管吸収，組織移行性ともに良好である．副作用として貧血，白血球減少症，血小板減少症などの骨髄抑制が現れることがある．

● **ムピロシン**

鼻腔内の MRSA 除菌を目的として，入院患者や医療従事者に対し軟膏剤として使用する．イソロイシル tRNA 合成酵素を阻害することによりタンパク質合成を阻害する．

リンコマイシン：R＝OH
クリンダマイシン：R＝Cl

リンコマイシン　クリンダマイシン　クロラムフェニコール　リネゾリド

テジゾリド　ムピロシン

3 葉酸合成系阻害薬

● **スルファメトキサゾール**　● **トリメトプリム**

葉酸の活性体であるテトラヒドロ葉酸（THF）は，核酸合成やアミノ酸合成に関わる補酵素として必須である．ヒトでは食物から摂取した葉酸をジヒドロ葉酸（DHF）に変えたあと DHF 還元酵素が作用してつくられる．一方，細菌は葉酸を吸収できないため自ら合成を行う．葉酸合成系阻害薬は，細菌における葉酸合成酵素の1つであるジヒドロプテロイン酸（DHP）合成酵素，あるいは DHF 還元酵素のいずれかを阻害することにより抗菌作用を示す．サルファ薬とトリメトプリムがある．

薬理作用　サルファ薬とトリメトプリムの併用により抗菌力の相乗効果が得られることから，スルファメトキサゾールとトリメトプリムの5：1の配合剤（ST 合剤）が開発されている．ST 合剤は緑膿菌を除くグラム陰性桿菌に強い抗菌力を有する．細菌以外に一部の真菌や原虫にも有効でニューモシスチス肺炎 Pneumocystis pneumonia やトキソプラズマ症 toxoplasmosis の治療に用いられる．

作用機序　スルファメトキサゾールに代表されるサルファ薬は DHP 合成酵素の基質の1つである p-アミノ安息香酸（PABA）と構造が類似しており，これと競合的に拮抗し DHP 合成を阻害する．一方，トリメトプリムは DHF 還元酵素を阻害することにより THF 合成を阻害する．ヒト型 DHF 還元酵素に対するトリメトプリムの親和性はきわめて低い．

副作用　耐性菌も多く，ショックや肝障害，腎障害，血液障害などの副作用が現れることがある．

スルファメトキサゾール　　　トリメトプリム

④ 核酸合成阻害薬

　　細菌細胞と動物細胞とでは核酸合成に関与する酵素に違いがあり，これに基づいて開発されたのが核酸合成阻害薬で，DNA 合成阻害薬と RNA 合成阻害薬がある．前者にはキノロン系抗菌薬，後者には抗結核薬リファンピシンやクロストリジウム・ディフィシルによる感染性腸炎治療薬**フィダキソマイシン**がある．キノロン系薬はピリドンカルボン酸骨格をもつ**ナリジクス酸**を原型とする合成抗菌薬であるが，キノロンの母核にフッ素を結合したノルフロキサシンの登場により抗菌スペクトルが飛躍的に拡大し，さまざまな誘導体が開発された．このような一連のキノロンを**ニューキノロン**あるいはフルオロキノロンと呼ぶ．ここでは β-ラクタム系抗菌薬に次いでよく使われるニューキノロンについて述べる．

　薬理作用　抗菌スペクトルが広く，グラム陽性菌や緑膿菌を含むグラム陰性菌，マイコプラズマ，クラミジア，嫌気性菌などに有効で殺菌的に作用する．

　作用機序　ニューキノロンは細菌の DNA 複製に必要な DNA ジャイレースやトポイソメラーゼⅣを特異的に阻害する．

　副作用　比較的安全性は高いが，光線過敏症や QT 延長などの副作用が現れることがある．基本的に小児や妊婦への使用は禁忌であるが，ノルフロキサシン，トスフロキサシンは小児への適用が可能である．

　相互作用　フェニル酢酸系やプロピオン酸系非ステロイド性抗炎症薬との併用により痙攣を起こすことがある．また，アルミニウム，マグネシウム，カルシウム，鉄などを含有する製剤との併用はキレート形成によりキノロン系薬の消化管吸収が低下する．

- ノルフロキサシン　●オフロキサシン　●シプロフロキサシン

　　初期に開発されたもので，グラム陽性菌や嫌気性菌に対する作用がやや弱い．

- レボフロキサシン　●トスフロキサシン　●モキシフロキサシン
- ガレノキサシン　●シタフロキサシン

　　呼吸器感染症の原因となる肺炎球菌，インフルエンザ菌，マイコプラズマ，クラミジア，レジオネラ，緑膿菌などに優れた抗菌力を有し，呼吸器組織への移行も良好なことから**レスピラトリーキノロン**と呼ばれる．

ナリジクス酸　　　ノルフロキサシン　　　レボフロキサシン

⑤ 細胞膜機能障害薬

膜機能を障害し殺菌的に作用するが，細菌細胞膜も基本的にはリン脂質でできており，動物細胞との間に大きな違いはなく選択毒性は低い．

●コリスチン

グラム陰性菌外膜のリン脂質およびリポ多糖に結合し膜障害を起こすため細菌は溶菌する．グラム陽性菌には無効である．最近問題となっている多剤耐性緑膿菌や多剤耐性アシネトバクターに作用する数少ない選択肢の1つとなっている．腎不全や呼吸窮迫の発現に注意する．

●ダプトマイシン

細菌の細胞膜に結合し膜電位を消失させるほか，DNAやRNA，タンパク質の合成を阻害し殺菌的に作用する．MRSA，VREおよびリネゾリド耐性グラム陽性菌に対し抗菌力を有する．臨床ではMRSAによる敗血症，感染性心内膜炎，深在性皮膚感染症などに適用される．主な副作用としてアナフィラキシー様症状，好酸球性肺炎，腎障害などがある．

コリスチン A：R=CH₃
コリスチン B：R=H

コリスチン

ダプトマイシン

⑥ 抗結核薬

かつて結核は死に至る病として恐れられていたが，ストレプトマイシンやイソニアジド，ピラジナミドなど抗結核薬の開発により先進国での罹患率は劇的に減少した．一方，発展途上国では現在もなお高い罹患率で推移しており，訪日外国人や海外渡航者の増加，社会の高齢化，多剤耐性株の発生などにより再興感染症として注目されている．結核治療には上記の薬剤に加え，リファンピシン，エタンブトールがファーストラインドラッグとして使用される．結核治療ではこれらを中心に感受性のある抗結

核薬を 2〜4 剤併用する．

- **リファンピシン**

　橙赤色の抗生物質で，RNA ポリメラーゼを阻害することにより RNA 合成を阻害し，結核菌に対して殺菌的に作用する．使用により汗や尿，唾液，涙液などが橙赤色に着色する．副作用としては肝障害に注意する．リファンピシンは薬物代謝酵素 CYP3A4 の活性を誘導するため，この酵素で代謝される多くの薬物の作用が減弱することに留意する．

- **イソニアジド**

　結核菌の細胞壁脂質成分である**ミコール酸**の生合成を阻害し，増殖過程にある結核菌に対し殺菌的に作用する．副作用は少ないが，まれに劇症肝炎などの重篤な肝障害が現れることがあるので定期的に肝機能検査を行う．

- **ピラジナミド**

　作用機序はミコール酸の合成阻害である．酸性条件下で強い抗菌力を示すことから，マクロファージに取り込まれた結核菌に対し殺菌的に作用する．また，イソニアジドとの併用で相乗効果を示すことが知られており，初期治療の 2 ヵ月間，本剤を加えることでその後の治療期間を 9 ヵ月から 6 ヵ月に短縮することが可能となる．副作用としては重篤な肝障害を引き起こすことがあるので注意する．

- **エタンブトール**

　細胞壁構成成分である**アラビノガラクタン**の生合成を阻害し静菌的に作用すると考えられている．副作用として視力障害に注意する．

- **ストレプトマイシン**（☞ p.533）

- **デラマニド**

　多剤耐性肺結核の治療に用いられる．作用機序はミコール酸の生合成阻害である．QT 延長が現れることがあるので定期的に心電図検査を行う．

- **ベダキリン**

　多剤耐性肺結核の治療に用いられる．結核菌の ATP 合成酵素を特異的に阻害し殺菌的に作用する．QT 延長が現れやすいので注意する．

リファンピシン　　イソニアジド　　ピラジナミド

エタンブトール　　　　　　デラマニド　　　　　　ベダキリン

細菌感染症治療薬

種類　薬物［代表的な商品名］	作用機序	注意すべき副作用
細胞壁合成阻害薬		
ペニシリン系（ペナム系） ●ベンジルペニシリンカリウム［ペニシリン G カリウム］ ●クロキサシリン・アンピシリン配合［ビクシリン S］ ●アンピシリンナトリウム［ビクシリン］ ●バカンピシリン塩酸塩［ペングッド］ ●アモキシシリン水和物［サワシリン］ ●ピペラシリンナトリウム［ペントシリン］	ペプチドグリカン合成における架橋反応を触媒するトランスペプチダーゼを阻害することにより，細菌の細胞壁合成を阻害する	アナフィラキシー，腎障害，血液障害
セフェム系 ●セファゾリンナトリウム水和物［セファメジンα］ ●セファレキシン［ケフレックス］ ●セフォチアム塩酸塩［パンスポリン］ ●セフメタゾールナトリウム［セフメタゾン］ ●セフォタキシムナトリウム［クラフォラン］ ●セフカペン ピボキシル塩酸塩水和物［フロモックス］ ●セフォペラゾンナトリウム［セフォペラジン］ ●セフタジジム水和物［モダシン］		
ペネム系 ●ファロペネムナトリウム水和物［ファロム］		
カルバペネム系 ●イミペネム・シラスタチンナトリウム配合［チエナム］ ●パニペネム・ベタミプロン配合［カルベニン］ ●メロペネム水和物［メロペン］ ●テビペネム ピボキシル［オラペネム］		アナフィラキシー，腎障害，血液障害，痙攣，意識障害
モノバクタム系 ●アズトレオナム［アザクタム］		アナフィラキシー，腎障害，血液障害
グリコペプチド系 ●バンコマイシン塩酸塩［塩酸バンコマイシン］ ●テイコプラニン［タゴシッド］	ペプチドグリカン合成においてペンタペプチド末端部の D-Ala-D-Ala に直接結合することにより架橋反応と重合反応を阻害する	アナフィラキシー，腎障害，第 8 脳神経障害，レッドマン症候群
その他 ●ホスホマイシンナトリウム［ホスミシン S］	ペプチドグリカン合成の初期段階で作用するホスホエノールピルビン酸トランスフェラーゼを阻害する	アナフィラキシー，血液障害，痙攣
●サイクロセリン［サイクロセリン］	D-Ala-D-Ala の合成に関与する 2 つの酵素を阻害する	精神錯乱，てんかん様発作，痙攣
タンパク質合成阻害薬		
テトラサイクリン系 ●テトラサイクリン塩酸塩［アクロマイシン］	細菌リボソーム 30S サブユニットに結合し，タンパク質合成を阻害する	悪心・嘔吐，菌交代症，光線過敏症，歯牙の着色

細菌感染症治療薬（つづき）

種類　薬物　[代表的な商品名]	作用機序	注意すべき副作用
マクロライド系 ●エリスロマイシン　[エリスロシン] ●クラリスロマイシン　[クラリス] ●アジスロマイシン水和物　[ジスロマック]	細菌リボソーム 50S サブユニットに結合し，タンパク質合成を阻害する	心室頻拍，心室細動，QT 延長，消化管障害
アミノグリコシド系 ●ストレプトマイシン硫酸塩 　[硫酸ストレプトマイシン] ●カナマイシン硫酸塩　[カナマイシン] ●ゲンタマイシン硫酸塩　[ゲンタシン]	細菌リボソーム 30S サブユニットに結合し，タンパク質合成を阻害する	第 8 脳神経障害，腎障害
その他 ●リンコマイシン塩酸塩水和物　[リンコシン] ●クリンダマイシン塩酸塩　[ダラシン]	細菌リボソーム 50S サブユニットに結合し，タンパク質合成を阻害する	偽膜性大腸炎
●クロラムフェニコール 　[クロロマイセチン]		再生不良性貧血
●リネゾリド　[ザイボックス] ●テジゾリドリン酸エステル　[シベクトロ]		骨髄抑制
●ムピロシンカルシウム水和物 　[バクトロバン]	イソロイシル tRNA 合成酵素を阻害する	投与部位に軽度の局所反応
葉酸合成系阻害薬		
●ST（スルファメトキサゾール・トリメトプリム）合剤　[バクトラミン]	葉酸合成酵素を阻害する	過敏症，肝障害，腎障害，血液障害
核酸合成阻害薬		
●ノルフロキサシン　[バクシダール] ●レボフロキサシン水和物　[クラビット]	DNA ジャイレース，トポイソメラーゼⅣに特異的に作用し，DNA 複製を阻害する	光線過敏症，QT 延長，痙攣
●フィダキソマイシン　[ダフクリア]	細菌の RNA ポリメラーゼを阻害する	アナフィラキシー，悪心・嘔吐，便秘
細胞膜機能障害薬		
●コリスチンメタンスルホン酸ナトリウム 　[オルドレブ]	細菌細胞膜に結合し，その機能を阻害する	腎不全，呼吸窮迫
●ダプトマイシン　[キュビシン]		アナフィラキシー，好酸球性肺炎，腎障害
抗結核薬		
●リファンピシン　[リファジン]	RNA ポリメラーゼに作用し，RNA 合成を阻害する	肝障害
●イソニアジド　[イスコチン]	結核菌の細胞壁脂質であるミコール酸合成を阻害する	肝障害，VB_6 欠乏症
●デラマニド　[デルティバ]		不眠症，頭痛，QT 延長，傾眠
●ピラジナミド　[ピラマイド]		肝障害
●エタンブトール塩酸塩　[エブトール]	細胞壁構成成分アラビノガラクタンの生合成を阻害する	視力障害，肝障害
●ストレプトマイシン硫酸塩 　[硫酸ストレプトマイシン]	アミノグリコシド系参照	
●ベダキリンフマル酸塩　[サチュロ]	結核菌の ATP 合成酵素を特異的に阻害する	QT 延長

2 ウイルス感染症

2-1 ヘルペスウイルス感染症

ヘルペスウイルスは二本鎖線状DNAを遺伝物質とするDNAウイルスでエンベロープをもつ．ヒトに感染するものは8種類あり，代表的な感染症として単純ヘルペス，水痘・帯状疱疹，サイトメガロウイルス感染症などがある．

■病態生理

① 単純ヘルペス

単純ヘルペスウイルス herpes simplex virus(**HSV**)による感染症で，皮膚や粘膜に小水疱やびらんを形成する．口唇ヘルペス，性器ヘルペス，ヘルペス脳炎などがある．ウイルスは病変部以外に唾液や性器分泌物にも存在するため，これらとの接触を避けることが予防となる．

② 水痘・帯状疱疹

水痘・帯状疱疹ウイルス varicella-herpes zoster virus(**VZV**)の初感染で水痘(水ぼうそう)を発症し，その後，三叉神経や脊髄後根知覚神経節に潜伏感染し長期間無症状で過ごすが，加齢や免疫力の低下に伴い帯状疱疹を発症する．水痘は瘙痒とともに顔面や体幹，四肢に紅斑が現れ，水疱へと進展したあと痂皮となって治癒する．一方，帯状疱疹では潜伏感染した神経節から出る1本の知覚神経に沿って紅斑，水疱が形成され強い痛みを伴う．治癒後も帯状疱疹後神経痛が残ることがある．水痘および帯状疱疹の予防には水痘ワクチンの接種が有効である．

③ サイトメガロウイルス感染症

サイトメガロウイルス cytomegalovirus(**CMV**)は，感染すると細胞内で封入体を形成し，フクロウの目に似た巨細胞が認められる．通常，幼少期に不顕性感染するが，妊娠期に初感染を受けると，胎児は胎盤を通じて感染し先天性の巨細胞封入体症を発症することがある．後天的には，唾液，母乳，尿などを介して感染するが，性行為，輸血，臓器移植で感染することもある．健常者は不顕性で推移するが，免疫不全者では間質性肺炎や網膜炎，肝炎などを起こす．現在のところワクチンはない．

■薬　理

① 単純ヘルペスおよび水痘・帯状疱疹治療薬

●アシクロビル
薬理作用　グアノシン類似体で，HSV，VZV に起因する感染症全般の治療に用いる．消化管吸収を改善したアシクロビルのプロドラッグとしてバラシクロビルがある．
作用機序　感染細胞内でウイルスチミジンキナーゼ(TKase)により一リン酸化されたあと，宿主細胞の TKase により二リン酸を経て三リン酸化体となり，正常基質である dGTP と拮抗しウイルス DNA ポリメラーゼを阻害する．非感染細胞では活性型に変換できないこと，アシクロビル三リン酸は宿主細胞の DNA ポリメラーゼには取り込まれにくいため選択毒性は高い．
副作用　比較的安全性が高く新生児や小児への使用が可能であるが，副作用として腎障害や精神神経障害が現れることがある．

●ビダラビン
アデノシン類似体で宿主細胞の TKase によりビダラビン三リン酸となり，ウイルス DNA ポリメラーゼを選択的に阻害する．ウイルス TKase の欠損株や変異株にも有効なためアシクロビルの代用薬として用いられる．重篤な精神神経系の副作用や骨髄抑制が現れることがある．

●アメナメビル
ウイルス DNA の複製に必要なヘリカーゼ・プライマーゼ複合体の活性を阻害する．

●プレガバリン
抗ウイルス薬ではないが，帯状疱疹後神経痛の疼痛コントロールに用いられる（☞ 7 章 A.1 ■薬理 2 糖尿病合併症治療薬，p. 456）．

② サイトメガロウイルス感染症治療薬

●ガンシクロビル
薬理作用　AIDS や臓器移植など免疫不全状態で起こる重篤な CMV 感染症に使用される．経口用プロドラッグとして**バルガンシクロビル**がある．
作用機序　グアノシン類似体で，作用機序はアシクロビルと同様であるが，CMV 感染細胞では TKase の代わりにウイルスプロテインキナーゼが一リン酸化を行う．
副作用　骨髄抑制や腎不全に留意する．

●ホスカルネット
ピロリン酸類似体でウイルス DNA ポリメラーゼのピロリン酸結合部位に直接作用し DNA 合成を阻害する．急性腎不全，電解質異常，ショック様症状に注意する．

A 感染症内科領域の疾患に用いる薬物

アシクロビル　　ビダラビン　　ガンシクロビル　　ホスカルネット

2-2 インフルエンザ influenza

インフルエンザウイルスは(−)鎖一本鎖RNAを遺伝物質としエンベロープをもつ．A型，B型，C型があり感染症で問題となるのはA型とB型である．A型およびB型インフルエンザウイルスはエンベロープに**ヘマグルチニン(HA**；赤血球凝集素)と**ノイラミニダーゼ(NA)** の2つの糖タンパク質をもち，ウイルス粒子はHAを介して細胞内に取り込まれる．A型インフルエンザウイルスは細胞内に取り込まれたあと，エンベロープ上のM2イオンチャネルを通じて流入したH^+の影響により脱殻し，ゲノムRNAを細胞質に放出する．こうして侵入したウイルスRNAは核内で増幅されたのち，ウイルス粒子が形成される(**図9A-4**)．

■病態生理

主に飛沫感染し1〜2日の潜伏期間を経て発症する．悪寒，高熱(38〜40℃)，全身倦怠感などの全身症状に加え咳，鼻汁などを生じ，1週間程度で軽快する．予防にはワクチン接種が推奨される．

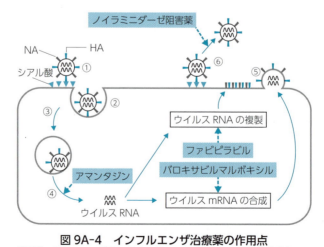

図9A-4　インフルエンザ治療薬の作用点
①吸着：HA-シアル酸間の結合，②エンドサイトーシス，③膜融合：ウイルスエンベロープとエンドソーム膜の融合，④脱殻，⑤出芽，⑥放出：NAによるシアル酸の切り離し

■薬　理

1 M2イオンチャネル阻害薬

●**アマンタジン**（構造式☞ p. 168）

薬理作用 A型インフルエンザウイルス感染症治療薬である．B型ウイルスには無効である．パーキンソン症候群治療薬としても適応がある．

作用機序 ウイルス粒子の脱殻の際に活性化する**M2イオンチャネル**を阻害することによる．B型ウイルスはM2タンパク質をもたないため作用しない．

副作用 悪性症候群や精神神経障害（幻覚，妄想，せん妄など），痙攣などに注意する．重篤な腎障害をもつ患者や妊婦，授乳婦への使用は禁忌となっている．

2 ノイラミニダーゼ阻害薬

●**オセルタミビル**

薬理作用 A型，B型インフルエンザウイルスに有効である．ウイルス粒子には直接作用しないため感染初期の48時間以内に使用する．感染の予防にも適応がある．

作用機序 感染細胞内で形成されたウイルス粒子が細胞から遊離する際に働くノイラミニダーゼを阻害することにより，ウイルスの増殖を抑制する．

副作用 因果関係は不明であるが，服用後，異常行動の発現により転落などの事故に至ったとする報告があり，10歳以上の未成年患者には原則として使用を控える．

●**ザナミビル**

A型，B型インフルエンザウイルスに有効で，予防投与にも適応がある．異常行動の発現に注意する．吸入により使用する．

●**ラニナミビルオクタン酸エステル**

A型，B型インフルエンザウイルス感染症の治療と予防に用いられる．吸入後，気管や肺で加水分解を受け活性体であるラニナミビルに変換される．通常，1回の投与でよい．2-アシル体と3-アシル体の2種類の位置異性体の混合物である．

●**ペラミビル**

A型，B型インフルエンザウイルス感染症に対し，発症後速やかに点滴静注する．小児にも使用可能であるが，未成年患者とともに異常行動の発現に注意する．

オセルタミビル　　　ザナミビル

ラニナミビルオクタン酸エステル　　ペラミビル

③ キャップ依存性エンドヌクレアーゼ阻害薬

●バロキサビル マルボキシル

薬理作用　A型，B型インフルエンザウイルスに有効である．錠剤と顆粒剤があり1回の服用で治療が済むため利便性が高い．

作用機序　キャップ依存性エンドヌクレアーゼは，宿主細胞由来 mRNA 前駆体を特異的に切断する酵素であり，ウイルス mRNA 合成に必要なプライマーとなる RNA 断片を生成する．バロキサビル マルボキシルは体内で活性化された後，ウイルス由来の本酵素を選択的に阻害し，ウイルス mRNA の合成を阻害する．

副作用　下痢や悪心など消化器症状が比較的出やすい．

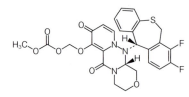

バロキサビル マルボキシル

④ RNA ポリメラーゼ阻害薬

●ファビピラビル

　新型または再興型インフルエンザウイルス感染症治療薬で，パンデミックに備え政府により備蓄・管理されている．新型コロナウイルス感染症への効果が示唆されたことから COVID-19 に対する治験が進められたが，2022年10月に新型コロナウイルス感染症の治療薬としての開発は中止された．

作用機序　RNA 依存性 RNA ポリメラーゼを選択的に阻害し，ウイルス RNA の複製を阻害する．

副作用　動物実験において初期胚の致死および催奇形性が確認されている．

ファビピラビル

2-3 ウイルス性肝炎 viral hepatitis（HAV，HBV，HCV）

p. 433，6章 B.5.5-1 肝疾患を参照のこと．

2-4 後天性免疫不全症候群（AIDS）

■病態生理

ヒト免疫不全ウイルス human immunodeficiency virus（**HIV**）による感染症である．CD4陽性T細胞を主な宿主とし，長期間にわたり徐々に細胞が破壊されるため免疫能が低下し，さまざまな日和見感染症や悪性腫瘍を併発する．HIV感染者が**AIDS**（acquired immunodeficiency syndrome）を発症したことを示すAIDS指標疾患には，ニューモシスチス肺炎，カンジダ症，活動性結核，サイトメガロウイルス感染症などがある．

■薬理

HIVは（＋）鎖一本鎖RNAを遺伝物質としエンベロープをもつ．宿主細胞に侵入後，ウイルスRNAは自身の**逆転写酵素**により二本鎖DNAとなり，次いで**インテグラーゼ**の作用により宿主染色体に組み込まれプロウイルスとして留まる．プロウイルスから転写・翻訳を経てウイルスタンパク質とゲノムRNAがつくられたあと，自身のプロテアーゼによって機能的タンパク質が完成し成熟したウイルス粒子となる．抗HIV薬は以上のいずれかの過程を阻害しウイルスの複製を阻止する．治療は，副作用を低減し耐性株の出現を防止するため，作用機序の異なる3～4剤の抗HIV薬を組み合わせた**多剤併用療法** highly active antiretroviral therapy（**HAART**）が標準となっている．

① **核酸系逆転写酵素阻害薬** nucleoside analogue reverse transcriptase inhibitor（**NRTI**）

● ジドブジン

はじめて承認された抗HIV薬でアジドチミジンとも呼ばれる．感染細胞内でリン酸化され逆転写酵素を競合的に阻害するとともに，dTTPの代わりにウイルスDNAに取り込まれ伸長反応を阻害する．乳酸アシドーシスと骨髄抑制に注意する．

● エムトリシタビン

シチジン類似体である．HAARTでは，同じNRTIであり抗HBV薬としても使用されるテノホビルとともに用いる．乳酸アシドーシスに注意する．

●アバカビル

グアノシン類似体である．HAARTでは，同じNRTIであり抗HBV薬としても使用されるラミブジンとともに用いる．過敏症に注意する．

❷ 非核酸系逆転写酵素阻害薬 non-nucleoside reverse transcriptase inhibitor (NNRTI)

●エファビレンツ

逆転写酵素の活性中心近傍に直接結合し，酵素活性を非拮抗的に阻害する．2剤のNRTIとの併用で用いる推奨薬の1つである．めまい，発疹などが現れやすい．

ジドブジン　　エムトリシタビン　　アバカビル　　エファビレンツ

❸ プロテアーゼ阻害薬 protease inhibitor (PI)

●ダルナビル

HIVプロテアーゼの活性部位に結合し，その働きを阻害することにより成熟ウイルスの形成を抑制する．PIでは推奨薬の1つとしてNRTIとともに用いる．消化管障害が出やすい．

●アタザナビル

ダルナビルとともにPIでは推奨薬とされている．肝炎や出血傾向が現れることがある．

●リトナビル

ガイドラインでは上記のPIを使用する際に少量(100 mg)のリトナビルを追加することが推奨されている．これはリトナビルの併用によりPIの血中濃度が上昇することによる．

ダルナビル　　アタザナビル

リトナビル

4 インテグラーゼ阻害薬 integrase strand transfer inhibitor (INSTI)

● ラルテグラビル

HIV インテグラーゼの活性を阻害し，ウイルス DNA の宿主染色体への組み込みを阻害する．INSTI では推奨薬の 1 つとして NRTI とともに用いる．過敏症に注意する．

● ドルテグラビル

ラルテグラビルとともに INSTI では推奨薬とされている．使用によりクレアチニンの上昇が報告されている．過敏症の発現に注意する．

ラルテグラビル

ドルテグラビル

5 CCR5 阻害薬

● マラビロク

細胞膜上のケモカイン受容体 **CCR5**(C-C chemokine receptor type 5)と結合し，CCR5 指向性 HIV-1 の細胞内への侵入を阻害する．使用に際してはウイルスの指向性検査を行うことが必要である．

マラビロク

コラム

新型コロナウイルス感染症

　新型コロナウイルス感染症（COVID-19）は，現在もなお終息の兆しがみえない状況が続いている．原因ウイルスである SARS-CoV-2 は，重症急性呼吸器症候群（SARS）を引き起こすコロナウイルス（SARS-CoV）と同属の一本鎖（＋）RNA ウイルスである．感染経路はインフルエンザと同様に飛沫感染であるが，変異株の1つであるデルタ株については空気感染する水痘・帯状疱疹ウイルスに匹敵する感染力があるとされている．治療にはウイルスの増殖を抑える抗ウイルス薬や中和抗体などが用いられ，2021年12月の時点で国内承認されている抗ウイルス薬はレムデシビルとモルヌピラビル，中和抗体はカシリビマブ/イムデビマブとソトロビマブがある．抗ウイルス薬はいずれも RNA 依存性 RNA ポリメラーゼを阻害する．中和抗体のうちカシリビマブ/イムデビマブは，いわゆる抗体カクテル療法に用いられ，SARS-CoV-2 のスパイクタンパク質に作用する2種類の抗体によりウイルスが細胞内に侵入するのを防ぐ．

レムデシビル

モルヌピラビル

ウイルス感染症治療薬

種類　薬物［代表的な商品名］	作用機序	注意すべき副作用
単純ヘルペスおよび水痘・帯状疱疹治療薬		
●アシクロビル［ゾビラックス］	ヌクレオシド類似体で，ウイルス DNA ポリメラーゼを阻害する	腎障害，精神神経障害
●ビダラビン［アラセナ-］		精神神経障害，骨髄抑制
●アメナメビル［アメナリーフ］	ウイルス DNA の複製に必要なヘリカーゼ・プライマーゼ複合体の活性を阻害する	薬疹，QT 延長など
●プレガバリン［リリカ］*	神経細胞内への Ca^{2+} 流入を抑制することで，神経障害性疼痛に効果を示す	めまい，傾眠
サイトメガロウイルス感染症治療薬		
●ガンシクロビル［デノシン］	ヌクレオシド類似体で，ウイルス DNA ポリメラーゼを阻害する	骨髄抑制，腎不全
●ホスカルネットナトリウム水和物［ホスカビル］	ウイルス DNA ポリメラーゼのピロリン酸結合部位に直接作用し活性を抑制する	急性腎不全，電解質異常，ショック様症状
インフルエンザ治療薬		
●アマンタジン塩酸塩［シンメトレル］	A 型インフルエンザウイルスの脱殻の際に活性化する M2 イオンチャネルを阻害する	悪性症候群，精神神経障害，痙攣
●オセルタミビルリン酸塩［タミフル］ ●ザナミビル水和物［リレンザ］ ●ラニナミビルオクタン酸エステル水和物［イナビル］ ●ペラミビル水和物［ラピアクタ］	ノイラミニダーゼを阻害し，ウイルス粒子の細胞からの遊離を抑制する	精神神経障害（意識障害，異常行動，せん妄，幻覚，妄想，痙攣など）
●バロキサビルマルボキシル［ゾフルーザ］	キャップ依存性エンドヌクレアーゼを阻害し，ウイルス mRNA の合成を阻害する	下痢や悪心などの消化器症状
●ファビピラビル［アビガン］	RNA 依存性 RNA ポリメラーゼを阻害し，ウイルス RNA の複製を阻害する	動物実験において初期胚の致死および催奇形性が確認されている
B 型肝炎治療薬		
●エンテカビル水和物［バラクルード］ ●ラミブジン［ゼフィックス］ ●アデホビル ピボキシル［ヘプセラ］ ●テノホビル ジソプロキシルフマル酸塩［ビリアード］	ヌクレオシド類似体で，ウイルス DNA ポリメラーゼを阻害する	投与終了後の肝炎の悪化
C 型肝炎治療薬		
●リバビリン［レベトール］	ヌクレオシド類似体で，ウイルス RNA 依存性 RNA ポリメラーゼを阻害する	貧血，間質性肺炎，うつ病
●テラプレビル［テラビック］	HCV タンパク質のプロセシングに関与する NS3/4A プロテアーゼを阻害する	皮膚症状，過敏症，血液障害
●ダクラタスビル塩酸塩［ダクルインザ］	HCV の複製および細胞内シグナル伝達経路の調節に関与する NS5A を阻害する	肝不全，間質性肺炎
●ソホスブビル［ソバルディ］	RNA 依存性 RNA ポリメラーゼである NS5B を阻害する	貧血

＊帯状疱疹後神経痛治療薬

ウイルス感染症治療薬（つづき）

種類　薬物［代表的な商品名］	作用機序	注意すべき副作用
HIV 感染症治療薬		
核酸系逆転写酵素阻害薬（NRTI） ● ジドブジン［レトロビル］	ヌクレオシド類似体で，HIV 逆転写酵素を阻害する	乳酸アシドーシス，骨髄抑制
● エムトリシタビン［エムトリバ］		乳酸アシドーシス
● アバカビル硫酸塩［ザイアジェン］		過敏症
非核酸系逆転写酵素阻害薬（NNRTI） ● エファビレンツ［ストックリン］	逆転写酵素の活性中心近傍に直接結合し，酵素活性を非拮抗的に阻害する	発疹，めまい
プロテアーゼ阻害薬（PI） ● ダルナビルエタノール付加物［プリジスタ］	HIV プロテアーゼの活性部位に結合し，その働きを阻害する	消化管障害，急性膵炎
● アタザナビル硫酸塩［レイアタッツ］		肝炎，出血傾向
● リトナビル［ノービア］		消化管障害，出血傾向
インテグラーゼ阻害薬（INSTI） ● ラルテグラビルカリウム［アイセントレス］ ● ドルテグラビルナトリウム［テビケイ］	HIV インテグラーゼの活性を阻害する	過敏症，消化管障害
CCR5 阻害薬 ● マラビロク［シーエルセントリ］	細胞膜上のケモカイン受容体 CCR5 と結合し，CCR5 指向性 HIV-1 の細胞内への侵入を阻害する	悪心，頭痛，疲労，貧血，めまい
新型コロナウイルス感染症治療薬		
● レムデシビル［ベクルリー］	RNA 依存性 RNA ポリメラーゼを阻害する	肝障害
● モルヌピラビル［ラゲブリオ］		催奇形性，胚・胎児致死
● カシリビマブ/イムデビマブ［ロナプリーブ］ ● ソトロビマブ［ゼビュディ］	SARS-CoV-2 ウイルスのスパイクタンパク質を認識し，宿主細胞への侵入を阻害する	過敏症

3 真菌感染症

　真菌感染症は感染部位により**表在性真菌症** superficial mycosis，**深部皮膚真菌症** subcutaneous mycosis，**深在性真菌症** deep mycosis の3つに大別される．真菌は自然界のあらゆるところに生息しており，胞子や菌糸片の吸入，損傷した皮膚や粘膜からの侵入などにより外因性の真菌症を引き起こす．一方，カンジダ属のような常在真菌が免疫機能の低下とともに内因性の真菌症を引き起こす場合もある．

1 細胞膜機能障害薬

　ヒトと真菌では細胞膜を構成する主なステロール成分に違いがあり，ヒトではコレステロール，真菌では**エルゴステロール**である．このわずかな違いをもとに開発されたのが細胞膜機能障害薬である．真菌に特有のエルゴステロールを標的とし膜機能に障害を与える（**図9A-5**）．エルゴステロールに直接結合して作用するものとエルゴステロールの生合成を阻害するものとに分けられる．

a　ポリエン系抗真菌薬

　アムホテリシンBとナイスタチンがあり，いずれもストレプトマイセス属が生成する抗生物質である．これらの薬物は多数の共役二重結合を含む多員環ラクトン構造を有することからポリエン系と称される．

　作用機序　エルゴステロールに結合し細胞膜の透過性障害を誘発することにより殺

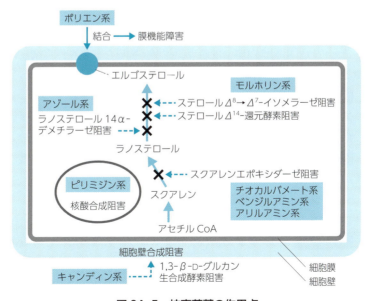

図9A-5　抗真菌薬の作用点

菌的に作用する.

● **アムホテリシンB**

薬理作用 幅広い抗真菌スペクトルと強力な殺真菌作用をもつ．重篤な深在性真菌症には不可欠であり，その原因菌であるアスペルギルス，カンジダ，クリプトコックス，ムーコルのほか，輸入真菌症 imported mycosis の原因となるコクシジオイデスやヒストプラズマなどに適応がある．

副作用 腎障害や低カリウム血症などの強い副作用を有するが，リポソーム製剤の開発により軽減された．

アムホテリシンB

b アゾール系抗真菌薬

アゾール系には分子内にイミダゾール環（2個の窒素原子を含むヘテロ5員環）をもつものとトリアゾール環（3個の窒素原子を含むヘテロ5員環）をもつものとがあり，前者をイミダゾール系，後者をトリアゾール系と呼ぶ．比較的安全性は高い．

作用機序 標的はラノステロール 14α-デメチラーゼで，ラノステロールの脱メチル反応を阻害することによりエルゴステロールの生合成を阻害する（図9A-5）．

1）イミダゾール系抗真菌薬

ミコナゾール，ケトコナゾール，クロトリマゾール，ルリコナゾールなどがある．これらの外用剤は白癬や皮膚カンジダ，癜風など表在性真菌症の治療に用いられる．

● **ミコナゾール**

薬理作用 抗真菌スペクトルは広く，アスペルギルス，カンジダ，クリプトコックス，コクシジオイデスが原因の深在性真菌症や，口腔カンジダ症，膣カンジダ症の治療にも使用される．

副作用 悪心・嘔吐・食欲不振などの消化器症状，肝障害，ショック症状など．

● **ルリコナゾール**　（☞ 8章C.2皮膚真菌症■薬理，p.519）

2）トリアゾール系抗真菌薬

● **フルコナゾール**

薬理作用 カンジダおよびクリプトコックスによる深在性真菌症に用いられる．薬物動態は良好で副作用も少ない．**ホスフルコナゾール**はフルコナゾールのプロドラッグであり，水への溶解性が改善され高濃度の静注が可能になった．

副作用 過敏症，肝障害，消化管障害など．

- **イトラコナゾール**

  薬理作用 フルコナゾールよりも広い抗真菌スペクトルを示す．アスペルギルス，カンジダ，クリプトコックスによる深在性真菌症，皮膚糸状菌，マラセチア，カンジダなどによる表在性真菌症，およびスポロトリコーシスやクロモミコーシスなどの深部皮膚真菌症の治療に使用される．外用剤では治療が困難な爪白癬を含む白癬の治療には経口剤が用いられる．

  副作用 過敏症，肝障害，消化管障害など．

- **ボリコナゾール**

  薬理作用 アスペルギルス，カンジダ，クリプトコックスなどによる深在性真菌症のうち重症あるいは難治性の症例で使用される．経口剤もあり退院後も治療を継続することができる．

  副作用 羞明・色覚障害・視力障害など一過性の視覚異常，肝障害，腎障害など．

- **エフィナコナゾール** （☞ 8 章 C.2 皮膚真菌症■治療，p.518）

c チオカルバメート系抗真菌薬

- **トルナフタート** ● **リラナフタート**

  スクアレンエポキシダーゼを阻害することによりエルゴステロールの生合成を阻害する．いずれも白癬治療薬として外用で用いられる．

d ベンジルアミン系抗真菌薬

- **ブテナフィン**

  スクアレンエポキシダーゼを阻害することにより抗真菌活性を示す．白癬や癜風の治療薬として外用で用いられる．

e アリルアミン系抗真菌薬

- **テルビナフィン**

  作用機序はチオカルバメート系，ベンジルアミン系と同様で，広い抗真菌活性を示し，とくに皮膚糸状菌に対し低濃度で強力に作用する．外用剤と経口剤があり，外用剤は皮膚糸状菌，カンジダ，マラセチアによる表在性真菌症の治療に，経口剤はスポロトリコーシスやクロモミコーシスのほか外用剤では治療が困難な白癬や爪カンジダの治療に用いられる．経口剤では血液障害や重篤な肝障害が現れることがある．

f モルホリン系抗真菌薬

- **アモロルフィン**

  ステロールΔ^{14}-還元酵素およびステロール$\Delta^{8}\rightarrow\Delta^{7}$-イソメラーゼを阻害することによりエルゴステロールの合成を阻害する．外用剤として白癬，皮膚カンジダ症および癜風の治療に用いられる．

ミコナゾール　フルコナゾール　イトラコナゾール

ボリコナゾール　トルナフタート　リラナフタート

ブテナフィン　テルビナフィン　アモロルフィン

② 細胞壁合成阻害薬

a　キャンディン系抗真菌薬

●**ミカファンギン**

アスペルギルス・ニデュランス *Aspergillus nidulans* var. *echinatus* より分離されたエキノキャンディンBに類似した化学構造を有し，環状ペプチドと疎水性のアシル基側鎖で構成されている．類似のものに**カスポファンギン**がある．

薬理作用　抗真菌スペクトルが狭いため使用はカンジダ症 candidiasis とアスペルギルス症 aspergillosis に限られる．カンジダに対し殺真菌的に作用し，アスペルギルスに対しては菌糸の伸長を抑制する．アゾール系薬に低感受性のカンジダ・グラブラータやカンジダ・クルーセイによる侵襲性カンジダ症や，慢性進行性肺アスペルギルス症に対してはボリコナゾールとともに第一選択薬として用いられる．

作用機序　真菌細胞壁の主要構成成分 1, 3-β-D-グルカンの生合成酵素阻害により細胞壁合成を阻害する．ヒトの細胞には細胞壁が存在しないため選択毒性は高い．

副作用　安全性が高く小児への使用が可能である．肝障害に注意する．

③ 核酸合成阻害薬

●**フルシトシン**

ピリミジン系核酸合成阻害薬である．真菌細胞に取り込まれたのちヒトにはないシ

トシンデアミナーゼにより 5-フルオロウラシルとなり，これが核酸合成系を阻害することにより抗真菌作用を示す．アスペルギルス，カンジダ，クリプトコックスなどに適応があるが，耐性を生じやすいため他剤との併用で用いる．骨髄抑制や腎不全を起こすことがある．

ミカファンギン

フルシトシン

真菌感染症治療薬

種類　薬物［代表的な商品名］	作用機序	注意すべき副作用
細胞膜機能障害薬		
ポリエン系抗真菌薬 ●アムホテリシンB［ファンギゾン］	エルゴステロールに結合し細胞膜機能を阻害する	腎障害，低カリウム血症
アゾール系抗真菌薬 ●ミコナゾール［フロリード］	ラノステロール 14α-デメチラーゼに作用し，エルゴステロールの生合成を阻害する	消化器症状，肝障害，過敏症
●フルコナゾール［ジフルカン］ ●イトラコナゾール［イトリゾール］		過敏症，肝障害，消化管障害
●ボリコナゾール［ブイフェンド］		視覚異常，肝障害，腎障害
チオカルバメート系抗真菌薬 ●トルナフタート［ハイアラージン］ ●リラナフタート［ゼフナート］	スクアレンエポキシダーゼを阻害することによりエルゴステロールの生合成を阻害する	過敏症
ベンジルアミン系抗真菌薬 ●ブテナフィン塩酸塩［ボレー］		皮膚症状
アリルアミン系抗真菌薬 ●テルビナフィン塩酸塩［ラミシール］		血液障害，肝障害，過敏症
モルホリン系抗真菌薬 ●アモロルフィン塩酸塩［ペキロン］	ステロール Δ^{14}-還元酵素，ステロール Δ^8→Δ^7-イソメラーゼを阻害し，エルゴステロールの合成を阻害する	皮膚症状
細胞壁合成阻害薬		
キャンディン系抗真菌薬 ●ミカファンギンナトリウム［ファンガード］ ●カスポファンギン酢酸塩［カンサイダス］	1,3-β-D-グルカンの生合成酵素を阻害し，細胞壁合成を阻害する	肝障害
核酸合成阻害薬		
●フルシトシン［アンコチル］	真菌細胞内で 5-フルオロウラシルとなり，核酸合成系を阻害する	骨髄抑制，腎不全

4 原虫・寄生虫感染症

ヒトに感染する寄生虫は，単細胞性の原虫と多細胞性の蠕虫に分けられるが，蠕虫のことを寄生虫と呼ぶ場合も多い．原虫や蠕虫の病原性は寄生している個体数や寄生部位，組織への侵襲性の有無などによるが，一般に，原虫感染症のほうが症状は重篤である．

4-1 原虫感染症

■病態生理

① マラリア

マラリア malaria は，マラリア原虫に感染したハマダラカの刺咬によりヒトに感染し発症する．国内では旅行者が帰国してから発症するケースに限られるが，診断・治療の遅れで致死的となるため的確な早期対応が必要となる．典型的な症状は悪寒，震え，発熱，倦怠感，頭痛，筋肉痛，関節痛などで風邪やインフルエンザと誤診されやすい．マラリアのなかでもとくに熱帯熱マラリアは病状の進行が速く短時間で重症化し，腎不全，異常出血，脳症などの合併症を起こし致死的となる．

② トキソプラズマ症

トキソプラズマ症 toxoplasmosis は，ネコを終宿主とするトキソプラズマによる感染症である．中間宿主であるブタやヒツジなど家畜の筋肉組織にも囊子として存在することから，ネコの糞や家畜の生肉が感染源となる．妊娠中に初感染を受け胎児に垂直感染すると先天性トキソプラズマ症を発症し水頭症や眼症状，脳内石灰化，精神運動機能障害を呈することがある．後天的に感染した場合は不顕性となることが多いが，免疫不全患者ではトキソプラズマ脳炎を合併しやすい．

③ トリコモナス症

トリコモナス症 trichomoniasis は，膣トリコモナスによる性感染症 sexually transmitted disease で外陰部粘膜に定着する．男性では無症候のことが多いが，女性の場合は膣炎をきたす．

④ アメーバ赤痢

アメーバ赤痢 amebic dysentery は，赤痢アメーバによる感染症である．経口摂取により大腸粘膜に侵入すると組織を侵襲し，潰瘍を形成する．その結果，激しい腹痛とともに粘血性の下痢を起こす．さらに，栄養型のアメーバが血流に入り肝臓や肺，脳などに侵入すると膿瘍や潰瘍を起こすことがある．

■薬　理

① マラリア治療薬

●アトバコン
単独ではニューモシスチス肺炎の治療に用いられるが，プログアニルとの配合剤が開発されており，現在，わが国においては熱帯熱マラリアおよび非熱帯熱マラリアに対する第一選択薬として使用される．アトバコンはマラリア原虫の電子伝達系複合体Ⅲ（シトクロム bc_1, complex Ⅲ）を選択的に阻害し，一方，プログアニルはジヒドロ葉酸還元酵素を阻害することにより抗マラリア作用を示す．

●メフロキン
わが国では未承認の抗マラリア薬クロロキンの代替薬として広く用いられるが，本剤に耐性のマラリアも拡大している．予防薬としても使用される．

●キニーネ
元来，キナノキの樹皮に含まれる成分であるが現在は合成により製造されている．マラリア治療に広く用いられるが，とくに熱帯熱マラリアの重症例に対し点滴が行われる．

② トキソプラズマ症治療薬

スピラマイシンやピリメタミン，スルファジアジンなどが用いられるが，スピラマイシン以外は国内未承認となっている．ピリメタミン，スルファジアジンは「日本医療研究開発機構熱帯病治療薬研究班」から入手することができる．

③ トリコモナス症治療薬

●メトロニダゾール
メトロニダゾールは原虫の酸化還元系により還元されてニトロソ化合物となり，これが抗原虫作用を示す．トリコモナス症のほかアメーバ赤痢やランブル鞭毛虫感染症にも適応があり，細菌では嫌気性菌やヘリコバクター・ピロリにも有効である．

④ アメーバ赤痢治療薬

● パロモマイシン

水溶性のアミノグリコシド系化合物で消化管からの吸収が少ないため，経口投与により腸管腔内の栄養型アメーバの殺滅に用いられる．アメーバ赤痢に対してはメトロニダゾールとともに標準治療薬となっている．作用機序はタンパク質合成阻害である．

アトバコン　　メフロキン　　キニーネ

メトロニダゾール

パロモマイシン A：R_1＝H, R_2＝CH_2NH_2
パロモマイシン B：R_1＝CH_2NH_2, R_2＝H

パロモマイシン

4-2　寄生虫感染症

■病態生理

① 回虫症

回虫症 ascariasis は，糞便とともに排出された虫卵が付着した生野菜の摂食などにより感染する．軽度の感染では無症状のまま排出されるが，咳，喘鳴，腹痛などを起こすことがある．成虫が胆管や膵管に迷入すると胆管炎や膵炎を発症することがある．

2 蟯虫症

　　蟯虫の成熟卵を経口摂取することにより小腸で孵化し盲腸で成虫となる．産卵期になると雌成虫は夜間大腸を下り肛門周辺で産卵する．**蟯虫症** enterobiasis の症状は肛門部の不快な瘙痒である．手指や下着等に付着した虫卵は感染源となるため，手指衛生と清潔を保つことが予防に重要である．

3 アニサキス症

　　アニサキス症 anisakiasis はアニサキスの幼虫が寄生した魚介類(サバ，アジ，イワシ，イカなど)を生食することによって消化管壁に刺入し発症する．摂取してから数時間後に激しい上腹部の痛み，悪心・嘔吐が起こる．再感染の場合は蕁麻疹を主症状とするアニサキスアレルギーを発症することがある．アニサキス症は食品の加熱あるいは冷凍により予防することができる．

■薬　理

1 回虫症治療薬

●ピランテル

　　虫体の神経-筋伝達系を遮断し運動麻痺を起こすことにより駆虫効果を示す．回虫症治療の第一選択薬として経口投与される．

ピランテル

2 蟯虫症治療薬

　　ピランテルが第一選択薬である．その他，保険適用外であるが**アルベンダゾール**や**メベンダゾール**も有効である．

3 アニサキス症治療薬

　　有効な駆虫薬はなく，胃内視鏡で虫体を摘出することにより治療する．

原虫・寄生虫感染症治療薬

種類　薬物［代表的な商品名］	作用機序	注意すべき副作用
マラリア治療薬		
●アトバコン［サムチレール］	原虫の電子伝達系を選択的に阻害する	消化管障害，肝障害
●メフロキン塩酸塩［メファキン］	マラリア原虫によるヘモグロビン代謝に伴い遊離する有毒性ヘムの無毒化を阻害することにより抗マラリア作用を示す	めまい，ふらつき，悪心
●キニーネ塩酸塩水和物［塩酸キニーネ］	DNAと結合し，タンパク質合成・細胞分裂を阻害する	血液障害，腎障害，視神経障害
トキソプラズマ症治療薬		
●スピラマイシン［スピラマイシン［サノフィ］］	タンパク質の合成を阻害する	消化管障害，過敏症
トリコモナス症治療薬		
●メトロニダゾール［フラジール］	原虫細胞内でニトロソ化合物となり抗原虫作用を示す	消化管障害，神経障害(中枢，末梢)
アメーバ赤痢治療薬		
●パロモマイシン硫酸塩［アメパロモ］	タンパク質の合成を阻害する	腎障害，第8脳神経障害
回虫症治療薬・蟯虫症治療薬		
●ピランテルパモ酸塩［コンバントリン］	虫体の神経-筋伝達系を遮断し運動麻痺を起こすことによる	腹痛，悪心，頭痛

9章 病原微生物（感染症）・悪性新生物（がん）と治療薬

B 腫瘍内科領域の疾患に用いる薬物

　腫瘍内科は，一般内科の専門領域で，抗がん薬（抗悪性腫瘍薬）治療の適応にかかわらず，悪性腫瘍をもった患者の診療すべてを包括する領域である．したがって，腫瘍内科の診療範囲は，がんの診断，抗悪性腫瘍薬などによる治療および，それに伴う副作用，合併症の治療（支持療法），終末期医療も含む集学的治療であり，さまざまな薬物を使用する．本項目では，そのなかでとくに抗悪性腫瘍薬について解説する．

★対応する薬学教育モデル・コアカリキュラム

E2 薬理・病態・薬物治療　（7）病原微生物（感染症）・悪性新生物（がん）と薬
　GIO　病原微生物（細菌，ウイルス，真菌，原虫），および悪性新生物に作用する医薬品の薬理および疾患の病態・薬物治療に関する基本的知識を修得し，治療に必要な情報収集・解析および医薬品の適正使用に関する基本的事項を修得する．
　SBO　【⑧悪性腫瘍の薬，病態，治療】
　・以下の抗悪性腫瘍薬の薬理（薬理作用，機序，主な副作用，相互作用，組織移行性）を説明できる．
　　　アルキル化薬，代謝拮抗薬，抗腫瘍抗生物質，微小管阻害薬，トポイソメラーゼ阻害薬，抗腫瘍ホルモン関連薬，白金製剤，分子標的治療薬，その他の抗悪性腫瘍薬

1 抗悪性腫瘍薬について

1 抗悪性腫瘍薬の役割

悪性腫瘍に対する治療には，手術療法，放射線療法，薬物療法（化学療法）があり，単独あるいは組み合わせて用いられる．とくに悪性腫瘍の化学療法に用いられる薬物を，抗悪性腫瘍薬と呼び，注射，経口などで投与されるため全身療法となる．血液腫瘍などでは完治を目的として化学療法が実施されるが，固形がんでは化学療法のみでの完治は難しく，腫瘍の縮小，延命を目的とする場合がある．近年，がん細胞の増殖，転移，細胞死，がんに対する免疫などに関わるタンパク質分子を特異的に標的とする分子標的薬が多数開発され，治療成績が著しく上昇し，悪性腫瘍に対する薬物治療は大きく進歩している．一般的には，有効性，副作用の低減，薬剤耐性の発現低下などを考慮し，多剤併用療法がなされる場合が多い．

2 抗悪性腫瘍薬の分類と作用機序

抗悪性腫瘍薬はその分子構造や作用機序に基づき，①アルキル化薬，②代謝拮抗薬，③抗腫瘍抗生物質，④植物アルカロイド（微小管阻害薬，トポイソメラーゼ阻害薬），⑤抗腫瘍ホルモン関連薬，⑥白金製剤，⑦サイトカイン関連薬，⑧分子標的薬，⑨細胞加工製品に分類される．⑤⑦⑧⑨を除く抗悪性腫瘍薬は，**殺細胞性抗悪性腫瘍薬**（細胞傷害性抗悪性腫瘍薬）とも呼ばれ，**図 9B-1** に示すとおり，がん細胞の増殖に必要な核酸，タンパク質などの生合成を阻害する．抗悪性腫瘍薬のうち殺細胞性抗悪

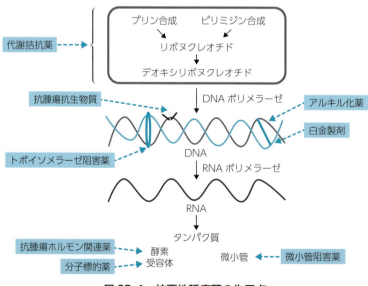

図 9B-1　抗悪性腫瘍薬の作用点

性腫瘍薬では，**図 9B-2** に示すとおり細胞周期の一部に作用する細胞周期特異性薬と，すべての細胞周期に作用する細胞周期非特異性薬がある．細胞周期特異性薬を使用する場合，さまざまな細胞周期のがん細胞が混在するため，すべてのがん細胞がその作用周期になるまで有効血中濃度を持続させる必要がある．また，細胞周期非特異性薬は，細胞周期ではなく，濃度依存的に細胞傷害作用を示すため，最大耐用量(患者が耐えられる最大量)を投与する必要がある．

分子標的薬は，その性状に基づき，がん細胞の増殖・転移・細胞死などに関わる標的分子と特異的に結合する抗体(大分子)と標的分子の酵素活性(チロシンキナーゼ活性など)を阻害する小分子化合物に分類され(**図 9B-3**)，がん細胞への作用選択性が高く，殺細胞性抗悪性腫瘍薬に比べ，正常細胞に対する傷害作用が弱い．

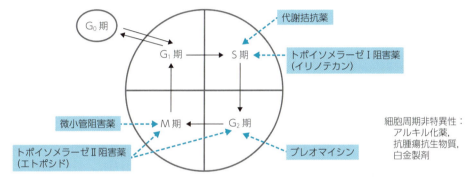

図 9B-2　細胞周期と殺細胞性抗悪性腫瘍薬

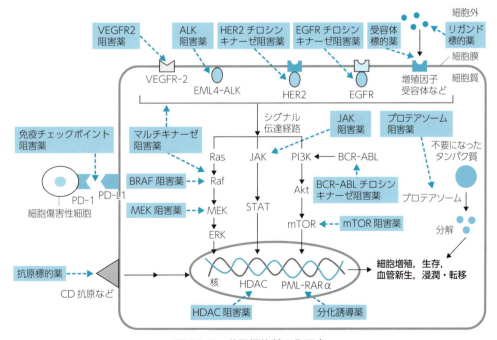

図 9B-3　分子標的薬の作用点

2 抗悪性腫瘍薬各論

1 アルキル化薬

アルキル化薬はその構造内に反応性に富むアルキル基を有し，DNAをアルキル化することで，DNA鎖の切断や架橋形成を誘導し，腫瘍の増殖を停止させる(図9B-4)．アルキル化薬の作用は細胞周期に依存せず，濃度依存的に発現する．

a ナイトロジェンマスタード類

- **シクロホスファミド**（構造式☞ p. 241）

  薬理作用 DNAをアルキル化することにより，DNA鎖の架橋が形成され，抗腫瘍効果を示す．

  作用機序 肝臓のシトクロムP450により代謝され，代謝物のホスホラミドマスタードとなり，主にDNAのグアニン残基のN-7位をアルキル化することにより，DNA鎖間で架橋が形成される．

  副作用 ホスホラミドマスタードの生成過程の副産物であるアクロレインは，出血性膀胱炎を起こすため，副作用を予防する目的でアクロレインを無毒化する**メスナ**と併用される．その他，骨髄抑制，間質性肺炎，肺線維症，静脈閉塞症など．

  適応症 多発性骨髄腫，悪性リンパ腫，肺がん，乳がん，急性白血病，真性多血症，子宮頸がん，子宮体がん，卵巣がん，神経腫瘍（神経芽腫，網膜芽腫），骨腫瘍．

- **イホスファミド**

  肝臓で代謝され活性体のイホスファミドマスタードとなり，DNAをアルキル化することにより，がん細胞の増殖を抑制する．シクロホスファミドと同様に活性代謝物の生成とともにアクロレインを生成し，出血性膀胱炎を起こす．

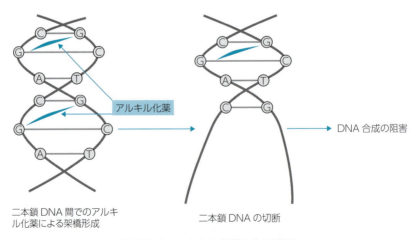

図9B-4　アルキル化薬の作用機序

適応症 肺小細胞がん，前立腺がん，子宮頸がん，骨肉腫，再発または難治性の胚細胞腫瘍（精巣腫瘍，卵巣腫瘍，性腺外腫瘍），悪性リンパ腫．

● **メルファラン**

ナイトロジェンマスタードのフェニルアラニン誘導体で，DNA 鎖間または DNA 鎖内の架橋形成により抗腫瘍効果を示す．

適応症 多発性骨髄腫．次の疾患における造血幹細胞移植の前治療：白血病，悪性リンパ腫，多発性骨髄腫，小児固形腫瘍．

● **チオテパ**

グアニンなどをアルキル化することで DNA 鎖の架橋を形成し，抗腫瘍効果を示す．また，チオテパから遊離したアジリジンも DNA と反応し，DNA 鎖を切断する．

適応症 次の疾患における造血幹細胞移植の前治療：悪性リンパ腫，小児悪性固形腫瘍．

イホスファミド　　メルファラン　　チオテパ

b　ニトロソウレア類

● **ニムスチン**　● **ラニムスチン**

薬理作用 DNA 上のグアニン残基をアルキル化することにより，DNA 合成を阻害し，細胞毒性を示す．

作用機序 構造内に存在するクロロエチル基が，DNA 上のグアニン残基の O-6 位，N-7 位などをアルキル化することにより，DNA 合成を阻害する．

副作用 骨髄抑制，肝障害，腎障害，間質性肺炎など．

適応症 **ニムスチン**：脳腫瘍，消化器がん（胃がん，肝がん，結腸・直腸がん），肺がん，悪性リンパ腫，慢性白血病．**ラニムスチン**：膠芽腫，骨髄腫，悪性リンパ腫，慢性骨髄性白血病，真性多血症，本態性血小板増多症．

● **カルムスチン**

DNA をアルキル化し，DNA 合成を阻害することで，抗腫瘍効果を示す．

適応症 悪性神経膠腫．

ニムスチン　　ラニムスチン　　カルムスチン

c アルキルスルホン類

● ブスルファン

薬理作用 DNAをアルキル化し，DNA鎖の架橋形成を介してDNAの複製・転写を阻害し，細胞増殖を抑制する．

作用機序 DNAおよびタンパク質のSH基と結合し，2個の求核部位をアルキル化することで，DNA鎖間またはDNA鎖内架橋形成を抑制する．

副作用 骨髄抑制，間質性肺炎，感染症など．

適応症 慢性骨髄性白血病，真性多血症．同種造血幹細胞移植の前治療．ユーイング肉腫ファミリー腫瘍，神経芽細胞腫，悪性リンパ腫における自家造血幹細胞移植の前治療．

ブスルファン

❷ 代謝拮抗薬

代謝拮抗薬は，葉酸，ピリミジン，プリンなどの核酸合成過程で生成される代謝産物に構造が類似しており，正常な核酸合成を阻害することで，DNAの合成を抑制する（図9B-5）．代謝拮抗薬は細胞周期特異的であり，主にS期に作用することで抗腫瘍効果を示す．

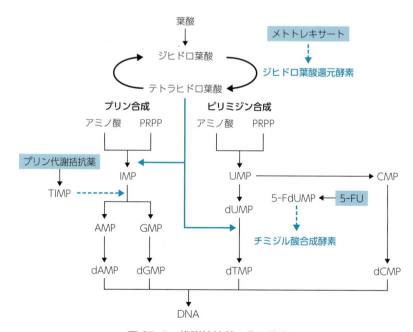

図9B-5 代謝拮抗薬の作用機序

a　プリン代謝拮抗薬

●メルカプトプリン

薬理作用　プリン塩基の合成を阻害し，DNA 合成を抑制することで抗腫瘍効果を示す．

作用機序　体内で活性型のチオイノシン一リン酸 thioinosine monophosphate (TIMP)となり，イノシン酸からアデニル酸あるいはグアニル酸への生成を阻害し，DNA 合成を抑制する．

副作用　骨髄抑制，肝障害，感染症，出血傾向など．

適応症　急性白血病，慢性骨髄性白血病．

●フルダラビン

細胞内でリン酸化を受けてフルダラビン三リン酸エステル(F-ara-ATP)となり，DNA 鎖に入り，伸長反応を停止させることでがん細胞の増殖を抑制する．また，DNA ポリメラーゼおよび RNA ポリメラーゼを阻害することで，DNA・RNA の合成を抑制する．

適応症　再発または難治性低悪性度非ホジキンリンパ腫，再発または難治性マントルリンパ腫悪性リンパ腫，貧血または血小板減少を伴う慢性リンパ性白血病．次の疾患における同種造血幹細胞移植の前治療：急性骨髄性白血病，骨髄異形成症候群，慢性骨髄性白血病，慢性リンパ性白血病，悪性リンパ腫，多発性骨髄腫．腫瘍特異的 T 細胞輸注療法の前処置．

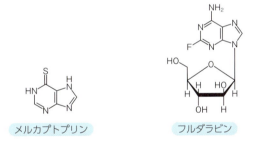

メルカプトプリン　　フルダラビン

b　ピリミジン代謝拮抗薬

●フルオロウラシル

薬理作用　DNA および RNA の合成を阻害することでがん細胞の増殖を抑制する．

作用機序　フルオロウラシルは，細胞内でウラシルと同一の経路で 5-フルオロデオキシウリジル酸(5-FdUMP)に変換され，チミジル酸合成酵素を不可逆的に阻害して DNA 合成を阻害する．また，RNA に取り込まれることで，リボソーム RNA の合成を阻害する．

副作用　脱水症状，骨髄抑制，溶血性貧血，肝障害，腎障害など．

適応症　注射用製剤：胃がん，肝がん，結腸・直腸がん，乳がん，膵がん，子宮頸がん，子宮体がん，卵巣がん．次の疾患についてはほかの抗悪性腫瘍薬または放射線と併用療法：食道がん，肺がん，頭頸部腫瘍．次の疾患についてはほかの抗悪性腫

瘍薬と併用療法：頭頸部がん．レボホリナート・フルオロウラシル持続静注併用療法：結腸・直腸がん，小腸がん，治癒切除不能な膵がん．

●テガフール

生体内でフルオロウラシルに代謝されて作用するプロドラッグである．肝臓のシトクロム P450 によって徐々にフルオロウラシルとなるので，持続的な作用を示す．フルオロウラシル分解酵素阻害薬のギメラシルと消化器障害の低減作用を有するオテラシルをテガフールに配合したティーエスワン (TS-1)® が用いられている．

適応症 消化器がん (胃がん，結腸・直腸がん)，乳がん，頭頸部がん，膀胱がん．

●ドキシフルリジン　●カペシタビン

ドキシフルリジンは，がん細胞内に存在するピリミジンホスホリラーゼによりフルオロウラシルに変換されて抗腫瘍効果を示す．カペシタビンは消化器障害の低減を目的としたドキシフルリジンのプロドラッグで，肝臓で代謝されドキシフルリジンに変換される．

適応症　**ドキシフルリジン**：胃がん，結腸・直腸がん，乳がん，子宮頸がん，膀胱がん．**カペシタビン**：手術不能または再発乳がん，結腸・直腸がん，胃がん．

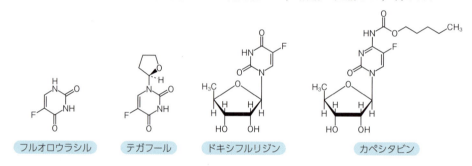

フルオロウラシル　　テガフール　　ドキシフルリジン　　カペシタビン

c　シタラビン類

●シタラビン　●シタラビン オクホスファート　●エノシタビン

薬理作用 DNA ポリメラーゼを抑制し，DNA の合成を阻害することで抗腫瘍効果を示す．

作用機序 がん細胞内でシタラビン三リン酸となり，DNA ポリメラーゼを抑制して DNA 合成を阻害する．シタラビン オクホスファート，エノシタビンは，シタラビンのプロドラッグで，体内でシタラビンに徐々に変換・代謝される．

副作用 骨髄抑制，ショック，消化器障害，肝障害など．

適応症　**シタラビン**：急性白血病 (赤白血病，慢性骨髄性白血病の急性転化例を含む)，消化器がん (胃がん，膵がん，肝がん，結腸がんなど)，肺がん，乳がん，女性性器がん (子宮がんなど) など．**シタラビン オクホスファート**：成人急性非リンパ性白血病 (強力な化学療法が対象となる症例にはその療法を優先する．)，骨髄異形成症候群．**エノシタビン**：急性白血病 (慢性白血病の急性転化を含む)．

● ゲムシタビン

薬理作用 活性代謝物がDNA鎖に取り込まれることで，DNA合成を阻害し，がん細胞の増殖を抑制する．

作用機序 細胞内で 2′,2′-ジフルオロデオキシシチジン三リン酸(dFdCTP)に変換され，dCTPと競合し，DNA鎖に取り込まれることで，DNA合成を阻害する．DNA合成が盛んなS期に特異的に作用する．

副作用 骨髄抑制，間質性肺炎，アナフィラキシー様症状，肺水腫など．

適応症 非小細胞肺がん，膵がん，胆道がん，尿路上皮がん，手術不能または再発乳がん，がん化学療法後に増悪した卵巣がん，再発または難治性の悪性リンパ腫．

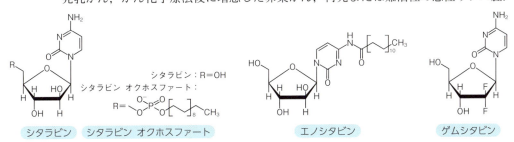

シタラビン　シタラビン オクホスファート　　エノシタビン　　ゲムシタビン

d　葉酸代謝拮抗薬

● メトトレキサート（構造式☞ p. 240）

薬理作用 チミジル酸合成酵素およびプリン合成の補酵素として働くテトラヒドロ葉酸の生成を抑制し，核酸合成を阻害することで，がん細胞の増殖を抑制する．

作用機序 葉酸はジヒドロ葉酸還元酵素によってテトラヒドロ葉酸となる．メトトレキサートは，ジヒドロ葉酸還元酵素を不可逆的に阻害し，チミジル酸合成およびプリン塩基合成を抑制することで，DNA合成を阻害する．

副作用 骨髄抑制，肝障害，腎障害，出血性腸炎など．

適応症 急性白血病，慢性リンパ性白血病，慢性骨髄性白血病，絨毛性疾患（絨毛がん，破壊胞状奇胎，胞状奇胎）．

e　その他の代謝拮抗薬

● アザシチジン

アザシチジンはDNAおよびRNAに取り込まれることで，主にタンパク質合成を阻害し，抗腫瘍効果を示す．また，DNAに取り込まれたアザシチジンはDNAのメチル化を阻害することでも，がん細胞の増殖を抑制する．

適応症 骨髄異形成症候群，急性骨髄性白血病．

アザシチジン

③ 抗腫瘍抗生物質

抗生物質のなかで抗腫瘍活性を示す物質を抗腫瘍抗生物質といい，DNAの塩基対間に入り込むこと(インターカレーション)，あるいはDNAと結合することで，DNA合成阻害やDNA切断作用により抗腫瘍効果を示す．

a アントラサイクリン系薬

● ドキソルビシン　● ダウノルビシン　● エピルビシン　● イダルビシン

薬理作用　DNAポリメラーゼ，RNAポリメラーゼ，トポイソメラーゼⅡを抑制し，DNA，RNAの合成を阻害することでがん細胞の増殖を抑制する．

作用機序　DNA塩基対間に入り込み，DNAポリメラーゼやRNAポリメラーゼを抑制することで，DNAやRNAの合成を阻害する．また，トポイソメラーゼⅡを抑制することにより，DNA鎖を切断する．さらに，フリーラジカル(活性酸素種)を発生させ，DNAに酸化的損傷を与える．エピルビシンはドキソルビシンの誘導体で，ドキソルビシンの心毒性が低減されている．イダルビシンはダウノルビシンの誘導体で，脂溶性が増し，速やかに，かつ高濃度に細胞内へ取り込まれる．

副作用　心筋障害，心不全，骨髄抑制，肝障害，感染症，出血傾向など．

適応症　**ドキソルビシン**：悪性リンパ腫，肺がん，消化器がん(胃がん，胆嚢・胆管がん，膵臓がん，肝がん，結腸がん，直腸がんなど)，乳がん，膀胱腫瘍，骨肉腫．リポソーム製剤：がん化学療法後に増悪した卵巣がん，AIDS関連カポジ肉腫．**ダウノルビシン**：急性白血病(慢性骨髄性白血病の急性転化を含む)．**エピルビシン**：急性白血病，悪性リンパ腫，乳がん，卵巣がん，胃がん，肝がん，尿路上皮がん(膀胱がん，腎盂・尿管腫瘍)．**イダルビシン**：急性骨髄性白血病(慢性骨髄性白血病の急性転化を含む)．

ドキソルビシン　　　　ダウノルビシン

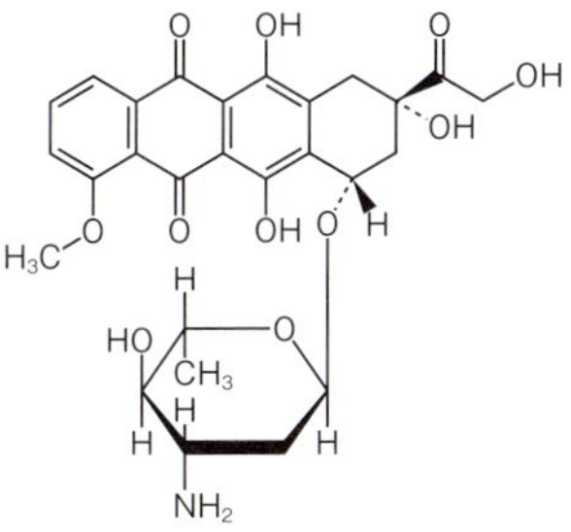

エピルビシン 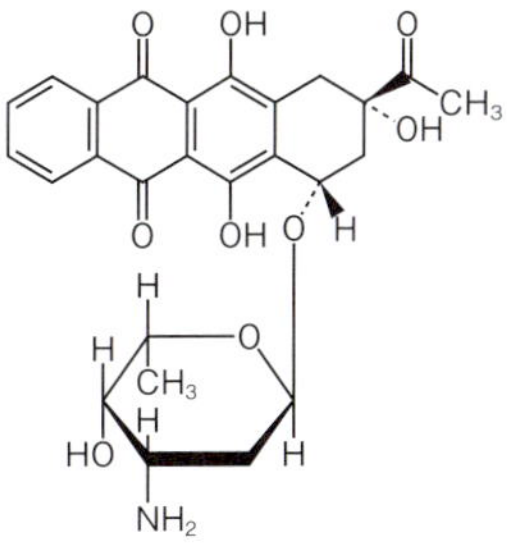　　　　　　　　　イダルビシン

b　その他の抗腫瘍抗生物質

● ブレオマイシン

鉄イオン（Fe^{2+}）とキレートを形成し，酸素を活性化してフリーラジカルを発生させ，非酵素的に DNA 鎖を切断する．G_2 期に作用する（図 9B-6）．

適応症　皮膚がん，頭頸部がん（上顎がん，舌がん，口唇がん，咽頭がん，喉頭がん，口腔がんなど），肺がん（とくに原発性および転移性扁平上皮がん），食道がん，悪性リンパ腫，子宮頸がん，神経膠腫，甲状腺がん，胚細胞腫瘍（精巣腫瘍，卵巣腫瘍，性腺外腫瘍）．

● マイトマイシン C

生体内で活性代謝物に還元され，DNA 上の架橋形成，フリーラジカルによる DNA 鎖切断を介して DNA の複製を阻害する．

適応症　慢性リンパ性白血病，慢性骨髄性白血病，胃がん，結腸・直腸がん，肺がん，膵がん，肝がん，子宮頸がん，子宮体がん，乳がん，頭頸部腫瘍，膀胱腫瘍．

● アクチノマイシン D

DNA 二本鎖の間に架橋を形成し，DNA 依存性 RNA ポリメラーゼによる転写反

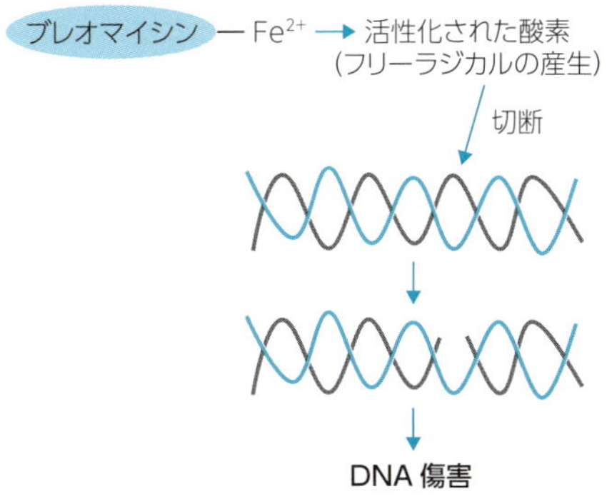

図 9B-6　ブレオマイシンの DNA 傷害作用

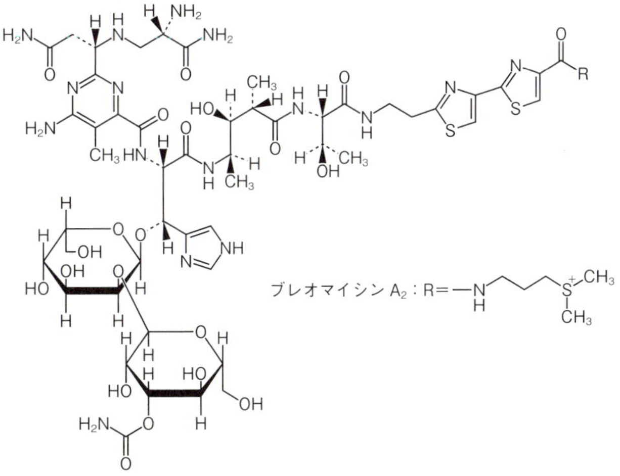

応を抑制することでRNA合成を阻害し，抗腫瘍効果を示す．また，フリーラジカル生成やトポイソメラーゼIIを阻害することでも細胞死を誘導する．

[適応症] ウィルムス腫瘍，絨毛上皮腫，破壊性胞状奇胎．次の疾患についてはほかの抗悪性腫瘍薬と併用療法：小児悪性固形腫瘍（ユーイング肉腫ファミリー腫瘍，横紋筋肉腫，腎芽腫その他腎原発悪性腫瘍）．

マイトマイシンC

アクチノマイシンD

MeGly＝N-メチルグリシン
MeVal＝N-メチルバリン

④ 植物アルカロイド

植物アルカロイド由来の抗悪性腫瘍薬は，細胞周期特異的な作用を示し，微小管の機能を阻害する微小管阻害薬とDNA合成過程において重要な働きをするトポイソメラーゼ阻害薬がある．

a 微小管阻害薬

微小管は，**チュブリン**の重合から形成される細胞骨格タンパク質であり，細胞分裂時に紡錘糸を形成するとともに，細胞内小器官の配置や物質輸送に重要な役割を果たす．微小管阻害薬は微小管の機能を阻害することで抗腫瘍効果を示す（**図 9B-7**）．

1）ビンカアルカロイド系薬
● ビンクリスチン ● ビンブラスチン ● ビンデシン ● ビノレルビン

[薬理作用] 微小管形成を阻害し，細胞周期を分裂中期で停止することで抗腫瘍効果を示す．

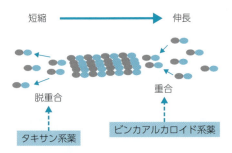

図 9B-7 ビンカアルカロイド系薬およびタキサン系薬の作用

作用機序 微小管タンパク質のチュブリンと結合し，微小管形成を阻害し，分裂細胞の紡錘糸の形成を抑制する．

副作用 末梢神経障害，骨髄抑制，消化管出血，イレウス，アナフィラキシー，間質性肺炎，肝障害など．

適応症 白血病(急性白血病，慢性白血病の急性転化時を含む)，悪性リンパ腫(細網肉腫，リンパ肉腫，ホジキン病)，小児腫瘍(神経芽腫，ウィルムス腫瘍，横紋筋肉腫，睾丸胎児性がん，血管肉腫など)，褐色細胞腫，肺がん，食道がんなど．

	R^1	R^2	R^3
ビンクリスチン：	$-CHO$	$-OCH_3$	$-O-CO-CH_3$
ビンブラスチン：	$-CH_3$	$-OCH_3$	$-O-CO-CH_3$
ビンデシン：	$-CH_3$	$-NH_2$	$-OH$

ビンクリスチン　ビンブラスチン　ビンデシン

ビノレルビン

2) タキサン系薬

● パクリタキセル　● ドセタキセル

薬理作用 微小管の過剰形成を引き起こし，細胞分裂を阻害することでがん細胞の増殖を抑制する．

作用機序 チュブリンと結合し，チュブリンの脱重合を抑制することにより，微小管の安定化，過剰形成を引き起こすことで，紡錘体の機能を阻害する．

副作用 骨髄抑制，アナフィラキシー様症状，末梢神経障害，出血傾向，難聴，肺塞栓，血栓性静脈炎，腸管閉塞，肝障害，急性腎不全など．

適応症 **パクリタキセル**：卵巣がん，非小細胞肺がん，乳がん，胃がん，子宮体がん，再発または遠隔転移を有する頭頸部がん，再発または遠隔転移を有する食道がん，血管肉腫，進行または再発の子宮頸がん，再発または難治性の胚細胞腫瘍(精巣腫瘍，卵巣腫瘍，性腺外腫瘍)．**ドセタキセル**：乳がん，非小細胞肺がん，胃がん，頭頸部がん，卵巣がん，食道がん，子宮体がん，前立腺がん．

パクリタキセル　　　ドセタキセル

b　トポイソメラーゼ阻害薬

トポイソメラーゼは，DNA 超らせん構造によるひずみを解消させる酵素で，DNA の選択された領域をほどくことにより，DNA 複製，修復，転写などを可能にする．トポイソメラーゼには，DNA 二本鎖のうち一方だけに働くトポイソメラーゼ I と，二本鎖 DNA に働くトポイソメラーゼ II がある．これらの酵素を阻害すると DNA の複製は阻止され，がん細胞の増殖が抑制される．

1）トポイソメラーゼ I 阻害薬

●イリノテカン　　●ノギテカン

薬理作用　トポイソメラーゼ I を抑制することにより，DNA の再結合を阻害し，細胞死を誘導する．

作用機序　イリノテカン，ノギテカンは，トポイソメラーゼ I が DNA に結合し，DNA を切断した状態の複合体を安定化することで，DNA の再結合を阻害する．細胞周期の S 期の細胞に対して特異的に殺細胞効果を示す（**図 9B-8**）．

副作用　骨髄抑制，重度の下痢，出血傾向，腸閉塞，腸炎および間質性肺炎など．

適応症　**イリノテカン**：小細胞肺がん，非小細胞肺がん，子宮頸がん，卵巣がん，胃がん（手術不能または再発），結腸・直腸がん（手術不能または再発），乳がん（手術不能または再発），有棘細胞がん，悪性リンパ腫（非ホジキンリンパ腫），小児悪

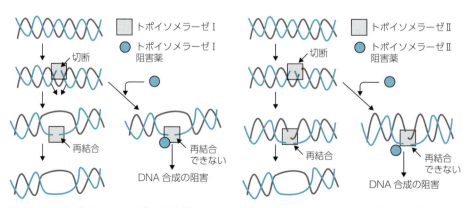

図 9B-8　トポイソメラーゼ I 阻害薬の作用　　図 9B-9　トポイソメラーゼ II 阻害薬の作用

性固形腫瘍，治癒切除不能な膵がん．**ノギテカン**：小細胞肺がん，がん化学療法後に増悪した卵巣がん，小児悪性固形腫瘍，進行または再発の子宮頸がん．

2) トポイソメラーゼⅡ阻害薬

●エトポシド

薬理作用 トポイソメラーゼⅡを阻害することにより，DNAの再結合を抑制し，がん細胞の増殖を阻害する．

作用機序 エトポシドは，切断されたDNAおよびトポイソメラーゼⅡと安定な複合体を形成することで，DNAの再結合を阻害する．細胞周期のG_2期，M期の細胞に対して特異的に殺細胞効果を示す（**図 9B-9**）．

副作用 間質性肺炎，骨髄抑制，ショック，アナフィラキシー様症状など．

適応症 肺小細胞がん，悪性リンパ腫，急性白血病，膀胱がん，絨毛性疾患，胚細胞腫瘍（精巣腫瘍，卵巣腫瘍，性腺外腫瘍）．次の疾患についてはほかの抗悪性腫瘍薬と併用療法：小児悪性固形腫瘍（ユーイング肉腫ファミリー腫瘍，横紋筋肉腫，神経芽腫，網膜芽腫，肝芽腫その他肝原発悪性腫瘍，腎芽腫その他腎原発悪性腫瘍など）．腫瘍特異的T細胞輸注療法の前処置．

イリノテカン　　ノギテカン　　エトポシド

5 抗腫瘍ホルモン関連薬

前立腺がんや乳がんにはそれぞれ，性ホルモンに依存して増殖するものがあり，この場合にはホルモン受容体の遮断薬や刺激薬が用いられる（**図 9B-10**）．

a 抗エストロゲン薬

●タモキシフェン（構造式☞ p.478）　●メピチオスタン
●トレミフェン（構造式☞ p.478）

薬理作用 抗エストロゲン作用により，がん細胞の増殖を抑制する．

作用機序 エストロゲン受容体とエストロゲンの結合を競合的に阻害する．

副作用 無顆粒球症，白血球減少，好中球減少，貧血，血小板減少，血栓塞栓症，肝炎，胆汁うっ滞，肝不全，高カルシウム血症，間質性肺炎など．

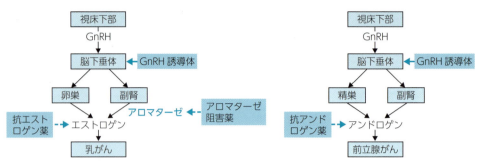

図 9B-10　抗腫瘍ホルモン関連薬の作用

　適応症　**タモキシフェン**：乳がん．**メピチオスタン**：乳がん．**トレミフェン**：閉経後乳がん．

b　アロマターゼ阻害薬

- **アナストロゾール**（構造式☞ p. 478）　●**レトロゾール**
- **エキセメスタン**（構造式☞ p. 478）

　薬理作用　**アロマターゼ**を阻害することにより，**エストロゲン**産生を抑制し，がん細胞の増殖を阻害する．

　作用機序　閉経後の女性では，副腎由来のアンドロゲンから脂肪組織や乳がん組織内のアロマターゼによりエストロゲンを産生する．アナストロゾール，レトロゾールは，アロマターゼを可逆的に阻害し，アンドロゲンからエストロゲンの合成を抑制する．エキセメスタンは，アンドロゲンと同じステロイド骨格を有し，アロマターゼの基質結合部位に不可逆的に結合することで，アロマターゼを不活性化し，エストロゲンの合成を低下させる．

　副作用　血管浮腫，肝障害，黄疸，間質性肺炎，血栓塞栓症，悪心，性器出血など．

　適応症　**アナストロゾール**：閉経後乳がん．**レトロゾール**：閉経後乳がん．**エキセメスタン**：閉経後乳がん．

c 抗アンドロゲン薬

- **フルタミド** ● **ビカルタミド**（構造式☞ p.477）

  薬理作用 抗アンドロゲン作用により，がん細胞の増殖を抑制する．

  作用機序 アンドロゲン受容体上でアンドロゲンの結合を阻害する．

  副作用 劇症肝炎，肝障害，黄疸，白血球減少，血小板減少など．

  適応症 **フルタミド**：前立腺がん．**ビカルタミド**：前立腺がん．

- **クロルマジノン**（構造式☞ p.477）

  薬理作用 抗アンドロゲン作用により，アンドロゲンの刺激によるアンドロゲン依存性腫瘍の増殖を抑制する．

  作用機序 アンドロゲン受容体上でアンドロゲンと競合的に拮抗する．

  副作用 血栓症，うっ血性心不全，劇症肝炎，肝障害，黄疸，糖尿病，高血糖など．

  適応症 前立腺がん．

- **アパルタミド** ● **ダロルタミド**

  薬理作用 抗アンドロゲン作用により，アンドロゲン依存性腫瘍の増殖を抑制する．

  作用機序 アンドロゲン受容体上でアンドロゲンと競合的に拮抗するとともに，アンドロゲン受容体の核内移行を阻害する．

  副作用 痙攣発作，重度の皮膚障害，間質性肺炎，貧血，悪心，下痢，便秘，女性化乳房．

  適応症 **アパルタミド**：前立腺がん．**ビカルタミド**：前立腺がん．

アパルタミド

ダロルタミド

d 卵胞ホルモン製剤

- **エチニルエストラジオール**（構造式☞ p.478）

  薬理作用 血中のテストステロン値を低下させることで，前立腺がんや閉経後の乳がんの増殖を抑制する．

  作用機序 前立腺および精嚢の質量を減少させ，血中のテストステロン値を低下させる．

  副作用 血栓塞栓症，心筋梗塞，心不全，狭心症，脳卒中，高カルシウム血症など．

  適応症 前立腺がん，閉経後の末期乳がん（男性ホルモン療法に抵抗を示す場合）．

e 黄体ホルモン製剤

●メドロキシプロゲステロン（構造式☞ p. 479）

合成黄体ホルモンで，DNA 合成抑制作用，下垂体・副腎・性腺系への抑制作用および抗エストロゲン作用などにより抗腫瘍効果を示す．

適応症　乳がん，子宮体がん（内膜がん）．

f GnRH 誘導体

●リュープロレリン　●ゴセレリン

薬理作用　ゴナドトロピンの分泌を抑制することで，がん細胞の増殖を阻害する．

作用機序　視床下部から分泌される GnRH（gonadotropin releasing hormone）は下垂体に作用し，ゴナドトロピン［性腺刺激ホルモン：黄体形成ホルモン luteinizing hormone（LH），卵胞刺激ホルモン follicle-stimulating hormone（FSH）］が分泌され，LH は卵巣に作用するとエストロゲンの分泌を促進し，精巣に作用するとテストステロンの分泌を促進する．リュープロレリン，ゴセレリンは GnRH のアナログで，反復投与により GnRH 受容体を脱感作させ，ゴナドトロピン分泌抑制を介して，卵巣からのエストロゲン分泌，精巣からのテストステロンの分泌を抑制する．

副作用　間質性肺炎，肝障害，黄疸，糖尿病の発症または増悪，血栓塞栓症など．

適応症　**リュープロレリン**：閉経前乳がん，前立腺がん．**ゴセレリン**：前立腺がん，閉経前乳がん．

リュープロレリン

ゴセレリン

6 白金製剤

白金（プラチナ）製剤は，構造中に白金を有する抗悪性腫瘍薬であり，シスプラチン，カルボプラチン，オキサリプラチン，ネダプラチンなどがある．これらの薬物は細胞周期非特異性抗悪性腫瘍薬であるが，G_1 と S 期の細胞がこれら薬物に対して感受性が高い．

●シスプラチン

薬理作用　DNA 鎖のプリン塩基（グアニンおよびアデニン）と共有結合し，DNA の転写や複製を阻害することで抗腫瘍効果を示す（図 9B-11）．

作用機序　約 90% は同一 DNA 鎖上に隣接するグアニン間あるいはアデニン-グア

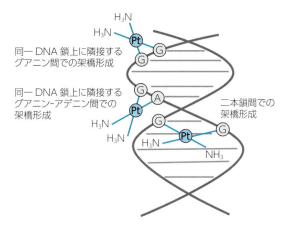

図 9B-11　白金系抗悪性腫瘍薬が形成する白金-DNA 架橋

ニン間に架橋を形成し，DNA 合成阻害を起こす．とくにグアニン残基の N-7 位の反応性が高く，二本鎖間でも架橋を形成する（図 9B-11）．

副作用　主に腎臓で排泄されるため，腎障害が起こることがある．腎障害を低減するために，投与時には大量輸液や利尿薬の投与が必要である．そのほかに骨髄抑制，聴力低下（難聴），悪心・嘔吐，末梢神経障害など．

適応症　膀胱がん，腎盂・尿管腫瘍，前立腺がん，卵巣がん，頭頸部がん，非小細胞肺がん，食道がん，子宮頸がん，神経芽細胞腫，胃がん，小細胞肺がん，骨肉腫，胚細胞腫瘍（精巣腫瘍，卵巣腫瘍，性腺外腫瘍），悪性胸膜中皮腫，胆道がん．次の疾患についてはほかの抗悪性腫瘍薬と併用療法：悪性骨腫瘍，子宮体がん（術後化学療法，転移・再発時化学療法），再発・難治性悪性リンパ腫，小児悪性固形腫瘍（横紋筋肉腫，神経芽腫，肝芽腫その他肝原発悪性腫瘍，髄芽腫など）．M-VAC 療法：尿路上皮がん．動注療法：肝細胞がん．

● **カルボプラチン**

　シスプラチンの誘導体であり，作用機序はシスプラチンと同一である．抗腫瘍活性もシスプラチンと同等である．シスプラチンと比較し，腎毒性，悪心・嘔吐，神経毒性が低減されており，大量輸液投与を行う必要はない．

適応症　頭頸部がん，肺小細胞がん，精巣（睾丸）腫瘍，卵巣がん，子宮頸がん，悪性リンパ腫，非小細胞肺がん，乳がん．次の疾患についてはほかの抗悪性腫瘍薬と併用療法：小児悪性固形腫瘍（神経芽腫，網膜芽腫，肝芽腫，中枢神経系胚細胞腫瘍，再発または難治性のユーイング肉腫ファミリー腫瘍，腎芽腫）．

● **オキサリプラチン**

　作用機序はシスプラチンと同一である．オキサリプラチンはチミジル酸合成酵素の発現を抑制するため，フルオロウラシルとの高い相乗効果を示し，大腸がんの標準治療として用いられている．

適応症　治癒切除不能な進行・再発の結腸・直腸がん，結腸がんにおける術後補

助化学療法，治癒切除不能な膵がん，胃がん，小腸がん．

● **ネダプラチン**

作用機序はシスプラチンと同一であり，悪心・嘔吐，腎障害の副作用は低減されている．しかし，投与の際は大量輸液投与が必要である．

|適応症| 頭頸部がん，肺小細胞がん，肺非小細胞がん，食道がん，膀胱がん，精巣（睾丸）腫瘍，卵巣がん，子宮頸がん．

シスプラチン　　カルボプラチン　　オキサリプラチン　　ネダプラチン

❼ サイトカイン関連薬

サイトカインは免疫を調節する作用を有するため，抗腫瘍免疫を増強させる目的で使用される．

1) インターフェロン γ interferon γ (IFN γ)

● **インターフェロンガンマ-1a**

|薬理作用| がん細胞に直接作用し，細胞増殖を抑制するとともに，ナチュラルキラー（NK）細胞活性の増強などにより，抗腫瘍効果を示す．

|作用機序| がん細胞の増殖を抑制するとともに，NK 細胞活性化，細胞傷害性 T 細胞活性化および抗原提示細胞活性化により，がん細胞に対する細胞傷害性を高める．

|副作用| 発熱，インフルエンザ様症状，うつ症状，間質性肺炎など．

|適応症| 腎がん，慢性肉芽腫症に伴う重症感染の頻度と重篤度の軽減，菌状息肉症，セザリー症候群．

2) インターロイキン-2 interleukin-2 (IL-2)

● **テセロイキン**

遺伝子組換え IL-2 製剤．IL-2 は T 細胞や NK 細胞を活性化することにより，がん細胞に対する細胞傷害性を高める．

|適応症| 血管肉腫，腎がん，神経芽腫に対するジヌツキシマブ（遺伝子組換え）の抗腫瘍効果の増強．

❽ 分子標的薬

分子標的薬とは，がん細胞の増殖に関与するがん遺伝子，シグナル伝達因子，細胞周期関連因子などの標的分子に対して作用する薬物であり，がん細胞に対して選択性が高い．また，標的分子の発現の差異により治療効果が異なるため，標的分子の検出や発現遺伝子解析などに基づく診断薬による検査が必要な場合がある．

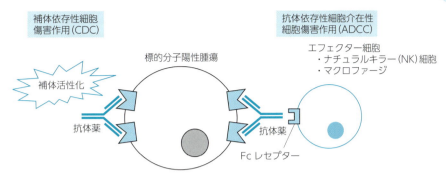

図 9B-12　抗体薬の作用機序：CDC と ADCC

a　大分子分子標的薬（抗体）

　分子標的抗体として，がん細胞に存在する増殖因子受容体，細胞膜抗原，増殖因子を標的としたモノクローナル抗体が治療に応用されている．抗体に関しては，マウス（momab），キメラ（ximab），ヒト化（zumab），ヒト（mumab）などの由来に関して名称が異なるため，名称から抗体の種類を判別することができる．

1）抗原標的薬

　抗体は，ナチュラルキラー（NK）細胞などのエフェクター細胞を介した**抗体依存性細胞介在性細胞傷害作用** antibody-dependent cell-mediated cytotoxicity（**ADCC**），**抗体依存性細胞貪食** antibody-dependent cell-mediated phagocytosis（**ADCP**）あるいは補体活性化を誘導する**補体依存性細胞傷害作用** complement-dependent cytotoxicity（**CDC**）により抗腫瘍効果を示すもの，および抗悪性腫瘍薬や放射線核種の薬物送達のデバイスとして用いられるものがある（**図 9B-12**）．

●モガムリズマブ

薬理作用　**CCR4**（C-C chemokine receptor type 4）に結合し，ADCC により抗腫瘍効果を示す．

作用機序　成人 T 細胞白血病患者の 90％に CCR4 の発現が認められている．モガムリズマブは CCR4 に結合し，ADCC によりエフェクター細胞を活性化することで CCR4 陽性細胞を傷害する．

副作用　infusion reaction，リンパ球減少，白血球減少，発熱性好中球減少症など．

適応症　CCR4 陽性の成人 T 細胞白血病リンパ腫，再発または難治性の CCR4 陽性の末梢性 T 細胞リンパ腫，再発または難治性の皮膚 T 細胞性リンパ腫．

●リツキシマブ　●オファツムマブ

薬理作用　CD（cluster of differentiation）20 抗原に結合し，ADCC および CDC により抗腫瘍効果を示す．

作用機序　**CD20** 抗原に結合し，ADCC によりエフェクター細胞を活性化および CDC により補体を活性化し，CD20 発現 B リンパ腫細胞を傷害する．

副作用 リツキシマブ：重度の肺障害，心障害，肝障害，血栓塞栓症，高血圧脳症など．オファツズマブ：腫瘍崩壊症候群，進行性多巣性白質脳症，感染症など．

適応症 リツキシマブ：CD20 陽性の B 細胞性非ホジキンリンパ腫，CD20 陽性の慢性リンパ性白血病，免疫抑制状態下の CD20 陽性の B 細胞性リンパ増殖性疾患．オファツムマブ：再発または難治性の CD20 陽性の慢性リンパ性白血病．

● オビヌツズマブ

作用機序 CD20 抗原に結合し，ADCC によりエフェクター細胞を活性化および ADCP により単球，マクロファージ，好中球の貪食を誘導し，CD20 発現 B リンパ腫細胞を傷害する．

薬理作用 CD20 抗原に結合し，ADCC および ADCP により抗腫瘍効果を示す．

副作用 Infusion reaction，腫瘍崩壊症候群，好中球減少，白血球減少，血小板減少，感染症，劇症肝炎，進行性多巣性白質脳症，心障害，消化管穿孔，間質性肺疾患など

適応症 CD20 陽性の濾胞性リンパ腫．

● イブリツモマブ チウキセタン

イブリツモマブは CD20 抗原に結合し，**イットリウム**(^{90}Y) が放出する β 線により抗腫瘍効果を示す．

適応症 CD20 陽性の再発または難治性の下記疾患：低悪性度 B 細胞性非ホジキンリンパ腫，マントル細胞リンパ腫．

● ゲムツズマブ オゾガマイシン

ゲムツズマブ オゾガマイシンは CD33 抗原を発現した白血病細胞に結合した後，細胞内に取り込まれ，オゾガマイシンを細胞内に放出することで抗腫瘍効果を示す．

適応症 再発または難治性の CD33 陽性の急性骨髄性白血病．

● イノツズマブ オゾガマイシン

CD22 抗原に結合した後，細胞内に取り込まれ，オゾガマイシンが細胞内に放出されることで抗腫瘍効果を示す．

適応症 再発または難治性の CD22 陽性の急性リンパ性白血病．

● アレムツズマブ

CD52 抗原を発現した慢性リンパ性白血病細胞に結合し，ADCC および CDC により抗腫瘍効果を示す．

適応症 再発または難治性の慢性リンパ性白血病，同種造血幹細胞移植の前治療．

● ブレンツキシマブ ベドチン

ブレンツキシマブ ベドチンは，CD30 抗原を発現したホジキンリンパ腫あるいは未分化大細胞リンパ腫に結合し，細胞内に取り込まれた後，モノメチルアウリスタチン E が細胞内に放出され，微小管形成を阻害することで抗腫瘍効果を示す．

適応症 CD30 陽性の下記疾患：ホジキンリンパ腫，末梢性 T 細胞リンパ腫．

● ブリナツモマブ

B細胞膜上に発現するCD19抗原とT細胞膜上に発現するCD3抗原の両方に結合する一本鎖抗体で，架橋を形成することでT細胞を活性化し，B細胞性急性リンパ性白血病細胞を傷害する．

適応症 再発または難治性のB細胞性急性リンパ性白血病．

● ダラツムマブ　● イサツキシマブ

ダラツムマブおよびイサツキシマブは，CD38抗原を発現する多発性骨髄腫細胞に結合し，ADCC，ADCPおよびCDCならびにアポトーシスを誘導することにより抗腫瘍効果を示す．

適応症 **ダラツムマブ**：多発性骨髄腫．**イサツキシマブ**：再発または難治性の多発性骨髄腫．

● ポラツズマブ ベドチン

ポラツズマブ ベドチンは，抗CD79b抗体と微小管重合阻害薬であるモノメチルアウリスタチンEを結合させた抗体薬物複合体であり，CD79bに結合して細胞内に取り込まれた後，モノメチルアウリスタチンEが細胞内に放出され，微小管重合を阻害することで抗腫瘍効果を示す．

適応症 再発または難治性のびまん性大細胞型B細胞リンパ腫．

● エロツズマブ

エロツズマブは，signaling lymphocyte activation molecule family member 7 (SLAMF7)に結合し，ADCCにより抗腫瘍効果を示す．またSLAMF7は多発性骨髄腫に高発現することが知られている．

適応症 再発または難治性の多発性骨髄腫．

● エンホルツマブ ベドチン

エンホルツマブ ベドチンは，抗Nectin-4抗体と微小管重合阻害薬であるモノメチルアウリスタチンEを結合させた抗体薬物複合体であり，Nectin-4に結合して細胞内に取り込まれた後，モノメチルアウリスタチンEが細胞内に放出され，微小管重合を阻害することで抗腫瘍効果を示す．

適応症 がん化学療法後に増悪した根治切除不能な尿路上皮がん．

2) 受容体標的薬

● トラスツズマブ

薬理作用 ヒト上皮成長因子受容体2型 human epidermal growth factor receptor type 2 (**HER2**)に結合し，ADCCにより抗腫瘍効果を示す．

作用機序 乳がんではHER2の高発現が認められるものがある．トラスツズマブはHER2に対する抗体であり，HER2に特異的に結合し，ADCCによりエフェクター細胞を活性化することでHER2陽性細胞を傷害する．また，標的細胞へのADCC活性とHER2発現量の間に高い相関が認められている．

副作用 心不全，アナフィラキシー様症状，間質性肺炎，肝障害など．

適応症 HER2過剰発現が確認された乳がん，HER2過剰発現が確認された治

癒切除不能な進行・再発の胃がん．

●トラスツズマブ エムタンシン

トラスツズマブ エムタンシンは，トラスツズマブにエムタンシンを結合させた抗体薬物複合体であり，HER2 に結合して細胞内に取り込まれた後，エムタンシンが細胞内に放出され，微小管重合を阻害することで抗腫瘍効果を示す．また，トラスツズマブと同様に ADCC 活性を示す．

適応症　HER2 陽性の手術不能または再発乳がん，HER2 陽性の乳がんにおける術後薬物療法．

●トラスツズマブ デルクステカン

トラスツズマブ デルクステカンは，トラスツズマブにデルクステカンを結合させた抗体薬物複合体であり，HER2 に結合して細胞内に取り込まれた後，デルクステカンが細胞内に放出され，トポイソメラーゼⅠを阻害することで抗腫瘍効果を示す．また，トラスツズマブと同様に ADCC 活性を示す．

適応症　化学療法歴のある HER2 陽性の手術不能または再発乳がん（標準的な治療が困難な場合に限る），がん化学療法後に増悪した HER2 陽性の治癒切除不能な進行・再発の胃がん．

●ペルツズマブ

HER2 に特異的に結合し，リガンド刺激による HER2/HER3 の 2 量体化を阻害することで抗腫瘍効果を示す．ADCC も誘導する．

適応症　HER2 陽性の乳がん．

●セツキシマブ　●パニツムマブ　●ネシツムマブ

薬理作用　上皮成長因子受容体 epidermal growth factor receptor（**EGFR**）に対する抗体であり，EGFR に結合し，リガンド刺激による EGFR シグナル伝達を阻害することで，がん細胞の増殖を抑制する．

作用機序　EGFR に結合し，EGFR と内在性リガンドである EGF などの結合を阻害する（図 9B-13）．EGFR シグナルの下流には RAS/MAPK 経路があり，*KRAS* 遺伝子に変異が存在すると恒常的に RAS/MAPK 経路が活性化する．このことから，EGFR にセツキシマブおよびパニツズマブが結合しても下流シグナルを抑制できな

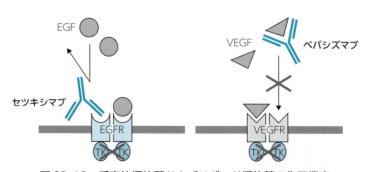

図 9B-13　受容体標的薬およびリガンド標的薬の作用機序

いため，十分な効果は得られない．そのため，投与の際には*KRAS*遺伝子が野生型であることを確認する必要がある．

副作用 重度の皮膚障害，間質性肺炎，心不全，重度の下痢，低マグネシウム血症，infusion reaction など．

適応症 セツキシマブ：RAS 遺伝子野生型の治癒切除不能な進行・再発の結腸・直腸がん，頭頸部がん．**パニツムマブ**：KRAS 遺伝子野生型の治癒切除不能な進行・再発の結腸・直腸がん．**ネシツムマブ**：切除不能な進行・再発の扁平上皮非小細胞肺がん．

● セツキシマブ サロタロカン

セツキシマブ サロタロカンは，セツキシマブに光感受性物質であるフタロシアニン誘導体(IR700)を結合させた抗体薬物複合体であり，EGFR に結合した後，波長 690 nm のレーザー光照射により，IR700 が光化学反応を起こし，抗腫瘍効果を示すと考えられる．しかし，詳細な作用機序は解明されていない．

適応症 切除不能な局所進行または局所再発の頭頸部がん．

● ラムシルマブ

血管内皮細胞増殖因子(VEGF)受容体 2 型(VEGFR2)に対する抗体であり，内在性リガンドである VEGF-A，VEGF-C および VEGF-D の VEGFR2 への結合を阻害することにより内皮細胞の増殖・遊走および生存を阻害し，腫瘍血管新生を抑制し，抗腫瘍効果を示す．

適応症 治癒切除不能な進行・再発の胃がん，治癒切除不能な進行・再発の結腸・直腸がん，切除不能な進行・再発の非小細胞肺がん，がん化学療法後に増悪した血清 AFP 値が 400 ng/mL 以上の切除不能な肝細胞がん．

● ジヌツキシマブ

ヒトジシアロガングリオシド(GD)2 に対する抗体であり，神経芽腫細胞膜上に発現している GD2 と結合し，ADCC および CDC により抗腫瘍効果を示す．

適応症 大量化学療法後の神経芽腫．

3) 免疫チェックポイント阻害薬

● イピリムマブ

薬理作用 **細胞傷害性Tリンパ球抗原** cytotoxic T-lymphocyte antigen 4(**CTLA-4**)に対する抗体であり，CTLA-4 とそのリガンドである抗原提示細胞上の CD80 抗原および CD86 抗原との結合を阻害することにより，抗原特異的な T 細胞を活性化し，がん細胞の増殖を抑制する．

作用機序 CTLA-4 と CD80 抗原および CD86 抗原との結合を阻害することで，活性化 T 細胞の抑制的調節を遮断し，腫瘍抗原特異的な T 細胞の増殖，活性化および細胞傷害活性を増強させる．また，制御性 T 細胞の機能低下および腫瘍組織における制御性 T 細胞数の減少により腫瘍免疫反応を亢進させる(図 9B-14)．

副作用 大腸炎，消化管穿孔，重度の下痢，重度の皮膚障害，末梢神経障害など．

適応症 根治切除不能な悪性黒色腫，根治切除不能または転移性の腎細胞がん，がん化学療法後に増悪した治癒切除不能な進行・再発の高頻度マイクロサテライト不安定性(MSI-High)を有する結腸・直腸がん，切除不能な進行・再発の非小細胞肺がん，切除不能な進行・再発の悪性胸膜中皮腫．

●ニボルマブ ●ペムブロリズマブ

薬理作用 PD-1 (programmed cell death 1)に対する抗体であり，PD-1とそのリガンドであるがん細胞上のPD-L1およびPD-L2との結合を阻害することにより，抗原特異的なT細胞を活性化し，がん細胞の増殖を抑制する．

作用機序 PD-1とPD-L1およびPD-L2との結合を阻害することで，がん抗原特異的なT細胞の増殖，活性化および細胞傷害活性を増強する(図9B-14)．

副作用 間質性肺炎，重度の下痢，1型糖尿病，神経障害，肝障害など．

適応症 悪性黒色腫，切除不能な進行・再発の非小細胞肺がん，根治切除不能または転移性の腎細胞がん，再発または難治性の古典的ホジキンリンパ腫，再発または遠隔転移を有する頭頸部がん，がん化学療法後に増悪した治癒切除不能な進行・再発の胃がん，切除不能な進行・再発の悪性胸膜中皮腫，がん化学療法後に増悪した治癒切除不能な進行・再発の高頻度マイクロサテライト不安定性(MSI-High)を有する結腸・直腸がん，がん化学療法後に増悪した根治切除不能な進行・再発の食道がん．

●アテゾリズマブ ●アベルマブ ●デュルバルマブ

薬理作用 PD-L1に対する抗体であり，PD-L1とその受容体であるPD-1との結合を阻害することにより，抗原特異的なT細胞を活性化し，がん細胞の増殖を抑制する．

作用機序 PD-L1とPD-1との結合を阻害することで，がん抗原特異的なT細胞の増殖，活性化および細胞傷害活性を増強する(図9B-14)．

副作用 間質性肺疾患，大腸炎，下痢，甲状腺機能障害，副腎機能障害，下垂体

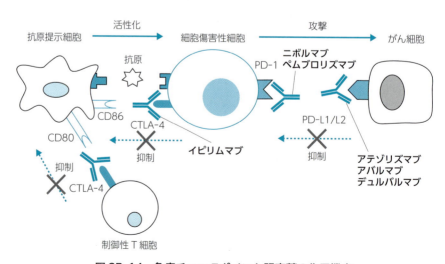

図9B-14 免疫チェックポイント阻害薬の作用機序

機能障害，1型糖尿病，肝障害，腎障害，筋炎，横紋筋融解症，infusion reactionなど．

適応症 アテゾリズマブ：PD-L1陽性のホルモン受容体陰性かつHER2陰性の手術不能または再発乳がん，切除不能な進行・再発の非小細胞肺がん，進展型小細胞肺がん，切除不能な肝細胞がん．**アベルマブ**：根治切除不能なメルケル細胞がん，根治切除不能または転移性の腎細胞がん，根治切除不能な尿路上皮がんにおける化学療法後の維持療法．**デュルバルマブ**：切除不能な局所進行の非小細胞肺がんにおける根治的化学放射線療法後の維持療法，進展型小細胞肺がん．

4) リガンド標的薬

● ベバシズマブ

薬理作用 VEGFとVEGFRの結合を阻害することで，腫瘍組織での血管新生を阻害し，がん細胞の増殖を抑制する（☞図 9B-13）．

作用機序 さまざまながん細胞においてVEGFが高発現しており，これにより血管新生を促進し，酸素や栄養の補給を図る．ベバシズマブはVEGFに対する抗体であり，血管内皮細胞膜上のVEGFRとVEGFの結合を抑制することで，腫瘍組織での血管新生を阻害する．

副作用 ショック，アナフィラキシー，infusion reaction，消化管穿孔，創傷治癒遅延，出血，骨髄抑制，感染症など．

適応症 治癒切除不能な進行・再発の結腸・直腸がん，扁平上皮がんを除く切除不能な進行・再発の非小細胞肺がん，手術不能または再発乳がん，悪性神経膠腫，卵巣がん，進行または再発の子宮頸がん，切除不能な肝細胞がん．

● アフリベルセプト ベータ

薬理作用 VEGFR1の第2免疫グロブリン様C2ドメインおよびVEGFR2の第3免疫グロブリン様C2ドメインをヒト免疫グロブリンIgG1のFcドメインに融合した組換えタンパク質であり，VEGF-A，VEGF-Bおよび胎盤増殖因子 placental growth factor (PlGF) とVEGFRとの結合を阻害することにより，腫瘍における血管新生を抑制し，がん細胞の増殖を抑制する．

作用機序 VEGF-A，VEGF-Bおよび胎盤増殖因子（PlGF）とVEGFRとの結合を阻害することで，血管新生を阻害し，抗腫瘍効果を示す．

副作用 出血，消化管穿孔，高血圧，高血圧クリーゼ，ネフローゼ症候群，タンパク尿，好中球減少症，重度の下痢，infusion reaction，創傷治癒遅延，可逆性後白質脳症症候群，動脈血栓塞栓症，静脈血栓塞栓症，血栓性微小血管症など．

適応症 治癒切除不能な進行・再発の結腸・直腸がん．

● デノスマブ

RANKLに対する抗体である．RANKLは骨吸収を担う破骨細胞およびその前駆細胞の膜上に発現する受容体であるRANKを介して破骨細胞分化および活性化を調節している．多発性骨髄腫および固形がんの骨転移による骨病変はRANKLによって活性化された破骨細胞が主要な要因である．デノスマブはRANKLに結合し，その

リガンド活性を抑制することで破骨細胞の活性化を阻害し，骨破壊の進展を抑制する．また，RANK は骨巨細胞腫にも発現している．デノスマブは骨巨細胞腫による骨破壊を抑制し，その腫瘍の進展を抑制する（☞ 3 章 4 ■薬理 2.f 抗 RANKL モノクローナル抗体, p.265）．

適応症 多発性骨髄腫による骨病変および固形がん骨転移による骨病変，骨巨細胞腫．

b 小分子分子標的薬

小分子の分子標的薬は，がん細胞の膜上，細胞質内あるいは核内へ移行してチロシンキナーゼなどを阻害することで抗腫瘍効果を示す．

1）チロシンキナーゼ阻害薬

（i）EGFR チロシンキナーゼ阻害薬

● ゲフィチニブ

薬理作用 EGFR 自己リン酸化を可逆的に阻害し，がん細胞の増殖を抑制する．

作用機序 EGFR チロシンキナーゼドメイン内の ATP 結合部位を競合阻害することで，EGFR 自己リン酸化を阻害する．EGFR チロシンキナーゼ遺伝子の変異（エクソン 19 の欠失型変異およびエクソン 21 の L858R 点突然変異）を有するがん細胞に高い有効性を示し，投与する際は，検査で EGFR 遺伝子変異陽性であることが必要である（図 9B-15）．

副作用 間質性肺炎，重度の下痢，重度の皮膚障害，肝障害などが起こる．皮膚障害の程度と治療効果が相関することが知られている．

適応症 EGFR 遺伝子変異陽性の手術不能または再発非小細胞肺がん．

● エルロチニブ

作用機序はゲフィチニブと同様である．エルロチニブは EGFR に変異がない場合でも延命効果があることが知られている．副作用として間質性肺炎，重度の下痢，重度の皮膚障害，肝障害などが起こる．

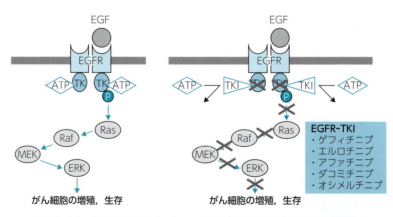

図 9B-15　EGFR チロシンキナーゼ阻害薬（EGFR-TKI）の作用機序

適応症 切除不能な再発・進行性で，がん化学療法施行後に増悪した非小細胞肺がん，EGFR 遺伝子変異陽性の切除不能な再発・進行性で，がん化学療法未治療の非小細胞肺がん，治癒切除不能な膵がん．

●アファチニブ

EGFR チロシンキナーゼの不可逆的阻害により，がん細胞の増殖を抑制する．アファチニブは EGFR のほかに HER2 および HER4 チロシンキナーゼも不可逆的に阻害する．ゲフィチニブと同様に EGFR 変異陽性の患者に使用する．

適応症 EGFR 遺伝子変異陽性の手術不能または再発非小細胞肺がん．

●ダコミチニブ

EGFR チロシンキナーゼの不可逆的阻害により，がん細胞の増殖を抑制する．ダコミチニブは EGFR のほかに HER2 および HER4 チロシンキナーゼも不可逆的に阻害する．また，HER2 変異およびゲフィチニブ耐性原因の二次変異である T790M に対して効果を示す．ゲフィチニブと同様に EGFR 変異陽性の患者に使用する．

適応症 EGFR 遺伝子変異陽性の手術不能または再発非小細胞肺がん．

●オシメルチニブ

EGFR チロシンキナーゼの不可逆的阻害により，がん細胞の増殖を抑制する．また，ゲフィチニブ耐性原因の二次変異である T790M に対して効果を示す．ゲフィチニブと同様に EGFR 変異陽性の患者に使用する．

適応症 EGFR 遺伝子変異陽性の手術不能または再発非小細胞肺がん．

ゲフィチニブ

エルロチニブ

アファチニブ

ダコミチニブ

オシメルチニブ

(ii) HER2 チロシンキナーゼ阻害薬

●ラパチニブ

薬理作用 HER2 および EGFR チロシンキナーゼ阻害薬であり，HER2 および EGFR のチロシンキナーゼを阻害することで，がん細胞の増殖を抑制する．

作用機序 HER2高発現のがん細胞に高い有効性を示す．HER2およびEGFRのチロシン自己リン酸化を選択的かつ可逆的に阻害する．ラパチニブはゲフィチニブなどとは違い，EGFRの不活性型構造に結合することが知られている．投与の際は，検査でHER2の過剰発現が認められることが必要である．

副作用 肝障害，間質性肺炎，心障害，下痢，QT間隔延長，重度の皮膚障害など．

適応症 HER2過剰発現が確認された手術不能または再発乳がん．

ラパチニブ

(ⅲ) ALK阻害薬

● **クリゾチニブ**

薬理作用 ALK (anaplastic lymphoma kinase) を阻害することで，がん細胞の増殖を抑制する．

作用機序 非小細胞肺がんの一部では，第2染色体に存在する **EML4** (echinoderm microtubule-associated protein-like 4) **遺伝子**と受容体チロシンキナーゼの **ALK遺伝子**とが逆位で転座した **EML4-ALK融合遺伝子**を生じている．この遺伝子から産生されるEML4-ALK融合タンパク質により，ALKが恒常的に活性化し，発がんする．クリゾチニブは，ALK，c-MET，ROS1およびRON活性を阻害する．

副作用 間質性肺炎，劇症肝炎，肝障害，QT間隔延長，徐脈，血液障害など．

適応症 *ALK*融合遺伝子陽性の切除不能な進行・再発の非小細胞肺がん，*ROS1*融合遺伝子陽性の切除不能な進行・再発の非小細胞肺がん．

● **アレクチニブ** ● **ブリガチニブ** ● **セリチニブ**

アレクチニブ，ブリガチニブおよびセリチニブはALKを阻害することで，抗腫瘍効果を示す．

適応症 **アレクチニブ**：*ALK*融合遺伝子陽性の切除不能な進行・再発の非小細胞肺がん，再発または難治性の*ALK*融合遺伝子陽性の未分化大細胞リンパ腫．**ブリガチニブ**：*ALK*融合遺伝子陽性の切除不能な進行・再発の非小細胞肺がん．**セリチニブ**：*ALK*融合遺伝子陽性の切除不能な進行・再発の非小細胞肺がん．

● **ロルラチニブ**

ALKを阻害することで抗腫瘍効果を示す．また，既存のALK阻害薬であるクリゾチニブ，アレクチニブおよびセリチニブに対して耐性の原因となるL1196M，G1269A，I1171TおよびG1202R変異にも有効性を示す．

適応症 ALKチロシンキナーゼ阻害薬に抵抗性または不耐容の*ALK*融合遺伝子陽性の切除不能な進行・再発の非小細胞肺がん．

クリゾチニブ　　アレクチニブ

ブリガチニブ　　セリチニブ　　ロルラチニブ

(iv) BCR-ABL チロシンキナーゼ阻害薬

●イマチニブ

薬理作用　BCR-ABL チロシンキナーゼ，**血小板由来増殖因子受容体** platelet-derived growth factor receptor (**PDGFR**) チロシンキナーゼ，幹細胞因子受容体 (c-KIT) チロシンキナーゼを阻害することで，がん細胞の増殖を抑制する．

作用機序　慢性骨髄性白血病では患者の 90% 以上で，9 番染色体と 22 番染色体が相互転座したフィラデルフィア染色体が認められる．この相互転座により BCR-ABL キメラ遺伝子が形成される．このキメラ遺伝子から産生される BCR-ABL チロシンキナーゼが恒常的に活性化し，白血病細胞が増殖する．イマチニブは BCR-ABL チロシンキナーゼの ATP 結合部位において ATP と競合的に拮抗し，阻害する．

副作用　骨髄抑制，体液貯留，出血，腫瘍崩壊症候群など．

適応症　慢性骨髄性白血病，KIT (CD117) 陽性消化管間質腫瘍，フィラデルフィア染色体陽性急性リンパ性白血病．FIP1L1-PDGFRα 陽性の下記疾患：好酸球増多症候群，慢性好酸球性白血病．

●ニロチニブ

作用機序　BCR-ABL チロシンキナーゼを阻害することで，抗腫瘍効果を示す．

適応症　慢性期または移行期の慢性骨髄性白血病．

●ダサチニブ

作用機序　BCR-ABL チロシンキナーゼを阻害することで，がん細胞の増殖を抑制する．また，Src ファミリーキナーゼ (Src, Lck, Yes, Fyn), c-KIT, PDGFRβ, EphA2 の活性も阻害する．

適応症　慢性骨髄性白血病，再発または難治性のフィラデルフィア染色体陽性急性リンパ性白血病．

●ボスチニブ

作用機序 BCR-ABLチロシンキナーゼおよびSrcチロシンキナーゼを抑制することでがん細胞の増殖を抑制する．

適応症 慢性骨髄性白血病．

●ポナチニブ

BCR-ABL，PDGFRα，VEGFR2，FGFR1およびSrcチロシンキナーゼを阻害することで，抗腫瘍効果を示す．また，既存のBCR-ABL阻害薬であるイマチニブ，ニロチニブ，ダサチニブおよびボスチニブに対して耐性の原因となるT315Iなどの変異にも有効性を示す．

適応症 前治療薬に抵抗性または不耐容の慢性骨髄性白血病，再発または難治性のフィラデルフィア染色体陽性急性リンパ性白血病．

イマチニブ

ニロチニブ

ダサチニブ

ボスチニブ

ポナチニブ

（v） JAK阻害薬

●ルキソリチニブ

薬理作用 野生型および変異型のJAK（ヤヌスキナーゼ Janus kinase）1およびJAK2を阻害することで骨髄線維症および真性多血症の進展を抑制する．

作用機序 骨髄線維症・真性多血症では*JAK*遺伝子の変異によるJAKの恒常的活性化が発症の原因となる．ルキソリチニブは野生型および変異型のJAKを阻害する．

副作用 骨髄抑制，感染症，出血，肝障害，心不全など．

適応症 骨髄線維症，真性多血症（既存治療が効果不十分または不適当な場合に限る）．

（vi） FLT3 阻害薬

●キザルチニブ

薬理作用　FLT3（Fms-like tyrosine kinase 3，**Fms 様チロシンキナーゼ**）のチロシンキナーゼを阻害することで，がん細胞の増殖を抑制する．

作用機序　急性骨髄性白血病の約 30％では，*FLT3* 遺伝子に変異が認められており，傍膜貫通領域の一部が重複して繰り返される ITD（internal tandem duplication）変異とチロシンキナーゼ領域 TKD（tyrosine kinase domain）の点突然変異あるいは欠失変異が生じており，これらにより FLT3 の恒常的な活性化が誘導され，がん細胞が増殖する．キザルチニブは FLT3 のチロシンキナーゼ活性を阻害することにより腫瘍増殖を抑制する．

副作用　QT 間隔延長，心室性不整脈，感染症，出血，骨髄抑制，心筋梗塞，急性腎障害，間質性肺疾患など．

適応症　再発または難治性の FLT3-ITD 変異陽性の急性骨髄性白血病．

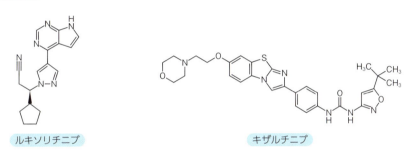

ルキソリチニブ　　　　キザルチニブ

（vii）　TRK 阻害薬

●エヌトレクチニブ　●ラロトレクチニブ

薬理作用　トロポミオシン受容体キナーゼ tropomyosin receptor kinase（TRK）などのチロシンキナーゼ活性を阻害することにより腫瘍増殖を抑制する．

作用機序　*NTRK* 融合遺伝子は *NTRK* 遺伝子（NTRK1，NTRK2，NTRK3 がありそれぞれタンパク質の TRK1，TRK2，TRK3 をコードする）とほかの遺伝子（EVT6，TPM3 など）が遺伝子転座により融合して形成される．*NTRK* 融合遺伝子が形成される結果，がん細胞の増殖が亢進する．エヌトレクチニブは TRK 融合タンパク質，ROS1 融合タンパク質などのリン酸化を抑制することで腫瘍増殖抑制効果を示す．また，ALK 活性を阻害する．ラロトレクチニブは TRK 融合タンパク質のリン酸化を阻害する．

副作用　心臓障害，QT 間隔延長，認知障害，運動失調，間質性肺疾患，肝障害，骨髄抑制など．

適応症　**エヌトレクチニブ**：*NTRK* 融合遺伝子陽性の進行・再発の固形がん，*ROS1* 融合遺伝子陽性の切除不能な進行・再発の非小細胞肺がん．**ラロトレクチニブ**：*NTRK* 融合遺伝子陽性の進行・再発の固形がん．

エヌトレクチニブ　　　　　　　　　ラロトレクチニブ

(viii) MET阻害薬
● **テポチニブ**　● **カプマチニブ**

薬理作用　METのチロシンキナーゼ活性を阻害することで抗腫瘍効果を示す.

作用機序　METチロシンキナーゼのリン酸化を阻害することで，腫瘍増殖抑制効果を示す.非小細胞肺がんの一部ではMETのエクソン14のスキッピング変異が認められており，これによりMETが恒常的活性化するため，この変異を有するがん細胞に有効性を示す.投与する際は，検査でMET遺伝子エクソン14スキッピング陽性であることが必要である.

副作用　間質性肺疾患，体液貯留，肝障害，腎障害など.

適応症　**テポチニブ**：MET遺伝子エクソン14スキッピング変異陽性の切除不能な進行・再発の非小細胞肺がん.**カプマチニブ**：MET遺伝子エクソン14スキッピング変異陽性の切除不能な進行・再発の非小細胞肺がん.

テポチニブ　　　　　　　　　カプマチニブ

(ix) BTK阻害薬
● **イブルチニブ**　● **チラブルチニブ**　● **アカラブルチニブ**

薬理作用　ブルトン型チロシンキナーゼ Bruton's tyrosine kinase (BTK) のチロシンキナーゼ活性を阻害することで抗腫瘍効果を示す.

作用機序　BTKはB細胞性腫瘍の発症，増殖に関与するB細胞受容体の下流シグナル伝達因子である.イブルチニブおよびチラブルチニブはBTKと結合し，キナーゼ活性を阻害することでB細胞性腫瘍増殖を抑制する.

副作用　出血，感染症，重度の皮膚障害，骨髄抑制，過敏症，間質性肺疾患，肝障害など.

適応症　**イブルチニブ**：慢性リンパ性白血病（小リンパ球性リンパ腫を含む），再発または難治性のマントル細胞リンパ腫.**チラブルチニブ**：再発または難治性の中枢

神経系原発リンパ腫, 原発性マクログロブリン血症およびリンパ形質細胞リンパ腫.
アカラブルチニブ：再発または難治性の慢性リンパ性白血病（小リンパ球性リンパ腫を含む）.

イブルチニブ　　　　　チラブルチニブ　　　　　アカラブルチニブ

（x）FGFR 阻害薬

● **ペミガチニブ**

薬理作用 繊維芽細胞増殖因子受容体 fibroblast growth factor receptor(FGFR) のチロシンキナーゼ活性を阻害することで抗腫瘍効果を示す.

作用機序 FGFR 融合タンパク質などのリン酸化を阻害し, 下流のシグナル伝達因子のリン酸化を抑制することで, 腫瘍細胞の増殖を抑制する.

副作用 網膜剥離, 高リン血症, ドライアイ, 下痢, 口内炎, 口内乾燥, 疲労, 味覚障害, 脱毛症, 爪の障害など.

適応症 がん化学療法後に増悪した *FGFR2* 融合遺伝子陽性の治癒切除不能な胆道がん.

ペミガチニブ

（xi）マルチキナーゼ阻害薬

● **スニチニブ**

薬理作用 VEGFR, PDGFR, c-KIT, FLT3 および RET などの受容体チロシンキナーゼ活性を阻害することで, 腫瘍血管新生とがん細胞の増殖抑制によって抗腫瘍効果を示す.

作用機序 VEGFR, PDGFR, c-KIT, マクロファージコロニー刺激因子受容体 macrophage colony stimulating factor 1 receptor(CSF-1R), FLT3 受容体および RET などの受容体チロシンキナーゼ活性を ATP 結合部位にて競合的に阻害する.

副作用 骨髄抑制, 高血圧, QT 間隔延長, 心室性不整脈, 心不全, 肺塞栓症など.

適応症 イマチニブ抵抗性の消化管間質腫瘍, 根治切除不能または転移性の腎細胞がん, 膵神経内分泌腫瘍.

● ソラフェニブ

[薬理作用] VEGFR, PDGFR, c-KIT, FLT3 などのチロシンキナーゼ活性を阻害する．また，腫瘍増殖に関与する c-Raf，正常型および変異型 B-Raf キナーゼ活性も阻害する．これらのキナーゼを阻害することで，腫瘍血管新生とがん細胞の増殖を抑制し，抗腫瘍効果を示す．

[作用機序] VEGFR, PDGFR, c-KIT, FLT3 などのチロシンキナーゼ活性および c-Raf, B-Raf キナーゼ活性を ATP 結合部位にて競合的に阻害することで，腫瘍血管新生とがん細胞の増殖を抑制する．

[副作用] 手足症候群，剥脱性皮膚炎，皮膚有棘細胞がん，出血，高血圧クリーゼ，心筋虚血，心筋梗塞など．

[適応症] 根治切除不能または転移性の腎細胞がん，切除不能な肝細胞がん，根治切除不能な甲状腺がん．

● パゾパニブ

[作用機序] VEGFR, PDGFR, c-KIT のチロシンキナーゼ活性を阻害することで，腫瘍血管新生とがん細胞の増殖を抑制する．

[適応症] 悪性軟部腫瘍，根治切除不能または転移性の腎細胞がん．

● バンデタニブ

[作用機序] VEGFR2, EGFR, RET などの受容体チロシンキナーゼ活性を阻害することで，腫瘍血管新生とがん細胞の増殖を抑制する．

[適応症] 根治切除不能な甲状腺髄様がん．

● アキシチニブ

[作用機序] VEGFR チロシンキナーゼ活性を阻害することで，腫瘍血管新生とがん細胞の増殖を抑制する．

[適応症] 根治切除不能または転移性の腎細胞がん．

● レゴラフェニブ

[作用機序] VEGFR, PDGFR, FGFR, RET などのチロシンキナーゼ活性を阻害する．また，腫瘍増殖に関与する c-Raf および B-Raf キナーゼ活性も阻害する．これらのキナーゼを阻害することで，腫瘍血管新生とがん細胞の増殖を抑制する．

[適応症] 治癒切除不能な進行・再発の結腸・直腸がん，がん化学療法後に増悪した消化管間質腫瘍，がん化学療法後に増悪した切除不能な肝細胞がん．

● ニンテダニブ

[作用機序] PDGFR, FGFR, VEGFR などのチロシンキナーゼ活性を阻害することで，特発性肺線維症の発症に関与する線維芽細胞の増殖，遊走および形質転換を抑制する．

[適応症] 特発性肺線維症，全身性強皮症に伴う間質性肺疾患，進行性線維化を伴う間質性肺疾患．

● レンバチニブ

[作用機序] VEGFR, FGFR, PDGFR, c-KIT, RET などのチロシンキナーゼ活

性を阻害することで腫瘍血管新生とがん細胞の増殖を抑制する．

適応症　根治切除不能な甲状腺がん，切除不能な肝細胞がん，切除不能な胸腺がん．

● ギルテリチニブ

作用機序　FLT3 などのチロシンキナーゼを阻害することで，がん細胞の増殖を抑制する．また，ギルテリチニブは FLT3 および AXL 活性を阻害する．

適応症　再発または難治性の FLT3 遺伝子変異陽性の急性骨髄性白血病．

● カボザンチニブ

作用機序　VEGFR2，MET，AXL などのチロシンキナーゼ活性を阻害することで抗腫瘍効果を示す．

適応症　根治切除不能または転移性の腎細胞がん，がん化学療法後に増悪した切除不能な肝細胞がん．

スニチニブ

ソラフェニブ

パゾパニブ

バンデタニブ

アキシチニブ

レゴラフェニブ

ニンテダニブ

レンバチニブ

ギルテリチニブ

カボザンチニブ

2）セリン・スレオニンキナーゼ阻害薬

（ⅰ）BRAF 阻害薬

●ベムラフェニブ　●ダブラフェニブ　●エンコラフェニブ

薬理作用　BRAF 遺伝子変異（V600E，V600D，V600K など）型の B-Raf キナーゼ活性を阻害することで，がん細胞の増殖を抑制する．

作用機序　悪性黒色腫の発症には BRAF 遺伝子の変異が関係することが知られている．この変異により，B-Raf の下流シグナルである MEK および ERK が活性化し，悪性黒色腫細胞が増殖する．ベムラフェニブ，ダブラフェニブは，B-Raf キナーゼの ATP 結合部位において ATP と競合的に拮抗し，阻害する．

副作用　有棘細胞がん，悪性腫瘍（二次発がん），心障害，肝障害など．

適応症　**ベムラフェニブ**：BRAF 遺伝子変異を有する根治切除不能な悪性黒色腫．**ダブラフェニブ**：BRAF 遺伝子変異を有する悪性黒色腫，BRAF 遺伝子変異を有する切除不能な進行・再発の非小細胞肺がん．**エンコラフェニブ**：BRAF 遺伝子変異を有する根治切除不能な悪性黒色腫，がん化学療法後に増悪した BRAF 遺伝子変異を有する治癒切除不能な進行・再発の結腸・直腸がん．

（ⅱ）MEK 阻害薬

●トラメチニブ　●ビニメチニブ

薬理作用　MEK キナーゼ活性を阻害することで，がん細胞の増殖を抑制する．

作用機序　MEK1 および MEK2 の活性化およびキナーゼ活性を阻害する．

副作用　心障害，肝障害，横紋筋融解症，間質性肺炎，高血圧，発疹など．

適応症　**トラメチニブ**：BRAF 遺伝子変異を有する悪性黒色腫，BRAF 遺伝子変異を有する切除不能な進行・再発の非小細胞肺がん．**ビニメチニブ**：BRAF 遺伝子変異を有する根治切除不能な悪性黒色腫，がん化学療法後に増悪した BRAF 遺伝子変異を有する治癒切除不能な進行・再発の結腸・直腸がん．

（ⅲ）mTOR 阻害薬

●テムシロリムス　●エベロリムス（構造式☞ p. 241）

薬理作用　mTOR（mammalian target of rapamycin）の活性を阻害し，がん細胞増殖および血管新生を抑制することで抗腫瘍効果を示す．

作用機序　mTOR は，セリン・スレオニンキナーゼの 1 つであり，mTOR の恒常的な活性化はがん細胞の増殖および腫瘍血管新生を誘導する．テムシロリムスおよびエベロリムスは mTOR の活性を阻害する．

副作用　間質性肺炎，高血糖，口内炎，静脈血栓塞栓症，腎不全，血液障害など．

適応症　**テムシロリムス**：根治切除不能または転移性の腎細胞がん．**エベロリムス**：根治切除不能または転移性の腎細胞がん，神経内分泌腫瘍，手術不能または再発乳がん，結節性硬化症．

ベムラフェニブ　　　ダブラフェニブ　　　エンコラフェニブ

トラメチニブ　　　ビニメチニブ　　　テムシロリムス

3) RAS 阻害薬

● **ソトラシブ**

薬理作用 KRAS G12C 変異を有する KRAS の活性化を阻害することで，抗腫瘍効果を示す．

作用機序 KRAS G12C 変異のシステイン残基を共有結合的に修飾し，KRAS G12C を不活性型に維持することで下流のシグナル伝達を阻害する．

副作用 肝障害，間質性肺炎など．

適応症 がん化学療法後に増悪した KRAS G12C 変異陽性の切除不能な進行・再発の非小細胞肺がん．

ソトラシブ

4) その他の分子標的薬

(i) プロテアソーム阻害薬

● **ボルテゾミブ**　● **カルフィルゾミブ**　● **イキサゾミブ**

薬理作用 プロテアソーム（タンパク質分解酵素複合体）を阻害することで抗腫瘍効果を示す．

作用機序 プロテアソームはユビキチンで標識された細胞死誘導因子，細胞周期調節因子，シグナル伝達因子などを分解することで，これらの反応系を調節している．ボルテゾミブはプロテアソームを阻害し，細胞増殖および細胞死に関連する因子の分解を抑制する．

副作用 肺障害，心障害，末梢神経障害，骨髄抑制，イレウスなど．

適応症 **ボルテゾミブ**：多発性骨髄腫，マントル細胞リンパ腫，原発性マクログロブリン血症およびリンパ形質細胞リンパ腫．**カルフィルゾミブ**：再発または難治性の多発性骨髄腫．**イキサゾミブ**：再発または難治性の多発性骨髄腫，多発性骨髄腫における維持療法．

(ⅱ) 分化誘導薬

● トレチノイン ● タミバロテン

急性前骨髄球性白血病 acute promyelocytic leukemia（**APL**）では，好中球系の分化・増殖に関与している 15 番染色体に存在する *PML* 遺伝子と 17 番染色体に存在する**レチノイン酸受容体** retinoic acid receptor alpha（**RARα**）遺伝子が相互転座して *PML/RARα* キメラ遺伝子を形成し，それぞれの本来の機能を消失した融合タンパク質が産生され，APL が発症する．トレチノインおよびタミバロテンは，PML-RARα タンパク質と結合することで，PML-RARα の抑制機構を解除して前骨髄球の分化を誘導する．

適応症 **トレチノイン**：急性前骨髄球性白血病．**タミバロテン**：再発または難治性の急性前骨髄球性白血病．

(ⅲ) HDAC 阻害薬

● ボリノスタット

ヒストン脱アセチル化酵素 histone deacetylase（**HDAC**）は，ヒストンなどからアセチル基を離脱させる酵素である．ヒストン脱アセチル化により遺伝子転写を調節する．ボリノスタットは，HDAC1，HDAC2，HDAC3 および HDAC6 の酵素活性を阻害することで，がん抑制遺伝子の転写活性を調節し，抗腫瘍効果を示す．

適応症 皮膚 T 細胞性リンパ腫．

● パノビノスタット ● ロミデプシン ● ツシジノスタット

作用機序 HDAC の酵素活性を阻害することで，抗腫瘍効果を示す．

適応症 **パノビノスタット**：再発または難治性の多発性骨髄腫．**ロミデプシン**：再発または難治性の末梢性 T 細胞リンパ腫．**ツシジノスタット**：再発または難治性の成人 T 細胞白血病リンパ腫．

(ⅳ) サリドマイド関連薬

● サリドマイド ● レナリドミド ● ポマリドミド

サイトカイン産生調節，造血器腫瘍細胞に対する増殖抑制作用，血管新生阻害作用を示すと考えられているが，詳細な機序は解明されていない．レナリドミドを多発性骨髄腫での治療に用いる際はデキサメタゾンとの併用が必須である．ポマリドミドは，デキサメタゾンを併用あるいはボルテゾミブとデキサメタゾンを併用する．

適応症 サリドマイド：再発または難治性の多発性骨髄腫．**レナリドミド**：多発性骨髄腫，5番染色体長腕部欠失を伴う骨髄異形成症候群，再発または難治性の成人T細胞白血病リンパ腫，再発または難治性の濾胞性リンパ腫および辺縁帯リンパ腫．**ポマリドミド**：再発または難治性の多発性骨髄腫．

ボルテゾミブ　　カルフィルゾミブ　　イキサゾミブ

トレチノイン　　タミバロテン　　ボリノスタット

パノビノスタット　　ロミデプシン　　ツシジノスタット

サリドマイド　　レナリドミド　　ポマリドミド

(v) PARP 阻害薬
● オラパリブ　● ニラパリブ

ポリADP-リボースポリメラーゼ poly(ADP-ribose)polymerases(**PARP**)はDNA一本鎖切断を認識し，修復する酵素である．PARP阻害薬はこのDNA一本鎖切断修復を阻害するが，そのままの状態で細胞周期が進行するとDNAの一本鎖切断は二本鎖切断に移行する．通常の細胞では相同組換え修復によりDNA修復が行われるが，BRCA1(breast cancer susceptibility gene 1)あるいはBRCA2など相同組換え修復遺伝子に変異がある細胞では，DNA修復ができず細胞死が誘導される．PARP阻害薬は*BRCA*遺伝子の変異がある悪性腫瘍に抗腫瘍効果を示す．

適応症 オラパリブ：白金系抗悪性腫瘍薬感受性の再発卵巣がんにおける維持療法，*BRCA*遺伝子変異陽性の卵巣がんにおける初回化学療法後の維持療法，相同組

換え修復欠損を有する卵巣がんにおけるベバシズマブ(遺伝子組換え)を含む初回化学療法後の維持療法,がん化学療法歴のある BRCA 遺伝子変異陽性かつ HER2 陰性の手術不能または再発乳がん,BRCA 遺伝子変異陽性の遠隔転移を有する去勢抵抗性前立腺がん,BRCA 遺伝子変異陽性の治癒切除不能な膵がんにおける白金系抗悪性腫瘍薬を含む化学療法後の維持療法.**ニラパリブ**:卵巣がんにおける初回化学療法後の維持療法,白金系抗悪性腫瘍薬感受性の再発卵巣がんにおける維持療法,白金系抗悪性腫瘍薬感受性の相同組換え修復欠損を有する再発卵巣がん.

(vi) CDK 阻害薬

● パルボシクリブ　● アベマシクリブ

CDK(cyclin-dependent kinase)4 および CDK6 は細胞周期の G_1 期進行に関わるキナーゼである.アベマシクリブは CDK4 および CDK6 を阻害することで細胞周期を停止させ,腫瘍の増殖を抑制する.

適応症　**パルボシクリブ**:ホルモン受容体陽性かつ HER2 陰性の手術不能または再発乳がん.**アベマシクリブ**:ホルモン受容体陽性かつ HER2 陰性の手術不能または再発乳がん.

オラパリブ　　　　　　　　　ニラパリブ

パルボシクリブ　　　　　　　　アベマシクリブ

(vii) Bcl-2 阻害薬

● ベネトクラクス

抗アポトーシス作用を有する Bcl-2(B-cell lymphoma 2)に結合することでがん細胞にアポトーシスを誘導し,抗腫瘍効果を示す.

適応症　再発または難治性の慢性リンパ性白血病(小リンパ球性リンパ腫を含む),急性骨髄性白血病.

(viii) EZH2 阻害薬

● タゼメトスタット

ヒストン等のメチル化転移酵素である EZH2 および変異型 EZH2(Y646F など)の活性を阻害することで,ヒストン H3 の 27 番目のリジン残基等のメチル化を阻害

し，細胞周期停止およびアポトーシスを誘導することで，抗腫瘍効果を示す．しかし，詳細な作用機序は解明されていない．

適応症 再発または難治性の*EZH2*遺伝子変異陽性の濾胞性リンパ腫（標準的な治療が困難な場合に限る）．

ベネトクラクス　　　　　　　　タゼメトスタット

❾ 細胞加工製品

細胞加工製品は医療や疾病の治療に使用されることを目的とし，ヒトまたは動物の細胞に培養その他加工を施したものやヒトまたは動物の細胞に遺伝子を導入し，その細胞で遺伝子を発現するようにさせたものである．

1）ヒト体細胞加工製品

- チサゲンレクルユーセル
- アキシカブタゲンシロルユーセル
- リソカブタゲンマラルユーセル

薬理作用 CD19キメラ抗原受容体 chimeric antigen receptor（CAR）をコードする遺伝子を患者自身のT細胞に導入したCAR発現T細胞がCD19陽性の悪性腫瘍を認識することで，抗腫瘍効果を示す．

作用機序 CD19キメラ抗原受容体（CAR）を遺伝子導入したCAR発現生T細胞により，腫瘍増殖を抑制する．

副作用 サイトカイン放出症候群，神経系事象，感染症，低γグロブリン血症，血球減少，腫瘍崩壊症候群，infusion reaction など．

適応症 **チサゲンレクルユーセル**：再発または難治性のCD19陽性のB細胞性急性リンパ芽球性白血病．再発または難治性のびまん性大細胞型B細胞リンパ腫．**アキシカブタゲンシロルユーセル**：びまん性大細胞型B細胞リンパ腫，原発性縦隔大細胞型B細胞リンパ腫，形質転換濾胞性リンパ腫，高悪性度B細胞リンパ腫．**リソカブタゲンマラルユーセル**：びまん性大細胞型B細胞リンパ腫，原発性縦隔大細胞型B細胞リンパ腫，形質転換低悪性度非ホジキンリンパ腫，高悪性度B細胞リンパ腫，再発または難治性の濾胞性リンパ腫．

アルキル化薬

種類　薬物［代表的な商品名］	作用機序	注意すべき副作用
ナイトロジェンマスタード類		
●シクロホスファミド水和物 ［エンドキサン］ ●イホスファミド ［イホマイド］ ●メルファラン ［アルケラン］ ●チオテパ ［リサイオ］	DNAをアルキル化することにより，DNA鎖間またはDNA鎖内で架橋が形成され，DNAの合成を阻害する	出血性膀胱炎，骨髄抑制，間質性肺炎，肝障害，肺線維症，感染症，腎障害，皮膚障害など
ニトロソウレア類		
●ニムスチン塩酸塩 ［ニドラン］ ●ラニムスチン ［サイメリン］	DNAのグアニン残基のO-6位，N-7位などをアルキル化することにより，DNAの合成を阻害する	骨髄抑制，肝障害，腎障害，間質性肺炎など
●カルムスチン ［ギリアデル］		痙攣，脳浮腫，頭蓋内圧上昇，水頭症，脳ヘルニア，創傷治癒不良など
アルキルスルホン類		
●ブスルファン ［マブリン，ブスルフェクス］	核酸のSH基と結合し，DNAをアルキル化することでDNA鎖の架橋形成を阻害する	骨髄抑制，間質性肺炎，感染症，口内炎，悪心・嘔吐など

代謝拮抗薬

種類　薬物［代表的な商品名］	作用機序	注意すべき副作用
プリン代謝拮抗薬		
●メルカプトプリン水和物 ［ロイケリン］	生体内で活性型のチオイノシン一リン酸となり，プリン塩基の合成を阻害することで，DNAの合成を抑制する	骨髄抑制，肝障害，感染症，出血傾向など
●フルダラビンリン酸エステル ［フルダラ］	細胞内でフルダラビン三リン酸エステルとなり，DNA鎖に入り込み，DNA合成を阻害する	骨髄抑制，出血傾向，感染症，間質性肺炎，精神神経障害など
ピリミジン代謝拮抗薬		
●フルオロウラシル ［5-FU］ ●テガフール ［フトラフール］ ●ドキシフルリジン ［フルツロン］ ●カペシタビン ［ゼローダ］	活性代謝物の5-フルオロデオキシウリジル酸（5-FdUMP）がチミジル酸合成酵素を抑制し，DNAの合成を阻害する．また，リボソームRNAの形成を阻害する	脱水症状，骨髄抑制，溶血性貧血，肝障害，腎障害，腸炎，間質性肺炎，悪心・嘔吐，手足症候群など
シタラビン類		
●シタラビン ［キロサイド］ ●シタラビン オクホスファート水和物 ［スタラシド］ ●エノシタビン ［サンラビン］	細胞内でシタラビン三リン酸となり，DNAポリメラーゼを抑制してDNA合成を阻害する	骨髄抑制，ショック，消化器障害，肝障害など
●ゲムシタビン塩酸塩 ［ジェムザール］	デオキシシチジン三リン酸（dCTP）と競合し，DNA鎖に取り込まれることで，DNA合成を阻害する	骨髄抑制，間質性肺炎，アナフィラキシー様症状，肺水腫，肝障害，溶血性尿毒症症候群など
葉酸代謝拮抗薬		
●メトトレキサート ［メソトレキセート］	ジヒドロ葉酸還元酵素を阻害して，チミジル酸合成・プリン塩基合成を抑制することで，DNA合成を阻害する	骨髄抑制，間質性肺炎，アナフィラキシー様症状，肝障害，腎障害，出血性腸炎など
その他の代謝拮抗薬		
●アザシチジン ［ビダーザ］	DNAおよびRNAに取り込まれることで，主にタンパク質合成を抑制する．また，DNAのメチル化も阻害する	骨髄抑制，間質性肺炎，心障害，感染症，肝障害など

抗腫瘍抗生物質

種類　薬物［代表的な商品名］	作用機序	注意すべき副作用
アントラサイクリン系薬		
●ドキソルビシン塩酸塩 ［アドリアシン，ドキシル］ ●ダウノルビシン塩酸塩 ［ダウノマイシン］ ●エピルビシン塩酸塩 ［ファルモルビシン］ ●イダルビシン塩酸塩 ［イダマイシン］	DNAポリメラーゼ，RNAポリメラーゼ，トポイソメラーゼIIを抑制し，DNA，RNA両方の合成を阻害する	心筋障害，心不全，骨髄抑制，肝障害，感染症，出血傾向，ショック，間質性肺炎など
その他の抗腫瘍抗生物質		
●ブレオマイシン［ブレオ］	活性酸素を発生させ，DNA鎖を切断する	肺線維症，間質性肺炎，ショック，出血傾向など
●マイトマイシンC ［マイトマイシン］	DNA上の架橋形成，フリーラジカルによるDNA鎖切断を介してDNA複製を阻害する	肺線維症，間質性肺炎，骨髄抑制，腎障害，肝障害など
●アクチノマイシンD ［コスメゲン］	DNA依存性RNAポリメラーゼを抑制し，RNA合成を阻害する	骨髄抑制，呼吸困難，肝静脈閉塞症，播種性血管内凝固症候群など

微小管阻害薬

種類　薬物［代表的な商品名］	作用機序	注意すべき副作用
ビンカアルカロイド系薬		
●ビンクリスチン硫酸塩 ［オンコビン］ ●ビンブラスチン硫酸塩 ［エクザール］ ●ビンデシン硫酸塩 ［フィルデシン］ ●ビノレルビン酒石酸塩 ［ナベルビン］	チュブリンの重合を阻害し，紡錘糸の形成を抑制する	末梢神経障害，便秘，骨髄抑制，消化管出血，イレウス，アナフィラキシー，間質性肺炎，肝障害など
タキサン系薬		
●パクリタキセル ［タキソール，アブラキサン］ ●ドセタキセル水和物 ［タキソテール］	チュブリンの脱重合を阻害することにより，過剰形成を引き起こすことで，紡錘体の機能を阻害し細胞分裂を抑制する	骨髄抑制，アナフィラキシー様症状，末梢神経障害，出血傾向，難聴，肺塞栓，血栓性静脈炎，腸管閉塞，肝障害，急性腎不全など

トポイソメラーゼ阻害薬

種類　薬物［代表的な商品名］	作用機序	注意すべき副作用
トポイソメラーゼI阻害薬		
●イリノテカン塩酸塩水和物 ［トポテシン，カンプト］ ●ノギテカン塩酸塩 ［ハイカムチン］	トポイソメラーゼIと安定な複合体を形成することで，DNAの再結合を阻害し，がん細胞の増殖を抑制する	骨髄抑制，重度の下痢，出血傾向，腸閉塞，腸炎および間質性肺炎など
トポイソメラーゼII阻害薬		
●エトポシド ［ラステット，ペプシド］	切断されたDNAおよびトポイソメラーゼIIと安定な複合体を形成することで，DNAの再結合を抑制し，がん細胞の増殖を阻害する	間質性肺炎，骨髄抑制，ショック，アナフィラキシー様症状など

抗腫瘍ホルモン関連薬

種類　薬物［代表的な商品名］	作用機序	注意すべき副作用
抗エストロゲン薬		
●タモキシフェンクエン酸塩［タスオミン，ノルバデックス］ ●メピチオスタン［チオデロン］ ●トレミフェンクエン酸塩［フェアストン］	エストロゲン受容体上でエストロゲンと競合的に拮抗することで，抗腫瘍効果を示す	無顆粒球症，白血球減少，好中球減少，貧血，血小板減少，視力異常，視覚障害，血栓塞栓症など
アロマターゼ阻害薬		
●アナストロゾール［アリミデックス］ ●レトロゾール［フェマーラ］	アロマターゼを可逆的に抑制し，アンドロゲンからエストロゲンの合成を阻害する	血管浮腫，蕁麻疹，肝障害，黄疸，間質性肺炎，血栓塞栓症，悪心，性器出血など
●エキセメスタン［アロマシン］	アロマターゼの基質結合部位に不可逆的に結合し，アロマターゼを不活性化することでエストロゲン合成を阻害する	
抗アンドロゲン薬		
●フルタミド［オダイン］ ●ビカルタミド［カソデックス］	アンドロゲン受容体上でアンドロゲンと拮抗する	劇症肝炎，肝障害，黄疸，白血球減少，血小板減少
●クロルマジノン酢酸エステル［プロスタール］		間質性肺炎，心不全，心筋梗塞
●アパルタミド［アーリーダ］ ●ダロルタミド［ニュベクオ］		痙攣発作，重度の皮膚障害，間質性肺炎，貧血，悪心，下痢，便秘，女性化乳房など
卵胞ホルモン製剤		
●エチニルエストラジオール［プロセキソール］	前立腺および精嚢の質量を減少させ，血中のテストステロン値を低下させる	血栓塞栓症，心筋梗塞，心不全，狭心症，脳卒中，高カルシウム血症など
黄体ホルモン製剤		
●メドロキシプロゲステロン酢酸エステル［プロベラ，ヒスロン］	DNA合成抑制作用および抗エストロゲン作用などにより抗腫瘍効果を示す	血栓症，うっ血性心不全，アナフィラキシー様症状，乳頭水腫など
GnRH誘導体		
●リュープロレリン酢酸塩［リュープリン］ ●ゴセレリン酢酸塩［ゾラデックス］	反復投与により，GnRH受容体を脱感作させ，エストロゲン，テストステロンの分泌を抑制する	間質性肺炎，肝障害，黄疸，糖尿病の発症または増悪，血栓塞栓症など

白金製剤

種類　薬物［代表的な商品名］	作用機序	注意すべき副作用
●シスプラチン［ブリプラチン］	DNA鎖内または鎖間に架橋を形成し，DNA合成を阻害する	急性腎不全，骨髄抑制，聴力低下（難聴），悪心・嘔吐，末梢性神経障害など
●カルボプラチン［パラプラチン］		骨髄抑制，脳梗塞，心筋梗塞，間質性肺炎など
●オキサリプラチン［エルプラット］		末梢神経障害，間質性肺炎，肺線維症，骨髄抑制，アナフィラキシーなど
●ネダプラチン［アクプラ］		骨髄抑制，難聴，ショック，アナフィラキシー，末梢神経障害など

サイトカイン関連薬

種類　薬物［代表的な商品名］	作用機序	注意すべき副作用
●インターフェロンガンマ-1a ［イムノマックス-γ］	NK細胞，細胞傷害性T細胞および抗原提示細胞の活性化により，がん細胞に対する細胞傷害性を高める	発熱，インフルエンザ様症状，うつ症状，間質性肺炎など
●テセロイキン ［イムネース］	T細胞やNK細胞を活性化することにより，がん細胞に対する細胞傷害性を高める	体液貯留，うつ症状，インフルエンザ様症状など

抗体（抗原標的薬）

種類　薬物［代表的な商品名］	作用機序	注意すべき副作用
●モガムリズマブ［ポテリジオ］	CCR4に結合し，ADCCを誘導する	リンパ球減少，白血球減少，発熱性好中球減少症など
●リツキシマブ［リツキサン］	CD20抗原に結合し，ADCCおよびCDCを誘導する	重度の肺障害，心障害，肝障害，血栓塞栓症，高血圧脳症など
●オファツムマブ［アーゼラ］		腫瘍崩壊症候群，進行性多巣性白質脳症，感染症など
●オビヌツズマブ［ガザイバ］	CD20抗原に結合し，ADCCおよびADCPを誘導する	infusion reaction，腫瘍崩壊症候群，好中球減少，白血球減少，血小板減少，感染症，劇症肝炎，進行性多巣性白質脳症など
●イブリツモマブ チウキセタン ［ゼヴァリン イットリウム（^{90}Y）］	CD20抗原に結合し，^{90}Yが放出するβ線により抗腫瘍効果を示す	骨髄抑制，紅皮症など
●ゲムツズマブ オゾガマイシン ［マイロターグ］	CD33抗原に結合した後，細胞内に取り込まれ，オゾガマイシンが細胞内に放出されることで抗腫瘍効果を示す	骨髄抑制，播種性血管内凝固症候群，口内炎，肝障害，腎障害，腫瘍崩壊症候群など
●イノツズマブ オゾガマイシン ［ベスポンサ］	CD22抗原に結合した後，細胞内に取り込まれ，オゾガマイシンが細胞内に放出されることで抗腫瘍効果を示す	肝障害，骨髄抑制，感染症，出血，infusion reaction，腫瘍崩壊症候群，膵炎など
●アレムツズマブ ［マブキャンパス］	CD52抗原に結合し，ADCCおよびCDCを誘導する	汎血球減少，骨髄機能不全，感染症，免疫障害，心障害，出血など
●ブレンツキシマブ ベドチン ［アドセトリス］	CD30抗原に結合したのち，細胞内に取り込まれ，モノメチルアウリスタチンEが細胞内に放出されることで抗腫瘍効果を示す	末梢神経障害，感染症，骨髄抑制，悪心・嘔吐，下痢など
●ブリナツモマブ ［ビーリンサイト］	CD19抗原とCD3抗原の両方に結合する一本鎖抗体で，T細胞を活性化することで，がん細胞を傷害する	神経学的事象，感染症，サイトカイン放出症候群，腫瘍崩壊症候群，骨髄抑制，膵炎など
●ダラツムマブ［ダラザレックス］ ●イサツキシマブ［サークリサ］	CD38抗原に結合し，ADCCおよびCDCを誘導することで抗腫瘍効果を示す	infusion reaction，骨髄抑制，感染症など
●ポラツズマブ ベドチン ［ポライビー］	CD79b抗原に結合したのち，細胞内に取り込まれ，モノメチルアウリスタチンEが細胞内に放出されることで抗腫瘍効果を示す	骨髄抑制，感染症，末梢性ニューロパチー，infusion reaction，腫瘍崩壊症候群，肝障害，進行性多巣白質脳症など
●エロツズマブ［エムプリシティ］	SLAMF7に結合し，ADCCにより抗腫瘍効果を示す	infusion reaction，感染症，リンパ球減少，間質性肺炎など
●エンホルツマブ ベドチン ［パドセブ］	Nectin-4に結合したのち，細胞内に取り込まれ，モノメチルアウリスタチンEが細胞内に放出されることで抗腫瘍効果を示す	重度の皮膚障害，高血糖，末梢性ニューロパチー，骨髄抑制，感染症，腎機能障害，間質性肺炎など

抗体（受容体標的薬）

種類　薬物［代表的な商品名］	作用機序	注意すべき副作用
●トラスツズマブ［ハーセプチン］	HER2に特異的に結合した後，ADCCを誘導する	心不全，アナフィラキシー様症状，間質性肺炎，肝障害など
●トラスツズマブ エムタンシン［カドサイラ］	HER2に特異的に結合した後，ADCCを誘導する．また，HER2陽性細胞内に取り込まれた後，遊離したエムタンシンが微小管形成を阻害する	心不全，間質性肺炎，肝障害，過敏症，血小板減少症，末梢神経障害など
●トラスツズマブ デルクステカン［エンハーツ］	HER2に結合し，細胞内に取り込まれた後，遊離したデルクステカンがトポイソメラーゼIを阻害する	間質性肺疾患，骨髄抑制，infusion reactionなど
●ペルツズマブ［パージェタ］	HER2に特異的に結合し，リガンド刺激によるHER2/HER3の2量体形成を阻害する．また，ADCCも誘導する	好中球減少症，白血球減少症，アナフィラキシー，神経障害，下痢，悪心など
●セツキシマブ［アービタックス］ ●パニツムマブ［ベクティビックス］ ●ネシツムマブ［ポートラーザ］	EGFRに結合し，EGFなどのリガンドがEGFRに結合するのを阻害し，EGFRシグナル伝達を抑制する	重度の皮膚障害，間質性肺炎，重度の下痢，心不全，重度の下痢，低マグネシウム血症，血栓塞栓症，infusion reactionなど
●セツキシマブ サロタロカンナトリウム［アキャルックス］	EGFRに結合した後，レーザー光照射により色素IR700が光化学反応を起こし，抗腫瘍効果を示す	頸動脈出血，腫瘍出血，舌腫脹，喉頭浮腫，infusion reaction，重度の皮膚障害など
●ラムシルマブ［サイラムザ］	VEGF-A，VEGF-CおよびVEGF-DのVEGFR2への結合を阻害することにより，内皮細胞の増殖，遊走および生存を阻害し，腫瘍血管新生を阻害する	動脈血栓塞栓症，静脈血栓塞栓症，消化管穿孔，出血，好中球減少症，高血圧など
●ジヌツキシマブ［ユニツキシン］	GD2と結合し，ADCCおよびCDCにより抗腫瘍効果を示す	infusion reaction，疼痛，眼障害，低血圧，感染症，骨髄抑制，電解質異常など

抗体（免疫チェックポイント阻害薬）

種類　薬物［代表的な商品名］	作用機序	注意すべき副作用
●イピリムマブ［ヤーボイ］	CTLA-4とそのリガンドである抗原提示細胞上のCD80抗原およびCD86抗原との結合を阻害し，活性化T細胞における抑制的調節を遮断することで，腫瘍抗原特異的なT細胞の増殖，活性化および細胞傷害活性の増強により腫瘍増殖を抑制する	大腸炎，消化管穿孔，重度の下痢，重度の皮膚障害，末梢神経障害など
●ニボルマブ［オプジーボ］ ●ペムブロリズマブ［キイトルーダ］	PD-1とそのリガンドであるPD-L1およびPD-L2との結合を阻害し，がん抗原特異的なT細胞の増殖，活性化および細胞傷害活性の増強により，腫瘍増殖を抑制する	間質性肺炎，重度の下痢，1型糖尿病，神経障害，肝障害など
●アテゾリズマブ［テセントリク］ ●アベルマブ［バベンチオ］ ●デュルバルマブ［イミフィンジ］	PD-1とそのリガンドであるPD-L1との結合を阻害し，がん抗原特異的なT細胞の活性化により，腫瘍増殖を抑制する	間質性肺疾患，大腸炎，下痢，甲状腺機能障害，副腎機能障害，下垂体機能障害，1型糖尿病，など

抗体（リガンド標的薬）

種類　薬物［代表的な商品名］	作用機序	注意すべき副作用
●ベバシズマブ［アバスチン］	VEGFとVEGFRの結合を抑制し，腫瘍組織での血管新生を阻害する	ショック，アナフィラキシー，消化管穿孔，創傷治癒遅延，出血，骨髄抑制，感染症など
●デノスマブ［ランマーク］	RANK/RANKL経路を阻害することで，骨吸収を抑制し，がんによる骨病変の進展を抑制する．骨巨細胞腫ではRANKLに結合し，骨巨細胞腫による骨破壊を抑制し，腫瘍の進展を抑制する	低カルシウム血症，顎骨壊死，顎骨骨髄炎，重篤な皮膚感染症など
●アフリベルセプト ベータ［ザルトラップ］	VEGF-A，VEGF-B，PIGFとVEGFRの結合を抑制し，腫瘍組織での血管新生を阻害する	出血，消化管穿孔，高血圧，ネフローゼ症候群，重度の下痢，infusion reactionなど

小分子分子標的薬（チロシンキナーゼ阻害薬）

種類　薬物［代表的な商品名］	作用機序	注意すべき副作用
●ゲフィチニブ［イレッサ］ ●エルロチニブ塩酸塩［タルセバ］ ●アファチニブマレイン酸塩［ジオトリフ］ ●ダコミチニブ［ビジンプロ］ ●オシメルチニブ［タグリッソ］	EGFRチロシンキナーゼの自己リン酸化を阻害する	間質性肺炎，重度の下痢，重度の皮膚障害，肝不全，肝障害など
●ラパチニブトシル酸塩水和物［タイケルブ］	HER2およびEGFRのチロシン自己リン酸化を選択的かつ可逆的に阻害する	肝障害，間質性肺炎，心障害，下痢，QT間隔延長，重度の皮膚障害など
●クリゾチニブ［ザーコリ］ ●アレクチニブ塩酸塩［アレセンサ］ ●ブリガチニブ［アルンブリグ］ ●セリチニブ［ジカディア］ ●ロルラチニブ［ローブレナ］	ALKを阻害する	間質性肺炎，肝障害，QT間隔延長，徐脈，血液障害，心不全，味覚異常，発疹など
●イマチニブメシル酸塩［グリベック］	BCR-ABL，PDGFR，c-KITのチロシンキナーゼ活性を阻害する	骨髄抑制，体液貯留，出血，腫瘍崩壊症候群など
●ニロチニブ塩酸塩水和物［タシグナ］	BCR-ABLのチロシンキナーゼ活性を阻害する	
●ダサチニブ水和物［スプリセル］	BCR-ABL，Srcのチロシンキナーゼ活性を阻害する	
●ボスチニブ水和物［ボシュリフ］		肝炎，肝障害，重度の下痢，骨髄抑制，体液貯留，心障害，感染症，出血など
●ポナチニブ［アイクルシグ］	BCR-ABL，PDGFR，VEGFR2，FGFR1，Srcのチロシンキナーゼ活性を阻害する	骨髄抑制，肝障害，高血圧，感染症，体液貯留，冠動脈疾患，脳血管障害など
●ルキソリチニブリン酸塩［ジャカビ］	JAK1およびJAK2を阻害する	骨髄抑制，感染症，出血，肝障害，心不全など
●キザルチニブ［ヴァンフリタ］	FLT3のチロシンキナーゼ活性を阻害することにより腫瘍増殖を抑制する	QT間隔延長，心室性不整脈，感染症，出血，骨髄抑制，心筋梗塞，急性腎障害，間質性肺疾患など
●エヌトレクチニブ［ロズリートレク］ ●ラロトレクチニブ［ヴァイトラックビ］	TRKなどのチロシンキナーゼ活性を阻害することにより腫瘍増殖を抑制する	心臓障害，QT間隔延長，認知障害，運動失調，間質性肺疾患，肝障害，骨髄抑制など

小分子分子標的薬（チロシンキナーゼ阻害薬）（つづき）

種類　薬物［代表的な商品名］	作用機序	注意すべき副作用
●テポチニブ［テプミトコ］ ●カプマチニブ［タブレクタ］	MET のチロシンキナーゼ活性を阻害する	間質性肺疾患，体液貯留，肝障害，腎障害など
●イブルチニブ［イムブルビカ］ ●チラブルチニブ［ベレキシブル］ ●アカラブルチニブ［カルケンス］	BTK のチロシンキナーゼ活性を阻害する	出血，感染症，重度の皮膚障害，骨髄抑制，過敏症，間質性肺疾患，肝障害など
●ペミガチニブ［ペマジール］	FGFR のチロシンキナーゼ活性を阻害する	網膜剝離，高リン血症，ドライアイ，下痢，口内炎，口腔乾燥，疲労，味覚異常など
●スニチニブリンゴ酸塩［スーテント］	VEGFR，PDGFR，c-KIT，FLT-3 などのチロシンキナーゼ活性を阻害する	骨髄抑制，高血圧，QT 間隔延長，心室性不整脈，心不全，肺塞栓症など
●ソラフェニブトシル酸塩［ネクサバール］	VEGFR，PDGFR，c-KIT，FLT-3 などのチロシンキナーゼ活性を阻害する．また，c-Raf，正常型および変異型 B-Raf キナーゼ活性も阻害する	手足症候群，剝脱性皮膚炎，皮膚有棘細胞がん，出血，高血圧クリーゼ，うっ血性心不全，心筋虚血，心筋梗塞など
●パゾパニブ塩酸塩［ヴォトリエント］	VEGFR，PDGFR，c-KIT などのチロシンキナーゼ活性を阻害する	肝不全，肝障害，高血圧，高血圧クリーゼ，心障害，甲状腺機能障害，感染症，出血など
●バンデタニブ［カプレルサ］	VEGFR2，EGFR，RET などのチロシンキナーゼ活性を阻害する	間質性肺炎，QT 間隔延長，心障害，重度の下痢，重度の皮膚障害，高血圧，出血など
●アキシチニブ［インライタ］	VEGFR のチロシンキナーゼ活性を阻害する	高血圧，高血圧クリーゼ，動・静脈血栓塞栓症，出血，甲状腺機能障害，消化管穿孔など
●レゴラフェニブ水和物［スチバーガ］	VEGFR，PDGFR，FGFR，RET などのチロシンキナーゼ活性を阻害する．また，c-Raf，B-Raf キナーゼ活性も阻害する	手足症候群，肝障害，出血，血栓塞栓症，高血圧，高血圧クリーゼ，血小板減少など
●ニンテダニブエタンスルホン酸塩［オフェブ］	VEGFR，PDGFR，FGFR のチロシンキナーゼ活性を阻害する	重度の下痢，肝障害，血栓塞栓症など
●レンバチニブメシル酸塩［レンビマ］	VEGFR，PDGFR，c-KIT，FGFR，RET などのチロシンキナーゼ活性を阻害する	高血圧，高血圧クリーゼ，出血，動・静脈血栓塞栓症，肝障害，腎障害，心障害，手足症候群，骨髄抑制など
●ギルテリチニブフマル酸塩［ゾスパタ］	FLT3 および AXL のチロシンキナーゼ活性を阻害する	骨髄抑制，感染症，出血，QT 間隔延長，腎障害，間質性肺疾患など
●カボザンチニブリンゴ酸塩［カボメティクス］	VEGFR2，MET，AXL などのチロシンキナーゼ活性を阻害する	消化管穿孔，瘻孔，出血，血栓塞栓症，高血圧，可逆性後白質脳症候群，腎障害，肝障害，骨髄抑制，手足症候群，重度の下痢など

小分子分子標的薬（セリン・スレオニンキナーゼ阻害薬）

種類　薬物　[代表的な商品名]	作用機序	注意すべき副作用
●ベムラフェニブ　[ゼルボラフ]	BRAF V600 変異（V600E, V600D, V600R, V600K, V600G, V600M）を含む活性化変異型の B-Raf キナーゼ活性を阻害する	有棘細胞がん，悪性腫瘍（二次発がん），心障害，肝障害など
●ダブラフェニブメシル酸塩　[タフィンラー] ●エンコラフェニブ　[ビラフトビ]	BRAF V600 変異（V600E, V600D, V600K）型の B-Raf キナーゼ活性を阻害する	
●トラメチニブ ジメチルスルホキシド付加物　[メキニスト] ●ビニメチニブ　[メクトビ]	MEK1 および MEK2 の活性化ならびにキナーゼ活性を阻害する	心障害，肝障害，横紋筋融解症，間質性肺炎，高血圧，発疹など
●テムシロリムス　[トーリセル] ●エベロリムス　[アフィニトール]	mTOR の活性を阻害する	間質性肺炎，高血糖，口内炎，静脈血栓塞栓症，腎不全，血液障害など

小分子分子標的薬（RAS 阻害薬）

種類　薬物　[代表的な商品名]	作用機序	注意すべき副作用
●ソトラシブ　[ルマケラス]	G12C 変異を有する KRAS に結合することで，KRAS の活性化を阻害し，抗腫瘍効果を示す	肝障害，間質性肺炎など

その他の分子標的薬

種類　薬物　[代表的な商品名]	作用機序	注意すべき副作用
●ボルテゾミブ　[ベルケイド] ●カルフィルゾミブ　[カイプロリス] ●イキサゾミブ　[ニンラーロ]	プロテアソームを阻害する	肺障害，心障害，末梢神経障害，骨髄抑制，イレウスなど
●トレチノイン　[ベサノイド] ●タミバロテン　[アムノレイク]	PML-RARα タンパク質と結合することで，PML-RARα の抑制機構を解除して前骨髄球の分化を誘導する	レチノイン症候群，白血球増多症，感染症など
●ボリノスタット　[ゾリンザ]	HDAC1，HDAC2，HDAC3 および HDAC6 の酵素活性を阻害する	肺塞栓症，深部静脈血栓症，血小板減少症，貧血，脱水症状，高血糖など
●パノビノスタット乳酸塩　[ファリーダック] ●ロミデプシン　[イストダックス] ●ツシジノスタット　[ハイヤスタ]	HDAC の酵素活性を阻害する	重度の下痢，脱水症状，骨髄抑制，出血，QT 間隔延長，肝障害，低血圧など
●オラパリブ　[リムパーザ] ●ニラパリブ　[ゼジューラ]	PARP-1 および PARP-2 を阻害することで抗腫瘍効果を示す	骨髄抑制，間質性肺疾患，悪心・嘔吐，高血圧，可逆性後白質脳症症候群など
●パルボシクリブ　[イブランス] ●アベマシクリブ　[ベージニオ]	CDK4 および CDK6 を阻害することで，腫瘍増殖を抑制する	肝障害，下痢，骨髄抑制，間質性肺疾患など
●ベネトクラクス　[ベネクレクスタ]	Bcl-2 を阻害することで，腫瘍増殖を抑制する	腫瘍崩壊症候群，骨髄抑制，感染症など
●タゼメトスタット　[タズベリク]	EZH2 を阻害することで，腫瘍増殖を抑制する	腫瘍崩壊症候群，骨髄抑制，感染症など

サリドマイド関連薬

種類　薬物［代表的な商品名］	作用機序	注意すべき副作用
●サリドマイド［サレド］ ●レナリドミド水和物［レブラミド］ ●ポマリドミド［ポマリスト］	サイトカイン産生調節作用，造血器腫瘍細胞に対する増殖抑制作用，血管新生阻害作用により，抗腫瘍効果を示す	深部静脈血栓症，末梢神経障害，骨髄抑制，心障害，甲状腺機能低下症など

細胞加工製品

種類　薬物［代表的な商品名］	作用機序	注意すべき副作用
●チサゲンレクルユーセル［キムリア］ ●アキシカブタゲンシロルユーセル［イエスカルタ］ ●リソカブタゲンマラルユーセル［ブレヤンジ］	CD19 CAR を遺伝子導入した CAR 発現生 T 細胞により，抗腫瘍効果を示す	サイトカイン放出症候群，神経系事象，感染症，低γグロブリン血症，血球減少，infusion reaction，腫瘍崩壊症候群など

本書における薬学教育モデル・コアカリキュラム（平成25年度改訂版）対応

薬学教育モデル・コアカリキュラム SBO		対応章
E1　薬の作用と体の変化		
(1) 薬の作用		
①薬の作用	1. 薬の用量と作用の関係を説明できる． 2. アゴニスト（作用薬，作動薬，刺激薬）とアンタゴニスト（拮抗薬，遮断薬）について説明できる． 3. 薬物が作用するしくみについて，受容体，酵素，イオンチャネルおよびトランスポーターを例に挙げて説明できる． 4. 代表的な受容体を列挙し，刺激あるいは遮断された場合の生理反応を説明できる． 5. 薬物の作用発現に関連する代表的な細胞内情報伝達系を列挙し，活性化あるいは抑制された場合の生理反応を説明できる．（C6(6)【②細胞内情報伝達】1～5参照） 6. 薬物の体内動態（吸収，分布，代謝，排泄）と薬効発現の関わりについて説明できる． 7. 薬物の選択（禁忌を含む），用法，用量の変更が必要となる要因（年齢，疾病，妊娠等）について具体例を挙げて説明できる． 8. 薬理作用に由来する代表的な薬物相互作用を列挙し，その機序を説明できる．（E4(1)【②吸収】5【④代謝】5【⑤排泄】5参照） 9. 薬物依存性，耐性について具体例を挙げて説明できる．	1章
E2　薬理・病態・薬物治療　※以下，薬理学領域のみ対応		
(1) 神経系の疾患と薬		
①自律神経系に作用する薬	1. 交感神経系に作用し，その支配器官の機能を修飾する代表的な薬物を挙げ，薬理作用，機序，主な副作用を説明できる． 2. 副交感神経系に作用し，その支配器官の機能を修飾する代表的な薬物を挙げ，薬理作用，機序，主な副作用を説明できる． 3. 神経節に作用する代表的な薬物を挙げ，薬理作用，機序，主な副作用を説明できる．	1章
②体性神経系に作用する薬・筋の疾患の薬，病態，治療	1. 知覚神経に作用する代表的な薬物（局所麻酔薬など）を挙げ，薬理作用，機序，主な副作用を説明できる． 2. 運動神経系に作用する代表的な薬物を挙げ，薬理作用，機序，主な副作用を説明できる．	1章
③中枢神経系の疾患の薬，病態，治療	1. 全身麻酔薬，催眠薬の薬理（薬理作用，機序，主な副作用）および臨床適用を説明できる． 2. 麻薬性鎮痛薬，非麻薬性鎮痛薬の薬理（薬理作用，機序，主な副作用）および臨床適用（WHO三段階除痛ラダーを含む）を説明できる． 3. 中枢興奮薬の薬理（薬理作用，機序，主な副作用）および臨床適用を説明できる．	2章 B
	4. 統合失調症について，治療薬の薬理（薬理作用，機序，主な副作用），および病態（病態生理，症状等）・薬物治療（医薬品の選択等）を説明できる． 5. うつ病，躁うつ病（双極性障害）について，治療薬の薬理（薬理作用，機序，主な副作用），および病態（病態生理，症状等）・薬物治療（医薬品の選択等）を説明できる． 6. 不安神経症（パニック障害と全般性不安障害），心身症，不眠症について，治療薬の薬理（薬理作用，機序，主な副作用），および病態（病態生理，症状等）・薬物治療（医薬品の選択等）を説明できる． 7. てんかんについて，治療薬の薬理（薬理作用，機序，主な副作用），および病態（病態生理，症状等）・薬物治療（医薬品の選択等）を説明できる． 8. 脳血管疾患（脳内出血，脳梗塞（脳血栓，脳塞栓，一過性脳虚血），くも膜下出血）について，治療薬の薬理（薬理作用，機序，主な副作用），および病態（病態生理，症状等）・薬物治療（医薬品の選択等）を説明できる． 9. Parkinson（パーキンソン）病について，治療薬の薬理（薬理作用，機序，主な副作用），および病態（病態生理，症状等）・薬物治療（医薬品の選択等）を説明できる． 10. 認知症（Alzheimer（アルツハイマー）型認知症，脳血管性認知症等）について，治療薬の薬理（薬理作用，機序，主な副作用），および病態（病態生理，症状等）・薬物治療（医薬品の選択等）を説明できる．	2章 A
	11. 片頭痛について，治療薬の薬理（薬理作用，機序，主な副作用），および病態（病態生理，症状等）・薬物治療（医薬品の選択等）について説明できる．	2章 B
④化学構造と薬効	1. 神経系の疾患に用いられる代表的な薬物の基本構造と薬効（薬理・薬物動態）の関連を概説できる．	2章

薬学教育モデル・コアカリキュラム SBO		対応章
(2) 免疫・炎症・アレルギーおよび骨・関節の疾患と薬		
①抗炎症薬	1. 抗炎症薬(ステロイド性および非ステロイド性)および解熱性鎮痛薬の薬理(薬理作用, 機序, 主な副作用)および臨床適用を説明できる. 2. 抗炎症薬の作用機序に基づいて炎症について説明できる. 3. 創傷治癒の過程について説明できる.	3章
②免疫・炎症・アレルギー疾患の薬, 病態, 治療	1. アレルギー治療薬(抗ヒスタミン薬, 抗アレルギー薬等)の薬理(薬理作用, 機序, 主な副作用)および臨床適用を説明できる. 2. 免疫抑制薬の薬理(薬理作用, 機序, 主な副作用)および臨床適用を説明できる. 3. 以下のアレルギー疾患について, 治療薬の薬理(薬理作用, 機序, 主な副作用), および病態(病態生理, 症状等)・薬物治療(医薬品の選択等)を説明できる. 　　アトピー性皮膚炎, 蕁麻疹, 接触性皮膚炎, アレルギー性鼻炎, アレルギー性結膜炎, 花粉症, 消化管アレルギー, 気管支喘息(重複) 5. アナフィラキシーショックについて, 治療薬の薬理(薬理作用, 機序, 主な副作用), および病態(病態生理, 症状等)・薬物治療(医薬品の選択等)を説明できる. 7. 以下の臓器特異的自己免疫疾患について, 治療薬の薬理(薬理作用, 機序, 主な副作用), および病態(病態生理, 症状等)・薬物治療(医薬品の選択等)を説明できる. 　　バセドウ病(重複), 橋本病(重複), 悪性貧血(重複), アジソン病, 1型糖尿病(重複), 重症筋無力症, 多発性硬化症, 特発性血小板減少性紫斑病, 自己免疫性溶血性貧血(重複), シェーグレン症候群 8. 以下の全身性自己免疫疾患について, 治療薬の薬理(薬理作用, 機序, 主な副作用), および病態(病態生理, 症状等)・薬物治療(医薬品の選択等)を説明できる. 　　全身性エリテマトーデス, 強皮症, 多発筋炎/皮膚筋炎, 関節リウマチ(重複)	3章
③骨・関節・カルシウム代謝疾患の薬, 病態, 治療	1. 関節リウマチについて, 治療薬の薬理(薬理作用, 機序, 主な副作用), および病態(病態生理, 症状等)・薬物治療(医薬品の選択等)を説明できる. 2. 骨粗鬆症について, 治療薬の薬理(薬理作用, 機序, 主な副作用), および病態(病態生理, 症状等)・薬物治療(医薬品の選択等)を説明できる. 3. 変形性関節症について, 治療薬の薬理(薬理作用, 機序, 主な副作用), および病態(病態生理, 症状等)・薬物治療(医薬品の選択等)を説明できる.	3章
	4. カルシウム代謝の異常を伴う疾患(副甲状腺機能亢進(低下)症, 骨軟化症(くる病を含む), 悪性腫瘍に伴う高カルシウム血症)について, 治療薬の薬理(薬理作用, 機序, 主な副作用), および病態(病態生理, 症状等)・薬物治療(医薬品の選択等)を説明できる.	7章B
④化学構造と薬効	1. 免疫・炎症・アレルギー疾患に用いられる代表的な薬物の基本構造と薬効(薬理・薬物動態)の関連を概説できる.	3章
(3) 循環器系・血液系・造血器系・泌尿器系・生殖器系の疾患と薬		
①循環器系疾患の薬, 病態, 治療	1. 以下の不整脈および関連疾患について, 治療薬の薬理(薬理作用, 機序, 主な副作用), および病態(病態生理, 症状等)・薬物治療(医薬品の選択等)を説明できる. 　　不整脈の例示:上室性期外収縮(PAC), 心室性期外収縮(PVC), 心房細動(Af), 発作性上室頻拍(PSVT), WPW症候群, 心室頻拍(VT), 心室細動(VF), 房室ブロック, QT延長症候群 2. 急性および慢性心不全について, 治療薬の薬理(薬理作用, 機序, 主な副作用), および病態(病態生理, 症状等)・薬物治療(医薬品の選択等)を説明できる. 3. 虚血性心疾患(狭心症, 心筋梗塞)について, 治療薬の薬理(薬理作用, 機序, 主な副作用), および病態(病態生理, 症状等)・薬物治療(医薬品の選択等)を説明できる. 4. 以下の高血圧症について, 治療薬の薬理(薬理作用, 機序, 主な副作用), および病態(病態生理, 症状等)・薬物治療(医薬品の選択等)を説明できる. 　　本態性高血圧症, 二次性高血圧症(腎性高血圧症, 腎血管性高血圧症を含む)	4章A
②血液・造血器系疾患の薬, 病態, 治療	1. 止血薬の薬理(薬理作用, 機序, 主な副作用)および臨床適用を説明できる. 2. 抗血栓薬, 抗凝固薬および血栓溶解薬の薬理(薬理作用, 機序, 主な副作用)および臨床適用を説明できる. 3. 以下の貧血について, 治療薬の薬理(薬理作用, 機序, 主な副作用), および病態(病態生理, 症状等)・薬物治療(医薬品の選択等)を説明できる. 　　鉄欠乏性貧血, 巨赤芽球性貧血(悪性貧血等), 再生不良性貧血, 自己免疫性溶血性貧血(AIHA), 腎性貧血, 鉄芽球性貧血 4. 播種性血管内凝固症候群(DIC)について, 治療薬の薬理(薬理作用, 機序, 主な副作用), および病態(病態生理, 症状等)・薬物治療(医薬品の選択等)を説明できる.	4章B

薬学教育モデル・コアカリキュラム SBO		対応章
②血液・造血器系疾患の薬，病態，治療	5. 以下の疾患について治療薬の薬理(薬理作用，機序，主な副作用)，および病態(病態生理，症状等)・薬物治療(医薬品の選択等)を説明できる． 　血友病，血栓性血小板減少性紫斑病(TTP)，白血球減少症，血栓塞栓症，白血病(重複)，悪性リンパ腫(重複)[E2(7)⑧悪性腫瘍の薬，病態，治療参照]	4章B
③泌尿器系，生殖器系疾患の薬，病態，薬物治療	1. 利尿薬の薬理(薬理作用，機序，主な副作用)および臨床適用を説明できる． 2. 急性および慢性腎不全について，治療薬の薬理(薬理作用，機序，主な副作用)，および病態(病態生理，症状等)・薬物治療(医薬品の選択等)を説明できる． 3. ネフローゼ症候群について，治療薬の薬理(薬理作用，機序，主な副作用)，および病態(病態生理，症状等)・薬物治療(医薬品の選択等)を説明できる． 4. 過活動膀胱および低活動膀胱について，治療薬の薬理(薬理作用，機序，主な副作用)，および病態(病態生理，症状等)・薬物治療(医薬品の選択等)を説明できる． 5. 以下の泌尿器系疾患について，治療薬の薬理(薬理作用，機序，主な副作用)，および病態(病態生理，症状等)・薬物治療(医薬品の選択等)を説明できる． 　慢性腎臓病(CKD)，糸球体腎炎(重複)，糖尿病性腎症(重複)，薬剤性腎症(重複)，腎盂腎炎(重複)，膀胱炎(重複)，尿路感染症(重複)，尿路結石	5章A
	6. 以下の生殖器系疾患について，治療薬の薬理(薬理作用，機序，主な副作用)，および病態(病態生理，症状等)・薬物治療(医薬品の選択等)を説明できる． 　前立腺肥大症，子宮内膜症，子宮筋腫 7. 妊娠・分娩・避妊に関連して用いられる薬物について，薬理(薬理作用，機序，主な副作用)，および薬物治療(医薬品の選択等)を説明できる．	5章B
④化学構造と薬効	1. 循環系・泌尿器系・生殖器系疾患の疾患に用いられる代表的な薬物の基本構造と薬効(薬理・薬物動態)の関連を概説できる．	4章 5章
(4) 呼吸器系・消化器系の疾患と薬		
①呼吸器系疾患の薬，病態，治療	1. 気管支喘息について，治療薬の薬理(薬理作用，機序，主な副作用)，および病態(病態生理，症状等)・薬物治療(医薬品の選択等)を説明できる． 2. 慢性閉塞性肺疾患および喫煙に関連する疾患(ニコチン依存症を含む)について，治療薬の薬理(薬理作用，機序，主な副作用)，および病態(病態生理，症状等)・薬物治療(医薬品の選択等)を説明できる． 3. 間質性肺炎について，治療薬の薬理(薬理作用，機序，主な副作用)，および病態(病態生理，症状等)・薬物治療(医薬品の選択等)を説明できる． 4. 鎮咳薬，去痰薬，呼吸興奮薬の薬理(薬理作用，機序，主な副作用)および臨床適用を説明できる．	6章A
②消化器系疾患の薬，病態，治療	1. 以下の上部消化器疾患について，治療薬の薬理(薬理作用，機序，主な副作用)，および病態(病態生理，症状等)・薬物治療(医薬品の選択等)を説明できる． 　胃食道逆流症(逆流性食道炎を含む)，消化性潰瘍，胃炎 2. 炎症性腸疾患(潰瘍性大腸炎，クローン病等)について，治療薬の薬理(薬理作用，機序，主な副作用)，および病態(病態生理，症状等)・薬物治療(医薬品の選択等)を説明できる． 3. 肝疾患(肝炎，肝硬変(ウイルス性を含む)，薬剤性肝障害)について，治療薬の薬理(薬理作用，機序，主な副作用)，および病態(病態生理，症状等)・薬物治療(医薬品の選択等)を説明できる． 4. 膵炎について，治療薬の薬理(薬理作用，機序，主な副作用)，および病態(病態生理，症状等)・薬物治療(医薬品の選択等)を説明できる． 5. 胆道疾患(胆石症，胆道炎)について，治療薬の薬理(薬理作用，機序，主な副作用)，および病態(病態生理，症状等)・薬物治療(医薬品の選択等)を説明できる． 6. 機能性消化管障害(過敏性腸症候群を含む)について，治療薬の薬理(薬理作用，機序，主な副作用)，および病態(病態生理，症状等)・薬物治療(医薬品の選択等)を説明できる． 7. 便秘・下痢について，治療薬の薬理(薬理作用，機序，主な副作用)，および病態(病態生理，症状等)・薬物治療(医薬品の選択等)を説明できる． 8. 悪心・嘔吐について，治療薬および関連薬物(催吐薬)の薬理(薬理作用，機序，主な副作用)，および病態(病態生理，症状等)・薬物治療(医薬品の選択等)を説明できる． 9. 痔について，治療薬の薬理(薬理作用，機序，主な副作用)，および病態(病態生理，症状等)・薬物治療(医薬品の選択等)を説明できる．	6章B
③化学構造と薬効	1. 呼吸器系・消化器系の疾患に用いられる代表的な薬物の基本構造と薬効(薬理・薬物動態)の関連を概説できる．	6章

薬学教育モデル・コアカリキュラム SBO	対応章
(5)代謝系・内分泌系の疾患と薬	
①代謝系疾患の薬,病態,治療 1. 糖尿病とその合併症について,治療薬の薬理(薬理作用,機序,主な副作用),および病態(病態生理,症状等)・薬物治療(医薬品の選択等)を説明できる. 2. 脂質異常症について,治療薬の薬理(薬理作用,機序,主な副作用),および病態(病態生理,症状等)・薬物治療(医薬品の選択等)を説明できる. 3. 高尿酸血症・痛風について,治療薬の薬理(薬理作用,機序,主な副作用),および病態(病態生理,症状等)・薬物治療(医薬品の選択等)を説明できる.	7章 A
②内分泌系疾患の薬,病態,治療 1. 性ホルモン関連薬の薬理(薬理作用,機序,主な副作用)および臨床適用を説明できる. 2. Basedow(バセドウ)病について,治療薬の薬理(薬理作用,機序,主な副作用),および病態(病態生理,症状等)・薬物治療(医薬品の選択等)を説明できる. 3. 甲状腺炎(慢性(橋本病),亜急性)について,治療薬の薬理(薬理作用,機序,主な副作用),および病態(病態生理,症状等)・薬物治療(医薬品の選択等)を説明できる. 4. 尿崩症について,治療薬の薬理(薬理作用,機序,主な副作用),および病態(病態生理,症状等)・薬物治療(医薬品の選択等)を説明できる.	7章 B
③化学構造と薬効 1. 代謝系・内分泌系の疾患に用いられる代表的な薬物の基本構造と薬効(薬理・薬物動態)の関連を概説できる.	7章
(6)感覚器・皮膚の疾患と薬	
①眼疾患の薬,病態,治療 1. 緑内障について,治療薬の薬理(薬理作用,機序,主な副作用),および病態(病態生理,症状等)・薬物治療(医薬品の選択等)を説明できる. 2. 白内障について,治療薬の薬理(薬理作用,機序,主な副作用),および病態(病態生理,症状等)・薬物治療(医薬品の選択等)を説明できる. 3. 加齢性黄斑変性について,治療薬の薬理(薬理作用,機序,主な副作用),および病態(病態生理,症状等)・薬物治療(医薬品の選択等)を説明できる.	8章 A
②耳鼻咽喉疾患の薬,病態,治療 1. めまい(動揺病,Meniere(メニエール)病等)について,治療薬の薬理(薬理作用,機序,主な副作用),および病態(病態生理,症状等)・薬物治療(医薬品の選択等)を説明できる.	8章 B
③皮膚疾患の薬,病態,治療 1. アトピー性皮膚炎について,治療薬の薬理(薬理作用,機序,主な副作用),および病態(病態生理,症状等)・薬物治療(医薬品の選択等)を説明できる.[E2(2)②免疫・炎症・アレルギーの薬,病態,治療参照] 2. 皮膚真菌症について,治療薬の薬理(薬理作用,機序,主な副作用),および病態(病態生理,症状等)・薬物治療(医薬品の選択等)を説明できる.[E2(7)⑤真菌感染症の薬,病態,治療参照] 3. 褥瘡について,治療薬の薬理(薬理作用,機序,主な副作用),および病態(病態生理,症状等)・薬物治療(医薬品の選択等)を説明できる.	8章 C
④化学構造と薬効 1. 感覚器・皮膚の疾患に用いられる代表的な薬物の基本構造と薬効(薬理・薬物動態)の関連を概説できる.	8章
(7)病原微生物(感染症)・悪性新生物(がん)と薬	
①抗菌薬 1. 以下の抗菌薬の薬理(薬理作用,機序,抗菌スペクトル,主な副作用,相互作用,組織移行性)および臨床適用を説明できる. 　β-ラクタム系,テトラサイクリン系,マクロライド系,アミノ配糖体(アミノグリコシド)系,キノロン系,グリコペプチド系,抗結核薬,サルファ剤(ST合剤を含む),その他の抗菌薬	9章 A
④ウイルス感染症およびプリオン病の薬,病態,治療 1. ヘルペスウイルス感染症(単純ヘルペス,水痘・帯状疱疹)について,治療薬の薬理(薬理作用,機序,主な副作用),予防方法および病態(病態生理,症状等)・薬物治療(医薬品の選択等)を説明できる. 2. サイトメガロウイルス感染症について,治療薬の薬理(薬理作用,機序,主な副作用),および病態(病態生理,症状等)・薬物治療(医薬品の選択等)を説明できる. 3. インフルエンザについて,治療薬の薬理(薬理作用,機序,主な副作用),感染経路と予防方法および病態(病態生理,症状等)・薬物治療(医薬品の選択等)を説明できる. 4. ウイルス性肝炎(HAV,HBV,HCV)について,治療薬の薬理(薬理作用,機序,主な副作用),感染経路と予防方法および病態(病態生理(急性肝炎,慢性肝炎,肝硬変,肝細胞がん),症状等)・薬物治療(医薬品の選択等)を説明できる.(重複) 5. 後天性免疫不全症候群(AIDS)について,治療薬の薬理(薬理作用,機序,主な副作用),感染経路と予防方法および病態(病態生理,症状等)・薬物治療(医薬品の選択等)を説明できる.	9章 A

薬学教育モデル・コアカリキュラム SBO		対応章
⑤真菌感染症の薬，病態，治療	1. 抗真菌薬の薬理(薬理作用，機序，主な副作用)および臨床適用を説明できる.	9章A
⑥原虫・寄生虫感染症の薬，病態，治療	1. 以下の原虫感染症について，治療薬の薬理(薬理作用，機序，主な副作用)，および病態(病態生理，症状等)・薬物治療(医薬品の選択等)を説明できる. 　　マラリア，トキソプラズマ症，トリコモナス症，アメーバ赤痢 2. 以下の寄生虫感染症について，治療薬の薬理(薬理作用，機序，主な副作用)，および病態(病態生理，症状等)・薬物治療(医薬品の選択等)を説明できる. 　　回虫症，蟯虫症，アニサキス症	9章A
⑧悪性腫瘍の薬，病態，治療	1. 以下の抗悪性腫瘍薬の薬理(薬理作用，機序，主な副作用，相互作用，組織移行性)および臨床適用を説明できる. 　　アルキル化薬，代謝拮抗薬，抗腫瘍抗生物質，微小管阻害薬，トポイソメラーゼ阻害薬，抗腫瘍ホルモン関連薬，白金製剤，分子標的治療薬，その他の抗悪性腫瘍薬	9章B
⑩化学構造と薬効	1. 病原微生物・悪性新生物が関わる疾患に用いられる代表的な薬物の基本構造と薬効(薬理・薬物動態)の関連を概説できる.	9章

索　引

和文索引

あ

アカラブルチニブ　594
アカルボース　449
アキシカブタゲンシロルユーセル　603
アキシチニブ　596
亜急性甲状腺炎　485
アクアポリン2　487
悪性高熱症　77
悪性腫瘍　491
悪性症候群　95,169
悪性貧血　341
アクタリット　253
アクチノマイシンD　571
アクチベーション・シンドローム　111
アクリジニウム　405
アコチアミド　69,427
アゴニスト　7
アザシチジン　569
アザセトロン　423
アザチオプリン　238,426
亜酸化窒素　191
アシクロビル　541
アジスロマイシン　531
アジソン病　238
アシタザノラスト　229
足白癬　518
アジルサルタン　312
アズトレオナム　528
アスナプレビル　435
L-アスパラギン酸カルシウム　261
アスピリン　142,201,220,302,334
　　──喘息　219
アセタゾラミド　180,356,504,514
アセチルコリン　14,61
　　──の血圧反転　65
アセチルコリンエステラーゼ　67,153
アセチルサリチル酸　201
アセチルシステイン　386,408
アセチルフェネトライド　177
アセトアミノフェン　201,224,268
アセトヘキサミド　448
アセナピン　93
アセブトロール　59,282,315
アセメタシン　221
アゼラスチン　231,400
アゼルニジピン　308
アセンヤク　430
アゾセミド　354

アゾール系抗真菌薬　552
アタザナビル　546
アダリムマブ　247,426
アディポネクチン　451
アテゾリズマブ　586
アデニル酸シクラーゼ　22
アデノシン　114
　　──A_{2A}受容体　168,336
アデノシン三リン酸　145,514
アテノロール　59,281,315
アデホビル ピボキシル　434
アトバコン　557
アトピー性皮膚炎　229,516
アトモキセチン　138
アトルバスタチン　461
アドレナリン　14,46,235
　　──の血圧反転　48
　　──α_1受容体　367
　　──α_2受容体　106
　　──α_1受容体刺激薬　51
　　──α_2受容体刺激薬　52
　　──α受容体遮断薬　56
　　──α_1受容体遮断薬　57,316,375
　　──$\alpha\beta$受容体刺激薬　504
　　──$\alpha\beta$受容体遮断薬　60,505
　　──β_2受容体, β_3受容体　367
　　──β受容体刺激薬　52,289
　　──β_2受容体刺激薬　53,398,406
　　──β_3受容体刺激薬　369
　　──β受容体遮断薬　58,281,292,301,314,503
アドレノクロム　332
アトロピン　71,284,412,423
アナグリプチン　452
アナストロゾール　478,576
アナフィラキシーショック　235
アニサキス症　559
アバカビル　546
アバタセプト　246
アパルタミド　577
アピキサバン　338
アビラテロン　476
アファチニブ　589
アフリベルセプト　510
　　──ベータ　587
アプリンジン　280
アプレピタント　423
アプレミラスト　255
アベマシクリブ　602
アベルマブ　586
アポモルヒネ　163,422

アマンタジン　167,543
アミオダロン　282
アミカシン　532
アミド型局所麻酔薬　82
アミトリプチリン　103
アミノ安息香酸エチル　81,423
アミノグリコシド系抗菌薬　532
5-アミノサリチル酸　425
アミノフィリン　291,399
アミロイド感受性Na^+チャネル　18
アミロイド前駆体タンパク質　150
アムホテリシンB　437,552
アムロジピン　307
アメジニウム　54,322
アメナメビル　541
アメーバ赤痢　557
アモキシシリン　524
アモスラロール　60,317
アモバルビタール　118
アモロルフィン　553
アラキドン酸代謝系　228
アラセプリル　310
アラビアゴム　430
アラビノガラクタン　537
アリスキレン　313
アリピプラゾール　7,94,107,110
アリメマジン　230
アリルアミン系抗真菌薬　553
アリルエストレノール　376,476
アリロクマブ　465
アルガトロバン　142,337
アルキル化薬　240,562,564
アルキルスルホン類　566
アルコール依存　210
アルツハイマー型認知症　147,149
アルツハイマー病　149
アルテプラーゼ　141,340
アルドース還元酵素　456
アルドステロン　26,215
　　──拮抗薬　356
　　──受容体　356
アルドステロン症　496
アルファカルシドール　262,362,490
アルブミン　35
アルプラゾラム　132
アルプレノロール　58,281
アルプロスタジル　323
　　──アルファデクス　324,520
アルベカシン　532
アルベンダゾール　559
アルミノプロフェン　253

アレクチニブ　590
アレムツズマブ　582
アレルギー　227
アレルギー性鼻炎　229
アレンドロン酸　262
アログリプチン　452
アロステリック活性化リガンド　154
アロステリック部位　6
アロチノロール　60,317
アロプリノール　362,470
アロマターゼ阻害薬　478,576
アンジオテンシンⅡ AT₁ 受容体　456
アンジオテンシンⅡ受容体遮断薬
　　292,311,456
アンジオテンシン変換酵素阻害薬
　　292,309,456
安全域　6
アンタゴニスト　8
アンチトロンビンⅢ　337
安定狭心症　297
アンテドラッグ　396
アントラサイクリン系薬　570
アンピシリン　524
アンピロキシカム　223
アンフェタミン　54
アンフェナク　221
アンブリセンタン　326
アンブロキソール　388
アンベノニウム　69
アンレキサノクス　229

い

イオンチャネル　16
　　──内蔵型受容体　19
イオントランスポーター　30
イオンポンプ　29
異化反応　35
イキサゾミブ　599
イグラチモド　249
異型狭心症　297
イコサペント酸エチル　335,465
イサツキシマブ　583
萎縮型加齢性黄斑変性　509
胃食道逆流症　419
イストラデフィリン　168
イソクスプリン　378
イソソルビド　357,514
イソニアジド　537
イソフルラン　190
イソプレナリン（イソプロテレノール）
　　46,289,514
イソプロピルウノプロストン　501
イダルビシン　570
1型糖尿病　238,444
Ⅰ群抗不整脈薬　276
一次止血　330

一次能動輸送　29
一硝酸イソソルビド　299
1秒量　394,405
一過性作用　3
一過性前向性健忘　120
一過性脳虚血発作　140
一酸化窒素合成酵素　23
イットリウム　582
遺伝子多型　36
イトプリド　427
イトラコナゾール　518,553
イノシトールモノホスファターゼ　108
イノツズマブ オゾガマイシン　582
イバブラジン　293
イバンドロン酸　262
イピリムマブ　585
イフェンプロジル　144
イブジラスト　144,229,400
イブプロフェン　222
イプラグリフロジン　454
イプラトロピウム　400,405
イプリフラボン　264
イブルチニブ　594
イホスファミド　564
イマチニブ　591
イミダフェナシン　368
イミダプリル　310,456
イミプラミン　102
イミペネム　527
イムデビマブ　548
イメグリミン　455
イリノテカン　574
イルソグラジン　416
イルベサルタン　312
陰イオン交換樹脂製剤　462
インクレチン　452
インジセトロン　423
インスリン　444
　　──アスパルト　447
　　──受容体　25
　　──抵抗性　444
　　──抵抗性改善薬　451
　　──デグルデク　447
　　──デテミル　447
　　──リスプロ　447
陰性症状　87
インダカテロール　53,399,406
インダパミド　313,354
インターフェロン　434
　　──β　254
　　──ガンマ-1a　580
インターロイキン-2　216,580
インテグラーゼ　545
　　──阻害薬　547
インドメタシン　221

イントラクリン　16
インフリキシマブ　247,426
インフルエンザ　542

う

ウステキヌマブ　426
うっ血性心不全　286
うつ状態　100
うつ病　98
ウパダシチニブ　244
ウメクリジニウム　405
ウラピジル　57,316,375
ウリナスタチン　439
ウルソデオキシコール酸　440
ウレアーゼ　417
ウロキナーゼ　141,340

え

エカベト　415
液性免疫反応　227
エキセナチド　453
エキセメスタン　478,576
エグアレン　416
エクリズマブ　250
エサキセレノン　314,356
エスシタロプラム　104,134
エスゾピクロン　121
エスタゾラム　120,194
エステル型局所麻酔薬　81
エストラジオール　263,477
　　──プロピオン酸エステル　477
エストリオールプロピオン酸エステル
　　477
エストロゲン　377,576
　　──製剤　263
エスモロール　59,282
エゼチミブ　462
エソメプラゾール　413
エタネルセプト　247
エダラボン　143
エタンブトール　537
エチゾラム　120,133,194
エチドロン酸　262
エチニルエストラジオール　477,577
エチルシステイン　386
エチレフリン　51,322
エーテル麻酔　189
エドキサバン　338
エトスクシミド　179
エトトイン　177
エトドラク　221
エトポシド　575
エトレチナート　256
エドロホニウム　69
エナラプリル　310
エナロデュスタット　343

エヌトレクチニブ 593
エノキサパリン 337
エノシタビン 568
エバスチン 231
エパルレスタット 456
エピナスチン 231,400
エピルビシン 570
エファビレンツ 546
エフィナコナゾール 518,553
エフェドリン 55,399
エプタコグ アルファ 344
エプタゾシン 201
エフトレノナコグ アルファ 345
エプラジノン 384
エフラロクトコグ アルファ 344
エプレレノン 314,356,497
エベロリムス 241,598
エポエチンアルファ/ベータ 342,362
エポエチンベータ ペゴル 342
エホニジピン 307
エポプロステノール 325
エボロクマブ 465
エミシズマブ 344
エムトリシタビン 545
エメダスチン 231
エメチン 422
エモルファゾン 224
エリスロポエチン 342,362
エリスロマイシン 531
エルカトニン 264
エルゴステロール 551
エルゴタミン 56
エルゴメトリン 56,380
エルデカルシトール 262
エルトロンボパグ 254
エルバスビル 435
エルロチニブ 588
エレトリプタン 204
エレヌマブ 205
エロツズマブ 583
エロビキシバット 428
塩化ナトリウム 428
エンコラフェニブ 598
エンザルタミド 476
炎症 214
　　──4大症状 214
炎症性サイトカイン 252
エンタカポン 164
エンテカビル 434
エンドクリン 15
エンドセリン-1 326
エンパグリフロジン 454
エンプロスチル 415
エンホルツマブ ベドチン 583

....お

黄体形成ホルモン 578
黄体ホルモン 578
　　──製剤 478
嘔吐 421
横紋筋融解症 461
オキサゾラム 132
オキサトミド 231,400
オキサプロジン 222
オキサリプラチン 579
オキシコドン 200
オキシトシン 379
オキシトロピウム 400
オキシブチニン 368
オキシメタゾリン 51
オキシメテバノール 384
オキセサゼイン 82
オクトコグ アルファ 344
オクトレオチド 493
オザグレル塩酸塩 233,400
オザグレルナトリウム 142,335
オシメルチニブ 589
オステオカルシン 265
オセルタミビル 543
オテラシル 568
オートクリン 16
オーバーシュート 13
オピオイド 199,268
　　──系鎮痛薬 438
オピカポン 164
オピヌツズマブ 582
オファツムマブ 254,581
オーファン・ドラッグ 251
オフロキサシン 535
オマリグリプチン 452
オマリズマブ 401
オミデネパグ イソプロピル 502
オメガ-3 多価不飽和脂肪酸 465
オメプラゾール 413
オーラノフィン 249
オラパリブ 601
オランザピン 92,96,110
オルノプロスチル 415
オルプリノン 291
オルメサルタンメドキソミル 312
オレキシン受容体遮断薬 123
オロパタジン 231
オンダンセトロン 423

....か

概日リズム 114,122
咳嗽 382
回虫症 558
回転性めまい 512
外尿道括約筋 367

潰瘍性大腸炎 425
解離性麻酔薬 192
化学受容器 389
　　──引き金帯 200,421
化学的拮抗 10
化学伝達物質 214
　　──遊離抑制薬 229
過活動膀胱 368
可逆的コリンエステラーゼ阻害薬 68
核酸系逆転写酵素阻害薬 545
核酸合成阻害薬 535,554
拡散電位 11
覚醒アミン 207
覚醒剤精神病モデル 88
獲得免疫系 214
核内受容体 19,26
核白内障 507
下行性疼痛抑制系神経 105,198
カシリビマブ 548
下垂体機能低下症 494
下垂体後葉ホルモン製剤 379,488
ガス性麻酔薬 191
ガストリン 412
　　──受容体 414
カスポファンギン 554
褐色細胞腫 497
活性型ビタミン D 261
活性型ビタミン D_3 製剤 362,490
活性化 T 細胞核内因子 234
活性酸素 142
活動電位 12
カデキソマー・ヨウ素 520
カテコール-O-メチルトランスフェラーゼ 46,164
カテコールアミン 42
カナキヌマブ 250
カナグリフロジン 454
カナマイシン 437,532
ガバペンチン 180
過敏性腸症候群 426
過敏性肺炎 407
カフェイン 208
カプトプリル 309,362,364
下部尿路 368
カプマチニブ 594
過分極 13
過分極誘発性陽イオンチャネル 19
ガベキサート 339,439
カペシタビン 568
カベルゴリン 162,493
カボザンチニブ 597
カモスタット 339,439
可溶型 B リンパ球刺激因子 246
可溶性グアニル酸シクラーゼ 24,325
空咳 382
ガランタミン 69,154

和文索引

か (続き)

カリウム保持性利尿薬　355
カリジノゲナーゼ　514
顆粒球コロニー刺激因子　345
ガルカネズマブ　205
カルシウム拮抗薬　283, 300, 306
カルシウム結石　372
カルシウム代謝疾患　489
カルシトニン　261, 264
　——遺伝子関連ペプチド　203, 205
カルシトリオール　262, 362, 490
カルシニューリン　234, 241
カルシポトリオール　255
カルテオロール　58, 315, 503
カルバゾクロム　332
カルバペネム系抗菌薬　527
カルバマゼピン　109, 176
カルビドパ　161
カルフィルゾミブ　599
カルプロニウム　64
カルベジロール　60, 317
カルペリチド　358
カルボキシマルトース第二鉄　341
カルボキシメチルセルロース(カルメロース)　428
カルボシステイン　388
カルボプラチン　579
カルムスチン　565
カルモナム　528
加齢黄斑変性症　509
ガレノキサシン　535
肝炎　433
眼球突出　482
肝硬変　433
ガンシクロビル　541
間質性肺炎　407
乾性咳　382
肝性トリグリセリドリパーゼ　459, 464
間接型アドレナリン受容体刺激薬　54
間接作用　2
関節リウマチ　238, 252
乾癬　254
完全アゴニスト　7
カンデサルタンシレキセチル　311
含糖酸化鉄　341
γ(ガンマ)-アミノ酪酸　117, 146
カンレノ酸　356
冠攣縮性狭心症　297

き

奇異反応　125
気管支拡張　398
気管支腺　386
気管支喘息　228, 393
　——治療薬　396
キザルチニブ　593

キサンチンオキシダーゼ　469
キサンチン類　399
基質拡張型 β-ラクタマーゼ　527
基質特異性　27
希少疾病用医薬品　251
寄生虫感染症　556
規則の下行性麻痺　190
基礎分泌　447
拮抗作用　37
気道潤滑型去痰薬　388
キニジン　276
キニーネ　557
機能性消化管障害　426
機能性ディスペプシア　426
揮発性麻酔薬　190
　——作用 K^+ チャネル　18
気分安定薬　108
偽膜性大腸炎　528, 533
ギメラシル　568
逆アゴニスト　7
逆耐性　38
逆転写酵素　545
逆流性食道炎　419
キャップ依存性エンドヌクレアーゼ阻害薬　544
キャンディン系抗真菌薬　554
吸収　34
急性炎症　214
急性肝炎　433
急性心筋梗塞　298
急性心不全　286
急性腎不全　360
急性膵炎　438
急性ストレス障害　129
急性前骨髄球性白血病　600
急性副腎不全　497
急速眼球運動　114
吸入ステロイド薬　406
吸入投与　33
吸入麻酔薬　190
競合性遮断薬　75
競合的アンタゴニスト　8
狭心症　297
強心配糖体　287
蟯虫症　559
協調運動障害　110
強直間代発作　173
強迫性障害　129
強皮症　238
強膜　500
共輸送体　30
局所作用　2
局所麻酔薬　78
極量　4
巨赤芽球性貧血　341
去痰薬　386

ギルテリチニブ　597
キロミクロン　459
筋強剛　159
禁断症状　39
金チオリンゴ酸　249
筋肉内投与　33

く

グアイフェネシン　384
クアゼパム　120, 194
グアナベンズ　52
グアンファシン　138
クエチアピン　93, 110
クエン酸カリウム・クエン酸ナトリウム　472
クエン酸第一鉄　341
クエン酸ナトリウム　414
クエン酸マグネシウム　428
グスペリムス　241
クッシング症候群　495
くも膜下出血　140, 143
グラゾプレビル　435
グラチラマー　254
グラニセトロン　423
クラブラン酸　528
クラリスロマイシン　531
グリクラジド　448
グリクロピラミド　448
グリコーゲン　444
　——合成酵素キナーゼ3β　108
グリコピロニウム　405
グリコペプチド系抗菌薬　528
グリシン　14
　——受容体　21
クリゾチニブ　590
グリチルリチン製剤　436
グリベンクラミド　448
グリメピリド　448
クリンダマイシン　533
グルカゴン様ペプチド-1　452
グルコース依存性インスリン分泌刺激ポリペプチド　452
グルタチオン　508
グルタミン酸　14
くる病　491
クレアチンキナーゼ　461
グレカプレビル　435
グレーフェ徴候　483
クレマスチン　230
クレンブテロール　53, 399
クロキサシリン　524
クロキサゾラム　132
クロザピン　93, 96
クロザリル®患者モニタリングサービス　93
クロチアゼパム　133, 514

クロトリマゾール 552
クロナゼパム 179
クロニジン 52
クロバザム 181
クロピドグレル 302, 335
クロフィブラート 464
クロフェダノール 385
クロペラスチン 384
クロミフェン 478
クロモグリク酸 229, 400
クロラゼプ酸 132
クロラムフェニコール 533
クロルジアゼポキシド 132
クロルフェニラミン 230, 431
m-クロルフェニルピペラジン 127
クロルプロマジン 89, 422
クロルマジノン 376, 476, 479, 577
クローン病 425

....け

経口ステロイド薬 408
経口投与 32
ケイ酸アルミニウム 430
軽躁状態 100
経腸栄養剤 437
経皮投与 33
撃発活動 274
ゲストノロン 476
ケタミン 192
血液/ガス分配係数 190
血液凝固促進薬 331
血液凝固第Ⅶ因子, 第Ⅷ因子 344
血液凝固第Ⅸ因子 345
血液胎盤関門 34
血液脳関門 34
血管強化薬 332
血管収縮薬 82
血管内皮細胞増殖因子 509, 585
血小板 333
血小板血栓 330
血小板由来増殖因子受容体 591
欠神発作 173
血栓症 346
血栓性血小板減少性紫斑病 345
血栓塞栓症 346
血栓溶解薬 340
血友病 344
ケトコナゾール 552
ケトチフェン 231, 400
ケトプロフェン 222
解熱性鎮痛薬 197, 201
ケノデオキシコール酸 440
ゲフィチニブ 588
ケミカルメディエーター 214, 229, 400
ゲムシタビン 569

ゲムツズマブ オゾガマイシン 582
ゲメプロスト 379
下痢 427
眩暈 512
幻覚 87
減感作療法 235
ゲンタマイシン 532
原虫感染症 556
見当識障害 151
ゲンノショウコ 430
原発性副甲状腺機能亢進症 489
原発緑内障 500
限量 4

....こ

抗RANKLモノクローナル抗体 265
抗悪性腫瘍薬 562
抗アレルギー薬 400
抗アンドロゲン薬 376, 476, 577
抗エストロゲン薬 478, 575
抗炎症薬 215
高架式十字迷路試験 129
後過分極 13
高カリウム血症 361
高カルシウム血症 491
交感神経系 41, 305
交換輸送体 30
抗凝固薬 337
口腔内投与 32
高血圧 304
高血圧緊急症 305
抗結核薬 536
抗血小板薬 333
抗原標的薬 581
抗甲状腺薬 483
抗コリン作用 124
抗コリン薬 71, 368, 379, 400, 405
高コレステロール血症 363
鉱質コルチコイド 215
抗腫瘍抗生物質 562, 570
抗腫瘍ホルモン関連薬 562, 575
甲状腺刺激ホルモン受容体 482
甲状腺腫大 484
甲状腺傍濾胞細胞 261
甲状腺ホルモン製剤 484
合成エストロゲン製剤 477
抗精神病薬 88
合成ムスカリン受容体遮断薬 72
抗線溶薬 332
酵素 27
酵素共役型受容体 24
拘束性換気障害 407
抗体 581
抗体依存性細胞介在性細胞傷害作用 581
抗体依存性細胞貪食 581

抗男性ホルモン薬 376
好中球 469
抗てんかん薬 109, 175
後天性白内障 507
後天性免疫不全症候群 545
行動・心理症状 151, 155
高尿酸血症 468
後嚢下白内障 507
抗プラスミン薬 332
高プロラクチン血症 89, 95, 493
興奮作用 2
硬膜外麻酔 81
高密度リポタンパク質 459
抗利尿ホルモン不適合分泌症候群 358, 494
高リン血症 361
コカイン 81, 208
呼吸興奮薬 208, 389
呼吸障害改善薬 388
呼吸中枢 389
国際疾病分類第10版 127
黒質線条体系 89
50%致死量, 50%中毒量 5
50%有効量 4
ゴセレリン 578
骨芽細胞 261
骨吸収 492
骨粗鬆症 261
骨軟化症 491
コデイン 383
ゴナドトロピン 578
コバマミド 341
コリスチン 536
ゴリムマブ 247, 426
コリンアセチルトランスフェラーゼ 67
コリンエステラーゼ阻害薬 67, 153, 370, 427
コリン性クリーゼ 70
コルサコフ症候群 211
コルチコステロン 215
コルチゾール 26, 215
──分泌抑制試験 99
コルチゾン 215, 217
コルヒチン 469
コルホルシンダロパート 291
コレスチミド 462
コレスチラミン 462
コレステロール異化促進薬 463
コレステロール吸収阻害薬 462
コレステロールトランスポーター 32
混合型アドレナリン受容体刺激薬 55
コントローラー 396
コンフリクト試験 129

和文索引

…さ

細菌感染症　522
サイクロセリン　529
最高血中濃度　34
最小致死量　5
最小肺胞内濃度　190
最小有効量　4
再生不良性貧血　342
最大耐量　5
最大電撃痙攣法　174
最大有効量　4
サイトカイン関連薬　562,580
サイトカイン受容体　25
サイトメガロウイルス　540
催吐薬　421
再燃　88
再分極　13
細胞加工製品　562,603
細胞傷害性Tリンパ球抗原　585
細胞性免疫反応　227
細胞増殖シグナル阻害薬　241
細胞内Ca^{2+}感受性Cl^-チャネル　18
細胞内受容体　19,26
細胞内情報伝達系　19
細胞内分泌シグナル　16
細胞壁合成阻害薬　522,554
細胞膜機能障害薬　536,551
細胞膜受容体　19
細胞容積感受性Cl^-チャネル　18
催眠薬　193
サキサグリプチン　452
酢酸ナトリウム　414
サクビトリルバルサルタン　293
サケカルシトニン　264
殺細胞性抗悪性腫瘍薬　562
サトラリズマブ　248
ザナミビル　543
サフィナミド　164
サブスタンスP　203
作用点　6
サラゾスルファピリジン　220,249, 425
サリチル酸　220
サリドマイド　600
サリルマブ　248
ザルトプロフェン　222
サルブタモール　53,398
サルポグレラート　336
サルメテロール　53,398,406
酸化マグネシウム　414,428
三環系抗うつ薬　102
III群抗不整脈薬　282
三叉神経説　203
酸棗仁湯　156

…し

痔　430
ジアシルグリセロール　22
ジアゼパム　131,179,514
シアナマイド　211
シアノコバラミン　341
シェーグレン症候群　238
ジエチルエーテル　190
ジエノゲスト　479
ジオクチルコハク酸ナトリウム　428
色視症　509
子宮筋腫　377
子宮弛緩薬　378
子宮収縮薬　379
子宮腺筋症　377
糸球体ろ過量　362
子宮内膜症　377
シグナル伝達　13
シグモイド曲線　4
シクレソニド　397
シクロオキシゲナーゼ　216,228,334
シクロスポリン　241,364,426,517
シクロフィリン　241
ジクロフェナク　221
シクロホスファミド　240,364,564
刺激頻度依存的抑制　80
止血血栓　331
止血薬　331
持効型溶解インスリン　447
視交叉上核　114,122
持効性抗精神病薬　91
ジゴキシン　37,284,287
自己受容体　104
自己分泌シグナル　16
自己免疫疾患　238
自己免疫性溶血性貧血　342
ジサイクロミン　412
自殺念慮　98
脂質異常症　459
止瀉薬　430
次硝酸ビスマス　430
ジスチグミン　69,370,503
シスプラチン　578
ジスルフィラム　211
　——様作用　523
姿勢反射障害　160
自然免疫系　214
持続性作用　3
ジソピラミド　276
シタグリプチン　452
シタフロキサシン　535
シタラビン　568
シチコリン　145
疾患修飾性抗リウマチ薬　249,253
失神型めまい　512

湿性咳　382
シデフェロン　341
シトクロムP450　36
ジドブジン　545
ジドロゲステロン　479
シナカルセト　266
シナプス　14
　——小胞タンパク質2A　181
　——伝達　14
ジヌツキシマブ　585
ジノプロスト　379
ジノプロストン　379
ジヒドロエルゴタミン　56,205
ジヒドロエルゴトキシン　56,146
ジヒドロコデイン　383
ジヒドロテストステロン　375
ジヒドロ葉酸還元酵素　569
ジピベフリン　504
ジピリダモール　301,336,364
ジフェニドール　514
ジフェニルピラリン　230
ジフェンヒドラミン　124,230,431
　——・ジプロフィリン配合　514
ジブカイン　82,431
ジプロフィリン　399
シプロフロキサシン　535
シプロヘプタジン　230
自閉スペクトラム症　90
ジペプチジルペプチダーゼ-4　452
シベンゾリン　279
シポニモド　254
耳鳴　513
シメチジン　411
ジメモルファン　384
ジメンヒドリナート　230,422,514
シモクトコグ アルファ　344
ジモルホリン　208,389
シャイ・ドレーガー症候群　54
視野欠損　509
瀉下薬　428
社交不安障害　128
重症筋無力症　70,238
熟眠障害　116
主作用　3
出血性脳疾患　140
受動輸送　29
腫瘍壊死因子α　247
受容体一体型イオンチャネル　19
腫瘍崩壊症候群　472
シュレム管　500
順行性健忘　125
消化性潰瘍　410
笑気　191
小球性低色素性貧血　341
小柴胡湯　436
硝酸イソソルビド　299

硝酸薬　292, 299, 302
上室性不整脈　272
小腸コレステロールトランスポーター
　　462
上皮型 Na⁺ チャネル　355
上皮小体　261
上皮成長因子受容体　584
小分子分子標的薬　588
小胞モノアミントランスポーター　45
　――阻害薬　60
静脈内投与　32
静脈麻酔薬　191
常用量依存　125
初回通過効果　32
褥瘡　519
触媒反応　27
植物アルカロイド　562, 572
ジョサマイシン　532
除神経性過感受性　61
女性ホルモン　477
徐脈性不整脈　272
シラザプリル　310
シラスタチン　527
ジラゼプ　301, 336
自律神経系　40
自律神経症状　128
視力低下　509
ジルチアゼム　284, 309
シルデナフィル　325
シルニジピン　308
シロスタゾール　324, 336
シロドシン　57, 375
侵害受容性疼痛　197
新型コロナウイルス感染症　544, 548
真菌感染症　551
心筋梗塞　297
神経筋接合部　14, 74
神経原線維変化　150
神経症　127
神経新生仮説　108
神経節遮断薬　72
神経脱落　150
深在性真菌症　551
深在性白癬　518
腎実質性高血圧症　305
心室性不整脈　272
滲出型加齢性黄斑変性　509
浸潤麻酔　80
心身症　130
新生児呼吸窮迫症候群　390
腎性尿崩症　487
腎性貧血　342
新世代抗てんかん薬　180
振戦　159
腎臓　352
身体依存　39, 209

心的外傷後ストレス障害　129
浸透圧性利尿薬　357
じん肺　407
シンバスタチン　364, 461
深部静脈血栓症　337, 346
心不全　286
腎不全　360
深部皮膚真菌症　551

す

膵炎　437
水酸化アルミニウム　414
水酸化マグネシウム　428
膵臓ランゲルハンス島(膵)β細胞　444
錐体外路症状　89, 95
水痘・帯状疱疹ウイルス　540
睡眠・覚醒障害群　115
水迷路課題　152
スガマデクス　76
スキサメトニウム　77
すくみ足　168
スクラルファート　416
スクレロスチン　267
スコポラミン　71, 412
スタチン　461
スタンダードスタチン　461
スチリペントール　182
ステルワーグ徴候　483
ステロイド関節内注射　268
ステロイド受容体　215
ステロイド性抗炎症薬　215
ストレス潰瘍　410
ストレス仮説　99
ストレプトマイシン　532, 537
ストロングスタチン　461
スニチニブ　595
スピペロン　89
スピラマイシン　532, 557
スピロノラクトン　314, 356, 497
スプラタスト　234, 401
スボレキサント　123
スマトリプタン　203
スリンダク　221
スルタミシリン　528
スルチアム　178
スルトプリド　89
スルバクタム　528
スルピリド　89, 420, 422, 427
スルピリン　202, 224
スルファジアジン　557
　――銀　520
スルファメトキサゾール　534
スルホニル尿素薬　448

せ

制酸薬　414

静止膜電位　12
精神依存　39, 209
精神運動興奮　86
性腺刺激ホルモン　578
　――放出ホルモン　378
整腸剤　430
青斑核　198
生物学的製剤　245, 253, 401
生物学的半減期　34
生物学的利用率　34
性ホルモン関連薬　475
セカンドメッセンジャー系　19
咳　382
脊髄麻酔　80
セコバルビタール　118, 194
セチプチリン　103
セチリジン　231, 400
セツキシマブ　584
　―― サロタロカン　585
接触依存シグナル　16
切迫性尿失禁　368
切迫流産，切迫早産　378
セトラキサート　415
セビメリン　65
セファゾリン　525
セファレキシン　38, 525
セファロスポリナーゼ　525
セフェピム　527
セフェム系抗菌薬　525
セフォゾプラン　527
セフォタキシム　526
セフォチアム　525
セフォペラゾン　523, 526
セフカペン ピボキシル　526
セフジトレン ピボキシル　526
セフジニル　526
セフタジジム　526
セフトリアキソン　526
セフピロム　527
セフメタゾール　523, 525
セフメノキシム　523, 526
セベラマー　490
セボフルラン　191
セマグルチド　453
セラトロダスト　233, 401
セラミド　516
セリチニブ　590
セリプロロール　59, 315
セリン・スレオニンキナーゼ阻害薬
　　598
セルトラリン　104, 134
セルトリズマブ ペゴル　247
セレギリン　163
セレコキシブ　223
セロトニン　14, 214, 330
　――5-HT₁受容体　380

和文索引

――5-HT$_{1A}$受容体部分刺激薬　133
――5-HT$_{1B}$, 5-HT$_{1D}$受容体　204
――5-HT$_2$受容体　334,336
――5-HT$_3$受容体遮断薬　423,427
――仮説　99,127
――受容体刺激薬　420
――症候群　104,110
――説（片頭痛）　203
――・ドパミン拮抗薬　90
――トランスポーター　32,104
――・ノルアドレナリン再取り込み阻害薬　105
線維化　407
線維柱体　500
閃輝暗点　203
前向性健忘　125,193
浅在性白癬　518
全身作用　2
全身性エリテマトーデス　238,251
全身性自己免疫疾患　238
全身麻酔　189
選択的α_1受容体遮断薬　57
選択的β_1受容体遮断薬　59
選択的COX-2阻害薬　223
選択的エストロゲン受容体モジュレーター　264
選択的作用　2
選択的セロトニン再取り込み阻害薬　103,134
選択的ノルアドレナリン再取り込み阻害薬　138
先端巨大症　493
前兆（片頭痛）　203
前庭性めまい　512
先天性白内障　507
全透膜　11
センノシド　428
全般性不安障害　128
全般発作　173
浅眠　116
前立腺　374
――特異抗原　374
――肥大症　374

....そ
躁うつ病　98
相加作用　7,37
臓器移植　270
臓器特異的自己免疫疾患　238,253
双極性障害　98
相乗作用　7,37
躁状態　100
早朝覚醒　116,125
躁転　111
塞栓症　346
続発性骨粗鬆症　261

続発性副甲状腺機能亢進症　489
続発緑内障　500
組織プラスミノーゲン活性化因子　141,340
ソタロール　283
速効型インスリン　447
速効型インスリン分泌促進薬　448
速効作用　3
ソトラシブ　599
ソトロビマブ　548
ゾニサミド　169,176,180
ゾピクロン　121,194
ソファルコン　415
ソホスブビル　435
ソマトスタチン　16
ソラフェニブ　596
ソリフェナシン　368
ゾルピデム　121
ゾルミトリプタン　204
ゾレドロン酸　263

....た
第一世代ヒスタミンH$_1$受容体遮断薬　230
大コンダクタンス Ca^{2+}活性化K$^+$チャネル　502
代謝　35
代謝拮抗薬　238,562,566
代謝性アシドーシス　361
帯状疱疹　540
耐性　38,209
耐糖能異常　92,96
体内時計　114,122
第二世代ヒスタミンH$_1$受容体遮断薬　231
大脳辺縁系賦活機構　119
大分子分子標的薬　581
退薬症候　39,125
タウタンパク質　150
ダウノルビシン　570
ダウンレギュレーション　104
タキフィラキシー　38
ダクラタスビル　435
タクロリムス　234,242,426,517
ダコミチニブ　589
多剤併用療法　545
ダサチニブ　591
多次元受容体標的化抗精神病薬　92
タゼメトスタット　602
タゾバクタム　528
タダラフィル　325,375
脱感作　104
脱分極　12
脱分極性遮断薬　76
脱力発作　173
ダナゾール　475

ダナパロイド　337
ダパグリフロジン　363,454
多発性筋炎　238
多発性硬化症　238,253
ダビガトランエテキシラート　338
ダプトマイシン　536
ダブラフェニブ　598
タフルプロスト　501
ダプロデュスタット　343
タペンタドール　200
タミバロテン　600
タムスロシン　57,375
タモキシフェン　478,575
ダモクトコグ アルファ ペゴル　344
ダラツムマブ　583
タリペキソール　162
ダルテパリン　337
ダルナビル　546
ダルベポエチンアルファ　343
ダロルタミド　577
痰　386
炭酸カルシウム　414
炭酸水素ナトリウム　361,414,428
炭酸脱水酵素　356
――阻害薬　356,504
炭酸リチウム　108
短時間作用性β_2刺激薬　398
単純部分発作　172
単純ヘルペスウイルス　540
男性ホルモン　475
胆石症　439
胆道炎　439
タンドスピロン　133
ダントロレン　78,96
タンニン酸アルブミン　430
タンパク質合成阻害薬　530
タンパク質同化ステロイド　266,476
タンパク質分解酵素薬　333
タンパク尿　363
単輸送体　30

....ち
チアジド系利尿薬　352
チアプロフェン酸　222
チアマゾール　483
チアミラール　191
チアラミド　224
チエノジアゼピン系不安薬　133
チェーン・ストークス型呼吸　200
チオカルバメート系抗真菌薬　553
チオテパ　565
チオトロピウム　400,405
チオペンタール　191
チカグレロル　336
チキジウム　412,438
チクロピジン　335

索引

遅効作用 3
チサゲンレクルユーセル 603
遅発性嘔吐 423
遅発性ジスキネジア 95
チペピジン 384
チメピジウム 412
チモロール 58,503
注意欠如・多動症 137,207
中核症状 151
中間比重リポタンパク質 459
中心暗転 509
中枢興奮薬 207
中枢作用 3
中枢神経刺激薬 137
中枢性骨格筋弛緩薬 186
中枢性鎮咳薬 383
中枢性尿崩症 487
中枢性めまい 512
中性脂肪 459
中途覚醒 116
中毒表皮壊死症候群 470
チュブリン 572
腸肝循環 35
長期管理薬 396
長時間作用型抗精神病薬 91
長時間作用性 $β_2$ 刺激薬 398
超低密度リポタンパク質 459
直接骨格筋弛緩薬 78
直接作用 2
直腸内投与 33
チョコレート囊胞 377
チラブルチニブ 594
チラミン 54
治療係数 6
治療抵抗性統合失調症 93
チロシンキナーゼ 24
　　――型受容体 25
　　――阻害薬 588
鎮咳薬 383
陳旧性心筋梗塞 298
沈降炭酸カルシウム 361,490
鎮痛薬 197

追加分泌 447
痛風 468
痛風発作治療薬 469
ツシジノスタット 600
d-ツボクラリン 75
爪白癬 518
ツロクトコグ アルファ 344
ツロブテロール 53,399

低アルブミン血症 363
低活動膀胱 370
定型抗精神病薬 89
低血圧症 322
低血糖 445
テイコプラニン 528
低タンパク血症 363
低分子ヘパリン 337
低密度リポタンパク質 459
テオフィリン 38,208,399
テオブロミン 208
テガフール 568
デキサメタゾン 218
デキストロメトルファン 384
テジゾリド 533
テストステロン 375
　　――エナント酸エステル, プロピオン酸エステル 475
デスフルラン 191
デスモプレシン 345,488
デスロラタジン 231
テセロイキン 580
デソゲストレル 479
テタニー 490
鉄芽球性貧血 343
鉄欠乏性貧血 341
テトラカイン 81
テトラサイクリン系抗菌薬 530
テトラヒドロゾリン 51
テトラヒドロ葉酸 569
テネリグリプチン 452
デノスマブ 265,587
デノパミン 52,290
テノホビル ジソプロキシル 434
デヒドロコール酸 440
テビペネム ピボキシル 528
テプレノン 415
テポチニブ 594
テムシロリムス 598
デュタステリド 375
デュピルマブ 401,517
デュラグルチド 453
デュルバルマブ 586
デュロキセチン 105,456
テラゾシン 57,316,375
デラマニド 537
テーラーメイド薬物療法 36
テリパラチド 265
テルグリド 494
デルゴシチニブ 245,517
テルビナフィン 518,553
テルブタリン 53,398
テルミサルタン 312
電位依存性 Ca^{2+} チャネル 18,180
電位依存性 Cl^- チャネル 18,428
電位依存性 K^+ チャネル 18
電位依存性 Na^+ チャネル 18,79
てんかん 172
　　――重積状態 174
電気痙攣療法 101
伝達麻酔 80
点頭てんかん 183
天然ケイ酸アルミニウム 414
デンプン 430

と

統合失調症 86
糖質コルチコイド 215,396
糖新生 444
糖代謝異常 92
糖尿病 444
糖尿病性ケトアシドーシス 454
糖尿病性神経障害 105
洞房結節 274
ドカルパミン 290
ドキサゾシン 57,316
ドキサプラム 389
ドキシサイクリン 530
ドキシフルリジン 568
トキソプラズマ症 534,556
ドキソルビシン 570
特発性間質性肺炎 407
特発性血小板減少性紫斑病 238,254
ドコサヘキサエン酸 465
トコン（吐根） 422
トシリズマブ 248
トスフロキサシン 535
ドセタキセル 573
ドチヌラド 471
ドネペジル 69,153
ドパミン 14,51,290
　　――D_2 受容体遮断薬 89,427
　　――D_2 受容体部分刺激薬 94
　　――仮説 86
　　――システムスタビライザー 94
　　――・セロトニン拮抗薬 91
　　――トランスポーター 208
トピラマート 181
トピロキソスタット 470
トファシチニブ 243,426
ドブタミン 52,290
トブラマイシン 532
トポイソメラーゼⅣ 535
トポイソメラーゼ阻害薬 562,574
トホグリフロジン 454
トラスツズマブ 583
トラセミド 354
トラゾドン 107
トラニラスト 229,400
トラネキサム酸 332
トラフェルミン 520
ドラベ症候群 183
トラボプロスト 501
トラマゾリン 51

トラマドール　201, 268
トラメチニブ　598
トランスペプチダーゼ　523
トランスポーター　29
トリアゾラム　119, 193
トリアムテレン　314, 355
トリグリセリド　459
トリクロルメチアジド　313, 352
トリコモナス症　556
トリパミド　354
トリプロリジン　230
トリヘキシフェニジル　165
ドリペネム　528
トリメタジオン　179
トリメトキノール　398
トリメトプリム　534
トリメブチン　430
トリロスタン　497
ドルゾラミド　504
ドルテグラビル　547
トルテロジン　368
トルナフタート　553
トルバプタン　358
トルブタミド　37
トレチノイン　600
　──トコフェリル　520
トレピブトン　439, 440
トレプロスチニル　325
トレミフェン　478, 575
トレラグリプチン　452
ドロキシドパ　54, 168, 323
ドロペリドール　192
トロポミオシン受容体キナーゼ　593
トロンビン　333
トロンボキサン　214
　──A_2　233, 330
　──合成酵素　335
ドンペリドン　422, 427, 514

.... な

内因性交感神経刺激作用　58
内因性モルヒネ様ペプチド類　199
内活性　8
内耳循環改善薬　514
ナイスタチン　551
ナイトロジェンマスタード類　564
内尿道括約筋　367
内分泌シグナル　15
内分泌性高血圧症　305
ナタリズマブ　254
ナテグリニド　448
ナドロール　58, 281
ナファゾリン　51
ナファモスタット　339, 439
ナフトピジル　57, 375
ナブメトン　221

ナプロキセン　222
ナラトリプタン　204
ナリジクス酸　535
ナルコレプシー　123, 207
ナルデメジン　429
ナルトグラスチム　345
ナロキソン　200, 390
難聴　513

.... に

2型糖尿病　444
ニカルジピン　308
II群抗不整脈薬　280
ニコチン　66
　──(性アセチルコリン)受容体　19, 42
　──受容体刺激薬　65
ニコチン酸　514
　──誘導体　464
ニコモール　464
ニコランジル　300
ニザチジン　411
二次止血　331
二次性高血圧　305
二次性全般化発作　173
二次能動輸送　29
ニセリトロール　465
ニセルゴリン　145
日中不安　125
ニトラゼパム　120, 179, 194
ニトログリセリン　299, 302
ニトロソウレア類　565
ニトロプルシド　317
ニフェカラント　283
ニフェジピン　306, 362
ニプラジロール　60, 316, 505
ニボルマブ　586
ニムスチン　565
ニメタゼパム　120
乳酸アシドーシス　450
入眠障害　116
ニューキノロン　535
ニューモシスチス肺炎　534
尿アルカリ化薬　472
尿意切迫感　368
尿酸生成抑制薬　469
尿酸トランスポーター　31, 470
尿酸排泄促進薬　470
尿酸分解酵素薬　472
尿勢低下　370
尿線途絶　370
尿崩症　487
尿路結石　372
ニラパリブ　601
ニロチニブ　591
妊娠高血圧症候群　305

認知機能障害　87
認知症　149
認知療法, 認知行動療法　101
ニンテダニブ　408, 596

.... ぬ

ヌクレオチド結合性Cl^-チャネル　18

.... ね

ネオスチグミン　69, 370
ネシツムマブ　584
ネダプラチン　580
熱ショックタンパク質　215
ネプリライシン　293
ネフローゼ症候群　363
粘液修復型去痰薬　388
粘液溶解型去痰薬　386

.... の

ノイラミニダーゼ　542
　──阻害薬　543
脳萎縮　150
脳虚血性疾患　140
濃グリセリン　143
脳血管疾患　140
脳血管性認知症　147, 151
脳血栓症　140
脳梗塞　140
脳出血　140
脳塞栓症　140, 337
能動輸送　29
脳浮腫　143
脳保護薬　142
脳由来神経栄養因子　108
ノギテカン　574
ノナコグ アルファ/ガンマ/ベータペゴル　345
ノルアドレナリン　14, 46
　──作動性・特異的セロトニン作動性抗うつ薬　106
　──トランスポーター　45, 105
ノルエチステロン　479
ノルトリプチリン　103
ノルフロキサシン　535
ノンレム睡眠　114

.... は

バイオアベイラビリティ　34
肺気腫　405
杯細胞　386
肺サーファクタント　390
排泄　35
肺塞栓症　337, 346
肺動脈性肺高血圧症　325
排尿筋　367
バカンピシリン　524

パーキンソン病 159
白癬 518
白鳥の首変形 252
白糖・ポビドンヨード 520
白内障 507
麦門冬湯 385
パクリタキセル 573
破骨細胞 261
橋本病 238,484
バージャー病 323
播種性血管内凝固症候群 337,343
バシリキシマブ 245
バセドウ病 238,482
バゼドキシフェン 264
パゾパニブ 596
バソプレシン 488,494,513
　――V₂受容体 358,487
　――誘導体 345
バダデュスタット 343
8方向放射状迷路課題 152
麦角アルカロイド 56,146,161,380
白金製剤 562,578
白血球減少症 345
発達緑内障 500
パニック障害 128
パニツムマブ 584
パニペネム 527
パノビノスタット 600
パパベリン 440
パミドロン酸 263,492
パラクリン 15
バラシクロビル 541
パラトルモン 261,489
バリシチニブ 244
パリペリドン 91
バルガンシクロビル 541
バルサルタン 312
パルス療法 217
パルナパリン 337
バルビツール酸系薬 118,194
バルビツール酸結合部位 118
バルプロ酸 109,178
パルボシクリブ 602
ハロキサゾラム 120
バロキサビル マルボキシル 544
パロキセチン 104,134
ハロタン 190
ハロペリドール 89
パロモマイシン 558
バンコマイシン 437,528
反跳性不眠 125,193
バンデタニブ 596
半透膜 12

ひ

ビアペネム 528
ヒアルロニダーゼ 332
ヒアルロン酸 268
ピオグリタゾン 451
非回転性めまい 512
被害妄想 87
非可逆的コリンエステラーゼ阻害薬 70
非核酸系逆転写酵素阻害薬 546
皮下投与 33
ビガバトリン 183
ビカルタミド 476,577
非競合的アンタゴニスト 9
ビグアナイド薬 450
鼻腔内投与 33
ピークフロー 394
ピコスルファート 428
ビサコジル 428
皮質白内障 507
微小管傷害薬 562,572
ヒスタミン 14,214
　――H₁受容体遮断薬 231
　――H₂受容体遮断薬 411
非ステロイド性抗炎症薬 218
ヒストン脱アセチル化酵素 600
ビスホスホネート薬 262
非選択的作用 2
非選択的陽イオンチャネル 17,19
非前庭性めまい 512
ビソプロロール 59,315
非脱分極性遮断薬 75
ピタバスタチン 461
ビタミン K 261
　――エポキシド還元酵素 339
　――製剤 265,331
ビダラビン 541
非鎮静性ヒスタミン H₁ 受容体遮断薬 231
非定型抗精神病薬 90,110,155
ヒト細胞傷害性Tリンパ球抗原-4 246
ヒト上皮成長因子受容体 583
ヒト体細胞加工製品 603
ヒト免疫不全ウイルス 545
ヒドロキシクロロキン 248
ヒドロキシジン 135,230
ヒドロキシプロゲステロン 479
ヒドロキソコバラミン 341
ヒドロクロロチアジド 313,352
ヒドロコルチゾン 215,217,431
ビニメチニブ 598
ビノレルビン 572
非麦角アルカロイド系薬 162
非びらん性胃食道逆流症 426
皮膚筋炎 238
皮膚糸状菌 518
皮膚真菌症 518

皮膚投与 33
ピブレンタスビル 435
ビベグロン 369
ピペラシリン 524
ビペリデン 166
ピペリドレート 379,412
非ベンゾジアゼピン系睡眠薬 121
ヒマシ油 428
ビマトプロスト 501
非麻薬性鎮痛薬 218
びまん性甲状腺腫 482
ピモベンダン 291
表在性真菌症 551
表面麻酔 80
ピラジナミド 537
ビラスチン 231
ピランテル 559
ピリドキサールリン酸 343
ピリドキシン 343
ピリドスチグミン 69
ピリミジン代謝拮抗薬 567
ピリメタミン 557
ピルシカイニド 280
ビルダグリプチン 452
ピルフェニドン 408
ピルメノール 279
ピレタニド 354
ピレノキシン 507
ピレンゼピン 412
ピロカルピン 64,503
ピロキシカム 223
広場恐怖症 128
ピロヘプチン 166
ピロリ菌 410,417
ビンクリスチン 572
貧血 340
ビンデシン 572
ピンドロール 58,281,316
頻尿 368
ビンブラスチン 572
頻脈 482
頻脈性不整脈 272

ふ

ファスジル 144
ファビピラビル 544
ファモチジン 8,411
ファロペネム 527
不安障害 127
不安定狭心症 297
フィゾスチグミン 68
フィダキソマイシン 535
フィトナジオン 332
フィブラート系薬 463
フィブリン 141
フィラグリン 516

フィルグラスチム　345
フィルゴチニブ　245
フィンゴリモド　254
フェキソフェナジン　231
フェソテロジン　368
フェニトイン　177,180
フェニレフリン　51,322
フェノチアジン誘導体　89
フェノテロール　53,398
フェノバルビタール　177,180
フェノフィブラート　464
フェブキソスタット　362,470
フェロジピン　308
フェンタニル　200
フェントラミン　56
フェンフルラミン　127
フォンダパリヌクス　337
賦活症候群　105,111
不規則的下行性麻痺　190
腹圧排尿　370
副交感神経　41
副甲状腺　261
　　──機能亢進症　489
　　──機能低下症　490
　　──ホルモン薬　265
複雑部分発作　172
副作用　3
副腎クリーゼ　497
副腎皮質刺激ホルモン　495
副腎皮質ステロイド　215,253,363,
　　396,408
副腎不全　497
ブクラデシン　292,520
ブコローム　471
浮腫　361
ブシラミン　249
ブスルファン　566
不整脈　272
ブチリルコリンエステラーゼ　67,153
ブチルスコポラミン　72,412
ブチロフェノン誘導体　89
ブデソニド　396
ブテナフィン　553
ぶどう膜　500
フドステイン　388
ブトロピウム　412
ブナゾシン　57,316,503
負のフィードバック　496
ブピバカイン　82
ブフェトロール　58,281
ブプレノルフィン　201,268
部分アゴニスト　7
部分発作　172
ブホルミン　450
フマル酸第一鉄　341
不眠症　115

不眠障害　115
ブメタニド　354
プラスグレル　302,335
プラスミノーゲン活性化因子　340
プラスミン　340
プラゾシン　57,316,375
フラッシュバック現象　207
プラノプロフェン　222
プラバスタチン　461
プラミペキソール　116,162
プランルカスト　233,401
ブリガチニブ　590
ブリナツモマブ　583
プリミドン　177
ブリモニジン　52
フリーラジカル　142
プリン受容体　21
ブリンゾラミド　504
プリン体　468
プリン代謝拮抗薬　238,567
フルオロウラシル　567
ブルガダ症候群　272
フルコナゾール　552
フルジアゼパム　132
フルシトシン　554
フルタゾラム　132
フルタミド　476,577
フルダラビン　567
フルチカゾン　396
フルトプラゼパム　132
フルニトラゼパム　120,194
フルバスタチン　461
フルフェナジン　89
フルフェナム酸　220
フルボキサミン　104,134
フルマゼニル　117,389
フルラゼパム　120,194
フルルビプロフェン　222
ブレオマイシン　571
フレカイニド　280
プレガバリン　456,541
ブレクスピプラゾール　95
プレドニゾロン　217,363,431,514
フレネズマブ　205
プレパルス抑制試験　88
ブレンツキシマブ ベドチン　582
プロカイン　81
　　──アミド　277
プロカテロール　53,399
プロキシフィリン　399
プログルミド　414
プログルメタシン　221
プロクロルペラジン　422
プロゲステロン　26,377,479
プロスタグランジン　214
　　──D_2　114,233

──関連薬　379,415,501
プロスト系/プロストン系　501
フロセミド　313,354
プロタミン硫酸塩　337
プロタンパク質転換酵素サブチリシン/
　ケキシン 9 型　465
ブロチゾラム　120,194
プロテアーゼ阻害薬　546
プロテアソーム阻害薬　599
プロテインキナーゼ A，プロテインキ
　ナーゼ C　22
プロテインキナーゼ G　24
プロドラッグ　27
プロトンポンプ　30
　　──阻害薬　413
ブロナンセリン　91
プロパフェノン　280
プロパンテリン　412,438
プロピベリン　368
プロピルチオウラシル　483
プロフェナミン　166
プロブコール　463
プロプラノロール　58,281,315
プロプロピオン　55,439,440
プロベネシド　471
プロポフォール　192
ブロマゼパム　132
ブロムヘキシン　388
ブロムペリドール　89
プロメタジン　230
ブロメライン　520
ブロモクリプチン　96,161,493
ブロモバレリル尿素　124,194
プロラクチン　493
プロリン水酸化酵素　343
ブロルシズマブ　510
分化誘導薬　600
分岐鎖アミノ酸顆粒製剤　437
分子標的薬　562,580
分布　35

へ

平衡電位　12
閉塞隅角緑内障　500
閉塞性血栓血管炎　323
閉塞性睡眠時無呼吸症候群　116
閉塞性動脈硬化症　323,378
ヘキサメトニウム　73
ペグインターフェロン　434
ペグビソマント　493
ペグフィルグラスチム　345
ベクロニウム　76
ベクロメタゾン　396
ベザフィブラート　463
ベタキソロール　59,315,503
ベダキリン　537

ベタネコール 63, 370
ベタヒスチン 514
ベタミプロン 527
ベタメタゾン 218
ペチジン 200
ベドリズマブ 426
ペナンブラ領域 143
ペニシラミン 249
ペニシリナーゼ 524
ペニシリン 38
　——系抗菌薬 524
ベネトクラクス 602
ベバシズマブ 587
ヘパリン 142, 337
　——拮抗薬 337
ベバントロール 60, 317
ペフィシチニブ 244
ペプチドグリカン 522
ベプリジル 283
ベポタスチン 231
ヘマグルチニン 542
ペマフィブラート 464
ペミガチニブ 595
ペミロラスト 229, 400
ペムブロリズマブ 586
ベムラフェニブ 598
ヘモコアグラーゼ 333
ペモリン 124
ベラパミル 283
ベラプロスト 324, 335
ペラミビル 543
ペランパネル 182
ヘリコバクター・ピロリ 410, 417
ベリムマブ 246
ベルイシグアト 294
ペルオキシソーム増殖因子活性化受容体 α 463
ペルオキシソーム増殖因子活性化受容体 γ 451
ペルゴリド 162
ペルツズマブ 584
ベルパタスビル 435
ヘルペスウイルス 540
ペロスピロン 90
変形性関節症 267
変視症 509
ベンジルアミン系抗真菌薬 553
ベンジルペニシリン 524
ベンズアミド誘導体 89
片頭痛 203
ベンズブロマロン 471
ベンセラシド 161
ベンゾジアゼピン系抗不安薬 131
ベンゾジアゼピン系睡眠薬 119
ベンゾジアゼピン系薬 117, 193
ベンゾジアゼピン結合部位 117

ベンゾジアゼピン受容体 118
ベンゾナテート 385
ペンタゾシン 201, 438
ベンチルヒドロクロロチアジド 352
ペントキシベリン 384
ペントバルビタール 118, 194
便秘 427
ベンプロペリン 384
ベンラファキシン 105
ベンラリズマブ 401

....ほ
膀胱括約筋 367
放射性肺炎 407
抱水クロラール 194
傍分泌シグナル 15
ボグリボース 449
ホスアプレピタント 423
ホスカルネット 541
ボスチニブ 592
ホスファチジルイノシトール代謝回転 108
ホスフェニトイン 177
ホスフルコナゾール 552
ホスホジエステラーゼ 22, 208, 290, 399
　——阻害薬 290
　——3 阻害薬 290, 336
　——4 阻害薬 255
　——5 阻害薬 325, 375
ホスホマイシン 529
ホスホリパーゼ A₂ 216, 228
ホスホリパーゼ C 22
ボセンタン 326
補体依存性細胞傷害作用 581
発作治療薬 396
ボツリヌス毒素 77
ポナチニブ 592
ボノプラザン 413
ポマリドミド 600
ホメオスタシス 2
ホモクロルシクリジン 230
ポラツズマブベドチン 583
ポラプレジンク 416
ポリ ADP-リボースポリメラーゼ 601
ポリエン系抗真菌薬 551
ボリコナゾール 553
ポリスチレンスルホン酸カルシウム/ナトリウム 361
ポリノスタット 600
ボルチオキセチン 105
ボルテゾミブ 599
ホルモテロール 53, 399, 406
本態性高血圧 305

....ま
マイトマイシン C 571
マイナートランキライザー 131
マキサカルシトール 255
膜輸送 29
マクロファージコロニー刺激因子 345
マクロライド系抗菌薬 531
マザチコール 166
マシテンタン 326
マジンドール 207
麻酔深度 189
麻酔前投薬 192
麻酔導入薬 191
麻酔補助薬 192
まだら認知症 151
末梢気道病変 404
末梢作用 3
末梢性筋弛緩薬 75
末梢性鎮咳薬 383, 385
末梢性めまい 512
末梢動脈疾患 323
マニジピン 308
マプロチリン 103
麻薬拮抗薬 390
麻薬性鎮痛薬 197, 199
マラビロク 547
マラリア 556
マルチキナーゼ阻害薬 595
マロチラート 437
慢性炎症 214
慢性肝炎 433
慢性緩和ストレスモデル 101
慢性甲状腺炎 484
慢性社会的敗北ストレスモデル 101
慢性腎臓病 361, 372
慢性心不全 286
慢性腎不全 361
慢性膵炎 438
慢性副腎不全 498
慢性閉塞性肺疾患 404
D-マンニトール 357

....み
ミアンセリン 103
ミオクロニー発作 110, 173
ミオグロビン 461
ミカファンギン 554
ミグリトール 449
ミグレニン 224
ミクロソームトリグリセリド転送タンパク質 466
ミコナゾール 552
ミコフェノール酸モフェチル 239
ミコール酸 537
水チャネル 487

....み

ミソプロストール　415
ミゾリビン　239, 364
ミダゾラム　191
ミチグリニド　449
ミトコンドリア機能改善薬　455
ミドドリン　51, 322
ミノサイクリン　530
ミノドロン酸　263
ミラベグロン　369
ミリモスチム　345
ミルタザピン　106
ミルナシプラン　105
ミルリノン　291

....む

無機ヨード　484
無効量　4
無症候性心筋虚血　297
ムスカリンM_3受容体　368
ムスカリン受容体　42
　　──刺激薬　61
　　──遮断薬　71
むずむず脚症候群　116
ムチン　386
無動　160
ムピロシン　534

....め

メキサゾラム　132
メキシレチン　279, 456
メキタジン　231, 400
メクリジン　422
メクロフェノキサート　145
メコバラミン　341, 514
メサドン　200
メサラジン　220, 425
メスナ　564
メタゼパム　132
メタロβ-ラクタマーゼ　527
メタンフェタミン　54, 207
メチキセン　166
メチクラン　354
メチシリン耐性黄色ブドウ球菌　526
メチルエフェドリン　55, 399
メチルエルゴメトリン　56, 380
メチルジゴキシン　288
N-メチルスコポラミン　72, 412
メチルテストステロン　475
メチルドパ　54
メチルフェニデート　124, 137, 207
メチルプレドニゾロン　218, 363
メチルメチオニンスルホニウムクロリド　416
メチロシン　61
メテノロン　266
　　──エナント酸エステル　476

　　──酢酸エステル　476
メトクロプラミド　422, 427, 514
メトプロロール　8, 59, 315
メトホルミン　450
メドロキシプロゲステロン　578, 479
メトロニダゾール　557
メナテトレノン　265, 332
メニエール病　513
メピチオスタン　575
メピバカイン　82
メフェナム酸　220
メフルシド　354
メフロキン　557
メベンダゾール　559
メポリズマブ　401
めまい　512
メマンチン　155
メラトニン　114, 122
　　──受容体刺激薬　122
メルカプトプリン　426, 567
メルゼブルク三徴候　482
メルファラン　565
メロキシカム　223
メロペネム　528
免疫チェックポイント阻害薬　585
免疫抑制薬　234, 238
免疫療法　235

....も

妄想　87
モガムリズマブ　581
モキシフロキサシン　535
モザイク流動説　16
モザバプタン　358
モサプリド　420
モダフィニル　124
もち越し効果　125
モノアミンオキシダーゼ　46
　　──阻害薬　163
モノアミン仮説　98
モフェゾラク　221
モメタゾン　396
モリデュスタット　343
モルヌピラビル　548
モルヒネ　199, 302, 422, 430, 438
モルホリン系抗真菌薬　553
モンテプラーゼ　142, 340
モンテルカスト　233, 401

....や

薬剤性肺炎　407
薬物依存　39, 208
薬物血中濃度時間曲線下面積　35
薬物性肝障害　433
薬物性パーキンソン症候群　95
薬物相互作用　37

薬物動態　34
薬物動態学的相互作用　37
薬物放出制御システム　91
薬用炭　430
薬力学的相互作用　37
ヤヌスキナーゼ　26, 517
　　──阻害薬　243

....ゆ

有害作用　3
有機アニオントランスポーター4　31
有機リン剤　70
ユビデカレノン　293
輸率　11

....よ

ヨウ化カリウム　484
葉酸　341
葉酸合成系阻害薬　534
葉酸代謝拮抗薬　569
陽性症状　87
溶性ピロリン酸第二鉄　341
陽性変時作用，陽性変力作用　289
用量-反応曲線　4
予期不安　128
抑うつ気分　98
抑肝散　155
抑制作用　2
余剰受容体　10
四環系抗うつ薬　103
群抗不整脈薬　283

....ら

ライ症候群　224
ラクツロース　428, 437
ラコサミド　182
ラサギリン　163
ラージカチオンチャネル　17, 19
ラスブリカーゼ　472
ラタノプロスト　501
ラタモキセフ　523, 526
ラニチジン　411
ラニナミビルオクタン酸エステル　543
ラニビズマブ　510
ラニムスチン　565
ラノステロール14α-デメチラーゼ　519, 552
ラパチニブ　589
ラフチジン　411
ラブリズマブ　250
ラベタロール　60, 317
ラベプラゾール　413
ラマトロバン　233
ラミブジン　434
ラムシルマブ　585
ラメルテオン　122

ラモセトロン　423, 427
ラモトリギン　109, 181
ラルテグラビル　547
ラロキシフェン　264
ラロトレクチニブ　593
ランジオロール　59, 282
ランソプラゾール　413
卵胞刺激ホルモン　578
卵胞ホルモン　577
　──製剤　477

り

リウマトイド因子　252
リオシグアト　325
リオチロニン　484
リガンド　6
　──標的薬　587
リキシセナチド　453
リザトリプタン　204
リシノプリル　310
リスデキサンフェタミン　137
リスペリドン　90
リセドロン酸　263
リソカブタゲンマラルユーセル　603
離脱症状　39, 111, 211
リチウム　108
　──中毒　108, 111
リツキシマブ　245, 581
リドカイン　82, 279, 431
リトドリン　53, 378
リトナビル　546
リナグリプチン　452
リナクロチド　429
利尿薬　292, 313, 352
リネゾリド　533
リパスジル　503
リバスチグミン　69, 154
リバビリン　434
リバーロキサバン　338
リファンピシン　537
リポキシゲナーゼ　228
リポコルチン-1　215
リポタンパク質リパーゼ　459, 464
リモデリング　394
硫酸亜鉛　422
硫酸カリウム　428
硫酸鉄　341
硫酸銅　422

硫酸ナトリウム　428
硫酸マグネシウム　379, 428, 440
流動パラフィン　428
リュープロレリン　578
緑内障　500
リラグルチド　453
リラナフタート　553
リリーバー　396
リルマザホン　120, 194
リン吸着剤　490
リンコマイシン　533
リン酸化チロシン　25
リン酸水素カルシウム　261
リンパ球増殖抑制薬　241

る

ルキソリチニブ　592
ルセオグリフロジン　454
ルパタジン　231
ルビプロストン　428
ルフィナミド　183
ループ利尿薬　354
ルラシドン　91, 110
ルリオクトコグ アルファ　344
ルリコナゾール　519, 552

れ

レイノー病　378
レゴラフェニブ　596
レジパスビル　435
レストレスレッグス症候群　116, 163
レスピラトリーキノロン　535
レセルピン　60, 98
レチノイン酸受容体　600
レトロゾール　576
レナリドミド　600
レニン-アンジオテンシン-アルドステロン系　305
レニン阻害薬　313
レノグラスチム　345
レノックス・ガストー症候群　183
レパグリニド　449
レバミピド　415
レバロルファン　200, 390
レビー小体型認知症　150
レビパリン　337
レフルノミド　240
レベチラセタム　181

レボカバスチン　231
レボセチリジン　231
レボチロキシン　484
レボドパ　160
レボノルゲストレル　479
レボブノロール　60, 505
レボブピバカイン　82
レボフロキサシン　535
レム睡眠　114
レムデシビル　548
レンバチニブ　596
レンボレキサント　123

ろ

ロイコトリエン　214
　──受容体遮断薬　233
労作性狭心症　297
老人斑　150
漏斗下垂体系　89, 95
ロキサチジン　411
ロキサデュスタット　343
ロキシスロマイシン　531
ロキソプロフェン　222
ロクロニウム　76
ロサルタン　311, 362, 364, 456
ロスバスタチン　461
ロチゴチン　116, 162
ロミタピド　466
ロピニロール　162
ロピバカイン　82
ロフラゼプ酸エチル　132
ロペラミド　430
ロベンザリット　253
ロミデプシン　600
ロミプロスチム　254
ロメリジン　205
ロモソズマブ　266
ロラゼパム　132, 179
ロラタジン　231
ロルノキシカム　223
ロルメタゼパム　120
ロルラチニブ　590

わ

ワクチン　406
ワルファリン　37, 339

欧文索引

……A

5α還元酵素阻害薬　375
α-グルコシダーゼ阻害薬　449
α-シヌクレイン　150
α受容体　42
　$α_1$受容体　367
　$α_2$自己受容体，$α_2$ヘテロ受容体　106
　$α_1$受容体刺激薬　51
　$α_2$受容体刺激薬　52
　α受容体遮断薬　56
　$α_1$受容体遮断薬　57,316,375
αβ受容体刺激薬　504
αβ受容体遮断薬　60,505
　$α_1β$受容体遮断薬　317
α-hANP　358
A_{2A}受容体　168,336
ABCトランスポーター　30
absence seizure　173
ACE(angiotensin converting enzyme)　309,456
AChE(acetylcholine esterase)　67,153
acromegalia　493
ACTH　495
action potential　12
acute heart failure　286
acute myocardial infarction　298
acute pancreatitis　438
AD(Alzheimer's disease)　149
AD/HD(attention-deficit/hyper-activity disorder)　137,207
ADCC(antibody-dependent cell-mediated cytotoxicity)　581
ADCP(antibody-dependent cell-mediated phagocytosis)　581
ADME　34
ADP　330
　ADP受容体　335
adrenal insufficiency　497
afterhyperpolarization　13
agoraphobia　128
AIDS(acquired immunodeficiency syndrome)　545
　AIDS指標疾患　545
akinesia　160
ALK(anaplastic lymphoma kinase)　590
AMD(age-related macular degeneration)　509
amebic dysentery　557
AMPA(α-amino-3-hydroxy-5-methyl-4-isoxazolepropionic acid)受容体　20,154

AMPK(AMP活性化プロテインキナーゼ)　450
analgesics　197
angina pectoris　297
anisakiasis　559
antipyretic-analgesics　197
antitussives　383
anxiety disorder　127
APL(acute promyelocytic leukemia)　600
APP(amyloid precursor protein)　150
ARB(angiotensin Ⅱ receptor blocker)　311
ARF(acute renal failure)　360
arrhythmia　272
ascariasis　558
ASD(acute stress disorder)　129
ASO(arteriosclerosis obliterans)　323
AT_1受容体遮断薬　311
atonic seizure　173
ATP　145,514
　ATP感受性K^+チャネル　18,445
AUC(area under the curve)　35

……B

β酸化　464
β受容体　42
　$β_2$受容体，$β_3$受容体　367
　β受容体刺激薬　52,289
　$β_2$受容体刺激薬　53,398,406
　$β_3$受容体刺激薬　369
　β受容体遮断薬　58,281,292,301,314,503
β-ラクタマーゼ　523,528
β-ラクタム系抗菌薬　523
B型肝炎ウイルス　434
bacterial infectious disease　522
Basedow病　482
Bcl-2(B-cell lymphoma 2)　602
BCR-ABLチロシンキナーゼ阻害薬　591
BDNF(brain-derived neurotrophic factor)　108
bioavailability　34
biological clock　114
bipolar disorder　98
BKチャネル開口薬　502
BLyS(B lymphocyte stimulator)　247
BP(bisphosphonates)　262
BPSD(behavioral and psychological symptoms of dementia)　151,155
bradyarrhythmia　272
BRAF阻害薬　598

BRCA1, 2(breast cancer susceptibility gene 1, 2)　601
bronchial glands　386
Brugada syndrome　272
BTK(Bruton's tyrosine kinase)阻害薬　594
BuChE(butyrylcholine esterase)　67,153
Buerger's disease　323

……C

C型肝炎ウイルス　434
Ca^{2+}-カルモジュリン依存性プロテインキナーゼⅡ(CaMKⅡ)　22
Ca^{2+}チャネル　18
　──遮断薬　300,306
Ca^{2+}放出Ca^{2+}チャネル　18
Ca^{2+}ポンプ(Ca^{2+}-ATPase)　30
cAMP　22
CAT(choline acetyltransferase)　67
cataract　507
CCK2受容体　414
CCR(C-C chemokine receptor type)4　581
CCR5　547
CD(cluster of differentiation)　20,245,581
CD22, CD30, CD33, CD52　582
CD25　245
CD38, CD79b　583
CDC(complement-dependent cytotoxicity)　581
CDK(cyclin-dependent kinase)　602
central muscle relaxants　186
central nervous system stimulant　207
cerebral hemorrhagic disorders　140
cerebral infarction　140
cerebral ischemic disorders　140
cerebrovascular disease　140
cGMP　24
CGRP(calcitonin gene-related peptide)　203,205
chemical mediator　214
chronic heart failure　286
chronic myocardial infarction　298
chronic pancreatitis　438
circadian rhythm　114
CKD(chronic kidney disease)　361,372
Cl^-チャネル　18
ClC-2　428
CM(chylomicron)　459
CMV(cytomegalovirus)　540
cognitive dysfunction　87

complex partial seizures　172
COMT(catechol-*O*-methyltransferase)　46,164
conflict test　129
congestive heart failure　286
COPD(chronic obstructive pulmonary disease)　404
core symptoms　151
cough　382
COX(cyclooxygenase)　201,228
　　COX-1　218,334
　　COX-2　216,218
　　　COX-2 阻害薬　223
CREB(cAMP response element binding protein)　22
CRF(chronic renal failure)　361
CTLA-4 (cytotoxic T-lymphocyte antigen 4)　246,585
CTZ(chemoreceptor trigger zone)　200,421
CVD(cerebrovascular dementia)　151
CYP　36
CYP51　518

D

D_2 受容体遮断薬　89,427
D_2 受容体部分刺激薬　94
DAT (dementia of Alzheimer-type)　149
deep mycosis　551
dementia　149
depolarization　12
depressed mood　98
depression　100
DHA(docosahexaenoic acid)　465
diabetes insipidus　487
diabetes mellitus　444
DIC(disseminated intravascular coagulation)　337,343
DLB (dementia with Lewy bodies)　150
DMARDs(disease modifying antirheumatic drugs)　249,253
DNA ジャイレース　535
L-DOPA(dihydroxyphenylalanine)　43,160
dose-response curve　4
DPP-4 (dipeptidyl peptidase-4)阻害薬　452
Dravet syndrome　183
DSA(dopamine-serotonin antagonist)　91
DSM-5　86,98,115,127
DSS (dopamine system stabilizer)　94

dyslipidemia　459

E

effort angina　297
EGFR(epidermal growth factor receptor)　584
　　EGFR チロシンキナーゼ阻害薬　588
elevated plus-maze test　129
EML4 (echinoderm microtubule-associated protein-like 4)　590
emphysema　405
ENaC(epitherial sodium channel)　355
enterobiasis　559
EP_2 受容体刺激薬　502
EPA(eicosapentaenoic acid)製剤　465
epilepsy　172
ESBL(extended-spectrum β-lactamase)　527
ET-1　326
EZH2 阻害薬　602

F

FD(functional dyspepsia)　426
FEV_1　394,405
FGFR (fibroblast growth factor receptor)阻害薬　595
FGID(functional gastrointestinal disorders)　426
FKBP12 (FK506 binding protein 12)　234,242
FLT3 (Fms-like tyrosine kinase 3, Fms 様チロシンキナーゼ 3)　593,595
FP 受容体　502
FSH (follicle-stimulating hormone)　578
full agonist　7

G

G タンパク質共役型受容体　21
G タンパク質制御 K^+ チャネル　18
GABA (γ-amino butyric acid)　14,117
　　$GABA_A$ 受容体　20,117
　　GABA トランスアミナーゼ　179
GAD (generalized anxiety disorder)　128
G-CSF　345
generalized seizures　173
GFR(glomerular filtration rate)　362
GIP(glucose-dependent insulinotropic peptide)　452
glaucoma　500

GLP-1 (glucagon-like peptide-1)　452
　　GLP-1 受容体作動薬　453
glucocorticoid　215
GLUT2 (glucose transporter 2)　444
GLUT4　450
GnRH (gonadotropin releasing hormone)　378
　　GnRH 誘導体　578
goblet cells　386
gout　468
GSK-3β　108

H

H^+ ポンプ(H^+, K^+-ATPase)　30
H_1 受容体遮断薬　231
H_2 受容体遮断薬　411
HAART (highly active antiretroviral therapy)　545
HDAC(histone deacetylase)阻害薬　600
HDL(high density lipoprotein)　459
heart failure　286
Helicobacter pylori　410
hemophilia　344
HER2 (human epidermal growth factor receptor type 2)　583
　　HER2 チロシンキナーゼ阻害薬　589
histamine　214
HIV (human immunodeficiency virus)　545
HMG-CoA (3-hydroxy-3-methylglutaryl-coenzyme A)　459
　　HMG-CoA 還元酵素阻害薬　461
HSP(heat shock protein)　215
HSV (herpes simplex virus)　540
5-HT(5-hydroxytryptamine)　214
　　$5-HT_1$ 受容体　380
　　$5-HT_{1A}$ 受容体部分刺激薬　133
　　$5-HT_{1B}$, $5-HT_{1D}$ 受容体　204
　　$5-HT_2$ 受容体　334,336
　　$5-HT_3$ 受容体遮断薬　423,427
HTGL (hepatic triglyceride lipase)　459,464
hyperaldosteronism　496
hyperparathyroidism　489
hyperpolarization　13
hyperprolactinemia　493
hypertension　304
hyperuricemia　468
hypnotic　193
hypomania　100
hypoparathyroidism　490
hypopituitarism　494
hypotension　322

I

IκB(inhibitor of κB) 216
IBS(irritable bowel syndrome) 426
ICD-10 127, 209
IDL(intermediate density lipoprotein) 459
IFN γ(interferon γ) 580
IgE 抗体 516
IL(interleukin)-1 252
IL-2 216, 580
IL-4/13 517
IL-6 248, 252
influenza 542
insomnia disorder 115
INSTI(integrase strand transfer inhibitor) 547
interstitial pneumonia 407
inverse agonist 7
IRDS(infant respiratory distress syndrome) 390
ISA(intrinsic sympathomimetic activity) 58
ITP(idiopathic thrombocytopenic purpura) 254

J, K

JAK(Janus kinase) 26, 517, 592
  JAK 阻害薬 243
K^+ チャネル 18, 282

L

LABA(long acting beta agonist) 398, 406
LDL(low density lipoprotein) 459
Lennox-Gastaut syndrome 183
LH(luteinizing hormone) 578
LPL(lipoprotein lipase) 459, 464
LT(leukotriene) 214

M

M2 イオンチャネル阻害薬 543
M_3 受容体 368
MAC(minimum alveolar concentration) 190
major depressive disorder 98
malaria 556
manic state 100
MAO(monoamine oxidase) 46, 163
MARTA(multi-acting receptor-targeted antipsychotics) 92, 96
M-CSF 345
MEK 阻害薬 598
MET 597
  MET 阻害薬 594

Mg^{2+} 依存性アデニル酸シクラーゼ 108
migraine 203
mineralocorticoid 215
MPTP(1-methyl-4-phenyl-1,2,3,6-tetrahydropyridine)仮説 159
MRSA 526
MS(multiple sclerosis) 253
mTOR(mammalian target of rapamycin)1 241
  mTOR 阻害薬 598
MTP(microsomal triglyceride transfer protein) 466
myocardial infarction 297
myoclonic seizure 173

N

Na^+/グルコース共輸送体 32, 454
Na^+ チャネル 18, 276
　――遮断薬 355
Na^+ ポンプ(Na^+, K^+-ATPase) 29
Na^+/Ca^{2+} 交換輸送体 31
Na^+/Cl^- 共輸送体 30, 353
Na^+/K^+/$2Cl^-$ 共輸送体 31, 354
nAChR 19
narcotic analgesics 197
NaSSA(noradrenergic and specific serotonergic antidepressants) 106
NAT(noradrenaline transporter) 45, 105
negative symptom 87
nephrotic syndrome 363
NERD(non-erosive reflux disease) 426
neurofibrillary tangle 150
neurosis 127
NFATc(nuclear factor of activated T cells) 234, 241
NF-κB(nuclear factor kappa-light-chain-enhancer of activated B cells) 216
NK1 受容体遮断薬 423
NMDA(N-methyl-D-aspartic acid)受容体 20, 154
NNRTI(non-nucleoside reverse transcriptase inhibitor) 546
NPC1L1 32, 462
NRTI(nucleoside analogue reverse transcriptase inhibitor) 545
NSAIDs(non-steroidal anti-inflammatory drugs) 218, 253

O

OA(osteoarthritis) 267

OCD(obsessive-compulsive disorder) 129
Oddi 括約筋 439
on-off 現象 169
opioid 199
OROS 91
osteomalacia 491
osteoporosis 261

P

P 糖タンパク質 38
P2X 受容体 21
$P2Y_{12}$ 受容体 334
pA_2 値 8
PAD(peripheral arterial disease) 323
PAH(pulmonary arterial hypertension) 325
Parkinson's disease 159
PARP(poly(ADP-ribose) polymerases) 601
partial agonist 7
partial seizures 172
PCSK9 465
PD(panic disorder) 128
PD-1(programmed cell death 1) 586
pD_2 値 8
pD_2' 値 9
PDE(phosphodiesterase) 22, 208, 290, 399
  PDE3 阻害薬 290, 336
  PDE4 阻害薬 255
  PDE5 阻害薬 325, 375
PDGFR(platelet-derived growth factor receptor) 591
PEF(peak expiratory flow) 394
PG(prostaglandin) 214, 501
  PGD_2 233
  PGE_2 379
  $PGF_{2\alpha}$ 379, 502
pheochromocytoma 497
PI(protease inhibitor) 546
Pneumocystis pneumonia 534
positive symptom 87
postural reflex impairment 160
PPARα 463
PPARγ 451
PSA(prostate-specific antigen) 374
psoriasis 254
psychosomatic disorder 130
PTH(parathormone) 261, 266, 489
PTSD(post-traumatic stress disorder) 129

Q, R

QT延長症候群　272
5R　3
RA(rheumatoid arthritis)　252
RANKL(receptor activator of NF-κB ligand)　261, 265, 587
RARα(retinoic acid receptor alpha)　600
RAS阻害薬　599
RE(reflux esophagitis)　419
REM(rapid eye movement)　114
repolarization　13
resting membrane potential　12
Rhoキナーゼ　144
rigidity　159
RLS　163
ROCK(Rho-associated coiled-coli containing protein kinase)阻害薬　503

S

SABA(short acting beta agonist)　398
SAD(social anxiety disorder)　128
SAH(subarachnoid hemorrhage)　140
schizophrenia　86
SDA(serotonin-dopamine antagonist)　90, 96
senile plaque　150
SERM(selective estrogen receptor modulator)　264
serotonin　214
SERT(serotonin transporter)　32, 104
SGLT2(sodium glucose cotransporter 2)阻害薬　32, 454
SIADH(syndrome of inappropriate secretion of antidiuretic hormone)　358, 494

Sicilian Gambit分類　276
silent ischemia　297
simple partial seizures　172
SLAMF7(signaling lymphocyte activation molecule family member 7)　583
SLCトランスポーター　30
SLE(systemic lupus erythematosus)　238, 251
small airway disease　404
SNRI(serotonin noradrenaline reuptake inhibitor)　105
SSRI(selective serotonin reuptake inhibitor)　103, 134
stable angina　297
ST合剤　534
SU(sulfonylurea)薬　448
subcutaneous mycosis　551
superficial mycosis　551
supraventricular arrhythmia　272
SV2A(synaptic vesicle protein)　181
swan neck変形　252

T

T型Ca^{2+}チャネル　179
tachyarrhythmia　272
TAO(thromboangiitis obliterans)　323
TCA(tricyclic antidepressants)　102
TEN(toxic epidermal necrolysis)　470
tetracyclic antidepressants　103
TG(triglyceride)　459
Th2サイトカイン阻害薬　234, 401
TIA(transient ischemic attack)　140
tinea　518
TNF(tumor necrosis factor)α　247, 252, 426, 451
tonic-clonic seizure　173
toxoplasmosis　534, 556

TP受容体　334
t-PA(tissue plasminogen activator)　141, 340
tremor　159
trichomoniasis　556
TRK(tropomyosin receptor kinase)阻害薬　593
TRPチャネル　19
TSH受容体(TSH-R)　482
TTP(thrombotic thrombocytopenic purpura)　345
TX(thromboxane)　214
TXA_2　233, 330, 334

U

unstable angina　297
URAT(urate transporter) 1　470

V

V_2受容体　358, 487
variant angina　297
vasospastic angina　297
Vaughan Williams分類　276
VEGF(vascular endothelial growth factor)　509, 585, 587
ventricular arrhythmia　272
VLDL(very low density lipoprotein)　459
VMAT(vesicular monoamine transporter)　45
VMAT阻害薬　60
VZV(varicella-herpes zoster virus)　540

W, Y

wearing-off現象　169
WPW症候群(Wolff-Parkinson-White syndrome)　272
^{90}Y　582

新しい疾患薬理学(改訂第2版)[電子版付]

2018年3月30日	第1版第1刷発行
2020年2月20日	第1版第2刷発行
2022年12月25日	第2版第1刷発行
2025年2月1日	第2版第2刷発行

編集者　岩崎克典,徳山尚吾
発行者　小立健太
発行所　株式会社 南江堂
　　　　〒113-8410 東京都文京区本郷三丁目42番6号
　　　　☎(出版)03-3811-7236　(営業)03-3811-7239
　　　　ホームページ https://www.nankodo.co.jp/

印刷・製本　三美印刷
装丁　有限会社 WEELOCH

Practical Pharmacology
©Nankodo Co., Ltd., 2022

定価は表紙に表示してあります．
落丁・乱丁の場合はお取り替えいたします．
ご意見・お問い合わせはホームページまでお寄せください．

Printed and Bound in Japan
ISBN978-4-524-40406-3

本書の無断複製を禁じます．
JCOPY〈出版者著作権管理機構 委託出版物〉
本書の無断複製は,著作権法上での例外を除き禁じられています．複製される場合は,そのつど事前に,出版者著作権管理機構(TEL 03-5244-5088, FAX 03-5244-5089, e-mail: info@jcopy.or.jp)の許諾を得てください．

本書の複製(複写,スキャン,デジタルデータ化等)を無許諾で行う行為は,著作権法上での限られた例外(「私的使用のための複製」等)を除き禁じられています．大学,病院,企業等の内部において,業務上使用する目的で上記の行為を行うことは私的使用には該当せず違法です．また私的使用であっても,代行業者等の第三者に依頼して上記の行為を行うことは違法です．